ERCP

Endoscopic Retrograde Cholangio Pancreatography

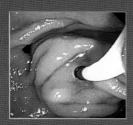
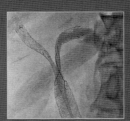
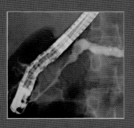
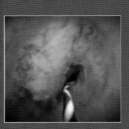

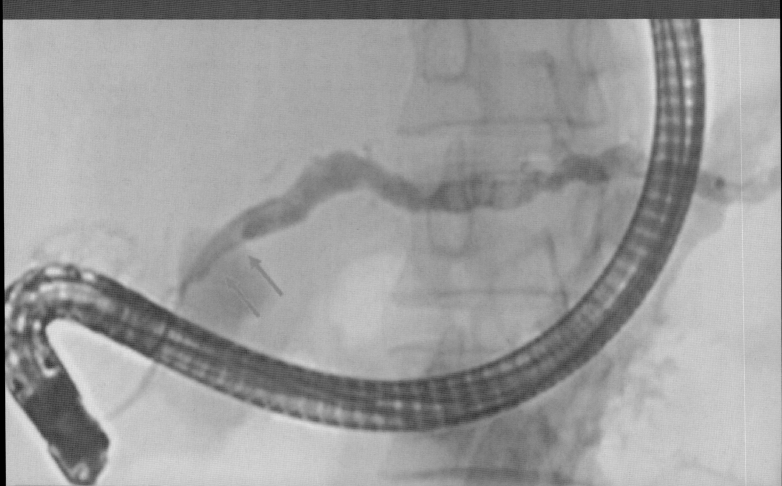

ERCP
Second Edition

둘째판 1쇄 인쇄	|	2022년 04월 15일
둘째판 1쇄 발행	|	2022년 05월 15일
첫째판 1쇄 발행	|	2010년 04월 27일

지 은 이 대한췌장담도학회
발 행 인 장주연
출 판 기 획 김도성
출 판 편 집 이민지
편집디자인 양은정
표지디자인 김재욱
일 러 스 트 이호현
제 작 담 당 이순호
발 행 처 군자출판사(주)
　　　　　등록 제4-139호(1991. 6. 24)
　　　　　본사 (10881) 파주출판단지 경기도 파주시 회동길 338(서패동 474-1)
　　　　　전화 (031) 943-1888　　팩스 (031) 955-9545
　　　　　홈페이지 | www.koonja.co.kr

* 파본은 교환하여 드립니다.
* 검인은 저자와의 합의 하에 생략합니다.

ISBN 979-11-5955-864-1

정가 150,000원

ERCP는 1971년 처음 임상에 소개된 이래 기계기구 및 술기의 발전과 함께 췌장담도질환의 진단과 치료에 중심적인 역할을 담당하고 있습니다. ERCP는 현재 췌관 및 담관 조영술을 얻는 진단적 술기를 넘어 췌장 및 담도의 양성질환과 악성 질환에 대한 다양한 치료에 광범위하게 사용되고 있습니다.

2010년 대한췌장담도학회 주관으로 처음으로 ERCP (Endoscopic Retrograde Cholangiopancreatography)를 발간한 지 어느덧 12년이 되었습니다. 그동안 ERCP 교과서는 초심자뿐만 아니라 전문가에게도 항상 참조하는 교과서로 널리 사랑을 받아왔습니다. 그러나 초판 발간 후 적지 않은 시간이 흘러 현재는 초판 발간 당시와 비교하여 ERCP관련 연구결과가 많이 축적되었고 또 새롭게 개발된 술기 또한 적지 않게 되었습니다. 또한 ERCP 관련 부속기구 기기의 개발과 발전에 따라 ERCP 교과서의 개정판의 필요성에 대한 요구가 증가하였습니다.

ERCP는 비록 일본과 서양에서 시작되었지만 현재 국내 연구자들에 의한 꾸준한 연구와 개발에 힘입어 유두부 거대 풍선 확장술, 다양한 금속 스텐트의 개발 및 세경내시경을 통한 Direct peroral cholangioscopy 등을 통해 우리나라 의사들이 이 분야에서 세계를 선도하고 있습니다. 이번 개정판에서는 이러한 국내의 연구성과와 함께 ERCP관련 새로운 이슈들이 심도있게 다루어졌습니다. 제1부에서는 근래 중요성이 대두되고 있는 감염방지 대책 및 기구의 소독 문제, 방사선 노출 관리 및 질 관리 그리고 표준 판독에 대한 내용이 보강되었습니다. 제2부에서는 유두부 풍선 확장술 및 담도 조직검사 기법, 간문부 악성 협착 배액술 및 경유두 담낭 배액술 등이 새롭게 추가되었습니다. 제3부에서는 급성 췌장염 치료에서 ERCP의 역할이 추가되었습니다. 제4부에서는 Direct POC, Single operator cholangioscopy (SOC) 등의 최신 술기가 자세히 기술되었으며 EUS관련 시술, Radiofrequency ablation 등 다수의 최신 지견이 소개되고 있습니다. 따라서 ERCP 개정판은 현재까지의 ERCP관련 최신 지견을 모두 포함하여 새로이 ERCP에 입문하는 분들뿐만 아니라 전문가도 항상 곁에 두고 참고할 만한 충실한 내용을 담고 있는 교과서로서 가치가 클 것입니다.

아무쪼록 이 책자에서 다루고 있는 내용이 ERCP관련 시술자뿐만 아니라 개발자들에게도 널리 읽혀 ERCP가 더욱 발전되어 췌장담도질환으로 고통받고 있는 분들에게 더 큰 희망이 될 수 있기를 기원합니다.

이 책자가 발간되기까지 현재까지의 방대한 연구성과를 정리하여 귀중한 원고를 집필해주신 저자 분들에게 진심으로 감사드립니다. 또한 개정판을 기획하고 모든 원고를 정리하고 수정, 편집하는 데 많은 수고를 아끼지 않으신 현종진 교수님과 편찬위원분들에게 대한췌장담도학회 회원을 대표하여 깊은 감사를 드립니다.

대한췌장담도학회 이사장

이 홍 식

대한췌장담도학회에서 발간한 ERCP 교과서가 이번에 제2판을 내게 되었습니다. 1판이 나온 후에 벌써 10년 이상의 세월이 흘러서 그동안 빠르게 발전해온 췌장담도계의 내시경 술기에 대한 내용을 다시 정리할 필요성이 생긴 것으로 알고 있습니다. 무엇보다도 우리 학회가 주도적으로 교과서를 집필하고, 또 이렇게 훌륭한 새 판을 낼 수 있어서 매우 기쁩니다. 새삼 아주 오래 전에 우리말로 된 교과서가 없어서 일본이나 미국의 서적을 들여다보았던 기억이 떠오릅니다. 이 지면을 빌어서, 학회와 오랜 시간 자료를 수집하고 최신지견을 잘 정리하여 집필하신 저자 여러분들께 감사와 존경의 인사를 드립니다.

내시경역행담췌관조영술(endoscopic retrograde cholangiopancreatography, ERCP)이 임상에 도입된 지도 50년의 시간이 흘렀습니다. 우리나라에서도 1970년대 초반에 선구자적인 분들의 노력에 의해서 시작되었고, 췌장담도내시경학에 남다른 열정과 애착을 가지신 선배, 동료들에 의해서 지금까지 발전해왔다고 믿습니다. 소화기내시경 시술 중에서도 상대적으로 매우 어렵고 까다로운 시술이 ERCP입니다. 엄격하게 적응증을 지켜야 하며, 신중에 신중을 기해야 하는 검사입니다. 여러 가지 심각한 합병증을 야기할 수 있는 만큼 이제는 진단적인 목적이 아닌, 치료가 검사의 중심이 되었습니다. 지금은 환자의 안전이 가장 우선이 되는 시절입니다. 그런 점에서 본다면, 많은 병원에서 ERCP가 보편화돼서 시행하고 있으나 항상 검사의 표준화와 부작용을 최소화하기 위한 노력을 기울여야 할 줄로 압니다. 제대로 된 교과서가 절실하게 요구되는 이유이기도 합니다.

ERCP는 과거에 우리가 알고 있던 고전적인 시술인 담도결석 제거나 담도스텐트 삽입 등을 넘어서 'ERCP 관련수기'로 그 영역을 넓혀왔습니다. 이번에 본 ERCP 교과서가 새롭게 내용을 개편하게 된 이유도 최근에 눈부시게 발전한 관련수기 때문일 것입니다. 무엇보다도 초음파내시경검사의 발전이 주목할 만하며, 경구담도경검사와 관내 세경초음파검사 등의 첨단 시술도 들어 있습니다. 한편, 우리나라는 여러 가지 수기 중에서도 담도스텐트 삽입술이 세계 제일이라고 자부합니다. 스텐트의 개발과 임상적용까지 가장 뛰어난 업적을 내고 있다는 데는 누구도 이견이 없을 것입니다. 더 많은 연구와 성과를 기대하는 분야입니다.

본 책에서는 기존의 ERCP 시술과 관련한 내용을 기초부터 상세히 다루고 있으며, 검사의 준비단계에서부터 시행과정, 최첨단 치료법인 광역동치료와 고주파열치료에 이르기까지 ERCP에 관한 모든 내용을 집대성하였습니다. ERCP를 처음 시작하는 분이나 많은 경험을 가진 분 모두 이 책 한 권으로 검사에 대해서 필요한 내용을 바로 확인할 수 있도록 되어 있습니다. 잘 정리된 교과서는 그 시대 최고의 학문적 성과나 기술의 수준을 반영한다고 생각합니다. 그래서 ERCP 교과서 제2판의 발간이 더욱 자랑스럽습니다.

끝으로, 책이 나오기까지 물심양면으로 지원해주신 이홍식 이사장님, 현종진 편찬위원장님과 편찬위원 여러분, 그리고 좋은 책을 만들어주신 군자출판사에 감사드립니다. 감사합니다.

대한췌장담도학회 회장
문 영 수

편찬위원장

현종진   고려대학교 의과대학

편찬위원

김재환   서울대학교 의과대학
문성훈   한림대학교 의과대학
오치혁   경희대학교 의과대학
이동욱   경북대학교 의과대학
이재민   고려대학교 의과대학
이희승   연세대학교 의과대학
장동기   서울대학교 의과대학

집필진

2판 집필진

정재복	연세대학교 의과대학	이상수	울산대학교 의과대학
강대환	부산대학교 의과대학	이상협	서울대학교 의과대학
고동희	한림대학교 의과대학	이엄석	충남대학교 의과대학
권창일	차의과학대학교 의학전문대학원	이윤나	순천향대학교 의과대학
김재환	서울대학교 의과대학	이인석	가톨릭대학교 의과대학
김태현	원광대학교 의과대학	이재민	고려대학교 의과대학
김홍자	단국대학교 의과대학	이준규	동국대학교 의과대학
김효정	고려대학교 의과대학	이태윤	건국대학교 의학전문대학원
문성훈	한림대학교 의과대학	이태훈	순천향대학교 의과대학
문종호	순천향대학교 의과대학	이홍식	고려대학교 의과대학
박도현	울산대학교 의과대학	이희승	연세대학교 의과대학
박원석	가톨릭대학교 의과대학	장동기	서울대학교 의과대학
박은택	고신대학교 의과대학	장성일	연세대학교 의과대학
박창환	전남대학교 의과대학	정 석	인하대학교 의과대학
방승민	연세대학교 의과대학	조광범	계명대학교 의과대학
손병관	을지대학교 의과대학	조재희	연세대학교 의과대학
송태준	울산대학교 의과대학	조창민	경북대학교 의과대학
오치혁	경희대학교 의과대학	차상우	순천향대학교 의과대학
유교상	을지대학교 의과대학	천영국	건국대학교 의학전문대학원
윤재훈	한양대학교 의과대학	한지민	대구가톨릭대학교 의과대학
이광혁	성균관대학교 의과대학	현종진	고려대학교 의과대학
이동욱	경북대학교 의과대학		

1판 집필진

강대환	부산대학교 의학전문대학원	**심찬섭**	건국대학교 의학전문대학원
김명환	울산대학교 의과대학	**이규택**	성균관대학교 의과대학
김용태	서울대학교 의과대학	**이돈행**	인하대학교 의학전문대학원
김진홍	아주대학교 의과대학	**이동기**	연세대학교 의과대학
김재선	고려대학교 의과대학	**이성구**	울산대학교 의과대학
김창덕	고려대학교 의과대학	**이종균**	성균관대학교 의과대학
김태년	영남대학교 의과대학	**이홍식**	고려대학교 의과대학
김호각	대구가톨릭대학교 의과대학	**유병무**	아주대학교 의과대학
동석호	경희대학교 의학전문대학원	**윤용범**	서울대학교 의과대학
류지곤	서울대학교 의과대학	**정재복**	연세대학교 의과대학
문종호	순천향대학교 의과대학	**조영덕**	순천향대학교 의과대학
박도현	울산대학교 의과대학	**차상우**	을지대학교 의과대학
박상흠	순천향대학교 의과대학	**천영국**	순천향대학교 의과대학
박승우	연세대학교 의과대학	**최호순**	한양대학교 의과대학
서동완	울산대학교 의과대학		

    10여년 전에 선배 교수님들께서 훌륭한 ERCP 교과서를 만들어 주셔서 많은 후학들이 한글로 된 ERCP 교과서를 보면서 큰 도움을 받았고 지금까지 성장해 올 수 있었습니다. ERCP에 관련된 지식을 총망라하여 집대성한 ERCP 교과서 1판은 췌장담도질환 치료의 중심이 되는 ERCP가 우리나라에서 자리잡는 데 지대한 역할을 해왔습니다.

    이번에 발간하게 되는 ERCP 교과서 2판은 선배 교수님들의 지식과 경험이 담긴 소중한 1판 교과서를 바탕으로 최신 지견을 조금 더 보완하고 새로운 술기 등에 대한 내용을 추가하여 ERCP에 관심을 가지고 시술하시고자 하는 여러 선생님들께 조금이나마 도움을 드리고자 편찬하게 되었습니다.

    ERCP 교과서 2판을 집필하는데 있어서 1판의 소중한 내용과 사진을 흔쾌히 사용하게 허락해주신 ERCP 교과서 1판 집필위원 교수님들께 지면을 빌어 깊은 감사의 말씀을 드립니다. 또한 새롭게 발간된 ERCP 교과서 2판도 시술을 하시는 여러 선생님들께 큰 도움이 되는 책으로 남기를 바랍니다.

편찬위원장 현 종 진 드림

목차

ERCP의 개요

GENERAL CONSIDERATION

SECTION

1

국내 ERCP의 역사

History of ERCP in Korea

정재복 연세대학교 의과대학 명예교수

췌장담도학의 발전은 내시경역행담췌관조영술(endoscopic retrograde cholangiopancreatography, ERCP)의 역사와 밀접한 관련이 있다. 내시경 기기의 진보는 ERCP의 발전으로 이어졌고, 현재 ERCP는 췌장담도질환에 있어 매우 중요한 검사 및 치료방법으로 시행되고 있다. ERCP는 측시형 내시경을 십이지장까지 삽입한 후 도관으로 십이지장 유두부 삽관을 시행하고, 조영제를 담관 및 췌관에 주입한 후 방사선 투시기를 이용해 담관 및 췌관의 이상여부를 확인하는 시술로 질환의 유무를 판단하는 진단목적과 담석제거 등의 치료목적으로 사용된다.

ERCP는 1968년 William S. McCune 등이 내시경선단에 풍선을 장착하여 시행한 것을 처음 보고하였다. 그 후 1969년 내시경선단에 올림장치(elevator) 조작부를 장착한 측시형 내시경기기의 개발로 ERCP가 널리 보급되기 시작하였다. 이후 치료적 접근을 위해 바터팽대부 Oddi 괄약근 절개의 필요성이 대두되었고 1973년 독일의 Classen과 Demling 및 일본의 Kawai가 내시경 유두부괄약근 절개술(endoscopic sphincterotomy, EST)을 시행 발표하였다.

2015년에 발간된 대한췌담도학회 20년사(1995-2015년)에는 대한췌담도학회의 태동 및 성장, 췌장담도질환의 연구와 임상술기의 발전 및 학술활동 등이 비교적 상세하게 기록되어 있다. 저자는 대한췌담도연구회 초창기인 제1대 최흥재 회장과 제 2대 강진경 회장 시기에 총무를 맡아 학회 일을 하여, 여러 가지 상황들을 자세히 기억하고 있으며, 전공의 시절에는 국내 ERCP 초창기에 故 최흥재, 강진경 교수가 ERCP 시술할 때 보조자로서 참여하여 ERCP에 관하여 여러 가지 일들을 경험하였고, 아울러 대한췌장담도학회의 시작이라고 할 수 있는 ERCP 집담회에 시작 시점부터 참여하였다. 이에 저자는 국내 ERCP의 초창기 상황들을 중심으로 기술하고자 한다.

1. 국내 ERCP의 시작

국내에서는 연세대학교 최흥재 교수가 ERCP를 처음으로 시행하였다(그림 1-1). 1973년 7월 16일 전신가려움증을 주소로 내원한 69세 남자에서 Olympus JF-B2 십이지장내시경을 이용한 ERCP를 시행하여 췌장암을 진단하였고, 1976년에는 총 220례의 ERCP증례를 내과학회에 '숙제보고'로 발표하였다. 이후 1978년 12월 19일 치료

목적의 ERCP를 도입하여 강진경 교수가 총담관 결석환자에서 EST를 시행하여 총담관결석에 대한 비수술적 치료로 내시경적인 치료를 시행하였다. 초창기 국내 ERCP의 연구로는 'The normal endoscopic pancreatogram in Koreans'로 대한내과학회 영문잡지에 게재되었고, 미국췌장학회가 제정한 만성췌장염의 진단기준에 인용되었다(그림 1-2). 이후 최홍재 교수 정년퇴임 시에는 최홍재 교수의 뜻과 업적을 기리는 책자인 '내시경적 역행성 담췌관 조영술'이 발간되었다(그림 1-3).

그림 1-1. 1973년 7월 16일 국내 최초로 ERCP를 시술한 故 최홍재 교수와 ERCP 결과 기록지

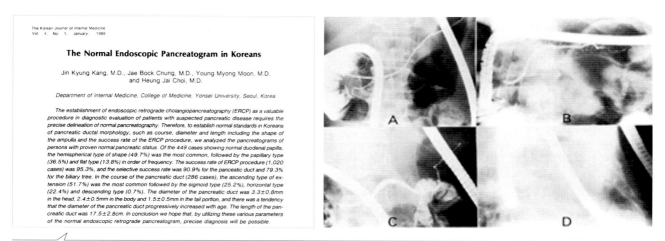

그림 1-2. ERCP 시술 초기에 시행된 연구(The normal endoscopic pancreatogram in Koreans. Korean J Intern Med 1989;4:74–79)와 논문에 게재된 정상 pancreatogram의 유형(A, ascending type; B, horizontal type; C, sigmoid type; D, descending type).

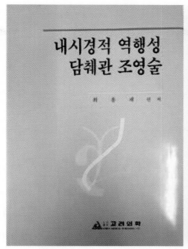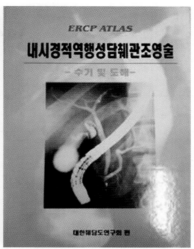

그림 1-3. 故 최흥재 교수 정년퇴임 시 1992년 2월 발간된 국내 최초 ERCP 책자와 대한췌담도연구회에서 첫 번째로 발간한 책자(1999년 3월, ERCP ATLAS: 내시경역행성담췌관조영술 –수기 및 도해–)

초창기 ERCP는 영상의학 X–ray 투시방이 캄캄했고, 투시는 잠시 ERCP 진행을 체크하는 방법으로 조영제가 췌관 혹은 담관으로 들어가는 것을 정확하게 알기가 어려웠다. 조영제를 주사기에 넣어 주입하는 보조자는 전공의가 담당했는데, ERCP 시간이 길어지면 졸기도 하여 조영제를 시술자의 얼굴에 발사하는 일도 벌어지곤 했다.

2. 국내 ERCP시술의 보급과정

초창기 ERCP 시술은 국내에서 대형병원 중심으로만 시행되었는데 시간이 지나면서 ERCP의 중요성이 알려지고, 췌장담도질환의 진단에 필수 검사라는 것이 입증되면서 서서히 ERCP 시술 병원이 늘어나기 시작하였다. ERCP 집담회가 시작되면서 전국 각지에서 열정적인 젊은 소화기내과 의사들이 매달 참석하기 시작하였다. 이후로 전국 각 병원에서 ERCP가 시술되었고 진단 목적뿐만 아니라 치료 목적의 ERCP도 뚜렷하게 증가하였다.

대한췌담도학회 20년사에 기록된 통계를 보면 진단 및 치료 ERCP의 국내 도입과 높아진 관심으로 ERCP 시술 건수는 급속도로 증가하였다. 건강보험심사평가원의 자료에 의하면 ERCP 시술 건수가 2004년 140개 병원에서 약 12,000건이었던 것이 2013년에는 총 47,000건, 2014년에는 총 47,983건으로 급증하였다. 이러한 ERCP 시술 증가는 치료를 위한 ERCP 시술이 급증한 데 따른 것이다. 2009년부터 2014년의 ERCP 시술을 살펴보면, 진단목적의 ERCP 시술이 5개년 간 평균 8천여 건을 웃도는 정도로 건수가 비슷하게 유지된데 비해, 치료 목적의 ERCP 시술 건수는 증가 일변도였음을 알 수 있다. 2009년 26,696건이었던 치료 ERCP 시술이 2013년에는 38,476건, 2014년 39,993건으로 급속히 증가였다. 이처럼 ERCP는 상급종합병원과 종합병원에 필수 장비로 보급되어 췌장담도계 질환의 진단과 치료에 핵심적 역할을 하게 되었다.

윤 등의 연구보고에 의하면 2012년부터 2015년 사이 114,757명의 환자에서 158,038건의 ERCP가 시행되었는데, 진단목적의 ERCP 비율은 전체의 10.55%이었고, 치료목적은 89.45%로 대부분 치료목적으로 ERCP가 시행되었다. 치료목적의 ERCP 건수 비율은 매년 증가하여 2012년 87.01%, 2013년 88.03%, 2014년 90.81% 및

2015년 90.79%로 거의 대부분 치료목적으로 시행되는 것을 알 수 있었다. 시술 병원은 약 2/3가 종합병원 이상의 큰 병원에서 시행되었으나 일부는 소규모 병원에서도 시행되었고, 시술받은 환자의 연령이 점차 고령화되는 경향을 보였다.

3. 국내 ERCP 시술의 발전과정

1970년 이전의 소화기질환의 진단방법에는 위 및 대장 조영술, 경구 담낭 조영술 등이 있었고 상부 소화기내시경검사는 초창기 수준이었다. 따라서 췌장담도질환의 정확한 진단이 어려웠다. 하지만, ERCP의 등장으로 췌장담도질환의 진단에 획기적인 전기가 마련되었다. ERCP 시작시기 ERCP의 역할은 주로 췌장담도질환의 진단목적에 국한되었다. 1970년대 후반 초음파(ultrasound, US), 컴퓨터단층촬영(computed tomography, CT)의 개발과 내시경기기 및 기술의 발달이 잇따르면서 췌장담도질환의 진단 및 치료에 큰 발전이 이루어졌다. 우리나라에는 1977년 CT가 도입되었고, 1978년 US가 처음으로 도입되어 진료에 이용되었으며 자기공명영상촬영(magnetic resonance imaging, MRI)은 1984년 처음 도입되었으나 기초적인 수준이었고, 진료에 본격적으로 이용된 것은 1987년부터이다. 특히 자기공명담췌관조영술(magnetic resonance cholangiopancreatography, MRCP)의 등장은 ERCP의 진단 목적으로의 이용을 획기적으로 줄였다.

ERCP 관련기술 또한 급속도로 발전하였다. 1980년대 후반에는 담즙배액을 위한 내시경 담관배액술(endoscopic retrograde biliary drainage, ERBD)과 경비담관배액술(endoscopic nasobiliary drainage, ENBD)이 국내에 도입되어 시행되었다. 이어서 금속 스텐트를 이용한 담관배액술이 도입 시행되었다.

췌장담도분야의 발전은 의료기술과 기구의 진보와 더불어 가속화되었다고 볼 수 있다. 특히 국내에서 여러 종류의 기구나 스텐트 등을 자체적으로 연구 개발하여, 국내 시술진들은 이 분야를 세계적으로 선도하는 위치에 있다고 해도 과언이 아니다. 이후 1990년대에는 내시경 유두부 풍선확장술(endoscopic papillary balloon dilatation), 내시경유두절제술(endoscopic papillectomy) 등의 고난도 치료목적의 ERCP 연관 시술이 시작되었다.

4. ERCP 배우기

ERCP를 국내에서 처음 시작한 시기에는 비디오내시경이 사용되기 전이어서 내시경기기를 시술자가 혼자 관찰 하면서 검사를 진행하였다. ERCP 시술을 배우기 위해서는 시술자의 내시경에 Lecture scope을 연결해야 시술자의 내시경으로 보이는 위, 십이지장의 관찰이 가능하였다. 또한 투시조영장비가 주변이 어두운 상태에서만 관찰이 가능하여 잠깐씩 방사선 투시 페달을 밟아 췌관 및 담관의 조영 유무를 확인하였다. 그러므로 조영제가 췌관으로 들어가는 지는 초기에는 잘 알 수 없었다. 이에 시술받는 환자가 배가 아프다고 이야기하면 췌관으로의 조영제가 들어가는 것으로 판단하고 투시를 하여 상황을 확인하였다. 이렇듯 ERCP는 배우기 어려워 소화기전공 내과의사들 중에 손재주가 있는 의사들이 시행하는 시술로 생각되었다.

현재 같이 펠로우제도가 없었던, ERCP 초창기에 ERCP를 배우기 위해서는 ERCP를 시행하는 병원에 가서 몇 달씩 ERCP 시술 장면을 관찰하면서 배우는 것이 유일한 방법이었다. 1980년대 이후 우리나라에서 췌장담도분야에 대한 진단 및 치료내시경의 경험과 기술이 꾸준하게 성장하였으며 ERCP 연구회, 대한췌담도연구회 및 대한

췌담도학회를 거쳐 대한췌장담도학회로 발전되는 기간 동안 다양한 학술모임들(집담회, 연수강좌, ERCP Camp, ERCP Live Demonstration 등)이 개최되어 ERCP를 습득하기가 많이 용이해졌다.

5. 국내 ERCP 초기 모임, 학술활동 및 공동연구

대한췌장담도학회의 뿌리는 1990년에 만들어진 'ERCP 연구회'이다. ERCP 연구회는 췌장담도분야에 관심이 있는 의사들이 모여 1990년 설립한 연구모임이었다. 1980년대 당시에 ERCP를 시술하던 강진경 교수, 양웅석 교수, 민영일 교수, 윤용범 교수 그리고 심찬섭 교수 등이 우리나라에도 ERCP 연구회 모임의 필요성을 인식하고, 연구회를 결성하자는 제안을 하였으며, 학술모임으로 ERCP 집담회(준비위원; 심찬섭, 정재복, 김창덕)를 하자고 결정하였다. 1991년 1월 제1차 ERCP 집담회가 순천향대학병원 강당에서 60여 명의 교수들과 젊은 의사들이 모인 가운데 성황리에 개최되었다. 이후 ERCP 연구회는 정기적인 집담회를 통해 연구회의 역량을 강화하고, 1993년에는 제1회 담도계 및 췌장질환 심포지엄을 '췌장의 낭성종양'을 주제로 개최하여 최신지견 및 다양한 증례 경험을 공유하였다.

이후 4년간 38회에 걸쳐 ERCP 집담회를 개최(1991년 1월부터 1995년 2월까지)하였다. 1995년 1월 부산해운대에서 강진경, 양웅석, 민영일, 윤용범, 심찬섭 교수 등이 모여 대한췌담도연구회 창립을 논의하였고, 1995년 2월 제38차 ERCP 집담회에서 회칙을 검토하였으며, 1995년 3월 고려대학교 안암병원 인촌기념관에서 대한췌담도연구회 창립총회와 학술대회를 개최하였다. 1996년 3월에는 대한췌담도연구회지를 창간 발간하였고, 1999년 3월 20일 ERCP 집담회에서 발표되었던 증례를 모아서 책자(ERCP ATLAS: 내시경적역행성담췌관조영술 –수기 및 도해–)를 출간하였다.

대한췌담도연구회는 2007년 4월 21일 한양대학교에서 열린 총회에서 대한췌담도학회로 도약하여, 2011년 4월 대한췌담도학회는 대한의학회 정식학회로 인준되었다. 창립 20주년을 맞은 2015년에는 '대한췌담도학회 20년사'를 발간하였고, 2019년 3월 학회 명칭을 일반 국민들이 이해하기 쉽게 '대한췌장담도학회'로 변경하였다. 학회에서는 2021년 현재까지 학술집담회, 춘추계학술대회 및 국제학술대회 등의 학술활동뿐만 아니라, 여러 행사를 통해 후진 양성에 힘쓰면서, 각종 가이드라인 제작과 국민홍보 활동을 통해 국민건강에 이바지하고 있다.

대한췌담도연구회에서는 국내에서 비교적 이른 시기에 다기관 공동연구를 시작하였는데, 제2대 회장을 역임한 강진경 교수 특유의 리더십으로, 1999년에 첫 번째 다기관 공동연구(Epidemiological study on Korean gallstone disease: a nationwide cooperative study)를 시행하여, 그 결과를 국제학술지에 발표하였다. 2002년 6월에는 'Normal structure, variations, and anomalies of the pancreatobiliary ducts of Koreans: a nationwide cooperative prospective study'가 이루어 졌으며, 2004년에는 대한소화기내시경학회 다기관연구로 만성췌장염 임상연구가 이루어 졌다. 또한 2005년에는 전국적 역학 조사사업인 '간디스토마 감염실태' 역학조사 사업을 실시하여 보고하였으며, 2006년에는 '한국에서의 췌장의 낭성 종양에 관한 다기관 연구' 결과가 발표되었다. 이후에도 이런 전통을 바탕으로 많은 다기관 공동연구들이 시행되었고, 그 결과들이 국제학술지에 게재되어 우리나라 췌장담도학 분야의 위상을 높였다.

학술 저서로는 1999년 3월 20일 'ERCP ATLAS: 수기 및 도해' 출간 이후, '담석증', '췌장염', '췌장암', 'ERCP (Endoscopic Retrograde Cholangio Pancreatography)', 'ERCP Color Illustration', 'Cholangiocarcinoma' 및 'ERCP Color Illustration 2nd Edition' 등이 발간되었다.

6. 결론

1973년 7월 16일 故 최흥재 교수에 의해 국내에서 시작된 ERCP 시술은 48년이 지난 현재 우리나라에서 췌장 담도질환의 진단 및 치료에 필수적인 시술로 자리 잡았다. 국내 ERCP 선구자들의 헌신적인 노력에 의해 국내 모든 지역에서 ERCP 시술이 널리 시행될 수 있었다. 또한 대한췌장담도학회 회원을 비롯한 임원진들의 꾸준하고 열정적인 노력으로 우리나라 췌장담도질환에 대한 진료 및 연구 활동이 세계 수준으로 올라서 있어 회원의 한사람으로 자부심을 느낀다. 향후에도 학회에 관여하는 모든 회원들의 지속적인 노력으로 우리나라 췌장담도분야에 대한 진료 및 연구 수준이 세계를 선도할 수 있기를 기대한다.

참/고/문/헌

1. 강진경. 췌장질환진단에 있어서 내시경적 역행성 담췌관조영술. 대한소화기병학회잡지 1981;13(1):1-5.

2. 강진경, 김경희, 이상인, 문영명, 박인서, 최흥재. 담낭절제술 환자에 있어서 ERCP검사소견. 대한소화기내시경학회잡지 1983;3(1):72-8.

3. 강진경, 김경희, 정재복 등. Peri-Vater Diverticulum 환자에 있어서 ERCP검사 소견 – 담췌장질환 중심으로 –. 대한소화기내시경학회잡지 1984;4(1):40-4.

4. 김원호, 송시영, 정재복 등. 총수담관결석환자에서의 내시경적 Oddi 괄약근 운동검사. 대한소화기내시경학회잡지 1991;11(1):33-41.

5. 김원호, 송시영, 정재복, 강진경, 최흥재. 인공적으로 만든 총담관–십이지장 누공을 통한 내시경적 역행성 담관 조영술 2예. 대한소화기내시경학회잡지 1989;9(2):207-13.

6. 대한췌담도연구회. ERCP ATLAS: 내시경적역행성담췌관조영술 – 수기 및 도해 –. 고려의학, 1999.

7. 대한췌담도학회, 담도학. 군자출판사, 2008.

8. 대한췌담도학회, Cholangiocarcinoma. 군자출판사, 2009.

9. 대한췌담도학회. ERCP (Endoscopic Retrograde Cholangio Pancreatography). 군자출판사, 1991.

10. 대한췌담도학회. 대한췌담도학회 20년사. 도서출판 진기획, 2015.

11. 문영명, 강진경, 최흥재. 내시경적역행성췌관조영술로 확진된 췌장루 1예. 대한소화기병학회잡지 1979;11(2):109-12.

12. 문영명, 정재복, 강진경, 박인서, 최흥재. 초음파검사상 간 echogenecity의 변화와 간생검상 병리조직학적 변화와의 비교관찰. 대한소화기병학회잡지 1985;17(2):439-44.

13. 문희용, 정재복, 송시영 등. 췌장의 낭성병변에서 ERCP의 진단적 의의. 대한소화기내시경학회지 1994;14(2):175-81.

14. 박숭우, 송시영, 정재복 등. 간외 담관암에서 경유두 조직생검과 담즙세포진 병합검사의 유용성. 대한소화기내시경학회지 1999;19(4):588-96.

15. 박승정, 정재복, 문영명, 강진경, 박인서, 최흥재. 내시경적 역행성 췌담관조영술로 진단된 총수담관 낭종 4예. 대한소화기내시경학회잡지 1981;1(1):33-40.

16. 서정훈, 백용환, 김명진 등. 용종모양의 돌출이 있는 십이지장 유두부암 2예: 자기공명담췌관조영술 소견을 중심으로. 대한췌담도연구회지 1997;2(2):179-85.

17. 서정훈, 김명진, 정재복, 문영명, 강진경, 박인서. 간외담관암의 진단에 있어서 자기공명담췌관조영술과 ERCP의 비교. 대한소화기학회지 1998;32(1):87-96.

18. 송시영, 정재복, 한광협 등. 체외충격파쇄석술(ESWL)을 이용한 총수담도결석 치유 1예. 대한소화기내시경학회잡지 1989;8(2):163-6.

19. 송시영, 정재복, 김원호, 강진경, 박인서, 최흥재. 만성췌장염환자에서 내시경적 췌관유두괄약근 운동검사. 대한소화기내시경학회잡

지 1993;13(1):111–9.

20. 심찬섭, 김진홍, 조성원. 악성폐쇄성황달에 대한 내시경적역행성담관배액법(ERBD)의 임상적 평가. 대한내과학회지 1988;35:644–51.

21. 심찬섭, 차미경, 조영덕, 이문성, 김진홍, 조성원. Wallstent를 이용한 ERBD법. 대한소화기내시경학회잡지 1991;11:51–6.

22. 심찬섭, 조영덕, 문종호 등. 악성폐쇄성 황달에서 각종 내시경적 역생성 담관배액법(ERBD)의 비교평가. 대한내과학회지 1998;54:533–41.

23. 이돈행, 송시영, 정재복 등. 총담관 결석에서 풍선을 이용한 내시경적 유두부 성형술. 대한소화기내시경학회지 1998;18(3):333–9.

24. 이돈행, 송시영, 정재복, 문영명, 강진경, 박인서. 악성폐쇄성 황달환자에서 코일형(endocolil) 금속배액관과 플라스틱 배액관의 비교. 대한소화기내시경학회지, 1999;19(2):235–41.

25. 이동기, 이성우, 김승률 등. Billroth–II 위절제술 환자에서 치료 내시경적역행성 담췌관조영술(ERCP). 대한소화기내시경학회지 1992;12:271–7.

26. 이석제, 김문재, 김승민 등. 초음파진단을 이용한 한국인 정상담낭의 크기에 관한 연구. 대한내과학회잡지 1983;26(4):319–23.

27. 이승근, 송시영, 정재복, 강진경, 문영명, 박인서. 십이지장 유두부 종양의 내시경적 절제술: 장기 추적관찰 결과. 대한소화기내시경학회 1998;18(5):671–80.

28. 이천균, 황영웅, 이승근 등. 간외담관결석의 비수술적 치료: 치료방법의 선택. 대한췌담도연구회지1997;2(1):21–30.

29. 이천균, 송시영, 정재복, 문영명, 강진경. 간외담관 결석에서 내시경적 유두괄약근 절개술후 담낭의 예후. 대한췌담도연구회지 1998;3(1):39–44.

30. 오승헌, 허균, 김문재 등. 초음파검사에 의한 췌장암의 진단. 대한내과학회잡지 1983;26(8):820–4.

31. 윤승배, 김정미, 백창렬 등. 내시경적역행성담췌관조영술의 경향 및 특징: 한국의 전국 데이터베이스 연구. Korean J Pancreas Biliary Tract 2021;26(3):186–94.

32. 윤원재, 윤용범, 이광혁 등. 한국에서의 췌장의 낭성 종양. 대한내과학회지 2006;70:261–7.

33. 정재복, 함기백, 오광제, 문영명, 강진경, 박인서. 간외담관의 다발성 유두상 선암 1예: ERCP 소견을 중심으로. 대한소화기내시경학회잡지 1993;13(3):577–9.

34. 정재복, 유효민, 최광준 등. 내시경적 역행성 담췌관 조영술로 진단된 담췌관 합류이상의 임상적의의. 대한소화기내시경학회지 1994;14(1):49–55.

35. 정재복, 강진경, 박인서. 바륨을 이용한 내시경적 역행성 담췌관 조영술. 대한소화기내시경학회지 1994;14(1):111–4.

36. 정재복, 김원호, 송시영, 이동기, 강진경, 최흥재. 내시경적역행성담관배액법(ERBD)을 이용한 악성폐쇄성황달의 치료. 대한소화기내시경학회잡지 1989;21:540–6.

37. 최흥재, 강진경, 박인서. 내시경적 췌관조영–증례보고. 대한내과학회잡지 1973;16:57.

38. 최흥재. 내시경적역행성췌관조영술. 대한내과학회잡지 1976;19(10):839–41.

39. 최흥재. 담도폐색성질환의 내시경진단–내시경적역행성담췌관조영술. 대한소화기병학회잡지 1976;8(1):95–101.

40. 최흥재. 췌장질환의 내시경진단. 대한의학협회지 1978;21(9):754–62.

41. 최흥재, 강진경. 담도 및 췌장질환의 내시경진단. 대한의학협회지 1981;24(7):579–86.

42. 최흥재. 내시경적역행성담췌관조영술. 제1판. 고려의학, 1992. 2. 25.

43. 한기준, 송시영, 정재복, 강진경, 박인서, 성진실. 악성종양에 의한 폐쇄성황달 및 폐쇄 상하부에 담관결석이 동반된 환자에서 coil형 팽창성금속도관(endocoil)삽관을 통한 치료. 대한소화기내시경학회지 1994;14(4):402–8.

44. Bang S, Suh JH, Park BK, Park SW, Song SW, Chung JB. The relationship of anatomic variation of pancreatic ductal system and pancreaticobiliary diseases. Yonsei Med J 2006;47(2):243–8.

45. Bang S, Kim MH, Park JY, Park SW, Song SY, Chung JB. Endoscopic papillary balloon dilation with large balloon after limited sphincterotomy for retrieval of choledocholithiasis. Yonsei Med J 2006;47(6):805–10.

46. Cho YD, Shim CS. Modified membrane–covered self–expandible biliary metal stent. Annual meeting of Korean Society of GI Endoscopy 1998.

47. Chung JB, Lee DK, Kim MW, Kang JK. A case of pancreatico–colo–cutaneous fistula: management guided by endoscopic retrograde cholangio–pancreatography. J Korean Med Sci 1989;4(1):23–7.

48. Chung JB, Yim DS, Chon JY, et al. Analysis of cases of nonvisualized gallbladder by ultrasonography. Korean J Intern Med 1987;2(1);84–9.

49. Chung JW, Chung JB. Endoscopic papillary balloon dilation for removal of choledocholithiasis: indications, advantages, complications, and long–term follow–up results. Gut Liver 2100;5(1):1–14.

50. Chung MJ, Kim HK, Kim KS, Park SS, Chung JB, Park SW. Safety evaluation of self–expanding metallic biliary stents eluting gemcitabine in a porcine model. J Gastroenterol Hepatol 2012;27:261–7.

51. Classen M, Demling L. Endoscopic sphincterotomy of the papilla of Vater and extraction of stones from the choledochal duct. Dtsch Med Wochenschr 1974;99(11):496–7.

52. Conwell DL, Lee LS, Yadav D, et al. American Pancreatic Association Practice Guidelines in Chronic Pancreatitis: evidence–based report on diagnostic guidelines. Pancreas 2014;43(8):1143–62.

53. Jung KS, Jung WJ, KIm DU, Choi CW, Kang DH. Management of occluded biliary uncovered metal stents: covered self expandible metallic stent vs. uncovered self expandible metallic stent. Korean J Gastrointest Endosc 2009;39:149–53.

54. Kang JK, Chung JB, Moon YM, Choi HJ. The normal endoscopic pancreatogram in Koreans. Korean J Int Med 1989;4(1):74–9.

55. Kawai K, Akasaka Y, Nakajima M. Preliminary report on endoscopical papillotomy. J Kyoto Pref Univ Med 1973;82(3):53–5.

56. Kawai K, Akasaka Y, Murakami K, Tada M, Koli Y. Endoscopic sphincterotomy of the ampulla of Vater. Gastrointest Endosc 1974;20:148–51.

57. Kim BU, Goo JC, Cho YS, et al. The efficacy and safety of fully covered self–expandible metal stents in benign extrahepatic biliary strictures. Korean J Gastrointest Endosc 2011;42:11–9.

58. Kim DU, Kwon CI, Kang DH, Ko KH, Hong SP. New antireflux self–expandible metal stent for malignant lower biliary obstruction: In vitro and in vivo preliminary study. Dig Endosc 2013;25:60–6.

59. Kim MH, Lim BC, Myung SJ, et al. Epidemiological study on Korean gallstone disease: a nationwide cooperative study. Dig Dis Sci 1999;44:1674–83.

60. Kim HJ, Kim MH, Lee SK, et al. Normal structure, variations, and anomalies of the pancreatobiliary ducts of Koreans: a nationwide cooperative prospective study. Gastrointest Endosc 2002;55:889–96.

61. Kim HG, Han J, Kim MH, et al. Prevalence of clonorchiasis in patients with gastrointestinal disease: a Korean nationwide multicenter survey. World J Gastroenterol 2009;15:86–94.

62. Kim TH, Kim JH, Seo DW, et al. International consensus guidelines for endoscopic papillary large–balloon dilation. Gastrointest Endosc 2016;83(1):37–47.

63. Lee JH, Kang DH, Kim JY, et al. Endoscopic bilateral metal stent placement for advanced hilar cholangiocarcinoma: a pilot study of a newly designed Y stent. Gastrointest Endosc 2007;66:354–69.

64. Lee KJ, Chung MJ, Park JY, et al. Clinical advantages of a metal stent with an S–shaped anti–reflux valve in malignant biliary obstruction. Dig Endosc 2013;25:308–12.

65. Lee TH, Park do H, Lee SS, et al. Technical feasibility and revision efficacy of the sequential deployment of endoscopic bilateral side–by–side metal stents for malignant hilar biliary strictures: A multicenter prospective study. Dig Dis Sci 2013;58:547–55.

66. Lee TH, Moon JH, Kim JH, et al. Primary and revision efficacy of cross wired metallic stents for endoscopic bilateral stent–in–stent placement in malignant hilar biliary strictures. Endoscopy 2013;45:106–13.

67. McCune WS, Shorb PE, Moscovitz H. Endoscopic cannulation of the ampulla of Vater: A preliminary report. Ann Surg 1968;16:752–56.

68. Moon JH, Choi HJ, Koo HC, et al. Feasibility of placing a modified fully covered self–expandible metal stent above the papilla to minimize stent–induced bile duct injury in patients with refractory benign biliary strictures (with video). Gastrointest Endosc 2012;75:1080–5.

69. Park do H, Lee SS, Moon JH, et al. Newly designed stent for endoscopic bilateral stent–in–stent placement of metallic stents in patients with malignant hilar biliary strictures: multicenter prospective feasibility study (with video). Gastrointest Endosc 2009;69:1357–60.

70. Park do H, Lee SS, Lee TH, et al. Anchoring flap versus flared, fully covered self-expandible metal stents to prevent migration in patients with benign biliary strictures: a multicenter, prospective, comparative pilot study (with video). Gastrointest Endosc 2011;73:64-70.

71. Park SW, Song SY, Chung JB, et al. Endoscopic snare resection for tumors of the ampulla of Vater. Yosei Med J 2000;41(2):213-8.

72. Ryu JK, Lee JK, Kim YT, et al. Clinical features of chronic pancreatitis in Koreans: a multicenter nationwide study. Digestion 2005;72:207-11.

73. Ryu JK, Chung JB, Park SW, et al. Review of 67 patients with autoimmune pancreatitis in Koreans: a multicenter nationwide study. Pancreas 2008;37:377-85.

74. Shim CS, Lee YH, Cho YD, et al. Preliminary Results of a New Covered Biliary Metal Stent for Malignant Biliary Obstruction. Endoscopy 1998;30:345-50.

75. Yoon WJ, Lee JK, Lee KH, et al. A comparison of covered and uncovered Wall stents for the management of distal malignant biliary obstruction. Gastrointest Endosc 2006;63:996-1000.

76. Yoon WJ, Ryu JK, Yang KY, et al. A comparison of metal and plastic stents for the relief of jaundice in unresectable malignant biliary obstruction in Korea: an emphasis on cost-effectiveness in a country with a low ERCP cost. Gastrointest Endosc 2009;70:284-9.

77. Yoon WJ, Ryu JK, Lee JW, et al. Endoscopic management of occluded metal biliary stents: Metal versus 10F plastic stents. World J Gastroenterol 2010;16:5347-52.

ERCP 방 꾸미기

ERCP Room Setting

이엄석 충남대학교 의과대학

내시경역행담췌관조영술(endoscopic retrograde cholangiopancreatography, ERCP)은 췌장담도질환의 진단과 치료에 있어 매우 중요한 역할을 하고 있다. 그러나 ERCP는 출혈, 장천공, 심혈관계질환의 악화 등의 치명적인 합병증을 유발할 수 있는 침습적인 시술이다. 따라서 ERCP가 내재하고 있는 위험도를 최소화하고, 성공적인 시술을 위해서는 의료진의 경험과 ERCP를 위한 전용 검사실 및 시술 보조기구와 환자감시장치의 구비는 필수적이다. 특히 ERCP를 위한 전용 검사실을 보유한다면 시술의 일정 관리가 용이하고, 내시경 시스템을 포함한 시술 장비의 이동을 줄여 장비 손상을 줄일 수 있다. 따라서 의료진은 시술 이외의 문제에 투자하는 노력과 시간을 줄여 제한된 인력으로 시술에 보다 집중할 수 있다.

1. ERCP 방의 구성

2001년 영국소화기학회에서 지역인구 25만 명을 대상으로 운영하는 District General Hospital에서 1년에 약 200회의 ERCP 시술을 시행한다고 예상하였을 때 효율적인 ERCP 시술을 위해 제시한 가이드라인을 바탕으로 이상적인 ERCP 구성 단위(unit)의 구조를 표 2–1에 정리하였다.

표 2–1. **ERCP 구성단위에서의 이상적인 장비**

준비실/회복실	ERCP방	판독실	처치실
이동식침대 3대 활력징후 모니터기기 3대 산소공급망과 흡입관 EMR/OCS를 위한 컴퓨터시스템	투시조영장비 내시경시스템 초음파내시경기기 전기수술기(electrosurgical unit) 활력징후 모니터기기 심폐소생술 카트 산소공급망과 흡입관 EMR/OCS를 위한 컴퓨터시스템	컴퓨터시스템	내시경세척기구

1) ERCP 시술실

시술실 입구에는 방사선 제한구역 표지 및 주의사항 안내문을 부착하며 동선상 외래와 영상의학과에 인접해 있는 것이 좋다. 그리고 방사선 장비가 설치되어 있으므로 방사선 안전성, 시행 빈도, 장비의 위치 및 활용도 등을 고려하여 소화기내시경센터 안쪽 구역으로 배정한다. 검사실의 문은 미닫이문이나 커튼보다는 슬라이딩 도어를 권하고 있으며 커튼은 주기적으로 교체해야 되는 번거로움과 감염전파의 매개체가 될 수 있어 부득이하게 커튼을 해야 되는 공간이라면 항균 방염 처리가 되어있는 커튼으로 교체하는 것이 바람직하다.

내시경실의 출입구는 외래환자와 입원환자를 구분하여 설계하는 것이 추천되며, 그 이유는 감염에 취약한 고령 환자, 면역저하환자 등을 보호할 수 있고 또한 감염 전파의 우려가 있는 환자로부터 보호할 수 있기 때문이다.

ERCP 시술실은 일반 투시조영술을 실시하는 장비 이외에 내시경 시스템이 들어가야 하고, 검사 시에는 시술자와 두 명 이상의 보조 인력이 환자가 누워있는 테이블 바로 옆에서 일해야 하는 점, 검사 시에 필요한 물품과 기구를 손쉽게 이용할 수 있는 선반이나 테이블을 시술자 인근에 위치시켜야 하는 점, 환자가 이동침대를 통해 검사실 안에 들어오고 나가야 한다는 점 등을 고려하면 일반 투시조영실보다 더 넓은 공간을 필요로 한다. 실제로 투시조영장비, 내시경 시스템, 전기수술 전류발생기(electrosurgical unit), ERCP 시술 준비대 등의 장비를 위한 공간과 환자 침대가 원활하게 이동할 수 있을 정도의 공간을 충분히 확보하기 위해서는 시술실의 가로/세로 길이가 6–7×5–6 m 정도가 권고된다.

최근 ERCP 시술과 더불어 초음파내시경 유도하 중재술, 광역동학치료(photodynamic therapy), 스파이글래스 담도내시경 등의 시술도 함께 시행해야 하는 경우가 증가하고 있어 이런 치료를 위한 장비에 대한 공간도 고려하는 것이 필요하다. 예를 들어 공간을 효율적으로 이용하기 위해 검사실 천장에 회전축(ceiling suspension device)을 설치하고, 여기에 투시조영장비 및 내시경 모니터와 방사선 차폐막을 장착하여 사용하면 공간을 효율적으로 사용할 수 있다.

초음파내시경실은 ERCP 시술실과 구분하여 독립적인 공간으로 설치할 수도 있으나 초음파내시경 검사실이 따로 있어도 결국 투시가 필요한 시술의 경우에는 ERCP 시술실에서 이뤄져야 되므로 초음파내시경 검사가 아주 많은 대규모의 병원이 아니라면 ERCP 시술실에 초음파내시경 시스템을 함께 설치하는 것이 합리적이라고 생각된다.

환자 검사대는 시술 중 환자가 안전하게 체위를 바꿀 수 있도록 폭이 최소 75 cm는 되어야 하며, 폭이 좁다면 환자의 낙상우려가 있어 환자의 안전을 위해 보조판을 사용할 수 있다.

모니터는 모니터 화면 상단 3/4 위치가 시술자의 눈높이에 오도록 맞추어야 한다. 시술자들의 키가 같지 않기 때문에 펜던트 거치대에 모니터를 달아 높낮이 및 위치 조절이 가능하도록 하면 시술자들의 편의성과 자세 부담감을 감소시킬 수 있다. 그리고 시술자의 목회전과 근육 강직을 방지하기 위하여 모니터는 환자의 반대편에 시술자의 바로 정면의 검사대 머리에 위치하도록 한다. 모니터는 기본적으로 내시경과 투시영상 모니터가 필요하며, 마지막으로 얻은 영상을 보여주는 제2의 투시모니터가 필요하다. 추가로 환자의 복부영상사진을 볼 수 있는 의료영상 저장 전송시스템(picture archiving communication system, PACS) 모니터가 같이 설치되어 있다면 시술 시 좀 더 편리하고 효율적이다. 또한 환자의 다리 쪽이나 보조간호사의 바로 맞은편에 내시경 모니터를 추가로 설치하면 시술 상황을 파악하기 용이하며, 조정실 내부에도 ERCP 내시경 모니터가 있으면 방사선 기사와 시술 상황도 공유할 수 있다.

활력징후 모니터는 대개 보조 시술의나 간호사 옆에 주 모니터를 하단에 설치하며 내시경 부속기구 전원과 전기수술전류발생기는 일반적으로 내시경의 뒤에 카트나 활대에 같이 위치하게 한다. 추천되는 전형적인 ERCP 방의 배치에 대한 모식도(그림 2–1) 및 실제 국내 병원의 ERCP 시술실 전경사진은 그림 2–2와 같다.

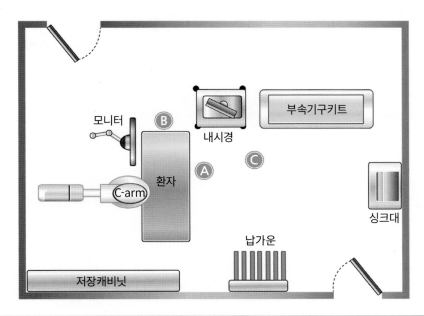

그림 2-1. 전형적인 ERCP 방의 모식도. (A) 시술의 (B) 보조간호사 (C) 보조자 및 수련의(assistant and trainee doctor)

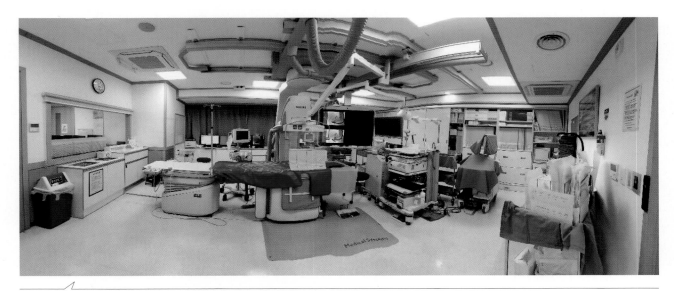

그림 2-2. ERCP 시술실 전경(panoramic review of ERCP room)

2) 전처치/회복실

전처치/회복실에는 ERCP 시술실 하나당 3명의 환자를 위한 침상 공간과 혈압 및 혈중 산소포화도를 측정할 수 있는 기기와 산소공급과 흡인 기구를 준비하는 것이 권고된다. 소화기내시경센터 내의 전처치/회복실을 이용할 수 있다면 모니터링 기구와 전처치/회복실 담당 인력에 대한 추가 투자를 줄일 수 있다. 따라서 전처치/회복실은 소화기내시경센터 내 모든 검사실에서 수월하게 접근할 수 있도록 중앙에 배치하는 것이 좋다.

3) 판독/리뷰공간

ERCP는 시술의 외에도 시술을 보조하는 간호사, 투시조영을 담당하는 방사선사가 한 팀을 이루어 진행된다. 따라서 시술 전, 후에 환자 증례를 검토하고 시술 계획을 수립하며 이를 간호사 및 방사선사와 공유해야 효율적인 검사 진행을 도모할 수 있다. 그러므로, 투시조영 조정실과 연결된 공간에 PACS 시스템, 처방전달 시스템(order communication system, OCS), 전자의무기록(electronic medical record, EMR)과 연결된 컴퓨터시스템이 필요하다.

4) 세척실

세척실은 검사실과 구별된 공간으로 효율적인 업무 동선을 위하여 회복실과 더불어 내시경 센터의 중앙에 배치하는 것이 좋으며, 세척 후 소독된 내시경의 재오염을 예방하기 위해 소독실 내의 이동경로를 청결구역과 오염구역으로 구분하여야 한다. 또한 최근 내시경 관련 감염관리가 강화되고 병원인증평가 항목에 포함되면서 ERCP 검사실에서 세척실까지 내시경 장비의 이송은 교차감염을 피하기 위하여 검사 전, 후 내시경 기구가 이동하는 동선이 달라야 한다.

2. ERCP 검사실 장비

1) 투시조영장비 시스템

투시조영장비 시스템은 ERCP 검사실 장비 중 가장 중요한 장비로, 조영제 주입과 췌관이나 담관 내로의 부속기구들의 사용에 필수적이다. 투시조영장비 시스템은 각 제조사마다 방사선 발생장치의 위치 및 형태가 다르게 다양하게 출시하고 있어 장비의 장단점을 고려하여 어떤 종류의 투시조영장비 시스템을 설치할 것인지 결정해야 한다.

투시조영장비 시스템은 X-ray 발생장치가 환자의 위에 있는지 또는 아래에 있는지에 따라서 over-tube type (over-the couch)과 under-tube type (under-the couch)으로 나눌 수 있다.

Over-tube type(그림 2-3A)은 테이블 천판이 넓어 다른 방식의 장비에 비해 환자의 안전사고 예방에 유리하며 높낮이 조정이 용이하여 환자를 옮기거나 내릴 때 편리하다. 그리고 환자 검사대의 모든 면에서 시술보조자의 접근이 가능하며 설치 시 공간을 적게 차지하는 장점이 있다. 반면 비스듬한 각도(oblique angle)의 영상촬영이 불가하며 디텍터와 환자의 몸 간격이 넓어 의료진이 받는 노출선량이 증가하게 된다.

Under-tube type(그림 2-3B)은 디텍터를 환자의 몸에 최대한 가깝게 붙여 촬영이 가능하여 over-tube type에 비해 의료진이 받는 노출선량이 적은 장점이 있으나, 원격 조정이 불가하여 시술자가 직접 장비를 움직여 보고자 하는 영역으로 이동하여야 하고 over-tube type처럼 oblique angle의 영상촬영이 불가하다.

최근에 가장 선호되고 있는 C-arm type의 투시장비는 under-tube type의 한 형태로 환자검사대가 C-arm과 고정되어 있는 일체형과 분리되어 있는 분리형으로 나누어진다. C-arm type은 회전(rotation)이 가능하여 다양한 각도의 영상 촬영이 가능하며 ERCP 시술 시 환자 체위를 측와위(Lt lateral decubitus)로 해도 복위(prone position)자세로 한 것과 동일한 담도조영사진(cholangiogram)을 얻을 수 있으며 측시경에 의해 담도가 가려지는 경우 적절한 회전과 기울이기(tilting)를 통해 가려진 부위를 잘 관찰할 수 있는 장점을 가지고 있다. 그러나 장비 특성상 설치 시 공간을 많이 차지하며 영상증강장치가 다른 장비에 의해 방해되지 않고 작동될 수 있도록 환자

검사대 주위의 공간이 충분해야 한다. 그리고 디텍터의 크기가 작아 자주 움직여서 검사를 진행하여야 하는 번거로움이 있으며 C–arm의 움직임을 위해 테이블 천판이 작게 제작되어 환자를 케어하기가 불편할 수 있다.

　일체형 C–arm type의 경우 테이블 천판이 C–arm과 같이 움직여 tilting이 가능하나 테이블의 높낮이 조절이 안 되어 환자를 이동시키기에 불편하고 table arm이 환자의 머리 쪽에 위치하여 시술보조자들이 보조하는 데 불편함이 있다. 다만 지멘스(Simens)사의 경우에는 table arm이 환자의 다리쪽에 위치한다(그림 2–3C). 반면 분리형의 C–arm type(그림 2–4D)은 환자테이블이 C–arm과 분리되어 있어 테이블의 높낮이 조절이 가능하며 시술보조자의 보조시에도 불편함이 없어 ERCP 시술실용으로는 분리형의 C–arm type이 유용하다고 할 수 있겠다. 그리고 일체형, 분리형 C–arm type은 기본적으로 테이블에서 조정하도록 되어있으며 원격조정을 원하는 경우 옵션항목으로 추가해야 한다.

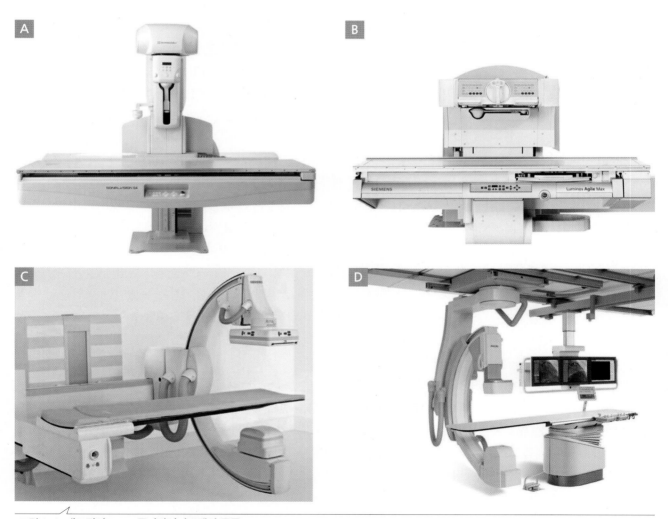

그림 2–3. 대표적인 X-ray 투시장비시스템의 종류
(A) SONIALVISION G4, Shimadzu (B) Luminos Agile Max, Siemens (C) Artis Zee MP, Siemens (D) Allura Xper FD20, Philips

2) 내시경

영국소화기학회의 가이드라인에서는 1년에 200례의 ERCP를 시행할 경우 3대의 십이지장경을 보유하는 것을 권고하고 있다. 그러나 국내 대부분의 병원에서는 영국가이드라인에서 권고한 십이지장경 보유 기준을 충족시키지는 못하고 있어 보유하고 있는 십이지장경에 대한 주의 깊은 관리가 필요하고, 특히 시술 후 내시경 세척을 위해 내시경실의 세척실까지 이동해야 하는 경우에는 운반 중에 파손되지 않도록 견고한 운반용 카트를 제작해서 사용하는 것이 바람직하다.

초음파내시경(EUS endoscope)의 권고 보유수량 및 종류에 대한 가이드라인은 없는 상태이나, 저자가 판단하기로는 세척 시간을 고려할 때 최소 2대 이상의 EUS endoscope을 보유하는 것이 필요할 것으로 생각되며 방사형초음파내시경(radial EUS)과 선형초음파내시경(linear EUS)을 모두 구비할 수 없다면 선형초음파내시경만 갖추는 것이 좋을 것으로 판단된다.

3) 부속기구

ERCP 시술에서 내시경 부속기구들은 필수적으로 매 ERCP 시술 시마다 필요한 경우 사용할 수 있도록 항상 준비해야 한다. 내시경 부속기구들의 보관을 위해서 운반용 카트를 이용하거나 ERCP 시술실 내의 캐비넷이나 선반을 이용할 수 있다. 부속기구들은 반드시 명확하게 표시(꼬리표 부착 등)를 하여 시술 중에 신속하게 사용할 수 있게 해야 하며, 규칙적으로 목록을 새롭게 갱신하여 특별한 시술에 필요한 부속기구가 준비되지 않는 등의 문제점이 발생하지 않도록 해야 한다.

ERCP 시술 중 사용하는 전기수술전류발생기에는 몇 가지 종류가 있는데 ERCP 시술 시에는 단극형(monopolar) 회로 형태의 전기수술 전류 발생기에서 생성된 전류를 투열선(diathermy wire)에 통과시켜 사용하고 있다. 이 형태 중 최근에 많이 사용되고 있는 Erbe 전류 발생기는 일정한 출력 대신에 전압을 일정하게 유지시킴으로써 조직의 열손상을 최소화시키는 방식으로 특히 Erbe의 Endocut 모드는 낮은 전압에서 조직 절개를 시작하고, 이후 일정한 전압을 유지하면서 응고파형이 주로 흐르고 일정 간격을 유지하면서 절개파형이 작동하면서 절개가 일정한 속도로 진행된다. 따라서 절개 효과가 점진적이므로 절개 범위가 예측 가능하고 전반적인 열손상이 적게 나타난다. 합병증의 발생 빈도를 조사한 한 연구에서 중증의 출혈의 빈도를 줄이지는 못했지만 괄약근의 갑작스런 절개와 경증 출혈의 빈도를 줄일 수 있음을 보고하였다. 또한 국내 한 연구에서도 중등도 이상의 출혈을 줄일 수 있음을 보고하였다.

4) 환자상태 감시 장치 및 심폐소생술 기구

지금까지 보고된 연구결과에 따르면 ERCP연관 심폐합병증 빈도와 사망률은 각각 0.2–2.3%, 0.03–0.17%로 낮은 편이다. ERCP는 대부분 진정제를 사용하여 시술 하는 경우가 많기 때문에 환자를 감시할 수 있는 감시장비(심전도, 산소포화도 측정기, 혈압계)와 산소를 공급할 수 있는 장비, 구강흡인기구, 안정제에 대한 길항제, 응급상황시 심폐소생술을 위한 응급처치장비 등을 갖추고 있어야 한다. 심폐소생술 카트의 경우 가급적이면 ERCP 시술실에 보유하는 것이 바람직하겠으나, 그러지 못한 경우에는 ERCP 시술에 따른 심폐 합병증의 위험도가 높은 고령이나 심폐 기능이 저하된 환자를 시술하는 경우에 장비를 비치하고 시술을 진행해야 한다.

3. 방사선 보호장비 및 차폐막

ERCP는 담관과 췌관을 관찰하기 위해 내시경과 방사선학적 기술을 병용하는 침습적 검사법으로 ERCP에 참여하는 의사, 간호사 및 보조자는 방사선에 필연적으로 노출이 된다.

대한췌장담도학회에서는 ERCP 주시술자와 보조시술자 모두 납옷과 갑상선보호대 및 납안경을 착용할 것을 권고하고 있다. 또한, 시술자와 환자 사이에 납으로 구성된 차단막을 설치하여 높은 에너지의 산란파를 방호할 것을 권고하고 있다.

1) 방호가운(납가운)

투시조영실의 모든 종사자는 편안하고 잘 맞는 보호용 앞치마를 입어야 하며, 갑상선보호대와 납으로 된 안경도 환자와 가장 밀접해 있는 종사자는 착용하는 것이 바람직하다. 납가운은 시술 중에 뒤로 돌아설 수가 있기 때문에 반드시 몸체를 한번 돌릴 수 있는 가운이나 치마형태가 좋다. 형태적으로는 일체형보다는 상의와 하의로 나뉘어 착용하는 two piece형이 더 효과적이며 납당량이 0.5 mmPb 이상에서는 발생하는 산란선의 97%를 감쇄할 수 있다. 그리고 무게가 가볍고 부드러운 일체형의 경우에 허리 벨트를 착용하면 하중을 척추와 골반에 효과적으로 분산시켜서 근골격계 부작용을 줄일 수 있는 것으로 알려져 있다.

최근에는 납 재질의 가운과 동일한 방사성 차폐율을 가진 무납 방사선 차폐복(lead free X-ray apron)이 보편화되어 사용되고 있으며, 이는 무게가 가볍고 부드러운 재질로 만들어져서 납재질의 방사선 차폐복보다 오래 사용이 가능하며 보관이 쉽다는 장점이 있다.

방사선 방호 가운은 방사선이 미치지 않는 ERCP 방 밖에 비치하여 입고 들어갈 수 있도록 해야 하며, 접히거나 구겨지면 균열이 발생하여 방호 효과가 떨어질 수 있으므로 전용 보관 옷걸이에 접히지 않게 수직으로 보관하여야 하며 1년에 한번씩 상태를 점검해야 한다.

2) 갑상선보호대

갑상선은 확률적 영향에 의해 손상받는 장기이므로 연간허용 유효선량의 기준은 없다. 따라서 방호 보호대를 착용하는 것만이 방사선 피폭에 의한 위험을 줄일 수 있는 유일한 방법이라 할 수 있겠다. 갑상선 방호 보호대를 사용하면 연간 총 신체유효선량의 46% 정도를 줄일 수 있다고 알려져 있어 갑상선 보호대는 갑상선 자체 보호는 물론 전신 유효선량을 줄이기 위해 반드시 사용하여야 한다.

3) 방사선 방호안경

수정체는 방사선에 가장 취약한 인체 조직의 하나로 이온화 방사선에 노출될 경우 백내장이 발생할 수 있으며 방사선 피폭으로 인한 백내장은 누적 노출량이 2 Gy 이상이 되면 잠복기만 다를 뿐이지 거의 모든 경우에 발생한다고 알려져 있으므로 납 안경을 착용하여야 한다. 또한, ERCP 시술 시 모니터를 보기 위해 머리나 몸통을 돌리는 경우가 흔하므로 측면 보호대(side panel)가 있는 안경을 착용하거나 고글 형태의 안경을 착용하는 것이 방사선 방호 효과가 높다.

4) 방사선 차단막

납으로 된 커튼이나 차단막 같은 방호 장비는 개인 방호 장비로 보호가 되지 않는 사지나 두경부의 방사선 피폭을 효과적으로 줄일 수 있는 것으로 알려져 있으므로 개인 방호 장비 착용 외에도 차단막과 같은 이차 방호장비 설치에도 관심을 가져야 한다.

X-ray 투시조영장비 시스템에 따라서 방사선 차단막을 설치해야 하는 위치가 달라지는데 over-tube type 시스템의 경우 환자의 몸을 포함하는 윗부분에, under-tube type 시스템의 경우 아래 부분에 설치되어야 한다. 아울러, ERCP 방 바깥쪽에는 방사선 위험지역임을 표시하는 표지판을 설치하고, 눈으로 알아볼 수 있는 경고등을 설치하여 방사선 방호가 안 된 사람이 시술 중에 들어오는 것을 방지하여야 하며, 임신 가능성이 있는 환자는 이를 고지하도록 하는 포스터 등을 붙여 놓는 것이 권장된다.

4. ERCP 시술실 인력

ERCP는 시술자인 췌장담도내시경전문의뿐만 아니라 시술 보조자인 수련의, 간호사, 방사선사가 한 팀을 이루어 진행되고 이들 모두의 경험, 실력 및 유기적인 협조가 필요하므로 인적 구성이 효율적인 시술을 위한 매우 중요한 요소이다. ERCP 시술실 내의 이상적인 인적 구성은 시술자인 췌장담도내시경전문의 1인, 시술 보조 및 시술 환자 상태를 파악하는 소화기 수련의 또는 내과 전공의 1인, 시술 보조 간호사 2인 및 간호조무사 1인, 방사선사 1인이 이상적인 최소한의 인원이다.

5. 기타

1) ERCP 시술에 관여하는 모든 직원은 방사선량계(dosimeter)를 착용하여야 한다. 방사선량계는 방사선량계를 지급받은 사람과 관련이 없는 산란방사선이 기록되는 것을 방지하기 위하여 시술 방밖에 보관한다. 방사선량계는 관련되는 직원이 각 시술 중에 잊지 않고 착용할 수 있도록 편리한 곳에 비치하여야 한다.
2) 시술 중 사용하는 약물은 필요할 때 쉽게 사용할 수 있도록 준비하여야 하며, 각 환자에게 사용되는 진정제 약물은 항상 중앙약품 보관소에서 점검하여야 한다. Atropine, naloxone, flumazenil 등과 같은 응급약물은 필요한 경우 즉시 사용할 수 있도록 준비를 철저히 해 놓아야 하며, 응급상황에서 사용이 지연될 수 있게 하는 잠금장치가 된 곳에 보관해서는 안 된다.
3) 안전하고 쾌적한 내시경실 환경을 유지하고 미생물의 증식을 예방하기 위해 공인된 기준의 공기조화와 환기시스템을 갖추도록 한다.
4) *Clostridium difficile* 등과 같은 아포를 형성하는 세균에 오염되었을 경우 물 없이 사용하는 알콜 성분의 겔(gel) 타입의 손소독제 만으로는 미생물의 제거되지 않기 때문에 물과 비누로 손을 씻어야 한다. 따라서 ERCP 시술실 내부나 조정실에 세면대를 설치하는 것이 개인 위생과 환자 안전을 위해 필요하다. 또한 환경 소독 시 10배 희석된 염소계열의 소독제 사용을 권고하고 있으므로 금속 제품의 부식과 가구의 변색을 고려한 소독제를 적용할 수 있는 마감 재료가 사용되어야 하고 호흡기와 피부에 자극이 있으므로 안전을 위한 환기시설도 고려해야 한다.

5) 환자의 움직임을 최대한 억제하고 고정할 수 있는 장비인 이지픽스(EZ-FIX®)를 사용하면 수면약물을 소량 투여할 수 있고, 시술 보조자의 인원도 줄일 수 있는 장점이 있어 고려해 볼만 하다.

6) O₂, Dioxide, Vacuum port를 천정에 설치하되 사용하지 않을 때는 위로 올릴 수 있게 설계하면 공간을 효율적으로 활용할 수 있다.

7) 조정실 출입구가 따로 없으면 시술하는 도중에 시술관련 인력의 이동이 어렵고 시술실을 통해서만 조정실 출입이 가능하므로 조정실 출입구는 따로 있어야 한다.

6. 결론

효과적이고 안전한 ERCP 시술을 위해서는 적절한 검사실과 장비들을 구비하고 이를 효율적으로 활용하는 것이 중요하다. ERCP 시술실은 투시조영장비, 내시경 시스템, electrosurgical unit, ERCP 시술 준비대 등의 장비를 위한 공간과 환자 침대가 원활하게 이동할 수 있을 정도의 공간을 충분히 확보하여야 한다. X-ray 투시조영장비시스템은 고가의 장비가 무조건 좋은 것은 아니며, 각각의 장단점을 잘 파악하여 각 병원의 상황에 맞는 장비를 설치하는 것이 필요하다. ERCP 주시술자와 보조 시술자 모두 납옷과 갑상선보호대 및 납안경을 착용하여야 하며 시술자와 환자 사이에 납으로 구성된 차단막을 설치하여 높은 에너지의 산란파를 방호하여야 한다. 회복실은 소화기센터 내의 공간을 같이 이용하므로 중앙에 배치하는 것이 좋으며, ERCP 시술실에서 세척실까지 내시경 장비의 이동시 교차감염을 피하기 위해 one-way 방향으로 할 수 있도록 설계하여야 한다. 그리고 심폐소생술 카트의 경우 가급적이면 ERCP 시술실에 보유하는 것이 좋으며, 그러지 못한 경우에는 ERCP 시술에 따른 심폐합병증의 위험도가 높은 고령의 환자나 심폐 기능 저하 환자에 대한 시술인 경우에는 반드시 장비를 비치하고 시술을 진행해야 한다.

마지막으로 병원의 규모, 시설, 인력과 환자 수에 따라 이상적인 ERCP 시술실을 구비하는 데에는 다소 어려움이 있을 수 있겠지만, ERCP를 시행하는 의사가 조금만 더 관심을 가지고 주어진 여건에서 최선의 시스템을 구축할 수 있도록 노력한다면 안전하고 효율적인 ERCP 시술실을 만들 수 있을 것으로 생각된다.

참/고/문/헌

1. 대한췌담도학회. ERCP. 군자출판사; 2010. pp. 3-8.

2. 류지곤. Electrosurgical unit의 이용. 대한소화기내시경학회지 2004;28:155-60.

3. 손병관, 이승옥, 이규택, 김재선. Prevention of ERCP-related Radiation Hazard. 대한췌담도학회지 2009;14:35-44.

4. 정우진, 이상수, 이태윤 등. 내시경 유두괄약근절개술에서 자동조절장치(Endocut)와 기존 혼합 절개파의 합병증 비교. 대한소화기내시경학회지 2006;34:256-62.

5. British Society of Gastroenterology. Provision of Endoscopy Related Services in District General Hospitals. Working party report 2001. http://www.bsg.org.uk/pdf

6. Chen MYM, Van Swearingen FL, Mitchell R, et al. Radiation exposure during ERCP: effect of a protective shield. Gastrointest Endosc 1996;43:1-5.

7. Christensen M, Matzen P, Schulze S, et al. Complications of ERCP: a prospective study. Gastrointest Endosc. 2004;60:721-31.

8. Dumonceau J, Garcia–Fernandez F, Verdun F, et al. Radiation protection in digestive endoscopy: European Society of Digestive Endoscopy (ESGE) guideline. Endoscopy 2012;44:408–21.

9. Fisher L, Fisher A, Thomson A. Cardiopulmonary complications of ERCP in older patients. Gastrointest Endosc 2006;63:948–55.

10. Khalil TM, Rosomoff RS, Abdel–Moty EM. Ergonomics in back pain: a guide to prevention and rehabilitation. Van Nostrand Reinhold New York; 1993.

11. Kohler A, Maier M, Benz C, et al. A new HF current generator with automatically controlled system (Endocut mode) for endoscopic sphincterotomy––preliminary experience. Endoscopy 1998;30:351–5.

12. Slivka A, Bosco JJ, Barkun AN, et al. Electrosurgical generators: MAY 2003. Gastrointest Endosc 2003;58:656–60.

환자준비, 동의서, 적응증 및 금기증

Preparation of the Patient, Informed Consent, Indications and Contraindications

유교상 을지대학교 의과대학

내시경역행담췌관조영술(endoscopic retrograde cholangiopancreatography, ERCP)은 다른 소화기내시경 시술과 비교하여 고난도의 술기가 시행되는 침습적인 시술이다. 시술과 연관된 합병증이 발생할 가능성도 상대적으로 높으며 경우에 따라서는 치명적일 수도 있다. 그러므로 시술 전 환자의 준비가 꼼꼼하게 이루어져야 의도한 대로 안전하게 시술을 성공적으로 마칠 수 있다. 다른 소화기내시경 시술과 마찬가지로 ERCP도 시술 전에 ERCP 시술에 대하여 환자에게 충분한 설명을 하고 환자가 시술에 대하여 충분히 이해한 상태에서 동의서를 작성한 이후에 시술이 진행되어야 한다. 또한 적응증과 금기증을 고려하여 적절한 환자를 대상으로 ERCP 시술을 시행하는 것이 불필요한 시술과 합병증을 피할 수 있다. 이 장에서는 ERCP를 위한 환자준비, 동의서와 적응증 및 금기증에 대하여 알아보고자 한다.

1. 환자준비

우선 ERCP를 시행하기에 앞서 대상 환자가 ERCP를 시행해야 할 적절한 적응증 인가에 대하여 면밀하게 검토하여 불필요한 침습적인 시술을 받지 않도록 하는 판단이 매우 중요하다. ERCP의 적절한 적응증에 대해서는 뒤에서 자세히 다루도록 하겠다.

1) 환자의 사전 평가

(1) 병력 청취와 신체 검사

ERCP를 시행하는 환자는 모두 시술 전에 꼼꼼한 병력 청취와 신체검사가 필요하다. 동반 질환은 ERCP 시술과 연관하여 시술 전에 시행해야 할 검사, 진정 방법, 항혈전제의 시술 전 중단이나 유지 여부 등을 결정하는 등 다양한 판단에 영향을 미칠 수 있다. 환자의 기저질환은 중등도 이상의 진정을 시행할 때 합병증의 발생과 연관될 수 있다. 환자의 이전 수술력에 대하여 확인하는 것은 ERCP를 시행할 것인지의 결정과 함께 ERCP를 시행할 경우

수술로 변형된 해부 구조를 이해하는 데 있어서 중요하며, 이는 시술에 필요한 내시경 종류나 부속기구 등을 적절하게 준비하는 데 도움을 주고 시술의 성공 여부와도 연관될 수 있다. 한편 항생제나 조영제 등에 대한 환자의 약물 알레르기 여부도 시술 전에 신중하게 확인해야 한다.

한편 진정 시술과 관련하여 사전에 위험도 평가[미국마취과학회 분류(American Society of Anesthesiologists classification)와 Mallampati score]가 필요하고, 이외에도 미국소화기내시경학회(American Society for Gastrointestinal Endoscopy, ASGE) 진료지침에서는 진정에 영향을 줄 수 있는 병력 청취 항목으로 ① 코골이, 협착음(stridor) 또는 수면무호흡의 병력, ② 약물알레르기, 현재 복용 중인 약물, 약물 상호 작용의 가능성, ③ 진정이나 마취의 유해반응 병력, ④ 마지막으로 음식을 섭취한 시간과 음식물 내용, ⑤ 흡연, 음주 또는 약물 투여 병력 등을 시술 전에 미리 확인하도록 제시하고 있다.

신체검사에는 ① 활력 징후와 체중 측정, ② 심음과 폐음의 청진, ③ 기저 의식상태의 평가, ④ 기도상태 파악 등이 포함된다. 비만(체질량지수 25 kg/m² 이상) 환자에서는 체지방의 비율이 증가하여 프로포폴이나 펜타닐과 같은 지용성 약제의 분포면적이 늘어나 진정에 필요한 약물 요구량이 증가하고, 효과가 오랫동안 지속되어 진정내시경 합병증의 위험성이 증가된다. 가임기 여성에서는 임신 여부를 확인하고 필요시에는 임신반응검사를 시행한다.

(2) 시술 전 검사

환자의 임상 상황과 무관하게 단지 ERCP 시술을 위하여 시술 전 혈액검사를 일률적으로 시행하는 것은 권고되지 않는다. 입원 환자를 대상으로 치료 목적의 ERCP를 시행하는 경우가 대부분인 우리나라의 상황에서는 ERCP 전에 다양한 혈액검사가 이미 시행되어 있는 경우가 많다.

그러나 환자의 특별한 동반질환이나 임상적인 계획에 맞춘 사전검사가 적절한 경우도 있다. 이러한 혈액검사는 환자와 시술의 위험요인에 근거하여 환자별로 개별적으로 적용하여 시행한다. 심폐질환을 가지고 있는 고령의 환자에서는 심전도와 흉부 방사선 검사를 고려할 수 있다.

(3) 영상 진단 검사의 검토

ERCP 시술 전에 환자에게 시행되었던 다양한 영상 진단 검사를 검토하는 것은 중요하다. 영상의학과 판독 결과에서 제공하는 정보 이외에도 시술자 입장에서 시술에 유용할 수 있는 해부학적인 정보를 확인하는데 있어서도 도움이 된다. 때로는 환자의 고유한 해부학적 구조의 특성을 시술 전에 미리 파악하여 시술을 용이하게 해주거나 취약할 수 있는 합병증을 피하는 데에도 도움이 될 수 있다. 특히 자기공명영상(magnetic resonance imaging, MRI)이나 자기공명담췌관조영술(magnetic resonance cholangiopancreatography, MRCP)은 ERCP와 유사한 형태와 수준의 담관과 췌관의 영상정보를 제공해 주므로 이를 통해 ERCP의 진단적 영상을 시술 전에 미리 예측할 수 있을 뿐 아니라 치료 시술을 시행하는 데에도 큰 도움을 얻을 수 있다.

2) 항혈전제의 관리

최근 노령인구가 증가함에 따라 심혈관 및 뇌혈관계 혈전색전질환이나 정맥혈전색전증 등의 질환으로 항혈전제를 투여 받는 환자들이 많아졌다. 이러한 환자에서 ERCP를 시행해야 하는 경우 다른 내시경 시술과 마찬가지로 시술과 연관된 출혈 위험성 때문에 복용하고 있는 항혈전제의 중단을 고려해야 하는 경우가 있다. 임상적으로 문제가 되는 ERCP 연관 출혈 합병증은 거의 대부분 내시경 유두부괄약근 절개술(endoscopic sphincterotomy, EST)을 시행함으로써 발생한다.

내시경 시술을 전후한 항혈전제 투여와 관련된 문제는 내시경 시술에 의한 출혈의 발생 위험성과 이러한 약제들을 중단하였을 경우 발생할 수 있는 혈전색전증의 위험성간의 균형을 유지하는 것이 중요하다. 그러므로 항혈전제를 투여하고 있으면서 내시경 시술이 필요한 환자에서는 시술의 긴급성, 시술의 출혈 위험성, 출혈 위험성에 미치는 항혈전제의 영향, 시술 전후 항혈전제의 중단으로 인한 혈전색전증의 위험성 등을 반드시 고려해야 한다. 경우에 따라서는 시술 전후 항혈전제 관리에 대하여 심장내과나 신경과 의료진과의 협진이 도움이 될 수도 있다.

(1) 항혈전제

항혈전제는 항혈소판제(antiplatelet agents, APAs)와 항응고제(anticoagulants, AC)를 포함한다. 최근에는 다양한 기전의 새로운 항혈전제들이 많이 도입되어 이러한 약물들의 각각의 특성에 대해서도 잘 이해하고 있어야 한다. 다양한 항혈전제의 종류와 작용 시간은 표 3-1과 같다.

① 항혈소판제(antiplatelet agents)

혈소판은 혈전 형성과 지혈 과정에서 중요한 역할을 하며 여기에는 다양한 기전이 관여한다. 항혈소판제는 이러한 기전에 관여하여 혈소판의 응집을 감소시켜 혈전의 생성을 방지하는데, aspirin (acetylsalicylic acid, ASA), P2Y12 수용체 억제제[clopidogrel (Plavix®), prasugrel (Effient®), ticagrelor (Brilinta®), ticlopidine (Ticlid®)], glycoprotein IIb/IIIa 수용체 억제제(GP IIb/IIIa inhibitors) [abciximab (Clotinab®), tirofiban (Aggrastat®), eptifibatide (Integrilin®)], protease-activated receptor (PAR-1) 대항제(Vorapaxar®)와 비스테로이드소염제 (nonsteroidal anti-inflammatory drug, NSAID) 등이 포함된다(표 3-1).

ASA는 cyclooxygenase 억제제로 단독 혹은 다른 항혈소판제와 병용하여 사용된다. 중단 후에 완전한 혈소판기능을 회복하는데 7-9일이 필요하다.

P2Y12 수용체 억제제는 adenosine diphosphate (ADP) 수용체의 P2Y12 성분에 부착되어 GP IIb/IIIa 수용체 복합체의 활성화를 막아 결과적으로 혈소판응집을 감소시키며, 작용 기전에 따라 두 군으로 분류할 수 있다. 첫 번째 군은 비가역적 결합을 하는 전구약물(prodrug)로 ticlopidine, clopidogrel과 prasugrel이 포함된다. 이러한 약물들의 활성화된 대사산물들은 P2Y12 수용체에 비가역적으로 결합하여 ADP의 신호전달을 억제한다. 두 번째 군은 대사되지 않고 직접 P2Y12 수용체에 가역적으로 결합하는 제제로 ticagrelor와 cangrelor가 포함된다. P2Y12 수용체의 가역적인 억제제는 항혈전효과에는 영향을 미치지 않으면서 혈소판 기능 회복과 낮은 출혈 위험성의 이점을 가진다. Clopidogrel과 prasugrel은 중단하면 5-7일 후에 혈소판 기능이 정상으로 회복되는 반면, ticagrelor는 중단 3-5일 후에 혈소판 기능이 정상으로 회복된다. P2Y12 수용체 억제제는 급성관동맥증후군 (acute coronary syndrome, ACS)과 관상동맥 스텐트 삽입 후에 ASA와 함께 이중항혈소판요법(dual antiplatelet therapy, DAPT)으로도 흔히 사용된다.

Cilostazol (Pletaal®)은 PDE3 (phosphodiesterase3) 억제제로 혈소판의 활성화를 억제하고 혈소판 응집을 억제하며, 단독으로 혹은 다른 항혈소판제와 같이 사용된다. 단독으로 사용할 때에는 출혈의 위험성을 증가시키지 않는다. 중단 2일 후에는 혈소판 기능이 정상으로 회복된다. 일본에서 개발된 약제로 일본 가이드라인에서는 내시경 시술에 대하여 ASA와 비슷한 정도의 출혈 위험성으로 ASA와 유사한 지침을 권고하고 있다.

Dipyridamole (Persantine®)은 PDE3-PDE5 억제제로 가역적으로 혈소판 응집을 억제하며 반감기는 12시간, 중단 후 작용 시간은 약 2일이다. ASA와 dipyridamole은 개별적으로는 시술 후 출혈 위험성을 높이지 않으나 일부 고위험 시술에서는 시술 전에 중단해야 한다. ASA와 dipyridamole 복합제(Adinox®)는 시술 후 출혈 위험성을 증가시킨다.

이외의 항혈소판제로 세로토닌 유도 혈소판응집억제제인 sarpogrelate (Anplag®), 선택적 COX–2 억제제인 triflusal (Disgren®), prostaglandin E_1 유도체인 limaprost (Opalmon®), prostaglandin I_2 유도체인 beraprost (Berasil®) 등이 있는데 이들은 모두 반감기가 짧고 투여 중지 후 억제되었던 혈소판의 기능 회복이 신속하여 시술 24시간 전에 중지하면 혈소판 기능이 회복되는 것으로 알려져 있다.

② 항응고제(anticoagulants)

항응고제는 응고의 연속단계를 방해하여 혈액의 응고를 방지하는데, vitamin K 대항제(warfarin), NOAC (novel oral anticoagulants)과 heparin 유도체[미분획헤파린(unfractionated heparin, UFH), 저분자량헤파린 (low molecular weight heparin, LMWH), fondaparinux (Arixtra®)] 등이 포함된다. 비타민 K 비의존 경구 항응고제(non–vitamin K antagonist oral anticoagulants) 혹은 직접 경구 항응고제(direct oral anticoagulants, DOAC)로도 불리는 NOAC은 작용기전에 따라 응고인자 Xa 직접 억제제[rivaroxaban (Xarelto®), apixaban (Eliquis®), edoxaban (Lixiana®)]와 thrombin 직접 억제제[dabigatran (Pradaxa®), hirudins, argatraban (Acova®)]로 나눌 수 있다(표 3–1).

표 3–1. 항혈전제(Modified from Ref. 9)

	제제		작용시간
항혈소판제	Aspirin		7–10일
	Dipyridamole		2–3일
	Cilostazol		2일
	P2Y12 수용체 억제제	clopidrogrel prasugrel ticagrelor ticlodipine	5–7일 5–7일 3–5일 10–14일
	GPIIb/IIIa 억제제	tirofiban abciximab eptifibitide	1–2초 24시간 4시간
	PAR–1 억제제	vorapaxar	5–13일
항응고제	Warfarin (Coumadin)		5일
	응고인자 Xa 직접 억제제	rivaroxaban apixaban edoxaban	5–9시간(반감기) 12시간(반감기) 10–14시간(반감기)
	Thrombin 직접 억제제	Oral: dabigatran IV: desirudin	24시간 IV 2시간(반감기)
	UFH		IV 2–6시간 SQ 12–24시간
	LMWH	enoxaparin dalteparin	12시간 SQ 10–24시간
	Fondaparinux		36–48시간

NOAC은 warfarin과는 달리 작용 발현이 빨라서(1–4시간) 첫 용량 투여 후 3시간 내에 완전한 항응고효과를 나타내며 12–24시간 내에 사라진다. 비교적 짧은 반감기를 가지지만 신부전이 있는 경우에 연장될 수 있으며 특히 dabigatran은 주의가 필요하다.

UFH과 LMWH도 warfarin과 비교하여 짧은 반감기를 가지며 내시경 시술에서 출혈 위험성을 고려하여 warfarin을 일시적으로 중단하여야 할 때 항응고 가교 요법(bridging therapy)으로 이용할 수 있다. UFH는 지속적인 정맥 주사로 투여하므로, warfarin 중단 기간 동안 입원한 상태에서 투여하게 되며 aPTT의 추적관찰이 필요하다. LMWH는 하루 한 번 혹은 두 번의 피하주사로 투여하고, 항응고수준을 추적관찰하지 않고 외래에서도 투여할 수 있다.

(2) 시술에 따른 출혈 위험성

시술과 연관된 출혈 위험성에 따라 소화기내시경 시술은 일반적으로 저위험 시술과 고위험 시술로 분류된다. ERCP에서 발생하는 임상적으로 문제가 되는 출혈은 거의 대부분 EST의 시행과 연관된다. 이에 따라 ERCP와 연관된 시술 중에서는 ERCP 및 스텐트삽입술, EST를 시행하지 않는 유두부 풍선확장술 등은 저위험 시술로 분류되고 담관 혹은 췌관 괄약근 절개술, 유두절제술 등은 고위험 시술로 분류된다.

(3) 환자의 상황에 따른 혈전색전증 위험성

내시경 시술 전에 시술을 위하여 일시적으로 항혈전제를 중단하였을 때 환자에게 발생할 수 있는 혈전색전증의 위험성에 대해서 평가를 해야 한다. 시술을 위하여 일시적으로 항혈전제를 중단하는 것과 연관하여 혈전색전증이 발생할 확률은 항혈전요법의 적응증과 환자 개개인의 특성에 의존된다. 항혈전제 투여의 적응증이 되었던 각각의 동반질환에 따라 혈전색전증의 적절한 위험도 평가가 도움이 될 수 있다.

2021년 발표된 영국소화기학회(British Society of Gastroenterology, BSG)와 유럽소화기내시경학회(European Society of Gastrointestinal Endoscopy, ESGE)의 임상진료지침에서는 P2Y12 수용체 억제제 투여를 중단하였을 때 발생할 수 있는 혈전증의 위험성에 따라 고위험군과 저위험군으로 분류하였다(표 3–2).

또한 같은 임상진료지침에서 warfarin을 중단하였을 때 발생할 수 있는 혈전색전증의 위험성에 대해서도 heparin 가교 요법(heparin bridging therapy)의 필요성을 고려하여 고위험군과 저위험군으로 분류하였다(표 3–3).

한편 비판막심방세동의 혈전색전증의 위험도 평가에는 CHA_2DS_2–VASc index도 이용된다.

2020년 대한소화기내시경학회의 임상진료지침에서는 관상동맥 스텐트 삽입술을 시행받은 환자에서 혈전증의 위험도와 고위험 내시경 시술 시행의 적절한 시기에 대하여 표 3–4과 같이 권고하였다.

표 3–2. P2Y12 수용체 억제제 중단에 따른 혈전증 위험도

High risk of thrombosis	Low risk of thrombosis
Drug eluting coronary artery stents within 12 months of placement	Ischemic heart disease without coronary stents
Bare metal coronary artery stents within 1 month of placement	Cerebrovascular disease
	Peripheral vascular disease

표 3-3. **Warfarin 중단에 따른 혈전색전증 위험도(heparin 가교 요법 필요성에 따른)**

High risk of thromboembolism	Low risk of thromboembolism
Prosthetic metal heart valve in mitral or aortic position	Xenograft heart valve
Prosthetic heart valve and atrial fibrillation	
Atrial fibrillation and mitral stenosis	
Atrial fibrillation with previous stroke or transient ischemic attack+3 or more of: Congestive cardiac failure Hypertension Age>75 years Diabetes mellitus	Atrial fibrillation without high-risk factors (CHADS$_2$<4)
Atrial fibrillation and previous stroke or transient ischemic attack within 3 months	
<3 months after venous thromboembolism	>3 months after venous thromboembolism
Previous venous thromboembolism on warfarin, and target INR now 3.5	

표 3-4. **급성관상동맥증후군 환자에서 고위험 시술의 적절한 시기**

Thrombotic risk	Cardiac event	Management
Very high	PCI within 4 weeks	Defer a procedure
High	PCI between 4 weeks and 6 months	Defer a procedure until >6 months after cardiac event if possible
Moderate to low	PCI >6 months ago or stable coronary artery disease	Perform a procedure Continue aspirin except in ultra-high-risk procedures Withhold P2Y12 receptor inhibitors 5-7 days before the procedure

(4) ERCP 전후 항혈전제의 관리

최근 국내외 여러 학회에서 소화기내시경 시술에 연관된 출혈 위험성과 항혈전제 중단에 따르는 혈전색전증의 위험성을 반영하여 각각의 임상 상황에 맞춘 내시경 시술 시 항혈전제 투여에 대한 권고안을 제시하는 임상진료지침이 발표되었다. ERCP 시술에 있어서도 각각의 구체적인 술기에 따르는 출혈 위험을 고려하여 시술 시 이와 같은 지침을 적용할 수 있다. 실제 임상에서 이런 지침을 적용하는데 있어서 환자에게 특정한 상황이 있는 경우에는 각각의 환자 상황에 맞추어 수정하여 적용할 수 있다. 경우에 따라서는 ERCP 시술 전 항혈전제 중단과 재투여 시점, 고위험 내시경 시술을 시행하는 적절한 시기 등을 결정하는 데 있어 심장내과나 신경과 의료진의 의견이 도움이 될 수 있다. 최근 발표되었던 여러 임상진료지침들의 권고 내용을 정리하면 다음과 같다(표 3-5).

고위험 내시경 시술에서 예전에는 ASA를 중단할 것을 고려하도록 하였으나, 최근 발표된 임상진료지침들에서는 ASA는 EST를 시행하는 ERCP와 같은 고위험 시술에서도 중단하지 않고 시술을 시행하도록 권고하고 있다. 2021년 BSG/ESGE 임상진료지침에서도 내시경 유두절제술을 제외한 ERCP 시술에서 ASA는 유지할 것을 권고하였고, 내시경 유두절제술에서는 혈전과 출혈 위험성에 근거한 각 환자의 상황에 기반하여 ASA의 중단을 고려하도록 제안하였다.

표 3-5. ERCP 시술 전 항혈전제의 관리

			Endoscopy-induced bleeding risk	
			Low	High
CV risk	Low	APA	1. ASA, P2Y12 수용체 억제제 유지 2. DAPT 유지	1. ASA 유지 2. P2Y12 수용체 억제제 5-7일 중단하거나[†] ASA로 교체 　시술 후 출혈 증거가 없으면 가능한 빨리 재투여 3. DAPT 　P2Y12 수용체 억제제 5-7일 중단, ASA는 유지 　시술 후 출혈 증거가 없으면 가능한 빨리 재투여
		AC	1. Warfarin 유지 2. NOAC 유지 혹은 당일 아침 중단*	1. Warfarin 3-5일 중단 　시술 후 출혈 증거가 없으면 당일 재투여 2. NOAC >48시간 중단[§] 　시술 후 출혈 증거가 없으면 재투여[¶]
	High	APA	1. ASA, P2Y12 수용체 억제제 유지 2. DAPT 유지	1. ASA 유지 2. P2Y12 수용체 억제제 5-7일 중단하거나[†] ASA로 교체 　시술 후 출혈 증거가 없으면 가능한 빨리 재투여 3. DAPT 　P2Y12 수용체 억제제 5-7일 중단, ASA는 유지 　시술 후 출혈 증거가 없으면 가능한 빨리 재투여
		AC	1. Warfarin 유지 2. NOAC 유지 혹은 당일 아침 중단*	1. Warfarin 3-5일 중단 2. Heparin 가교 요법[‡] 3. 시술 후 출혈 증거가 없으면 warfarin 당일 재투여 4. NOAC >48시간 중단[§] 　시술 후 출혈 증거가 없으면 재투여[¶]**

APA, antiplatelet agent; DAPT, dual antiplatelet therapy; AC, Anticoagulants; NOAC, novel oral anticoagulant; ASA, acetylsalicylic acid, or aspirin; CV, cardiovascular.

*BSG/ESGE 지침에서는 시술 당일 아침 용량만 투여하지 않도록 권고함.
† Ticagrelor는 3-5일간 중단함.
‡ 혈전색전증 위험이 중등도인 환자에서 heparin 가교 요법의 사용여부와 강도는 각 환자에 따라 개별화하고 환자의 의향도 고려되어야 함.
§ CrCl 혹은 eGFR 30-50 mL/min이고 dabigatran을 투여하는 환자에서는 마지막 용량을 시술 5일 전 투여하도록 권고함.
¶ BSG/ESGE 지침에서는 24-48시간 내 재투여를, ASGE 지침에서는 지혈이 확인될 때까지 재투여를 늦추도록 권고함.
**ASGE 지침에서는 혈전색전증 고위험군에서 12-24시간 이내에 재투여가 시작되지 못하면 heparin 가교 요법을 고려하도록 권고함.

① 저위험 내시경 시술

저위험 시술에서는 단일 혹은 이중 항혈소판 치료에서 항혈소판제를 중단하지 않고 유지할 것을 권고하였다. 또한 저위험 시술에서는 warfarin도 중단하지 않고 지속할 것을 권고하였다. 시술 전에는 prothrombin time (PT)의 INR (international normalized ratio)이 치료 범위를 벗어나지 않는지 확인해야 한다. 저위험 내시경 시술 전 요구되는 INR 수준에 대한 지침은 진료지침에 따라 차이가 있으며, 2018년 발표된 아시아태평양소화기학회(Asian Pacific Association of Gastroenterology, APAGE)/아시아태평양소화기내시경학회(Asian Pacific Society for Digestive Endoscopy, APSDE)의 임상진료지침에서는 시술 전 INR이 3.5를 초과한다면 시술을 연기하도록 권고하고 있다. 대부분의 진료지침에서는 저위험 시술에서 NOAC을 중단하지 않을 것을 권고하고 있으나, BSG/ESGE 진료지침에서는 시술 당일 아침 용량만 투여하지 않도록 권고하였다.

② 고위험 내시경 시술

ASA를 단독으로 복용하고 있는 환자에서 고위험 시술을 시행하는 경우에 ASA는 중단하지 않는 것을 권고하였다.

혈전색전증 저위험군 환자에서 시행되는 고위험 시술에서는 시술 5–7일 전 P2Y12 수용체 억제제를 중단할 것을 권고하였다(ticagrelor는 3–5일 전). DAPT를 받는 환자에서는 ASA는 유지하고 P2Y12 수용체 억제제를 시술 5–7일 전 중단할 것을 권고하였다. 혈전색전증 저위험군 환자에서 시행되는 고위험 시술에서 warfarin은 시술 3–5일 전 중단할 것을 권고하였다. 시술 전 INR은 1.5 미만인 것을 확인해야 한다.

혈전색전증 고위험군 환자에서 시행되는 고위험 시술에서는 ASA는 유지하고, P2Y12 수용체 억제제는 중단의 위험성과 이익에 대하여 심장내과나 신경과 의료진과 협의하도록 권고하였다. 혈전색전증 고위험군 환자에서 시행되는 고위험 시술에서는 warfarin은 일시적으로 중단하고 heparin 가교 요법을 권고하였다.

NOAC을 투여하는 환자에서 시행되는 고위험 내시경 시술에서는 시술 전 48시간 이상 NOAC을 중단할 것을 권고하였다. 크레아티닌 청소율(creatinine clearance, CrCl) [혹은 추정사구체여과율(estimated glomerular filtration rate, eGFR)]이 30–50 mL/min이며 dabigatran을 투여하는 환자에서는 마지막 용량을 시술 5일 전 투여하도록 권고하였다.

③ 항혈전제 투여의 재시작

항혈전요법을 중단하였을 때 고위험 내시경 시술 후 약제를 다시 시작해야 하는 적절한 시점에 대해서는 연구 결과가 거의 없다. 모든 경우에 결정은 시술 후의 출혈위험성과 각 환자의 혈전위험성에 근거하여야 한다. 최근 발표된 여러 임상진료치침에서는 다음과 같이 권고하였다.

내시경 시술 전 P2Y12 수용체 억제제를 중단한 환자에서 시술 후 출혈의 증거가 없으면 P2Y12 수용체 억제제 복용을 가능한 빨리 재개하는 것을 권고하였다. 환자의 임상 상황에 따라서 P2Y12 수용체 억제제의 중단과 재투여 시점에 대해서 심장내과나 신경과 의료진과 협의하는 것이 도움이 될 수 있다. 고위험 시술에서는 P2Y12 수용체 억제제의 재투여가 지연출혈의 위험을 증가시킬 수 있으므로 이에 대한 환자 교육과 의료진의 감시가 필요하다. DAPT를 받는 환자에서도 내시경 시술 전 P2Y12 수용체 억제제를 중단한 경우 시술 후 출혈의 증거가 없으면 P2Y12 수용체 억제제 복용을 가능한 빨리 재개하는 것을 권고하였다.

내시경 시술 전 warfarin을 중단한 환자에서는 시술 후 출혈의 증거가 없으면 warfarin 복용을 가능한 빨리 재개하는 것을 권고하였다. Warfarin은 재투여하였을 때 완전한 항응고효과를 달성하는데 수 일이 소요되므로 시술 후 지연 출혈의 위험성이 낮다면 시술 당일 저녁에 재투여를 시작할 수 있다.

고위험 내시경 시술 전 NOAC을 중단한 환자에서 시술 후 약제 복용을 언제 다시 시작하는 것이 적절한지에 대한 연구 결과는 거의 없다. 그러므로 약제의 중단 기간 및 복용 재개 시점에 대하여 심장내과 또는 신경과 의료진과 협의하는 것이 도움이 될 수 있다. 임상진료지침에 따라서도 이에 대한 권고안이 조금 차이가 있는데 2020년 대한소화기내시경학회 진료지침과 2018년 APAGE/APSDE 진료지침에서는 내시경 시술 전 NOAC을 중단한 환자에서 시술 후 지혈이 확인되고 재출혈의 증거가 거의 없는 경우 NOAC 복용을 조기에 재개하도록 권고하였다. 반면에 2021년 BSG/ESGE 진료지침에서는 warfarin과 비교하여 NOAC의 작용 시간이 빠른 점을 고려하여 고위험 내시경 시술 후 24–48시간 내에 NOAC의 복용을 재개하도록 권고하였다. 2016년 ASGE 진료지침에서도 고위험 시술에서는 지혈이 확인될 때까지 NOAC의 재투여를 늦추도록 권고하였고, 혈전색전증 고위험군에서 고위험 시술 후 12–24시간 이내에 NOAC의 재투여가 시작되지 못하면 혈전색전증의 위험을 줄이기 위하여 heparin 가교 요법을 고려하도록 권고하였다.

3) 진정내시경 준비

(1) 진정 방법의 선택과 진정 전 평가

ERCP 시술은 복잡하고 검사 시간이 오래 소요되어 이로 인하여 환자에게 통증이나 불편함을 초래할 수 있어서 일반적으로 진정상태에서 시술을 시행하게 된다. ERCP의 표준 진정방법으로 정립된 것은 없으나 시술 시간과 시술의 복잡성을 고려하여 보통 일반적인 진단 소화기내시경보다 보다 깊은 수준의 진정을 필요로 하며, 일반적으로 최소한 중등도에서 깊은 진정을 목표로 한다. 시술 전에 미리 적절한 진정 방법을 결정하는 것이 중요하고, ERCP 시술 전 환자의 사전평가에도 진정을 고려한 사전평가 내용이 반드시 포함되어야 한다. 진정에 관한 내용은 4장에서 자세히 다루도록 한다.

(2) 환자 감시 및 응급처치를 위한 장비 준비

진정내시경 시행 시에는 환자의 상태를 감시하기 위하여 기본적인 생체활력 징후를 측정하기 위한 맥박산소측정기, 심전도 감시장치와 같은 기본장비를 반드시 사용해야 하며, 시술 전부터 시술 종료 후 진정 회복 시까지 주기적으로 환자의 의식상태, 심박수, 혈압, 산소포화도를 측정해야 한다. 그러므로 환자의 상태를 감시할 수 있는 장비들을 시술 전에 미리 준비해두고 적절히 작동하는지도 확인해두어야 한다. 또한 시술 중 발생할 수 있는 응급상황이나 합병증에 빠르게 대처할 수 있도록 응급처치를 위한 기구와 약물이 구비된 응급처치용 카트와 제세동기 등도 검사실 안이나 가능한 검사실과 가까운 위치에 반드시 준비해두어야 한다.

4) 시술 전 환자 준비

ERCP는 환자가 입원한 상태에서 시행하는 것이 바람직하다. ERCP 시술 전에 미리 환자 상태를 면밀하게 평가하고 꼼꼼하게 시술을 준비하며, 시술이 시행된 이후에도 시술 연관 합병증의 발생 여부를 주의 깊게 관찰하고 합병증이 발생할 경우 이에 즉시 대처하기 위해서는 환자가 입원한 상태에서 ERCP를 시행하는 것이 바람직하고 안전하기 때문이다.

환자의 전신상태가 양호하고 귀가 후에도 바로 다시 병원을 방문할 수 있는 가까운 지역에 거주하는 환자에게는 외래에서 ERCP를 시행하는 것도 가능하다. 미국 등에서는 외래 기반으로 ERCP 시술을 시행하는 경우도 많으나, 우리나라의 현실은 환자가 담관염이나 황달 등의 증상으로 시술 전에 이미 입원해 있는 경우가 많아서 국내에서는 대부분 입원한 상태에서 시술이 시행되고 있다.

(1) 시술 전 금식

내시경 시에는 인후두 마취와 내시경의 삽입으로 기도 반사가 둔화되기 때문에 기도흡인의 위험성이 증가된다. 일정 시간의 금식은 내시경 시야를 향상시키기 위해서 필요하지만 진정 시에 발생할 수 있는 위 내용물의 폐흡인을 방지하기 위해서도 필요하다. 그러므로 시술 전에 금식 시간과 마지막으로 섭취한 음식물의 종류를 확인해야 한다. 시술 전 금식 시간에 대한 정립된 기준은 없으나, 최근 개정된 미국마취과학회 지침에서는 예정 수술 전 맑은 음료수는 최소 2시간, 우유는 6시간, 가벼운 음식은 최소 6시간 이상 금식이 필요하고, 기름진 음식이나 육류는 위배출시간이 길어질 수 있어 최소 8시간 이상 금식을 권고하고 있다. ERCP 시술 전에는 고형식은 적어도 6–8시간, 맑은 유동식은 1–2시간은 금식을 유지하도록 한다. 위배출 지연이 있는 환자에서는 더 장시간의 금식이 필요할 수도 있다.

(2) 정맥로 확보와 점검

탈수 방지와 시술 연관 합병증에 대비하여 시술 전부터 정맥로(intravenous access)를 확보하여 수액 투여를 시작한다. 정맥로는 합병증이나 응급상황에서의 수액 투여를 고려하여 가능하다면 20 G 이상 직경의 카테터를 사용하여 확보하는 것이 좋다. 시술 중 정맥주사를 다루기 쉽고 환자의 체위변환을 용이하게 하기 위하여 정맥로는 환자의 오른손이나 오른팔에 확보한다. 그리고 시술 도중 정맥로를 잃어버릴 위험성을 줄이기 위하여 진정 유도 직전에 정맥로의 위치, 직경과 함께 정맥로가 적절히 기능을 하는지 여부를 다시 확인해야 한다.

(3) 시술 전 항생제 투여

대규모 연구에서 ERCP 후 감염 발생의 위험성은 약 1%이고, 급성담관염이 가장 흔한 것으로 알려져 있다. 그러나 이전 연구에서 ERCP 시술 전에 일률적으로 항생제를 투여하는 것은 ERCP와 연관된 담관염이나 패혈증의 위험성을 줄이지 못하는 것으로 보고되어 시술 전 일률적인 항생제의 투여는 권고되지 않는다.

담관 폐쇄가 있는 환자에서 담관의 배액이 불완전하거나 불완전한 담관 배액이 예견되는 경우, 면역억제제 투여, 연결이 있는 췌장 가성낭, 경장관 췌장가성낭배액술 등에서는 예방적 항생제의 투여가 필요하다. 그러나 실제 임상에서는 환자가 ERCP 시술 전에 담관염 증상을 동반하고 있는 경우에는 시술 전에 치료 목적으로 이미 항생제를 투여하고 있는 경우도 많다.

(4) 전처치 약물

십이지장의 연동운동을 줄이고 괄약근의 이완을 유도하여 주유두 삽관에 도움을 주기 위해 일반적으로 항콜린제인 scopolamine butylbromide 10–20 mg을 시술 5–10분 전에 근육주사하거나 직전에 정맥주사한다. 최근에는 scopolamine butylbromide을 대체하여 cimetropium bromide 5–10 mg을 투여하기도 한다. 그러나 항콜린제의 부작용이 우려되는 전립선비대, 녹내장, 심혈관질환이 있는 환자 등에서는 사용하지 않도록 한다.

(5) 인후두 국소마취

인후두 국소마취제는 ERCP 시술 중 내시경의 인두부 통과 시에 환자의 구역반사를 억제하고 인후부 통증을 감소시켜 시술을 보다 쉽고 편하게 받을 수 있도록 해준다. 그러나 진정내시경을 시행하는 환자에서는 반드시 필요하지는 않고, 드물지만 기도 흡인이나 폐렴의 위험성이 있다. 마취제로는 lidocaine이 가장 흔히 사용되는데, 일반적으로 분무(스프레이)나 가글링 방법으로 투여되고 효과는 1시간 정도 지속된다. 분무 방법은 10% lidocaine aerosol (10 mg/spray)을 구인두 후벽, 편도기둥, 연구개, 혀의 기저부 등에 2–5회 정도 분무하고 분무 후 1–2분 내에 효과가 나타나게 되며, 사용하기 쉽고 편리하며 효과가 빠른 장점이 있다. 가글링 방법은 고개를 뒤로 젖힌 채로 2% lidocaine (20 mg/mL) 15 mL 정도를 인두 후벽에 머금게 하며 5분 정도 머금고 있으면 효과가 나타나게 된다.

(6) 조영제

ERCP에 사용되는 조영제는 일반적으로 요오드(iodine)를 함유한 수용성 조영제를 사용하는데 생리식염수에 희석하거나 원액을 20 mL 주사기에 준비하여 사용한다. 조영제 주입 시 다루기 쉽고 충분한 양의 조영제를 함유할 수 있어서 20 mL 주사기가 주로 이용된다.

ERCP시 담관이나 췌관 내로 투여된 요오드 성분 조영제의 전신 흡수는 흔히 발생한다. 그러나 직접 정맥 내로 조영제를 주입하는 경우와 비교하여 매우 작은 비율의 요오드가 체순환으로 흡수되어 조영제에 의한 부작용은 매우 드물다. ERCP 시 조영제 부작용의 예방에 대하여 정립된 지침은 없고 이에 대한 대책도 의료기관에 따라 다양한 실정이다. ERCP 시의 조영제 부작용은 드물지만, 부작용에 대해서 방심하지 않고 주의를 기울여야 하고 발생할 경우에는 바로 조치할 수 있도록 준비해 두어야 한다. 조영제 부작용의 위험성이 높은 환자에서는 저삼투질농도 조영제 사용을 고려할 수 있다.

(7) 시술 중 이산화탄소(CO_2)의 이용

ERCP 시술 중 장관 내로 주입되는 기체는 일반적으로 공기를 사용한다. 공기 대신에 ERCP 시술 중 CO_2를 주입하는 것은 일반적인 공기 주입과 비교하여 시술 후 복부 팽만과 통증을 경감시켜 줄 수 있다.

2. 동의서

1) Informed Consent

의료 영역에서 동의서는 informed consent의 원칙으로 작성되어야 한다. Informed consent는 우리말로는 사전동의, 고지된 동의, 고지에 입각한 동의, 알려진(고지) 후의 동의, 충분한 설명(정보)에 기반한 동의 등의 다양한 용어로 사용되고 있으나 informed consent의 진정한 의미를 간결하고도 적절하게 전달하기에는 다소 미흡한 것 같다. 여기서는 충분한 설명에 기반한 동의로 기술하고자 한다. Informed consent는 환자에게 정보를 공개하고 환자로 하여금 이를 이해하고, 평가하여, 특정한 외과 혹은 내과 중재술을 허가하도록 해줄 수 있는 의사의 법적인 요건으로 정의된다. 충분한 설명에 기반한 동의의 가장 중요한 부분은 이성적인 결정을 하는데 필요한 실질적인 정보를 의사가 충분히 공개하는 것과 환자에 의한 자발적인 결정이 합쳐지는 것이다. 여기에는 환자의 자기결정권을 존중하는 의미가 가장 중요하게 담겨 있다. 환자의 자기결정권이 제대로 기능을 다하기 위해서는 의료행위에 대한 필요 충분한 정확한 정보가 의사결정자인 환자에게 제공되어야 한다. 그러므로 의사는 환자가 검사 및 시술에 대해 이해하고 합리적 결정을 할 수 있도록 환자에게 충분한 설명의무를 다하고 이러한 설명에 의해 환자는 자발적인 의지로 자기신체의 처분에 대한 결정권을 행사하여 동의서를 작성하여야 한다.

특히 ERCP는 다른 소화기내시경 시술과 비교하여 합병증의 발생 위험성이 높은 침습적인 시술이므로 이러한 충분한 설명에 기반한 동의 과정이 더욱 중요하다고 할 수 있다. 최근 의료분쟁에서도 의사의 설명의무 준수를 판단하는데 있어서 단순히 환자가 동의서에 서명을 했는지 여부가 아닌 환자의 자기결정권이 존중될 수 있도록 시술 전에 환자에게 구체적인 설명을 하였는지 여부를 중요하게 판단하는 경향이다.

2) 관련 법규

2016년 12월 20일 개정된 의료법 제24조의2에는 설명의무에 관한 규정이 신설되어 2017년 6월 21일부터 시행되었다. 신설된 의료법 제24조의2(의료행위에 관한 설명)에서는 사람의 생명 또는 신체에 중대한 위해를 발생하게 할 우려가 있는 수술, 수혈, 전신마취를 하는 경우 환자에게 설명하고 동의를 받아야 하는 사항(제2항)을 다음과 같이 규정하고 있다.

1. 환자에게 발생하거나 발생 가능한 증상의 진단명
2. 수술 등의 필요성, 방법 및 내용
3. 환자에게 설명을 하는 의사, 치과의사 또는 한의사 및 수술 등에 참여하는 주된 의사, 치과의사 또는 한의사의 성명
4. 수술 등에 따라 전형적으로 발생이 예상되는 후유증 또는 부작용
5. 수술 등 전후 환자가 준수하여야 할 사항

그리고 위 제2항에 따른 설명하고 동의를 받아야 하는 사항들을 환자(환자가 의사결정능력이 없는 경우 환자의 법정대리인)에게 설명하고 서면(전자문서 포함)으로 그 동의를 받도록 하고 있다. 또한 의료기관 인증기준에서도 이러한 의료법에 근거하여 시술 전에 동의서를 받도록 제시하고 있다.

ERCP를 비롯한 내시경 시술도 수술과 마찬가지로, 환자의 생명 또는 신체에 위해를 발생할 우려가 있는 합병증이 발생할 수 있는 침습적인 의료 행위이므로, 이 법규에 따라 반드시 설명하고 서면으로 동의를 받아야 한다. 그러므로 ERCP를 시행하는 의료기관은 자체적으로 이러한 의료법 규정에 따르는 사항들을 모두 포함하는 동의서 서면 양식을 작성하여 사용하여야 하고, 시술 전 환자에게 이러한 내용들을 충분히 설명하고 환자가 시술에 대하여 충분히 이해한 상태에서 동의서를 작성할 수 있도록 해야 한다.

3) 설명의 주체와 대상

설명의무의 주체는 직접 의료행위를 하는 의사가 하는 것이 원칙이지만 처치 행위를 하지 않는 병실 주치의 또는 다른 의사에 의한 설명도 무방하다. 설명의 대상은 의료행위를 받는 환자 자신이(예외적으로 환자가 의식불명인 경우에는 가족들을 대상) 원칙이므로 환자에게 직접 설명을 하고 동의서를 작성해야 하며 미성년자의 경우에는 친권자의 동의를 받아야 한다. 보호자에게만 설명하고 동의서를 받는 것은 환자의 자기결정권을 침해하는 것으로 간주될 수 있다.

4) 설명의 내용

설명에는 앞서 언급한 의료법 제24조의2에서 규정하는 사항들이 모두 포함되어야 한다. 이 중 합병증에 대한 설명은 ERCP가 합병증의 발생 가능성이 높은 침습적인 시술이라는 점을 고려할 때 더욱 중요하다고 할 수 있다. 대법원 판례(대법원 2002. 10. 25. 선고 2002다48443 판결)에서 의사의 설명의무는 그 의료행위에 따르는 후유증이나 부작용 등의 위험 발생 가능성이 희소하다는 사정만으로 면제될 수 없으며, 그 후유증이나 부작용이 당해 치료행위에 전형적으로 발생하는 위험이거나 회복할 수 없는 중대한 것인 경우에는 그 발생 가능성의 희소성에도 불구하고 설명의 대상이 된다고 판시하여 전형적이거나 중대한 합병증은 비록 발생 가능성이 매우 낮다고 하여도 반드시 설명해야 한다.

ERCP 동의서 내용에는 후유증 또는 부작용과 관련하여 적어도 췌장염, 출혈, 감염, 심폐관련 합병증, 알레르기 반응, 천공 등의 합병증에 관한 내용이 포함되어야 한다. 그리고 시술이 성공하지 못할 가능성과 추가의 시술이 필요할 수 있음에 대해서도 환자에게 정보가 제공되는 것이 바람직하고, 중증의 합병증이 발생할 수 있다는 것에 대해서도 설명되어야 한다.

3. 적응증 및 금기증

1) 적응증

원칙적으로 담관이나 췌관의 형태학적인 이상을 가져오는 질환은 모두 ERCP의 적응증이 될 수 있다. 1990년대에는 ERCP의 적응증을 모든 췌장, 담도 질환에서 진단이 확실하지 않은 경우로 폭넓게 적용하기도 하였다. 그러나 최근 MRCP와 초음파내시경(endoscopic ultrasonography, EUS)의 췌장담도질환에 대한 진단 능력이 향상되어 ERCP와 유사하거나 더 나은 진단적인 정보를 제공하게 되면서, 진단 목적으로는 ERCP를 시행하기보다 비침습적인 MRCP나 EUS를 대신 시행하고 ERCP의 역할은 본질적으로 치료적인 목적으로 제한되게 되었다.

이러한 관점에서 ASGE의 2015년 임상진료지침에서도 다음과 같이 권고하였다. ① 췌장, 담관의 영상진단이나 혈액검사 소견의 이상이 없는 경우에 췌장 혹은 담관 통증이 의심되는 환자의 평가를 위하여 진단목적의 ERCP를 시행하지 않도록 한다. ② 담관 폐쇄나 담석의 객관적인 소견이 없이 복강경 담낭절제술 전 일률적으로 ERCP를 시행하지 않도록 한다. ③ 급성 담석성 췌장염의 경우에도 담관염이나 담관 폐쇄가 동반된 경우로 제한하여 ERCP를 시행한다.

표 3-6. **ERCP의 적응증**

A. 담관 폐쇄가 의심되는 황달을 동반한 환자(시술 중 적절한 치료 술기가 시행되어야 한다.)
B. 황달은 동반하지 않으나 췌관 또는 담관 질환을 시사하는 임상, 생화학 또는 영상진단검사 소견을 보이는 환자
C. 영상진단검사(예, 초음파내시경, 복부초음파, 컴퓨터단층촬영, 자기공명영상) 결과가 애매하거나 정상이지만 췌장악성종양을 시사하는 증상 또는 징후가 있는 경우의 평가
D. 원인이 불분명한 췌장염의 평가
E. 만성췌장염 또는 췌장가성낭종 환자의 수술 전 평가
F. 압력 측정법에 의한 Oddi 괄약근의 평가(III형 Oddi 괄약근 기능이상이 의심되는 환자에서는 Oddi 괄약근 압력측정을 시행하든 시행하지 않든 ERCP는 권고되지 않는다.)
G. 내시경 유두부괄약근 절개술 1. 총담관담석 2. 유두부협착 또는 오디괄약근 기능 이상 3. 담도 스텐트 삽입 또는 담도 협착의 확장을 용이하게 하기 위해 4. Sump 증후군 5. 주유두를 침범하는 총담관류 6. 수술 대상이 아닌 십이지장 유두부암 환자 7. 췌관으로의 접근을 용이하게 하기 위해
H. 양성 또는 악성 협착의 스텐트 삽입, 샛길, 수술 후 담즙 누출, 또는 제거가 불가능한 큰 총담관담석을 가지고 있는 고위험 환자
I. 담관, 췌관 협착의 확장
J. 주유두의 풍선확장
K. 경비담관배액관 삽입
L. 적절한 증례에서 췌장가성낭종 배액
M. 췌관 또는 담관에서 조직검사
N. 주유두의 선종성 종양의 유두절제술
O. 담관과 췌관 질환의 치료
P. 담도경 또는 췌관경 검사를 용이하게 하기 위해

ERCP는 시술과 연관된 합병증의 발생률이 높고 경우에 따라서는 중증의 합병증이 발생하여 생명을 위협할 수도 있다는 점을 고려하면, 적절한 적응증이 되는 환자에서 ERCP를 시행해야 하며, 적절하지 않은 적응증에서 시술을 시행하는 것은 환자의 안전을 위협할 뿐만 아니라 중증의 합병증이 발생하는 경우 의료분쟁이 발생할 소지도 높다. 그러므로 ERCP를 시행하기에 앞서 대상 환자의 임상 상황이 ERCP를 시행해야 할 적절한 적응증인지 판단하는 것은 매우 중요하다. 일반적으로 ERCP의 적응증이 되는 경우는 표 3–6과 같다.

2) 금기증

내시경 시술의 일반적인 금기증은 ERCP의 금기증에도 해당된다. ERCP의 금기증은 표 3–7과 같다.

표 3-7. ERCP의 금기증

일반적으로 내시경이 금기인 경우
A. 환자의 건강이나 생명에 미치는 위험이 시술에 따르는 최상의 이득보다도 큰 것으로 판단되는 경우
B. 적절한 환자의 협조나 동의를 얻을 수 없는 경우
C. 장관의 천공이 확인되거나 의심되는 경우
일반적으로 ERCP의 적응증이 되지 않는 경우
A. 담관이나 췌장 질환을 시사하는 객관적인 소견이 없는 불분명한 원인의 복통 평가
B. 담관 질환의 증거 없이 담낭 질환이 의심되는 경우의 평가
C. 입증된 췌장악성종양에서 치료의 변경을 가져오지 않을 추가적인 평가
일반적으로 ERCP가 금기인 경우
A. 시술에 대한 동의를 거절한 환자
B. 내시경의사가 ERCP에 수련이 되어 있지 않거나 부적절하게 수련된 경우
C. 필요한 장비나 부속기구가 구비되지 않은 경우

참/고/문/헌

1. 김명환, 민영일, 이성구. ERCP 역행성 담도췌관 조영술. 일조각; 1993. p. 9.

2. 김창덕. ERCP의 전처치, 적응증, 금기증, 합병증. In: 대한췌담도학회, eds. ERCP. 군자출판사; 2010. pp. 9–20.

3. 대한소화기내시경학회 진정내시경 TFT 위원회. 고난이도 내시경 시술을 위한 진정법: 췌담도 치료내시경. 진정내시경 가이드북. 대한의학서적; 2015. pp. 54–62.

4. 대한소화기내시경학회 진정내시경 TFT 위원회. 환자 평가 및 감시. 진정내시경 가이드북. 대한의학서적; 2015. pp. 12–22.

5. 유교상. Review of medical lawsuit case. Korean J Pancreas Biliary Tract 2008;13:83–7.

6. Adler DG, Lieb JG II, Cohen J, et al. Quality indicators for ERCP. Gastrointest Endosc 2015;81:54–66.

7. American Society of Anesthesiologists Committee on Standards and Practice Parameters, Apfelbaum JA, Agarkar M, Connis RT, et al. Practice guidelines for preoperative fasting and the use of pharmacologic agents to reduce the risk of pulmonary aspiration: application to healthy patients undergoing elective procedures. Anesthesiology 2017;126:376–93.

8. ASGE Standards of Practice Committee, Anderson MA, Ben-Menachem T, Gan SI, Appalaneni V, Banerjee S, et al. Management of antithrombotic agents for endoscopic procedures. Gastrointest Endosc 2009;70:1060–70.

9. ASGE Standards of Practice Committee, Acosta RD, Abraham NS, Chandrasekhara V, et al. The management of antithrombotic agents for patients undergoing GI endoscopy. Gastrointest Endosc 2016;83:3–16.

10. ASGE Standards of Practice Committee, Chathadi KV, Chandrasekhara V, Acosta RD, et al. The role of ERCP in benign diseases of the biliary tract. Gastrointest Endosc 2015;81:795–803.

11. ASGE Standards of Practice Committee, Early DS, Ben-Menachem T, Decker GA, et al. Appropriate use of GI endoscopy. Gastrointest Endosc 2012;75:1127–31.

12. ASGE Standards of Practice Committee, Early DS, Lightdale JR, Vargo JJ, et al. Guidelines for sedation and anesthesia in GI endoscopy. Gastrointestinal Endoscopy 2018;87:327–37.

13. ASGE Standards of Practice Committee, Maple JT, Ben-Menachem T, Anderson MA, et al. The role of endoscopy in the evaluation of suspected choledocholithiasis. Gastrointest Endosc 2010;71:1–9.

14. ASGE Standards of Practice Committee, Pasha SF, Acosta R, Chandrasekhara V, et al. Routine laboratory testing before endoscopic procedures. Gastrointest Endosc 2014;80:28–33.

15. ASGE Technology Committee, Enestvedt BK, Kothari S, Pannala R, et al. Devices and techniques for ERCP in the surgically altered GI tract. Gastrointest Endosc 2016;83:1061–75.

16. ASGE Technology Committee, Lo SK, Fujii-Lau LL, Enestvedt BK, et al. The use of carbon dioxide in gastrointestinal endoscopy. Gastrointest Endosc 2016;83:857–65.

17. Axon ATR. Throat Spray, sedation or anaesthetic? Digestion 2010;82:77–9.

18. Baron TH, Kamath PS, McBane RD. Management of antithrombotic therapy in patients undergoing invasive procedures. N Engl J Med 2013;368:2113–24.

19. Brand M, Bizos D, O'Farrell P, Jr. Antibiotic prophylaxis for patients undergoing elective endoscopic retrograde cholangiopancreatography. Cochrane Database Syst Rev 2010(10):CD007345.

20. Chan FKL, Goh KL, Reddy N, et al. Management of patients on antithrombotic agents undergoing emergency and elective endoscopy: joint Asian Pacific Association of Gastroenterology (APAGE) and Asian Pacific Society for Digestive Endoscopy (APSDE) practice guidelines. Gut 2018;67:405–17.

21. Cohen LB, Ladas SD, Vargo JJ, et al. Sedation in digestive endoscopy: the Athens international position statements. Aliment Pharmacol Ther 2010;32:425–42.

22. Cotton PB, Durkalski V, Romagnuolo J, et al. Effect of endoscopic sphincterotomy for sus-pected sphincter of Oddi dysfunction on pain-related disability following cholecystectomy: the EPISOD randomized clinical trial. JAMA 2014;311:2101–9.

23. Draganov P, Cotton PB. Iodinated contrast sensitivity in ERCP. Am J Gastroentero 2000;95:1398–401.

24. Draganov PV, Suarez AL, Cotton PB. Variability in management of ERCP-related contrast media reaction. Gastrointest Endosc 2015;82:973–4.

25. Eikelboom JW, Hirsh J, Spencer FA, et al. Antiplatelet drugs: antithrombotic therapy and prevention of thrombosis, 9th ed: American College of Chest Physicians evidence-based clinical practice guidelines. Chest 2012;141(2 Suppl):e89S-e119S.

26. Evans LT, Saberi S, Kim HM, et al. Pharyngeal anesthesia during sedated EGDs: is "the spray" beneficial? A meta-analysis and systematic review. Gastrointest Endosc 2006;63:761–6.

27. Fujimoto K, Fujishiro M, Kato M, et al. Guidelines for gastroenterological endoscopy in patients undergoing antithrombotic treatment. Digestive Endoscopy 2014;26:1–14.

28. Garrow D, Miller S, Sinha D, et al. Endoscopic ultrasound: a meta-analysis of test performance in suspected biliary obstruction. Clin Gastroenterol Hepatol 2007;5:616–23.

29. Harris A, Chan AC, Torres-Viera C, et al. Meta-analysis of antibiotic prophylaxis in endoscopic retrograde cholangiopancreatography (ERCP). Endoscopy 1999;31:718–24.

30. Heuss LT, Hanhart A, Dell-Kuster S, et al. Propofol sedation alone or in combination with pharyngeal lidocaine anesthesia for routine upper GI endoscopy: a randomized, double-blind, placebo-controlled, non-inferiority trial. Gastrointestinal Endoscopy 2011;74:1207–14.

31. Holmes JD, Faigel DO. 12-Quality Issues and Measures in ERCP. In: Baron TH, Kozarek RA, Carr-Locke DL, editors. ERCP. 3rd ed. Philadelphia: Elsevier; 2019. pp. 93–8.

32. Kono Y, Hirata I, Katayama T, et al. Current evidence and issues of endoscopic submucosal dissection for gastric neoplasms during antithrombotic therapy. Clinical Journal of Gastroenterology 2020;13:650–9.

33. Ladas SD, Rokkas T, Kaskarelis J, et al. Absorption of iodized contrast media during ERCP. Gastrointest Endosc 1986;32:376.

34. Lahoti S, Catalano MF, Geenen JE, et al. A prospective, double–blind trial of L–hyoscyamine versus glucagon for the inhibition of small intestinal motility during ERCP. Gastrointest Endosc 1997;46:139–42.

35. Lim H, Gong EJ, Min B–H, et al. Clinical practice guideline for the management of antithrombotic agents in patients undergoing gastrointestinal endoscopy. Clin Endosc 2020;53:663–77.

36. Lip GY, Nieuwlaat R, Pisters R, et al. Refining clinical risk stratification for predicting stroke and throm–boembolism in atrial fibrillation using a novel risk factor–based approach: the euro heart survey on atrial fibrillation. Chest 2010;137:263–72.

37. Mann K, Rendl J, Busley R, et al. Systemic iodine absorption during endoscopic application of radiographic contrast agents for endoscopic retrograde cholangiopancreaticography. Eur J Endocrinol 1994;130:498–501.

38. Maple J. 10–Preparation of the Patient for ERCP. In: Baron TH, Kozarek RA, Carr–Locke DL, editors. ERCP. 3rd ed. Philadelphia: Elsevier; 2019. pp. 80–5.

39. Mishkin D, Carpenter S, Croffie J, et al. ASGE Technology Status Evaluation Report: radiographic contrast media used in ERCP. Gastrointestinal Endoscopy 2005;62:480–4.

40. Pape T. Legal and ethical considerations of informed consent. Aorn j 1997;65:1122–7.

41. Patrono C, Ciabattoni G, Patrignani P, et al. Clinical pharmacology of platelet cyclooxygenase inhibition. Circulation 1985;72:1177–84.

42. Plumeri PA. Informed consent––beware. J Clin Gastroenterol 1984;6:471–5.

43. Plumeri PA. Informed consent and the gastrointestinal endoscopist. Gastrointest Endosc 1985;31:218–21.

44. Prasad SR, Sahani D, Saini S. Clinical applications of magnetic resonance cholangiopancreatography. J Clin Gastroenterol 2001;33:362–6.

45. Romagnuolo J, Bardou M, Rahme E, et al. Magnetic resonance cholangiopancreatography: a meta–analysis of test performance in suspected biliary disease. Ann Intern Med 2003;139:547–57.

46. Solomon S, Baillie J. 7–Indications for and Contraindications to ERCP. In: Baron TH, Kozarek RA, Carr–Locke DL, editors. ERCP. 3rd ed. Philadelphia: Elsevier; 2019. pp. 54–8.

47. Zuckerman MJ, Shen B, Harrison ME, et al. Informed consent for GI endoscopy. Gastrointest Endosc 2007;66:213–8.

48. Sun X, Xu Y, Zhang X, et al. Topical pharyngeal anesthesia provides no additional benefit to propofol sedation for esophagogastroduodenoscopy: a randomized controlled double–blinded clinical trial. Sci Rep 2018;8:6682.

49. Tse F, Liu L, Barkun AN, et al. EUS: a meta–analysis of test performance in suspected choledocholithiasis. Gastrointest Endosc 2008;67:235–44.

50. Usman MH, Notaro LA, Nagarakanti R, et al. Combination antiplatelet therapy for secondary stroke prevention: enhanced efficacy or double trouble? Am J Cardiol 2009;103:1107–12.

51. Vandervoort J, Soetikno RM, Tham TC, et al. Risk factors for complications after performance of ERCP. Gastrointest Endosc 2002;56:652–6.

52. Varghese JC, Farrell MA, Courtney G, et al. Role of MR cholangiopancreatography in patients with failed or inadequate ERCP. AJR Am J Roentgenol 1999;173:1527–33.

53. Vargo JJ. Procedural sedation and obesity: waters left uncharted. Gastrointest Endosc 2009;70:980–4.

54. Veitch AM, Radaelli F, Alikhan R, et al. Endoscopy in patients on antiplatelet or anticoagulant therapy: British Society of Gastroenterology (BSG) and European Society of Gastrointestinal Endoscopy (ESGE) guideline update. Gut 2021;70:1611–28.

55. Xiang Q, Pang X, Liu Z, et al. Progress in the development of antiplatelet agents: Focus on the targeted molecular pathway from bench to clinic. Pharmacol Ther 2019;203:107393.

CHAPTER

04

ERCP에서의 진정

Sedation for ERCP

이준규 동국대학교 의과대학

1. 서론

　　진정(sedation)은 인체에 약물을 투여하여 의식수준을 억제한 상태를 의미한다. 적절한 진정을 통해 시술 전 환자가 느끼는 불안감, 시술 중 발생하는 불편함 및 불쾌한 기억을 경감시킴으로써 시술에 대한 환자 순응도 및 만족도를 높이고, 환자의 자연스러운 협력을 유도하여 최선의 결과를 기대할 수 있다.

　　진정은 의식 억제의 정도에 따라 최소 진정(minimal sedation 또는 anxiolysis), 중등도 진정(moderate sedation 또는 conscious sedation), 깊은 진정(deep sedation), 전신마취(general anesthesia)의 4단계로 분류된다(표 4-1). 진정에 반응하는 정도는 나이, 이환된 질환, 알코올의 섭취 정도, 중추신경계 작용 약물의 복용력, 환자의 불안 정도 및 통증에 대한 감수성, 약물유전학적 특성 등에 따라 개인차가 있다. 특히 고령 이외에도 비만, 임신, 간경변 등 시술 전 평가뿐만 아니라 시술 중이나 회복 시에도 특별한 주의를 요하는 여러 가지 특수한 임상적 상황도 있다. 따라서 같은 시술을 시행하더라도 환자에 따라 다른 수준의 진정을 필요로 할 수도 있고, 또한 어떤 환자는 단일 시술 도중에도 다양한 정도의 진정 수준을 경험하기도 한다.

표 4-1. 진정 깊이의 연속성

	얕은 진정 Minimal sedation	중등도 진정 Moderate sedation	깊은 진정 Deep sedation	전신마취 General anesthesia
환자 반응	구두 명령에 잘 반응	구두 명령이나 흔들어 깨우면 반응함	통증 및 반복 자극에 겨우 반응	통증 자극에도 반응 없음
기도유지	영향 없음	추가 조작이 불필요	추가 조작이 필요할 수도 있음	추가 조작이 자주 요구됨
자발호흡	영향 없음	적절히 유지	부적절하게 유지될 가능성 있음	거의 유지가 안 됨
심혈관 기능	영향 없음	대개 유지됨	대개 유지됨	저하가 발생 가능함

　　진정내시경을 시행 받는 대부분의 환자가 특별한 문제없이 회복되지만, 때로는 진정과 관련한 다양한 형태의 우발증이 발생할 수 있고, 드물게는 환자의 생명에 중대한 영향을 미칠 수 있는 심각한 상황도 발생할 수 있다. 특히시술이 복잡하고 시간이 오래 걸리는 내시경역행담췌관조영술(endoscopic retrograde cholangiopancrea-tography, ERCP)의 경우에는 깊은 진정을 필요로 하거나 의도치 않게 진행하는 경우가 흔하므로, 응급 상황에서 적절한 대처가 가능하기 위해서는 진정 약물에 대한 이론적인 지식 숙지는 물론 필수적인 인력, 시설, 장비의 구비가 선행되어야 한다. 또한 모든 진정 약물은 '마약류 관리에 관한 법률'에 의거한 '마약류통합관리시스템'에 의해 철저하게 관리되어야 한다.

2. 시술 전 평가

　　진정내시경을 시행받는 모든 환자에서 진정의 위험성을 평가하여야 한다. 또한 동반 질환에 의한 잠재적 문제에 대한 적절한 대처를 위한 시술 전 평가가 시행되어야 한다. 병력 청취에 있어 필수적인 요소는 다음과 같다: 1) 천명, 코골이, 수면무호흡증후군 등의 병력, 2) 약물 알레르기의 과거력, 현재 복용 약물, 약물상호작용의 가능성, 3) 진정이나 마취 관련 약물 이상반응(adverse reaction)의 이력, 4) 마지막으로 섭취한 음식물의 종류와 시간 경과, 5) 흡연이나 음주 이력 등. 이학적 검진에는 활력징후 측정 이외에 환자의 기저 의식 수준, 심장 및 폐 청진 등과 함께 기도의 해부학적 구조에 대한 Mallampati 분류가 이루어져야 한다(그림 4-1). Mallampati 분류는 앉은 자세에서 최대한 입을 벌리고 혀를 내밀었을 때 보여지는 구조물을 통해 이루어지며, 잠재적인 폐쇄성 수면무호흡증(obstructive sleep apnea) 및 유사시 기도확보의 난이도를 예측할 수 있다. 위험성 평가에는 미국마취과

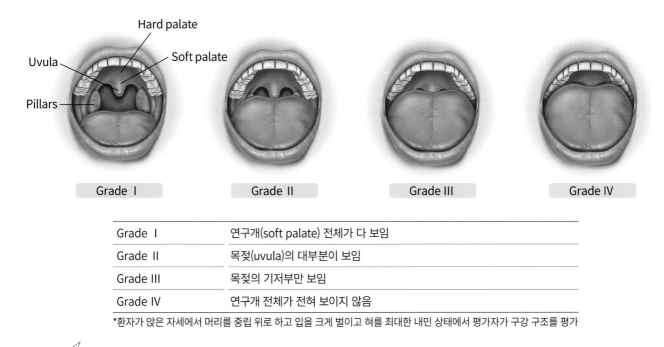

Grade I	연구개(soft palate) 전체가 다 보임
Grade II	목젖(uvula)의 대부분이 보임
Grade III	목젖의 기저부만 보임
Grade IV	연구개 전체가 전혀 보이지 않음

*환자가 앉은 자세에서 머리를 중립 위로 하고 입을 크게 벌리고 혀를 최대한 내민 상태에서 평가자가 구강 구조를 평가

그림 4-1. 기도 평가 방법(Mallampati classification)

의사협회(American Society of Anesthesiologists, ASA) 분류가 가장 흔히 이용된다(표 4-2). 그 유용성은 ASA 분류가 소화기내시경 시술 시 이상사례(adverse events, AEs) 발생과 연관된다는 백만 명 이상의 환자를 대상으로 한 후향적 연구와 ASA 등급과 내시경 중 예기치 못한 심폐사고(cardiopulmonary event)의 발생이 비례한다는 Clinical Outcomes Research Initiative (CORI) 자료 분석에서 입증되었다. 진정 시작 전에는 반드시 시술팀 전체가 다른 활동을 멈추고 환자의 인적 사항 및 진정 계획을 포함하여 시술 목적 및 과정을 확인하는 타임 아웃(time out)을 시행하여야 한다.

표 4-2. 미국마취과학회(American Society of Anesthesiologists, ASA) 신체상태 분류법

1등급	수술을 필요로 하는 병소의 진행과정을 포함하여 전신질환이 없는 건강한 수검자
2등급	수술질환이나 동반질환으로 경도나 중등도의 전신질환을 가진 환자 예) 합병증이 동반되지 않은 고혈압 또는 당뇨병 환자, 비만 환자
3등급	일상 생활에 제약을 주는 고도의 전신질환을 가진 환자 예) 안전성 협심증이 있는 환자, 일상생활에 장애를 줄 정도의 폐질환자
4등급	생명을 위협할 정도의 심한 전신질환을 가진 환자 예) 심한 심부전 환자, 불안전성 협심증 환자, 말기 신부전 환자
5등급	예정된 수술에도 불구하고 24시간 이내 사망률이 50% 이상인 환자 예) 무뇨, 혼수 상태가 있으며 승압제 치료로 최저혈압을 겨우 유지하는 패혈증 환자

3. 실제적인 진정요법

1) 표준 진정

표준 진정(standard sedation)은 미다졸람(midazolam) 등의 벤조디아제핀(benzodiazepine)을 단독 투여하거나, 마약성 진통제와 함께 병합 투여하여 중등도 진정 상태의 유지를 목표로 하는 진정법이다. 표준 진정은 사용 경험이 풍부할 뿐만 아니라 최근 많이 이용되는 프로포폴 진정(propofol sedation)과 달리 이상반응이 발생할 경우 플루마제닐(flumazenil), 날록손(naloxone) 등의 길항제를 즉시 투여할 수 있으므로 일차 및 이차 의료 기관에서도 널리 사용되고 있다. 하지만 표준 진정에서도 의도하지 않은 깊은 진정 상태가 유도되거나 심폐 우발증이 발생할 수 있다는 점을 간과해서는 안되며, 시술 전 과정 중 환자의 의식 및 호흡 상태를 면밀히 관찰하여야 한다. 시술의는 표준 진정에 사용되는 약물의 약리학적 특성과 검사 시 투여 용량 및 각 약물의 길항제 사용법을 숙지하여야 한다(표 4-3).

간혹 미다졸람 투여 후 흥분 상태가 되거나 공격성을 보이는 모순 반응(paradoxical reaction)이 발생하는데, 충분한 양의 미다졸람을 투여한 후에도 모순 반응이 심하게 지속되면 시술을 중지하고 길항제를 투여하여 회복시키고, 추후 진정내시경 시에 다른 약물을 사용하거나 비진정으로 시행한다. 표준 진정은 소화기내시경 검사에 이용되는 모든 진정법의 기초가 되기 때문에 이 방법을 능숙하고 안전하게 사용할 수 있게 된 다음 프로포폴과 같은 새로운 진정제를 사용하는 것이 바람직하다.

표준 진정에 사용하는 벤조디아제핀으로는 미다졸람과 디아제팜이 있는데, 미다졸람 정맥 주사가 작용 시작 시간이 빠르고 반감기가 짧으며 기억 소실 효과와 환자 만족도가 높아 선호된다. 마약성 진통제로는 메페리딘

표 4-3. 진정 약물의 약리학적 특성

	주요 기능	작용 발현시간 (분)*	최고 효과 (분)	작용 지속시간 (분)	대사/배설	길항제	이상반응	시판 제형
미다졸람 (Midazolam)	진정 및 기억 상실	1-2	3-4	15-80	간 및 장, 소변	플루마제닐	호흡 저하, 모순 반응	5 mg/5 mL 15 mg/3 mL
플루마제닐 (Flumazenil)	벤조디아제핀 길항제	1-2	3	60	간, 대변	-	경련(seizure), 재진정 (resedation)	0.5 mg/5 mL
프로포폴 (Propofol)	진정 및 기억상실	0.5-1	1-2	4-8	간, 소변	없음	호흡 저하, 저혈압, 주사 부위 통증	120 mg/12 mL 200 mg/20 mL 500 mg/50 mL
에토미데이트 (Etomidate)	진정 및 기억상실	0.5-1	1	3-5	간 및 혈액, 소변	없음	근경련 (myoclonus), 딸꾹질	20 mg/10 mL
덱스메데토미딘 (Dexmedetomi-dine)	진정 및 진통	5-10	15-30	60-120	간, 소변	아티파메졸 (atipamezole)	저혈압, 서맥	200 μg/2 mL
메페리딘 (Meperidine)	진통	3-6	5-7	60-180	간, 소변	날록손	호흡저하, 오심, 구토	25 mg/0.5 mL 50 mg/1 mL
펜타닐(Fentanyl)	진통	1-2	3-5	30-60	간, 소변	날록손	호흡 저하, 오심, 구토	100 μg/2 mL 500 μg/10 mL 1,000 μg/20 mL
레미펜타닐 (Remifentanil)	진통	1-3	3-5	6-12	혈액 및 조직, 소변	날록손	호흡 저하, 오심, 구토	1 mg/vial 2 mg/vial 5 mg/vial
날록손 (Naloxone)	오피오이드 길항제	1-2	5	30-45	간, 소변	-	급성 오피오이드 금단 증상	0.4 mg/mL 2 mg/2 mL 5 mg/5 mL

(meperidine)이나 펜타닐(fentanyl) 등의 정맥 주사가 흔히 이용되는데, 펜타닐이 메페리딘에 비해 작용 시간이 빠르고 지속 시간이 짧으며 심혈관계에 대한 영향이 적다는 장점이 있다. 벤조디아제핀과 마약성 진통제를 병합 투여하면 약물의 상승 작용이 있어 적은 용량으로도 효과적인 진정이 가능하다. 특히 ERCP 중 공기 주입으로 발생하는 장관 팽창에 의한 복부 통증에는 마약성 진통제가 효과적이라고 알려져 있어 벤조디아제핀의 단독 투여보다는 마약성 진통제와 병합 투여가 바람직하다. 한편 공기 대신 이산화탄소 주입을 통해 환자의 복통을 경감시키고, 이에 따라 진정 약물의 요구량을 줄일 수 있다는 메타분석 결과가 있다. 소화기내시경 검사에서 표준 진정의 실제 이용법은 다음과 같다(그림 4-2).

(1) 미다졸람의 단독 투여법

65세 미만의 건강한 성인에서는 미다졸람 2.5-3 mg (혹은 0.05 mg/kg)을 천천히 정맥 주사한 후 적절한 진정 상태가 유지될 때까지 2-3분 간격으로 1-2 mg (혹은 0.02-0.03 mg/kg)을 반복적으로 투여한다. 일반적인 진단 내시경 검사에서는 5 mg 이내의 용량으로 충분하며 더 많은 용량이 필요한 경우에는 우발증 발생 위험이 높아 권

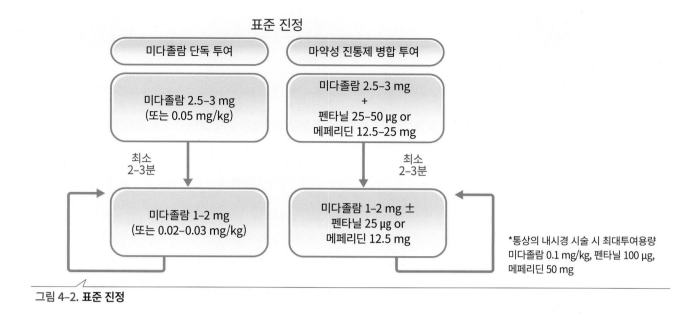

그림 4-2. **표준 진정**

장되지 않는다. 65세 이상 고령자, ASA 분류 III 이상 혹은 기도 폐색 등의 진정내시경 관련 우발증 위험이 높은 환자에서는 20% 이상 용량을 감량하여 투여한다.

(2) 미다졸람과 마약성 진통제의 병합 투여법

미다졸람을 마약성 진통제와 병합 투여할 때는 상승 작용이 있어 위에 기재된 미다졸람 1회 투여 용량을 20% 정도 감량하여 주사한다. 메페리딘은 최초 12.5–25 mg을 정맥 주사하며 적절한 진통 효과를 얻기 위하여 필요시 3–5분 간격으로 12.5–25 mg을 반복 투여할 수 있으나 시술 시간이 짧은 경우 1회의 주사로 충분하고 최대 50 mg 이상은 투여하지 않도록 한다. 펜타닐을 사용하는 경우에는 최초 25–50 µg을 정맥 주사하며 필요시 3–5분 간격으로 12.5–25 µg을 반복 투여할 수 있으나 역시 1회의 주사로 충분한 경우가 대부분이고 100 µg 이상은 투여하지 않도록 한다. ERCP에서는 적절한 진통 효과가 반드시 필요하므로 미다졸람과 마약성 진통제의 병합 투여법이 바람직하다. 65세 이상 고령이거나 ASA 분류 III 이상 환자, 혹은 진정내시경 우발증의 위험도가 높은 환자에서는 마약성 진통제의 용량을 50% 이상 감량하여(메페리딘 12.5 mg, 펜타닐 25 µg) 투여한다.

2) 길항제의 사용법

호흡 억제, 혈압 저하 등의 심폐 우발증이 발생하거나 의심되는 경우 사용된 약물에 대한 길항제를 투여한다. 플루마제닐은 0.3 mg (1 앰플)을 1회 정맥 주사하며 필요에 따라 0.1–0.3 mg을 추가 투여할 수 있다. 날록손은 0.2–0.4 mg을 1회 정맥 주사하며 필요에 따라 동일한 용량을 추가 투여할 수 있다. 진정제의 반감기가 길항제의 반감기보다 길기 때문에 회복실에서 퇴실 후 재진정(resedation)이 발생할 수 있으므로 주의를 요한다. 심혈관계 우발증 등으로 인해 길항제를 투여하여 환자를 회복시킨 경우 진정제의 반감기를 고려하여 1–2시간 이상 경과 후 회복실에서 퇴실하도록 해야 한다. 진정제 및 마약성 진통제에 의한 심혈관계의 우발증이 의심되지 않는 경우에도 환자의 빠른 회복을 위해 검사 직후 길항제를 투여할 수 있으나, 비용–효과적인 방법은 아니며 길항제를 투여하지 않는 경우와 비교하여 추가적인 안전성이 입증되지 않았기 때문에 일반적으로 추천되지는 않는다.

표준 진정 요약

1. 미다졸람의 단독 투여법
   - 65세 미만의 건강한 성인: 미다졸람 2.5–3 mg (혹은 0.05 mg/kg) 투여 후 필요시 2–3분 간격으로 1–2 mg (혹은 0.02–0.03 mg/kg)을 반복 투여
   - 65세 이상이거나 ASA 분류 III 이상 환자, 혹은 진정내시경 우발증의 위험도가 높은 환자: 20% 이상 용량을 감량하여 투여
2. 미다졸람과 마약성 진통제의 병합 투여
   - 65세 미만의 건강한 성인: 미다졸람 2.5–3 mg (혹은 0.05 mg/kg) 투여 후 메페리딘 25 mg(혹은 펜타닐 50 μg)을 병합 투여. 필요시 2–3분 간격으로 1–2 mg의 미다졸람과 3–5분 간격으로 마약성 진통제를 추가 투여(메페리딘 12.5 mg, 펜타닐 25 μg)
   - 65세 이상이거나 ASA 분류 III 이상 환자, 혹은 진정내시경 우발증의 위험도가 높은 환자: 미다졸람 1회 투여 용량을 약 20% 이상 감량(보통 초회 용량으로 1 mg의 투여), 마약성 진통제 용량을 50% 이상 감량하여 투여(메페리딘 12.5 mg, 펜타닐 25 μg)
3. 길항제의 투여
   - 호흡 억제, 혈압저하 등의 심폐우발증이 발생하거나 지속될 때 사용된 약물에 대한 길항제 투여
   - 미다졸람을 사용한 경우 플루마제닐 0.3 mg을 1회 정맥 주사 후 필요에 따라 0.1–0.3 mg을 추가 투여
   - 메페리딘이나 펜타닐을 사용한 경우 날록손 0.2–0.4 mg을 1회 정맥 주사하며 필요에 따라 동일한 용량을 추가 투여

3) 프로포폴 진정

전통적으로 소화기내시경 영역에서는 미다졸람을 이용한 표준 진정법이 많이 사용되었지만, 최근에는 프로포폴의 사용 빈도가 증가하고 있다. 2019년 국내 대학병원을 대상으로 한 설문 연구에서, 50개 기관 중 38개(76%) 기관에서 프로포폴 진정을 시행하는 것으로 조사되었다. 프로포폴 진정은 표준 진정에 비하여 환자 만족도가 높고, 진정 효과가 빠르며 반감기가 짧아 시술 시간을 단축할 수 있는 장점이 있지만, 길항제가 없으며 단독으로 사용할 경우 깊은 진정이 유도되기 쉬워 표준 진정을 능숙하게 사용할 수 있는 시술의가 반드시 적절한 교육 수련을 받은 후에 이용하여야 한다. 서구에서는 비마취과 의사에 의한 프로포폴 진정(non–anesthesiologist–administered propofol, NAAP)의 안전성에 대한 논란이 있었으나, 여러 대규모 연구에서 시술의가 시행하는 프로로폴 진정이 표준 진정과 비교하여 안전성과 효과에 큰 차이가 없다고 보고되었으며, 적절한 환자 선택 및 환자 감시가 이루어질 경우 안전하고 효율적인 진정법으로 인정되고 있다. 한편 대한의사협회는 프로포폴 사용의 대중화에 따른 사회적 관심을 반영되어 2016년 5월 11일 '의원 및 병원 급 의료기관 의사를 위한 프로포폴 진정 임상권고안'을 공표하였으며, 이를 근거로 안전하고 효과적인 진정 요법에 대한 교육이 활발하게 이루어지고 있다. 프로포폴 진정은 물론 표준 진정을 시행하는 모든 내시경 시술의 및 간호인력은 상기 교육과 함께 기본소생술(basic life support, BLS) 교육을 시행받을 것을 권장한다.

프로포폴 진정은 단독 투여(propofol mono–sedation)와 벤조디아제핀 혹은 마약성 진통제와 함께 투여하는 균형 프로포폴 진정(balanced propofol sedation, BPS)으로 나누어지는데, 목표로 하는 진정 단계에 따라 선택적으로 사용한다. 프로포폴 단독 투여로 ERCP를 시행하는 경우 기침과 구역 반사와 통증에 의한 환자의 무의식적인 움직임이 흔하게 발생하므로 추가 투여가 필요한 경우가 많다. 이러할 경우 의도치 않게 깊은 진정 상태 혹은 마취 상태가 유도되면서 심폐 우발증이 발생할 수 있으므로 주의하여야 한다. 이러한 문제점을 해결하기 위해 소량의 미다졸람과 마약성 진통제 및 프로포폴을 동시에 병합 투여하고, 이후 필요에 따라 소량의 프로포폴을 단

독으로 적정하며 중등도 진정 상태를 유지하는 균형 프로포폴 진정이 개발되었다. 균형 프로포폴 진정은 개별 약물의 병합 투여에 따른 상승 작용으로 개별 약물을 단독 투여할 때보다 소량의 진정 약물이 투여되므로 깊은 진정 상태가 유도될 위험이 낮고, 벤조디아제핀과 마약성 진통제에 대한 길항제를 사용할 수 있으므로 프로포폴 단독 투여에 비해 상대적으로 안전하므로 ERCP 등 시술 시간이 긴 치료 내시경 시술에서도 활발히 이용되고 있다 (그림 4-3).

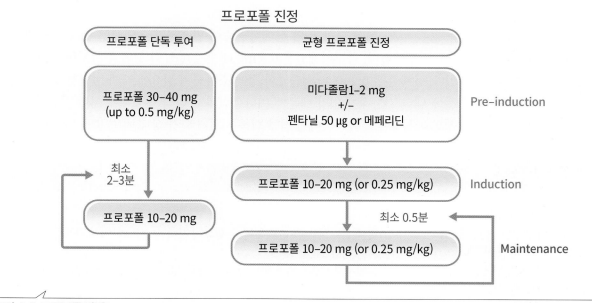

그림 4-3. 프로포폴 진정

(1) 프로포폴 단독 투여

ASA 분류 I, II의 환자이고 65세 미만이며 진정내시경 우발증의 위험도가 높지 않은 환자에서 진단 목적의 내시경 검사를 시행할 때는 프로포폴 30-40 mg (혹은 0.5 mg/kg)을 일시 주사 후 10-20 mg을 필요에 따라 간헐적으로 투여하는데, 최소 20초 이상의 간격을 두고 투여한다("20-20 rule"). 65세 이상의 고령이거나 쇠약한 환자에서는 진정 유도에 사용되는 약물의 용량을 50% 정도 감량하여 사용한다. ASA 분류 III 이상, 혹은 기도 폐색 등의 진정내시경 관련 우발증 위험이 높은 환자에서는 표준 진정이나 균형 프로포폴 진정을 고려하는 것이 좋으며, 프로포폴 단독 진정이 반드시 필요한 경우 마취과 의사의 도움을 받는 것이 좋다.

(2) 균형 프로포폴 진정

미다졸람(0.025-0.05 mg/kg)을 정맥 주사 후 메페리딘 12.5-25 mg 혹은 펜타닐 25-50 µg을 정맥 주사한다. 미다졸람 및 마약성 진통제를 투여한 후 1-2분 뒤 프로포폴 10-20 mg 혹은 0.25 mg/kg을 정맥 주사하여 진정을 유도한다. 이후 진정 유지를 위해 프로포폴 10-20 mg을 최소 20초 이상의 간격을 두고 필요에 따라 간헐적으로 투여한다. 병합 투여에 의한 약물의 상승 작용이 있기 때문에 표준 진정과 프로포폴 단독 진정에 이용되는 미다졸람 및 프로포폴의 용량보다 감량하여 투여해야 하며, 65세 이상 고령이거나 쇠약한 환자에서는 진정 유도에 사용되는 약물의 용량을 50% 정도 감량하여 사용한다. 마약성 진통제를 사용하지 않고 미다졸람과 프로포폴을 병합하여 사용하는 방법도 임상에서는 흔히 이용되는데, 균형 프로포폴 진정과 동일한 방법으로 미다졸람과 프로포폴을 투여하지만 마약성 진통제를 사용하지 않는다는 점이 다르다. 이 방법은 마약성 진통제가 사용되지 않기 때문에 프로포폴 단독 투여처럼 진정의 유지 과정에서 환자가 통증을 호소할 때는 프로포폴이 자주 투여되어 고용량의 프로포폴이 사용으로 깊은 진정 상태로 유도될 수 있다는 점에 유의해야 한다. 프로포폴을 다른 진정제 및 마약성 진통제와 병합하여 사용할 때는 항상 가장 마지막에 프로포폴을 투여한다.

(3) 길항제의 사용법

균형 프로포폴 진정 시행 중 호흡 억제, 혈압 저하 등의 심폐우발증이 발생하거나 의심될 때 미다졸람과 마약성 진통제에 대한 길항제를 신속히 투여한다. 플루마제닐은 0.3 mg (1 앰플)을 1회 정맥 주사하며 필요에 따라 0.1–0.3 mg을 추가 투여할 수 있다. 날록손은 0.2–0.4 mg을 1회 정맥 주사하며 필요에 따라 동일한 용량을 추가 투여할 수 있다. 그러나 프로포폴에 대한 길항제가 없기 때문에 미다졸람과 마약성 진통제에 대한 길항제를 투여하였더라도 표준 진정과 마찬가지로 재진정에도 유의하며 완전한 회복 시까지 환자 상태를 면밀히 감시해야 한다.

프로포폴 진정 요약

1. 프로포폴의 단독 투여법
   - 65세 미만의 건강한 성인: 프로포폴 30–40 mg (혹은 0.5 mg/kg)을 투여 후 필요에 따라 최소 20초 이상 간격으로 10–20 mg을 간헐적으로 투여("20–20 rule")
   - 65세 이상의 고령, ASA 분류 III 이상, 혹은 진정내시경 우발증의 위험도가 높은 환자: 50% 이상 용량을 감량하거나 표준 진정 혹은 균형 프로포폴 진정 사용
2. 균형 프로포폴 진정법
   - 65세 미만의 건강한 성인: 미다졸람 0.025–0.05 mg/kg, 메페리딘 25 mg (혹은 펜타닐 50 μg), 프로포폴 10–20 mg 혹은 0.25 mg/kg을 순차적으로 투여하여 진정 상태를 유도하고 진정 유지를 위해 프로포폴 10–20 mg을 최소 20초 이상 간격으로 반복 투여(20–20 rule)
   - 65세 이상의 고령, ASA 분류 III 이상 혹은 진정내시경 우발증의 위험도가 높은 환자: 50% 이상 용량을 감량하거나 표준 진정 사용
3. 길항제의 투여
   - 호흡 억제, 혈압 저하 등의 심폐 우발증이 발생하거나 지속되는 경우 사용된 약물에 대한 길항제를 투여
   - 미다졸람을 사용한 경우 플루마제닐 0.3 mg을 1회 정맥 주사 후 필요에 따라 0.1–0.3 mg을 추가 투여
   - 메페리딘이나 펜타닐을 사용한 경우 날록손 0.2–0.4 mg을 1회 정맥 주사 후 필요에 따라 동일한 용량을 추가 투여

---

4. 시술 중 및 회복실 감시

진정내시경 시술 중에는 임상적으로 위중한 상태가 발생하기 전에 적절한 감시를 통해 맥박수, 혈압, 심장의 전기적 상태, 호흡 상태, 진정의 깊이 등의 변화를 감지하여야 한다. 중등도 진정이나 깊은 진정 시에는 의식 수준과 활력 징후를 정기적으로 평가하고 기록하여야 하는데, 그 주기는 투여된 약물의 종류 및 용량, 시술 시간, 환자의 전신 상태 등에 의해 결정된다. 의식 수준과 활력 징후는 최소한 다음의 시기에는 평가되어야 한다: 1) 시술 시

작 전, 2) 진정제/진통제 투여 후, 3) 시술 중(최소 5분 간격 권장), 4) 초기 회복기, 5) 퇴실 전 등. 자동 기록이 가능한 모니터의 경우에는 환자 상태 변화를 경고할 수 있도록 알람을 적절히 설정해 두어야 한다. 중등도 진정 상태에서는 감시 인력이 조직 생검 등의 간단하고 중단 가능한 업무를 수행할 수 있다. 하지만 깊은 진정 상태에서는 감시 인력이 반드시 지속적이고 중단 없이 환자 상태를 감시하여야 한다. 진정내시경 시행을 위해서는 최소한 자동 전자혈압계(automated non–invasive blood pressure monitoring, NIBP) 및 맥박산소측정기(pulse oximetry)를 구비해야 하고 시술 중에는 호흡, 의식 수준, 불편감 호소 등에 대한 육안 감시가 이루어져야 한다. 참고로 2018년 미국소화기내시경학회(American Society of Gastroenterology, ASGE) 진정가이드라인에서는 심각한 심혈관계 질환 또는 부정맥 환자에서 중등도 또는 깊은 진정을 시행할 때에는 지속적인 심전도 감시를 추천하였다. 또한 노인이나 호흡기계 질환 환자, 장기간의 시술이 예상되는 경우에도 지속적인 심전도 감시가 도움이 될 수 있다고 언급하였다.

사전산소공급(preoxygenation)으로 저산소증을 예방할 수 있음은 잘 알려져 있다. 앞서 언급한 ASGE 가이드라인은 깊은 진정 시에는 언제나 시행하고, 중등도 진정 시에도 적극적으로 고려할 것을 권장한다. 또한 기저 산소포화도 95% 이하, 응급내시경, 장시간 시술, 식도 삽입이 어려운 경우, 동반 질환이 있는 경우 등 저산소증의 발생 위험성이 높을 것으로 예상되는 경우에도 사전산소공급이 이루어져야 한다. 최근에는 기존의 비강 캐뉼라에 비해 보다 효과적인 산소 공급이 가능한, 소화기내시경을 시행할 때도 사용할 수 있는 고유량 비강 캐뉼라(high flow nasal cannula, HFNC)가 개발되었다.

5. 고위험군에서의 진정

1) 고령

우리나라에서는 세계적으로 유래가 없을 정도로 빠르게 고령 인구가 증가하고 있으며, 췌장담도질환의 역학적 특성 상 노인 환자에서 ERCP가 시행되는 경우가 흔하다. 많은 문헌에서 노인의 기준을 65세 이상으로 정의하고 있지만 실제 나이와 생물학적 나이는 반드시 일치하지는 않으므로 나이 자체가 진정내시경의 금기가 되지는 않는다. 하지만 고령 환자, 특히 심혈관계 질환 또는 호흡기 질환에 이환된 경우에는 대부분 환기–관류 불균형에 따른 만성적인 고탄산혈증을 가지고 있어서 저산소혈증이나 고탄산혈증에 대한 중추신경계의 반응, 즉 호흡 욕동(respiratory drive)이 저하되어 있기 때문에 저산소증의 발생 가능성이 높다. 또한 구역 반사(gag reflex)가 감소하여 흡인성 폐렴의 발생 가능성이 높다. 따라서 사전산소공급 및 적절한 흡인이 매우 중요하다.

약리학적 측면에서도 중추신경계의 감수성이 높은 반면 체내 지방 비율이 증가하고 간 및 신장 기능이 감소되어 진정 약물의 대사 및 제거 능력이 저하된다. 이러한 이유로 젊은 사람의 체중을 기준으로 계산된 용량보다 50% 이상 감량하고, 투여 속도도 천천히 해야 한다. 특히 프로포폴을 사용할 경우에는 더욱 그러하다. 고령 환자가 젊은 환자에 비해 비진정내시경을 보다 잘 참는다는 캐나다의 연구 결과가 있으므로, 초고령이나 심각한 심폐 질환이 동반된 경우에는 마취과 협진이나 비진정 상태에서 ERCP 시술을 고려한다.

2) 비만

비만 환자의 증가는 전세계적으로 심각한 보건 문제를 야기하고 있으며 우리나라의 경우도 예외가 아니다. 2018년 발표된 정부관계부처 합동 국가 비만관리 종합 대책에 의하면 체질량지수 25 kg/m² 이상의 비만 유병률은 지속적으로 증가하여 34.8%에 이르고 있다. 특히 청소년 비만은 더욱 급격한 증가세를 보이고 있어서, 이들이 성인이 되는 2030년에 이르면 인구 열 명 중 한 명은 체질량지수 30 kg/m² 이상의 고도 비만 환자가 될 전망이다. 비만은 담석증이나 췌장암 등의 질환과 관련되므로 비만 환자에 대한 진정내시경시 주의 사항에 대해 숙지할 필요가 있다.

비만은 고령, ASA 고등급과 더불어 수면무호흡증과 이로 인한 저산소증의 대표적인 위험인자이다. BMI가 30 kg/m² 이상인 경우에는 정상인보다 2배 많은 약 10%의 환자에서 저산소증이 발생한다. 비만 환자는 유사시에 기도 확보에 어려움을 겪을 수 있는 높은 Mallampati 점수를 보이는 경우도 흔하다. 또한 제한성 폐질환(restrictive lung disease)이나 폐동맥 고혈압에 이환되어 있을 수도 있다. 따라서 철저한 진정 전 평가는 물론 사전산소공급을 적극적으로 고려한다. 앞서 언급한 인자들에 의해 폐포–동맥간 산소분압차(alveolar–arterial oxygen gradient)가 증가되어, 정상인보다 산소 요구량이 높은 경우가 많다. 경우에 따라서는 지속양압환기(continuous positive airway ventilation)도 도움이 될 수 있다.

모든 진정 약물은 뇌–혈류 장벽(blood brain barrier, BBB)을 통과하여 작용하므로 화학적으로 지용성을 나타낸다. 약물의 분포 면적(volume of distribution, Vd)은 체지방 비율에 비례하므로, 비만 환자에서는 진정 유도 효과가 지연되어 발현되며, 이에 따라 고용량의 약물이 요구되는 경우가 많다. 이렇게 과량 투여된 약물은 지방 조직에 축적되어 있다가 시술이 종료된 이후에도 뒤늦게 체순환으로 분포되어 재진정을 유발할 수 있다. 따라서 시술 중은 물론, 회복 시에도 정상인보다 장시간의 집중 감시를 요한다. 통상적인 감시 장비 이외에 호기말 이산화탄소 측정기(end tidal capnography)가 호흡 억제를 조기에 발견에 발견할 수 있었다는 연구 결과가 있다.

3) 임신 및 수유

태아는 산모의 저산소증 및 저혈압에 민감하기 때문에 과도한 진정에 대하여 주의하여야 한다. 또한 임산부의 성문 개구부는 조직의 부종에 의해 좁아져 있을 수 있으므로 철저한 진정 중 감시가 요구된다.

미국 FDA에서는 임신 중 약물 안전성에 관련하여 A, B, C, D, X의 5가지 범주로 분류한다(표 4-4). 진정 약물 중 FDA Category A에 해당하는 약물은 없다(표 4-5). 따라서 가급적 Category B 약물이 추천되며, 필요한 경우라면 Category C 약물의 사용을 고려한다. Category D 약물의 경우에는 위험성보다 이득이 명확히 큰 경우에만 투여되어야 한다. 진정제로서는 Category D인 미다졸람보다는 Category B인 프로포폴이 추천된다. 하지만 임신 첫 3개월 이내에서의 프로포폴의 안전성에 대해서는 연구가 불충분하다. 국내에서 많이 사용되고 있는 진통제인 메페리딘은 일반적으로 Category B로 분류된다. 하지만 태반을 쉽게 통과하며, 특히 훨씬 긴 반감기를 가지는 대사물인 normeperidine이 축적되면 심각한 호흡 부전 또는 간질 발작을 초래할 수 있으므로, 만삭 때에는 Category D로 취급되어야 한다. 서구에서 많이 사용되는 펜타닐의 경우에는 Category C로 분류되지만, 저용량 투여 시에는 안전한 것으로 여겨진다. 플루마제닐은 Category C로 분류되며, 벤조디아제핀을 장기간 복용하던 환자에게 투여 시 간질 발작을 유발할 수 있으므로 꼭 필요한 경우만 사용한다. 마약성 진통제를 투여 받은 환자에서 의식이 회복된 이후에도 호흡부전이나 저혈압이 지속될 경우에는 날록손을 투여한다. 이 약물은 Category B로 분류되지만 마약성진통제 중독 환자에서는 중단 증후군(opioid withdrawal syndrome)을 유발할 수 있으므로 필요한 경우에는 소량씩 적정하며 투여한다.

수유부에 대한 진정내시경 시 합병증의 위험도는 일반 정상 성인의 위험도와 비슷하지만, 약물이 모유를 통해 영아에게 전달될 수 있다는 점을 유념해야 한다. 미다졸람 투여 시에는 최소 4시간 경과 이후에 수유하도록 한다. 프로포폴은 투여 후 4–5시간째 최고 농도로 모유에서 검출되나 언제까지 수유를 중단해야 하는지에 대해서는 아

표 4-4. 미국 Food and Drug Administration (FDA) 태아 위험도 분류

분류	위험도 평가 및 분류 기준
A	태아에 대한 통제된 연구결과 위험성 없음: 임부에 대해 적절하고 잘 통제된 연구를 시행한 결과, 임신 기간 전체에 걸쳐 태아에 대한 위험성이 나타나지 않은 경우
B	태아에 대해 위험성을 나타낸다는 증거가 없음: 1) 동물에 대한 연구에서는 독성이 나타났으나, 임부에 대한 적절하고 잘 통제된 연구에서는 태아에 대한 위험성이 증가하지 않은 경우. 또는, 2) 임부에 대한 연구 자료는 없지만, 동물에 대한 연구 결과 태아에 대한 위험성이 없는 것으로 나타난 경우. 태아에게 독성이 있을 가능성은 희박하지만, 전혀 없다고 할 수는 없다.
C	태아에 대한 위험성을 완전히 배제할 수 없음: 1) 사람과 동물 모두에서 적절하고 잘 통제된 연구 자료가 없는 경우. 또는, 2) 사람에 대해 적절하고 잘 통제된 연구 자료는 없으나, 동물에 대한 연구 결과 태자에 대한 위험성이 나타난 경우. 해당 약물이 임부에게 투여될 경우 태아에게 위험할 가능성도 있으나, 약물투여로 인한 치료적 이득이 위험을 상회할 가능성이 있다.
D	태아에 대한 위험성이 증가한다는 증거가 있음: 사람에 대한 연구, 또는 임상시험, 또는 시판 후 조사 자료에서 태아에 대한 위험성이 나타난 경우. 그러나 약물 투여로 인한 치료적 이득이 태아에 대한 위험성을 상회할 수 있음. 예를 들어 중증 질환이거나 생명이 위협받는 상황 이고, 보다 안전한 약물은 효과가 없거나 사용할 수 없는 경우라면 약물투여로 인한 치료적 이득이 위험성을 상회할 수 있다.
X	임부에게 투여 금기임: 사람이나 동물에 대한 연구, 또는 임상시험, 또는 시판 후 조사 보고에서 태아에 대한 위험성의 증거가 나타났으며, 해당 약물 투여로 인해 태아에 미치는 위험성이 임부에 대한 치료적 이득의 가능성보다 더 높은 경우

표 4-5. 진정 약물의 미국 FDA 태아 위험도 및 안전성

Drug	FDA category in pregnancy	Key points about drug safety
Narcotics		
Meperidine	B, but D at term	Repeated use of high dose and prolonged administration can cause respiratory depression and seizures
Fentanyl	C	It is safe in low doses
Propofol	B	Generally suggested for use in patients who are sedated with difficulty and in complicated clinical situations
General anesthetics		
Ketamine	B	Date are limited with humans; animal data suggest prolonged use is not safe
Sedatives		
Diazepam	D	Some congenital malformations and mental retardation may be associated with diazepam, the use of diazepam during pregnancy is restricted
Midazolam	D	As a benzodiazepine member, its use is restricted during pregnancy, especially in the first trimester
Reversing agents		
Naloxone	B	It probably is safe but should be used only in respiratory depression, systemic hypotension, or unresponsiveness in a closely monitored pregnant woman after endoscopy
Flumazenil	C	Fetal risks are unknown, but it should be given carefully in small doses

FDA: United States Food and Drug Administration.

직까지 알려지지 않았으며, ASGE에서는 수유부가 충분히 회복된 이후 가능하리라 제안하고 있다. 메페리딘은 투여 24시간 후에도 모유에서 검출되므로 가능한 사용을 피한다. 하지만 펜타닐은 모유를 통해 전달될 수 있는 양이 매우 적어 수유를 중단할 필요가 없다고 알려져 있다. 진정내시경을 시행 받은 모든 수유부에게 수유를 재개할 때에는 먼저 모유를 짜서 버릴 것이 권고된다(표 4-6).

표 4-6. 수유부에 대한 미국소화기내시경학회(American Society of Gastrointestinal Endoscopy, ASGE) 진정내시경가이드 라인

We suggest that breastfeeding may be continued after maternal fentanyl administration .

We suggest that infants not be breastfed for at least 4 hours after maternal midazolam administration.

We suggest that breastfeeding may be continued after maternal propofol administration as soon as the mother has recovered sufficiently from general anesthesia to nurse

4) 간경변

간경변 환자는 일반적으로 간 혈류량의 감소, 문맥-체순환 단락(portosystemic shunt)의 증가, 간세포의 숫자 및 기능 감소 등에 의해 약물 대사능이 감소되는 반면 혈중 알부민 저하에 의해 Vd가 증가되어 있어 진정 관련 우발증의 발생 가능성이 일반인에 비해 높다. 하지만 심한 비대상성 간경변 환자를 제외하고는 평가 및 감시가 적절한 경우에 있어 진정내시경의 안전성은 여러 연구에 의해 확립되어 있다.

진정제로서 많이 사용되는 미다졸람의 경우에는 대사 지연에 의해 호흡 억제가 발생할 수 있고, 특히 간성혼수를 유발할 수 있으므로, 사용에 유의하여야 한다. 프로포폴의 경우에는 간 기능 저하에 의한 대사 변화가 크지 않으므로, 비교적 안전하고 효율적으로 사용할 수 있다.

마약성 진통제의 경우 서구에서는 작용 개시와 회복이 신속한 펜타닐이 가장 선호되고 있으며, 이는 간경변 환자에 있어서도 마찬가지이다. 국내에서 많이 사용되고 있는 메페리딘의 경우에는 대사물인 normeperidine에 의한 이상반응의 위험성이 크기 때문에 간경변 환자에서는 사용을 피해야 한다.

6. ERCP 진정: 요약 및 결론

췌장담도내시경을 시행할 때에도 일반적인 진정내시경의 원칙 및 방법이 적용된다. 그러나 여타 내시경과 비교하여 시술이 복잡하고 시간이 오래 걸려 환자의 불편감이 심한 경우가 많으므로 중등도 진정보다 깊은 수준의 진정을 필요로 하거나 의도치 않게 유도되는 경우가 흔하므로, ERCP 진정 시에는 별도 감시 인력에 의한 지속적인 환자 상태 감시가 추천된다. 현재 국내의 많은 병원에서 미다졸람, 프로포폴, 마약성 진통제 등을 이용한 단독 혹은 병합 요법의 진정을 시행하고 있으며, 대부분 시술의 및 간호인력 등에 의해 투약되고 있다. 특히 프로포폴은 심폐 우발증의 빈도가 상대적으로 높고 길항제가 없으므로 사용시 더욱 주의하여야 한다.

일반적으로는 의식 수준, 불편감 호소, 호흡 등에 대핸 육안적 관찰 이외에 전자혈압계 및 맥박산소측정기를 통해 감시하지만 시술 전 평가를 통해 고위험군으로 판단되는 경우에는 지속적 심전도 감시나 호기말 이산화탄소 측정 등의 고려와 함께, 사전산소공급이 반드시 이루어져야 한다. 초고령이나 심각한 심폐질환이 동반된 경우에는 마취과 협진이나 비진정 상태에서 ERCP를 시행한다.

참/고/문/헌

1. 대한소화기내시경학회 진정위원회. 진정내시경 가이드북. 개정판. 2021.

2. 대한소화기내시경학회 진정위원회. 한국 진정내시경 임상진료지침. 2021.

3. 대한의사협회. 의원 및 병원 급 의료기관 의사를 위한 프로포폴 진정 임상권고안. 2016.

4. 식품의약품안전처. 임부에 대한 의약품 적정사용 정보집. 2010.

5. 이준규, 장동기, 김원희 등. 진정내시경시 비마취과의사에 의한 프로포폴 투여의 안전성. 대한소화기학회지 2017;69:55-8.

6. Abraham NS, Fallone CA, Mayrand S, et al. Sedation versus no sedation in the performance of diagnostic upper gastrointestinal endoscopy: a Canadian randomized controlled cost-outcome study. Am J Gastroenterol 2004;99:1692-9.

7. American College of Surgeons Committee on Perioperative Care. Revised statement on safe surgery checklists, and ensuring correct patient, correct site, and correct procedure surgery. Bull Am Coll Surg 2016;101:52.

8. ASGE Standards of Practice Committee. Guidelines for endoscopy in pregnant and lactating women. Gastrointest Endosc 2012;76:18-24.

9. ASGE Standards of Practice Committee. Guidelines for sedation and anesthesia in GI endoscopy. Gastrointest Endosc 2018;87:327-37.

10. Bell G, Morden A, Bown S, et al. Prevention of hypoxaemia during upper-gastrointestinal endoscopy by means of oxygen via nasal cannulae. Lancet 1987;1:1022-4.

11. Cabrini L, Savia I, Bevilacqua M, et al. Continuous positive airway pressure during upper endoscopies: A bench study on a novel device. J Cardiothorac Vasc Anesth 2016;30:e43-5.

12. Cappell MS. Risks versus benefits of gastrointestinal endoscopy during pregnancy. Nat Rev Gastroenterol Hepatol 2011;8:610-34.

13. Edelson JC, Rockey DC. endoscopic sedation of the patient with cirrhosis. Clin Liver Dis 2019;12:165-9.

14. Enestvedt BK, Eisen GM, Holub J, et al. Is the American Society of Anesthesiologists classification useful in risk stratification for endoscopic procedures? Gastrointest Endosc 2013;77:464-71.

15. Friedel D, Stavropoulos S, Iqbal S, et al. Gastrointestinal endoscopy in the pregnant woman. World J Gastrointest Endosc 2014;6:156-67.

16. Gibbs J, Newson T, Williams J, et al. Naloxone hazard in infant of opioid abuser. Lancet 1989;2:159-60.

17. Guh DP, Zhang W, Bansback N, et al. The incidence of co-morbidities related to obesity and overweight: a systematic review and meta-analysis. BMC Public Health 2009;9:88.

18. Hong GW, Lee JK, Lee JH, et al. Comparison of fentanyl versus meperidine in combination with midazolam for sedative colonoscopy in Korea. Clin Endosc 2020;53:562-7.

19. Jirapinyo P, Thompson CC. Sedation challenges: obesity and sleep apnea. Gastrointest Endosc Clin N Am 2016;26:527-37.

20. Jo HB, Lee JK, Jang DK, et al. Safety and effectiveness of midazolam for cirrhotic patients undergoing endoscopic variceal ligation. Turk J Gastroenterol 2018;29:448-55.

21. Lin Y, Zhang X, Li L, et al. High-flow nasal cannula oxygen therapy and hypoxia during gastroscopy with propofol sedation: a randomized multicenter clinical trial. Gastrointest Endosc 2019;90:591-601.

22. Lukens FJ, Loeb DS, Machicao VI, et al. Colonoscopy in octogenarians: a prospective outpatient study. The Am J Gastroenterol 2002;97:1722-5.

23. Mallampati SR, Gatt SP, Gugino LD, et al. A clinical sign to predict difficult tracheal intubation: a prospective study. Can Anaesth Soc J 1985;32:429-34.

24. Nam JH, Jang DK, Lee JK, et al. Propofol alone versus propofol in combination with midazolam for sedative endoscopy in patients with paradoxical reactions to midazolam. Clin Endosc 2021; doi: 10.5946/ce.2021.126.

25. Park SY, Lee JK, Kim JW, et al. A nationwide survey on the facilities and personnel for endoscopic sedation: results from 50 qualified endoscopy units of teaching hospitals accredited by the Korean Society of Gastrointestinal Endosco-

py (KSGE). Clin Endosc 2021;54:843–50.

26. Passos ML, Ribeiro IB, de Moura DTH, et al. Efficacy and safety of carbon dioxide insufflation versus air insufflation during endoscopic retrograde cholangiopancreatography in randomized controlled trials: a systematic review and meta–analysis. Endosc Int Open 2019;7:E487–97.

27. Prathanvanich P, Chand B. The role of capnography during upper endoscopy in morbidly obese patients: a prospective study. Surg Obes Relat Dis 2015;11:193–8.

28. Ragsdale JA. Validating patient safety in the endoscopy unit using the joint commission standards. Gastroenterol Nurs 2011;34:218–23.

29. Razavi F, Gross S, Katz S. Endoscopy in the elderly: risks, benefits, and yield of common endoscopic procedures. Clin Geriatr Med 2014;30:133–47.

30. Sharma VK, Nguyen CC, Crowell MD, et al. A national study of cardiopulmonary unplanned events after GI endoscopy. Gastrointest Endosc 2007;66:27–34.

31. Soleimanpour H, Safari S, Nia KS, et al. Opioid drugs in patients with liver disease: a systematic review. Hepat Mon 2016;16:e32636.

32. Tsai H–C, Lin Y–C, Ko C–L, et al. Propofol versus midazolam for upper gastrointestinal endoscopy in cirrhotic patients: a meta–analysis of randomized controlled trials. PLoS One 2015;10:e0117585.

33. Vargo JJ. Procedural sedation and obesity: waters left uncharted. Gastrointest Endosc 2009;70:980–4.

십이지장경의 삽입과 담췌관조영술

Intubation of Duodenoscope and Cholangiopancreatography

김효정 고려대학교 의과대학

내시경역행담췌관조영술(endoscopic retrograde cholangiopancreatography, ERCP)은 내시경을 십이지장 제2부에 삽입하여 유두부를 관찰하고 담관이나 췌관 내로 선택적으로 조영제를 주입하여 담관 또는 췌관조영 영상을 얻는 시술이다. 하지만 컴퓨터단층촬영 및 자기공명담췌관조영술 등의 영상 검사법들의 발전으로 최근의 ERCP는 진단적 역할보다는 영상검사에서 발견된 유두부 및 담관 또는 췌관 병변에 대한 감별 진단 및 다양한 시술을 위해 주로 시행한다.

1. 십이지장경

ERCP를 시행하기 위해서는 십이지장경을 유두부까지 안전하게 삽입할 수 있어야 하며 십이지장경 구조에 대한 이해가 필요하고 식도-위-십이지장 삽입 방법에 대해 잘 알고 있어야 한다. 내시경 삽입 전에 방향 조절 앵글이 고정되지 않도록 확인하면서 올림장치도 풀어 내시경 안쪽에 위치하도록 해야 한다. 측시형 내시경이므로 선단부가 다소 뻣뻣하여 초심자는 식도 삽입에 어려움을 경험할 수 있고 내시경 진행 방향을 잘 관찰하기 위해 Billorth II 위절제술을 시행 받은 환자에서는 십이지장경 대신에 직시형 내시경을 이용하기도 한다.

2. 십이지장경 삽입

1) 내시경 삽입

목에서 식도로 넘어갈 때 직시경처럼 미세한 방향 조절이 어렵기 때문에 접촉하게 되는 구강점막의 손상이 덜 하도록 내시경 선단부에 젤리를 묻혀서 삽입한다. 측시형 내시경이므로 내시경이 위치한 부위의 측면이 화면에 보여지며, 하인두에서 식도로 진입 시에는 성대를 시야에두고 성대 아래쪽을 향해 통과하듯 삽입한다. 식도에서는 점막에 손상을 주지 않도록 송기를 조금씩 하여 내시경 측면의 식도 점막을 관찰하면서 부드럽게 삽입하는 것이

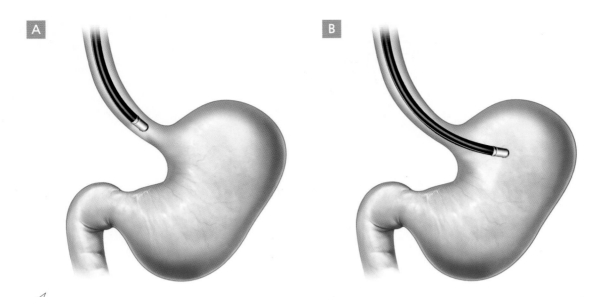

그림 5-1. (A) Gentle downward tip angulation allows examination of the distal esophagus, (B) The stomach is slightly inflated to allow an adequate view of the lumen. The endoscope is slowly advanced with tip angled downwards looking at the greater curvature and distal stomach.

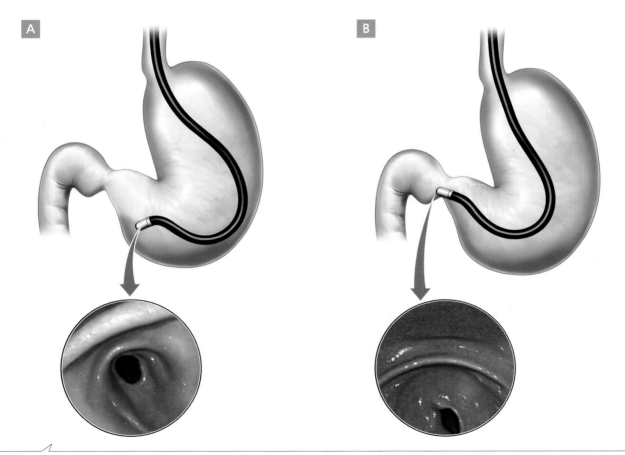

그림 5-2. (A) Reach the pyloric ring by advancing the scope while looking at the lesser curvature, (B) To pass through the pyloric ring, advance the scope with up angle while positioning pyloric ring at 6 o'clock.

중요하며 게실 내로 내시경이 진행하지 않도록 주의한다. 특히 하부 식도의 만곡이 두드러진 경우 주의해서 삽입하지 않으면 점막 손상을 일으킬 수 있으며, 식도 정맥류가 있는 경우에는 송기를 더 하면서 천천히 삽입하면 내강을 확보하면서 접촉 손상을 줄일 수 있다(그림 5-1).

식도-위 경계부를 통과하면 직시경처럼 내시경을 시계 방향으로 회전하면 위체부의 소만이 관찰된다. 소만을 12시 방향으로 놓고 송기를 최소한으로 하면서 내시경을 전진시켜 유문부에 도달한 후 선단부을 하향 조정하면서 내시경을 조금 더 천천히 전진시키면 유문륜이 12시 방향에서 관찰되며 이때 다시 미세하게 상향각을 주면서 가볍게 밀어 넣으면 유문륜이 보이지 않게 되면서 십이지장 구부에 들어감을 느낄 수 있다(그림 5-2).

십이지장 구부에 내시경이 삽입되면 구부의 상측과 후측벽이 보이는데 내시경을 살짝 후퇴시키며 송기를 하면 우하방으로 상십이지장각의 입구가 관찰된다(그림 5-3). 이를 따라 내강의 상방을 보면서 내시경을 전진시키면 십이지장 하행부의 윤상 주름이 보인 후 십이지장 유두부가 나타난다. 십이지장내 유두부의 위치는 매우 다양하나 대부분의 경우는 십이지장의 제2부 중심의 후벽의 내측에 위치한다.

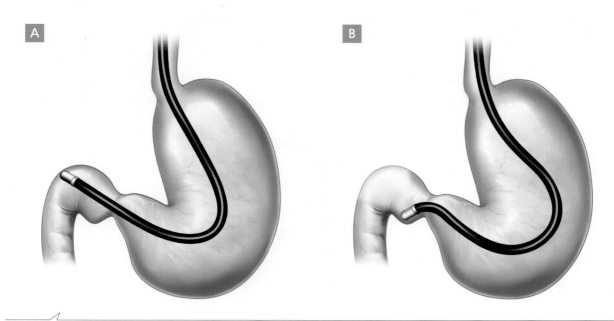

그림 5-3. (A) When the scope passes through the pyloric ring, the tip of the scope comes in contact with duodenal wall, (B) Use down angle and retract the scope to find the duodenal lumen.

2) 십이지장 유두부 관찰

시야에 십이지장 유두부가 관찰되면 선단부에 우향각을 준 다음 십이지장 내강을 시야에서 놓치지 않도록 상하조절휠을 조절하며 내시경의 축을 시계방향으로 회전시키면서 루프를 풀 듯이 부드럽게 스코프를 빼면 위내의 스코프 루프가 당겨지면서 십이지장까지의 내시경 경로가 단축, 직선화되어 상대적으로 내시경 선단은 전진하게 되고 시야 정면에 십이지장 유두부가 나타나게 된다(그림 5-4). 이때 과도한 힘을 주지 않으며 저항이 느껴지면 앵글 조작 및 단축을 중단하는 것이 좋다. 특히 십이지장과 주변의 유착이 있는 경우 십이지장의 유연성이 떨어져 내시경 당김 힘에 의해 십이지장 벽 천공이 발생될 수 있기 때문이다. 이렇게 내시경을 단축함으로써 자연스럽게 내시경 선단부가 십이지장 하행부에 위치하며 유두부가 내시경 시야 정면에 오게 하는 방법을 당김(pull)법이라 한

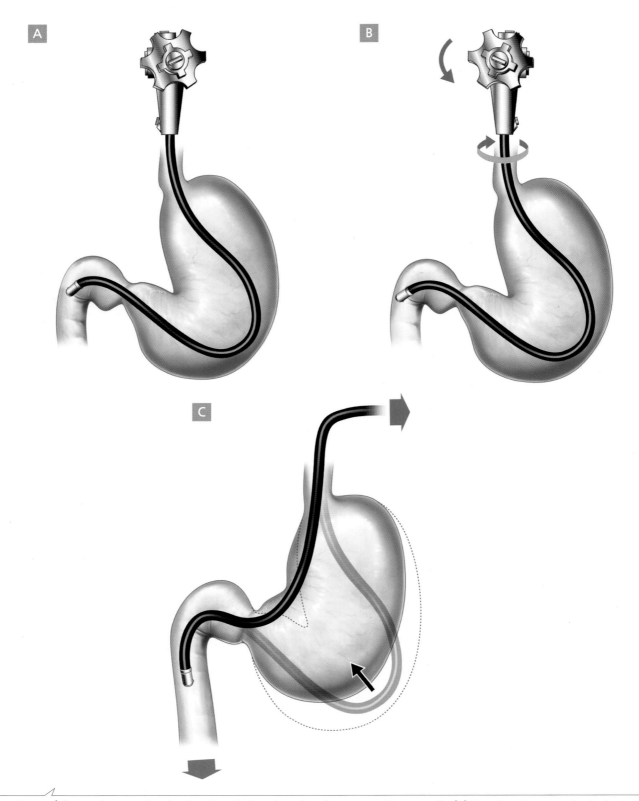

그림 5-4. (A) Pass the superior duodenal angle by advancing the scope with up angle, (B) Rotating the scope in clockwise direction with up and right angle allows visualization of the descending duodenum, (C) To advance the scope into the 2nd portion of duodenum, gently withdraw it while maintaining visualization of duodenal lumen.

다. 당김법의 장점은 내시경이 위 내에서 길게 신장되지 않아서 환자의 고통이 적고, 내시경과 췌관의 중첩이 덜하며, 내시경 선단부의 방향 조절이 쉬워 선택적 삽관에 용이하며 겸자공내 기구 조작에 저항이 적어 시술 시간을 줄일 수 있다.

그러나 구부의 변형, 위전정부 주행 변형, 십이지장 게실 등으로 당김법이 어려운 경우에는 내시경을 더 밀어 넣어 유두부 접근을 시도할 수 있다. 이러한 밀기(push)법은 위안에서 내시경이 커다란 고리를 형성하게 되어 환자에게 통증을 유발하며 삽관 및 시술에 제약이 있다(그림 5-5).

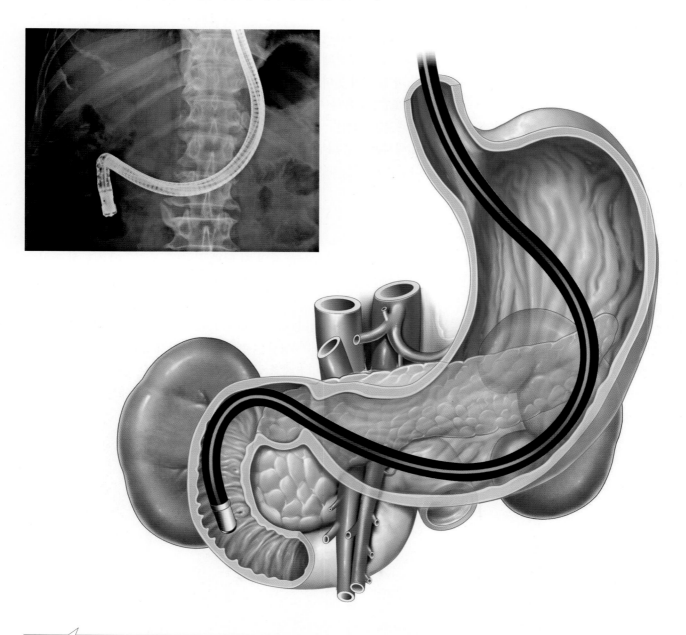

그림 5-5. **Long loop position**

3. 담췌관조영술

1) 검사 중 투시 영상 해석

ERCP의 적응증이 되는 여러 병적 상황에 관한 지식을 갖추고 있어야 하는데, 담관 조영 및 췌관 조영술에서의 해부학적 소견 및 얻어지는 투시 영상을 바로 인지하고 적절히 해석을 할 수 있어야 추가적인 시술 및 처치가 가능하기 때문이다. 담관 조영술에서 관찰되는 정상 담관 및 췌관의 형태와 함께 흔한 정상 해부학적 변이에 대한 이해 또한 필요하다. 우리나라에서 흔한 적응증이 되는 담관 질환으로는 총담관결석, 양성 및 악성 담관 협착, 종양, 담관 누출, 총담관낭 등이 있고, 췌관 질환으로는 분리췌장, 고리췌장 및 췌담관 합류 이상과 같은 변이, 췌석 및 만성 췌장염, 양성 및 악성 췌관 협착, 췌관 파열 등이 있다. 효과적인 조영술 검사를 위해서는 ERCP 시행 전 컴퓨터단층촬영(CT), 자기공명담췌관조영술(MRCP), 초음파내시경(EUS) 등의 검사에서 얻어진 담관 및 췌관 영상에 대한 충분한 검토가 선행되어야 하며 진단적 추가 검사나 치료적 계획도 미리 설계해 두어야 한다.

내시경 삽입법에 반해 담췌관조영술에 대해서는 표준화된 방법이 없으며, 각 센터에서 보유하고 있는 투시 장비에 따라서 경사 촬영 영상까지 촬영법이 다양하지만 삼차원적 구조를 이차원으로 표현하는 ERCP 조영술의 제한점 또한 알고 있어야 한다.

2) 환자 체위(Patient Positioning)

일반적으로 엎드린 자세인 복와위(prone position)에서 X-ray 촬영 시 담관 및 췌장 조영술에 적합한 영상을 얻을 수 있지만 기도 확보를 위해 어깨 받침이나 베개를 이용하여 우측 흉부를 세우는 Semi-prone or modified prone position 자세가 선호된다.

기도 삽관 환자, 근골격계 문제 또는 복부 수술로 인해 Semi-prone position이 어려운 경우에는 좌측 와위(Left lateral decubitus position) 자세가 유용하나 조영술 사진 영상은 판독에 불리하기 때문에 내시경 삽입 후 조영제 삽입 동안에는 우측 신체를 아래로 기울여 척추 가림이나 췌관 중첩을 최소화 시킬 수 있다.

내시경 삽입 전이나 제거 후에 경비담관배액 tube를 이용하는 tubogram 조영술의 경우에는 supine position에서 시행하면 환자 자세를 바꾸어 다양한 각도로 영상을 얻을 수 있다(그림 5-6).

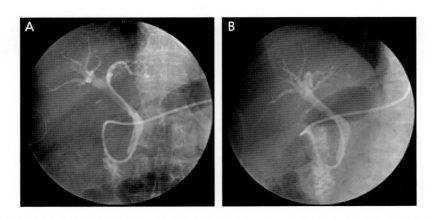

그림 5-6. 경비담관배액(ENBD) tubogram. (A) supine position, (B) 좌측을 세워 우측으로 기울어진 자세 변형

3) X-ray 조영제

CT 검사와 달리 혈관에 직접 투여되지 않기 때문에 조영제 부작용은 거의 알려져 있지 않으나 과거 ERCP 검사에 흔히 사용되었던 2세대 X-ray 조영제 Telebrix®는 1,500–2,100 mOsm/kg H$_2$O의 고삼투성 이온 조영제이며 담관 세포에 대한 세포독성 또는 췌장염 유발 가능성이 있었다. 하지만 현재 사용되고 있는 3세대 조영제들인 Xenetix®, Ultravist® Omnipaque®, Optiray®, Iopamiro®, Iomeron®은 521–915 mOsm/kg H$_2$O의 저삼투성 비이온 단일체(non-ionic monomer)로 삼투압이 낮아졌고 Xenetix®와 Optiray®는 anti-chameleon molecule 구조로 lipophilic zone이 친수성기(OH)에 의해 보호되어 조영제 과민반응 유발이 매우 적다. 가장 최근 개발된 Visipaque® 조영제는 290 mOsm/kg H$_2$O의 등삼투성 이합체(non-ionic dimer) 제품이다.

이들 요오드계 조영제들은 친수성으로 통상적으로 생리식염수와 1:1의 비율로 혼합하여 사용하며 사용 직전에 희석해서 조영제가 오염되지 않도록 한다. 주입된 이후에는 담관 내 담즙량에 따라 다시 희석되며 작은 담석의 경우 낮은 농도에서 더 잘 관찰되므로 경우에 따라 희석 비율을 조절하여 사용한다.

4) 조영제 주입기구

통상 주입하는 조영제 양은 췌관의 경우 3–5 mL, 담관의 경우 30–60 mL 정도이다. 조영제를 주입하는 기구로는 20–30 cc 주사기가 유용하다. 조영술시 공기에 의한 음영결손 예방을 위해 조영제가 들어있는 주사기는 도관에 거꾸로 세워서 끼우고 공기가 들어가지 않도록 해야 하며 도관에도 조영제를 미리 채워 놓는다. 담관 내로 조영제 주입 시에는 먼저 담즙을 소량 흡인하여 도관내 공기를 한번 더 제거한 다음 조영제를 주입한다.

5) X-ray 촬영

가급적 X-ray 노출을 줄이는 것도 중요하지만 ERCP 시행 전, 후 촬영을 시행하여 합병증 발생 유무를 확인해보는 것이 필수적이며 scout 사진에서 pneumobilia, surgical clips, CT contrast, pancreatic calcifications 등의 소견을 미리 파악해 두는 것이 시술 동안 투시 사진 판독에 도움이 된다.

투시로 담관 또는 췌관 내로 유도 철사나 도관이 잘 삽입되었는지 확인하고 조영제를 소량씩 주입하면서 병변 관찰이 가장 적절한 때에 투시 사진을 촬영한다. 조영제 주입 시작부터 세심하게 이상 유무를 관찰하여야 검사 중 병변을 놓치지 않을 수 있다.

4. 담관조영술

담낭이 정상적으로 존재할 경우 총담관의 직경은 5–8 mm 정도이며 다른 영상 검사법에 비해 조영제를 삽입하여 얻은 조영술 검사에서는 다소 확장되어 관찰되지만 통상 1.3 cm를 초과하지는 않는다.

간내담관의 분지 형태는 그림 5-7과 같이 변이가 흔하게 관찰되며 이중 우측 전분지와 후분지가 동시에 갈라지는 "trifurcation" 형태가 가장 흔하며, 우측 분지가 총간관(common hepatic duct)으로 합류되는 변이가 다음으로 많다. MRCP 검사에서 이러한 분지 변이를 잘 관찰할 수 있기 때문에 특히 간문부 병변의 경우에는 ERCP 전에 미리 변이를 인지하는 것이 시술에 도움이 된다.

조영제의 비중이 담즙보다 크기 때문에 주입된 조영제는 환자의 체위에 따라 다르게 관찰된다. 앙와위(supine position)에서는 간우엽에 조영제가 먼저 채워지나(그림 5-8), semi-prone position에서는 간좌엽과 간미엽(cau-

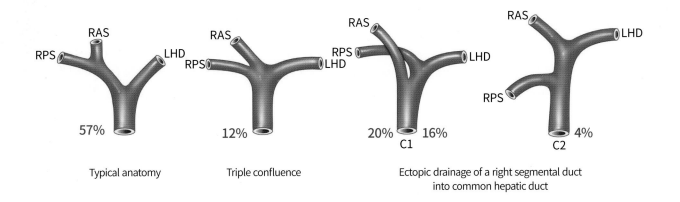

Typical anatomy
57%

Triple confluence
12%

C1
20% 16%

C2
4%

Ectopic drainage of a right segmental duct
into common hepatic duct

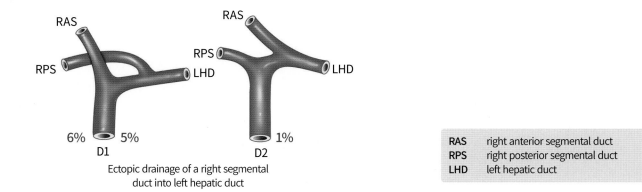

D1
6% 5%

D2
1%

Ectopic drainage of a right segmental
duct into left hepatic duct

RAS	right anterior segmental duct
RPS	right posterior segmental duct
LHD	left hepatic duct

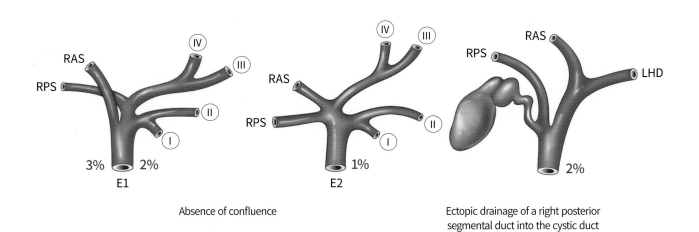

E1
3% 2%

E2
1%

Absence of confluence

Ectopic drainage of a right posterior
segmental duct into the cystic duct
2%

그림 5–7. **Common variations of biliary confluence anatomy**

date lobe)이 먼저 관찰되기 때문에 ERCP 검사 중 우측 간내담관 조영은 선택적으로 도관을 삽입하여야 적은 양의 조영제로 병변을 보다 정확히 확인할 수 있다.

간문부 담관 협착의 경우에는 간내담관내로의 조영제 주입을 최소화하기 위해 유도철사를 따라 협착부위로 도관을 삽입하며, 조영제를 주입하기 전 미리 도관내 공기와 협착 근위부 담즙을 소량 흡인 후 조영제를 주입해야 정확한 조영사진을 얻을 수 있다. 조영제는 방사선 투시 하에 천천히 주입하여 담관 협착부의 정확한 위치와 길이를 파악한다. 또한 ERCP후 급성담관염의 발생 위험성으로 배액술이 가능하지 않을 담관 내로의 조영제 주입은 가급적 피하는 것이 좋으며, 이미 담관염이 동반된 경우에는 ENBD 등의 일시적 배액술을 우선 시행하여 담관염 호전 후 조영술을 시행하는 것이 좋다.

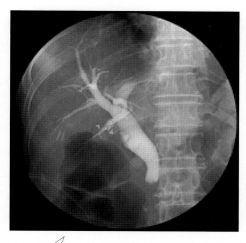

그림 5-8. 앙와위 자세에서 담관조영술. 간우엽과 미엽에 조영제가 먼저 채워짐.

간내담관의 경우 직경이 작아 조영제 주입 시 가능한 소량을 천천히 주입해야 하는데 조영제를 과다하게 주입하여 담관 내압이 22 cmH₂O를 초과하게 되면 조영제의 담도정맥 역류(biliovenous reflux)가 발생되고 30 cmH₂O 넘으면 세균의 역류로 인한 균혈증이 초래될 수 있기 때문이다.

조영제로 인한 ERCP후 담관염 예방을 위해 air cholangiography도 시행되고 있으며 공기색전증(air embolism) 합병증 예방을 위해 CO₂ cholangiography가 간문부 협착에서 유용하다.

담석증이 진단되고 담관염 동반이 있는 경우에는 총담관에 조영제를 다 채워서 담관조영술을 시행하기보다는 담석 크기 확인을 위한 소량의 조영제 삽입 후 유두부괄약근절개술 등을 시행하여 시술 중 담관 내 압력을 낮추어 주는 것이 필요하며, 작은 크기의 담석은 조영제가 주입 초기에 가장 잘 보이므로 조영제를 과다하게 주입하지 않도록 해야 한다.

감별을 요하는 음영 결손의 경우 조영제를 주입 또는 흡인할 때, 도관을 움직일 때 그리고 환자 체위 변경 시 음영 결손이 이동하는지를 확인하는 것이 진단에 도움이 된다. 담낭관과 총담관이 중첩되어 보이는 경우 그리고 주위 혈관 구조물이나 외부 압박에 의한 음영 결손의 경우에는 C-arm을 이용하거나 환자 체위를 바꾸어 촬영한 사진들과 다른 영상 이미지들을 비교하면 불필요한 시술을 줄일 수 있다.

간절제술 또는 간이식술 등의 간담도계 수술을 시행 받은 경우들에서는 시술 전 간 내 담관에 대한 충분한 검토 및 조영제 삽입에 대한 설계가 필요하다. 담낭 수술 직후에는 담관 전체에 담즙이 차 있으므로 조영제를 조금만 주입하여도 압력이 상승하여 통증을 유발하므로 주의를 요한다. 담낭관이 총담관에 합류하는 위치는 매우 다양한데 수술 전 ERCP 검사가 시행되는 경우 이러한 변이를 감지하면 담낭절제술시 담도 손상 및 담즙 누출 등의 합병증 예방에 도움이 된다.

담낭관의 위치나 담낭관내 결석에 대한 검사 외에 담낭 촬영은 다른 영상 검사법들의 발달로 점차 시행되고 있지 않으며, 담관내 조영제 주입 시 담낭의 윤곽이 보이면 조영제 주입 도관의 위치를 바꾸어 담낭내에 조영제가 채워지지 않도록 하는 것이 좋다.

일반적인 ERCP 검사에서는 Oddi 괄약근 기능부전(sphincter of Oddi dysfunction)을 평가하기 어렵기 때문에 담관 말단부에서의 조영제 배출능을 보기 위한 촬영은 권유되지 않으나 시술 중 조영제가 계속 담관 내에 남아 있으면 기능 장애를 추정할 수 있다.

5. 췌관조영술

췌관의 형태와 주행 방향은 매우 다양해서(그림 5-9, 10) 국내 1,216명을 대상으로 한 연구 결과에서는 상방향형이 85.3%로 가장 많았고, 평행형 7.3%, S자형 7.1% 및 하방향형 0.3% 등의 순이었다.

직경은 두부에서 미부로 서서히 작아져 대략 두부 3–4 mm, 체부 2–3 mm 및 미부 1–2 mm로 알려져 있으며 한국인 1,142명의 연구에서는 두부의 최대 및 중간지점 직경이 각각 3.2±1.1 mm 및 2.7±1.0 mm, 체부에서는 2.5±2.3 mm 및 2.2±0.9 mm, 미부는 1.6±0.7 mm 및 1.4±0.6 mm로 보고하였다.

췌관내 조영제 주입 시 췌관압의 상승으로 통증뿐 아니라 미세관을 파괴시켜 선방세포에 손상을 주기 때문에 조영제 주입시 갑자기 높은 압력으로 들어가지 않도록 조금씩 서서히 주입하면서 췌관의 이상 유무를 관찰하면서 촬영해야 한다.

췌관 영상 검사로 MRCP 검사법이 매우 유용하여 ERCP 췌관조영술은 단순 췌관조영술 보다는 췌관 병변에 대한 시술이 목적인 경우가 많아 조영제 주입은 필요한 부위에서 가능한 소량을 주입하는 것이 좋다. 췌관 협착이 있는 경우는 유도철선을 따라 도관을 협착 부위 상부로 삽입하며 췌관 파열의 경우에는 병변 하부 쪽에서 조영제를 주입하여 누출을 확인한다.

췌관내로 삽입된 조영제는 담관에서보다 빨리 배출되기 때문에 도관을 삽입한 상태로 조영제를 주입하면서 바로 촬영해야 한다.

내시경을 밀기법으로 삽입한 경우 내시경이 췌관과 중첩되는 부분이 많고 두부 일부를 가리므로 조영제를 삽입한 후 내시경을 후퇴시키거나 도관은 삽입된 상태에서 내시경만 뒤로 조금 빼고 조영제를 주입한다.

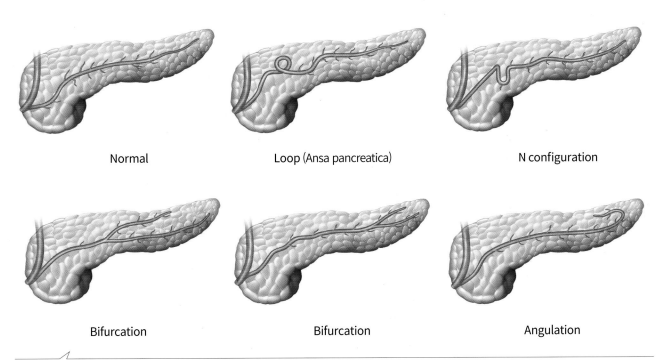

Normal	Loop (Ansa pancreatica)	N configuration
Bifurcation	Bifurcation	Angulation

그림 5-9. **Pancreatic ductal system and its variations**

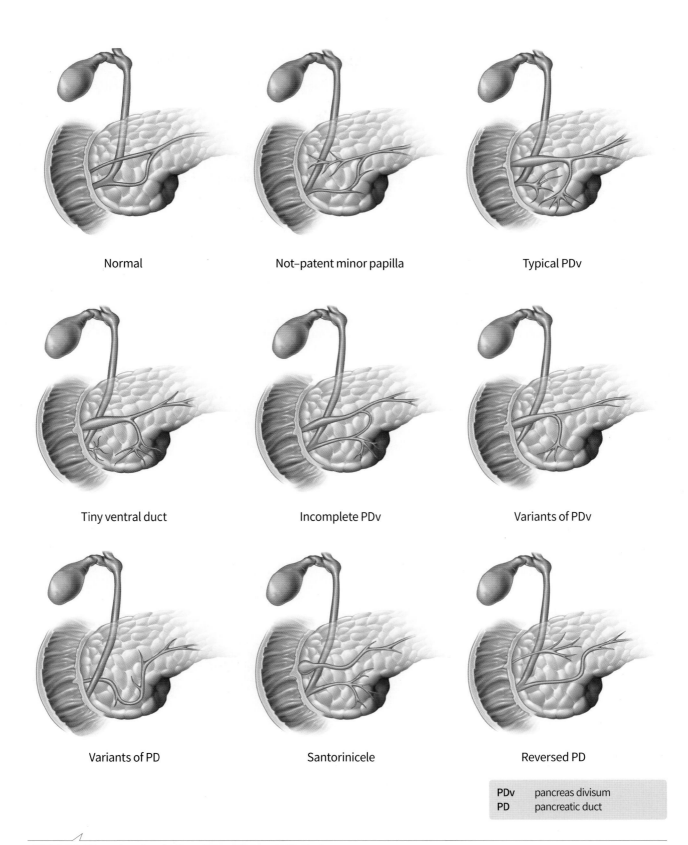

Normal

Not–patent minor papilla

Typical PDv

Tiny ventral duct

Incomplete PDv

Variants of PDv

Variants of PD

Santorinicele

Reversed PD

| PDv | pancreas divisum |
| PD | pancreatic duct |

그림 5–10. **Normal and variant anatomy of pancreatic duct**

참/고/문/헌

1. 김명환, 임병철, 박현주 등. 한국인 췌담관의 정상 구조 및 기형에 관한 연구; 다기관 협동 조사. 대한소화기내시경학회지 2000:21; 624–32.

2. 김재환, 박은택, 손병관 등. 대한췌담도학회 교육위원회. 전임의를 위한 내시경역행담췌관조영술 교육 가이드라인. Korean J Pancreas Biliary Tract 2017;22:1–13.

3. 이홍식. 선택적 삽관 A부터 Z까지. Korean J Gastrointestinal Endosc 2010;40(Suppl 1):291–4.

4. 주영민, 이성구, 김명환 등. 단기간의 조영제 노출에 따른 Ioxithalamate와 Iopromide의 담낭 상피 세포의 독성 비교. Korean J Gastrointest Endosc 2006;32:101–8.

5. Kang JK, Chung JB, Moon YM, et al. The normal pancreatogram in Koreans. Korean J Int Med 1989;4:74–9.

6. Wobser H, Agnetha Gunesch A, Klebl F. Prophylaxis of post–ERC infectious complications in patients with biliary obstruction by adding antimicrobial agents into ERC contrast media– a single center retrospective study. BMC Gastroenterol. 2017;17:10.

7. Yoshimoto H, Ikeda S, Tanaka M, et al. Relationship of biliary pressure to cholangiovenous reflux during endoscopic retrograde balloon catheter cholangiography. Dig Dis Sci. 1989;34:16–20.

8. Zhang WH, Ding PP, Liu L, et al. CO2 or air cholangiography reduces the risk of post–ERCP cholangitis in patients with Bismuth type IV hilar biliary obstruction. BMC Gastroenterol 2020;20:189.

담췌관 선택삽관법

Selective Cannulation to Biliary and Pancreatic Duct

조창민 경북대학교 의과대학

내시경역행담췌관조영술(endoscopic retrograde cholangiopancreatography, ERCP)에 있어 담관이나 췌관으로의 선택삽관은 성공적인 시술을 위한 기본적인 요건으로 전문가나 초보자에 있어 선택삽관의 실패는 시술 성공을 가로막는 중요한 방해요소이다. 성공적인 선택삽관을 이루기 위해서는 유두부에 대한 충분한 해부학적 이해를 통해 삽관 훈련을 마스터하는 것이다. ERCP가 처음 소개되었을 당시에는 삽관을 위한 기본 방법으로 도관을 사용하였으나, 이후 다양한 장비 및 부속기구의 개발과 새로운 내시경 술기의 소개로 삽관의 성공 가능성을 증가시켰다.

이번 장에서는 성공적인 선택삽관에 있어 내시경의 적절한 위치, 기본적인 삽관 술기, 다양한 기구를 이용한 삽관 방법, 해부학적 이상 소견에서의 삽관 방법, 삽관에 실패하거나 어려운 삽관에서 대처 방법에 대해 소개하고자 한다.

1. 적합한 내시경 위치 선정

삽관을 시도하기 전에 주유두를 충분히 관찰하여 삽관할 위치와 방향을 선정하는 것이 매우 중요하다. 내시경 화면에서 주유두 위치를 적절히 유지하는 것이 성공적인 삽관을 위한 첫 관문이라 할 수 있다. 일반적으로 내시경 선단은 주유두 아래에 위치하고 최소한으로 인접해 있어야 하는데, 내시경 화면에서 중앙 횡단면의 상부에 주유두가 위치하는 것이 적절하다. 내시경 선단이 주유두 상부에 위치하게 되면 도관의 삽입이 어렵게 되므로, 삽관 시도 전에 내시경 선단이 만족스러운 위치에 도달하도록 노력하는 것이 우선이다. 성공적인 삽관을 위해서 주유두를 내시경 화면 중앙에 위치하는 것이 유리하지만, 도관 선단이 내시경 화면의 오른쪽 가장자리의 아래쪽 절반에서 나오기 때문에, 최적의 삽관을 위해서 주유두의 위치는 일반적으로 약간 상부에 위치하는 게 유리하다. 따라서, 내시경 화면을 4분할하였을 때 주유두의 최적 위치는 오른쪽 위 사분면의 왼쪽 아래 모서리에 위치하는 것이 삽관에 유리하다(그림 6-1).

내시경이 주유두와 너무 가까우면 주유두를 잘 관찰할 수 있지만 삽관 시 좋은 각도를 얻을 수 없고, 주유두

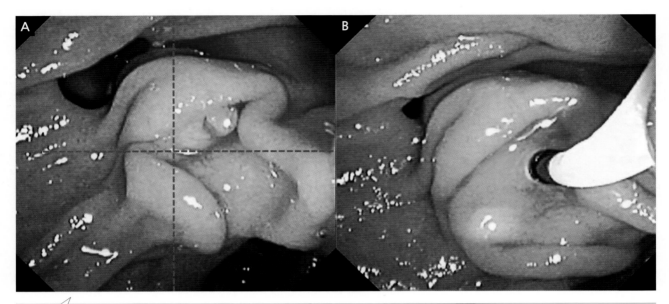

그림 6-1. 내시경 영상에서 적절한 주유두 위치. (A) 내시경 화면을 4분할하였을 때 주유두를 오른쪽 위 사분면의 왼쪽 아래 모서리에 위치하도록 내시경을 조절한다. (B) 도관 선단이 내시경 화면의 오른쪽 가장자리에서 나오게 되어 있어 주유두를 올려다 보는 위치에서 삽입을 시도해야 한다.

로부터 내시경 선단이 너무 멀어지면 도관의 움직임이 커지고 미세한 조절이 어려워 선택삽관에 불리하다. 내시경의 상하 및 좌우 조절 knob을 이용하여 가능한 주유두가 정면에 위치하도록 하고 주유두로부터 내시경 선단까지의 거리는 보통 약 2–3 cm 정도를 유지하여야 선택삽관이 용이하다.

삽관을 시도하기 전 주유두를 면밀히 관찰하여 개구부의 위치와 상태, 게실의 유무, 주유두의 변형 등을 확인하여야 한다. 개구부를 잘 확인하지 않고 성급하게 삽관을 시도할 경우 도관의 반복적인 자극으로 개구부의 부종이나 출혈이 발생하고 Oddi 괄약근의 수축 혹은 연동운동 항진 등으로 인해 삽관이 더욱 어려워지게 된다.

2. 기본적인 삽관 술기

선택삽관을 시도하기 앞서 주유두 개구부의 모양과 주유두내 담관과 췌관의 합류 형식의 다양한 형태를 이해하고 그에 따른 삽관 술기를 습득할 필요가 있다. 주유두는 십이지장의 제2부의 내측 후벽에 위치하며 보통 10–12 mm 정도 크기이고, 반구형, 반타원형, 편평형 등 다양한 형태를 보인다.

담관 개구부는 췌관 개구부에 비해 주유두에서 좌상방에 위치하여서, 주유두가 내시경 화면의 좌상방에 위치하도록 하는 것이 유리하다. 정면 주유두 시야에서 담관은 11–12시 방향으로 주행하므로 내시경의 겸자공에서 나온 도관의 축이 이 방향에 일치하도록 내시경 선단을 조절하는 것이 유리하다. 내시경 선단을 주유두에 가까이 근접한 상태에서 삽관을 시도할 경우 도관의 축이 담관의 진행축과 어긋나게 되어, 췌관으로 삽관되는 경우가 흔하다. 내시경 선단과 주유두의 적절한 간격에 대해서는 시술자마다 차이가 있지만, 주유두의 관찰과 더불어 삽관을 위한 도관의 조작을 위해 2–3 cm 정도의 거리가 적절하다.

내시경 화면에서 주유두를 정면으로 바라볼 때 담관 개구부는 주로 좌상방 11–12시 방향에 위치하며 십이지장벽에서 약 25–30도 각도로 십이지장벽과 거의 평행하게 주행하고, 췌관 개구부는 우측 약간 아래쪽의 1–2시 방향에 위치하며 십이지장벽과 60도 각도로 주행한다. 이러한 주행 방향으로 인해 췌관의 선택삽관은 용이하나 담관의 선택삽관은 어려운 경우가 많다(그림 6-2).

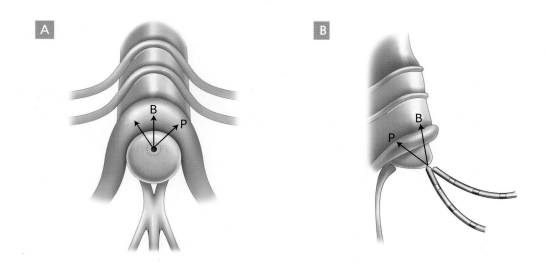

그림 6-2. 담관(B)과 췌관(P)의 삽관 방향. (A) 주유두 정면 시야에서 담관과 췌관의 주행방향, (B) 측면에서 담관과 췌관의 주행 방향

　　초심자의 경우 성급하게 삽관을 시도하려고 적절한 위치에 주유두를 위치시키기보다는 무리하게 삽관을 시도하는 경우가 있는데 내시경과 주유두의 위치가 적절하지 않으면 삽관에 실패하게 된다. 적절하지 못한 위치에서 도관을 주유두에 반복적으로 자극하면 주유두의 점막하 조직에 부종을 발생하여 더욱 삽관을 어렵게 할 수 있어 주의가 필요하다.

3. 담관의 선택삽관

　　먼저 주유두를 자세히 관찰하여 입체적으로 담관과 췌관의 예상 주행 경로를 머리로 그려본다. 담관은 십이지장벽과 거의 평행하게 주행하므로 담관의 선택삽관 시 도관 끝부분을 손가락으로 미리 굽혀서 사용하거나 표준 유두절개도를 사용하는 것이 유리하다. 끝이 구부러진 도관이나 유두절개도는 올림장치로 들어올려서 담관으로 진행시킬 때 도관의 방향을 십이지장 벽에 평행하고 완만한 곡선을 유지하면 담관의 선택삽관을 용이하게 해준다.
　　담관은 주유두 개구부의 좌측 상부에서 시작하여 십이지장벽에 거의 평행되게 11시 방향으로 주행하므로, 주유두를 내시경 화면에서 약간 좌상방에 위치하도록 하는 것이 좋은데, 도관이 내시경 선단으로부터 4–5시 방향에서 나와 11시 방향으로 진행하게 되어 도관의 진행 방향과 담관의 주행축을 일치시킬 수 있기 때문이다. 담관 삽관 시에는 주유두를 약간 치켜보는 각도에서 유두부 입구에서 올림장치를 이용하여 도관이나 유두절개도의 끝으로 개구부를 살짝 들어 올리듯이 하면서 가볍게 밀어 넣는다. 일단 도관이 담관의 끝부분에 진입한 후에는 내시경을 구강 쪽으로 살짝 당기거나 내시경의 올림장치와 상하 및 좌우 조절 knob을 미세하게 조작하여 도관의 진행

방향이 구측 융기 상연과 평행을 유지하면 도관이 담관으로 진행하게 된다(그림 6-3). 만일 도관의 진행이 너무 위쪽을 향하거나 점막이 너무 치켜올려진 경우에는 올림장치를 내리거나 내시경을 살짝 전진시켜 도관과 담관의 축이 일치되도록 조절한 다음 삽관을 시도하면 깊은 삽입이 이루어질 수 있다.

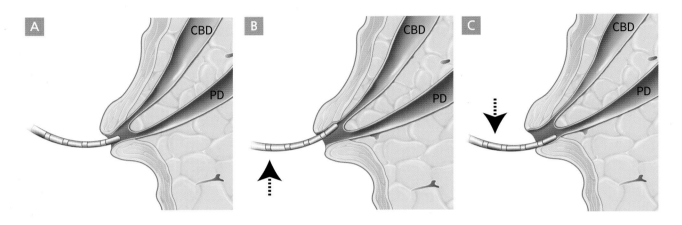

그림 6-3. 도관을 이용한 선택삽관. 주유두 개구부에 도관을 유치시킨 후(A) 겸자올림장치를 이용해서 상향으로 조작하게 되면 담관(CBD)으로 삽관되고(B) 하향으로 조작하게 되면 췌관(PD)으로 삽관된다(C).

도관이 어느 정도 삽입되면 조영제를 조금 주입하여 담관의 조영상을 확인하거나, 도관으로 유도철사를 삽입하여 담관 주행 방향으로 유도철사가 진행하는 것으로 담관의 선택삽관 성공 여부를 확인할 수 있다. 아무런 저항 없이 도관을 5–10 cm 정도 밀어 넣을 수 있는 경우 담관으로 선택삽관이 되었다고 할 수 있으나 가끔 췌관 삽입 시에도 아무런 저항 없이 깊게 삽입될 수 있으므로 주의해야 한다. 담관의 선택삽관시 주의할 점은 가능하면 처음부터 췌관으로 삽관이 안 되도록 해야 하며 특히 반복적인 췌관 삽관은 피하여야 한다. 반복적인 췌관 삽관으로 인해 췌관으로의 통로가 형성되고 공통관내 중격이 담관 입구를 압박하게 되면 담관의 선택삽관이 점점 더 어려워지게 되고 췌장염의 발생 위험도 증가하게 된다.

4. 주유두내 담관과 췌관의 합류 방식에 따른 선택삽관

주유두의 내시경 관찰만으로 유두부 내 담관과 췌관의 합류 형태를 정확하게 파악하기 어렵지만, 삽관을 시도하기 전에 이를 미리 예측하는 것이 좋다. 담관과 췌관의 합류 방식은 분리형, 격벽형, 공통관형으로 분류할 수 있다(그림 6-4). 각 각의 분류에 따른 선택삽관 방법은 아래와 같다.

1) 분리형
담관과 췌관이 주유두에서 별개의 개구부를 이루는 형태로 별개구형과 양파형으로 세분할 수 있다.
별개구형은 내시경 소견에서 주유두의 개구부가 두 곳으로 보이며, 일반적으로 구측 또는 좌측이 담관이고, 항문측 혹은 우측이 췌관이다. 각각의 개구부에 도관을 삽입하게 되어 선택삽관은 다른 형태와 비교해서 용이하

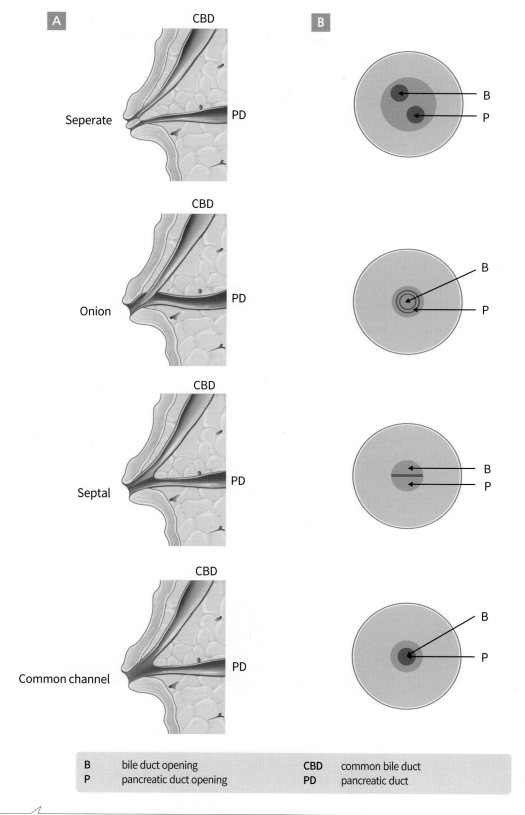

B	bile duct opening	CBD	common bile duct
P	pancreatic duct opening	PD	pancreatic duct

그림 6–4. 주유두 내 담관과 췌관의 합류형식. 주유두 개구부의 측면상(A)과 정면상(B)

다. 양파형은 주유두 외관상 양파 모양으로 보이며, 동심원 구조의 중심이 담관 개구부이고 주변부가 췌관과 연결된다. 이 경우에서도 담관의 선택삽관은 용이하다. 개구부를 약간 내려다보는 듯한 상태에서 도관을 개구부 동심원 구조의 중심으로 삽입을 시도하면 수월하게 담관으로 선택 삽관이 되는 경우가 많다. 췌관 삽관은 동심원 중심에서 3–4시 방향으로 삽관하면 된다.

2) 격벽형

격벽형은 개구부가 하나로 보이고 공통관이 매우 짧아 개구부에서 담관과 췌관 사이에 얇은 격벽을 갖는 형태이다. 선택삽관 방법에는 두 가지가 있다.

첫 번째는 격벽을 끌어올리지 않고 개구부 구측 점막만을 도관 선단으로 살짝 들어올려 담관 개구부를 넓고 크게 보이도록 만드는 조작이 필요하다. 이러한 조작을 위해서 우선 습득해야 할 기본으로 내시경 화면의 위쪽 절반 부위에 유두가 위치하도록 하고 개구부를 아래에서 위로 올려다보는 위치로 만드는 게 중요하다. 도관 끝부분으로 유두 개구부의 구측벽만을 살짝 밀어 올리면 담관 개구부가 좀더 넓혀진 상태가 되며 이 때 조영제를 주입하거나 유도철사를 진행시키면 담관 선택삽관을 이룰 수 있다. 만일, 도관의 끝부분으로 격벽을 끌어 올리게 되면 췌관으로 삽입되므로 도관 끝부분으로 개구부의 구측벽만을 밀어 올리도록 조작하는 게 중요하다(그림 6–5). 담관의 주행이 십이지장벽의 주행과 평행하므로 도관 끝이 십이지장벽과 평행이 되도록 유지할 필요가 있다. 도관은 내시경에서 나오는 길이가 길수록 도관 끝부분이 화면 우측 방향인 주유두의 1–2시 방향으로 치우치게 되므로 삽관 시 도관 끝이 개구부의 11–12시 방향을 향하게 되는 시점에서 주유두 개구부가 화면의 중앙에 잡히도록 내시경 끝과 주유두의 거리를 적절하게 조절할 필요가 있다. 한편, 내시경 조작만으로 올려다보는 방향이 충분히 확보되지 않을 경우에는 유두절개도를 사용해 절개도 끝을 굴곡시키면 절개도 끝이 강하게 주유두를 올려다보는 각도를 만들 수도 있다. 담관 개구부가 넓혀진 상태에서 내시경을 약간 잡아당기고 하향각(downward angle)으로 도관의 축과 담관의 축을 맞춘다. 이어서 축이 잘 맞게 약간 상향각(upward angle)을 걸어주면서 도관을 밀어넣으면 자연스럽게 심부 삽관이 가능하다.

두 번째 방법은 내시경을 극단적으로 주유두에 근접시켜 약간 유두를 내려다보는 듯한 자세에서 짧게 내민 도관의 선단을 얕게 삽관하고 올림장치를 'up'시키고, 내시경으로 약간의 당김을 병용하면서 도관의 선단으로 담관

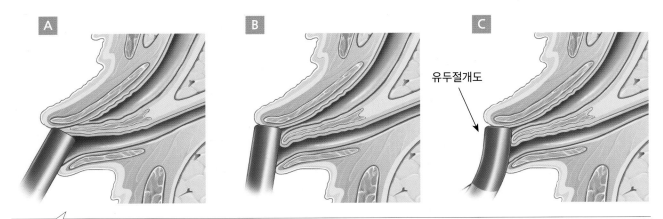

그림 6–5. **격벽형에서 담관 삽관 방법. (A) 주유두를 충분히 올려다보는 자세가 나오지 않으면 격벽을 들어올리게 되어 췌관 조영이 된다. (B) 담관 개구부의 구측만 들어올리면 담관개구부가 확보된다. (C) 유두절개도를 구부리는 조작을 통해 상향각을 얻어서 담관의 구측 점막을 들어올릴 수 있게 된다.**

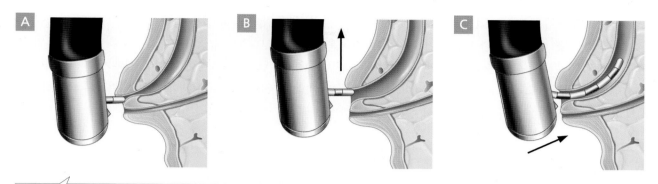

그림 6-6. 격벽형에 대한 담관 선택삽관(근접법). (A) 강하게 근접한 자세에서 짧게 내민 도관 선단을 담관 개구부에 대고 담관 개구부 구측벽을 끌어당긴다. (B) 시계방향으로 비틀고 상향각을 병용하는 내시경 조작으로 개구부 구측벽을 11시 방향으로 들어올린다. (C) 상향각을 걸면서 도관을 밀어넣으면 심부삽관이 된다.

개구부 구축벽을 구측으로 들어올려 담관 개구를 넓힌다(그림 6-6). 동시에 상향각을 유지한 상태에서 주유두와 거의 수직방향으로 도관을 밀어 넣기를 병용하여 담관내에 한 번에 삽관하는 방법이다. 근접법을 사용하면 보통 담관 조영이 된 후 축을 맞추는 조작은 필요치 않고 격벽형의 선택적 담관 삽관이 순간적으로 부드럽게 이루어진다. 그러나 이 방법은 도관이 의도하지 않게 췌관 삽관이 될 수 있어 주의해야 한다.

3) 공통관형

이 유형은 담관과 췌관이 유두내에서 합류하여 하나의 관강으로 주유두에 개구하게 되어 얕은 삽관 후에 췌관 조영이 과잉 상태가 되지 않을 정도로 조영제를 주입하면 담관과 췌관이 동시에 조영되면서 담관의 주행을 알 수 있고 그 후 도관과 담관의 축을 맞추어 도관을 담관으로 밀어 넣으면 심부 삽관을 이룰 수 있다.

4) 유두 외관 모양에 따른 삽관

앞에서 언급한 담관과 췌관의 합류 형태에 따른 삽관 방법 외에 최근에는 주유두 외관 형태에 따라 정상 주유두(regular papilla), 작은 주유두(small papilla), 돌출 혹은 매달린 주유두(protruding or pendulous papilla),

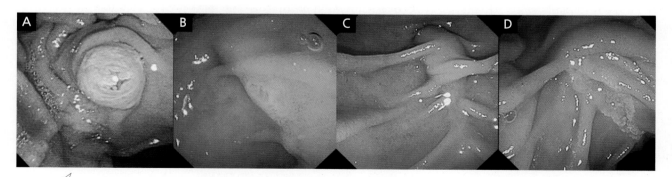

그림 6-7. 주유두 외형에 따른 분류. (A) 독특한 특징이 없는 가장 일반적인 유형인 유두(regular papilla), (B) 직경이 3 mm 보다 크지 않은 편평한 작은 유두(small papilla), (C) 십이지장 내강으로 돌출되어 개구부가 미부에 위치한 유두(protruding or pendulous papilla), (D) 주름 혹은 유두를 타고 개구부 점막이 원위부로 확장되어 있는 유두(creased or ridged papilla)

그리고 주름진 주유두(creased or ridged papilla)로 구분하여 각 각의 담관 삽관 관련 성적을 보고하고 있는데, 1,401명의 환자를 대상으로 한 노르웨이 연구에서 어려운 삽관이 42%에서 발생하였고, 이 중 작은 주유두와 돌출 혹은 매달린 주유두에서 어려운 삽관이 이루어 더 빈번하게 일어났고, 초보자에서 삽관 실패가 흔하였다(그림 6-7). 다른 연구에서도 작은 주유두에서 삽관 시 췌장염의 발생이 다른 주유두 형태에서 보다 빈번히 발생하였다고 보고하고 있어, 작은 유두에서 삽관 시 주의가 필요하다.

5. 선택삽관 시 조영제와 유도철사 사용의 차이점

도관을 주유두 개구부로 진입한 후 선택삽관 성공 여부를 확인하는 방법은 조영제 주입과 유도철사 삽입 방법이 있다.

조영제를 이용한 삽관은 통상적으로 시행하는 방법으로 도관이나 절개도를 삽관하여 조영제를 주입하여 깊은 삽관을 시도하는 방법이다. 의도하지 않게 췌관으로 조영제가 주입될 경우 시술과 관련된 췌장염을 초래할 수 있고, 주유두 점막하 조직에 조영제가 주입되어 더 이상의 시술이 불가능해지는 경우가 있어 주의가 필요하다. 따라서, 췌관이 불필요하게 조영되는 것을 피하려면 도관 삽관 후 조영제를 주입하기 전에 주사기를 이용하여 도관으로 흡인되는 액의 색으로 선택삽관 부위를 유추하거나, 깊은 삽관 후 방사선 투시영상에서 도관의 위치를 확인하여 삽관의 위치를 확인할 수 있다.

유도철사를 이용한 삽관 방법에는 유도철사를 도관 내로 삽입하여 담관이나 췌관으로의 유도철사의 주행 방향을 확인함으로써 선택삽관의 성공 여부를 확인하거나, 도관 선단에 미리 유도철사의 끝을 조금만 노출시킨 후 주유두 입구에서 도관을 삽입하지 않은 상태에서 유도철사만 가볍게 밀어 넣어 담관 또는 췌관으로 진입하게 되면 유도철사를 따라 도관을 진행시켜 선택삽관 성공여부를 확인할 수 있다. 이 경우 담관 삽관을 시도하였으나 췌관에 먼저 삽관이 되더라도 방사선 투시로 확인하여 췌관에 불필요한 조영제 주입을 피할 수 있다.

조영제 대신 유도철사를 도관 내로 삽입하여 선택삽관을 시도할 경우 조영제를 이용한 삽관에 비해 췌장염의 위험성을 줄일 수 있는 장점이 있다. 최근 3,450명 환자를 대상으로 유도철사를 이용한 삽관과 전통적인 조영제를 이용한 삽관 성적을 비교한 체계 분석과 메타 분석에서 유도철사를 이용한 삽관에서 일차적인 삽관 성공률이 높았고[relative risk (RR) 1.07, 95% 신뢰구간(95% CI) 1.00–1.15], 시술과 관련한 췌장염 발생(RR 0.51, 95% CI 0.32–0.82) 및 예비 절개도 사용률(RR 0.75, 95% CI 0.60–0.95)이 적었으며, 췌장염 이외 부작용 발생에 있어 차이가 없었다. 과거에는 유도철사를 이용한 삽관과 췌장염과의 연관성이 확실치 않았으나, 최근의 전향적, 무작위 연구에서 삽관 시 유도철사 사용 여부에 따른 췌장염의 발생 빈도가 유도철사 사용군에서 의미 있게 낮았는데 이는 췌관으로 조영제 주입이 적었기 때문으로 추정된다.

하지만 유도철사를 무리하게 도관으로 밀어 넣을 경우 담관벽의 박리, 천공, 췌관 손상으로 인한 췌장염 등이 발생할 수 있어 주의가 필요하나, 끝이 부드러운 유도철사를 이용하면 최소화할 수 있다. 비록 유도철사를 이용한 삽관의 성공률이 더 높고 췌장염 발생이 적은 것으로 보이나, 상황에 따라서 두 가지 방법을 적절하게 사용하는 것이 필요하다.

6. 췌관내 유도철사나 배액관을 삽입 후 삽관

담관으로 선택삽관을 시도하는 과정에서 췌관으로 반복적인 삽관이 되는 경우, 췌관에 유도철사나 배액관을 유치하고 이어서 담관에 삽관을 시도하는 방법이다. 췌관내 유도철사를 유치하였을 때의 이점은 공통관의 직선화, 주유두의 고정, 불필요한 췌관 조영의 방지, 그리고 췌관 배액관 유치하여 췌장염을 예방할 수 있고, 유두부로 나오는 췌관의 방향을 보고 담관의 방향과 각도를 추정하여 담관의 삽관을 용이하게 할 수 있다. 하지만, 췌관내 유도철사의 삽입으로 담관 삽관에 필요한 기구가 들어갈 틈을 만들기가 어려워져 오히려 담관 삽관을 어렵게 하는 경우도 있고 유도철사가 췌관 분지로 들어가 천공을 일으킬 수도 있어 유도철사의 부드러운 조작이 필요하다. 췌관에 유도철사를 삽입 후 담관 삽관을 시도하는 시술의 효과와 안정성을 본 일부 무작위 연구에서 고전적인 삽관 방법과 비교하여 삽관의 성공률이 높았으나 합병증의 발생 차이는 없는 것으로 확인되었다. 그러나 다른 연구에서는 담관에 선택삽관이 어려운 경우 췌관 유도철사를 이용한 삽관을 시행한 결과, 통상적인 도관이나 당김형 절개도만을 사용한 방법에 비해 삽관 성공률은 차이가 없고 오히려 ERCP 후 췌장염의 발생이 더 증가하였다고 보고된 바 있어 이 술기를 적용할 경우 주의가 필요하다. 다른 후향적 코호트 분석에서 담관 삽관이 어려웠던 환자(1,544명 중 76명, 4.9%)를 대상으로 췌관 배액관 삽입 후 유도철사로 담관 삽관을 시도하여 93.4%에서 담관 삽관을 성공했으며 예비절개술의 사용 빈도를 줄일 수 있었다고 보고하였다. 췌관 배액관 삽입은 췌관 분지관을 막아서 췌장 조직의 손상을 초래할 수 있으므로 수 주 내에 제거해 주거나 저절로 제거될 수 있는 배액관을 사용하여야 한다.

7. 기본방법 이외의 선택 삽관 술기

1) 절개도를 이용한 삽관

담관의 주행 경로가 주유두 입구에서 급한 예각을 이루는 경우 도관을 이용한 삽관 시 주유두에서 담관의 주행 각도로 도관의 방향 조절에 어려운 경우가 있어 유두절개도를 사용하면 담관으로의 선택 삽관을 비교적 용이하게 시행할 수 있다.

절개도는 절개 철선에 장력을 가하여 선단부의 굴곡 정도를 조절할 수 있어 활처럼 구부러진 유두절개도 선단을 담관의 입구에 삽관 후 담관 축에 맞추어 절개 철선에 장력을 가하거나 풀면서 적절하게 각도를 조절하면 깊은 삽관을 이룰 수 있다(그림 6-8).

유두절개도는 보통 2중관 내지 3중관으로 되어 있어 유도철사를 미리 장착된 상태에서도 조영제 주입이 가능한 장점이 있다. 유두절개도는 유도철사 및 조영제 주입관의 분리 여부, 선단 모양, 노출된 절개 부위의 길이 그리고 선단의 회전 여부 등에 따라 다양한 종류가 있는데, 당김형 유두절개도(traction type papillotome)는 노출 절개 철선의 길이가 15-40 mm로 ERCP 시술에서 가장 많이 사용된다. 담관 삽관 성공률은 표준 도관에 비해 유두절개도를 사용하면 성공률이 높고, 합병증의 발생에서 차이가 없었으며, 다변량 분석에서도 절개도의 사용이 선택삽관에 필요한 시도 횟수를 줄인다는 보고가 있다. 처음부터 절개도를 삽관에 사용하는 것이 췌장염의 빈도를 줄일 수 있을지는 확실치 않으나 무작위 연구들에서 삽관이 신속하게 되어 췌장염의 발생 빈도에는 차이가 없다고 한다. 최근에는 치료 목적으로 ERCP를 주로 시행하므로 괄약근의 절개가 필요한 경우가 많아서 처음부터 유

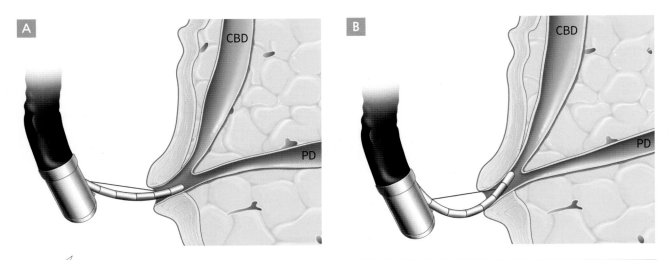

그림 6-8. 절개도를 이용한 선택 삽관. 절개도 선단을 주유두 개구부에 삽관 후 담관 축에 맞추어 절개 절선에 장력을 가하거나 풀면서 적절하게 각도를 조절하면 췌관(A)과 담관(B)으로 선택삽관이 가능하다.

두절개도를 이용하면 시술 시간을 단축시킬 수 있고 경제적으로도 유리하다.

하지만 도관의 두께가 통상 표준 도관에 비해 두껍고 조작이 능숙하지 않으면 삽관에 어려움을 겪을 수도 있다. 절개도에 의한 삽관은 이전 연구들에서 표준도관 삽관에 비해 성공률과 삽관 시간에서 더 나은 결과를 보였지만, 췌장염의 빈도를 줄이지는 못하는 것으로 알려져 있다.

2) 이중 유도철사 삽관(Double Guidewire Technique)

1990년대 후반에 Dumonceau 등이 처음 소개한 방법으로, 담관 삽관을 시도하는 과정에서 췌관으로 반복적인 삽관이 발생한 경우에 유도철사를 췌관에 유치시킨 후 절개도나 도관에 추가의 유도철사를 장착하고 담관 삽관을 시도하는 방법이다(그림 6-9). 담관 삽관은 내시경 화면에서 췌관으로 삽입된 유도철사의 좌측, 주유두 개구부의 가장자리에서 11시 방향으로 삽관하도록 하여야 하며, 도관으로 직접 삽관을 시도하거나 얕게 삽관 후 유도철사를 이용하여 깊은 삽관을 시도할 수 있다. 이 때 투시 영상을 보면서 췌관 내에 위치한 유도철사 보다는 수직방향으로 진행시켜야 담관으로 삽관을 성공할 수 있다.

췌관으로 삽입된 유도철사가 주유두 입구를 고정하면서 내시경 방향으로 주유두를 당겨서 담관의 주행 경로를 곧게 해주어 담관으로의 삽관을 유도하는 방법으로, 유두부 게실이나 수술 등으로 인해 담관의 비틀림(distortion)이 발생한 경우 등 담관 삽관이 어려운 환자에서 삽관 성공률을 높이는 비교적 비침습적인 방법이다. 췌관에 유도철사를 유치시킨 후에는 조영제를 주입하거나, 조영제 주입없이 유도철사로 삽관을 시도해 볼 수 있는데, 5번의 도관 삽관 시도 시 실패한 경우에 이중 유도철사를 이용한 방법과 표준 도관을 이용한 삽관 방법에서의 시술 성공과 췌장염 발생에 대한 다기관 무작위 대조 연구에서 성공적인 담관 삽관 성공률과 췌장염 발생에서 차이가 없었다는 보고가 있다.

하지만 췌장염 발생 예방 효과는 저위험군에서 증명되었으나 고위험군에서는 증명되지 않았는데, 이는 미리 삽입된 췌관 내 유도철사가 주췌관의 손상뿐만 아니라 분지 췌관의 천공 및 췌장 실질에 손상을 일으켜 오히려 췌장염을 조장한다는 보고가 있다. 따라서 시술 시도 횟수와 시술 시간을 고려해서, 10회 이상 시도 시에는 췌장염

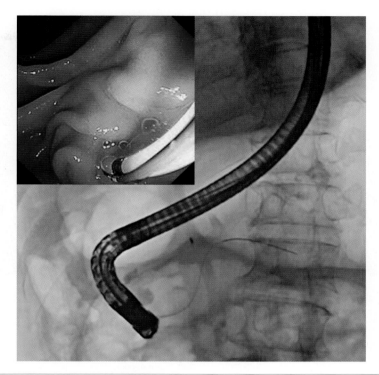

그림 6-9. **이중 유도선 삽관. 췌관내 유도선을 유치시키고 도관을 주유두 개구부 가장자리에서 11시 방향으로 담관 삽관을 시도한다.**

발생 위험이 높은 고위험군에서는 예방적 췌관 스텐트 삽입을 권유한다.

3) 유두절개도로 중격 절개 후 담관 삽관

췌관에 유도철사 거치 후 담관 삽관을 여러 차례 시행하였으나 성공하지 못한 경우, 특히 주유두 개구부가 좁아서 절개도가 담관으로 삽관할 공간이 없는 경우, 이미 췌관으로 거치된 절개도를 이용하여 10-11시 방향으로 절개도를 틀면서 담관과 췌관 사이의 중격을 절개하면 담관 삽관이 용이해질 수 있다(그림 6-10). 이 때 주유두 개구부 점막이 절개되어 있으므로 과도하게 유도철사를 진입시키면 유도철사 선단에 의해 십이지장 벽 안으로 박리가 되어 담관 삽관이 어려워질 수 있어 주의하여야 한다.

4) 췌관 스텐트 삽관 후 담관 삽관

췌관에 유도철사를 거치하여 담관 삽관을 시도하여 실패하였거나, 여러 차례 삽관의 시도로 주유두 손상으로 췌장염의 위험성이 큰 경우, 중격 절개로도 담관 삽관이 불가능한 경우, 췌관내 유치한 유도철사가 담관 삽관에 방해가 되는 경우, 환자가 ERCP 후 췌장염 발생의 위험이 큰 경우에는 주췌관에 스텐트를 삽관하고 담관 삽관을 시도하는 것이 용이할 때가 있다(그림 6-11). 이 방법은 반복적인 췌관 삽관과 조영제 주입을 줄일 수 있고, 시술 후 췌장염을 예방할 수 있으며, 주유두로 나오는 췌관의 방향을 예측하고 담관의 방향과 각도를 추정해서 담관 삽관을 용이하게 할 수 있다는 장점이 있다. 일부 이러한 방법으로 담관 선택삽관을 시행하였을 경우 성공률이 더 높았고, 시술 후 췌장염 등의 합병증 발생도 더 적게 나타났다. 그러나, 다시 삽입한 도관이나 유두절개도가 췌관에 삽입된 스텐트를 따라 췌관으로 들어가는 경우가 있을 수 있으므로 주의가 필요하다.

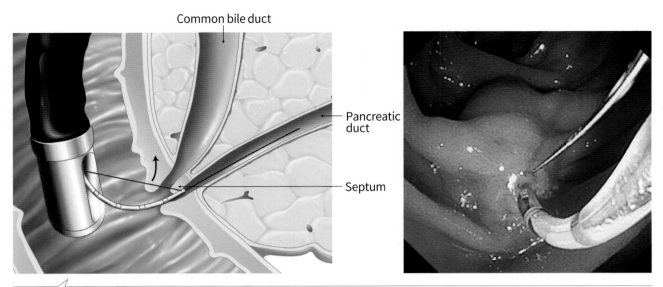

Common bile duct

Pancreatic duct

Septum

그림 6-10. 중격 절개 후 담관 삽관. 췌관으로 거치된 절개도를 이용하여 담관과 췌관 사이 중격을 절개하여 담관 삽관을 시도한다.

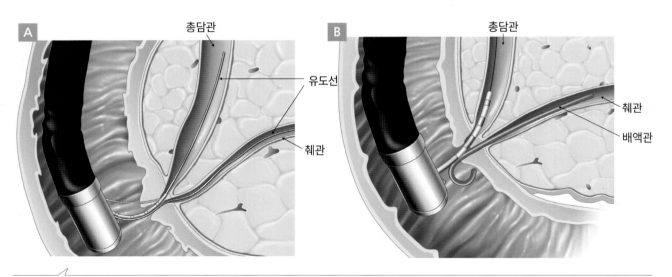

A

총담관

유도선

췌관

B

총담관

췌관

배액관

그림 6-11. 췌관내 유도선이나 배액관 삽입 후 담관 삽관. (A) 선택적 삽관이 용이하도록 유도선을 췌관에 유치시킨 후 담관 선택삽관을 시도한다. (B) 췌관 배액관을 미리 췌관에 삽관해 두는 것도 담관 선택삽관에 도움이 된다.

5) 예비절개술을 통한 삽관

주유두 개구부 혹은 유두 지붕에 일부만 절개하여 누공을 내고 여기를 통해 삽관을 시도하는 방법인데 주로 침형 절개도를 사용한다(그림 6-12).

침형 절개도의 선단 부위에 2–5 mm 정도 노출된 침을 이용하여 내시경의 올림장치를 조절하여 주유두 개구부에서 구강 방향으로 절개 후 담관 입구를 확인하고 삽관을 시도하는 방법으로 절개 방향이 담관 축과 일치하지 않거나 담관과 췌관의 주행방향이 비슷한 경우에 예기치 못한 췌관의 손상을 일으킬 수 있어 주의해야 한다.

다른 방법으로는 유두 입구의 상부 팽대부의 가장 돌출된 부분에서 가상의 담관 축을 따라 십이지장 벽을 수

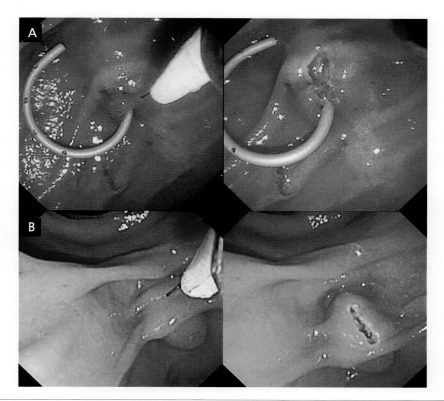

그림 6–12. 침형 절개도를 이용한 삽관. (A) 예비절개술 (B) 누공술

직 절개로 누공을 형성하여 삽관하는 방법으로 절개의 깊이는 십이지장 점막, 점막하층 및 팽대부 괄약근을 지나서 흰색의 담관 점막하 조직이 보이면, 여기서 1–2 mm 더 절개하면 담관이 노출되고 노란색의 담즙이 보이게 된다. 이때 유도철선이 들어가는 침형 절개도를 이용하는 경우 곧바로 유도철선을 담관내로 삽입을 하여 확인하거나, 조영제를 주입하여 담관을 확인한 후 다시 표준 유두절개도를 넣어서 부가적인 절개를 시행한다.

　침형 절개도를 이용한 시술은 유두 입구로 통상적 삽관이 어려울 경우 매우 유용하지만, 출혈, 천공, 췌장염 등의 합병증이 발생할 수 있어 숙련된 시술자들에 의하여 시행되도록 한다. 또한 해부학적으로 십이지장 게실이 있거나 주유두 상부가 팽대하지 않고 편평한 경우에는 시술하기 어려운 단점이 있다. 최근 303명의 환자를 무작위로 조기 예비절개술과 삽관 실패 후 예비절개술을 시행한 환자에서 췌장염의 발생과 담관 삽입 시간에서 의미 있게 낮았으며, 삽관 성공률에서는 차이가 없었다는 보고가 있어, 삽관이 어려운 환자에서 조기에 예비절개술을 시행하는 것도 유리할 수 있다.

8. 십이지장 게실이 있는 경우 담관 삽관

　주유두 주위 게실은 ERCP 시술을 받는 환자에서 비교적 흔히 발견되는데, 보통 게실이 있는 경우 선택삽관이 어려운 것은 사실이지만 숙련된 시술자의 경우에는 게실의 유무에 따른 성공률의 차이는 없다고 알려져 있다. 게실이 있는 경우 주유두의 위치는 게실을 정면에서 바라볼 때 4–8시 사이 게실의 아래쪽 가장자리 또는 바로 안쪽에 대부분 위치하며, 10%에서는 유두가 주름에 묻혀서 육안으로 확인이 어려워 접근이 어려운 경우가 있다. 십이지장 벽 내에서의 담관 주행은 주유두 개구부가 게실 주변이나 내부에 있으면 담관이 게실 안으로 들어가면서 내시경 화면 측면에서 보면 오히려 수평 방향으로 들어가거나 좌측으로 많이 눕거나 우측으로 담관이 주행할 수 있어 주의가 필요하다.

게실에서 주유두의 위치에 따라서 3가지 형태로 분류할 수 있는데, I형은 게실의 안쪽에 주유두가 위치하는 경우, II형은 게실의 경계선상에 주유두가 위치하는 경우, III형은 주유두가 게실과 다소 떨어져서 위치하는 경우로 구분할 수 있다(그림 6-13).

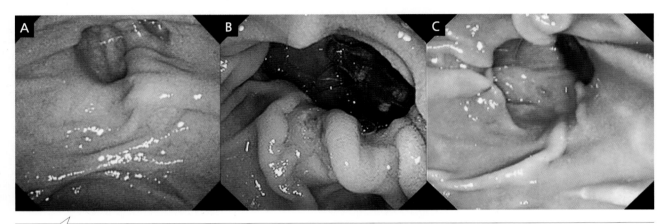

그림 6-13. **주유두 주위 게실. (A)** extradiverticulum **(B)** juxtadiverticulum **(C)** Intradiverticulum

게실에 위치한 주유두의 삽관 방법은 우선 게실 주변을 물로 깨끗이 세척한 후 시야를 확보하여 주유두 개구부를 찾고 예측되는 담관의 주행 방향에 맞추어 삽관하는 것이 중요하다. 담관이 게실의 가장자리를 주행하는 경우 담관 축에 대해 11-12시 방향을 향해 십이지장 벽에 평행하게 도관을 삽입한다. 한편, 주유두가 게실의 항문 측 중앙에 위치하는 경우에는 담관 방향이 게실에서 십이지장벽에 대해 약간 수직인 경우가 많으므로 평소보다 수직 방향으로 삽관을 시도하는 게 유리하다(그림 6-14). 주유두 개구부가 게실 내에 위치하거나 주름이 덮고 있는 경우에는 도관이나 절개도로 주름을 젖혀서 개구부를 노출시킨 뒤 삽관을 시도할 수 있는 데 절개도보다는 도관이 삽관에 유리할 수 있다(그림 6-15). 혹은 생검겸자로 주유두의 항문측을 파지한 후 항문측으로 누르면 주유두를 게실 내에서 끌어내어 도관을 삽관하는 '한 채널 두 기구 이용법'(two device-in-one-channel method)을 시도해 볼 수 있다. 다른 방법으로 주유두의 항문 측에 클립을 걸어서 유두부를 게실내에서 끌어내는 방법도 있다(그림 6-16).

게실로 인해 주유두부에서 담관으로의 주행이 정상과 다른 각도를 유지하는 관계로 처음부터 담관 삽관을 무리하게 시도하는 것보다는 비교적 접근이 용이한 췌관으로 유도철사를 유치한 후 내시경적 조작 및 도관을 이용하여 담관 삽관을 시도한다. 이 경우 췌관으로 조영제 주입 없이 시술을 시행하고 췌관 삽관을 통해 담관으로의 주행을 보다 해부학적으로 삽관에 용이하게 주행 경로를 변형시킬 수 있으나, 췌관에 삽입된 유도철사가 췌관 손상을 일으켜 시술 후 췌장염을 유발할 수 있고 췌관 유도철사가 때로 담관 삽관에 방해를 주는 경우가 있다. 이러한 경우 일시적인 췌관 스텐트를 삽입한 후 담관 삽관을 시도할 수 있다. 삽관이 어려운 경우에 침형 절개도를 사용할 수 있는데 일반적인 방법보다 작고 얕게 절개하더라도 담관 노출이 이루어지는 경우가 많다. 이때 주의해야

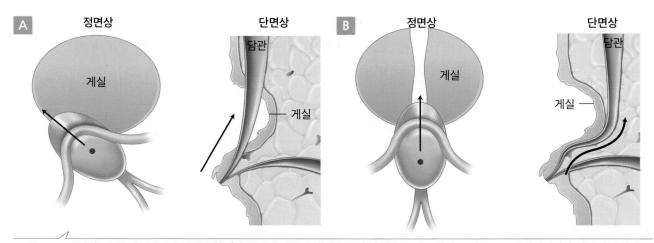

그림 6-14. 주유부 주위 게실에서의 담관 주행. (A) 담관이 게실의 변연을 따라 주행하는 경우 화살표 방향으로 삽관된다. (B) 담관이 게실내로 주행하는 경우 화살표 방향으로 삽관된다.

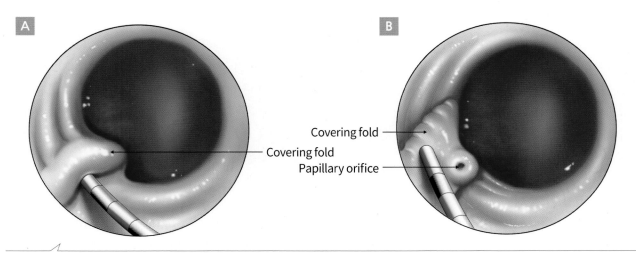

그림 6-15. 도관을 이용한 유두개구부 노출법. (A) 유두부 입구를 게실로부터 외반시키기 위해 도관이나 절개도로 덮개 주름을 밀어낸다. (B) 유두 입구가 내시경 화면의 시야에 보이도록 덮개 주름을 측방으로 밀어낸다.

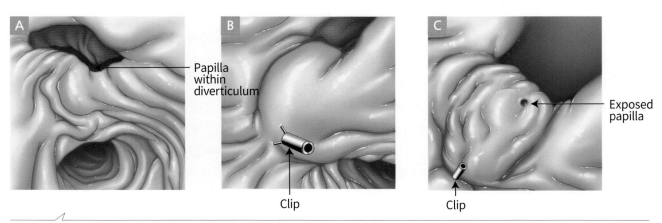

그림 6-16. 게실내에 있는 유두 삽관법. (A) 게실내 유두가 안 보임. (B) 게실의 항문 측면을 클립으로 잡는다. (C) 클립을 잡은 게실 하단부를 더 아래로 밀면 유두 개구부가 노출된다.

할 점은 가능한 적은 전기 소작 전기량 및 얕은 점막 절개술을 시도할 것을 권유한다. 그렇지 않으면 출혈 및 천공이 일반적인 경우보다 빈번히 일어날 수 있다. 침형 절개도를 사용하기 전 췌관 배액관을 삽입한 후 이를 기준 삼아 절개를 시도하면 보다 안전하게 삽관에 성공할 수 있다.

9. 해부학적으로 변형된 경우에서 삽관 방법

ERCP는 기술적으로 어려운 내시경 시술 중 하나로 알려져 있으며, 특히 위장관 혹은 췌장담도의 수술로 인해 해부학적 구조의 변형으로 더욱 더 어려워질 수 있다(그림 6-17). 수술로 인한 해부학적 구조의 변화를 이해하는 것은 시술에 의한 합병증을 최소화하고 성공적인 시술을 위해 필수적이다. 다양한 위장관 수술들이 상부위장관에 새로운 통로를 만들기 때문에 이러한 새로운 통로를 통하여 주유두에 도달하기 위해서는 특별한 장비나 최고의 숙련도가 필요할 수도 있다.

1) Billroth I 위 절제술

Billroth I 수술에서는 전정부와 유문만이 제거되고 위는 대만부를 따라서 십이지장에 연결이 된다. 십이지장으로 내시경을 통과하는 것은 용이하나 주유두와 부유두는 정상보다 더 근위부에 위치하게 되어 유두부를 관찰하는 것은 다소 어렵다. 유두부의 관찰은 내시경을 당겨 길이를 짧게 단축시키는 당김법을 시행한 후 내시경을 과장되게 시계방향으로 돌리면 가능하지만, 유문부가 없어 세밀한 삽관을 위해 내시경을 일정 위치에서 유지하는 것이 어렵다. 이런 상황에서는 내시경을 밀어 길게 유지하는 밀기법을 취하는 것이 유두부의 개구부가 좀 더 잘 보이고 내시경이 좀 더 안정된 위치를 유지할 수 있으므로 담관 삽관에 유리할 수 있다.

2) Billroth II 위 절제술

Billroth II 수술은 위 전정부절제와 위-장 문합술을 시행한 것으로, 구심고리(afferent loop)와 원심고리(efferent loop)가 위-공장 단측 문합(end-to-side)을 형성한다. ERCP 검사를 시행할 때 고려해야 할 문제 중 하나가 내시경의 선택이다. 일반적으로 직시경이 소장을 통과하여 담관 개구부에 도관을 삽관하는데 가장 유용한 것으로 알려져 왔으나, 경험이 많은 전문가에서는 십이지장경을 선호한다.

주유두는 십이지장경을 사용하였을 때 거의 항상 6시 방향에서 발견된다. 선택삽관을 시도할 경우 내시경이 수입각을 통해 반대방향에서 주유두에 접근하므로 주유두의 모양이 내시경 시야에서 상하가 180도 회전하여 보이며 담관과 췌관의 주행 방향도 위에서 아래로 향한다는 점을 알고 있어야 한다(그림 6-18). 따라서 도관의 끝이 구부러지지 않은 새 도관을 이용하는 것이 유리하며 삽관 시 도관의 주행 방향이 주유두 개구부에서 하방으로 향하도록 내시경 선단을 조정한 다음 담관과 췌관의 삽관을 시도한다. 담관의 삽관 시에 도관과 유도철사가 십이지장 벽에 스칠 정도의 접선 방향을 유지되기 위하여 내시경은 주유두에 너무 가깝게 접근해서는 안 되며, 오히려 내시경은 약간 뒤로 빼고 도관의 통과를 위하여 올림장치를 낮추어야 한다. 반대로 췌관의 삽관을 위해서는 내시경을 주유두에 가깝게 접근시키고 올림장치를 올린 상태로 유지한다. 직시경을 사용할 때 캡을 이용한 접근법은 Billroth II에서 유두부 삽관을 향상시키는 것으로 알려져 있다(그림 6-19).

Billroth II 위 절제술에서 내시경 삽관의 성공은 67–95%이며, 일단 삽관을 성공하면 보통의 ERCP처럼 모든 시술이 가능하다.

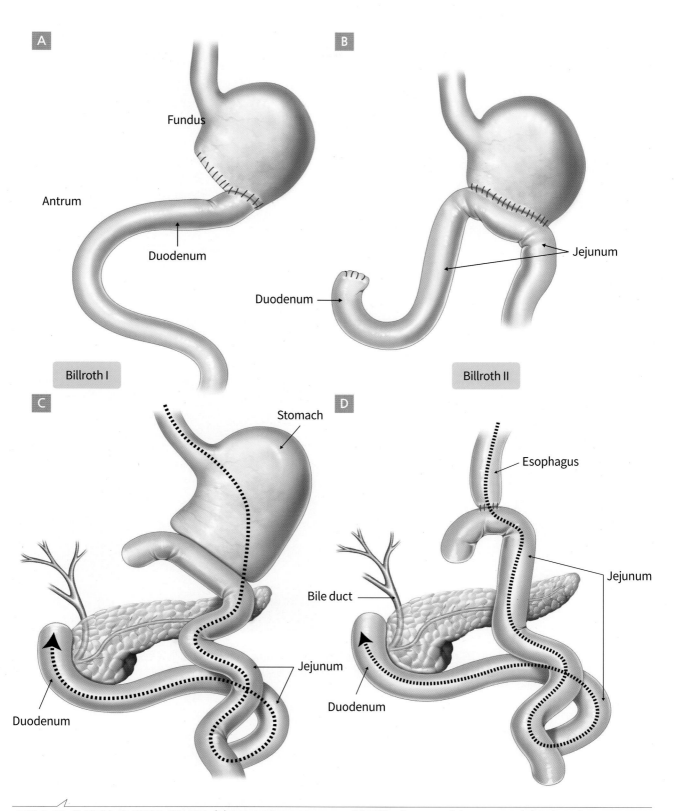

그림 6-17. 위 절제술 후 변형된 해부구조. (A) Subtotal gastrectomy with Billroth I gastrojejunostomy. (B) Subtotal gastrectomy with Billroth II gastrojejunostomy. (C) Subtotal gastrectomy with Roux-en-Y gastrojejunostomy. (D) Total gastrectomy with Roux-en-Y anastomosis

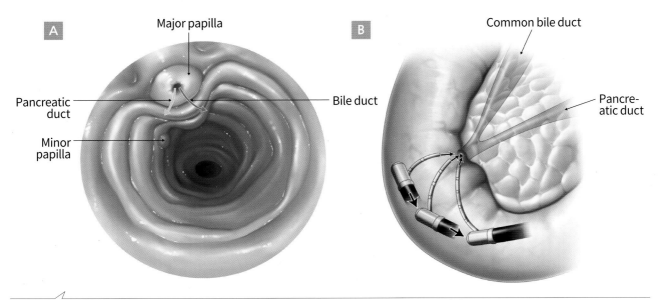

그림 6-18. Billroth II 위 절제술에서 담관 삽관. (A) 주유두 개구부에서 담관 및 췌관의 주행 방향, (B) 담관 및 췌관의 선택삽관

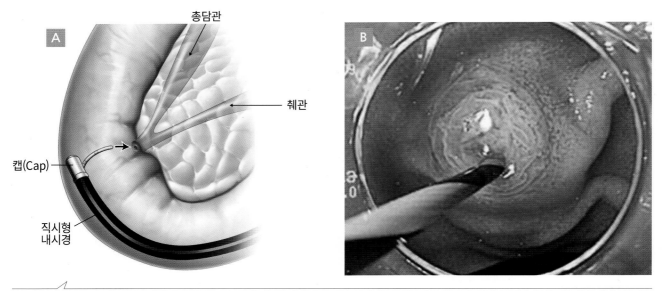

그림 6-19. Cap을 이용한 삽관법. (A) Billroth II 수술 후 환자에서 직시경 선단에 cap을 씌우면 보다 쉽게 유두부에 접근하여 삽관이 가능하다. (B) Cap을 사용한 실제 삽관예: 유두부가 정면상으로 보인다(유도선이 삽입된 상태).

3) Roux-en-Y gastrectomy

Roux-en-Y 위절제술은 부분적인 위 절제술 후 췌장액과 담즙이 위로 역류하는 것을 막기 위하여 고안되었으며, 위배출구는 Billroth II와 비슷하게 시술되어 있다. 그러나 이 단-측 문합술은 매우 짧은 맹단면(blind stump)과 긴 원심고리를 가지고 있고, 원심고리에서 공장-공장 문합부까지 공장의 길이는 약 40 cm 정도이다. 공장-공장 문합부에서 두 개의 공장이 단-측 문합술이 시행되었는지 또는 측-측 문합술이 시행되었는지에 따라서 2개 또는 3개의 내강이 보일 수 있다. 일반적인 십이지장경으로 주유두까지 도달하기는 거의 불가능하며, 대장내시경 혹은 밀기형 소장내시경(push enteroscope) 등 길이가 긴 내시경들이 ERCP을 시행하기 위하여 사용된다. Yamamoto 등은 진단 혹은 치료 목적의 ERCP를 위하여 이중 풍선 소장 내시경을 시행하여 5명의 환자에서 성공하였다고 보고하였으며, 이들은 삽관을 가능하게 하기 위하여 내시경 선단에 플라스틱 캡을 부착하여 사용하였다. 수술 후 해부학 구조가 변형된 환자에서 ERCP가 어렵고 자주 실패하기 때문에 이러한 경우 경피경간적 시술을 고려해 보아야 한다. 그러나, 경피경간적 시술을 통하여 담관으로의 접근은 가능하지만 췌관으로의 직접적인 접근은 불가능하므로 ERCP에 실패한 경우 췌장 질환의 진단과 치료가 특히 문제가 된다.

4) 전위 절제술(Total Gastrectomy)

전위 절제술 후에는 단–측 식도–공장 문합술이 형성되어 하나의 내강은 막힌 끝이 되고 나머지는 원심고리가 된다. 이 원심고리에서 조금 아래로 떨어진 곳에 췌장과 담관의 내용물을 받아들이기 위한 측–측 또는 단–측 공장문합 부위가 있다. Roux–en–Y 위 절제술과 비슷하게 내시경은 이 구심고리로 들어가야 하며, 근위 공장과 십이지장 대부분을 통해 지나간다. 그러나 Roux–en–Y 위 절제술과는 달리 실제로 십이지장경은 더 쉽게 주유두에 도달할 수 있다. 일단 십이지장경으로 주유두가 확인되면 ERCP의 삽관과 치료는 Billroth II를 시행 받은 환자와 상당히 유사하다. 만약 십이지장경이 너무 짧아 하행 십이지장에 도달할 수 없을 때에는 긴 직시경을 사용해야 하며, 이 경우 올림장치가 없어 삽관 및 치료에 어려움이 있다.

10. 어려운 삽관 시 대처 방법

최근 보고에서 전체 시술 증례의 약 5%는 삽관 실패로 이어지고 특히 삽관이 어려운 증례는 보고자에 따라 다소 차이가 있으나 표준 삽관법을 이용한 경우 15–35%까지 보고되고 있는 실정이다.

선택삽관이 어려운 경우를 획일적으로 정의할 수는 없으나, 널리 통용되는 어려운 삽관의 정의는 처음 주유두를 도관으로 건드리고 10분 이상의 시간 소요, 5번 이상의 삽관 시도, 그리고 4번 이상의 췌관 삽관 중 한 가지라도 해당되는 경우 등으로 정의하고 있다. 담관 삽관의 성공률을 높이고 관련된 심각한 합병증을 예방하기 위해서는 담관 삽관 시도 시작 후에 언제 다른 삽관 방법을 선택할 것인가에 대한 적절한 기준을 세워서 시술을 시행하는 것이 중요하다. 선택적 삽관이 어려운 경우 해결방법은 크게 세 가지로 나눌 수 있다. 첫째, 이중 유도철사 이용 혹은 췌관 스텐트 삽입 후 삽관을 시도하거나, 둘째, 예비절개술, 셋째, 랑데부 방법이다. 최근 부각되는 이중 유도철사 삽관법은 유두부 종양이나 비정상적인 유두부의 모양으로 인한 담관의 심한 비틀림(distortion)이 발생한 경우 삽관 성공률을 높이는 동시에 불필요한 조영제 주입을 막을 수 있다. 이 경우 췌관에 유도철사를 유치할 경우 공통관이 직선화되고 유두가 고정되며, 췌관으로 삽입된 유도철사가 췌관 및 담관의 직선화를 유도하여 췌관으로의 재삽입을 막음과 동시에 담관으로의 삽관을 유도한다는 원리이다. 더불어 이미 췌관에 유치된 유도철사로 담관의 방향과 각도를 추정하여 담관 삽관에 도움이 되고, 동시에 췌장염 예방을 위한 췌관 배액관 삽입도 가능하다. 췌관 배액관을 삽입한 후에 유도철사를 사용하여 담관 삽관을 시도하거나, 췌관 배액관 삽입부로부터 예비 유두 절개술을 시행하여 담관 삽관을 시도할 수 있다. 하지만 췌장염의 감소가 비교적 저위험군에서 증명되었으나 고위험군에서는 증명되지 않았는데 이는 미리 삽입된 췌관 내 유도철사가 주췌관의 손상뿐만 아니라 분지 췌관의 천공 및 췌장 실질에 손상을 일으켜 오히려 췌장염을 조장한다는 보고가 있으므로 시술 시도 횟수와 시술 시간을 고려해야만 한다. 특히 10회 이상 시도 시에는 이러한 합병증 발생이 높음으로 주의해야 하고 췌장염이 의심되는 고위험군에서는 치료 ERCP 성공 여부와 상관없이 예방적 췌관 스텐트 삽입술을 시행하는 것을 권유한다. 예비절개술은 크게 유두부 입구에서 상방으로 실시하는 전통적인 방법과 유두부 입구를 피하여 주유두의 가장 볼록한 곳을 절개하는 방법이 있다. 예비절개술의 성공률은 연구자마다 다르지만 일반적으로 90–96%로 보고되고 있으며 합병증은 10–11%에서 발생하는 것으로 보고되고 있다. 무엇보다도 삽관 시도가 장시간 이루어지면 유두부의 부종으로 삽관은 더욱 어려워지고 장내 공기의 과도한 주입으로 인해 내시경을 적절한 위치로 유지하기 어려울 뿐만 아니라 환자도 많이 불편해지고 췌장염과 같은 합병증의 빈도도 증가한다. 따라서 응급 상황이 아니고 어느 정도 기다려 볼 수 있는 임상 상황이라면 2–3일 후 다시 시도하거나, 경피적 방법이나 수술 등 ERCP 외의 치료 방법 또한 고려해 볼 수 있겠다.

11. 췌관의 선택삽관

췌관의 개구부는 담관 개구부 하방의 12–2시 방향에 위치하고 췌관의 주행방향이 십이지장 벽과 직각에 가깝다는 것을 염두에 두고 삽관을 시도해야 한다. 내시경이 단축된 상태에서 췌관의 입구를 확인하고 약간 직선화된 도관을 이용하면 담관 삽관에 비해서 삽관이 비교적 쉽게 된다. 췌관은 담관에 비하여 상대적으로 삽관이 용이하지만 개구부가 매우 작거나 수술이나 종양 등에 의해 유두부의 해부학적 변형이 있을 경우 삽관이 어려울 수 있다.

췌관 삽관시 내시경은 유두부를 약간 내려다보거나 마주보는 위치가 적당하고, 도관의 삽입 방향이 십이지장 벽과 거의 직각이 되거나 약간 상부를 향하도록 내시경의 위치를 조정한 다음 도관을 주유두 개구부에 살짝 걸쳐 두고 개구부의 왼쪽에서 오른쪽으로 약간 돌리듯이 하면서 십이지장 벽을 뚫고 들어가는 기분으로 12–2시 방향으로 도관의 삽입을 시도하면 된다.

췌관은 담관에 비해 도관으로 인한 손상이 잘 일어나 췌장염이나 췌관에서 출혈이 일어날 수 있고 췌장 두부와 체부 췌관의 주행 방향이 경부 췌장에서 직각을 이루는 경우가 많아 도관을 너무 깊숙이 삽입하면 도관에 의해 경부 췌관의 손상을 초래할 수 있으며 조영제가 췌장 실질 내로 주입되어 췌장 손상을 악화시킬 수 있어 주의해야 한다. 췌관 삽관이 잘 안되는 경우에는 도관의 끝을 개구부의 하단에 걸치듯이 두고 올림장치를 아래로 내려 개구부를 약간 하방으로 압박하면서 천천히 조영제를 주입하여 췌관으로 조영제가 들어가는지를 확인한다. 췌관의 주행 방향은 매우 다양하여 간혹 췌장 두부의 췌관 주행 방향이 담관과 근접하여 십이지장 벽에 평행하게 주행하므로 췌관 선택삽관이 잘 되지 않을 경우 내시경의 전진과 후진, 좌우 회전 또는 올림장치를 이용한 도관의 상하 조절 등의 미세한 조작으로 도관의 삽입 방향에 조금씩 변화를 주면서 삽관을 시도할 수 있다. 수차례 시도에도 불구하고 췌관 삽관이 안되는 경우에는 다른 개구부가 있는지 주유두 주위를 한 번 더 살펴보는 것이 좋다.

때로는 췌관 입구가 담관 입구와 완전하게 분리되어 있기도 하고 공통관이 길어 십이지장벽 내에서 췌관이 담관으로부터 분리되기도 한다. 췌관 삽관 시에는 유도철사를 이용한 삽관이 권장되는데 이는 췌관 내에 과압력이 가해지는 것을 방지하여 ERCP 후에 발생할 수 있는 췌장염을 예방할 수 있다. 담관 괄약근절개술을 시행한 경우에서는 췌관 입구가 우하방에 별도로 위치하여 찾기가 쉽다. 그러나 공통관이 긴 경우에는 췌관의 입구가 전방에 위치하거나 담관 괄약근 절개 부위 내에 있을 수 있어 찾기 어려울 수도 있다.

12. 부유두 삽관

부유두의 삽관이 필요한 경우는 첫째 부유두 자체에 질환을 치료하는 목적으로 시행하는 경우로 분할췌장이 대표적이고, 드물지만 부유두에서 발생하는 양성 또는 악성 종양에서 진단과 치료 목적으로 삽관을 시도할 수 있으며, 둘째 주유두를 통한 췌관 조영술이나 치료내시경 시술이 어려운 경우로 주로 만성췌장염에서 주유두를 통한 췌관 삽관이나 치료내시경 시술이 어려울 때 부유두를 통한 접근이 효과적인 경우가 있다.

부유두는 대개 십이지장 주유두에서 근위부 쪽으로 2–3 cm 떨어져 위치하며 내시경 시야에서는 주유두를 정면으로 주시하였을 때 주유두의 우상방에 위치하는데 주유두로부터의 거리는 다양하다(그림 6–20). 때로는 주유두로부터 1 cm 정도만 떨어져 주유두의 종주하는 점막주름의 구강 측 가장자리에 가까이 위치하는 경우도 있다. 부유두의 모양은 작은 반구형의 돌출된 형태로 보이는 경우가 많지만, 주유두와 마찬가지로 다양하여 크기가 작고 편평하여 분명하게 구분되지 않을 수도 있고 십이지장 점막 주름 사이에 옅은 분홍색을 띠는 유두와 같은 형태로 보일 수도 있다. 때로는 부유두가 게실 내에 위치하는 경우도 있다. 돌출된 부유두는 가끔 주유두로 오인될 수 있는 데 부유두는 주유두와 같이 종주하는 명확한 점막 주름을 가지지 않으며 작은 개구부로 인하여 삽관이 용이하지 않은 경우가 많다.

부유두의 삽관을 위해서는 부유두를 내시경 화면의 정면으로 위치시켜야 하는데, 이를 위해서는 내시경을 위의 대만 측으로 조금 미는 위치(semi–long position)로 두는 것이 좋다. 이 위치의 이점은 부유두를 쉽게 식별할 수 있고 삽관이 비교적 용이하며 방사선 투시 때 내시경이 주췌관을 가리지 않는다. 먼저 ERCP를 시행하는 통상적인 방법으로 주유두를 확인한 후 내시경을 조금 뒤로 당겨 주유두의 우상부에 위치하는 부유두를 다시 확인한다. 그리고 시야를 그대로 유지하면서 내시경을 위의 대만 측에 밀착되게 조심스럽게 전진하면 부유두 삽관에 수월한 위치를 확보할 수 있다. 일단 부유두 삽관이 이루어지면 환자의 고통을 줄이고 내시경의 부드러운 움직임을 위해 내시경을 직선화한다. 부유두의 삽관은 개구부가 매우 작아 일반적으로 주유두의 삽관보다 어려울 뿐 아니라, 도관으로 개구부에 손상을 주는 경우 부종과 출혈 등으로 인하여 삽관을 더욱 어렵게 만들 수 있기 때문에 조영제를 주입하기 전에 개구부의 정확한 위치를 찾고 삽관을 시도할 필요가 있다.

부유두의 효과적인 삽관을 위해서 다양한 도관과 유도철사 등을 이용한다. 주로 선단부에 끝이 무딘 침형 선단(needle tip)이 돌출되어 있는 도관이나, 끝이 가늘어지는 도관, 혹은 가늘어지는 끝 부분이 긴 도관을 사용한다. 끝이 3 Fr로 가늘어지며(highly tapered) 도관 끝에 23–25 G의 needle tip이 1–2 mm 돌출된 5 Fr도관이 삽관에 가장 용이하며, 돌출된 needle tip이 길거나 끝이 가늘어지지 않는 도관은 삽관이 어렵다. Needle tip이 돌출된 도관의 경우, needle tip이 조직에 손상을 주거나 삽관에 필요한 주요 지표를 훼손하여 불분명하게 만들지 않도록 조심스럽게 부유두 개구부

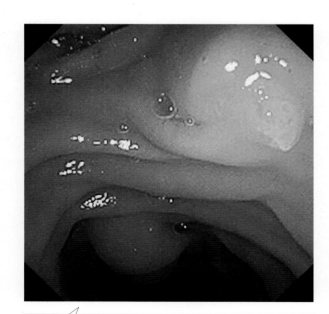

그림 6–20. **부유두의 내시경 소견**

에 위치시켜야 한다. 삽관이 어려운 경우에는 유도철사를 이용하는 방법을 시도할 수 있다. 끝이 유연한 유도철사를 선단부가 가는 도관 내에 삽입한 채로 삽관을 시도한다. 유도철사를 도관 끝 부분에서 조금 더 밖으로 내어 이 유도철사의 끝을 이용하여 개구부의 삽관을 시도한다. 일단 유도철사가 배측 췌관 내로 진입하면 도관을 유도철사를 따라 진행한다. 다른 방법으로 랑데부법으로 주유두를 통해 주췌관에 삽관 후 배쪽 췌관과 등쪽 췌관이 합류하는 지점을 곡선형 유도철사로 탐촉하여 유도철사를 거꾸로 부유두로 통과시킨 후에 이 통과된 유도철사를 잡아 내시경 밖으로 끄집어 낸 후 다시 이 유도철사를 따라 부췌관 삽관을 한다. 부췌관 삽관이 어려운 경우, 국내에서는 구할 수 없지만 세크레틴을 이용하는 방법도 있다. 세크레틴은 췌장에서 췌장액의 분비를 자극하여 부유두를 통과하는 췌장액의 양을 증가시켜 부유두의 입구가 확장되는 효과가 나타나 부췌관 삽관을 용이하게 만들어 준다. 이러한 여러 가지 방법에 모두 실패한 경우 부유두에 대한 예비절개술을 시도해 볼 수 있으나 출혈이나 천공과 같은 심각한 합병증의 위험성이 높아 주의해야 한다.

숙련된 시술자에 의해서 시행되는 경우 부유두의 삽관 성공률은 90–95% 정도이나 내시경 부속기구, 시술자의 숙련도, 환자와 관련된 요인 등으로 인하여 부유두의 삽관이 어려울 수 있다. 이 중 환자와 관련된 요인은 췌장염이나 소화성 궤양 등으로 인한 염증에 의하여 부유두가 변형되거나, 게실, 종양, 또는 Billroth I 또는 II 수술과 같이 위, 십이지장의 해부학적 구조가 변형되어 있는 경우 등이다.

13. 맺음말

ERCP는 초음파내시경과 자기공명 담췌관 조영술의 발전으로 인해 진단적 역할은 많이 감소하였지만, 치료 목적에 있어서는 필수적인 시술이며, 높은 수준의 기술적 완성도와 질병에 대한 이해를 필요로 하며 각종 내시경 시술 중 정점에 있는 술기 중 하나라고 할 수 있다.

ERCP에서 담췌관의 선택 삽관은 안전한 검사와 적절한 치료를 위해 가장 기본적인 술기로서, 십이지장 유두부에 대한 풍부한 해부학적 이해와 반복적인 삽관 훈련만이 이 술기를 마스터할 수 있는 방법이다.

아무리 숙련된 시술자라도 삽관이 어려운 경우를 드물게 접하게 된다. 따라서, 성공적인 삽관을 위해서는 유두부의 해부학적 구조를 충분히 숙지하고 기본적인 삽관법에 입각하여 가능한 첫 시도에서 삽관을 성공하도록 노력해야 한다. 무엇보다 시술자의 손에 익숙한 액세서리를 사용하여 삽관을 시도하고, 만일 실패한 경우에는 예비절개술과 같은 난이도가 높은 시술을 시행할 필요가 있다. 최근에는 수술을 했거나 고령의 환자가 많으므로 장시간 삽관 시도에 따른 기도 흡인, 지나친 공기 주입 및 다량의 진정제 투여로 인하여 환자에게 위험을 초래할 수 있음을 명시해야 한다. 따라서, 절대 무리하지 말고 필요하면 더 경험이 풍부한 시술자에게 도움을 청하거나, 방사선과의 도움을 받거나, 간혹 다음날로 시술을 연기하면 의외로 쉽게 성공하기도 한다. 가능한 경험이 풍부한 시술자들의 시술을 많이 참관하고 책이나 문헌을 통하여 새로운 기술을 익혀서 본인의 것으로 만들려는 노력이 중요하다.

참/고/문/헌

1. 김국현, 김태년. 선택적 삽관의 최선의 방법. 제48회 대한소화기내시경학회 세미나 2013;179–86.

2. 김호각. 선택적 삽관술. 제60회 대한소화기내시경학회 세미나 2019;160–9.

3. 박은택. 선택 삽관의 장애를 극복하는 최적의 기술. 제53회 대한소화기내시경학회 세미나 2015;215–9.

4. 박은택. 선택적 삽관이 어려운 경우의 해결. 제49회 대한소화기내시경학회 세미나 2013;95–8.

5. 박주경. 주유두부 삽관: 기본 및 고급 술기 알아보기. 제62회 대한소화기내시경학회 세미나 2020;130–40.

6. 송태준. 해부학적 기형의 대처 및 부췌관 삽관이 필요한 경우. 제50회 대한소화기내시경학회 세미나 2014;196–9.

7. 심찬섭. 담췌관의 선택삽관법. In: 대한췌담도학회 ed, ERCP. 군자출판사, 2010;61–81.

8. 유병무, 황재철, 김진홍. 해부학적으로 어려운 경우의 ERCP. 제49회 대한소화기내시경학회 세미나 2013:99–104.

9. 이성구. Selective cannulation. 대한소화기내시경학회지 2006;32(Suppl. 1):242–6.

10. Bailey AA, Bourke MJ, Williams SJ, et al. A prospective randomized trial of cannulation technique in ERCP: effects on technical success and post–ERCP pancreatitis. Endoscopy 2008;40:296–301.

11. Boix J, Lorenzo–Zuniga V, Ananos F, et al. Impact of periampullary duodenal diverticula at endoscopic retrograde cholangiopancreatography: a proposed classification of periampullary duodenal diverticula. Surg Laparosc Endosc Percutan Tech 2006;16:208–11.

12. Bourke MJ and Ma MX. Cannulation of the major papilla. In: Baron TH, Kozarek RA, Carr–Locke DL, eds. ERCP. 3rd ed. Philadelphia: ELSEVIER, 2019:108–22.

13. Bourke MJ, Costamagna G, Freeman ML. Biliary cannulation during endoscopic retrograde cholangiopancreatography: core technique and recent innovations. Endoscopy 2009;41:612–7.

14. Catalano MF, Linder JD, Geenen JE. Endoscopic transpancreatic papillary septotomy for inaccessible obstructed bile ducts: Comparison with standard pre–cut papillotomy. Gastrointest Endosc 2004;60:557–61.

15. Chen PH, Tung CF, Peng YC, et al. Duodenal major papilla morphology can affect biliary cannulation and complications during ERCP, an observational study. BMC Gastroenterol 2020;20:310.

16. Cortas GA, Mehta SN, Abraham NS, et al. Selective cannulation of the common bile duct: a prospective randomized trial comparing standard catheters with sphincterotomes. Gastrointest Endosc 1999;50:775–9.

17. Cunningham JT. The art of selective cannulation at ERCP. Curr Gastroenterol Rep 2019;21:7.

18. Dumonceau JM, Deviere J, Cremer M. A new method of achieving deep cannulation of the common bile duct during endoscopic retrograde cholangiopancreatography. Endoscopy 1998;30:S80.

19. Fogel EL, Sherman S, Lehman GA. Increased selective biliary cannulation rates in the setting of periampullary diverticula: main pancreatic duct stent placement followed by pre–cut biliary sphincterotomy. Gastrointest Endosc 1998;47:396–400.

20. Freeman ML, Guda NM. ERCP cannulation: a review of reported techniques. Gastrointest Endosc 2005;61:112–25.

21. Goff JS. Common bile duct pre–cut sphincterotomy: transpancreatic sphincter approach. Gastrointest Endosc 1995;41:502–5.

22. Goldberg E, Titus M, Haluszka O, et al. Pancreatic–duct stent placement facilitates difficult common bile duct cannulation. Gastrointest Endosc 2005;62:592–6.

23. Haraldsson E, Kylanpaa L, Gronroos J, et al. Macroscopic appearance of the major duodenal papilla influences bile duct cannulation: a prospective multicenter study by the Scandinavian Association for Digestive Endoscopy Study Group for ERCP. Gastrointest Endosc 2019;90:957–63.

24. Haraldsson E, Lundell L, Swahn F, et al. Endoscopic classification of the papilla of Vater. Results of an inter– and intraobserver agreement study. United European Gastroenterol J 2017;5:504–10.

25. Herreros de Tejada A, Calleja JL, Diaz G, et al. Double–guidewire technique for difficult bile duct cannulation: a multicenter randomized, controlled trial. Gastrointest Endosc 2009;70:700–9.

26. Hintze RE, Adler A, Veltzke W, et al. Endoscopic access to the papilla of Vater for endoscopic retrograde cholangiopancreatography in patients with billroth II or Roux–en–Y gastrojejunostomy. Endoscopy 1997;29:69–73.

27. Lee TH, Hwang SO, Choi HJ, et al. Sequential algorithm analysis to facilitate selective biliary access for difficult biliary cannulation in ERCP: a prospective clinical study. BMC Gastroenterol 2014;14:30.

28. Lee YS, Cho CM, Cho KB, et al. Difficult Biliary Cannulation from the Perspective of Post–Endoscopic Retrograde Cholangiopancreatography Pancreatitis: Identifying the Optimal Timing for the Rescue Cannulation Technique. Gut Liver 2021;15:459–65.

29. Lin LF, Siauw CP, Ho KS, et al. ERCP in post–Billroth II gastrectomy patients: emphasis on technique. Am J Gastroenterol 1999;94:144–8.

30. Maharshi S, Sharma SS. Early precut versus primary precut sphincterotomy to reduce post–ERCP pancreatitis: randomized controlled trial (with videos). Gastrointest Endosc 2021;93:586–93.

31. Manes G, Di Giorgio P, Repici A, et al. An analysis of the factors associated with the development of complications in patients undergoing precut sphincterotomy: a prospective, controlled, randomized, multicenter study. Am J Gastroenterol 2009;104:2412–7.

32. Mukai S, Itoi T. Selective biliary cannulation techniques for endoscopic retrograde cholangiopancreatography procedures and prevention of post– endoscopic retrograde cholangiopancreatography pancreatitis. Expert Rev Gastroenterol Hepatol 2016;10:709–22.

33. Osnes M, Rosseland AR, Aabakken L. Endoscopic retrograde cholangiography and endoscopic papillotomy in patients with a previous Billroth–II resection. Gut 1986;27:1193–8.

34. Panteris V, Vezakis A, Filippou G, et al. Influence of juxtapapillary diverticula on the success or difficulty of cannulation and complication rate. Gastrointest Endosc 2008;68:903–10.

35. Park CH, Lee WS, Joo YE, et al. Cap–assisted ERCP in patients with a Billroth II gastrectomy. Gastrointest Endosc 2007;66:612–5.

36. Rossos PG, Kortan P, Haber G. Selective common bile duct cannulation can be simplified by the use of a standard papillotome. Gastrointest Endosc 1993;39:67–9.

37. Sasahira N, Kawakami H, Isayama H, et al. Early use of double–guidewire technique to facilitate selective bile duct cannulation: the multicenter randomized controlled EDUCATION trial. Endoscopy 2015;47:421–9.

38. Schwacha H, Allgaier HP, Deibert P, et al. A sphincterotome–based technique for selective transpapillary common bile duct cannulation. Gastrointest Endosc 2000;52:387–91.

39. Scotiniotis I, Ginsberg GG. Endoscopic clip–assisted biliary cannulation: externalization and fixation of the major papilla from within a duodenal diverticulum using the endoscopic clip fixing device. Gastrointest Endosc 1999;50:431–6.

40. Singh P, Das A, Isenberg G, et al. Does prophylactic pancreatic stent placement reduce the risk of post–ERCP acute pancreatitis? A meta–analysis of controlled trials. Gastrointest Endosc 2004;60:544–50.

41. Sundaralingam P, Masson P, Bourke MJ. Early precut sphincterotomy does not increase risk during endoscopic retrograde cholangiopancreatography in patients with difficult biliary access: a meta–analysis of randomized controlled trials. Clin Gastroenterol Hepatol 2015;13:1722–1729 e2.

42. Swan MP, Alexander S, Moss A, et al. Needle knife sphincterotomy does not increase the risk of pancreatitis in patients with difficult biliary cannulation. Clin Gastroenterol Hepatol 2013;11:430–36 e1.

43. Tse F, Yuan Y, Moayyedi P, et al. Guidewire–assisted cannulation of the common bile duct for the prevention of post–endoscopic retrograde cholangiopancreatography (ERCP) pancreatitis. Cochrane Database Syst Rev 2012;12:CD009662.

44. Vaira D, Dowsett JF, Hatfield AR, et al. Is duodenal diverticulum a risk factor for sphincterotomy? Gut 1989;30:939–42.

45. van Buuren HR, Boender J, Nix GA, et al. Needle–knife sphincterotomy guided by a biliary endoprosthesis in Billroth II gastrectomy patients. Endoscopy 1995;27:229–32.

46. Yang MJ, Hwang JC, Yoo BM, et al. Wire–guided cannulation over a pancreatic stent versus double guidewire technique in patients with difficult biliary cannulation. BMC Gastroenterol 2015;15:150.

부속기구

ERCP Accessories

박원석 가톨릭대학교 의과대학 / **권창일** 차의과학대학교 의학전문대학원

1. 삽입도관(Cannula 또는 Catheter)

내시경역행담췌관조영술(endoscopic retrograde cholangiopancreatography, ERCP)에 사용되는 일반적인 삽입도관은 외부가 테플론(polytetrafluoroethylene, PTFE)으로 0.035 inch 이하의 유도철사(guidewire)가 통과될 수 있으며, 조영제를 동시 주입할 수 있는 내강이 있다. 내강은 대개 유도철사 투입구와 조영제 주입구가 단일 내강(single lumen)으로 구성되며, 유도철사를 제거하지 않고 조영제를 주입할 수 있도록 유도철사 투입구와 조영제 주입구가 분리되어 있다. 일부 제품은 유도철사 투입관과 조영제 주입관이 분리된 이중 내강(double lumen) 또는 삼중 내강(triple lumen) 구조로 유도철사를 삽입한 상태에서 조영제 주입이 용이하도록 제작되어 있다. 하지만, 이런 다중 내강 구조는 기존의 삽입도관보다 몸체(shaft)와 선단(distal end)의 직경이 굵고, 조영제 주입관이 유도철사 투입관보다 가늘기 때문에 조영제 주입 시 저항이 있다. 삽입도관의 선단부는 방사선 투시하에서 위치를 확인할 수 있도록 방사선 비투과성 마크가 있고 표면에 무늬가 있어 삽입 정도를 알 수 있다(그림 7-1).

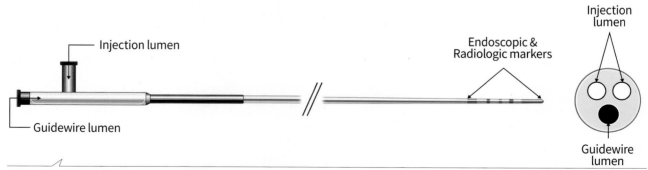

그림 7-1. 일반적인 삽입도관의 형태 및 구조

삽입도관의 조작부는 일반적으로 유도철사 투입구와 조영제 주입구로 이루어져 있다. 일부는 조작부에 손잡이가 있어 도관 선단의 방향을 조절할 수 있는 제품들도 있으며, 유도 철사를 다중으로 삽입하여 방향을 찾는 제품도 있다(그림 7-2).

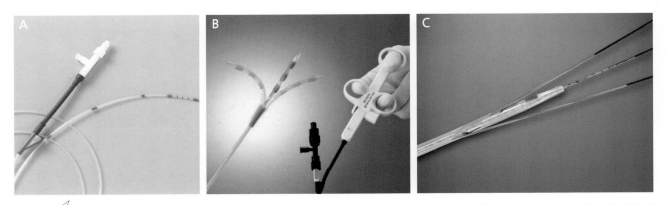

그림 7-2. **선단 방향 조절형 삽입 도관들.** (A) Rx ERCP Cannula (Boston Scientific, Marlborough, MA, USA), (B) Swing-Tip ERCP Cannula (Olympus Co., Tokyo, Japan), (C) Haber Ramp™ Catheter (Cook Endoscopy, Winston-Salem, USA).

선단의 모양은 끝이 무딘 표준 삽입도관(standard tip cannula), 끝이 가늘어지는 테이퍼 삽입도관(tapered tip cannula), 유도철사 삽관 시 끝이 X-자 모양으로 갈라지는 슬릿 삽입도관(slit tip cannula), 끝이 매끄러운 둥근 면으로 되어 있는 돔 팁 삽입도관(dome tip cannula), 끝이 다양한 모양의 금속으로 되어있는 금속 팁 삽입도관(metal tip cannula) 등과 같은 다양한 종류의 삽입도관이 있다(그림 7-3). 기본적인 모양을 토대로 하여,

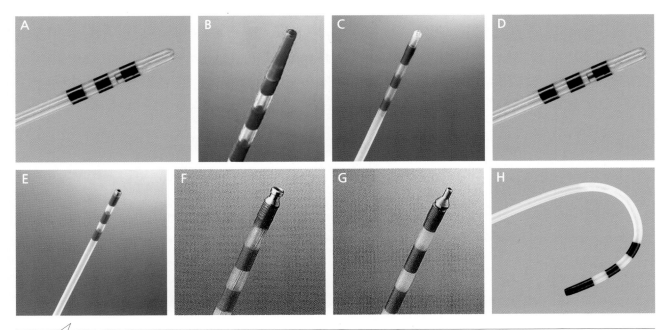

그림 7-3. **다양한 모양 또는 형태의 선단을 가진 삽입 도관들.** (A) Standard tip, (B) Tapered tip, (C) Cross-cut opening (Slit) tip, (D) Dome-tip, (E) Ball-tip Cannula, (F) Metal-tip, (G) Metal-tip for minor papilla, (H) Precurved tip.

DomeTip™ (Cook Endoscopy, Winston–Salem, NC, USA), Slit Tip™ (Olympus Co., Tokyo, Japan), Ball–Tip™ (MTW Endoskopie, Wesel, Germany)은 모두 부드러운 삽관이 가능하도록 선단을 조금씩 특징적으로 변형한 제품들이다. 선단을 금속으로 만든 도관은 적용하는 유두부에 따라 다른 모양의 제품이 제조되고 있으며, 위치 확인이 용이한 장점이 있으나, 유도철사 삽입 시 친수성 표면처리 막이 손상을 입어 재사용이 어려워지는 단점이 있다.

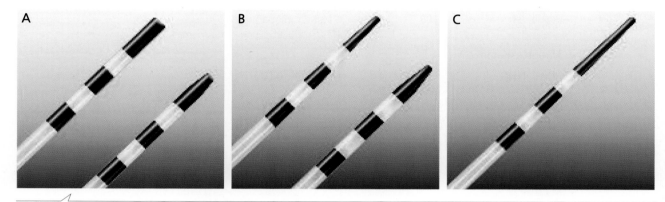

그림 7–4. 선단이 가늘어 지는 삽입도관들. (A) Standard and Taper Cannula, (B) Long taper cannula and Short taper cannula, (C) Ultra taper cannula

선단이 가늘어지는 삽입도관은 제조회사마다 가늘어지는 부분의 길이를 조금씩 달리하여 제품을 생산(Olympus: Standard, Taper, Short taper, Long taper; Boston Scientific: Standard, Tapered, Ultra tapered, 5–4–3; Cook Medical: Standard, Taper, Short taper, Long taper, Ultra taper)하고 있으며, 선단 끝의 직경도 4.5 Fr/4.0 Fr/3.5 Fr로 다양하게 하고 있다(그림 7–4). 선단이 가늘어지는 삽입도관은 주유두부 구멍이 작거나 협착이 있는 경우나 부유두의 삽입에 효과적일 것으로 생각된다. 주의할 점은 십이지장유두 삽입 각도가 맞지 않을 경우 유두부 점막하층으로 조영제 주입이나 유두부 부종이 일어나기 쉽고 선단부가 가늘어 적용되는 유도철사가 0.025 inch나 0.018 inch로 제한될 수 있다. 국내에 판매되고 있는 삽입도관의 종류와 특성은 표 7–1에 정리하였다.

표 7–1. 국내에서 판매되는 삽입도관의 종류와 특성

Manufacturer	Commercial name	Length (cm)	Distal tip (Fr)	Tip shape	Available guidewire (Inch)	Separate injection lumen	Special characteristics
Boston Scientific	Contour™ ERCP Cannulas	210	5.0	Standard	0.035	×	
		210	5.0	Tapered	0.035	×	
		210	5.0	Ultra–Tapered	0.025	×	
		210	5.0	5–4–3	0.018	×	
		210	5.0	Ball–Tip	0.035	×	
	Rapid exchange XL Cannula	195	5.5	Tapered	0.035	×	
	RX ERCP Cannulas	210	5.0	Standard	0.035	×	

표 7-1(계속). 국내에서 판매되는 삽입도관의 종류와 특성

Manufacturer	Commercial name	Length (cm)	Distal tip (Fr)	Tip shape	Available guidewire (Inch)	Separate injection lumen	Special characteristics
Boston Scientific	Tandem™ XL Triple-Lumen ERCP Cannula	200	5.5	Tapered	0.035	○	Separated lumen
Cook Endoscopy	Classic						
	ERCP-1-BT	200	5.5	Metal radiopaque bullet	0.035	✕	
	Huibregtse-Katon®						
	ERCP-1-HKB	200	5.5	Metal Ball tip	0.035	✕	Metal tip
	Glo-Tip®						
	GT-1-T	200	5.5→4.5	Taper	0.035	✕	
	GT-1-ST	200	5.5→3.5	Short taper	0.025	✕	
	GT-1-LT	200	5.5→3.5	Long taper	0.021	✕	
	GT-1-UT	200	5.5→4.0	Ultra taper	0.035	✕	
	GT-5-4-3	200	5.0→4.0 →3.0	Precurved, graduated taper	0.018	✕	
	Glo-Tip II®						
	GT-2-T	200	6.0	Standard Dome-shaped tip	0.035	○	Double lumen (separated lumen)
	GT-2-T-RB	200	6.0	Standard Dome-shaped tip	0.035	○	Double lumen (separated lumen) Radiopaque Band
	Fusion®						
	FS-GT-2	200	6.0	Standard Dome-shaped tip	0.035	○	
	Fusion® OMNI™						
	FS-GT-OMNI	200	7.0	Standard Dome-shaped tip	0.035	○	Breakthrough channel technology
MTW Endoskopie	ERCP-catheter with integrated mandrin	215	5.4/4.8	Filiform	0.035/ 0.025	✕	
		215	5.4/4.8	Filiform, with Metal Ring Inside	0.035/ 0.025	✕	
		215	5.4/4.8	With round metal tip	0.035/ 0.025	✕	Metal tip
		215	5.4/4.8	Bottle shaped metal tip	0.035/ 0.025	✕	Metal tip
		215	5.4/4.8	Conical metal tip	0.035/ 0.025	✕	Metal tip

표 7-1(계속). 국내에서 판매되는 삽입도관의 종류와 특성

Manufacturer	Commercial name	Length (cm)	Distal tip (Fr)	Tip shape	Available guidewire (Inch)	Separate injection lumen	Special characteristics
Medwork	ERCP-Cannulas	205	5.4	Tapered	0.035	×	Single lumen
		204	5.55	Tapered	0.035	○	Double lumen
Olympus	StarTipV™ with Soft/Stiff	195	4.0	Standard	0.035	×	
		195	4.0/3.5	Taper	0.035/ 0.025	×	
		195	4.5/4.0 /3.5	Short taper	0.035/ 0.025	×	
		195	3.5/3.0	Long taper	0.025	×	
		195	6.0	Metal Ball	0.035	×	Metal tip
	StarTip2V™	170	4.5	Short taper	0.035	○	Double Lumen
	X-PressV™ with Soft/Stiff	195	2.5	Slit	0.035	×	
	SwingTip™	195	4.0	Bendable Taper	0.035	×	Pull: 85° Push: 20°

2. 괄약근절개도(Sphincterotome)

임상에서 주로 쓰이는 괄약근절개도는 당김형(pull type; Erlangen type), 미는형(push type; Soma type), 침형(needle type)이 있으며(그림 7-5), 이외에도 S자형(sigmoid type)이나 상어지느러미형(Shark pin type)이 개발되어 있으나 거의 사용되지 않는다. 내시경 유두부괄약근 절개술(endoscopic sphincterotomy, EST)을 위하여 대부분은 당김형 절개도가 사용되며, 밀기형 절개도는 Billroth II 환자처럼 수술 등으로 십이지장 유두의 해부학적 구조가 역전된 환자의 EST에 주로 사용된다. 침형은 선택적 담관 삽관에 실패한 경우 예비절개술(precut

Pull type sphincterotome — Push type sphincterotome — Reverse type sphincterotome — Needle type sphincterotome — Rotatable sphincterotome — Isolated-tip needle knife

그림 7-5. 다양한 형태의 괄약근절개도

papillotomy) 등에 주로 이용되고 있다.

당김형 절개도는 손잡이의 당김 조작에 의해 노출된 철선의 길이가 짧아진다. 절개도의 조작부는 절개 철선을 당김 조작할 수 있는 손잡이와 절개 철선을 전기 수술기와 연결할 할 수 있는 연결부가 있으며, 유도철사 투입구와 조영제 주입구가 분리되어 있다(그림 7-6). 선단부는 제품에 따라 방사선 투시하에서 위치를 확인할 수 있도록 방사선 비투과성 표식과 삽입 정도를 알 수 있거나 내시경기기의 손상을 방지하고 최적의 절개 부위를 표시하기 위한 다양한 내시경적 표식들이 있다(그림 7-7).

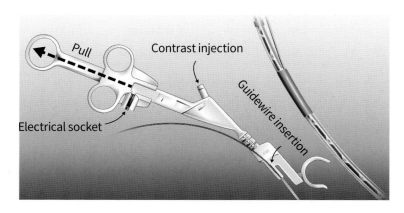

그림 7-6. 당김형 절개도의 손잡이

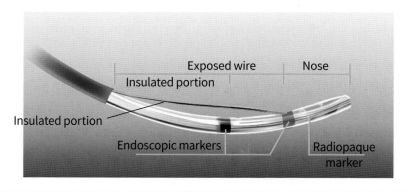

그림 7-7. 당김형 절개도의 선단부

당김형 절개도의 절개 철선의 길이는 20–35 mm로 제품마다 다르다. 절개 철선이 짧은 절개도는 당김 조작 시 절개 철선의 방향이 3시 쪽으로 기울어지는 경향이 있으나, 긴 절개도는 내시경의 올림장치를 올렸을 때 절개 철선의 방향이 11–1시 방향으로 자연적으로 구부러지는 경향이 있어 EST에 유리할 수 있다. 하지만 짧은 길이의 절개 철선보다 높은 저항 때문에 전류의 전달율이 낮고, 내시경 선단에 닿아서 기기의 손상을 주거나, 십이지장 점막에 닿아서 손상을 줄 가능성이 상대적으로 높다. 절개 철선의 종류에 따라서는 단일 철선(monofilament)으로 된 것과 여러 개의 철선을 땋아서(braided type) 만든 것이 있으나 대부분의 시술자들은 절개 시 부종이 적고 신속하고 깨끗한 절개가 이루어지는 단일 철선(monofilament)의 절개도를 선호한다.

　　당김형 절개도는 선단부(nose)의 길이(tip length)에 따라서 선단부가 긴 형태(long-nose type)와 선단부가 짧은 형태(short-nose type)로 분류할 수 있다. 선단부가 긴 형태는 삽관 된 후 빠지지 않는다는 장점이 있다. 하지만, 선단이 구부러져 축을 일치시키기 어렵고 선단부의 길이가 짧더라도 유도철사를 미리 삽입하여 두면 비슷한 효과를 볼 수 있어 최근에는 5 mm 정도의 선단부가 짧은 절개도를 주로 사용한다.

　　삽관 시 유두부의 조직손상 및 부종을 줄이고 삽관이 용이할 수 있도록 제조회사에 따라 선단의 모양을 둥근 반구형으로 제작하거나 가늘어지는 형태로 제작한다. 일반적인 경우 선단의 직경은 5 Fr 정도가 보통이지만 선단부가 3.5 Fr에서 4 Fr까지 가늘어진 형태의 절개도도 있다.

　　괄약근 절개도의 내강은 단일, 이중 및 삼중 내강으로 제작되고 있다. 이중 내강 괄약근 절개도는 유도철사를 제거한 후 조영제를 주입하거나 측부 연결기(side-arm adaptor)를 사용하면 유도철사를 삽입한 상태로 조영제 주입이 가능하여 삽관 및 치료를 용이하게 한다. 삼중 내강 괄약근 절개도는 추가 포트가 있기 때문에 와이어를 제거할 필요없이 조영제를 주입할 수 있지만, 직경이 다소 두꺼워 시술 조작 시 유연성이 떨어지고 조영제 주입관의 크기가 작아 조영제 주입 시 저항이 있다. 작은 주사기를 사용하면 주입이 용이할 수 있지만 다량의 조영제 주입 시 보조자에게 불편함을 초래한다.

　　당김형 절개도 중 특징적인 몇 가지를 살펴보면 Dome-Tip™ 절개도(Cook Endoscopy)는 삽관 시 조직과의 마찰을 줄여 부드럽게 삽관이 되도록 제작하여 조직손상이나 조직 내 조영제 주입이 적어 시술 후 췌장염 발생을 낮출 수 있도록 하였다(그림 7-8A). Autotome™ 절개도(Boston Scientific)는 선단을 좌우로 회전하여 삽관 및 절개의 방향을 조절할 수 있도록 개발하였다(그림 7-8B). CleverCut™ 절개도(Olympus)는 철선이 도관 선단의 좌측에 있어 괄약근 절개술 시 11시 방향으로 유지가 용이하고 노출된 절개 철선의 일부를 절연제로 포장하여 주변 조직과의 접촉으로 인한 조직의 전기 손상을 최소화하고 절개 철선과 내시경 선단부와의 접촉을 방지할 수 있도록 하였다(그림 7-8C).

　　수술로 유두부의 해부학적 구조가 역 방향인 환자는 Papillotome for B-II-Stomach (MTW Endoskopie) 혹은 Billroth II Sphincterotome (Cook Endoscopy)과 같은 역방향 혹은 미는형의 절개도를 사용된다. 예비 절개술에 주로 사용하는 침형 절개도는 절개침의 길이가 3-5 mm이며, 이중 내강 혹은 삼중 내강 형태로 유도 철사가 삽입된 상태에서 조영제 주입이 가능하고 십이지장 유두 절개술 후 신속한 삽관이 가능하다. Iso-Tome (MTW Endoskopie)은 전류가 절개도의 끝에서 새어 나와 췌관의 개구부를 손상시키는 것을 예방하기 위하여 선단부에 반원 형태의 epoxide가 부착되어 있다(그림 7-8D). 국내에 판매되고 있는 절개도의 종류와 특성은 표 7-2에 정리하였다.

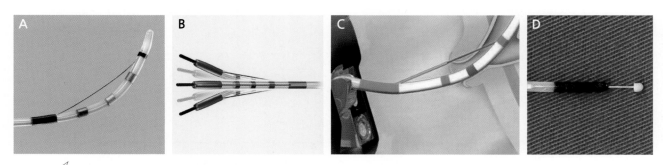

그림 7-8. 기본적인 형태에서 변화를 준 제품들. (A) D.A.S.H.® Sphincterotome with DomeTip® (Cook Endoscopy), (B) Autotome™ Cannulating Sphincterotome (Boston Scientific), (C) CleverCut3V™ (Olympus), (D) Iso-Tome (MTW Endoskopie).

표 7–2. 국내에서 판매되는 괄약근절개도의 종류와 특징

Manu–facturer	Commercial name	Type	Tip length (mm)	Cut–wire type	Cut–wire length (mm)	Safe wire insulation	Tip diameter (Fr)	Guidewire (Inch)	Special characteristics
Boston Scientific	Autotome™ RX Cannulating Sphincterotome	Pull type	5	Monofilament	20/30	×	3.9/4.4 /4.9	0.025/ 0.035	Rotating tip
	UltraTome™ RX Cannulating Sphincterotome	Pull type	5	Monofilament	20/30	×	4.9	0.035	
	TRUEtome™ Cannulating Sphincterotome	Pull type	5	Monofilament	20/30	×	3.9/4.4 /4.9	0.025/ 0.035	Rotating tip
	UltraTome™ Double–Lumen Sphincterotome	Pull type	5/20	Monofilament	20/30	×	5.5	0.035	Double lumen
	UltraTome™ XL Triple–Lumen Sphincterotome	Pull type	5/20	Monofilament	20/30	×	5.5	0.035	Triple lumen
	MicroKnife XL Triple–Lumen Needle knife	Needle type	n/a	Monofilament	7	n/a	5.5	0.035	Triple lumen
Cook Endoscopy	Tri–Tome PC® Triple lumen Sphincterotome with DomeTip® (Protector™)	Pull type	5	Monofilament	25	O	7.0	0.035	
	Tri–Tome PC® Triple lumen Sphincterotome with DomeTip®	Pull type	5	Monofilament / Braided	20/25/30	×	7.0	0.035	
	Cotton CannulaTome II® Precurved Double Lumen Sphincterotome with DomeTip® (Protector™)	Pull type	5	Monofilament	25	O	6.0	0.035	
	Fusion® OMNI™ Sphincterotome with DomeTip®	Pull type	5	Monofilament	25	×	5.5/7.0	0.021/ 0.035	Breakthrough channel technology
	Billroth II Sphincterotome	Push type	n/a	Braided	20 / 30	×	6.0 → 5.0	0.035	
	Fusion® Needle knife	Needle type	n/a	Monofilament	4	n/a	6.0	0.035	Adjustable Cutting Wire Length

표 7-2(계속) . 국내에서 판매되는 삽입도관의 종류와 특성

Manu-facturer	Commercial name	Type	Tip length (mm)	Cut-wire type	Cut-wire length (mm)	Safe wire insulation	Tip diameter (Fr)	Guidewire (Inch)	Special characteristics
MTW Endoskopie	Papillotome, filiform	Pull type	5	Monofilament	20 / 30	×	4.8	0.035	
	Papillotome, Precut	Pull type	2	Monofilament	20	×	4.8	0.035	2mm tip length
	Papillotome for B-II-Stomach	Push type	5	Monofilament	20	×	6.9	0.035	
	Papillotome, Needle	Needle type	6	Monofilament	6	n/a	4.5	0.035	6mm tip length
	Iso-Tome	Needle type	10	Monofilament	10	○	4.5	n/a	Insulated tip
Medwork	AXS_tome Papillotomes (2 Lumen)	Pull type		Monofilament /Braided	20/25/30	×	5.1/7	0.021/ 0.035	
		Needle type	n/a	Monofilament	6	n/a	7	0.035	
		Push type		Braided	20	×	7	0.021	
	AXS_tome Papillotomes (3 Lumen)	Pull type		Monofilament /Braided	20/25/30	○	7.5	0.035	
		Needle type	n/a	Monofilament	6	n/a	7.5	0.035	
Olympus	CleverCut3V™	Pull type	2/3/7	Monofilament	15/20/25 /30	○	3.9/4.4	0.025/ 0.035	Pre-curved design
	Reusable Stabilizer S.-Push/Pull Type	Pull/ Push type	6	Monofilament	15	×	4.5	0.035	For Billroth, Roux-en-Y
	NeedleCut3V™	Needle type	n/a	Monofilament	5	○/×	5.0	0.035	
Taewoong	OptimosTM Sphincterotome	Pull type	6	Monofilament	20/25/30	○	5.0	0.025/ 0.035	Pre-curved design

3. 유도철사(Guidewire)

ERCP시술 중 유도철사는 담관 및 췌관으로의 성공적인 삽관과 유지를 위하여 사용되며, 부속기구들을 적절한 위치에 유치하거나 원활한 교체를 위하여 사용된다. 매끄럽고 유연한 선단을 가진 유도철사는 유두 삽관과 협착 부위를 통과하여 진입로를 확보하는데 용이한 반면, 뻣뻣하고 팽팽한 유도철사는 측면 변위가 적고 힘의 전방축 전달이 우수하여 담관 스텐트나 확장용 풍선 등과 같은 기구들을 진입시키는데 더 유용하다. 이러한 유도철사

는 재질, 길이, 직경, 성능 등을 최적화한 다양한 디자인의 제품으로 판매되고 있다.

일반적으로, 3가지 디자인의 유도철사가 ERCP에 사용된다. 먼저 단일 필라멘트 유도철사는 경직성(stiffness)을 목적으로 개발되었으며 스테인레스강(stainless steel)으로 되어 있다. 두 번째 코일형 유도철사는 내부의 단일 필라멘트 코어에 코팅된 테플론 나선형 코일 외피로 협착을 통과하는데 최적화되어 있다. 세 번째 도포형 유도철사는 주로 니티놀(Nitinol)로 된 단일 필라멘트 코어에 테플론, 폴리우레탄(polyurethane) 혹은 윤활성 중합체로 된 외피로 구성되는데 코팅된 성분으로 인해 방사선 비투과성, 미끄러움 및 전기 절연 성능을 가진다.

대부분의 유도철사는 내시경 영상에서 길이를 측정할 수 있는 눈금이나 움직임을 알아볼 수 있는 표식이 있어 시술 도중 유도철사 이탈의 위험을 줄이고 유도철사의 움직임을 관찰할 수 있다. 선단부는 투시영상에 잘 관찰되도록 텅스텐이나 백금 성분이 포함되어 있다. 일부 유도철사는 몸체에 방사선 방사선비투과성 표지를 일정하게 배열하여 협착의 길이 등을 측정하는데 용이한 것도 개발되어 있다(그림 7-9).

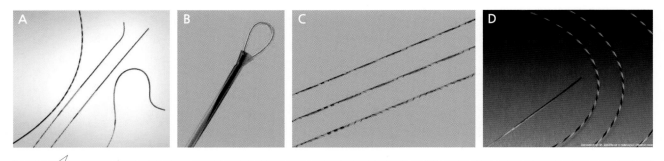

그림 7-9. 유도 철사의 특정적인 예시. (A) VisiGlide2™ (Olympus) 다양한 선단 모양, (B) LoopTip™ (Cook Endoscopy), hair-pin 모양의 선단, (C) Tracer Metro® (Cook Endoscopy) & (D) DreamWire™(Boston Scientific) 유도 철사 몸체에 일정한 간격의 길이 표시

유도철사는 일반적으로 선단부와 몸체로 나누어 구성된다(그림 7-10). 방사선 비투과성 마커들을 적절히 적용하여 시술 시 관찰이 잘 되도록 도와주며, 몸체에는 주로 내시경 관찰시에 삽입된 길이를 가늠하도록 표식을 인쇄하고 있다. 유도 철사 전체에 친수성 코팅을 적용하지만, 일반적으로는 고무나 테플론 코팅이 된 선단부가 친수성에 취약하기 때문에 이 부분에 집중적으로 코팅을 적용하여 병변 삽입에 도움이 되도록 하고 있다.

Guidewire

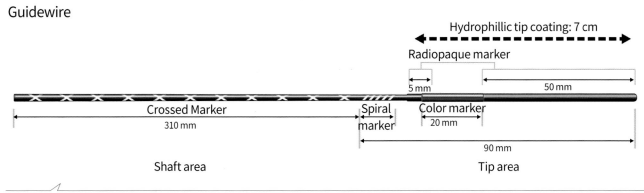

그림 7-10. **유도철사의 기본적인 구조**

도포형 유도철사의 유연성(flexibility)은 코어가 얼마나 얇은지에 따라 결정되며, 기능을 결정하는 가장 중요한 부위는 유도철사의 선단 구조이다. 선단의 구성 방법 및 코팅 종류 등에 의해 유연성과 직진성, hair-pin 모양 형성 등의 특징들을 적절하게 나타내게 된다. 보다 더 좋은 기능 및 장점들로 인해 여러 적응증에 폭넓게 이용될 수 있으며 시술자의 선택에 큰 영향을 주게 되는 다기능성 유도철사로 인정받게 된다(그림 7-11).

Composition of tip

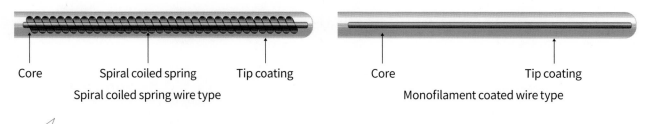

그림 7-11. 유도철사의 특징적인 선단 구성

또한, 선단은 모양에 따라 직선형, 각진형, 루프형 등으로 나눌 수 있으며, 사용자의 선호도 및 선택적 삽관 등의 적응증에 따라 적절히 선택하여 사용할 수 있다(그림 7-12).

Different shapes of tip

그림 7-12. 유도철사의 여러 선단 모양

앞서 언급하였듯이, 대부분의 유도철사는 물과 접촉할 경우 윤활기능이 더욱 강화되도록 친수성 코팅이 전체에 되어 있다. 유도철사는 방사선 투시하에서 도관이나 절개도에 삽입하여 사용하기 때문에 도관에 조영제가 묻어 끈적거리거나 선단부가 건조해지면 마찰계수가 증가하므로 사용 시 물을 통과시키거나 젖은 거즈로 적셔 준 후 사용하는 것이 좋다. 도포형 유도철사는 미끄러워 회전력을 주기가 어려울 수 있고, 또한 커브형 선단이 협착에 선택적으로 삽관이 되도록 고정 및 회전을 용이하게 하기 위한 회전 기구(torque device)를 사용하기도 한다(그림 7-13).

유도철사의 길이는 260, 400, 450, 480 cm 등으로 다양하다. 이 중 통상적인 ERCP에 사용되는 유도철사의 길이는 400 cm 이상이며, 260 cm는 short–wire ERCP system에 사용된다. 유도철사의 직경은 주로 0.018, 0.025, 0.035 inch로 제작되고 있으며, 일반적으로 0.035 inch 유도철사가 가장 많이 사용되어 왔다. 하지만, 최근 소개된 VisiGlide2™ (Olympus)의 0.025 inch 유도철사는 체부의 경직도와 특히 선단의 회전력이 좋아 많이 사용되고 있으며, 스텐트를 동시에 여러 개를 삽입할 경우 장점이 있어 타 회사들도 0.025 inch 제품들을 출시하였다. 0.018 또는 0.025 inch 유도철사는 협착이 심한 경우나 부 유두(minor duodenal papilla)의 삽관 시에 사용될 수 있지만 얇은 직경으로 인한 과도한 유연성으로 조작 도중 확보된 담관을 잃어버리는 경우가 있을 수 있어 세심한 조작이 요구된다.

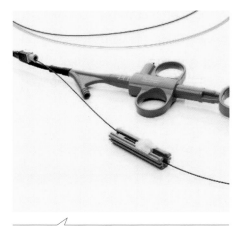

그림 7-13. 유도 철사를 고정 및 회전하는데 용이하게 하기 위한 회전 기구

Jagwire™, Hydra Jagwire™ (Boston Scientific); VisiGlide™ (Olympus); Tracer Metro® (Cook Endoscopy)와 같은 하이브리드 유도철사(hybrid guidewire)는 미끄러운 친수성 선단부와 뻣뻣한 몸체의 조합으로 제작되어 부드러운 삽관과 확보된 담관에서 빠지는 현상을 줄였다.

기존의 long–wire ERCP system은 기구를 긴 유도철사를 타고 교체해야 하므로 시간이 걸리고, 방사선 노출이 증가하며, 유도철사의 위치 조절을 보조자에 의존해야 하는 단점이 있었다. 이러한 단점을 극복하기 위하여 유도철사 고정장치, 짧은 유도철사(260 cm) 및 이에 적합한 기구들을 개발하여 세 종류의 Short–Wire ERCP System (RX biliary system, Boston scientific®; Fusion system, Cook Endoscopy®; V system, Olympus®)이 개발되어 사용하고자 하고 있으나 우리나라에서 많이 사용되고 있지는 않다. 국내에 판매되고 있는 유도철선의 종류와 특성은 표 7–3에 정리하였다.

4. 세포검사 솔(Cytology Brush) 및 생검겸자(Biopsy Forceps)

십이지장 유두부의 병변, 담관 또는 췌관의 종괴나 협착의 진단을 위하여 ERCP를 통한 생검(biopsy)이나 솔 세포검사(brush cytology)가 필요하다. 솔 세포검사는 솔로 협착 부위 점막 표면을 긁어서 점막세포를 채취하는 방법으로 기술적으로 쉽고, 시간이 적게 걸리며, 비교적 안전한 방법이다. 세포검사 솔은 단일 내강 시스템과 이중 내강 시스템이 있다. 단일 내강 세포검사 솔은 도관을 통하여 꺼내야 하므로 세포의 손실이 많지만, 도관을 통한 담즙 흡입과 도관내 탈락된 세포의 채집에 용이할 수 있다. 이중 내강 세포검사 솔(그림 7-14)은 확보된 담관에서 빠지는 경우가 적고 세포 유실도 적어 시술자들이 좀 더 선호하는 경향이 있다. 하지만, 단일 내강 시스템에 비하여 세포검사 솔의 크기가 작고, 도관이 굵고 뻣뻣하여 협착 부위로 솔의 삽입이 어려운 단점도 있다.

생검겸자는 담관 혹은 췌관 내에서 점막 조직을 직접 채취할 수 있지만 유도철사나 도관을 이용할 수가 없어 세포검사 솔에 비해 사용이 어렵고 시간이 걸리는 단점이 있다. 겸자 컵의 크기에 따라 소아(pediatric, or mini), 표준(standard), 점보(jumbo), 대형(large) 겸자로 나뉘며, 모양에 따라 둥근형, 타원형, 침(needle)부착형, 톱니형(alligator or rat–tooth), 한쪽만 열리는 편개형(one–side opening type), 컵의 각도를 움직일 수 있는 형(swing jaw type) 등 다양한 크기, 모양, 형태가 있다. 췌담도용 생검겸자는 스테인리스강(stainless steel)을 테플

표 7-3. 국내에서 판매되는 유도철사의 종류와 특성

Manufacturer	Commercial name	Diameter (inch)	Length (cm)	Core material	Sheath material	Tip				
						length (cm)	Core material	Spiral coiled spring	Coating	Shape
Boston Scientific	Jagwire™	0.035	200, 260, 450	Nitinol	PTFE	5	Tungsten	No	Hydrophilic polyurethane	Straight/ Angled
		0.025	260, 450	Nitinol	PTFE	5	Tungsten	No	Hydrophilic polyurethane	Straight/ Angled
	Hydra Jagwire™	0.035	260, 450	Nitinol	PTFE	5	Tungsten	No	Hydrophilic polyurethane	Straight/ Angled
	Dreamwire™	0.035	260, 450	Nitinol	PTFE	10	Tungsten	No	Hydrophilic polyurethane	Straight/ Angled
	Jagwire™ Revolution	0.025	260, 450, 500	Nitinol	PTFE	5	Tungsten	No	Hydrophilic polyurethane	Straight/ Angled
Cook Endoscopy	Fusion Loop TipT™	0.035	205, 260, 480	Nitinol	PTFE	0.4	Platinum	Yes	ETFE	Fixed loop
	Tracer Metro Direct®	0.035	260, 480	Nitinol	PTFE	5	Platinum	Yes	Hydrophilic polyurethane	Straight/ Angled
		0.025	260, 480	Nitinol	PTFE	5	Platinum	Yes	Hydrophilic polyurethane	Straight
		0.021	260, 480	Nitinol	PTFE	5	Platinum	Yes	Hydrophilic polyurethane	Straight
	Acrobat II®	0.035	205, 260, 450	Nitinol	PTFE	4	Platinum	Yes	Hydrophilic polyurethane	Straight/ Angled
		0.025	260, 450	Nitinol	PTFE	4	Platinum	Yes	Hydrophilic polyurethane	Straight/ Angled
	Road Runner®	0.018	260, 480	Nitinol	PTFE	3	Platinum	No	n/a	Straight/ Angled
Medwork	gSlider	0.033	450	Nitinol	PTFE	5.5	Nitinol	No	Hydrophilic polyurethane	Straight/ Angled
MTW Endoskopie	Platin star	0.025	460	Nitinol	PTFE	7	Platinum	No	Hydrophilic polyurethane	Straight
		0.035	400	Nitinol	PTFE	5	Platinum	No	Hydrophilic polyurethane	Straight/ Curved
	Snap-tip	0.025	460	Nitinol	PTFE	5	Platinum	No	Hydrophilic polyurethane	Straight
		0.035	460	Nitinol	PTFE	5	Platinum	No	Hydrophilic polyurethane	Straight
	Grip-wire	0.035	460	Nitinol	PTFE	8.3	Platinum	No	Hydrophilic polyurethane	Straight/ Curved
Olympus	VisiGlide 2	0.025	270, 450	Nitinol	Fluorine coating polyethylene	7	Confidential	Yes	Hydrophilic PTFE	Straight/ Angled
Taewoong Medical	Optimos™	0.035	260, 450	Nitinol	PTFE		Nitinol	No	Hydrophilic polyurethane	Straight/ Angled
		0.025	260, 450	Nitinol	PTFE		Nitinol	No	Hydrophilic polyurethane	Straight/ Angled

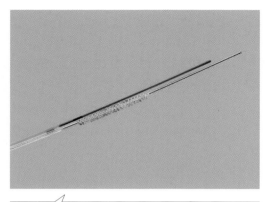

그림 7-14. Cytomax II® Double-Lumen Cytology Brush (Cook Endoscopy)

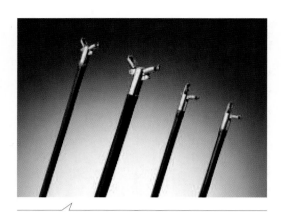

그림 7-15. ERCP용 생검겸자(Olympus)

론(Teflon) 외피로 감싼 2중 구조로 선단부가 부드럽고 신전성이 뛰어나 삽관 시 조직 및 내시경 처치공과의 마찰이 적고 유연성이 뛰어난 장점이 있어 ERCP를 통한 협착부위 조직검사에 사용이 용이하다(그림 7-15).

외피가 스테인리스강으로 되어 있던 위장관용 겸자에 비하여 최근의 일회용 위장관용 생검겸자는 외피를 테플론으로 감싼 제품들로 ERCP를 통한 담관으로의 삽입이 가능하고 컵의 크기가 커 췌담도용보다 많은 양의 조직을 얻기에 용이할 수 있다. 하지만 선단부의 유연성이 떨어져 십이지장경을 통한 담관이나 췌관으로의 진입이 쉽지 않고, 내시경 선단의 처치공이나 올림장치에 무리를 주어 고장을 유발할 수 있어 주의를 요한다. 국내에 판매되고 있는 세포검사 솔 및 생검겸자를 표 7-4에 정리하였다.

표 7-4. 국내에서 판매되는 세포검사 솔 및 ERCP용 생검겸자의 종류와 특성

Manufacturer	Commercial name	Brush or cup diameter (mm)	Catheter O.D. (Fr)	Length (cm)	Guidewire (inch)	Special characteristics
Boston Scientific	Rx Cytology Brush	2.1	8	200	0.035	Separate guidewire lumen for exchanging accessories
	Radial Jaw 4 Pediatric Biopsy forceps	1.8	6	160/240	n/a	
Cook Endoscopy	Cytomax II® Double Lumen Cytology Brush	3.0	6/8	200	0.021/ 0.035	Double lumen Tip size: 1.5/3.5 cm
MTW Endoskopie	Cytology Brush	2.5	5.25	120		Broncho
		3.0	7.5	160		Gastro
		3.0	7.5	220		Colon
Olympus	Cytology Brush	2.4	5.6	195	0.035	Ball-tip/ Guidewire-assisted
		2.0		155	n/a	Alligator jaw-step/ Standard-oval

5. 담석 제거를 위한 부속기구(Stone Extraction Accessories)

1) 담석 제거용 바스켓(Stone Extraction Basket)

바스켓 철선의 재질은 스테인레스강과 니티놀이 사용되고 있으며, 단일 필라멘트 혹은 다중 필라멘트 철선으로 구성되어 있다. 바스켓의 크기(opening width)는 15-40 mm로 회사마다 다양한 크기로 제작되어 있으며, 이 중 30 mm 크기의 바스켓이 주로 사용된다. 바스켓의 모양은 4선으로 이루어진 도미아형(Dormia type) 바스켓이 기본형으로 가장 많이 사용된다. 이외에도 6선의 포가티 형(Fogarty type) 바스켓(Lithotomy basket, MTW Endoskopie), 선단만 8선으로 늘린 바스켓(Flower basket, Olympus), 나선형(Spiral type) 8선 바스켓(Memory Basket, Cook Endoscopy)도 기존의 4선 바스켓으로는 빠져나가기 쉬운 작은 담석을 포획할 수 있도록 고안되어 사용되고 있다(그림 7-16). Flower 바스켓(Olympus)은 핸들이 있어 돌리면 담관내에서 바스켓이 회전하여 잘 잡히지 않는 담석의 포획 시 용이하게 사용할 수 있다. 또한 유도철사의 삽입이 가능한 형태도 있어 간내담관으로 선택 삽입이 요구되는 경우에 유용하게 사용할 수 있다. 국내에 판매되고 있는 담석제거용 바스켓을 표 7-5에 정리하였다.

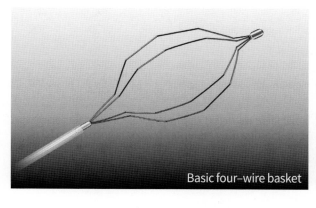
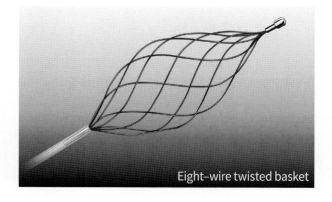
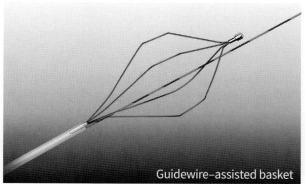
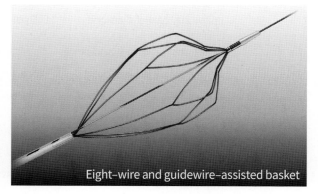

그림 7-16. 다양한 형태의 담석 제거용 바스켓

표 7–5. 국내에서 판매되는 담석 제거용 바스켓의 종류와 특성

Manufacturer	Commercial name	Basket type	Wire type	Wire material	Wire number	Opening width (mm)	Working length (cm)
Boston Scientific	Trapezoid RX Wire–guided Retrieval Basket	Dormia	Monofilament	Stainless steel	4	15, 20, 25, 30	210
Cook Endoscopy	Fusion Lithotripsy Extraction Basket	Dormia	Multifilament	Stainless steel	4	20, 30	208
	The Web Extraction Basket	Dormia	Multifilament	Stainless steel /Nitinol	4	15, 20, 25, 30	220
	The Web II Double Lumen Extraction Basket	Fogarty	Multifilament	Stainless steel /Nitinol	4	20	200
	Memory Basket 5 FR Soft Wire	Dormia	Multifilament	Stainless steel /Nitinol	4	15, 20	200
	Memory Basket Eight Wire	Spiral	Monofilament	Nitinol	8	20, 30	200
	Memory II Double Lumen Extraction Basket	Spiral	Monofilament	Nitinol	8	20, 30	200
Medwork	Stone extraction baskets	Dormia	Monofilament	Stainless steel	4	15, 25, 30, 35	200
	Lithotriptor baskets	Dormia	Monofilament	Stainless steel	4	15, 20, 25, 30, 35	200
	Stone extraction baskets	Dormia	Monofilament	Stainless steel	4	20, 25, 30, 35	120, 200, 260
	Stone extraction baskets	Spiral	Monofilament	Stainless steel	6	20	200
	twist´n´CATCH–Stone extraction baskets	Dormia	Monofilament	Stainless steel	4	35	200
	Lithotriptor baskets (single–use)	Dormia	Monofilament	Stainless steel	4	20, 25, 30, 35	200
	Rock star (single–use)	Dormia	Monofilament	Stainless steel	4	35	190
MTW Endoskopie	Lithotomy basket twisted wires	Dormia	Monofilament	Stainless steel	4		
	Lithotomy basket turned	Dormia	Monofilament	Stainless steel	4		
	Lithotomy basket 6 wires turned	Fogarty	Monofilament	Stainless steel	6		
	Lithotomy basket 6 wires turned	Fogarty	Monofilament	Nitinol	6		
	Lithotomy basket diamond shaped	Diamond	Monofilament	Stainless steel	4		
	Lithotomy basket for guide wire	Fogarty	Monofilament	Stainless steel	4		
Olympus	Flower Basket V rotatable type	Fogarty	Multifilament	Stainless steel	8	20	190
	Flower Basket V wire–guided type	Fogarty	Multifilament	Stainless steel	8	20	190
	Tetra Catch V rotatable type	Fogarty	Multifilament	Stainless steel	4	22	190
	Tetra Catch V wire–guided type	Fogarty	Multifilament	Stainless steel	4	22	190
	LithoCrush V wire–guided and rotatable type	Dormia	Multifilament	Stainless steel	4	26,30	190
TaeWoong Medical	Optimos Stone Basket	Dormia	Monofilament	Stainless steel	4	15, 20, 30, 40	250
	Optimos Stone Basket	Fogaty	Monofilament	Stainless steel	8	20, 30	250
	Optimos Stone Basket	Spiral	Monofilament	Nitinol	8	20, 30	200

2) 담석 제거용 풍선도관(Stone Extraction Balloon)

　　풍선도관의 조작부는 유도철선 삽입을 위한 통로(guidewire channel)와 조영제 주입구(injection channel) 및 풍선 팽창을 위한 공기 주입구(balloon inflation channel)로 구성되어 있다(그림 7-17).

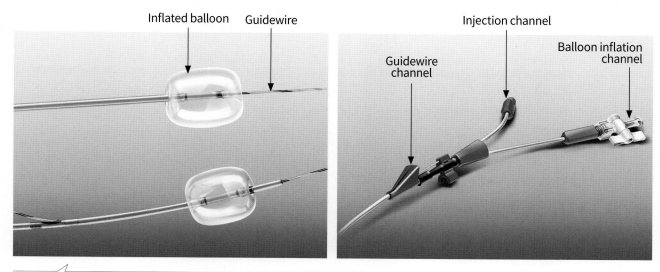

그림 7-17. 담석 제거용 풍선도관의 구조 및 명칭

　　일반적으로 공기 주입을 위한 내강과 유도철사 및 조영제의 주입을 위한 내강으로 구성된 이중 내강 시스템이나 유도철사와 조영제의 주입구가 각 각인 삼중 내강 시스템을 가진다. 이중 내강 시스템은 조영제 주입 시 유도철사를 제거하고 조영제를 주입해야 하는 번거로움이 있는 반면, 삼중 내강 시스템은 유도철사를 삽입한 상태에서 조영제를 주입할 수 있는 장점이 있다. 하지만 내강이 좁아져 조영제 주입 시 저항이 크고 도관 선단부의 유연성이 떨어져 담관 내로 삽입이 어려운 단점이 있다. 도관은 선단부 확장용 풍선의 크기가 8.5, 12, 15 mm (Escort II Extraction Balloon, Cook Medical) 혹은 16, 18 mm (Balloon Catheter, MTW Endoskopie)로 고정되어 있는 제품과 8.5-12-15 mm (Tri-Ex Multiple Size Extraction Balloon, Cook Medical), 9-12, 12-15, 15-18, 18-20 mm (Extractor RX Retrieval Balloon, Boston Scientific)로 단계적 조절이 가능한 제품들로 나뉘며, 풍선의 크기 및 내강의 개 수에 따라 다양한 제품들이 나와있다(표 7-6).

3) 기계적 쇄석기(Mechanical Lithotriptor)

　　기계적 쇄석기는 일반적인 바스켓보다 강한 강선으로 제작된 바스켓, 금속 외피, 및 쇄석기 핸들로 구성된다. 기계적 쇄석기는 바스켓의 비닐 외피를 제거한 후 금속 외피로 교체를 하고 나서 쇄석을 하는 기본적인 형태의 구제형 기계적 쇄석기(그림 7-18, 표 7-7)와 바스켓의 비닐 외피를 금속코일로 보강해 결석을 포획하고 추가 교환없이 그대로 쇄석을 시도할 수 있는 일체형 기계적 쇄석기(그림 7-19, 표 7-8)로 구분된다. 구제형 쇄석기는 교체 과정이 번거로우나 시술 방법이 단순하고 파쇄력이 매우 강한 장점이 있는 반면, 일체형 쇄석기는 유도철사 유도 하에 담관 내로 삽입이 가능하고, 일반 바스켓처럼 사용하여 담석을 제거할 수도 있으며, 필요한 경우 핸들(그림 7-18)을 연결하여 바로 쇄석술을 시행할 수도 있는 장점이 있다. 그러나 기존의 기본적인 형태의 쇄석용 바스켓에 비

표 7-6. 국내에서 판매되는 담석 제거용 풍선도관의 종류와 특성

Manufacturer	Commercial name	Lumen number	Catheter diameter (Fr)	Catheter length (cm)	Balloon inflated diameter (mm)	Injection site (above balloon vs. below balloon)	Recommended guidewire	Special characteristics
Boston Scientific	Extractor RX Retrieval Balloon	Triple-lumen	7	200	9–12, 12–15, 15–18	Above & below	0.035	2–step inflation
	Extractor XL Retrieval Balloon	Triple-lumen	7	200	9–12, 12–15, 15–18	Above & below	0.035	2–step inflation
	Extractor DL Retrieval Balloon	Double-lumen	7	200	9–12, 12–15, 15–18	Above	0.035	2–step inflation
Cook Endoscopy	Tri–Ex Multiple Size Extraction Balloon	Triple-lumen	7–5 (tapered)	200	8.5–12–15	Above & below	0.035	3–step inflation
	Tri–Ex Extraction Balloon	Triple-lumen	7–5 (tapered)	200	8.5, 12, 15	Above & below	0.035	
	Fusion Quattro Extraction Balloon	Triple-lumen	6.6	200	8.5–10–12–15, 12–15–18–20*	Above & below	0.035	4–step inflation Wire exits extra–hole below balloon
	Fusion Extraction Balloon	Triple-lumen	7–5 (tapered)	200	8.5–12–15	Above & below	0.035	3–step inflation Wire exits extra–hole below balloon
	Escort II Extraction Balloon	Double-lumen	6.8–5 (tapered)	200	8.5, 12, 15	Above	0.035	
Medwork	Stone extraction balloons	Triple-lumen	7	200	Up to 16	Above	0.035	
	Stone extraction balloons	Double-lumen	7	200	Up to 16	Above	0.035	
	Stone extraction balloons	Double-lumen	5~7	200	Up to 16	Above	0.035	Tapered catheter diameter
MTW Endoskopie	Balloon Catheter	Triple-lumen	7, 7>5	200	16, 18	Above & below	0.035	
	Balloon Catheter	Double-lumen	5	200	12, 16	Above	0.025	
Olympus	V–System Extraction: Multi–3V	Triple-lumen	5.5–7	190	8.5–11.5–15	Above & below	0.035	3–step inflation/ Monorail & standard type
	V–System Extraction: Multi–3V Plus	Triple-lumen	5.5–7	190	15–18–20	Above & below	0.035	3–step inflation Monorail & standard type

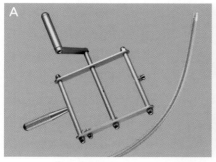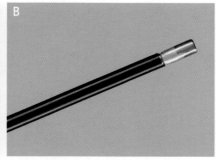

그림 7-18. 구제형 기계적 쇄석기들. (A) Soehendra® Lithotriptor Handle (Cook Medical), (B) Conquest TTC® Lithotriptor Cable (Cook Medical), (C) Olympus Emergency Mechanical Lithotriptor Handle

표 7-7. 국내에서 판매되는 구제형 기계적 쇄석기의 종류와 특성

Manufacturer	Part	Commercial name	Cable Size (Fr)	Cable Length (cm)	Working Channel Ø (mm)	Compatilble with
Cook Medical	Cable	Conquest TTC® Lithotriptor Cable	8.5	170	3.2	Soehendra® Lithotriptor Handle
			10	170	3.7	
		Soehendra® Lithotriptor Cable	14	82	Remove Scope	
	Handle	Soehendra® Lithotriptor Handle	NA	NA	NA	Memory Basket 7 Fr Soft Wire, The Web Extraction Baskets and Fusion Lithotripsy Extraction Basket
Olympus	Cable	Olympus Emergency Mechanical Lithotriptor Cable	NA	90	Remove Scope	Olympus Emergency Mechanical Lithotriptor Handle
	Handle	Olympus Emergency Mechanical Lithotriptor Handle	NA	NA	NA	TetraCatchV and Flower Basket V

하여 파쇄력이 약하며 일반 바스켓보다는 삽입 시 뻣뻣하고 조작이 불편해 유두부 삽입이 어려울 수 있다. Trap-ezoid™ 바스켓(Boston Scientific)은 쇄석 시 담석이 너무 단단하거나 커서 일정 정도 이상의 인장응력이 선단부에 전달되는 경우 팁이 끊어져 탈락되도록 설계되어 있어 바스켓 감돈의 위험이 적은 장점이 있다. LithoCrush V 바스켓(Olympus)은 기존의 일체형 쇄석 바스켓에 비하여 매우 강한 바스켓을 내장하고 있어서 쇄석력이 보다 강하고 바스켓이 담관내에서 잘 벌어지고 핸들 손잡이를 돌려 바스켓을 회전시켜 담석 포획이 용이한 장점이 있다. 응급 쇄석술(emergency or salvage lithotripsy)을 위한 금속 외피는 쇄석 술 시행 중 담석이 너무 단단하거나 커서 바스켓의 철선 중 일부에만 힘이 전달되어 분쇄가 잘 안되거나, 담석을 포획한 바스켓이 담관 내 감돈되는 경우 내시경을 제거하고 기존의 바스켓에 삽입하여 사용한다. 작은 결석을 쉽게 잡을 수 있도록 철선 수를 늘린 나선형 Memory™ 바스켓(Cook Medical)은 담관 내 감돈이 발생했을 때 포획된 담석을 바스켓으로부터 쉽게 빠져나오게 하기가 어렵고 응급쇄석술 시 바스켓 철선이 중간에서 끊어지기 쉬어 응급 쇄석술이 적합하지 않아 사용에 더욱 주의를 요한다. 우리 나라에서 사용중인 쇄석용 바스켓은 표 7-7과 표 7-8에 정리하였다.

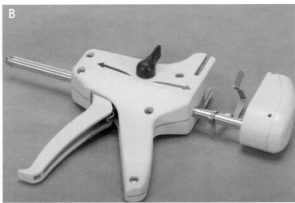

그림 7-19. 일체형 기계적 쇄석기 핸들. (A) LithoCrushV Mechanical Lithotriptor (Olympus), (B) Alliance™ II Integrated Lithotripsy Device (Boston Scientific)

표 7-8. 국내에서 판매되는 일체형 기계적 쇄석기의 종류와 특징

| Manufacturer | Commercial name | Wire | | Basket | | Assembly required | Contrast injection capability |
		Number	Type	Width (mm)	Length (mm)		
Boston Scientific	TrapezoidT™ RX	4	Monofilament	15		No	Yes
			Monofilament	20		No	Yes
			Monofilament	25		No	Yes
			Monofilament	30		No	Yes
Cook Medical	Fusion®	4	Multifilament	20	40	No	Yes
		4	Multifilament	30	60	No	Yes
Medwork	ROCKSTAR	4	Monofilament	35		Yes	
Olympus	LithoCrush V	4	Multifilament	30		Yes	Yes
		4	Multifilament	30/26		Yes	Yes
		4	Multifilament	30		Yes	Yes

Manufacturer	Working Channel Ø (mm)	Working length (cm)	Guidewire Assisted	Guidewire Diameter (inch)	
Boston Scientific	3.2	210	Yes	0.035	Compatible with AllianceTM II Inflation System
	3.2	210	Yes	0.035	
	3.2	210	Yes	0.035	
	3.2	210	Yes	0.035	
Cook Medical		208	Yes	0.035	Compatible with Conquest TTC and Soehendra Lithotriptor Handle
		208	Yes	0.035	
Medwork	4.2	200	Yes	0.035	Integrated lithotripsy function
Olympus	4.2	195	No	NA	Handle for V-System Single-Use Mechanical Lithotriptors
	3.2	195	No	NA	
	4.2	195	Yes	0.035	

6. 담관 확장용 풍선(Biliary Balloon Dilator) 및 도관 확장기(Dilating Catheter)

1) 담관 확장용 풍선(Biliary Balloon Dilator)

담관 확장용 풍선은 유도철사가 지나가는 내강 및 공기 또는 조영제 주입을 위한 내강을 따로 가지고 있는 형태로 되어 있으며, 협착을 통과하기 위해 선단은 얇게 만들어져 있다(그림 7-19). 확장용 풍선 속으로 조영제 또는 조영제를 혼합한 용액을 주입하면서 측정되는 압력에 따라 확장되는 넓이를 달리할 수 있다. 현재 국내에서 많이 쓰이고 있는 담관 확장용 풍선은 Hurricane RX Dilation Balloon Dilator (Boston Scientific)와 Fusion Titan Biliary Balloon (Cook Endoscopy)으로 풍선의 직경이 4, 6, 8, 10 mm의 4가지 종류가 있으며, 풍선의 길이는 2 cm 혹은 4 cm가 사용되고 있다. 담관 협착의 확장이나 유두부 확장을 위하여 개발된 이 제품들은 각기 최대 직경이 4, 6, 8, 10 mm로 고정되어 있어 협착의 확장 시 매 직경마다 풍선을 교체해야 하는 불편함 및 시술 시간이 지연되는 단점이 있다. 또한, 풍선의 최대 직경이 10 mm로 거대 담관 담석의 제거를 위해 시행되는 내시경 유두부 큰 풍선확장술에 사용할 수 없다. CRE Pro Wire guided Balloon Dilation Catheter (Boston Scientific)는 원래는 위장관 협착용으로 개발되었지만 최근에는 담관 협착의 확장이나 거대 담관 담석의 제거를 위한 유두부 확장을 위하여 사용되고 있다. 이 풍선 도관은 라벨에 표시된 압력을 적용함에 따라 6–7–8, 8–9–10, 10–11–12, 12–13.5–15, 15–16.5–18, 18–19–20 mm의 3단계, 최대 20 mm까지 풍선 직경을 확장할 수 있도록 고안되어 있어 시술 시간을 줄일 수 있으며, 거대 담석의 제거를 위한 유두부 확장에도 사용할 수 있는 장점이 있어 최근에 많이 사용되고 있다. REN Balloon Dilation Catheter (Kaneka, Tokyo, Japan)는 풍선이 방사상으로 팽창되도록 고안하여 협착부위 확장 시 풍선이 밀려 올라가거나 밀려 나오는 것을 줄이고자 하였다. Hercules 3 Stage Wire Guided Balloon (Cook Medical)은 단계별로 확장기 사용이 가능하고 종류별로 최대 20 mm까지 확장이 가능하다.

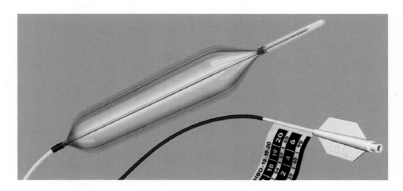

그림 7-19. **담관 확장용 풍선.** Fusion Titan Biliary Balloon (Cook Endoscopy)

2) 도관 확장기(Dilating Catheter)

Soehendra 확장기는 십이지장 유두부의 확장이나 담관이나 췌관의 만성 협착의 확장에 사용된다. 도관 선단의 가늘어지는 길이(tapered length)는 3 cm이며, 크기는 4–6, 4–7, 5–8.5, 6–9, 6–10, 7–11.5 Fr로 다양하다(그림 7-20).

우리나라에서 사용중인 담관 확장용 풍선 및 도관 확장기는 표 7–9에 정리하였다.

Dilating catheter

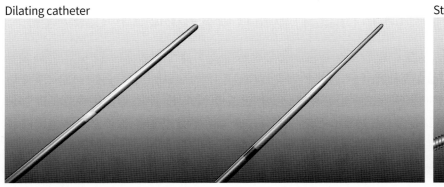

Stent retriever

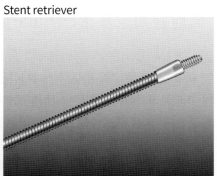

그림 7-20. 도관 확장기 및 스텐트 제거용 도관

표 7-9. 국내에서 판매되는 담관 확장용 풍선 및 도관 확장기의 종류와 특성

Manufacturer	Commercial name	Type	Size	Tapered tip length (cm)	Total length (cm)	Balloon length (cm)	Guidewire (Inch)	Special characteristics
Boston Scientific	Hurricane Rx biliary balloon dilators	Balloon dilator	4, 6, 8, 10 mm	0.6	180	2, 4	0.035	Separate Guidewire lumen designed for rapid device exchange
	CRE PRO Wire guided Esophageal/ Pyloric/Biliary Balloon Dilatation Catheters	Balloon dilator	6–7–8, 8–9–10, 10–11–12, 12–13.5–15, 15–16.5–18, 18–19–20 mm		180 / 240	5.5	0.035	
Cook Endoscopy	Soehendra biliary dilation catheters	Dilating catheter	4–6, 4–7, 5–8.5, 6–9, 6–10, 7–11.5 Fr	3	200	n/a	0.035	
	Fusion Titan biliary dilation balloon	Balloon dilator	4, 6, 8, 10 mm	0.8 (Max)	190	4	0.035	
	Fusion biliary dilation balloon	Balloon dilator	4, 6, 8, 10 mm	n/a	188	3	0.035	
	Hercules 3 stage Wire guided balloon	Balloon dilator	8–9–10, 10–11–12, 12–13.5–15, 15–16.5–18, 18–19–20 mm	n/a	240	5.5	0.035	
	Soehendra stent retriever	Stent retriever	5, 7, 8.5, 10, 11.5 Fr		180	n/a	0.035 (5 Fr: 0.021)	Screw tip This device is used to remove plastic stents
KANENKA Co.	REN Balloon Dilation Catheter	Balloon dilator	3, 4, 6, 8 mm	n/a	180	2,3,4	0.025	Flexible tip & Balloon dilating radially
			10–11–12, 13–14–15, 16–17–18 mm	n/a	180	2,3,4	0.025	Flexible tip & Balloon dilating radially
Olympus	MaxPass biliary balloon dilators	Balloon dilator	4, 6 mm		180	2, 4	0.035	
			8 mm		180	3	0.035	

7. 경비담관배액관(Nasobiliary Drainage Catheter)과 경비췌관배액관(Naso-pancreatic Drainage Catheter)

국내에서 이용될 수 있는 경비담관배액관은 5–8.5 Fr가 이용되고 있으며 길이는 250 cm이다. 담관 삽입부의 모양은 일자형(straight type), 돼지꼬리형(pigtail type), 미늘형(barb type) 세 종류로, 배액할 곳의 위치에 따라 선택할 수 있다(그림 7–21). 경비췌관배액관은 췌관의 형태상 5 Fr가 주로 이용되고 있으며 삽입부 모양은 일자형으로 되어 있으며 이탈을 방지하기 위해 미늘이 있다. 우리나라에서 사용 중인 경비 담관 및 췌관 배액관은 표 7–10에 정리하였다.

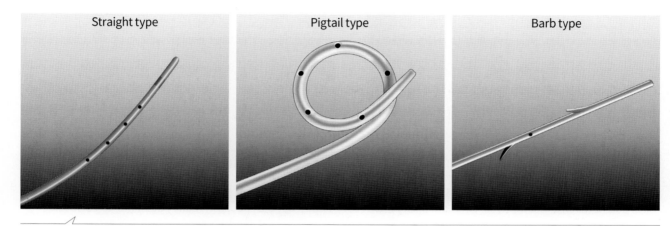

그림 7–21. 경비담관배액관과 경비췌관배액관의 형태

표 7–10. 국내에서 판매되는 경비담관배액관과 경비췌관배액관의 종류와 특성

Manufacturer	Commercial name	Purpose	Type	Material	Size (Fr)	Length (cm)
Boston Scientific	Flexima Nasobiliary Catheter	Biliary duct	Single Pigtail type	Polyethylene	5, 6, 7.5, 8.5	250
Cook Endoscopy	Nasal biliary drainage set	Biliary duct	Pigtail type/ Straight type	Polyethylene	5, 7	235
	Nasal pancreatic drainage set	Pancreatic duct	Barb type	Polyethylene	5	250
Taewoong Medical	Optimos™ ENBD Catheter	Biliary duct	Pigtail type/ Straight type	Polyethylene	5, 6, 7	250
	Optimos™ ENBD Catheter	Pancreatic duct	Barb type	Polyethylene	5, 6	250
MTW Endoskopie	Nasobiliary drainage catheter	Biliary duct	Pigtail type	Polyethylene	5, 7	250

8. 플라스틱 스텐트(Plastic Stent)

1) 담관용 플라스틱 스텐트(Biliary Plastic Stent)

담관용 플라스틱 스텐트는 모양에 따라 일직선형(straight type)과 양측 돼지꼬리형(double pigtail)으로 분류(그림 7–22)되며, 일직선형 담관배액관은 날개의 모양에 따라 Cotton–Leung® (Cook Endoscopy)과 Sohendra Tannenbaum® 배액관(Cook Endoscopy) 두 종류가 있다. 일직선형은 자연이탈을 방지하기 위하여 양 선단에 날개가 있는 반면 돼지꼬리 형에는 여러 개의 측공이 있다. 성분은 polyethylene이나 polyurethane이 사용된다. Polyurethane 재질의 Solus® 배액관(Cook Endoscopy)이나 Cotton–Leung Sof–Flex® 담관배액관(Cook Endoscopy)은 polyethylene 재질의 플라스틱 스텐트에 비하여 부드럽고 유연성이 뛰어나다.

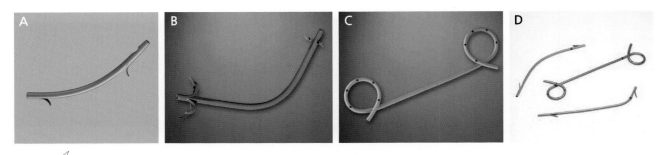

그림 7–22. 여러 형태의 담관용 플라스틱 스텐트. (A) Cotton–Leung® Biliary Stent (Cook Endoscopy), (B) Sohendra Tannenbaum® Biliary Stent (Cook Endoscopy), (C) Zimmon® Biliary Stent (Cook Endoscopy), (D) Advanix™ Biliary Stent (Boston Scientific)

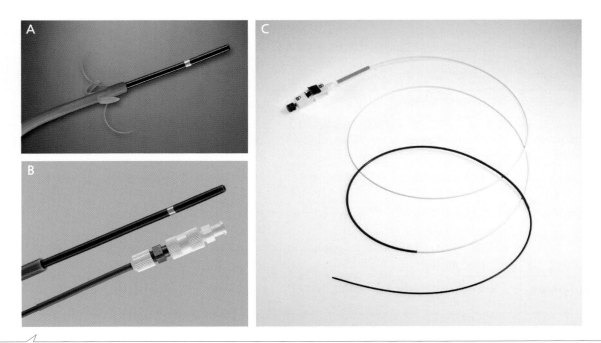

그림 7–23. 여러 형태의 플라스틱 스텐트 전달 시스템 (A) Oasis® delivery system (Cook Endoscopy), (B) NaviFlex™ RX delivery system (Boston Scientific)

플라스틱 배액관의 길이는 양쪽 날개 또는 꼬리 부위를 뺀 중간 부위를 뜻하며, 2–18 cm가 이용되고 있다. 배액관의 넓이가 5–7 Fr인 플라스틱 스텐트는 유도 철사에 삽입 후 밀대(pushing catheter)로 삽입이 가능하나, 8.5 Fr부터는 유도 도관을 먼저 통과시킨 후 밀대로 삽입해야 스텐트가 꺾이는 현상 또는 협착을 통과하는 힘을 가지게 된다. 이 과정이 번거롭기 때문에 최근에는 플라스틱 스텐트, 유도 도관 및 밀대가 일체형으로 된 세트를 주로 이용한다(그림 7–23).

담관용 플라스틱 스텐트는 다양한 넓이의 외경 및 길이를 가지며, 스텐트 개존율을 높이기 위하여 같은 외경을 가지더라도 내경을 넓게 한 스텐트도 판매되고 있다. 플라스틱 스텐트를 만드는 재료, 또는 모양에 따라 스텐트 개존율이 다를 것이라고 충분히 생각할 수 있으나, 큰 영향을 주지 않는 것으로 알려져 있다.

2) 췌관용 플라스틱 스텐트(Pancreatic Plastic Stent)

췌관용 플라스틱 스텐트는 스텐트 막힘 현상이 적기 때문에 비교적 외경이 크지 않아도 된다. 모양은 일직선형과 일측 돼지꼬리형 두 가지로 분류되며, 이탈을 막기 위한 날개는 담관용과 마찬가지이나 측면공들(side holes)이 여러 개 뚫려 있어 췌장액의 배액을 효과적으로 하게 한다(그림 7–24). 길이는 3–15 cm가 이용되고 있으며, 직경은 7 Fr까지 이용 가능하다.

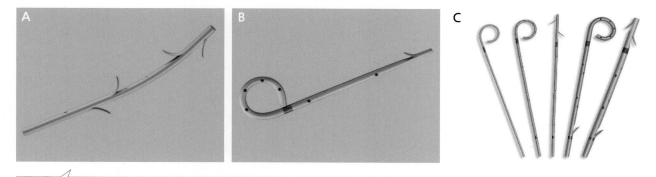

그림 7–24. 여러 형태의 췌관용 플라스틱 스텐트. (A) Geenen® pancreatic stent (Cook Endoscopy), (B) Zimmon® pancreatic stent (Cook Endoscopy), (C) Advanix™ Pancreatic Stent (Boston Scientific)

대표적으로 Geenen® 배액관(Cook Endoscopy), Zimmon® 배액관(Cook Endoscopy) 및 Advanix™ 배액관(Boston Scientific)이 있다. Geenen® 배액관은 polyethylene으로 만든 일직선 형이며 부드럽고 약간 휘어 있으며, 하단부 끝에 두 개의 배액관 이동 방지용 날개가 있다. 배액관에 나선형으로 배열된 작은 측공들이 있어 췌장액의 배액을 용이하게 하고, 상단부 끝이 점차 가늘어지는 구조로 부드럽게 췌관 내 삽입이 가능하다. Zimmon® 배액관은 십이지장 쪽만 돼지꼬리 모양인 일측 돼지꼬리형이며, 상단부인 췌관 쪽은 직선형이나 한 개의 날개를 가지고 있어 췌관 내에서 일탈되지 않고 위치를 유지하는 데 도움이 된다. 나선형으로 배열된 작은 측공들이 있어 배액에 도움이 되며 십이지장측에 방사선 비투과성 표지자가 있어 투시하에서 적절한 위치 선정에 도움이 된다. Advanix™ 배액관에는 일직선 형, 일측 돼지꼬리형이 있으며, 특징적인 것은 일측 돼지꼬리형 중 이동 방지용 날개가 없는 형이 있어 스텐트의 자연이탈을 기대하는 경우 사용하면 유용하다. 우리 나라에서 사용 중인 담관 및 췌관용 플라스틱 스텐트는 표 7–11에 정리하였다.

표 7-11. 국내에서 판매되는 플라스틱 스텐트의 종류와 특성

Manufacturer	Commercial name	Purpose	Type	Material	Size (Fr)	Length (cm)	Delivery system
Boston Scientific	Advanix™	Biliary duct	Straight type	Polyethylene	7, 8.5, 10	5–18	NaviFlexTM RX delivery system: 7, 8.5, 10 Fr
		Biliary duct	Double pigtail type	Polyethylene	7, 10	3–15	
	Advanix™	Pancreatic duct	Straight type	Polyethylene	3, 4, 5, 7, 10	2–18	RX/LW Pusher: 3Fr, 4&5Fr NaviFlexTM RX delivery system: 7, 10 Fr
		Pancreatic duct	Single pigtail type	Polyethylene	3, 4, 5, 7	2–18	
Cook Endoscopy	Cotton-Leung®	Biliary duct	Non-pigtail (flap)	Polyethylene	5, 7, 8.5, 10, 11.5	3–15	Pushing catheter: 5~11.5 Fr Oasis® Introduction System: 8.5–11.5 Fr
	Sohendra Tannenbaum®	Biliary duct	Non-pigtail (flap)	Polytetrafluoroethylene	8.5, 10, 11.5	5–15	
	Zimmon®	Biliary duct	Double pigtail type	Polyethylene	5, 6, 7, 10	3–15	
	Geenen®	Pancreatic duct	Non-pigtail (flap)	Polyethylene	3, 5, 7	3–15	Pushing catheter: 3~7 Fr
	Zimmon®	Pancreatic duct	Single pigtail type	Polyethylene	3, 5, 7	3–15	
	Solus®	Biliary duct	Double Pigtail	Polyurethane	10	1–15	Set Includes Introduction System (10 Fr pushing catheter, 5 Fr guiding catheter)
	Cotton-Leung® Sof-Flex®	Biliary duct	Non-pigtail (flap)	Polyurethane	7, 10	5–15	Pushing catheter: 7Fr Fusion Oasis® Introduction System: 10Fr

9. 금속 스텐트(Metal Stent)

자가팽창성 금속 스텐트(self-expandable metal stent, SEMS)는 금속 재질의 스텐트가 작은 직경의 스텐트 전달시스템(stent delivery system)에 장착되어 체내에 삽입된 후 원래의 스텐트 직경으로 확장되도록 전개(deployment)하는 형태의 금속 스텐트를 말한다. SEMS는 스텐트 전달 시스템의 직경이 작을수록 내시경 처치공을 통한 담관 내 진입이 쉽고, 협착 부위의 통과가 용이하며, 전달 시스템 밖으로 스텐트를 전개하기가 용이하다. 직경 9 Fr 이상의 스텐트 전달시스템은 십이지장경의 처치공을 통과하기 어렵기 때문에, 현재 사용되고 있는 스텐트 전달 시스템의 직경은 대부분 6–8.5 Fr로 구성되어 있다(그림 7-25).

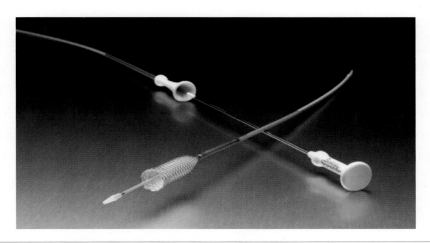

그림 7-25. 자가팽창성 금속 스텐트 및 스텐트 전달 시스템(Boston Scientific)

　　SEMS 제작은 금속사를 손으로 직조하여 만들거나, 원통형의 금속 판을 레이저로 절단하여 만들 수 있다. 금속사(주로 니티놀)를 손으로 직조하는 방식은 hook wire 구조, cross wire 구조, 그리고 hook & cross wire 구조의 세 가지 방식이 있다(그림 7-26). Hook wire 구조는 금속사 간 중첩되는 부분이 많아 스텐트 전달 시스템의 직경을 증가시키는 원인이 되며 금속사 사이의 공간이 커 종양 내증식(tumor ingrowth)의 위험이 크다. Cross wire 구조는 단축률이 높아 스텐트 삽입 시 정확한 위치 선정이 어렵고 부적절한 위치에 삽입이 될 위험성이 높다. Hook & cross wire 구조는 두 가지 방식을 혼합한 것으로 비교적 단축률이 낮고 금속사 사이 공간도 작아 스텐트 전달 시스템의 직경을 줄일 수 있으며 유연성을 향상시키기 때문에 최근 개발된 SEMS 대부분은 이 방식을 채택하고 있다.

　　레이저 절단 방식을 사용한 Zilver 635® Biliary SEMS (Cook Endoscopy)는 니티놀 합금의 원통을 레이저를 이용하여 지그재그 모양으로 깎아서 배액관 전체가 완전히 한 금속사로 구성되어 있다. 레이저 절단 방식 SEMS의 장점은 단축률이 0%로 SEMS를 정확한 위치에 위치시키는 것에 탁월하고, 유연성이 뛰어나며 굴곡진 담관 구조에

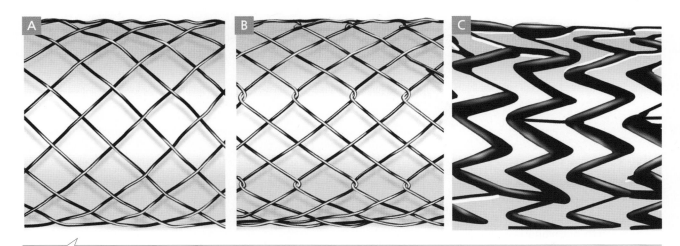

그림 7-26. 직조 방법에 의한 자가팽창성 금속 스텐트의 구조. (A) Hook wire knitting, (B) Hook & cross wire knitting, (C) Laser cutting

서도 내강의 크기를 잘 유지할 수 있고, 구경이 작은 것도 있어 간내담관이나 간문부 담관에 삽입이 용이하다. 단점은 팽창력이 직조한 SEMS보다 약하고, 전달 시스템에서 배액관을 일단 방출하기 시작하면 SEMS의 삽입 위치가 잘못되었더라도 배액관을 스텐트 전달 시스템 내로 후진하여 원래의 압축된 상태로 되돌릴 수 없다는 것이다.

SEMS는 피복 유무에 따라 크게 비피막형 SEMS (uncovered SEMS, ucSEMS)와 피막형 SEMS (covered SEMS, cSEMS)로 분류된다. 역사적으로 uSEMS가 먼저 개발되어 사용되었으며, 스텐트 개통 기간을 향상시키고 스텐트 폐쇄 발생 위험을 줄이고자 스텐트에 피복 재료를 씌운 CSEMS가 나중에 개발되었다. CSEMS는 다시 스텐트의 피복 범위에 따라, 피막이 스텐트 전체를 피복하는 전체 피막형 SEMS (fully covered SEMS, fcSEMS)와 피막이 스텐트 양 끝 부분에 덮여 있지 않은 부분 피막형 SEMS (partially covered SEMS, pcSEMS)로 구분된다.

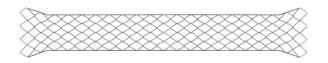

Bare metal stent

Partially covered metal stent with lasso

Fully covered metal stent with lasso

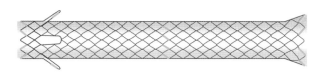

Anti-migration fully covered metal stent (single flap type)

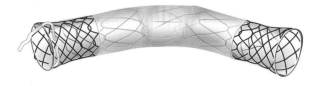

Anti-migration fully covered metal stent with lasso
(different radial forces in each segment)

Anti-migration fully covered metal stent with lasso
(different diameters in each segment)

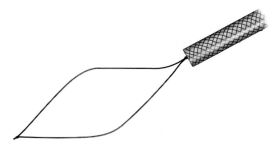

Anti-migration fully covered metal stent
with long nitinol lasso (Proximal flanged)

그림 7-27. 특징적인 금속 스텐트의 형태

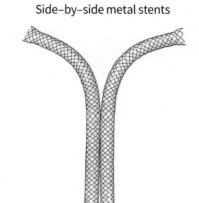
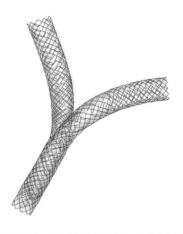

Side-by-side metal stents   Stent-in-stent metal stents

그림 7-28. 간문부 협착 완화를 위한 양쪽 스텐트 삽입술

특히 fcSEMS는 담관 내 삽입 후 일정 기간 유치 후에도 보통 제거가 가능하기 때문에 양성 담관 협착에도 널리 사용되고 있다. 하지만, fcSEMS의 최대 단점은 스텐트 이탈인데, 담관 내에서 fcSEMS의 이동을 방지하기 위한 방법으로 스텐트 양 끝을 나팔 모양(flared end) 구조로 만들기도 한다. 또한 작은 복원력과 뛰어난 일치성을 갖도록 디자인된 이중층 fcSEMS도 스텐트 이탈 방지에 효과적이다. 이외에도 fcSEMS 양 끝의 금속사의 구조를 변형하여 정착 피판(anchoring flap)을 만들기도 하고, 스텐트의 각 분절마다 금속사 사이 공간 크기를 다르게 함으로써 각 분절마다 팽창력의 크기를 다르게 하거나, 스텐트 분절마다 직경을 다르게 함으로써 스텐트 이탈을 방지한다(그림 7-27).

　　악성 간문부 폐쇄 환자의 치료 목적으로 직경이 작은 SEMS 두 개를 양측성으로 나란히 삽입하는 방법[Side-by-side (SBS) deployment]과 삽입된 첫 번째 스텐트 내로 두 번째 스텐트가 통과해 Y자 형태로 만드는 방법 [Stent-in-stent (SIS) deployment]이 사용된다(그림 7-28). 작은 폐쇄형 그물망 구조의 Wallstent (Boston Scientific), Niti-S (Taewoong Medical, Koyang, Korea), Hanarostent (M.I. Tech, Pyoengtaek, Korea) 및 Bonastent (Standard SciTech, Seoul, Korea) 등은 양측성으로 나란히 삽입하는 방법(SBS deployment)이 모두 가능한 반면, Y자 형태로 만드는 방법(SIS deployment)은 두 번째의 스텐트 삽입이 용이하지 않다. Zilver stent (Cook Medical)는 풍선확장기나 도관 등에 의해 쉽게 벌어지고 스텐트 내로 통과가 수월해 Y자 형태로 양측 스텐트(SIS)를 거치하기에 용이할 수 있다. Niti-S™ Biliary LCD (Taewoong Medical)는 그물망 사이의 간격이 6 mm로 큰 구조(large-cell structure)를 가지고 있고 유연성이 좋아 두 번째 스텐트 삽입이 용이하다. M-Hilar stent (Standard SciTech)는 스텐트 폐쇄로 인한 재시술을 낮추기 위하여 간문부 부위의 그물망이 넓지 않은 혼합형의 cross-wire 형태로 제작하였다.

　　최근 3제 요법에 의한 담관암 항암치료의 성적이 환자 생존율을 15개월 이상 유지하게 됨에 따라, 처음부터 제거가 불가능한 금속 스텐트를 삽입할 경우에 추후 담관배액술을 재시행하는데 문제가 될 수가 있게 되었다. 가능하면, 되도록 제거 가능한 플라스틱 스텐트를 유치하면서 일정 간격으로 지속적으로 교체해 주거나, 삽입 후 제거 가능한 6 mm 구경의 fcSEMS를 SBS로 삽입하는 방법이 고려되어야 한다.

　　우리나라에서 사용 중인 담관용 금속 스텐트는 표 7-12에 정리하였다.

표 7–12. 국내에서 판매되는 자가팽창성 금속 스텐트의 종류와 특성

Manufacturer	Commercial name	Type	Stent Diameter (mm)	Stent Length (cm)	Delivery (Fr)
Boston Scientific	WallFlex Biliary RX Stents	Uncovered	8,10	4,6,8,10	8.0
		Fully Covered	8,10	4,6,8	8.5
		Partially Covered	8,10	4,6,8	8.5
Cook Endoscopy	Zilver 635® Biliary Self–Expanding Stent		6,8,10	4,6,8,10,12	6
TaeWoong Medical	Niti–S™ Biliary Uncovered Stent	S–type/Uncovered	6,8,10	4,5,6,7,8,9,10,12	7
	Niti–S™ Biliary Uncovered Stent	D–type/Uncovered	6,8,10	4,5,6,7,8,9,10,12	8
	Niti–S™ Biliary Uncovered Stent	M–Type/Uncovered	6,8,10	4,5,6,7,8,9,10,12	6,7
	Niti–S™ Biliary Uncovered Stent	LCD–Type/Uncovered	6,8,10	4,5,6,7,8,9,10,12	6,7,8
	Niti–S™ Biliary Covered Stent	Full Covered	6,8,10	4,5,6,7,8,9,10,12	8.5
	Niti–S™ Biliary Covered Stent	Flare–Type/Bumpy/ Bumpy with long string/Kaffes/Giobor			
	ComVi Biliary Stent	Full Covered	8, 10	4–12	8
M.I.Tech	Hybrid Non–Covered	Uncovered	6,8	4–12	5.9
	Benefit™	Uncovered Fully Covered	6	8.5	
	Large Cell	Uncovered	8, 10	4–10	7
	Partially Covered	Partially Covered	8, 10	6,8,10	8.5
S&G Biotech	EGIS Biliary Single Bare Stent	Uncovered	8,10,12	4,5,6,7,8,9,10,12	8
	EGIS Biliary Double Bare Stent	Uncovered	8,10	4,5,6,7,8,9,10,12	6,8
	EGIS Biliary Single Covered Stent	Fully Covered	6,8,10	4,5,6,7,8,9,10,12	6,8
	EGIS Biliary Single Covered F Stent	Fully Covered	8,10	4,5,6,7,8,9,10,12	8
	EGIS Biliary Double Covered Stent	Fully Covered	8,10	4,5,6,7,8,9,10,12	8
	EGIS Flower Biliary Full Cover Stent	Fully Covered	8,10	4,5,6,7,8,9,10,12	8
	EGIS Biliary Wide Stent	Uncovered	12	4,5,6,7,8,9,10	8
	EGIS Biliary Flared Fully Covered Stent/ Valve Stent	Fully Covered	8,10	4,5,6,7,8,9,10,12	8
Meditek System	Bonastent™ Uncovered	Uncovered	10	4,5,6,7,8,9,10	7
	Bonastent™ Covered	Fully Covered	10	4,5,6,7,8,9,10	8
	Bonastent™ 1st M–Hilar	Fully Covered	10	4,5,6,7,8,10	7
	Bonastent™ 2nd M–Hilar	Fully Covered	8,10	4,5,6,7,8,10	7

참/고/문/헌

1. 대한소화기내시경학회. 진단 및 치료내시경 액세서리. 진기획; 2017. pp. 98–139.

2. 대한췌담도학회. ERCP. 군자출판사; 2010. pp. 21–45.

3. Adler DG, Conway JD, Farraye FA, et al. Biliary and pancreatic stone extraction devices. Gastrointest Endosc 2009;70:603–9.

4. Artifon EL, Vila JJ, Otoch JP. Pancreaticobiliary Stent Removal: Migrated and Nonmigrated. ERCP. Elsevier; 2013. pp. 212–21.

5. Chen YK, Jakribettuu V, Springer EW, et al. Safety and efficacy of argon plasma coagulation trimming of malpositioned and migrated biliary metal stents: a controlled study in the porcine model. Am J Gastroenterol 2006;101:2025–30.

6. Cheon J, Lee CK, Sang YB, et al. Real–world efficacy and safety of nab–paclitaxel plus gemcitabine–cisplatin in patients with advanced biliary tract cancers: a multicenter retrospective analysis. Ther Adv Med Oncol 2021;13:17588359211035983.

7. Cheon YK, Oh H–C, Cho YD, et al. New 10F soft and pliable polyurethane stents decrease the migration rate compared with conventional 10F polyethylene stents in hilar biliary obstruction: results of a pilot study. Gastrointest Endosc 2012;75:790–7.

8. Cho YD, Cheon YK, Moon JH, et al. Clinical role of frequency–doubled double–pulsed yttrium aluminum garnet laser technology for removing difficult bile duct stones (with videos). Gastrointest Endosc 2009;70:684–9.

9. DiSario J, Chuttani R, Croffie J, et al. Biliary and pancreatic lithotripsy devices. Gastrointestinal Endoscopy. 2007;65:750–6.

10. England R, Martin D, Morris J, et al. A prospective randomised multicentre trial comparing 10 Fr Teflon Tannenbaum stents with 10 Fr polyethylene Cotton–Leung stents in patients with malignant common duct strictures. Gut 2000;46:395–400.

11. Hwang JC, Kim JH, Lim SG, et al. Y–shaped endoscopic bilateral metal stent placement for malignant hilar biliary obstruction: prospective long–term study. Scand J Gastroenterol 2011;46:326–32.

12. Igarashi Y, Tada T, Shimura J, et al. A new cannula with a flexible tip (Swing Tip) may improve the success rate of endoscopic retrograde cholangiopancreatography. Endoscopy 2002;34:628–31.

13. Jung YK, Lee TH, Park S–H, et al. Delayed removal of a deeply migrated pigtail pancreatic stent in a normal pancreatic duct. Endoscopy 2015;47(S 01):E106–E8.

14. Kwon CI, Kim G, Jeong S, et al. Bile flow phantom model and animal bile duct dilation model for evaluating biliary plastic stents with advanced hydrophilic coating. Gut liver 2016;10:632–41.

15. Kwon CI, Kim G, Jeong S, et al. The stent patency and migration rate of different shaped plastic stents in bile flow phantom model and in vivo animal bile duct dilation model. Dig Dis Sci 2017;62:1246–55.

16. Kwon CI, Koh DH, Song TJ, Park WS, Lee DH, Jeong S. Technical Reports of Endoscopic Retrograde Cholangiopancreatography Guidewires on the Basis of Physical Properties. Clin Endosc 2020;53:65–72.

17. Laasch H–U, Tringali A, Wilbraham L, et al. Comparison of standard and steerable catheters for bile duct cannulation in ERCP. Endoscopy 2003;35:669–74.

18. Lee J, Moon J, Choi H, et al. Endoscopic treatment of difficult bile duct stones by using a double–lumen basket for laser lithotripsy–a case series. Endoscopy 2010;42:169–72.

19. McCune WS, Shorb PE, Moscovitz H. Endoscopic cannulation of the ampulla of vater: a preliminary report. Ann Surg 1968;167:752–6.

20. Moon SH, Kim MH, Park DH, et al. Modified fully covered self–expandable metal stents with antimigration features for benign pancreatic–duct strictures in advanced chronic pancreatitis, with a focus on the safety profile and reducing migration. Gastrointest Endosc 2010;72:86–91.

21. Park DH, Lee SS, Lee TH, et al. Anchoring flap versus flared end, fully covered self–expandable metal stents to prevent migration in patients with benign biliary strictures: a multicenter, prospective, comparative pilot study (with videos). Gastrointest Endosc 2011;73:64–70.

22. Park SH, Kim HJ, Park DH, et al. Pre–cut papillotomy with a new papillotome. Gastrointest Endosc 2005;62:588–91.

23. Shroff RT, Javle MM, Xiao L, et al. Gemcitabine, cisplatin, and nab–paclitaxel for the treatment of advanced biliary tract cancers: a Phase 2 clinical trial. JAMA Oncol 2019;5:824–30.

24. Siddiqui UD, Banerjee S, Barth B, et al. Tools for endoscopic stricture dilation. Gastrointest Endoscopy 2013;78:391–404.

25. Terruzzi V, Comin U, De Grazia F, et al. Prospective randomized trial comparing Tannenbaum Teflon and standard polyethylene stents in distal malignant biliary stenosis. Gastrointest Endosc 2000;51:23–7.

합병증의 종류, 예방 및 치료

Complications of ERCP, Prevention and Treatment

남형석 부산대학교 의과대학 / **강대환** 부산대학교 의과대학

내시경역행담췌관조영술(endoscopic retrograde cholangiopancreatography, ERCP)은 다른 내시경 시술에 비해 상대적으로 시술의 위험 요소가 크며 여러 합병증을 동반할 수 있어 부작용을 최소화하고 안전하게 시행하여야 한다. 대부분 치료적 시술 후 일부에서 불가피하게 발생하며 합병증이 발생할 경우 이에 대한 적절한 대처가 필요하다. ERCP 관련 합병증에 대한 일치된 기준은 확립되어 있지 않으나 2020 유럽소화기내시경학회에서는 췌장염에 대한 애틀랜타 분류와 담관염 및 담낭염에 대한 개정된 2018 도쿄 가이드라인, 2010 미국소화기내시경학회에서 발표한 정의에 따라 합병증 및 중증도 등급을 분류할 것을 제안하였다. 중요한 합병증으로는 췌장염, 출혈, 천공, 담관염, 담낭염 등이 있으며 전체 ERCP 합병증 발생률은 4–10% 정도로 보고되고 있다. 또한 사망을 포함한 중대한 합병증은 0.5% 미만으로 알려져 있다(표 8-1). 다변량 분석에 의한 ERCP의 전체적인 합병증의 위험인자로는 Oddi 괄약근 기능장애가 높은 합병증의 위험인자인 반면 담석 제거는 낮은 합병증을 보인다. 어려운 삽관, 예비절개술, 담관배액술의 실패 등은 위험 인자였으나 고령, 동반질환의 존재, 작은 담관 직경, 유두부 주위 게실, Billroth II 위 절제술 등은 전체적인 합병증의 발생을 높이지 않았다(표 8-2).

1. ERCP 후 췌장염(Post-ERCP Pancreatitis, PEP)

ERCP 후에 발생한 고아밀라제혈증은 25–40%에서 발생하며 무증상으로 대부분 48시간에서는 정상화된다. PEP는 가장 흔한 ERCP 합병증이며, 1) ERCP 후 급성 췌장염에 합당한 새로 발생한 혹은 악화되는 급성 복통과 함께, 2) 시술 24시간 이상 정상 상한치의 최소 3배 이상의 췌장 효소치 상승을 보이며, 3) 최소 2일 이상의 입원 혹은 입원 기간의 연장이 필요한 경우로 정의할 수 있다. PEP 발생의 시술 관련 위험인자로는 유두 부종으로 인한 췌장 울혈 및 췌관압 증가, 기구로 인한 췌관 손상, 췌관 내 조영제나 생리식염수 주입으로 인한 정수압 손상, 췌관 입구의 열손상 등이 있으며 이외에도 화학적 요인, 미생물학적 영향, 소화효소의 작용 등 여러 가지 기전으로 설명하고 있으나 아직 정확히 알려져 있지 않으며 여러 요소가 복합적으로 영향을 미치는 것으로 여겨진다.

표 8-1. 흔한 ERCP 관련 합병증의 발생률, 사망률 및 중증도 등급(2020 유럽소화기내시경학회가이드라인)

유형	발생률	사망률	중증도 등급		
			경증	중등도	중증
췌장염	3.5–9.7%	0–0.7%	• 장기부전 없음 • 국소 및 전신 합병증이 없음	• 일과성(48시간 미만) 장기 부전 • 지속성 장기 부전을 동반하지 않은 국소 및 전신 합병증	• 지속성(48시간 미만) 장기 부전
담관염	0.5–3.0%	0.1%	• 중등도/중증 담관염의 기준에 해당하는 것이 없음	다음 사항 중 하나에 해당하는 경우: • $4,000 \ mm^3 <$ 백혈구 수 $< 12,000/mm^3$ • 39°C 이상의 고열 • 75세 이상 • 총빌리루빈 5 mg/dL 이상, 저알부민혈증	다음 사항 중 하나의 기능장애 • 심혈관 • 신경 • 호흡기 • 신장 • 간 • 혈액학적 장애
담낭염	0.5–5.2%	0.04%	• 중등도/중증 담낭염의 기준에 해당하는 것이 없음	다음 사항 중 하나에 해당하는 경우: • 백혈구수 $> 18,000/mm^3$ • 우상복부에 만져지는 압통성 종괴 • 72시간 이상 증상 발현 • 현저한 국소 염증(괴저성 담낭염, 담낭주위농양, 간농양, 담즙성복막염, 기종성담낭염)	다음 사항 중 하나의 기능장애 • 심혈관 • 신경 • 호흡기 • 신장 • 간 • 혈액학적 장애
출혈	0.3–9.6%	0.04%	다음 사항 중 하나에 해당하는 경우: • 시술 중단 • 4일 미만의 예정되지 않은 입원	다음 사항 중 하나에 해당하는 경우: • 4–10일의 예정되지 않은 입원 • 중환자실 입원 1일 • 수혈 필요 • 반복적인 내시경 또는 중재적 방사선시술	다음 사항 중 하나에 해당하는 경우: • 10일 이상의 예정되지 않은 입원 • 2일 이상의 중환자실 입원 • 수술 필요 • 영구 기능장애
천공	0.08–0.6%	0.06%	출혈의 경우와 동일	출혈의 경우와 동일	출혈의 경우와 동일
진정관련 이상 반응	24.6%	0.02%	출혈의 경우와 동일	출혈의 경우와 동일	출혈의 경우와 동일

표 8-2. 다변량 분석에서 ERCP의 합병증과 관련된 위험 인자

Definite*	Maybe†	No‡
오디괄약근 기능장애 간경변 어려운 삽관 괄약근 예비 절개술 경피 경로를 통한 담관 접근 ERCP 시술 경험이 적은 경우	젊은 연령 (조영제의) 췌관 내 주입 담즙 배액 실패	동반 질환 총담관 직경이 작은 경우 여성 Billroth II 아전위절제술을 받은 경우 유두부 주위의 게실

*대부분의 연구에서 다변량 분석 결과 유의했던 경우

†대부분의 연구에서는 단변량 분석에서만 유의했던 경우

‡모든 연구에서 다변량 분석 결과 유의하지 않았던 경우

1) 위험인자

　　PEP의 발생을 줄이기 위해서는 ERCP가 환자에게 반드시 필요한지를 판단함과 동시에 ERCP 시행 전에 PEP 발생 위험 요인을 가진 환자를 미리 확인하여 이에 대한 대비를 하는 것이 중요하다. PEP의 위험 인자는 환자 관련 요인과 시술 관련 요인으로 나눌 수 있으며 환자와 관련된 위험인자로는 Oddi 괄약근 기능장애, 여성, PEP의 과거력, 췌장염의 과거력 등이 있으며 시술 관련 인자로는 어려운 삽관, 췌관으로 반복적인 유도철사 삽입, 췌관 내 조영제 주입 등이 있다(표 8-3). 2020 유럽소화기내시경학회에서는 적어도 1개의 확실한 또는 가능한 2개의 환자 관련 또는 시술 관련 위험인자들이 존재하는 경우, PEP의 위험이 높은 것으로 간주해야 한다고 하였다.

표 8-3. ERCP 후 췌장염 발생의 위험인자

위험 인자	위험 정도(risk level: definite/likely)	교차비(Odds ratios)
환자 관련 요인		
Oddi 괄약근 기능장애	확실	2.04–4.37
여성	확실	1.40–2.23
이전 췌장염 병력	확실	2.00–2.90
이전 ERCP 후 췌장염 병력	확실	3.23–8.7
젊은 연령	가능	1.59–2.87
늘어나지 않은 간외담관	가능	3.8
만성췌장염이 아닌 경우	가능	1.87
정상 혈청 빌리루빈 수치	가능	1.89
말기콩팥부전	가능	1.7
시술 관련 요인		
어려운 삽관	확실	1.76–14.9
반복적인 췌관 유도철사 삽입	확실	2.1–2.77
췌관 내 조영제 주입	확실	1.58–2.72
예비절개술	가능	2.11–3.1
췌관괄약근절개술	가능	1.23–3.07
내시경 유두부 풍선확장술	가능	4.51
담관석 제거 실패	가능	4.51
관강내세경초음파검사(intraductal ultrasonography)	가능	2.41

2) 예방

　　합병증의 발생을 줄이기 위해 가장 중요한 것은 ERCP의 적응증을 정확히 판단하여 특히 위험인자가 있는 환자의 경우 불필요한 ERCP를 피하는 것이다. 또한 치료 목적의 ERCP를 시술 시 위험도와 이득을 잘 판단하는 것이 중요하며 본인의 경험과 실력을 감안하여 무리한 시술을 피하여야 한다. 기술적인 측면에서는 시술 시 췌관 삽관을 최소화할수록 좋으며, 췌관의 조영 횟수와 조영제의 양은 PEP 발생률과 상관관계가 있기 때문에 가능한 최소화해야 한다. 담관 삽관이 어려운 환자에게는 이중 유도철사–유도하 삽관이나 예비절개술과 같은 대체 가능한 기술을 조기에 시행하여야 한다. Oddi 괄약근 기능장애 환자에서 내시경 유두부괄약근 절개술(endoscopic sphincterotomy, EST)을 시행하거나 내시경 유두부 풍선확장술(endoscopic papillary balloon dilation, EPBD), 예비절개술 등 위험 인자가 있을 때 시술 직후 췌관배액관의 삽입은 췌장염 발생을 줄일 수 있다. 예방적 췌관배액관은 5 Fr 또는 3 Fr를 사용하며 일반적으로는 5 Fr의 짧은 배액관을 사용한다. 그러나 예방적 췌관배액관 삽입 실패 역시 PEP의 위험 인자로 알려져 있어 만약 쉽게 췌관 삽관이 되지 않으면 조기에 췌관 삽관 시도를 중단하는 것이 오히려 PEP 발생을 줄일 수 있다.

PEP 예방을 위해 단백분해효소 억제제(protease inhibitors), 췌장외분비 억제제(exocrine pancreatic secretion inhibitors), 스테로이드, 혈소판활성화인자 억제제, 인터루킨-10, 비이온성(nonionic) 조영제 등 여러 약물이 시도되었지만 직장 내 비스테로이드소염제(non-steroidal antiinflammatory drugs, NSAIDs) 투여 외에는 일정한 결과를 보여주지 못하고 있다. PEP 예방을 위한 NSAIDs의 효과를 평가한 28개의 메타 분석에서는 0.24-0.63의 교차비를 보여 NSAIDs의 투여로 PEP 발생이 전반적으로 감소했다고 보고하였다. 여러 가이드라인에서 금기 사항이 없는 모든 환자에서 ERCP 전 Diclofenac 또는 Indometacin 100 mg을 직장 내 투여하는 것을 권고하고 있으나 현재 국내에 도입되지 않아 임상에서 활용하기에 제약이 있다.

적극적인 수액 공급의 경우 2020 유럽소화기내시경가이드라인에서는 NSAID 사용이 금지된 환자에게 수액 과부하의 위험이 없고 예방적 췌관배액관을 삽입하지 않은 경우 링거젖산용액(Lactated Ringer's solution: ERCP 중 시간당 3 mL/kg, ERCP 후 단회 20 mL/kg 투여, ERCP 후 8시간 동안 시간당 3 mL/kg)으로 적극적인 수액 주입을 권장하였다. 그러나 고령의 환자들의 경우, 심장 및 신장 질환 같은 진단되지 않은 동반 질환의 위험이 높기 때문에 주의가 요구된다.

3) 치료

위험인자가 있는 환자 또는 시술 후 복통이 있는 환자에서 조기에 췌장염의 발생 유무를 진단하는 것이 중요하며 ERCP 후 2-6시간 후 혈청 아밀라제와 리파아제 혹은 둘 중 한가지의 수치를 검사할 것을 권장한다. PEP의 치료는 다른 원인의 췌장염과 비슷하다. 충분한 양의 수액 공급, 통증 관리, 적절한 영양 공급, 조기의 경장영양공급 등이며 이중 초기의 충분한 수액 공급이 가장 중요한 요소이다. 수액 공급은 시간당 요량이 0.5-1 mL/kg를 유지하는 정도가 적절하며 이 조건을 만족하면 수액투여속도를 낮추면서 순환혈액량을 재확인하여 투여속도를 조절하는 것을 권한다. 급성 췌장염의 치료로 단백분해효소억제제를 사용한 경우 그 치료 성적은 보고자 마다 서로 다른 결과를 보이고 있다. 이는 생체 내에서 단백분해효소억제제의 반감기가 짧고 안정성이 감소할 뿐 아니라, 급성 염증 과정에 의한 미세 순환의 장애 및 혈관 투과성 저하로 인하여 단백분해효소억제제가 췌장 내에 유효한 치료 농도에 도달하지 못하고, 급성 췌장염이 발생한 후 환자가 단백분해효소억제제를 투여 받을 때까지 걸리는 시간의 지연, 그리고 일단 췌장염이 발생하면 이에 관련된 사이토카인 연쇄반응(cytokine cascade)의 억제의 어려움 등이 그 원인으로 생각되었다. 췌장괴사가 크더라도 수술적 중재요법을 받아야 하는 경우는 드물며 회복은 수개월까지 걸리는 경우도 있는데, 0.1%에서는 출혈성 괴사성 췌장염으로 사망하는 예도 있다.

2. 출혈

2020 유럽소화기내시경학회에 제시된 출혈 합병증위험도에 따르면 내시경 유두부괄약근 절개술(endoscopic sphincterotomy, EST)은 고위험 시술이다. ERCP 연관 출혈은 대부분 EST 시행 도중에 발생하며 경미한 출혈은 시야를 잠깐 흐리기는 하지만 대개 저절로 멎어 지혈요법이 필요하지 않다. 출혈이 발생한 시기에 따라 시술 중 발생한 즉각(immediate) 또는 조기(early) 출혈과 시술 후 수 시간 또는 수일이 지나 발생하는 지연(delayed) 출혈로 분류된다. 발생률은 출혈의 정의에 따라 다르나 보통 내시경으로 관찰되는 출혈은 EST 후 대략 10-30%에서 관찰되는데 환자에게 별다른 영향이 없어 합병증이라고 할 수 없다. 임상적으로 의미 있는 출혈은 흑색변, 혈변 또

는 토혈과 같은 위장관 출혈의 증상이 있으면서 혈색소치가 2 g/dL 이상 감소하거나 수혈이 필요한 경우, 혹은 추가적인 지혈술이 필요한 경우로 정의할 수 있으며 이는 EST 후 약 1–2%에서 발생한다. 이러한 출혈의 약 절반에서는 시술 24시간 이후에 발생하는 지연성 출혈이며 1–2주 후에도 발생하기도 한다. 혈관색전술이나 수술이 필요할 정도의 심한 출혈은 시술 대상자의 약 1/1,000 미만에서 발생된다.

1) 위험인자 및 예방

EST 시행 후 출혈의 위험인자로는 응고장애, 시술 3일 이내 항응고제의 사용력, 기저의 급성 담관염, 예비절개술, 유두부 협착 혹은 게실 등 해부학적 이상, 간경변이나 만성콩팥부전, 시술자의 경험 부족이나 유두부종양절제술(endoscopic papillectomy) 등이 있다. 그러나 아스피린과 NSAID의 사용, 유두부 종양, 괄약근 절개 길이나 추가적인 절개술은 출혈에 영향을 주지 않았다(표 8–4). 출혈을 예방하기 위해서는 유두부 주위 십이지장 동맥 혈관의 해부학적 구조를 잘 알고 있어야 한다. 10–12시 방향의 혈관 특히 동맥 분포는 10–11%로 낮아 11–12시 방향으로 절개하는 것이 좋다. 또한, 출혈 위험성을 낮추기 위해서 시술 전 INR (international normalized ratio)이 1.5 초과이거나 혈소판 수가 50,000 /μL 미만 등의 응고 장애가 있는지 확인해야 하고 시술 전 교정 가능한 위험인자를 미리 교정 후 절개술을 시행해야 출혈을 예방할 수 있다. 절개 방향은 물론 적절한 전기응고방법을 사용하는지 확인하는 것이 중요하며 Endocut 모드를 사용하는 것이 예기치 않은 절단(zipper cut)의 위험을 줄이며 출혈율을 감소시킬 수 있다.

표 8–4. 다변량 분석에서 내시경 유두부괄약근 절개술 후 출혈의 위험 인자

Definite*	Maybe†	No‡
혈액 응고 장애	간경변	아스피린 혹은 비스테로이드성 항염증제 복용
시술 3일 이내에 항응고제 사용	총담관이 늘어나 있는 경우	유두부 종양
ERCP 전 담도염이 있는 경우	총담관 담석	괄약근 절개를 길게 한 경우
괄약근 절개술 도중 출혈	유두부 주위 게실	이전 괄약근 절개한 부위의 추가 절개를 실시한 경우
ERCP 시술 경험이 적은 경우	예비 절개술	

*대부분의 연구에서 다변량 분석 결과 유의했던 경우
†대부분의 연구에서는 단변량 분석에서만 유의했던 경우
‡모든 연구에서 다변량 분석 결과 유의하지 않았던 경우

2) 치료

내시경적 지혈술에는 주사침을 이용한 주입법, 열응고술을 이용한 방법, 압박이나 클립 등을 이용한 기계적 방법이 있다. 상황에 따라 내시경 치료법의 선택은 다를 수 있으며, 순차적으로 이용될 수 있다. 출혈은 대부분 풍선 압박, 에피네프린 국소 주입, 전기 응고법 혹은 클립(hemoclip) 결찰술 등 내시경 치료로 지혈이 가능하다. 간혹 혈관조영술 및 색전술이 필요하기도 하지만 지혈 목적의 수술이 필요한 경우는 매우 드물다. 세부적으로 살펴보면, 내시경 시술 중 자연적으로 지혈되지 않는 출혈의 경우에는 에피네프린을 출혈 부위에 국소 주사하면 대개 일시적으로 지혈이 된다. 에피네프린은 1:10,000으로 희석하여 주입하며 주의해야 할 점으로는 측시경의 특성으로 주사침이 내시경 채널을 손상할 수 있으므로 주의가 필요하며, 에피네프린의 전신 흡수에 따른 심장 발작의 가능성을 유의하여야 한다. 그래도 지혈이 되지 않으면 양극 전기응고법(bipolar coagulation)을 이용하거나 추가적인 클립 결찰술을 시행하면 효과가 있다. 최근 개발된 일회용 도관일체형 지혈클립의 경우 방향 전환이 자유로우며 올림장치(elevator)를 올린 상태에서도 비교적 용이하게 클립을 결찰할 수 있다. 출혈이 심하여 출혈 부위가 잘

보이지 않으면 풍선을 이용하여 일시적으로 출혈 부위를 압박하여 지혈을 하고 시야를 확보한 다음 지혈한다. 이때 췌관에 너무 가까이에는 응고술을 시행하지 않는데 췌관이 협착되어 췌장염이 발생할 우려가 있기 때문이다. 전기응고법을 시행하기 전 가능한 췌관배액관을 먼저 삽입한 후 통전하는 것이 췌장염 및 재출혈을 예방하는 데 효과적일 수 있다. 또한 최근에는 피막형 금속관(covered metal stent)을 총담관에 임시로 삽입하여 출혈 부위를 압박함으로써 효과적인 지혈을 보고하기도 하였다. 하지만 비용이 든다는 점과 다시 스텐트를 제거해야 불편함이 있으므로 다른 치료가 실패하거나 용이치 않을 경우 시도해 볼 수 있다. 시술 후 며칠 지나서야 출혈을 하여서 갑자기 토혈하거나 흑색변을 보는 경우가 아주 드물게 있으며 큰 문제없이 EST가 시행되었더라도 발생할 수 있다. 이러한 경우에도 대개 수혈만으로 자연적으로 멈추기도 하지만 내시경으로 지혈을 시도해보고 실패할 경우 혈관조영술을 통하여 지혈한다. 혈관조영술에 의한 색전술은 83–100%의 지혈 성공률을 보이고 있다. 이렇게 하여도 지혈되지 않으면 최종적으로 외과적 지혈을 시도한다. 그러나 십이지장 유두부 주위의 출혈은 다른 부위보다도 혈관 분포가 복잡하여서 외과적으로 지혈하는데 어려움이 많은 편이다. 동맥출혈로 분출(spurting)하는 경우에는 후십이지장동맥(retroduodenal artery)이 손상된 가능성이 많으므로 국소지혈방법이 효과가 없을 경우 즉시 혈관조영술이나 수술적 지혈술을 고려하는 것이 좋다.

3. ERCP 연관 천공

ERCP 연관 천공은 시술 후 가스 또는 장관 내용물이 위장관 외부에서 관찰되거나, 또는 내시경 검사 중 육안으로 천공이 확인된 경우로 정의한다. 십이지장에 도달하는 과정에서 내시경에 의한 손상, 유두부에서 EPBD 혹은 EST를 시행할 때 혹은 유도철사에 의한 담관 손상이나 배액관의 이탈 등에 의하여 발생한다. 천공은 발생 직후 즉각적으로 인식하고, 이에 따라 조기에 항생제 치료를 동반한 보존적 치료, 중재적 시술, 수술 등의 여러 가지 다양한 치료 중 시술 환자의 임상 및 천공 상황에 맞는 적절한 치료를 시행하는 것이 성공적인 치료 성적을 결정짓는 중요한 요소로 알려져 있다. 2020년 유럽소화기내시경협회에서 ERCP 연관 천공의 처치와 관련된 권고안을 개정하여 발표하였으나 대규모의 전향 연구가 어렵고 권고안 역시 입장 표명으로 제한되는 단점이 있다. 천공은 발생기전, 해부학적 위치, 중증도 등을 종합적으로 고려하여, 치료 방침의 결정에 유용한 Stapfer 등에 의해 제안된 분류법이 흔히 사용된다(표 8-5).

16,855명에 대한 체계적인 문헌고찰에서는 ERCP와 관련된 십이지장 또는 췌담관 천공은 0.6%, 천공 관련 사망률은 9.90%로 보고하였다. 4형은 진정한 천공으로 취급되지 않으며 주로는 십이지장의 개통을 위해 송기된 과도한 공기와 관련이 있으며 이들 공기가 십이지장 벽 내로 일부 이동한 것으로 추정되며 실제 증상은 거의 유발하지 않는다.

표 8-5. Stapfer 등에 의한 ERCP 연관 천공의 분류

분류	정의(유발 원인)	빈도
I	십이지장벽의 천공(내시경 기기)	18%
II	유두부주위 천공(내시경 유두부괄약근 절개술)	58%
III	담관 또는 췌관 손상(관강내 기구조작)	13%
IV	후복강 공기만 관찰되는 경우	11%

1) 위험인자

천공 발생의 위험인자로 1형은 수술로 인하여 해부학적 변화가 생긴 경우(Billroth II, Roux–en–Y), 2–4형은 Oddi 괄약근 기능이상, 총담관 확장, 담관 협착 및 확장, 유두상 병변의 존재와 예비절개술의 시행 등이 있다. 이 외에도 어려운 삽관, 긴 시술시간, EPBD 시행, 경험이 적은 시술자 등이 관련이 있다.

2) 치료

ERCP 연관 천공은 진단 시점, 내강 내 이물질, 천공의 크기와 위치, 환자의 전반적인 상태와 치료가 가능한 전문가의 존재, 사용 가능한 봉합 장비에 따라 보존 치료, 내시경을 통한 봉합, 담즙 배액술, 수술 등을 고려하게 된다. 천공이 확인된 경우에는 즉시 광범위 항생제를 투여하고 정맥내 수액 치료를 시행하여야 한다. ERCP 시술 중 혹은 시술 후 12시간 내에 발견된 천공은 가능한 내시경적 치료를 우선 시도한다. 기본적으로 1형을 제외한 대부분의 ERCP 연관 천공은 비수술적인 치료로 내시경 술기를 이용한 봉합 혹은 배액관 삽입 등이 권고되며, 가능하면 즉시 시도하여 복막염을 예방하고 수술 필요성을 줄인다. 천공이 있는 환자에서 12시간 정도가 경과하면 복강 내로 유출된 삼출액의 여부에 따라, 고열, 호흡곤란, 빈맥, 백혈구 증가증을 보일 수 있으며 이 경우 복막염의 발생을 의심하여야 한다. 비수술적 치료가 실패하여 지연된 수술적 치료는 불량한 예후를 보인다. 그러나 비수술적 치료와 조기 수술적 치료가 필요한 환자의 적절한 선별은 여전히 어려운 문제이다. 수술이 필요한 일반적인 징후에는 천공의 크기가 크거나, 다량의 조영제 누출, 심한 복막염, 비수술 치료에도 불구하고 심각한 패혈증, 내시경으로 해결할 수 없거나 경피 배액 또는 초음파내시경 유도 배액이 불가능한 후복막강내 체액 저류 등이 포함된다.

(1) 십이지장경 삽입과 관련된 천공 및 십이지장 천공

ERCP에 사용되는 내시경은 측시경이므로 삽입할 때 주의가 필요하다. 십이지장 2부에 도달할 때까지 식도, 위, 십이지장 모든 부위에 천공이 발생할 수 있다. 삽입과 관련된 천공은 시술자의 경험이 중요하며 해부학적 구조가 영향을 미친다. 식도 천공은 내시경 선단이나 올림장치(elevator)에 의해 발생하므로 예방하기 위해서는 부드러운 삽입이 필수적이다. 대부분의 식도 천공은 상부 식도이므로 즉시 내시경으로 확인이 되지 않는 경우가 많다. 상부 식도 천공은 경부 기종을 동반하는 경우가 많으므로 내시경 시술 후 환자를 면밀히 관찰하는 것이 중요하며 의심이 되면 즉시 방사선 검사를 하여 확인하고 바로 치료하는 것이 필수적이다. 바로 진단이 되고 천공이 크지 않으면 금식과 항생제 치료, 국소 배액술만으로 치료할 수 있다. Billroth II 위절제술을 받은 환자에서 발생하는 소장 천공은 대부분 구심고리(afferent loop)의 십이지장–소장 이행 부위로 내시경 선단에 의한 직접적 천공보다는 내시경을 돌리거나 직선화 시킬 때 소장벽이 천공되는 경우가 더 흔하다. 무리한 삽입을 하거나 갑자기 내시경을 돌리거나 공기를 너무 많이 주입하면 천공의 가능성이 높아진다. 내시경 시야에 그물막 지방(omental fat), 장막 등이 관찰되므로 대부분 진단할 수 있다. 전통적으로는 제1형 십이지장천공은 수술적 치료가 일차 치료이지만 의인성 천공이 유두부 주위가 아닌 부위에 시술 직후 또는 12시간 이내 발견되는 경우 내시경 치료를 시도해 볼 수 있다. 천공 부위의 내시경적 결찰 기술 및 기구의 개발로 1형 천공에서도 이들 기구를 이용한 밴드 결찰술, endoclip을 이용한 봉합, endoclip과 endoloop의 사용, fibrin glue와 endoclip을 이용한 치료, through the scope (TTS) 클립, over the scope (OTS) 클립을 이용한 다양한 방법들이 소개되고 있다. TTS 클립은 일반적으로 10mm 이하의 작은 천공에 적용하며 좀 더 큰 천공(10–25 mm)은 OTS 클립으로 시도해 볼 수 있다. 30 mm보다 큰 천공은 내시경 치료가 어려운 경우가 많다. 천공에 대한 내시경 기술의 발전 및 다양한 클립의 개발로 내시경 치료와 수술적 치료를 결정하는데 병변 크기의 중요성은 점차 줄어들고 있고 응급 수술의 필요성은 감소하고 있다. 그러나 보존

치료가 실패하고 환자의 상태가 악화되거나(패혈증 또는 복막염 징후) 컴퓨터단층촬영(computed tomography, CT)에서 배액이 불가능한 많은 양의 장관 내용물이 관찰된다면 수술을 강력히 고려한다.

(2) 유두부 주위 및 췌담관 천공

2형 및 3형 천공의 경우 주로 유도철선이나 괄약근절개도에 의한 후복강내 천공으로 이는 주로 내시경 자체에 의해 발생하는 1형 천공에 비해 크기가 적고 복강 내로 흘러 나간 체액량도 상대적으로 적어 환자의 상태가 안정적이고 내시경적 치료가 가능한 경우 비수술적 치료가 권고된다. 2형 천공의 치료는 담즙배액술을 단독으로 시행하거나 내시경 봉합을 함께 시행한다. 대개 내시경 시술 당시 발견 되는 경우가 많은데 확인이 어려운 경우에는 절개도를 당긴 상태에서 조영제를 약간 주입해 보면 후복막으로 조영제가 흘러 들어가는 것을 확인할 수 있다. 유두부 주변 천공이 발생하면 내시경 시야가 갑자기 나빠질 수 있으며, 투시 영상에서 장내 공기의 경계가 불명확하고, 후복막 특히 콩팥 주변에 공기가 관찰된다. 유도철사에 의한 천공은 대개 바로 발견되며 대부분 담관배액술 등 내과적 치료로 호전되어 양성 경과를 밟는다. 유두부 천공은 EST 시 절개를 크게 하거나 zipper cut 형태로 갑작스런 절개가 이루어지면서, 또는 삽관이 어려워 침형절개도, Billroth II 절개도를 사용할 때 잘 발생하는데 절개 후 절개 단면을 내시경을 통해 관찰할 수 있어서 대부분 천공 여부를 알 수 있다. 천공의 확인은 영상 검사로 확인할 수 있으며 일반적으로 단순복부촬영에서 복강 내 공기 유출은 관찰되지 않고 후복막으로 공기 음영이 보인다. 그러나 천공이 되어도 단순복부촬영에서는 아무런 이상 징후를 발견할 수 없는 경우도 많다. 확인이 어려운 경우에는 컴퓨터단층촬영을 하면 비교적 정확하게 천공을 확인할 수 있다. 내시경 시술 도중에 천공이 확인되면 가능하면 클립을 이용하여 천공된 부위를 봉합시켜주고 천공 부위로부터 담즙의 전환에는 플라스틱 배액관, 완전피막형 자가팽창성 금속 스텐트(fully covered self-expandable metal stent, fcSEMS) 및 경비담관배액술(endoscopic nasobiliary drainage, ENBD) 등이 이용된다. 저류된 체액은 경피 배액 혹은 초음파내시경 유도하 배액술을 시도할 수 있다. 그러나 2형 및 3형의 경우라도 무조건적으로 비수술적 치료를 우선으로 하기보다 환자의 임상적 상황에 맞는 적절한 선택을 하는 것이 중요하다. 조기에 발견이 되면 90%에서 내시경을 이용한 담관 및 십이지장 배액술, 항생제 사용 등 내과 치료로 호전되지만 발견이 늦어지면 수술 치료가 필요하며 수술이 지연될 경우 불량한 예후를 보인다. 대개 3-4일만에 80-90%에서 천공 부위가 치유되며 식사가 가능하다. 그러나 복통이 점점 심해지거나 백혈구 증가가 심해지거나, 2일 정도 기다려 보아도 임상적으로 호전되지 않으면 바로 수술 치료를 고려해야 한다.

4. 담관염 및 담낭염

ERCP 후 담관염은 담관 협착부위를 통과하여 조영제가 주입된 뒤 이 조영제가 적절하게 배액되지 않을 경우에 주로 발생한다. 담관염의 발생은 1-2.2% 정도로 보고되고 있으며 담낭염은 0.2-0.5%로 더 드물게 발생한다고 알려져 있다. 담관염 발생의 위험인자는 원발성 경화성 담관염, 악성 협착을 포함하여 불완전한 배액이 이루어지거나 담관경을 시행하는 경우 등이다. 현재 가이드라인은 불완전 배액이 예상되는 담관폐색 환자와 간이식을 받은 환자에서 예방적 항생제 사용을 권고하고 있다. 담관염을 예방하기 위해서는 담관 결석이 불완전하게 제거된 경우 플라스틱 배액관 또는 경비담관배액술을 시행하는 것이다. 간문부 담도암의 경우에는 먼저 유도철사를 이용한 선택적 삽관 후 삽관된 담관에 국한하여 조영제를 최소한으로 주입하며, 조영제가 주입된 담관은 될 수 있으면 배액술을 시행하여야 하고, 간내담관에 광범위하게 조영제를 주입하는 것은 피해야 한다. 일단 담관염이 발생되면 광범위 항생제를 투여한다. 시술 후 발생되는 담관염은 여러 다양한 복합 감염일 가능성이 높고 세균도 일반적인 항생제에 저항성이 높은 경우가 많다. 담낭염은 임상적으로 담관염과 감별하기 어렵다. 위험인자는 담낭 담석의 존재와 ERCP 검사 시 담낭의 조영이나 담낭염을 예방할 수 있는 방법은 없다. 담관에 조영제를 주입하였을 때 만약 담낭관에 담석이 있으면 조영제의 일부가 담낭에 주입된 뒤 다시 배액되기가 어려워 담낭염이 잘 발생한다. 담낭에 담석이 있는 경우에도 담낭염 발생 위험이 높다. 처음에는 협착이 없었던 경우에도 담관에 배액관을 설치한 뒤 이 배액관에 의하여 담낭관이 이차적으로 막히게 되면 이로 인하여 담낭염이 발생할 수 있다. 만약 항생제를 포함한 보존적 치료에도 1–2일 후 임상적으로 호전이 없으면 경우에 따라서 경피경간 담낭배액술(percutaneous transhepatic gallbladder drainage, PTGBD), 초음파내시경 유도하 담낭배액술(EUS–guided gallbladder draiange), 그리고 담낭 절제술을 시행할 수 있다.

5. 바스켓 및 기계 쇄석술 관련 합병증

담석 제거 시 바스켓이 유두부에서 감돈되는 경우는 0.4%에서 관찰할 수 있는데 이런 경우, 우선 바스켓을 상부 담관으로 밀어 올려보고 불가능하면 내시경을 제거하고 응급 쇄석기(Soehendra mechanical lithotripter)를 이용하면 감돈된 바스켓으로 쇄석이 가능하다. 감돈된 바스켓의 손잡이를 자르고 철사(wire)가 노출되면 쇄석기에 끼어 넣고 돌리면서 철사를 계속 감아서 조이면 감돈된 결석이 부스러지면서 제거될 수 있다. 그러나 감돈된 바스켓이 몸 안에서 절단되면 제거가 매우 어려워 수술 치료가 필요할 수도 있으므로 쇄석술 시 주의가 필요하다. 쇄석술 시행 도중 바스켓의 견인 철선이 끊어 지는 경우에 내시경으로 제2의 바스켓이나 생검겸자를 삽입하여 감돈된 바스켓을 잡아 이끌어 제거하거나 경피경간 경로를 통해서 끊어진 바스켓을 제거하는 방법을 시도해 볼 수 있다.

6. 협착

EST 후 유두부 협착은 0.5–3.9%에서 발생된다. 불충분한 절개 후 발생하기도 하고, 출혈로 인해 지혈 목적으로 경화제 주입을 하면 협착이 발생될 가능성이 높아진다. 그러나 뚜렷한 이유 없이도 발생된다. 치료로는 추가로 EST를 이용하여 협착 부위를 절개할 수 있으며 절개하기가 위험할 경우에는 풍선 확장술로 협착 부위를 확장시킬 수 있다. 협착이 재발되면 순차적으로 여러 개의 플라스틱 배액관이나 피막형 금속 스텐트를 삽입하여 최대한 협착 부위를 확장하고 보통 6–12개월 유지한 뒤 배액관을 제거하면 재협착을 방지할 수 있다.

7. 심혈관 및 호흡기계 합병증

ERCP는 심폐합병증 발생 위험성이 높은 고위험 환자들을 시술하는 경우가 많으므로 보다 세심한 주의가 필요하다. ERCP 연관 심폐합병증으로는 심근경색, 부정맥, 호흡부전, 저산소증, 흡인, 혈전 색전증 등이 있으며 진정 또는 마취와 관련하여 발생한다. ERCP 연관 심폐합병증에 대한 빈도와 사망률은 각각 0.2–2.3%, 0.03–0.17%로 낮은 편이다. 또한 뇌혈관 질환, 일과성 허혈 발작(transient ischemic attack, TIA), 하지정맥 혈전증 등 혈전색전성 합병증도 약 0.7%로 보고 하였다. 시술 관련 심폐합병증을 예방하기 위해서 사용 약물 및 투여 용량에 신중을 기해야 하며, 시술 전 환자 상태를 충분히 점검하고 위험인자에 대한 평가는 물론 시술 중, 시술 후 철저한 심폐 활력징후에 대한 모니터링이 필요하다.

8. 배액관 관련 합병증

배액관 시술 후 조기 합병증은 담관염, 췌장염, 출혈, 천공, 조기 배액관 위치 이탈(migration) 등이 발생할 수 있다. 일반적으로 배액관 관련 합병증은 배액관 위치 이탈이나 폐쇄와 같은 기능 장애, 그리고 담낭염 등의 후기 합병증으로 발생한다. 배액관의 폐쇄는 후기 합병증의 가장 흔한 원인이다. 그 외에도 드물지만 십이지장 천공, 궤양, 배액관 절단, 담즙종(biloma) 등도 발생할 수 있다. 하방으로 이탈된 배액관은 올가미나 이물제거용 겸자로 제거할 수 있는데 배액관의 끝이 십이지장벽에 박혀 있으면 제거가 어려울 수도 있다. 배액관 위치 이탈은 단순복부촬영검사를 통해 간단하게 확인할 수 있는데, 스텐트의 원위부 이탈(distal migration)은 담즙 배액의 장애가 다시 발생하고 황달, 담관염 등의 증상이 재발할 수 있어 이차 배액관 삽관이 필요한 경우가 많다. 이탈된 배액관은 대부분 자연 배출되지만, 드물게 플라스틱 배액관은 십이지장 천공을 유발할 수 있다. 배액관이 상방으로 이탈되어 있으면 투시 하에 올가미나 겸자를 담관 내에 삽입하여 가능하면 원위부의 배액관을 포착한다. 담관에 손상을 많이 줄 수 있으므로 제거가 안된다면 그대로 두고 담관배액술을 별도로 다시 시행한다. 플라스틱 배액관의 폐쇄는 배액관 교체를 통해 간단히 해결할 수 있고, 금속 스텐트의 폐쇄는 내부를 풍선이나 바스켓으로 기계적으로 긁어내거나, 추가적인 플라스틱 배액관이나 금속 스텐트의 삽입을 시도한다.

9. 기타 드문 합병증

기타 드물게 발생하는 합병증으로 담관문맥루 형성, 간농양, 기흉, 대장게실 천공, 간문맥 내 가스(portal venous air), 공기색전증 등이 있다.

10. 맺음말

새로운 진단 기술의 발전으로 진단 ERCP의 필요성은 줄었지만, 치료 목적의 ERCP는 여전히 반드시 필요한 술기이다. ERCP는 췌장염, 출혈, 천공, 담관염, 담낭염 등 합병증의 빈도가 높으며 때로는 사망에 이르는 심각한 합병증이 발생할 수 있다. ERCP를 시행하는 의사는 예기치 못한 합병증 발생을 피할 수 없기에 항상 이러한 가능성을 염두에 두고 시술 후 모든 환자에게 세심한 주의가 필요하다. ERCP의 심각한 합병증을 피하는 방법은 첫째, 위험도와 이득을 잘 판단하여 엄격한 적응증을 갖고 시술해야 하며, 둘째, ERCP는 학습곡선(learning curve)을 그리므로 경험 있는 ERCP 전문가의 지도하에서 충분하고 다양한 증례를 경험한 후에 시술을 시작하는 것이 바람직하며, 셋째, 본인의 경험과 실력을 감안하여 무리한 시술을 피하고 다양한 치료 방법의 접근이나 다른 전문가의 자문 등 종합적으로 고려해서 판단할 수 있어야 하겠다.

<h1 style="text-align:center">참/고/문/헌</h1>

1. Ahn DW, Park SM, Han JH. Post-endoscopic sphincterotomy bleeding: srategic approach with multiple endoscopic arms. Korean J Pancreas Biliary Tract 2017;22:14-8.

2. Andriulli A, Loperfido S, Napolitano G, et al. Incidence rates of post-ERCP complications: a systematic survey of prospective studies. Am J Gastroenterol 2007;102:1781-8.

3. Arvanitakis M, Dumonceau JM, Albert J, et al. Endoscopic management of acute necrotizing pancreatitis: European Society of Gastrointestinal Endoscopy (ESGE) evidencebased multidisciplinary guidelines. Endoscopy 2018;50:524-46.

4. ASGE Standards of Practice Committee, Chandrasekhara V, Khashab MA, et al. Adverse events associated with ERCP. Gastrointest Endosc 2017;85:32-47.

5. Banks PA, Bollen TL, Dervenis C, et al. Classification of acute pancreatitis 2012: revision of the Atlanta classification and definitions by international consensus. Gut 2013;62:102-11.

6. Born P, Rösch T, Bruhl K, et al. Long-term results of endoscopic and percutaneous transhepatic treatment of benign biliary strictures. Endoscopy 1999;31:725-31.

7. Canena J, Liberato M, Horta D, et al. Short-term stenting using fully covered self-expandable metal stents for treatment of refractory biliary leaks, postsphincterotomy bleeding, and perforations. Surg Endosc 2013;27:313-24.

8. Cho JH, Jeon TJ, Park JY, et al. Comparison of outcomes among secondary covered metallic, uncovered metallic, and plastic biliary stents in treating occluded primary metallic stents in malignant distal biliary obstruction. Surg Endosc 2011;25:475-82.

9. Choi JH, Lee SH. Pharmachologic prophylaxis for post-endoscopic retrograde cholangiopancreatography pancreatitis. Korean J Pancreas Biliary Tract 2021;26:148-67.

10. Christensen M, Matzen P, Schulze S, et al. Complications of ERCP: a prospective study. Gastrointest Endosc 2004;60:721-31.

11. Cirocchi R, Kelly MD, Griffiths EA, et al. A systematic review of the management and outcome of ERCP related duodenal perforations using a standardized classification system. Surgeon 2017;15:379-87.

12. Cortesi R, Ascenzi P, Colasanti M, et al. Cross-enzyme inhibition by gabexate mesylate: formulation and reactivity study. J Pharm Sci 1998;87:1335-40.

13. Cotton PB, Eisen GM, Aabakken L, et al. A lexicon for endoscopic adverse events: report of an ASGE workshop. Gastrointest Endosc 2010;71:446-54.

14. Cotton PB, Lehman G, Vennes J, et al. Endoscopic sphincterotomy complications and their management: an attempt at consensus. Gastrointest Endosc 1991;37:383-93.

15. Ding X, Zhang F, Wang Y. Risk factors for post-ERCP pancreatitis: A systematic review and meta-analysis. Surgeon 2015;13(4): 218-29.

16. Dumonceau JM, Kapral C, Aabakken L, et al. ERCP-related adverse events: European Society of Gastrointestinal Endoscopy (ESGE) guideline. Endoscopy 2020;52(2):127-49.

17. Enns R, Eloubeidi MA, Mergener K, et al. ERCP-related perforations: risk factors and management. Endoscopy 2002;34:293-8.

18. Ercan M, Bostanci EB, Dalgic T, et al. Surgical outcome of patients with perforation after endoscopic retrograde cholangiopancreatography. J Laparoendosc Adv Surg Tech A 2012;22:371-7.

19. Freeman ML, Nelson DB, Sherman S, et al. Complications of endoscopic biliary sphincterotomy. N Engl J Med 1996;335:909-18.

20. Freeman ML. Adverse outcomes of endoscopic retrograde cholangiopancreatography: avoidance and management. Gastrointest Endosc Clin N Am 2003;13:775-98.

21. Hou YC, Hu Q, Huang J, et al. Efficacy and safety of rectal nonsteroidal anti-inflammatory drugs for prophylaxis against post-ERCP pancreatitis: a systematic review and meta-analysis. Sci Rep 2017;7:46650.

22. Itoi T, Yasuda I, Doi S, et al. Endoscopic hemostasis using covered metallic stent placement for uncontrolled post-en-

doscopic sphincterotomy bleeding. Endoscopy 2011;43:369–72.

23. Kim HJ, Park SM. ERCP–related duodenal perforation; the prevention and management. Korean J Pancreatobiliary 2016;21:61–7.

24. Kim HK, Son BK. ERCP–related cardiopulmonary complications. Korean J Pancreas Biliary Tract 2017;22:19–23.

25. Kim ID, Kang DH, Park JH, et al. Risk factors for post–ERCP pancreatitis in patients pretreated with nafamostat mesilate. Clin Endosc 2008;37:265–70.

26. Kim YJ, Park CH. Diagnosis and management of iatrogenic endoscopic retrograde cholangiopancreatography perforations based on the european society of gastrointestinal endoscopy position statement. Korean J Med 2021;96:318–27.

27. Kiriyama S, Kozaka K, Takada T, et al. Tokyo Guidelines 2018: diagnostic criteria and severity grading of acute cholangitis (with videos). J Hepatobiliary Pancreat Sci 2018;25:17–30.

28. Liu L, Li C, Huang Y, Jin H. Nonsteroidal anti–inflammatory drugs for endoscopic retrograde cholangiopancreatography postoperative pancreatitis prevention: a systematic review and meta–analysis. J Gastrointest Surg 2019;23:1991–2001.

29. Loperfido S, Angelini G, Benedetti G, et al. Major early complications from diagnostic and therapeutic ERCP: a prospective multicenter study. Gastrointest Endosc 1998;48:1–10.

30. Luo H, Zhao L, Leung J, et al. Routine pre–procedural rectal indometacin versus selective post–procedural rectal indometacin to prevent pancreatitis in patients undergoing endoscopic retrograde cholangiopancreatography: a multicentre, single–blinded, randomised controlled trial. Lancet 2016;387:2293–301.

31. Machado NO. Management of duodenal perforation post–endoscopic retrograde cholangiopancreatography. When and whom to operate and what factors determine the outcome? A review article. JOP 2012;13:18–25.

32. Mirjalili SA, Stringer MD. The arterial supply of the major duodenal papilla and its relevance to endoscopic sphincterotomy. Endoscopy 2011;43:307–11.

33. Nuutinen P, Kivisaari L, Schroder T. Contrast–enhanced computed tomography and microangiography of the pancreas in acute human hemorrhagic/necrotizing pancreatitis. Pancreas 1988;3:53–60.

34. Paspatis GA, Arvanitakis M, Dumonceau JM, et al. Diagnosis and management of iatrogenic endoscopic perforations: European Society of Gastrointestinal Endoscopy (ESGE) position statement–update 2020. Endoscopy 2020;52:792–810.

35. Pitkaranta P, Kivisaari L, Nordling S, et al. Vascular changes of pancreatic ducts and vessels in acute necrotizing, and in chronic pancreatitis in humans. Int J Pancreatol 1991;8:13–22.

36. Reddy N, Wilcox CM, Tamhane A, et al. Protocol–based medical management of post–ERCP pancreatitis. J Gastroenterol Hepatol 2008;23:385–92.

37. Stapfer M, Selby RR, Stain SC, et al. Management of duodenal perforation after endoscopic retrograde cholangio–pancreatography and sphincterotomy. Ann Surg 2000:232;191–8.

38. Stavropoulos SN, Modayil R, Friedel D. Closing perforations and postperforation management in endoscopy: esophagus and stomach. Gastrointest Endosc Clin N Am 2015;25:29–45.

39. Testoni PA, Caporuscio S, Bagnolo F, et al. Twenty–four–hour serum amylase predicting pancreatic reaction after endoscopic sphincterotomy. Endoscopy 1999;31:131–6.

40. Verma D, Kapadia A, Adler DG. Pure versus mixed electrosurgical current for endoscopic biliary sphincterotomy: a meta–analysis of adverse outcomes. Gastrointest Endosc 2007;66:283–90.

41. Weiser R, Pencovich N, Mlynarsky L, et al. Management of endoscopic retrograde cholangiopancreatography–related perforations: experience of a tertiary center. Surgery 2017;161:920–9.

42. Yokoe M, Hata J, Takada T, et al. Tokyo Guidelines 2018: diagnostic criteria and severity grading of acute cholecystitis (with videos). J Hepatobiliary Pancreat Sci 2018;25:41–54.

43. Yokoe M, Takada T, Mayumi T, et al. Japanese guidelines for the management of acute pancreatitis: Japanese Guidelines 2015. J Hepatobiliary Pancreat Sci 2015;22:405–32.

ERCP와 방사선 노출

Radiation Exposure During ERCP

오치혁 경희대학교 의과대학

내시경역행담췌관조영술(endoscopic retrograde cholangiopancreatography, ERCP)은 방사선 투시하에 담관 및 췌관의 병변을 진단하고 시술하는 시술 방법이다. ERCP 시술은 전리방사선 X-ray를 사용하기 때문에 환자, 시술자 및 보조자에게 방사선 노출이 불가피하다. 일반적인 진단 방사선 검사와 달리 장시간의 투시조영술 (fluoroscopy)과 다수의 영상획득촬영(spot image acquisition)이 이루어지기 때문에 상대적으로 방사선 피폭량 이 많다. 특히, ERCP를 받는 환자 및 병변의 상태, 시술의 복잡성 및 난이도, 촬영장비의 종류 및 노후화 여부, 시술자의 숙련도 그리고 수련의의 참여 여부 등 많은 변수에 따라 다양한 방사선량을 보일 수 있다. 최근, 초음파내 시경유도하 중재술(EUS-guided intervention)이 많이 사용되면서 ERCP 시술이 더 복잡해지고 있다. 이로 인해 시술이 복잡하고 시술시간이 길어져서, 방사선 노출량도 증가하게 된다. 이러한 많은 양의 혹은 오랫동안의 방사 선 노출은 단기, 장기적으로 여러 위험성을 유발할 수 있다. 특히, ERCP 의사 혹은 ERCP 보조자는 수년 혹은 수 십년 동안 시술을 지속하기 때문에, 시술자는 지속적인 방사선 노출에 의한 생물학적 영향과 같은 여러 위험성에 대해서 반드시 인지하고 있어야 한다. 또한 방사선 노출을 줄이기 위한 여러 방법들에 대해서 완벽히 숙지하고, 실 행하기 위한 노력을 해야한다. 여기에서는 ERCP 중에 방사선 노출량을 줄일 수 있는 방법에 대해서 알아보고자 한다.

1. 방사선의 생물학적 영향

방사선 피폭에 의한 생물학적 영향에는 방사선에 의한 세포 사멸을 유발하여 조직괴사 등을 야기시키는 결정 적 영향(deterministic effect)과 세포 사멸이 아닌 암이나 유전적 돌연변이를 발생시기는 확률적 영향(stochastic effect)이 있다(그림 9-1). 결정적 영향은 '발단 선량(threshold dose)'이 존재하여 이 선량 이하에서는 아무런 영 향이 없다가 발단 선량을 초과하면 조직 괴사 등이 일어나며 이후 누적 선량에 따라 심각도가 증가되는 양상을 보 이게 된다. 이때 발단 선량은 절대값은 아니라 개인적인 차이가 있다. 이와 반대로 확률적 영향은 낮은 선량에서도 암이나 유전적 돌연변이가 발현될 수 있다.

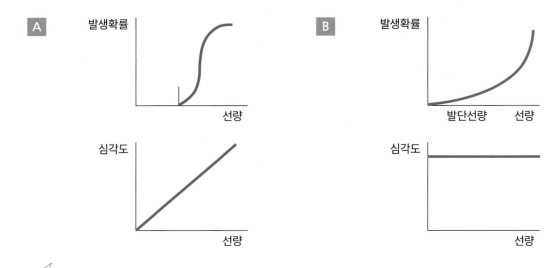

그림 9-1. 방사선의 생물학적 영향. (A) 결정적 영향(deterministic effect), (B) 확률적 영향(stochastic effect)

2. 방사선량의 표현

ERCP 시에 사용되는 방사선량은 선량계를 이용하여 방사선이 투입되는 입사표면선량(entrance surface dose)과 조직에서의 흡수선량(absorptive dose)을 측정해야 하지만, 이들을 직접 측정하는 것이 거의 불가능하다. 따라서 투시시간(fluoroscopy time, FT, min)과 에어 커마(air kerma), 그리고 면적선량(air kerma–area production, Dose–area product, DAP, Gy·cm^2) 등이 사용되고 있다. 커마(kerma, kinetic energy released in material의 약자)는 방사선이 운반하는 에너지양으로, 이온 방사선에 의해서 생성된 단위 질량당 하전 입자의 초기 운동에너지이다.

1) 투시시간

투시시간은 ERCP도중에 X-ray가 사용된 시간을 의미한다. FT의 측정은 투시검사 피폭량에 크게 기여하는 요인이기 때문에 간접적인 피폭량을 반영할 수 있고 간편하게 측정할 수 있다는 장점이 있다. 하지만, FT는 방사선 노출량을 정확하게 표현해주지는 않고 영상획득촬영(image acquisition)에 사용된 선량을 포함하지 않기 때문에 독립적인 환자 선량의 측정인자로 정확성은 떨어진다. 그럼에도 불구하고, 여러 연구들에서 FT가 방사선량과 대체적으로 비례함을 보여주고 있어서 FT를 측정하고 줄이려는 노력을 하는 것이 ERCP 시술에서 방사선량을 줄이기 위한 가장 쉽고 효과적인 방법이 될 수 있다.

2) 에어 커마

중재적 기준점에서 에어 커마(air kerma at the reference point, Gy)는 기준점에서 측정된 에어 커마의 전체 누적 값으로 전리 방사선이 사용되는 중재시술에서 선량 모니터링을 위해 사용된다(그림 9-2). 여기서 중재적 기준점(interventional reference point)은 환자가 테이블 위에 누워있다고 가정할 때 X-ray가 입사되는 환자의 피

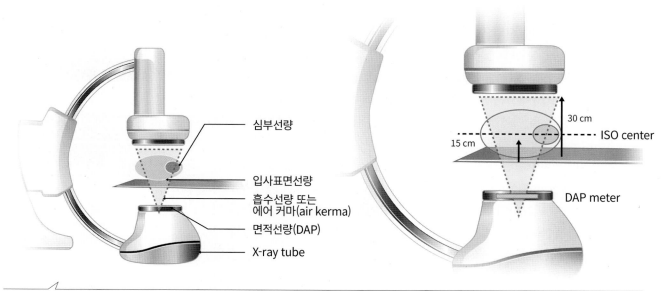

그림 9-2. 중재적 기준점에서 에어 커마(air kerma at the reference point)

부 표면이 위치할 것으로 예측되는 지점이다. 통상적으로 isocenter에서 X-ray 발생장치 방면으로 15 cm 이동한 지점과 일치한다. 즉, 환자에 대한 가상의 입사표면선량(entrant surface dose)이라고 할 수 있다. 하지만, 환자의 입사면 혹은 주변 물체로부터 발생되는 산란방사선에 대해서 고려되지 않았기 때문에 정확한 것은 아니다.

3) 면적선량

면적선량(선량 면적 곱, 에어 커마 면적 곱, air kerma-area production, Dose-area product, DAP, $Gy \cdot cm^2$)은 방사선이 공기 중으로 투입된 순간의 에어 커마와 조사면적의 곱에 대한 누적값이다. 최근 방사선 발생 장치에서 환자 선량의 모니터링과 방사선의 확률적 영향의 위험성을 예측하기 위한 인자로 활용된다. 면적선량은 환자에게 전달되는 총 방사선량을 나타내기 위한 연구목적으로도 사용되고 있다.

4) 유효선량

방사선이 인체에 조사되었을 때 각 조직은 방사선에 대한 감수성의 차이로 인해서 위험도 또한 차이가 있게 된다. 따라서 조직 별 상대적 위험도를 반영하여 전체적 영향을 평가하기 위한 개념이 유효선량(effective dose, Sv)이다.

3. 선량 모니터링

ERCP 시술실에서 시술에 참여하는 모든 방사선작업종사자들은 피폭선량을 측정하기 위해서 반드시 개인 선량계(Thermoluminescence dosimeter; TLD)를 착용해야한다(그림 9-3). 이는 진단용 방사선 발생장치의 안전관리에 관한 규칙 제4조 제5항에 의거 소속 방사선관계 종사자가 분기 1회 이상 방사선피폭선량 측정을 통해 안전관리를 실시하도록 지도해야 한다고 정해져 있다. 방사선 작업 종사자의 유효 선량은 착용하는 선량계의 개수와 착용 위치에 따라 결정된다. 만일, 단일 선량계를 사용하는 경우라면 보호복(apron) 안쪽에 허리나 가슴높이에 착용한다. 국제방사선방호위원회(International Commission on Radiological Protection, ICRP)에서는 보호복 안쪽의 허리나 가슴 높이에 하나, 그리고 보호복 바깥쪽 목 높이에 또 다른 하나, 총 2 개 이상의 선량계 사용을 권장하고 있다. 보호복 안쪽에 착용한 선량계를 단일 선량계로서 사용하는 경우에는 손이나 얼굴에 대한 방사선 노출을 과소 평가하게 할 수 있어서 주의가 필요하다. 중재적 방사선시술 등 업무 특성상 손 부위, 눈 등 신체 특정부위에 피폭선량 측정이 필요하다면, 선량계를 추가 요청하여 선량을 측정하도록 되어 있다. 선량계 기록은 정기적으로 각 개인에게 제공되어야 하며 개인과 기관은 평생 방사선 피폭 기록을 보관해야 하다. 현재 우리나라는 방사선 작업 종사자들에게 개인 선량계 착용을 의무화하고 있으며 의도적으로 위반하는

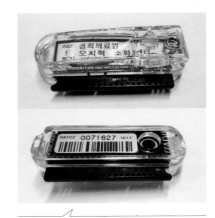

그림 9-3. 개인 선량계
시술에 참여하는 모든 방사선작업종사자들은 피폭선량을 측정하기 위해서 반드시 개인별 선량계를 착용해야 한다.

경우 혹은 선량계를 분실하는 경우에 벌금을 물게 하고 있다. 만일, 특정 개인이 비정상적으로 높거나 낮은 피폭 선량을 나타낸다면 그 개인의 행동 패턴을 분석해야한다. 우리나라에서는 방사선관계종사자에 대해 노출되는 방사선량의 기준을 법으로 정해 관리하고 있다. 방사선관계종사자에 대한 선량 한도는 유효 선량을 기준으로 연간 50 mSv 이하이며, 5년간 누적 선량은 100 mSv 이하이다(표 9-1).

표 9-1. International Commission on Radiological Protection (IRCP)에 따른 선량 한계

Dose limit in occupational exposure		
Effective dose limits	Annual effective dose limit	20 mSv per year
	Cumulative effective dose limit	50 mSv in one year if the averaged effective dose over 5years is lower than 100 mSv
Tissue and organ dose limits	Lens of the eye	150 mSv
	Skin, hand, feet	500 mSv
	Case of pregnant women	2 mSv (abdomen surface)
Dose limit of public exposure		
Effective dose limit	Annual effective dose limit	1 mSv per year

4. 차폐(Shielding)

　　ERCP 시술 시에 시술자 및 보조자에 대한 방사선 피폭의 주요원인은 환자로부터 반사된 산란방사선이다. 따라서 이러한 산란방사선에 대한 노출을 줄이기 위한 노력이 필수적이다. ERCP 시술실의 모든 방사선작업종사자들은 시술 참여시 반드시 방사선 차폐용 보호복(apron)을 착용해야 한다. 표준적인 보호복은 0.5 mm 두께의 납(Pb)과 동일한 차폐력을 가지도록 디자인되어 있으며 산란방사선의 95% 이상을 막을 수 있다. 보호복은 사용하지

않을 때에는 옷걸이가 부착된 선반에 구겨지지 않도록 보관해야 하고, 정기적 방사선 투시검사를 실시하여 차폐기능에 이상이 없는지 확인해야 한다. 방사선 보호구(thyroid protector, neck protector) 또한 반드시 착용해야한다. 특히 방사선 감수성이 높은 젊은 직원들의 경우에 갑상선의 피폭에 더욱 주의를 기울여야 한다. 방사선 차폐용 보안경(goggles)은 수정체를 보호가기 위한 것으로 백내장 등의 위험성을 줄여주는 유효성이 연구를 통해서 충분히 입증되어 있기 때문에 착용이 필요하다(그림 9-4).

고정형 차폐막은 산란방사선에 의한 피폭을 줄여주는 역할을 하는데 X-ray 발생기가 테이블의 아래에 위치하는 under-couch system의 투시 장치 및 C-arm 타입의 투시 장치는 하부 차폐막(lower lead shield protector)을 테이블 주위에 장착하여 시술자 및 보조자에게 도달하는 산란방사선를 상당히 줄여줄 수 있다. 이밖에도 천장 고정식 상부 차폐막(ceiling type radiation shield protector) 및 이동식 차폐막(mobile shield protector)을 잘 이용하면 시술자에게 영향을 주는 산란방사선을 차단할 수 있다. 이때 대부분 시술자에게 영향을 주는 방사선은 환자의 몸에서 반사되어 발생하는 산란방사선이므로 시술자의 머리와 몸으로 향하는 산란방사선 차폐를 고려하여 배치해야 한다. 시술자는 차폐막에 부착된 투명한 납유리를 통해서 환자의 상태를 충분히 확인할 수 있다(그림 9-5).

그림 9-4. 방사선 차폐용 보호장비(Aron, thyroid protector 및 lead glasses/goggles) 착용의 올바른 예

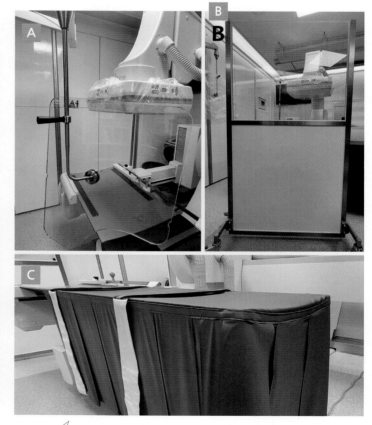

그림 9-5. 차폐장치(Shield protector)의 종류. (A) 천장 고정식 상부 차폐막(Ceiling type shield protector), (B) 이동식 차폐막(Mobile shield protector), (C) 하부 차폐막(ILower lead shield protector)

5. 투시조영장비의 특성 및 방사선 발생량을 줄이기 위한 방법

　ERCP에 흔히 사용되는 투시조영장비(Fluoroscopy system)는 고정식 환자테이블과 X–ray 발생장치(X–ray tube)가 테이블 아래, 영상검출기(image detector, image intensifier)가 환자 위에 위치하는 'under–couch system' 방식과 반대로 X–ray 발생장치가 환자 위에, 영상검출기(image detector)가 테이블 아래 위치하는 'over–couch system' 방식이 있다(그림 9–6, 7). 최근에는 C–arm방식의 혈관조영장비를 이용하여 ERCP를 시행하는 병원도 늘어나고 있다. 시술자에게 도달하는 방사선량은 over-couch system에서 under-couch system에서보다 약 5–6배가량 높은 것으로 측정된다. 이는 over-couch system에서 환자에 의해 산란된 방사선량이 시술자에게 훨씬 더 많이 도달하기 때문이다.

　또한, X–ray 발생장치 및 영상검출기를 기준으로 한 환자의 상대적 위치가 방사선량에 영향을 준다. X–ray 강도는 X–ray 발생장치로부터의 거리의 역제곱에 반비례한다. 따라서 환자를 X–ray 발생장치에서 최대한 멀리 배치해야 한다. 또한 영상 검출기를 환자에 최대한 가깝게 배치하여 소스와 영상검출기 사이의 거리를 줄이면 환자 선량이 감소한다. 예를 들어, under-couch system을 사용할 때는 이미지 검출기를 환자 몸에 최대한 가깝게 부착하는 것이 좋겠다. 환자와 X–ray 발생장치와의 거리가 반으로 줄 때마다 입사선량의 강도는 4배씩 증가한다. 반대로 영상검출기와 환자와의 거리가 반으로 줄어들 때마다 같은 영상 화질을 구현하기 위한 입사선량의 강도는 반으로 감소하여 산란방사선에 의한 환자와 시술자의 이차피폭을 줄일 수 있다.

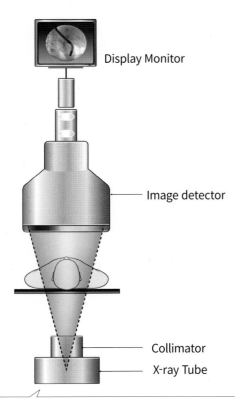

그림 9-6. 투시조영장비의 구성(Components of a fluoroscopic system)

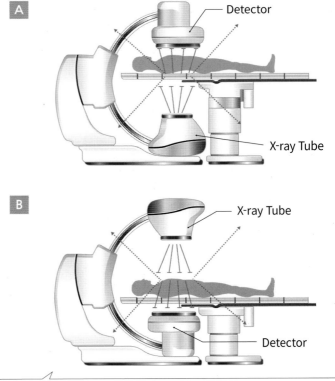

그림 9-7. 투시조영장비의 종류. (A) Under couch system, (B) Over couch system

연속 투시촬영(continuous fluoroscopy)에 비해서 펄스 투시촬영 모드(pulsed fluoroscopy mode)를 사용하면 훨씬 더 적은 방사선량을 이용하게 된다(그림 9-8). 따라서 방사선 발생량을 줄이기 위해서 최대한 낮은 프레임의 펄스 모드를 이용하여 ERCP 시술을 하는 것이 바람직하다. 물론 프레임을 낮출수록 얻어지는 투시영상질은 떨어지기 때문에 시술의 난이도나 병변의 특징에 따라 프레임을 조절해서 시술을 하는 것이 좋겠다. 즉, 진단이나 시술에 영향을 주지 않는 한 최소로 유지해야 한다.

투시의 마지막 영상을 이미지 캡쳐(capture)하여 저장하는 "마지막 영상 저장(last–image–hold method)"을 적극적으로 사용하는 것이 좋다(그림 9-9A). ERCP와 같은 투시조영술 중에는 실시간 영상을 보면서 시술을 하게 된다. 이때 실시간 영상을 중지하면 마지막 영상이 화면에 멈춘 상태로 보여지는데 이 영상을 그대로 캡쳐(컴퓨터에서 screen capture기능과 유사)하여 저장하는 방법을 "last–image–hold method"라고 한다. 영상의 퀄리티는 약간 떨어지지만 시술 과정을 기록하는 용도로는 충분하다. 이 방법은 정식으로 사진을 찍는 영상획득(spot image acquisition)에 비해서 추가적인 방사선을 필요로 하지 않기 때문에 최대한 많은 영상 저장을 이 방법을 통해

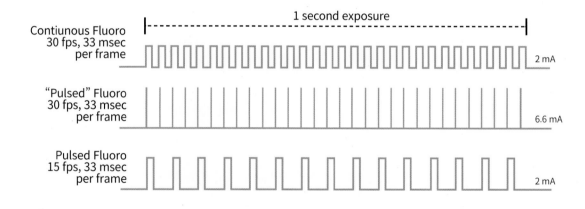

그림 9-8. 연속 투시촬영 모드(continuous fluoroscopy)와 펄스 투시촬영 모드(pulsed fluoroscopy mode)

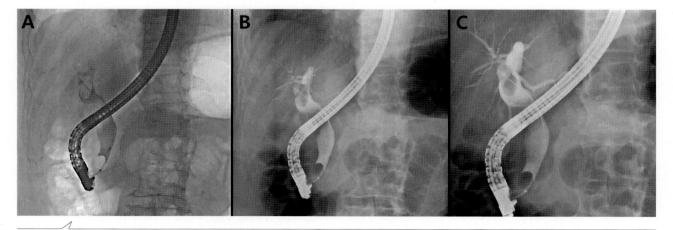

그림 9-9. 투시조영 사진별 화질 및 방사선량의 비교(Comparison of image quality and radiation dose). (A) Last-image-hold (capture), – lower quality and lower radiation (B) Spot image (Conventional Spot images acquisition) – higher quality and higher radiation, (C) Magnification and spot image – highest radiation

서 저장하면 방사선 노출양을 줄일 수 있다.

이미지를 확대(magnification)하면 ERCP 중에 병변과 유도철사를 잘 볼 수 있지만, 단위면적의 방사선 수가 감소하고 이에 따라 영상의 밝기가 어두워진다. 이를 자동으로 보정하기 위하기 위해 더 높은 관전류를 사용하여 영상을 획득하기 때문에 영상 화질을 유지하기 위해 방사선량을 높여야 한다(그림 9-9C). 따라서 필요한 경우에만 이미지를 확대하는 것이 바람직하다. 여기에 더해 영상에서 필요한 부분만 볼 수 있는 시준기(collimator)를 이용하는 것이 좋다. 시준기를 사용하면 필요 부위에만 X-ray를 조사할 수 있어서 피폭 부위의 크기 감소뿐만 아니라 산란방사선의 감소로 인해서 입사 선량을 줄이고 영상의 화질도 개선할 수 있다.

6. 시술 관련 방사선 선량 관리

ERCP 시술 전에 방사선 발생량이 높을 것으로 예측되는 경우를 미리 알아두는 것이 좋다. 예를 들어 비만한 환자들의 경우에는 영상의 질이 좋지 않고 이를 보상하기 위해 강한 X-ray를 필요하기 때문에 방사선 발생량이 늘어나며 산란방사선 또한 증가한다. 또한, 간문부 협착 환자의 경우 혹은 난치성 담석환자의 ERCP 경우에 시술 시간이 길어지고 복잡하기 때문에 방사선 사용량이 증가할 것이 예측된다. 이런 경우에 시술 전과 시술 중에 시술 자가 방사선 노출량을 줄이려는 노력에 더욱 신경을 쓰는 것이 중요하다. 시술 동의서에는 방사선의 위해성에 대한 정보가 포함되는 것이 바람직하며, 특히나 고위험 환자의 경우에는 더욱 신경 써야 한다. 이를 위해 방사선안전관 리지침에 대한 지식이 풍부한 의사와 방사선사가 필요하며 방사선의 위해성/이익에 대하 여 환자에게 충분히 알리는 것 또한 중요하다.

ERCP 시술자는 시술의 시작부터 종료시점까지 선량 관리에 주의를 기울여야한다. 방사선은 위험성이 있기 때 문에 적응증 및 정당화 없이는 사용되면 안되지만, 피폭선량만을 근거로 또한 위험성에 대한 두려움만으로 시술 이 제한되면 안 된다. 앞서 투시조영장비의 특정을 잘 고려하여 방사선량을 줄이는 방법들에 대해서 설명했다. 방 사선 발생량을 줄이는 방법 외에도 발생한 방사선으로부터 방어를 하기 위한 여러 방법들에 관해서 숙지해야 한 다. 가장 중요한 원칙인 방사선 피폭 방어의 3대 요소는 거리, 시간 그리고 차폐이다.

방사선 방어에서 거리가 중요한 이유는 방사선은 거리의 제곱에 반비례하여 감소하기 때문이다. 시술자 및 보 조자는 X-ray 발생기 및 환자로부터 최대한 멀리 위치하도록 하는 것이 좋다. 시뮬레이션 결과에 따르면 약 3 mm 가량 떨어지면 산란방사선의 세기는 약 90% 감소하는 것으로 알려져 있다. 특히, 요즘 보급되고 있는 C-arm형 투 시발생장치를 촬영 각도를 변경하여 시술에 이용하는 경우에는 촬영각도가 증가할수록, X-ray 튜브가 시술자에 가까울수록 산란방사선에 의한 방사선 노출량이 늘어남을 꼭 기억해야 한다.

시술자는 투시시간을 줄이려는 노력을 시술 처음부터 끝까지 지속해야 한다. 방사선 노출량와 FT는 대체로 비례함을 항상 인지하고 시술 도중에 투시영상 확인을 최소화해야한다. 또한 이러한 내용에 대해서 방사선사와 사전에 공유하고 약속하여 같이 노력하는 것이 필요하다. 시술 전에 FT가 많을 것으로 예상되는 경우에는 각별한 주의가 필요하다. 여러 연구를 통해서 FT에 영향을 주는 인자들이 알려져 있다. 먼저 시술의 복잡성/난이도이다. 난치성 담석(difficult bile duct stones)을 ERCP하는 경우에 시술시간이 길어지고 FT도 증가한다. 그 밖에도 담 관의 선택적 삽관이 오래 걸리거나 실패한 경우, 간문부 담관암에 의한 양측성 스텐트삽입술 및 초음파내시경 유 도하 랑데부법/경벽배액술과 같은 초음파내시경 유도하 중재술의 경우에는 시술시간이 오래 걸리고 투시 영상을 확인하는 시간이 늘어나면서 긴 FT를 보이는 경우가 많다. 또한 시술자의 숙련도에 따른 FT의 차이가 있다. ERCP

시술자의 경험, 숙련도 및 시술볼륨(예를 들어, 년간 ERCP 건수)이 높을수록 선택삽관에 걸리는 시간, 성공률, 우발증 발생률 및 총시술시간이 줄어든다. 물론 숙련된 시술자일수록 어렵고 복잡한 증례를 시술하는 경우가 더 많지만, 이런 변수를 제외하고 비슷한 종류의 시술을 시행한다는 가정하에는 시술자의 숙련도와 FT는 대체적으로 반비례한다. 따라서 ERCP 경험이 많지 않은 시술자 혹은 전임의와 같은 초심자 교육을 병행하는 경우에는 FT가 증가할 수 있음을 염두해 두어야 한다.

비만한 환자의 경우에 방사선량이 증가한다. 환자에 의한 X-ray의 감쇄로 투과가 저하되어 이를 상쇄시키기 위해서 투시 및 혈관 조영 방사선발생장치에는 자동선량제어장치가 장착되어 있다. 이 장치는 환자의 유효 두께가 증가하면 X-ray 출력을 증가시키도록 프로그램이 되어 있다. 또한 자동선량제어장치가 있다 하더라도 비만한 환자의 경우 획득된 영상의 퀄리티가 떨어진다. 따라서 적절한 병변의 확인 및 유도철사 등과 같은 악세서리의 위치를 확인하는데 어려움이 있어서 FT도 같이 증가할 수 있다.

환자의 자세도 중요하다. 대부분의 ERCP는 복와위(prone position)에서 시행된다. 하지만 환자의 상태, 시술자의 선호도에 따라 좌측와위(left lateral decubitus position)로 시행하는 경우도 있다. 이때는 X-ray 발생기와 검출기 환자의 두께가 복와위보다 두꺼워지기 때문에 비만한 환자의 경우와 같이 X-ray 발생량도 증가하고 환자로부터 반사되어 시술자를 향하는 산란방사선도 증가하기 때문에 좌측와위로 시술하는 경우 시술자 및 보조자는 차폐에 더욱더 신경을 써야 한다.

7. 교육프로그램

ERCP에 참여하는 모든 의료진은 방사선 피폭을 지배하는 원칙을 숙지할 뿐만 아니라 시술 중 방사선 피폭을 최소화하는 노력을 해야 한다. 이를 위해서 ERCP 시술실에서 근무하는 모든 방사선작업종사자들은 그들의 피폭선량관리와 더불어 적절한 방사선안전관리교육을 필요로 한다. 다만 현재 내시경 트레이닝 프로그램에서는 방사선 피폭과 관련된 정규 교육과정이 흔치 않다. 한 온라인 설문조사에서 대학병원에서 근무하며 ERCP를 5년 이상 수행한 내시경 의사 중 절반 이상은 투시 진단과 방사선 피폭 최소화에 대한 정식 교육을 받지 않은 것으로 나타났다. 또한 ERCP 시술자를 대상으로 투시발생장치 및 X-ray의 이상적인 사용을 강조했던 교육 프로그램을 시행한 결과 ERCP 관련 방사선 피폭량의 즉각적이고 현저한 감소를 보여준 연구 결과 등을 종합한다면 정기적이고 체계적인 방사선 관련 교육이 꼭 필요하다.

8. 결론

앞서 알아본 내용을 표 9-2로 정리, 요약하였다. 이상에서 살펴본 바와 같이 ERCP 시술 중에는 환자뿐만 아니라 시술자 및 보조자에게 방사선 노출의 위험이 따른다. 최근 초음파내시경 중재술과 함께하는 고난이도 ERCP 시술이 늘면서 방사선량 또한 높아질 수 있다. 따라서, ERCP 시술자 및 보조자는 투시조영장치 종류, 시술 종류, 환자의 특성 및 질병의 차이와 관련된 방사선 발생량의 특성과 차이점에 대해서 잘 알고 있어야 한다. 시술자는 방사선 발생량을 줄이도록 노력하고, 시술에 참여하는 모든 팀원은 산란방사선으로부터의 노출을 최소화하려는 노력을 해야 한다. 또한, 체계적인 그리고 정기적인 교육프로그램이 필요할 것으로 생각된다.

ERCP 시술자 및 보조자에게 미치는 방사선 노출량은 다른 방사선중재시술영역(심장/뇌혈관조영술, 영상의학과 방사선중재시술 및 척추/관절분야 방사선중재시술) 보다 적은 것으로 알려져 있다. 막연한 두려움을 갖기보다는 적절한 차폐 보호장비와 함께 시술자의 "as low as reasonably achievable" 원칙 실천이 이루어진다면 시술자 및 보조자들이 안심하고 시술에 참여할 수 있을 것이다.

표 9-2. ERCP 중에 방사선 노출을 줄이기 위한 권장사항(Recommendations to reduce occupational radiation exposure during ERCP)

1	방사선 보호구(Thyroid protector, leaded glasses, and lead aprons)를 반드시 착용한다.
2	개인 선량계(Thermoluminescence dosimete, TLD)를 착용하여 피폭선량을 측정하고 관리한다.
3	방사선 차폐막(Lower lead shield protector, ceiling type shield protector, mobile shield protectore)을 적극적으로 이용하여 산란방사선으로부터 보호한다.
4	시술시에는 가능한 환자로부터 최대한 멀리 위치하여 산란방사선으로 부터의 노출을 최소화한다.
5	가능한 X-ray 발생장치(X-ray tube)가 아래에 위치하는 under-couch 방식의 투시조영장비 및 C-arm 방식의 angiography 장비를 사용한다.
6	환자는 X-ray 발생장치로부터 최대한 멀리, 영상검출기에는 최대한 가깝게 위치하도록 테이블을 포함한 장비를 조절한다.
7	펄스 투시촬영 모드(pulsed fluoroscopy mode)를 사용한다.
8	마지막 영상 저장 방법(last-image-hold method)을 적극적으로 사용한다.
9	가능한 영상 확대(magnification)를 하지 않는다.
10	시준기(collimator)를 사용한다.
11	투시 시간(Fluoroscopy time)을 최소화하려고 노력한다.
12	복잡한 시술, 비만한 환자의 시술과 같이 방사선 발생량이 높을 것으로 예상되는 경우에는 특히 시술 중 지속적으로 방사선노출을 최소화하려는 노력을 해야 한다.
13	X-ray 발생장치, 방사선노출 및 관리에 대한 체계적 교육프로그램을 운영하여 관련 지식을 ERCP 시술에 참여하는 모든 팀원과 함께 공유하도록 한다.

참/고/문/헌

1. Angsuwatcharakon P, Janjeurmat W, Krisanachinda A, et al. The difference in ocular lens equivalent dose to ERCP personnel between prone and left lateral decubitus positions: a prospective randomized study. Endosc Int Open 2018;6:E969–e974.

2. Archer BR, Gray JE. Important changes in medical x-ray imaging facility shielding design methodology. A brief summary of recommendations in NCRP Report No. 147. Med Phys 2005;32:3599–601.

3. Archer BR. Recent history of the shielding of medical x-ray imaging facilities. Health Phys 2005;88:579–86.

4. Barakat MT, Thosani NC, Huang RJ, et al. Effects of a Brief Educational Program on Optimization of Fluoroscopy to Minimize Radiation Exposure During Endoscopic Retrograde Cholangiopancreatography. Clin Gastroenterol Hepatol 2018;16:550–5.

5. Boix J, Lorenzo-Zúñiga V. Radiation dose to patients during endoscopic retrograde cholangiopancreatography. World J Gastrointest Endosc 2011;3:140–4.

6. Bowsher WG, Blott P, Whitfield HN. Radiation protection in percutaneous renal surgery. Br J Urol 1992;69:231–3.

7. Campbell N, Sparrow K, Fortier M, et al. Practical radiation safety and protection for the endoscopist during ERCP. Gastrointest Endosc 2002;55:552–7.

8. Chen MY, Van Swearingen FL, Mitchell R, et al. Radiation exposure during ERCP: effect of a protective shield. Gastrointest Endosc 1996;43:1–5.

9. Chung KH, Park YS, Ahn SB, et al. Radiation protection effect of mobile shield barrier for the medical personnel during endoscopic retrograde cholangiopancreatography: a quasi–experimental prospective study. BMJ Open 2019;9:e027729.

10. Churrango G, Deutsch JK, Dinneen HS, et al. Minimizing radiation exposure during ERCP by avoiding live or continuous fluoroscopy. J Clin Gastroenterol 2015;49:e96–100.

11. Coté GA, Imler TD, Xu H, et al. Lower provider volume is associated with higher failure rates for endoscopic retrograde cholangiopancreatography. Med Care 2013;51:1040–7.

12. Cotton PB. Evaluating ERCP is important but difficult. Gut 2002;51:287–9.

13. Ferreira LE, Baron TH. Comparison of safety and efficacy of ERCP performed with the patient in supine and prone positions. Gastrointest Endosc 2008;67:1037–43.

14. Hadjiconstanti AC, Messaris GAT, Thomopoulos KC, Solomou AG, Panayiotakis GS. Optimisation of patient dose and image quality in endoscopic retrograde cholangiopancreatography: A phantom–based evaluation. Radiat Prot Dosimetry [Internet]. 2016; Available from: http://dx.doi.org/10.1093/rpd/ncw276

15. Harris AM. Radiation exposure to the urologist using an overcouch radiation source compared with an undercouch radiation source in contemporary urology practice. Urology 2018;114:45–8.

16. Hayashi S, Nishida T, Matsubara T, et al. Radiation exposure dose and influencing factors during endoscopic retrograde cholangiopancreatography. PLoS One 2018;13:e0207539.

17. Heyd RL, Kopecky KK, Sherman S, et al. Radiation exposure to patients and personnel during interventional ERCP at a teaching institution. Gastrointest Endosc 1996;44:287–92.

18. Johlin FC, Pelsang RE, Greenleaf M. Phantom study to determine radiation exposure to medical personnel involved in ERCP fluoroscopy and its reduction through equipment and behavior modifications. Am J Gastroenterol 2002;97:893–7.

19. Jorgensen JE, Rubenstein JH, Goodsitt MM, et al. Radiation doses to ERCP patients are significantly lower with experienced endoscopists. Gastrointest Endosc 2010;72:58–65.

20. Jowhari F, Hopman WM, Hookey L. A simple ergonomic measure reduces fluoroscopy time during ERCP: A multivariate analysis. Endosc Int Open 2017;5:E172–e178.

21. Kachaamy T, Harrison E, Pannala R, et al. Measures of patient radiation exposure during endoscopic retrograde cholangiography: beyond fluoroscopy time. World J Gastroenterol 2015;21:1900–6.

22. Kakodkar S, Haider A, Hoff RT, et al. Reduced fluoroscopy time with physician–controlled fluoroscopy during endoscopic retrograde cholangiopancreatography: a community hospital experience. Cureus 2021;13:e13771.

23. Kim YJ, Cho KB, Kim ES, et al. [Efficacy of a self–designed protective lead shield in reduction of radiation exposure dose during endoscopic retrograde cholangiopancreatography]. Korean J Gastroenterol 2011;57:28–33.

24. Kurihara T, Itoi T, Sofuni A, et al. Novel protective lead shield and pulse fluoroscopy can reduce radiation exposure during the ERCP procedure. Hepatogastroenterology 2012;59:709–12.

25. Larkin CJ, Workman A, Wright RE, et al. Radiation doses to patients during ERCP. Gastrointest Endosc 2001;53:161–4.

26. Liao C, Thosani N, Kothari S, et al. Radiation exposure to patients during ERCP is significantly higher with low–volume endoscopists. Gastrointest Endosc 2015;81:391–8.e1.

27. Maeder M, Brunner–La Rocca HP, Wolber T, et al. Impact of a lead glass screen on scatter radiation to eyes and hands in interventional cardiologists. Catheter Cardiovasc Interv 2006;67:18–23.

28. McGinley PH, Miner MS. A history of radiation shielding of x–ray therapy rooms. Health Phys 1995;69:759–65.

29. Minami T, Sasaki T, Serikawa M, et al. Occupational radiation exposure during endoscopic retrograde cholangiopancreatography and usefulness of radiation protective curtains. Gastroenterol Res Pract 2014;2014:926876.

30. Morishima Y, Chida K, Meguro T. Effectiveness of additional lead shielding to protect staff from scattering radiation during endoscopic retrograde cholangiopancreatography procedures. J Radiat Res 2018;59:225–32.

31. Nakagami K, Moritake T, Nagamoto K, et al. Strategy to reduce the collective equivalent dose for the lens of the physician's eye using short radiation protection curtains to prevent cataracts. Diagnostics(Basel) 2021;11:1415.

32. NIH state–of–the–science statement on endoscopic retrograde cholangiopancreatography(ERCP) for diagnosis and therapy. NIH Consens State Sci Statements 2002;19:1–26.

33. Oh CH, Dong SH, Kim JW, et al. Radiation exposure during endoscopic retrograde cholangiopancreatography according to clinical determinants. Medicine(Baltimore) 2020;99:e19498.

34. Peng C, Nietert PJ, Cotton PB, et al. Predicting native papilla biliary cannulation success using a multinational Endoscopic Retrograde Cholangiopancreatography(ERCP) Quality Network. BMC Gastroenterol 2013;13:147.

35. Rabenstein T, Schneider HT, Nicklas M, et al. Impact of skill and experience of the endoscopist on the outcome of endoscopic sphincterotomy techniques. Gastrointest Endosc 1999;50:628–36.

36. Rehani MM, Ciraj–Bjelac O, Vañó E, et al. ICRP Publication 117. Radiological protection in fluoroscopically guided procedures performed outside the imaging department. Ann ICRP 2010;40:1–102.

37. Selmaier M, Stillkrieg W, Müller RG, et al. [Radiation burden in diagnostic and therapeutic endoscopic retrograde cholangiopancreatography(ERCP)]. Z Gastroenterol 1994;32:671–4.

38. Sethi S, Barakat MT, Friedland S, et al. Radiation training, radiation protection, and fluoroscopy utilization practices among US therapeutic endoscopists. Dig Dis Sci 2019;64:2455–66.

39. Shah A, Das P, Subkovas E, et al. Radiation dose during coronary angiogram: relation to body mass index. Heart Lung Circ 2015;24:21–5.

40. Smuck M, Zheng P, Chong T, et al. Duration of fluoroscopic–guided spine interventions and radiation exposure is increased in overweight patients. PM R 2013;5:291–6; quiz 296.

41. Uradomo LT, Goldberg EM, Darwin PE. Time–limited fluoroscopy to reduce radiation exposure during ERCP: a prospective randomized trial. Gastrointest Endosc 2007;66:84–9.

42. Uradomo LT, Lustberg ME, Darwin PE. Effect of physician training on fluoroscopy time during ERCP. Dig Dis Sci 2006;51:909–14.

43. Varadarajulu S, Kilgore ML, Wilcox CM, et al. Relationship among hospital ERCP volume, length of stay, and technical outcomes. Gastrointest Endosc 2006;64:338–47.

44. Yamada R, Saimyo Y, Tanaka K, et al. Usefulness of an additional lead shielding device in reducing occupational radiation exposure during interventional endoscopic procedures: An observational study. Medicine(Baltimore) 2020;99:e21831.

45. Zhou Y, Singh N, Abdi S, et al. Fluoroscopy radiation safety for spine interventional pain procedures in university teaching hospitals. Pain Physician 2005;8:49–53.

십이지장경 연관 감염 및 소독

Duodenoscope–Associated Infections and Reprocesing

손병관 을지대학교 의과대학

내시경역행담췌관조영술(endoscopic retrograde cholangiopancreatography, ERCP)은 간담도 및 췌장 질환의 진단 및 치료에 있어 매우 중요한 시술로 췌장담도질환의 증가와 함께 시술 건수가 증가하고 있다. 소화관내시경은 내시경 기기와 부속기구를 인체 내로 삽입하여 점막과 접촉하고 조직을 채취하는 등의 과정이 수반되므로 내시경 표면이나 채널 내부, 부속기구(accessory)들에 묻어있는 분비물이나 혈액 등을 통하여 여러 감염 전파의 우려가 있다. ERCP시술에 사용되는 십이지장경(duodenoscope)은 위, 대장내시경 같은 직시경과 달리 선단부가 복잡하고 특수한 구조를 가지고 있어 세척 및 소독이 불충분할 수 있기 때문에 위, 대장내시경 같은 직시경 보다 내시경을 통한 감염 전파 위험성이 상대적으로 높다. 실제 2010년대 들어 유럽과 미국 등지에서 십이지장경을 이용하여 ERCP를 시행받은 환자들 사이에 카바페넴 내성 장내세균(carbapenem resistant Enterobacteriacae, CRE) 전파 감염이 발생하였고 이 중 수 십 명의 환자들이 내시경 시술 후 전파 감염된 다제내성균(multidrug–resistant organisms, MDRO)에 의한 사망 사건이 보고되었다. 십이지장경을 통한 전파 감염 발병(outbreak)과 사망 사건이 발생한 이후 미국 식품의약국(Food and Drug Administration, FDA)은 십이지장경 소독을 개선하기 위해 강화된 재처리 방법 및 내시경 감시를 권장하는 새로운 조치를 발표하였고, 십이지장경 주요 제조업체에서는 내시경 세척 및 소독이 용이한 새로운 제품 개발과 함께 별도의 세척 및 소독 매뉴얼을 제시하는 등 십이지장경을 통한 감염전파 방지를 위해 많은 노력을 기울이고 있다.

1. 십이지장경 선단부의 특수한 구조와 내시경 감염 전파

내시경을 통한 감염 전파는 환자 내부에 집락을 이루던 미생물이 내시경 시술에 의해서 환자의 혈액이나 장기로 들어가서 발생하는 내인성(endogenous) 감염과 내시경 시술 과정에서 미생물로 오염된 내시경을 통해서 다른 환자에게 감염이 전파되는 외인성(exogenous) 교차 전염(cross–transmission)이 있다. 오염된 십이지장경을 통한 감염 발병은 외인성 교차 전염으로 이러한 감염을 막기 위해서 철저한 내시경 전세척과 세척은 물론 높은 수준의 소독(high–level disinfection, HLD)이 요구된다. 일반적인 내시경 감염의 추정 발생률은 내시경 1,000만 건

당 1건 정도로 드물지만 내시경을 통한 MDRO 전염은 2010년 이후 5년 동안 170명 이상으로 급격히 증가하고 있다. 내시경 감염 전파의 원인은 대부분 불충분한 내시경의 재처리 때문에 발생하는 것으로 알려져 왔다.

십이지장경은 위내시경이나 대장내시경 같은 직시경과 달리 선단부에 올림장치(elevator)와 겸자올림 와이어 채널(elevator wire channel)같은 복잡한 구조를 가지고 있다. 이런 특수한 구조로 인해 내시경 세척 시 미세한 틈새들까지 세척용 솔이 닿지 않게 되어 체액 또는 유기 물질들이 남아 있을 가능성이 높고, 심지어 고수준 소독 과정 후에도 환자의 체액이나 혈액, 유기물이나 세균이 잔류할 수 있다. 특히 개방형 또는 밀봉되지 않은 겸자올림 와이어 채널을 갖는 과거의 내시경 모델은 환자의 오염된 분비물이 들어갈 수 있어 세균 오염이 더 잘 발생할 우려가 있다. 십이지장경의 이러한 특수 구조는 직시경에 준한 내시경 재처리 과정만으로는 세척 및 소독이 더 취약할 뿐만 아니라 오염물질이나 미생물 등이 잔류할 수 있어 십이지장경 감염 전파의 주요 원인으로 여겨진다.

2. 십이지장경 연관 감염

십이지장경을 통해 전파된 MDRO는 "superbug"으로 불리우며 CRE, 반코마이신내성장알균(vancomycin–eesistant Enterococci), 다제내성녹농균(multidrug–resistant Pseudomonas aeruginosa, MRPA) 등이 있다. 이 중에 CRE는 장내세균으로 광범위 베타락탐 항생제인 카바페넴에 저항하여 거의 모든 항생제에 내성을 가지고 있고 항생제 내성을 다른 세균에게 전파할 수 있으며 혈류 CRE 감염 시에는 사망률이 50%에 이른다고 알려져 있다.

십이지장경에 의한 MDRO(특히, CRE) 발병에 대한 관심은 세계적으로 2015년 전후 크게 부각되었지만, 실제 그 이전에도 여러 차례 산발적인 보고가 있었다. 한 연구는 미국 플로리다에 있는 병원에서 2008년 6월과 2009년 1월 사이에 ERCP를 받은 7명의 환자에게 carbapenem resistant Klebsiella pneumoniae가 발생했다고 보고했고 그 원인은 불충분한 세척에 따른 십이지장경의 오염 때문이었다고 발표했다. 처음에 미국에서 보고된 ERCP 연관 CRE 감염이 흔치 않은데다 불충분한 내시경 재처리 과정으로 인한 감염의 문제였기에 매스컴의 큰 관심을 받았다. 이 당시만 해도 십이지장경을 통한 MDRO 발병 예방을 위해서는 소독 가이드라인의 철저한 준수와 폐쇄형 채널(close–channel)과 같은 십이지장경 선단부 구조 개선으로 충분한 해결책이 될 것으로 평가하였다. 그러나 십이지장경 구조 개선과 함께 제조사의 표준 지침에 따라 십이지장경 세척 및 소독을 시행하였음에도 불구하고 ECRP 시술과 관련된 CRE 발병 사례들은 이후에도 지속적으로 보고되었다. 2016년 1월 미국 상원 위원회 보고에 따르면, 4개의 다른 나라와 미국 10개의 주에 있는 병원에서 ERCP와 관련되어 CRE를 포함한 MDRO 발병이 25건 발생했고 최소 250명의 환자들이 감염되었는데 이 때 사용한 십이지장경은 모두 폐쇄형 채널 형태의 내시경 이었다. 이런 십이지장경 연관 감염 사고는 역학연구 조사 및 보고서 작성 중에도 추가적으로 발생하였는데, 가용할 정보의 부족으로 보고 건수에 포함되지 않았다고 설명하고 있어 실제 훨씬 더 많은 감염 사고가 있었음을 추정할 수 있다.

소독 지침대로 내시경 재처리 과정을 시행함에도 불구하고 2% 이상에서는 균막(biofilm) 등에 의해서 세균 오염이 발생 할 수 있다고 알려져 있어 직시경과 달리 특수한 구조를 가진 십이지장경의 경우 직시경 재처리 과정에 준한 내시경 세척 및 소독 가이드라인 준수만으로는 MDRO의 발병 예방에 역부족일 수 있다는 문제가 제기되었다. 이런 문제들이 계속 보고되면서 십이지장경 세척 및 소독에 적합한 소독 가이드라인의 재정립과 함께 내시경 세척 및 소독이 용이할 만한 보다 실질적이고 효과적인 십이지장경 선단부 디자인의 개선 필요성이 꾸준히 제기되었다.

3. 십이지장경 연관 감염 방지를 위한 조치와 한계

수 년간 미국의 여러 의료기관에서 초유의 심각한 십이지장경 감염 사태가 발생하였지만 십이지장경 관련 감염 전파 예방에 대한 표준접근법이 없었기 때문에 보건의료 기관마다 이런 감염 사고에 대한 대처는 다양하였다. 일부 의료기관에서는 감염이 의심되는 십이지장경으로 검사를 받은 모든 환자들에게 미생물 배양 검사를 제공하였고, 몇몇 의료기관에서는 내시경 세척 및 소독 가이드라인에 따라 재처리 과정을 시행한 내시경을 ethylene oxide (ETO) 소독을 추가 시행하여 감염 전파를 막으려는 노력을 기울였다. 여러 의료기관에서는 고수준 소독 과정을 재정비하고 올림장치와 그 주변에 대해 브러시를 이용해 손으로 세척, 청소하는 과정을 강화하는 조치를 취하였다.

십이지장경 감염 사고의 사회적 파장이 커짐에 따라 미국의 질병관리본부(Centers for Disease Control and Prevention, CDC)와 미국식품의약국(the US Food and Drug Administration, FDA)은 십이지장경 연관 감염 전파 위험성을 줄이기 위해 여러 의료기관에서 제시한 조치 외에도 다발적으로 발생하는 십이지장경 연관 감염사고에 대응하여 추가적인 조치를 발표하였다.

CDC는 십이지장경 재처리 후에 CDC에서 제시하는 규정에 맞는 배양검사 및 격리(culture and quarantine)를 시행하여 십이지장경으로 인한 감염을 조기에 감지하기 위한 'Interim Protocol'을 제시하였다. CDC의 조치는 십이지장경 재처리 과정 후 미생물 배양 검사를 강화하여 감염 전파 사고를 막고자 하는 임시적인 조치였다. 최근 연구에서 지속적인 배양 검사 및 격리의 방법을 통해서 내시경 재처리 후 배양검사에서 MDRO가 양성이 나오는 고수준 소독 결함을 1.9%에서 0.277%까지 줄였다는 보고가 있다. 하지만 균 배양 검사 양성이 감염력과 충분한 상관 관계가 없기 때문에 임상적 지표로 이용하기에는 불명확하고 검사의 민감도가 높지 않아 균 배양 검사가 음성이더라도 십이지장경의 오염의 가능성을 완전히 배제할 수 없다는 문제가 있다. CDC 프로토콜 시행에 적지 않은 시간과 비용이 들었고, 세척 과정 후 내시경에 잔류 오염물질을 검출하는 방법으로 비 배양 방법을 취했는데 이는 세균의 농도와 상관관계를 입증하기는 부족하였다. 또한 균 배양의 결과가 음성으로 나올 때까지 십이지장경을 사용하지 않도록 하는 방법만을 제시하고 있어서 결국 원활한 시술 일정을 맞추기 위해서는 십이지장경의 추가 구매가 필요하고, 균 배양 검사결과가 양성으로 나올 경우 이에 대한 뚜렷한 해결책을 제시하지 못해 적극적인 대처가 미흡하다는 한계가 있다. 이런 이유 등으로 'culture and hold approach' 방법을 제시한 CDC의 조치는 미국 내에서 널리 채택되지 못했다.

FDA는 2015년 초에 7가지 권고안을 발표한 이후 그 해 8월 FDA safety communication에 십이지장경 재처리 강화를 위해서 추가 조치를 발표했다. 이는 크게 네 가지 방법으로 1) 재처리 과정 후 배양 검사를 하거나, 2) 반복적인 고수준 소독을 시행하고, 3) 과초산(peracetic acid)과 같은 액성 화학성분의 고수준 소독액을 사용하며, 4) ETO 가스 소독을 시행하도록 권고하였다. 하지만 강화된 FDA 조치도 십이지장경 감염 전파를 막기 위한 완벽한 방법이 되기 어려운 한계를 가지고 있다. 재처리 과정 후 시행하는 배양 검사는 CDC 조치와 비슷하게 근거 자료 부족과 검사에 필요한 시간과 비용 문제 때문에 널리 채택되기 어렵다는 현실적인 문제가 있다. FDA 조치 대로 최소 두 차례 이상 여러 번 고수준 소독을 시행하면 이론적으로는 미생물을 더 많이 없앨 수는 있겠지만 조치 이후에도 발생한 감염 사고를 보았을 때 고수준 소독의 반복만으로는 MDRO 감염 전파를 완전히 방지하기는 불충분하다는 것을 알 수 있다. 과초산 같은 액성 화학성분의 소독액은 현재 국내에서도 내시경 자동세척소독에 이용되고 있지만 실제 FDA에서 권고한 사항을 따르려면 새로운 특정 회사 제품의 특수한 자동 세척기(automated endoscope reprocessor, AER)만을 이용해야 하며 일반적인 내시경 소독에 비해 훨씬 긴 시간을 들여 소독해야 하므로 미국 내에서도 제시된 권고사항을 준수해 십이지장경 재처리 과정을 수행하는 것에 대한 실효성 문제가 제기되었다. 해당 AER은 현재 우리나라에 수입되지도 않은 제품이라 FDA 권고대로 소독을 수행하는 것은 현실적으로 어렵다. 마지막으로 제시한 ETO 소독은 오염된 십이지장경에서 MDRO를 제거하였다는 보고가 있지만, 효과적인 멸균을 보장할 수 있는지에 대한 자료는 아직 불충분하다. ETO 가스 소독의 가장 큰 문제는 독성 및 발암성과 인화성이 있어 사용에 많은 제한이 따른다는 것이다. 또한 모든 의료기관에서 ETO 장비가 구비된 것이 아니기 때문에 십이지장경 소독 방법으로 일반화하기 어렵고 반복 소독 시 내시경 손상이 초래될 수 있다는 치명적인 단점을 가지고 있다.

4. 새로운 디자인의 십이지장경 출시

FDA는 십이지장경이 소독 지침대로 재처리된 후 샘플링 및 배양 검사를 통해 실제 환경에서 어떻게 진행되고 문제가 발생하는지 분석하기 위해 주요제조업체 3사(Fujifilm Medical Systems USA, Inc, Olympus Medical Systems Corporation, Pentax of America)에게 시판 후 감시를 수행하도록 명령했다. 이러한 시판 후 조사 연구의 예비결과에 따르면 환자용 십이지장경에서 유발 고위험 유기체의 오염률은 최대 5%인 것으로 나타났다. 그러나 비고위험성 세균 오염까지 고려하면 오염률이 13–15%까지 생길 수 있는 것으로 보고하고 있어 십이지장경 오염을 없애고 감염 전파를 막기 위한 특단의 개선 조치가 필요했다. 따라서 FDA는 제조사측에 소독 방법을 개선하는 것 외에도 십이지장경 자체의 오염을 없애기 위해 쉽게 재처리하거나 폐기할 수 있는 혁신적인 디자인으로 전환할 것을 권장하였고, 제조사에서는 부분적으로 또는 완전히 일회용 십이지장경으로 전환하는 추세가 시작되었다. 십이지장경 감염 전파의 주 원인이 세척 및 소독이 용이치 않은 선단부의 복잡한 구조 때문이었으므로 제조사들은 선단부 디자인의 변경과 부분 일회용 사용에 대한 검토를 추진하게 되었다. 현재 3사 모두 기존의 일체형 십이지장경보다 세척 및 소독이 보다 간편하고 효과적일 수 있도록 내시경 선단부를 부분 일회용품으로 사용할 수 있게 개선된 새로운 십이지장경을 출시하고 있다.

Fujifilm사에서는 선단부 캡(cap)을 일회용으로 바꾸어 브러싱 등의 선단부 세척을 보다 쉽게 할 수 있도록 개선하였고 겸자올림 와이어를 밀봉하여 소독이 효과적으로 개선될 수 있는 제품을 선보이고 있다(모델명 ED–580D, 그림 10-1). Olympus사에서도 Fujifilm사와 유사하게 선단부 구조를 소독에 용이하게 개선하였고 십이지장경 선단부 캡을 일회용으로 고안하였는데 특징적으로 사용 후 불가피하게 찢어서 제거하도록 하여 철저한 일회용 사용을 할 수 밖에 없도록 설계하였다(모델명 TJ–Q290V). 이 모델에서는 선단부 매뉴얼 세척이 용이할 수 있도록 선단부 플러싱 어댑터(MAJ–2319)를 제작하여 제공하고 있다(그림 10-2). 자세한 사용 방법은 제조사의 재처리 지침을 참고하는 것이 좋겠다. Pentax사는 올림장치와 더불어 선단부가 완전 일회용으로 교체 가능한 십이지장경(모델명 ED34–i10T2, 그림 10-3)을 선보여 기존 제품에 비해 십이지장경 선단부의 불충분한 세척 및 소독의 위험성을 훨씬 낮출 수 있을 것으로 기대된다. 지금까지 진행된 임상 시험에서 기존 십이지장경의 기능과 효과 면에서 유사하고 기기 안정성도 우수하다고 알려져 있어 십이지장경을 통한 감염을 예방할 수 있는 대체 내시경으로 고려하여 볼만하다.

그림 10–1. ED–580D Duodenoscope (Fujifilm Medical Systems, USA)

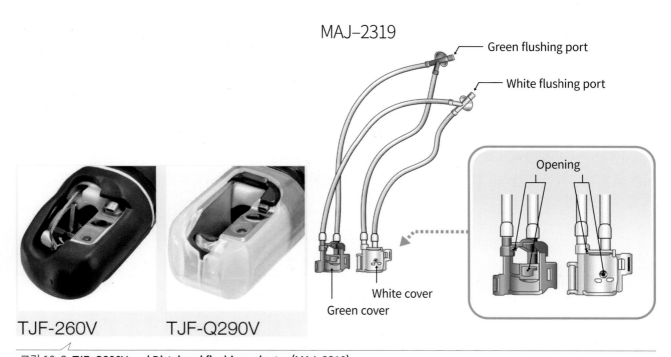

그림 10–2. TJF–Q290V and Distal end flushing adapter (MAJ–2319)

그림 10–3. ED34–i10T2 Duodenoscope

5. 감염전파 방지를 현실적인 대처 방법

고위험 미생물 감염에 노출된 중증의 담도계 감염 환자를 주로 시술하는 ERCP의 특성과 직시경 재처리 눈높이로 제시된 국내의 내시경 세척 및 소독 지침 등을 고려해 보았을 때 최근 미국을 중심으로 대두되었던 십이지장경 감염 사고는 외국만의 문제가 아니라 국내에서도 발생할 가능성이 충분히 있으므로 감염 전파 방지를 위한 실질적인 대응이 필요하다.

CDC와 FDA가 제시한 십이지장경 감염 전파 방지를 위한 조치사항은 우리나라 의료수가 등 의료정책 및 의료기관의 실정이 미국과 크게 달라 권고사항 그대로 실제 국내 의료기관에 적용하기에는 어려움이 있다. 십이지장경 연관 감염 사고를 예방하기 위해서는 FDA에서 발표한 조치와 학회의 노력이 한계가 있겠지만 현재로서는 관련 조치 중 수용할 만한 권고사항을 선별하여 준수하는 것이 현실적인 대책이 될 수 있을 것이다.

정기적으로 십이지장경 미생물 배양 검사를 실시하여 내시경 오염 실태를 모니터링할 필요가 있다. 특히 MDRO에 감염된 환자에게 시술한 십이지장경은 반드시 재사용 전에 미생물 배양 검사를 시행하여 내시경 오염 여부를 확인하고, 고위험 미생물 감염이 확인된 십이지장경은 ETO 가스 소독 등 적극적인 조치를 취해 십이지장경을 통한 감염 전파를 방지해야 한다. 내시경 시술 전에 다제내성균 감염 환자를 선별하기 위해 직장도말법(rectal swab) 같은 미생물검사를 시행해서 감염 여부를 확인한 후 내시경 시술 시행여부를 결정하거나, 소극적인 방법이지만 다제내성균에 감염된 환자의 경우 내시경 시술을 피하는 방법도 고려해야 할 것이다.

기존 십이지장경 장비의 교체나 신규도입을 계획중인 병원에서는 십이지장경을 통한 감염전파방지를 위해 내시경 세척 및 소독이 간편하고 감염관리가 효율적으로 개선된 새 모델 제품을 사용하는 것도 좋은 대책 중의 하나가 될 수 있을 것이다.

6. 결론

최근 ERCP 시술 후 MDRO 전파에 의한 사망사고의 발생은 십이지장경 재처리 과정에 대해 경각심을 불러 일으켰고 국제적인 관심과 함께 감염 방지를 위한 새로운 규정이나 조치가 생겨났다. 항생제 오남용, MDRO 발병의 증가, 매년 ERCP 시술 건수 증가, 십이지장경에 특화된 내시경 재처리 지침의 부재 등을 고려했을 때 국내에서도 십이지장경을 통한 잠재적인 감염의 위험성은 늘 존재하기 때문에 십이지장경 연관 감염 전파 사고가 발생하지 않도록 적극적인 대처가 필요하다.

십이지장경은 위내시경이나 대장내시경과 달리 복잡하고 특수한 구조를 가지고 있어 현재의 내시경 소독 지침을 준수한다 하더라도 감염 전파의 원인이 될 수 있는 분비물이나 혈액 등이 잔류할 가능성이 있다. 십이지장경 연관 감염 전파 사고를 예방하기 위해서는 십이지장경의 세척 및 소독이 효과적으로 이루어질 수 있도록 십이지장경 재처리에 적합한 소독지침으로 업데이트하거나 복잡한 선단부의 재처리가 불필요한 새롭게 개선된 십이지장경 사용을 고려할 필요가 있다.

현실적인 방안으로 십이지장경 세척과 소독에 대해 보다 철저한 질 관리와 함께 정기적으로 십이지장경 미생물 배양검사를 시행하여 시술 후 감염감시가 잘 이루어질 수 있도록 해야 할 것이다. 또한 내시경 시술 전에 여러 항생제 내성균에 감염된 환자를 확인할 수 있는 선별검사를 시행하거나 감염이 확인된 환자에서는 내시경 시술을 피하고 다른 치료법을 선택하는 방법도 고려해야 할 것이다.

참/고/문/헌

1. Alrabaa SF, Nguyen P, Sanderson R, et al. Early identification and control of carbapenemase-producing Klebsiella pneumoniae, originating from contaminated endoscopic equipment. Am J Infect Control 2013;41:562-4.

2. ASGE Quality Assurance In Endoscopy Committee, Petersen BT, Chennat J, Cohen J, et al. Multisociety guideline on reprocessing flexible gastrointestinal endoscopes: 2011. Gastrointest Endosc 2011;73:1075-84.

3. Aumeran C, Poincloux L, Souweine B, et al. Multidrug-resistant Klebsiella pneumoniae outbreak after endoscopic retrograde cholangiopancreatography. Endoscopy 2010;42:895-9.

4. Centers for Disesase Control and Prevention [Internet]. Interim protocol for healthcare facilities regarding surveillance for bacterial contamination of duodenoscopes after reprocessing; 2015 Mar 11. [cited 2016 Jan] Available from: https://www.cdc.gov/hai/organisms/cre/cre-duodenoscope-surveillance-protocol.html.

5. Epstein L, Hunter JC, Arwady MA, et al. New Delhi metallo-β-lactamase-producing carbapenem-resistant Escherichia coli associated with exposure to duodenoscopes. JAMA 2014;312:1447-55.

6. FDA Executive Summary [Internet]. Reducing the Risk of Infection from Reprocessed Duodenoscopes; Available from: https://www.fda.gov/media/132187/download.

7. Ha J, Son BK. Current issues in duodenoscope-associated infections: now is the time to take action. Clin Endosc 2015;48:361-3.

8. Haney PE, Raymond BA, Lewis LC. Ethylene oxide. An occupational health hazard for hospital workers. AORN J 1990;51:480-1, 483, 485-6.

9. Higa JT, Choe J, Tombs D, Gluck M, Ross AS. Optimizing duodenoscope reprocessing: rigorous assessment of a culture and quarantine protocol. Gastrointest Endosc 2018;88:223-9.

10. Higa JT, Gluck M, Ross AS. Duodenoscope-associated bacterial infections: a review and update. Curr Treat Options Gastroenterol 2016;14:185-93.

11. Oh IH, Son BK. Duodenoscope-associated infections: a literature review and update. Korean J Pancreas Biliary Tract 2018;23:145-9.

12. Kovaleva J. Infectious complications in gastrointestinal endoscopy and their prevention. Best Pract Res Clin Gastroenterol 2016;30:689-704.

13. Nelson DB. Infectious disease complications of GI endoscopy: Part II, exogenous infections. Gastrointest Endosc 2003;57:695-711.

14. Petersen BT. Duodenoscope reprocessing: risk and options coming into view. Gastrointest Endosc 2015;82:484-7.

15. Rauwers W, Voor In 't Holt AF, Buijs JG, et al. High prevalence rate of digestive tract bacteria in duodenoscopes: a nationwide study. Gut 2018;67:1637-45.

16. Ross AS, Baliga C, Verma P, et al. A quarantine process for the resolution of duodenoscope-associated transmission of multidrug-resistant Escherichia coli. Gastrointest Endosc 2015;82:477-83.

17. Seoane-Vazquez E, Rodriguez-Monguio R, Visaria J, et al. Endoscopy-related infections and toxic reactions: an international comparison. Endoscopy 2007;39:742-78.

18. U.S. Food and Drug Administration [Internet]. 522 Postmarket Surveillance Studies Database (Olympus); [cited 2021 Feb 24]. Available from: https://www.accessdata.fda.gov/scripts/cdrh/cfdocs/cfPMA/pss.cfm?t_id=354&c_id=3726.

19. U.S. Food and Drug Administration [Internet]. 522 Postmarket Surveillance Studies Database (Pentax). [cited 2021 Feb 24]. Available from: https://www.accessdata.fda.gov/scripts/cdrh/cf-docs/cfPMA/pss.cfm?t_id=355&c_id=3727.

20. U.S. Food and Drug Administration [Internet]. The FDA is Recommending Transition to Duodenoscopes with Innovative Designs to Enhance Safety: FDA Safety Communication; [cited 2020 Oct 22]. Available from: https://www.fda.gov/

medical–devices/safety–communications/fda–recommending–transition–duodenoscopes–innovative–designs–enhance–safety–fda–safety–communication.

21. US Food and Drug Administration [Internet]. Duodenoscope Reprocessing: FDA Safety Communication Supplemental Measures to Enhance Reprocessing; [cited 2016 Jan 25]. Available from: http://www.fda.gov/MedicalDevices/Safety/AlertsandNotices/ucm454766.htm.

22. US Food and Drug Administration [Internet]. Effective reprocessing of endoscopes used in endoscopic retrograde Cholangiopancreatography (ERCP) Procedures; Available from: https://regulatorydoctor.us/wp–content/uploads/2015/07/Effective–Reprocessing–of–Endoscopes–Used–in–ERCP.pdf.

23. US Senate [Internet]. Senate Health, Education, Labor and pensions Committee Minority Staff Report: Preventalbe Tragedies: Superbugs and How Ineffective Monitoring of Medical Device Safety Fails Patients; Patty Murray, Ranking Member Jan 13, 2016. Available from: http://www.help.senate.gov/imo/media/doc/Duodenoscope%20Investigation%20FINAL%20Report.pdf. [Accessed 18 May 2016]

24. Wendorf KA, Kay M, Baliga C, et al. Endoscopic retrograde cholangiopancreatography–associated AmpC Escherichia coli outbreak. Infect Control Hosp Epidemiol 2015;36:634–42.

ERCP 교육, 질 관리, 판독

ERCP Training, Quality Control, and Reading

조광범 계명대학교 의과대학

췌장담도부위는 다른 소화기장기에 비하여 복잡한 해부생리학적 요소를 가지고 있고 접근성도 떨어지기에 병변의 확인을 위하여 많은 노력이 필요하다. 내시경역행담췌관조영술(endoscopic retrograde cholangiopancratography, ERCP)은 임상에 도입된 이래로 췌장담도질환의 진단 및 치료에 핵심적인 역할을 담당하고 있다. ERCP 시술은 내시경을 이용한 시술 중에서 난이도가 높다고 여겨지며, 시술 관련 합병증 및 사망까지도 발생 가능하다. ERCP의 합병증을 줄이면서 치료목적을 달성하기 위해서는, 췌장담도질환의 충분한 이해와 ERCP를 이용한 능숙한 술기 능력이 요구된다. 또한 ERCP를 능숙하게 시행하기 위해서는 전문가 지도감독하의 적절한 수련 및 충분한 시술 경험, 적절한 대상환자의 선택이 필요하다.

한편 국내의 ERCP의 교육수련환경은 각 병원마다 통일된 과정이 존재하지 않고, 각 기관별 소화기분과 중 췌장담도분야의 운영 상황에 따라 교육환경이 상이하다. 주로 소화기학을 전공하는 전임의 중 일부에서 ERCP에 관심이 있는 전임의 2년차가 주된 교육 대상이었으며, 도제 교육을 통한 수련이 대표적인 방법이었다. 그러나 교육 수련을 마친 후 수련의의 ERCP 시술 능력을 객관적으로 검증하지는 않았기에 오직 지도한 전문의의 주관적인 판단만이 유일한 기준이 되었다.

미국소화기내시경학회(ASGE)에서는 ERCP 질 향상을 위한 노력의 일환으로 2006년에 처음으로 질 관리 지침을 개발하였고, 2015년도에 이를 보완하여 개선된 ERCP 질 관리 지침을 발표하였다. 네델란드에서는 스스로 ERCP의 시술 능력을 파악하기 위한 자체 지침서를 개발하여 배포하기도 하였다(그림 11-1). 2021년 대한췌장담도학회에서는 ERCP를 시행하는 의사들의 적절한 시술 경험 및 능력수준유지를 제도적으로 안착시키기 위하여, 학회차원에서 '췌장담도내시경 인증의 제도'를 시작하였고, 이를 통하여 인력적 측면의 ERCP 질 관리를 시행하고자 하였다. 따라서 본 장에서는 ERCP의 교육, 질 관리 및 판독지 구성에 대하여 알아보고자 한다.

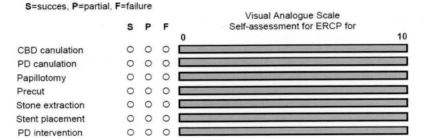

1. **Objective assessment:**

Indication:
- ○ Stones (1)
- ○ Benign stenosis (2)
- ○ Malignant stenosis (3)
- ○ PSC (4)
- ○ Bile leak/ trauma (5)
- ○ Stent exchange (6)
- ○ Chronic pancreatitis (7)
- ○ Other (8)

Virgin papilla   ○ Yes   ○ No
Previous ERCP failure   ○ Yes   ○ No   ○ NA
ERCP difficulty grading: ○ 1   ○ 2   ○ 3

2. **Subjective assessment:**

S=succes, P=partial, F=failure

Visual Analogue Scale
Self-assessment for ERCP for

	S	P	F	0 ———— 10
CBD canulation	○	○	○	
PD canulation	○	○	○	
Papillotomy	○	○	○	
Precut	○	○	○	
Stone extraction	○	○	○	
Stent placement	○	○	○	
PD intervention	○	○	○	

3. **Improvement plan:** (Define potential points for improvement)

What is the situation?_____

What is the problem?_____

How should it be done?_____

What is the improvement strategy?_____

그림 11-1. **The Rotterdam Assessment Form for ERCP**

표 11-1. ERCP의 대상

1. 담도 폐쇄가 의심되는 황달이 있는 환자
2. 황달은 없으나 임상적, 혈액학적, 영상학적검사에서 췌장담도질환의 의심되는 환자
3. EUS, USG, CT, MRI 같은 영상검사에서 명확하지 않으나 췌장악성종양이 의심될 때
4. 원인 모르는 췌장염이 있을 때
5. 만성췌장염 환자의 수술 전 검사
6. Oddi 괄약근 기능부전의 검사를 위한 운동기능검사
7. 내시경 유두부괄약근 절개술이 필요한 경우
   1) 담도결석증
   2) 유두부협착증 또는 Oddi 괄약근 기능부전
   3) 담관 협착을 해결하기 위한 배액관 삽입
   4) 주유두부를 침범한 담관낭종 3형(choledochocele)
   5) 췌관삽관을 위한 보조적 내시경 유두부괄약근 절개술
8. 배액관 삽관(악성 또는 양성담도협착, 누공, 수술 후 담즙누출, 고위험군에서 담석제거 못할 때)
9. 담관 협착의 확장
10. 유두부 풍선확장
11. 경비담도배액관 삽입
12. 췌장가성낭종의 배액
13. 담관이나 췌관에서 조직획득
14. 유두팽대부 종양의 내시경적 제거
15. 담관이나 췌관의 치료적목적을 위하여

1. ERCP 교육

1) ERCP 수련의 국내 환경

　　국가암검진사업의 활성화와 더불어 상부위장내시경의 시술 건수는 증가하였고, 내시경을 시행하는 기관 및 의사 수도 전반적으로 증가하였다. 그러나 내시경 시술의 질적 수준은 일정하지 않았기에 2004년 대한소화기내시경학회에서는 내시경 시술의 표준교육과정을 규정하기 위하여 '소화기내시경세부전문의 수련 및 자격 인증에 관한 규정'을 재정하였다. 2006년에는 공인된 수련기관에서 소화기내과 전임의 수련을 마친 후 시험을 통해서 자격을 부여하도록 하여, 시술자가 환자들에게 적절하고 안전하게 내시경을 시행할 수 있도록 자격 및 능력을 보장하기 위한 제도를 구비하였다. 그러나 ERCP 분야는 교육목표로서의 강제성도 없고 수련 시간도 절대적으로 부족하였기에 대부분의 수련의들은 상·하부내시경의 시술능력습득에만 집중하였고 ERCP수련은 관심을 두지 않았다. 한편 2017년 대한췌장담도학회에서도 ERCP의 교육 가이드라인을 제시하였으나 구체적 수련자격이나 인증에 대한 기준을 제시하지 않았다. 2020년 개정된 대한소화기내시경학회 세부전문의 교육 수련 목표에서도 췌장담도내시경 수련 목표는 필수가 아닌 권장사항으로만 언급하였다. 즉 소화기내과 전임의 2년 과정 중 1년차의 경우 일반적인 위·대장내시경에 집중하도록 하였고, 췌장담도내시경 시술은 참관함으로써 술기 및 일반적인 췌장담도 질환에 대한 지식을 습득하도록 하였고, 췌장담도 분야를 전공하고자 하는 전임의들에 한해 2년차 때부터 본격적으로 췌장담도내시경에 대한 수련을 시작할 것을 권유하였다.

　　하지만 ERCP가 진단보다는 치료적 목적으로 이용되는 시대에서, ERCP란 것이 단순히 담관으로 도관을 삽입하는 것이 시술의 끝이 아니라, 담석 제거, 협착부에 대한 조직검사, 내시경적 담관배액처럼 문제해결이 목적이 되어야 하기에 술기 능력을 구비하는 데에는 많은 경험이 요구된다. 또한 시술 의사의 문제해결능력을 판단하는 기준도 단순히 정량적인 시술 개수로만 판단하기는 제한점이 있어 담석제거 성공률 같은 정성적인 기준도 평가하는 것이 좀 더 정확한 판단 근거가 될 수 있다.

　　이러한 점을 해결하기 위해서 ERCP교육경험이 앞선 나라의 기준을 살펴보면 도움이 될 수 있겠다. ERCP를 독립적으로 시행할 수 있는 기준에 대해서는 나라마다 약간의 차이는 있으나 비슷한 것으로 보인다. 2017년 미국 소화기내시경학회(ASGE)의 경우 최소 200건 이상의 독자적인 ERCP 시술경험과 80건의 내시경 유두부괄약근 절개술(endoscopic sphincterotomy, EST) 경험, 60건 이상의 담관배액관 삽관경험을 요구하며, 시술능력 판단으로서는 정상해부학적 구조를 가진 유두팽대부에서 90%이상의 선택적 삽관성공률, 총담관결석이 1 cm 미만일 때 90% 이상의 제거성공률, 간외담관의 스텐트 성공률 90% 이상인 경우라고 하였다. 영국의 경우는 300건의 독자적인 시술경험을 요구하며 90% 이상의 선택적 삽관성공률, 총담관결석이 1 cm 미만일 때 80% 이상의 제거성공률, 간외담관의 스텐트 성공률 85% 이상인 경우라고 하였다. 호주와 캐나다의 경우는 미국의 경우와 마찬가지로 최소 200건이상의 독자적인 ERCP 시술경험과 80건의 EST 경험, 60건 이상의 담관배액관 삽관경험만 요구하였고, 시술능력 판단기준은 없었다.

　　대한췌장담도학회에서는 2017년 '전임의를 위한 ERCP 교육 가이드라인'을 발표하였다. 비록 규정된 시술을 경험했다 하더라도 단계별로 소개된 시술의 경험 여부, 시술 숙련도, 개개인의 편차 그리고 시술 성공률에 따라 시술 수행 능력이 많이 다를 수 있기 때문에 최소한의 시술 건수를 구체적으로 규정하지는 않았고, 대신 80% 이상의 선택적 삽관성공률과 85% 이상의 총담관결석 제거 성공률을 권고하고 있으며, 충분한 증례 경험을 통한 양질의 췌장담도내시경 수련을 위해서는 1년 간의 소화기내시경 수련을 마친 후 췌장담도내시경인증의가 되고자 하는 소수의 전임의에 한해 집중된 수련이 필요하다고 하였다. 그러나 현실에서는 대부분의 소화기내과 전임의들이 수련기간 대부분을 상·하부내시경 시술의 습득에 치중하고 권장사항인 ERCP 교육과정에는 수련의 관심도가 떨어지는 것이 극복해야 할 과제로 남아있다.

2) ERCP 수련의 해외 환경

영국의 경우, 213명의 시술자가 시행한 5,264건의 ERCP를 분석한 결과 전체건수의 94%가 치료적 목적으로 시행되었지만 오직 70%에서만 목적을 달성하였고, 합병증발생률이 5.1%로 확인되어, 2005년 학회 주도로 ERCP 수련에 관한 체계적인 과정이 설립되었다. 영국의 수련과정을 살펴보면, 의과대학 졸업 후 2년의 의무수련 기간(compulsory 2 year foundation program, FY 1–2)이 있고, 이후 2년의 내외과 핵심 수련기간(2 year core medical or surgical training, CMT 1–2), 이후 5년의 세부 분과 수련을 받게 된다(specialty register, StR1–5). StR은 우리의 전임의에 해당하며 StR 3년차 때, ERCP 수련을 받고 싶은 사람을 선발한다. ERCP 수련의는 directly observed procedural skills (DOPS) 양식으로 자신의 시술 기록을 작성하여야 하며, DOPS의 평가는 수련의가 근무하는 기관과 관련 없는 2명의 ERCP 전문가에 의하여 이루어지고, 수련 마지막 12개월 동안 최소 75건의 ERCP 시술 건수, 치료 목적의 시술 성공률 80% 이상, 부작용 5% 미만일 경우 수료 인증서(certificates of completion training)를 수여하게 된다.

미국의 경우는 3년의 일반내과 레지던트과정 수료 후 소화기내과 전임의 과정을 최소 3년을 수련하나 ERCP 술기를 습득하는 것은 의무사항은 아니며 치료 내시경을 추가적으로 배우고 싶어하는 전임의를 대상으로 교육할 수 있다고 명시하고 있다. 일부 병원에서 "Advanced Endoscopy Fellowship"이라는 수련 과정이 있는데, 전임의 3년의 과정을 마치고 추가적인 치료 내시경 수련을 원하는 사람을 대상으로 1년 동안 ERCP, 초음파내시경을 가르쳐 주는 과정이다. 우리나라의 전임의 4년차에 해당되며 이때 ERCP를 배울 수 있다. 따라서 ERCP 수련 시점에 대해서는 어느 정도 합의가 이루어져 있지만 영국처럼 학회 차원에서 공인된 ERCP 인증 제도는 시행하지 않는 것으로 보인다. 그러나 최근 연구에서 연간 180례 이상의 ERCP를 수행한 췌장담도 전공 전임의(전임의 3년차)가 전체의 23%에 불과하다는 결과를 보고할 정도로 ERCP의 적절한 교육이 현실적으로 매우 어렵다는 것을 단적으로 보여주고 있고, 이러한 우려로 영국의 경우처럼 국가단위의 인증과정을 도입해야 한다는 여론도 나타나고 있다.

호주의 경우는 3년의 일반내과 레지던트 과정을 마친 후 소화기내과 수련을 받는데 의무적으로 2년의 core–training은 마쳐야 하며, 이후 선택적으로 1년의 non–core training을 받을 수 있으나 소화기내과 수련 기간 동안 ERCP는 의무사항은 아니다. 다만 ERCP 수련을 받고자 하는 경우에는 경험이 풍부하고 일정 자격을 보유한 시술자(experienced accredited practitioner)가 밀접한 지도를 하는 조건하에 수련이 가능하다. 호주에서도 문서화된 ERCP 인증의 제도는 아직 시행하지 않는 것으로 보인다.

일본의 경우는 의대 졸업 후 2년의 '초기연수의' 과정, 이후 1년의 '후기연수의' 과정을 마친 후 '인정내과의' 자격증을 주며, 이중 일부에서 3년의 추가적인 분과전문의 수련을 하게 된다(http://www.naika.or.jp/nintei/). 일본 역시 3년의 소화기내과 분과 수련 기간 동안 ERCP를 배우는 것은 의무사항은 아니며 별도로 수련을 받고자 하는 사람을 대상으로 교육을 실시한다.

3) 수련정도와 시술 합병증 발생

ERCP는 많이 경험해 볼수록 선택적 삽관의 성공률이 높아진다. 미국소화기내시경학회(ASGE)에서는 ERCP 수련을 위한 적절한 수련 건수를 200예를 제시하였고, 이중에서 최소 80예 이상의 EST, 60예 이상의 담관배액관 삽입경험, 90% 이상의 선택적 삽관성공률을 권고한다. 8년에 걸쳐 532건의 ERCP를 단일 시술자가 시행한 연구를 보면, 첫 2년에는 선택적 삽관율이 85%였지만, 이후로 점차 매 2년마다 삽관율이 88%, 90%, 96%로 증가함을 보고하였으며, 연간 시행 건수가 25건 미만인 경우는 시술건수가 많은 시술자에 비하여 삽관실패율과 24시간내 입원율이 높아진다고 하였다.

네델란드에서 나온 ERCP 수련과정에 관하여 자가 기록(Rotterdam Assessment Form for ERCP, RAF–E) 통하여 선택적 삽관성공률을 조사한 학습곡선연구를 보면, 15명의 수련의가 1,541건의 시술을 하였는데(이 중 624건이 naïve papilla) 200건의 시술 후 선택적 삽관성공률이 36%에서 85%로 상승하였고, naïve papilla에서는 180건 시행 후 22%에서 68%로 성공률이 상승하여 충분한 수련이 안전하고 효과적인 시술의 밑받침이 됨을 시사하였다.

3년의 소화기전임의 과정을 마친 후 1년의 "advanced endoscopy trainees (AETs)" 과정을 수료한 24명의 시술자들의 AETs과정 말기와 독립적인 시술을 했을 때 시술의 질적 시술정도(quality indicator)을 조사한 다기관 전향적 연구를 보면, AETs 마지막 기간의 시술의 기술적인 완성도는 73.9%였으며, 이후 1년간 평균 116건의 ERCP를 더 시행한 경우에는 삽관성공률이 95%로 향상되어 체계적인 교육프로그램이 필요함을 강조하였다.

4) 대한췌장담도학회 회원들의 의견

ERCP를 배우고자 하는 수련의들의 적절한 교육 수련환경조성 및 능력수준유지를 제도적으로 뒷받침하기 위하여, 대한췌장담도학회에서는 "인증의제도실행 및 배경"에 대한 설문지를 통하여 회원들의 의견을 청취하였다. 학회에 평생회원, 정회원, 준회원으로 등록된 약 1,100명에게 전자메일로 2020년 9월 14일부터 주 3회 이상, 총 14회, 3주 동안 전달되었고, 또한 동시에 학회 홈페이지에 공고되어 최대 334명이 열람하였다. 이중 설문 답변이 200예에서 얻어져서 전체적인 응답률은 60%이었다. 보통 추계학술대회 참가인원이 간호사 제외 204명(2018–2019년)인 것으로 볼 때 대부분의 실제적으로 시술과 활동을 하는 회원들의 의견이 반영되었다고 볼 수 있다.

설문자의 평균연령대는 40대가 50.5%였으며, 30대는 17.5%였다. 근무지별로는 대학병원이상급이 71%이였고, 2차병원 근무자는 27%이었다. 근무지내 직위는 대부분 임상교수 이상이었으며(62%) 종합병원 소화기담당전문의가 31%이었다. 평균 ERCP 경력은 3년 이만이 16%, 3년에서 5년은 12.5%이었으며 7년 이상인 경우가 57%이었다. 속해 있는 기관의 한달 평균 ERCP가 10건 미만인 경우가 9.5%이었으며, 개인별로는 10건 미만을 시행하는 경우가 17%, 혼자 ERCP 시술을 담당하는 회원이 30%이었다. 회원의 77%에서 90% 이상의 삽관성공률을 답하였으며 80% 미만이라고 답한 회원은 7.5%이었다. 가장 흔히 경험한 합병증은 췌장염이었으나 약 60%에서는 5% 미만에서 경험한다고 답하였다. ERCP 시술관련 합병증으로 사망을 경험한 회원은 38%에 달하였으며, 이로 인한 환자/보호자와의 갈등을 80.5%에서 별문제없이 원만하게 합의가 되어 해결되었으나 의료분쟁조정위원회를 통한 해결이 11.5%, 경찰조사 및 법원판결로 해결된 경우가 5.5%에서 있었다.

92%의 응답자가 고난이도 시술을 제외한 일반적인 ERCP 시술의 경우 "ERCP 합병증은 ERCP수련정도와 관계가 있다"는데 동의하였고, 초심자의 ERCP 시술은 환자안전을 위하여 숙련자의 감독하에 충분한 수련이 이루어진 다음에 시행해야 한다고 91.5%에서 응답하였다.

수련과정과 관련하여 숙련자로부터 직접교육 및 교육프로그램, 교육시설이 구비된 기관에서 수련받는 것을 95%에서 필요하다고 응답하였고, 그 이유로는 시술의 질 관리 차원(86%), 환자안전문제(81%), 합병증 발생 시 시술자 보호차원(44.5%), 췌장담도영역의 전문화(33%)로 복수응답하였다. 그러나 그러한 수련과정이 필요 없다고 응답한 3.5%의 이유로는 지금까지 잘해왔기 때문(2%), 초심자에게 진입장벽이 될 수 있다(4%), 업무량증가 및 실익이 없다(1.5%)로 응답하였다.

합병증이 발생하여 의료분쟁이 발생하였을 때 '시술자가 일정수준 이상의 ERCP 관련 교육과정을 마친 수료증명과 경험이 있음'을 학회에서 보증 받을 때 도움이 될지에 대하여서는 77%에서 '필요하다'라고 응답하였고, 19%에서는 '필요 없다', 4%에서는 '현실적인 사회현상 때문에 도움이 안될 수도 있다'고 응답하였다. 이러한 제도를 마련하였을 때 참가 의향을 물었을 때 83%에서 참가한다고 응답하여 모든 회원들이 ERCP의 수련과정 향상을 위한 질 관리가 필요함을 보여주었다.

2. ERCP의 질 관리

미국소화기내시경학회(ASGE)에서는 ERCP 질향상을 위한 노력의 일환으로 2006년에 질 관리 지침을 개발하였고, 2015년도에 이를 계승 및 보완하여 개선된 ERCP 질 관리 지침을 발표하였다. 국내의 상황은 대한췌장담도학회에서 국내실정에 적합한 ERCP 질 관리 항목을 개발 중에 있기에, 의료 현장에서는 대부분 ASGE의 권고안을 참고하여 사용하고 있다. 비록 의료환경이 미국과 국내는 많이 다르지만 향후 추구하여야 할 방향을 내포하기에 좋은 참고자료가 될 수 있어 소개하고자 하며, 그 내용은 다음과 같다.

1) 시술 전 질 관리 지침

ERCP 시술 전 질 관리는 환자가 시술 전 수면유도 전까지의 과정을 의미하며 일반적인 과정을 포함하고 있다. 즉 적절한 대상을 선정하였는지, 동의서를 받았는지, 시술의 위험도 판단을 하였는지, 진정계획은 어떤지, 예방적 항생제 사용을 어떻게 할지, 항혈전제 사용은 어떻게 할지 등을 고려하여 시술 전 질 관리를 하게 된다.

(1) 적합한 적응증으로 시행하는 ERCP의 빈도(신뢰도: 1C+, 목표치: >90%)

ERCP는 적합한 환자를 대상으로 하는 것을 필수적이며 적응증은 잘 알려져 있다(표 11-1). ERCP는 적응증이 되지 않을 때 시술하면 더 많은 합병증이 발생할 수 있으므로, 시술의 필요성이 없는 경우에는 하지 않는 것을 권한다. 예를 들어 임상적으로 췌장담도질환일 가능성이 희박한 복통의 진단을 위해서는 ERCP를 하지 않도록 한다. 다만 Oddi 괄약근 내압검사를 염두에 둔 경우에는 ERCP를 고려할 수 있다. 통상적인 담낭절제술 시행 전 일상적 ERCP를 하지 않는다. 담관염이 있거나 담관 폐쇄나 담관담석이 의심되는 경우에만 시행하도록 한다. 악성담관 협착시 수술 전 담관배액술은 수술 전후에 합병증을 발생시킬 수 있으므로 일상적인 절차로 시행해서는 안되며, 급성 담관염이 있거나 수술이 미뤄지는 경우 황달로 인한 증상을 완화할 목적으로 시행할 수 있다.

(2) 설명 및 동의서 작성 빈도(신뢰도: 1C, 목표치: >98%)

시술을 위한 동의서는 췌장염, 출혈, 감염(담관염, 담낭염 등), 심폐부작용, 천공 등 5개 항목에 더하여 2015년에는 과민반응이라는 항목을 추가하여 최소 6개의 합병증에 초점을 맞추어 작성하도록 권유하고 있다. 이외에도 시술이 성공하지 못하거나 합병증 발생시 응급 중재적 방사선 시술 같은 추가적 처치가 가능함에 대해서도 설명 및 동의서를 받을 수 있다. 또한 기본적으로 ERCP는 비교적 안전한 시술이지만, 생명을 위협하는 위중한 합병증이 일어날 수 있음을 설명하여야 한다. 즉 췌장염은 1-7%에서 발생하지만 환자의 상태와 질병, 시술의 종류에 따라서 그 위험이 높아질 수 있음을 설명하는 것을 권한다. 담관염은 1% 이하에서, 담낭염은 0.2-0.5%에서 발생할 수 있으며, 출혈은 EST 후 가장 많이 발생하고 0.8–2%까지 보고되고 있다. 천공은 유도선이나 유두절개술에 의해서 발생할 수 있으며, 내시경에 의한 천공은 유두부에서 떨어져 있는 장관부위에 발생할 수 있으며, 천공의 발생빈도는 0.3–0.6%로 보고되고 있다.

(3) 적절한 항생제 사용빈도(신뢰도: 2B, 목표치: ＞98%)

시술전 예방적 항생제 투여는 지침이 제시되어 있다. 대부분의 ERCP 시술의 경우 예방적 항생제가 필요하지 않으나 담관 폐쇄가 있거나 의심되는 경우, 일차성 경화성 담관염처럼 폐쇄가 완전히 회복되지 않는 경우, 간이식 후 면역억제상태에 있는 경우, 담관염이 있는 경우, 췌장가성낭종이 있는 경우에는 시술로 인한 감염의 위험이 높아지므로 예방적 항생제를 투여하는 것을 권한다.

(4) 숙련된 내시경의사가 시행하는 ERCP 빈도(신뢰도: 3, 목표치 ＞98%)

ERCP는 시술자의 능력과 경험, 시행횟수 등에 따라서 안전성과 성공률에 큰 차이를 보인다. 또한 시술의 난이도에 따라서도 고난도의 시술일수록 성공률이 낮고 합병증의 위험은 높아진다. 잘 훈련된 ERCP 시술자라면 선택적 삽관, 작은 담석의 제거, 총담관 말단부 협착 시 스텐트 삽입 등의 난이도 1에 해당하는 평균적인 시술에 대해서 성공률 80–90% 이상을 유지해야 한다. 숙련도가 낮은 시술자가 고난이도에 해당하는 시술을 시행해서는 안된다고 강조하고 있다.

(5) 한해 시행하는 ERCP의 시행 횟수에 대한 시술 의사당 기록(신뢰도: 1C, 목표치: ＞98%)

시술 의사당 시행하는 연간 건수는 시술의 성공률 및 합병증 발생빈도와 관련이 있다. 호주에서 나온 보고로는 연간 50건 미만일 경우 그렇지 않은 시술자에 비하여 성공률이 낮고, 합병증은 더 높아진다고 하였고, 또 다른 오래된 보고에서는 주 1회 이상 EST를 하는 시술자에서 합병증이 그렇지 않은 경우보다 낮고(8.4% vs. 11.1%, p=0.03), 중증 합병증도 낮다고 하였다(0.9% vs. 2.3%, p=0.01).

2) 시술 중 질 관리 지침

진정제 투여시점부터 내시경을 제거할 때까지의 시기를 말하며, 시술과 관련된 기술적인 면을 포함하여 일반적인 사항, 즉 환자의 모니터링, 투약관리, 회복제 투여, 사진촬영 등의 질 관리 지침이 포함되어 있다.

(1) 삽관율의 기록의 빈도(신뢰도: 1C, 목표치: ＞98%)

(2) 해부학적 변형이 없는 정상 유두부에 대한 삽관 빈도 기록(신뢰도: 1C, 목표치: ＞90%)

선택적 삽관은 ERCP 시술 중 가장 기본적인 부분이다. 숙련된 시술자의 경우 삽관 성공률은 95%를 상회하며, ERCP 수련의의 경우 80% 달성을 목표로 한다. 일반적으로 ERCP 시행 시 삽관 성공률은 90% 이상을 목표로 하고 있다. 따라서 모든 ERCP 시술자는 삽관율 85% 이상을 유지해야 한다. 시술의 기록지에는 선택적 삽관 여부, 사용된 악세서리의 종류를 기록해야 하며, 방사선 사진과 내시경 사진도 첨부되어야 한다. 표준적 방법으로 선택적 삽관이 실패하는 경우 예비절개술을 사용할 수 있으나, 이에 대한 경험이 필요하고 합병증이 증가하는 것으로 알려져 있다.

(3) 방사선 피폭량에 대한 측정(신뢰도: 2C, 목표치: >98%)

ERCP는 환자에게 방사선 피폭이 일어나기에 시술에 필요한 최소한으로 방사선 노출을 줄여야 한다. 물론 기계마다 특성에 따른 방사선 출력이 다를 수 있고, 촬영하는 횟수, 투시영상인지 촬영영상인지에 따라, 환자의 체형에 따라, 방호복 착용여부에 따라 총 피폭량은 달라질 수 있어 단순한 피폭시간계산보다는 더 복잡할 수 있다. 그러나 일반적으로 최근의 투시조영장비는 자체적으로 전체 투시시간이나 피폭량이 측정되기에 시술기록에 옮길 수 있기도 하다. 일반적으로 숙련자의 경우 초심자보다 적게 투시시간을 사용하는 하는 것으로 알려져 있다.

(4) 정상해부학적 구조의 환자에서 1 cm 미만의 총담관 담석 제거율의 평가(신뢰도: 1C, 목표치: ≥90%)

담관담석은 ERCP의 가장 많은 적응증이며, 급성 담관염이나 중증의 담석성 췌장염의 경우 신속하고 효과적인 담석의 제거가 요구된다. 담석의 제거율은 대체로 85%를 상회하지만, 기계적 쇄석술까지 포함하면 90% 이상을 유지해야 한다. 일반적으로 시술을 많이 하는 병원에서는 2 cm 이상의 거대담석제거도 하면서 90% 이상의 성공률을 보이는데 여기에는 전기수압쇄석술 등 여러가지 방법을 동원하는 경우가 많다.

(5) 총담관 스텐트 삽입술의 성공률(신뢰도: 1C, 목표치: ≥90%)

총담관 협착은 스텐트 삽입술의 주된 적응증이다. 특히 담관염이 동반되어 있거나 협착상부로 시술기구가 삽입되거나 조영제가 주입된 경우에는 반드시 배액술을 시행해야 한다. 간문부 이하 부위의 담관 협착 시 스텐트 삽입술의 성공률은 80–90% 정도이다.

3) 시술 후 질 관리 지침

시술 후 기간은 내시경을 제거한 후부터 퇴원 후까지 의미한다. 시술 후 주의사항교육, 합병증 기록, 병리검사 확인과 같은 일반적 사항과 함께 ERCP 시행과 관련된 질 관리 지침은 다음과 같다.

(1) 시술 보고서의 완성도 평가(신뢰도: 3, 목표지: >98%)

ERCP 시술기록지에는 시술의 성공여부와 방사선 사진, 내시경 사진 등이 포함되어야 한다. 시술 보고서는 의료사고 등 법적인 문제가 발생 시 중요한 자료로 활용될 수 있다. 또한 임상의로 하여금 시술 후 환자의 적절한 조치를 위한 길잡이 역할을 하게 된다.

(2) 급성 합병증의 발생률 빈도 평가(신뢰도: 3, 목표치: >98%)

췌장염, 출혈, 담관염, 천공, 심폐기능 이상, 과민 반응같은 합병증의 발생률은 반드시 측정되어야 한다. 췌장염의 빈도는 보고자마다 다양한데 이는 췌장염의 정의, 환자의 질병 및 상태, 시술의 종류, 시술자의 숙련도 등에 의하여 차이가 날 수 있기 때문이다.

(3) 췌장염 발생빈도(신뢰도: 1C, 목표치: N/A)

췌장염은 대체로 1–7% 정도에서 발생한다. 시술자는 환자에게 ERCP 후 발생한 췌장염으로 입원기간이 연장되거나 이차적인 시술이 필요할 수 있으며, 심지어 사망에 이르는 경우도 발생할 수 있음을 설명해야 한다.

(4) 천공의 빈도와 양상 기록(신뢰도: 2C, 목표치: ≤0.2%)

천공은 1% 미만에서 발생된다. EST나 기타의 시술 및 유도철선에 의해서 천공이 발생할 수 있으며, 내시경삽입에 의해서도 식도, 위, 십이지장 등에 천공이 발생할 수 있다. 특히 Billroth II 문합술을 한 환자에서는 천공의 위험이 높으며, 이렇게 발생한 천공은 복강내로 천공이 발생하게 되고 수술적 치료를 요한다.

(5) 중등도 이상 출혈 빈도(신뢰도: 1C, 목표치: ≤1%)

중등도 이상의 출혈은 EST 후 약 2%에서 발생한다. 출혈의 위험 인자로는 혈액 응고장애, 급성 담관염, 시술 후 3일 이내에 항응고제 사용, 주 1회 미만의 시술을 시행하는 비숙련자 등이 제시되고 있다. 또한 유두부 절제술이나 췌장가성낭종의 위장관 배액술 시에도 출혈의 위험이 높다.

(6) 시술 후 2주 이내 환자 면담 정도(신뢰도: 3, 목표치: >90%)

대부분의 시술자들은 시술을 마친 후 환자에 대한 추적관찰을 시행하고 있으며, 이는 ERCP 시술과 관련된 지연합병증을 확인하는데 도움이 된다.

3. ERCP 판독

ERCP 시술에는 많은 부속기구들이 이용되고, 다양한 종류의 시술들이 포함되어 있어 기록을 위한 판독지 표준화가 필요하다. 적절한 판독지 서식을 갖추기 위해서는 ERCP 질 관리를 위한 항목이 국제적 수준에 맞추어 포함되는 것이 좋겠으며, 시술 정보 및 시술에 사용되는 기구에 대한 정보도 포함하는 것을 권한다. ERCP 질 관리를 위한 항목으로는 ERCP의 적응증, 시술 난이도, 예방적 항생제 사용 여부, 진정 수면, 삽관 성공 여부 및 EST 방법, 쇄석술 방법 및 도구, 스텐트 등 부속기에 관한 정보의 입력이 필요하겠다. 시술 후 질 관리와 관련이 있는 출혈, 천공, 췌장염 등의 합병증, 호흡 곤란, 심폐 소생술 여부 등에 관한 정보도 함께 필요하다. 그러나 판독지의 특성상 필수적인 정보 입력은 필요하지만, 너무나 많은 정보가 입력될 경우 입력 방식의 불편함으로 인해 부정확한 입력을 초래할 수 있는 단점이 있다.

국내의 현실도 비슷하다. 미국소화기내시경학회의 ERCP질 관리에 포함된 항목들이 대부분 기록지에 포함되는 형태가 바람직하겠으나 그렇지 못한 것이 현실이다. 특히 국내의 경우, 병원마다 다른 전산 입력 체계로 인해 판독지의 서식 형태 및 입력 방식의 차이를 보인다. 2020년 대한췌장담도학회에서 112개 기관 중 판독예시를 보낸 13개 대형병원에 대하여 조사한 ERCP 판독지 현황 조사 살펴보면, text description+check box가 대부분이었으나 일부에서는 text description+check box+image 포함하는 곳도 있었으며 text description만으로 판독을 입력하는 곳도 있었다. 또한 설문 응답한 24개 기관 중 20개 기관에서 진단명과 시행한 시술에 대한 입력창이 분리되어 있었고, 16개 기관에서는 내시경 관찰 소견과 시행한 시술에 대한 입력창이 분리되어 운용 중이었다. 검사의 적응증에 대해서는 21%에서 입력 중이었고, 전처치 약물에 관한 입력은 71%, 출혈 관련 약제의 입력은 29%, 시술 시작 및 종료 시간은 21%, 시술 후 발생 가능한 합병증에 대해서는 50%에서 기입 중이었다. 표준화되고 사용하기 쉬운 판독지 개발이 필요하다.

4. 결론

　ERCP는 고도의 지식과 판단력, 술기능력을 요구하는 시술로서, 시술관련 합병증 발생이 상존하므로, ERCP를 적절하게 시행하기 위해서는 지도감독하의 충분한 수련 및 시술 경험이 필요하다. 현재 이루어지고 있는 국내의 소화기내과전임의 과정 수료만으로는 이 목표를 이루어 낼 수 없기에 해외의 경우처럼 ERCP 교육은 최소 2–3년의 충분한 소화기내과 분과 수련 후 경험이 많은 ERCP 지도 전문의 하에 객관적이고 정당한 교육 과정을 도입할 필요가 있다.

　또한 ERCP의 효용성을 극대화하기 위해서는 적절한 환자의 선택이 중요하며, 시술과 관련된 지표 개발 및 기록 또한 중요하다. 이를 위해서는 이를 위하여 지속적인 교육수련과정의 개선과 시술과 관련된 질지표의 개발, 지속적인 질향상 교육이 요구된다. 따라서 현재 진행 중인 대한췌장담도학회의 ERCP질지표 개발의 성공을 기대한다.

참/고/문/헌

1. 이희승, 장성일, 이재민 등. 한국의 내시경역행담췌관조영술 판독지에 대한 설문 조사. 대한췌담도학회지 2021;26:120-3.

2. American Association for the Study of Liver Diseases, American College of Gastroenterology, AGA Institute, American Society for Gastrointestinal Endoscopy. A journey toward excellence: training future gastroenterologists--the gastroenterology core curriculum, third edition. Am J Gastroenterol 2007;102:921-7.

3. Adler DG, Baron TH, Davila RE, et al. ASGE guideline: the role of ERCP in diseases of the biliary tract and the pancreas. Gastrointest Endosc 2005;62:1-8.

4. Adler DG, Lieb JG 2nd, Cohen J, et al. Quality indicators for ERCP. Gastrointest Endosc 2015;81:54-66.

5. Anderson MA, Fisher L, Jain R, et al. Complications of ERCP. Gastrointest Endosc 2012;75:467-73.

6. Banerjee S, Shen B, Baron TH, et al. Antibiotic prophylaxis for GI endoscopy. Gastrointest Endosc 2008;67:791-8.

7. Baron TH, Petersen BT, Mergener K, et al. Quality indicators for endoscopic retrograde cholangiopancreatography. Am J Gastroenterol 2006;101:892-7.

8. Cappell MS, Friedel DM. Stricter national standards are required for credentialing of endoscopic–retrograde–cholangiopancreatography in the United States. World J Gastroenterol 2019;25:3468-83.

9. Coté GA, Imler TD, Xu H, et al. Lower provider volume is associated with higher failure rates for endoscopic retrograde cholangiopancreatography. Med Care 2013;51:1040-7.

10. Ekkelenkamp VE, Koch AD, Haringsma J, et al. Quality evaluation through self-assessment: a novel method to gain insight into ERCP performance. Frontline Gastroenterol 2014;5:10-6.

11. Ekkelenkamp VE, Koch AD, Rauws EA, et al. Competence development in ERCP: the learning curve of novice trainees. Endoscopy 2014;46:949-55.

12. Faulx AL, Lightdale JR, Acosta RD, et al. Guidelines for privileging, credentialing, and proctoring to perform GI endoscopy. Gastrointest Endosc 2017;85:273-81.

13. Freeman ML, Nelson DB, Sherman S, et al. Complications of endoscopic biliary sphincterotomy. N Engl J Med 1996;335:909-18.

14. Hirota WK, Petersen K, Baron TH, et al. Guidelines for antibiotic prophylaxis for GI endoscopy. Gastrointest Endosc 2003;58:475-82.

15. Isaacs P. Endoscopic retrograde cholangiopancreatography training in the United Kingdom: A critical review. World J Gastrointest Endosc 2011;3:30-3.

16. Kapral C, Duller C, Wewalka F, et al. Case volume and outcome of endoscopic retrograde cholangiopancreatography: results of a nationwide Austrian benchmarking project. Endoscopy 2008;40:625–30.

17. Kim J, Park ET, Son BK, et al. ERCP Educational Guidelines for Fellows. Korean J Pancreas Biliary Tract 2017;22:1–13.

18. Moon HS, Choi EK, Seo JH, et al. Education and Training Guidelines for the Board of the Korean Society of Gastrointestinal Endoscopy. Clin Endosc 2017;50:345–56.

19. Paik CN, Ko SW, Cho KB. Certificated system for endoscopic retrograde cholangiopancreatography in foreign countries. Korean J Pancreas Biliary Tract 2019;24:51–4.

20. Rodrigues–Pinto E, Baron TH, Liberal R, et al. Quality and competence in endoscopic retrograde cholangiopancreatography – Where are we 50 years later? Dig Liver Dis 2018;50:750–6.

21. Schlup MM, Williams SM, Barbezat GO. ERCP: a review of technical competency and workload in a small unit. Gastrointest Endosc 1997;46:48–52.

22. Shahidi N, Ou G, Telford J, et al. When trainees reach competency in performing ERCP: a systematic review. Gastrointest Endosc 2015;81:1337–42.

23. Verma D, Gostout CJ, Petersen BT, et al. Establishing a true assessment of endoscopic competence in ERCP during training and beyond: a single–operator learning curve for deep biliary cannulation in patients with native papillary anatomy. Gastrointest Endosc 2007;65:394–400.

24. Wani S, Keswani RN, Han S, et al. Competence in Endoscopic Ultrasound and Endoscopic Retrograde Cholangiopancreatography, From Training Through Independent Practice. Gastroenterology 2018;155:1483–1494.e7.

담도계 질환의 내시경 접근

SECTION 2

ENDOSCOPIC APPROACH TO BILIARY DISEASES

담도계의 해부 및 변이

Normal Anatomy and Variations of Biliary System

김홍자 단국대학교 의과대학

담도계는 간에서 생성된 담즙을 저장하고 십이지장으로 배출하는 통로로서 간에서 생성된 노폐물의 배설과 담즙의 형성, 저장, 분비에 관여한다. 간내담관, 간외담관 및 담낭으로 구성되어 있다. 간내담관은 좌측 및 우측 간 내담관 과 이들의 분지로 구성되어 있으며, 좌측 및 우측 간내담관은 간문부에서 합류하여 간외담관을 형성한다. 간외담관은 담낭관을 통하여 담낭과 합류한 후 유두개구부를 통해 십이지장으로 개구하는데 담낭관과의 합류부 를 기준으로 상부와 하부의 간외담관을 각각 총간간과 총담관이라 한다(그림 12-1).

내시경역행담췌관조영술(endoscopic retrograde cholangiopancreatography, ERCP)은 십이지장 2부에 위 치하고 있는 유두팽대부에 도관을 삽관한 후 조영제를 담관 내부로 주입하여 담관 및 췌관의 영상사진을 획득하 는 검사법이다. 내시경을 이용하여 담관의 마지막 개구부인 유두부에서 담즙의 이동경로와는 반대 방향으로 담 도에 접근하므로 내시경역행담췌관조영술이라 명명되었다. 최근 비침습적 담췌관조영술인 자기공명담췌관조영 술(magnetic resonance cholangiopancreatography, MRCP)법이 비약적으로 발전하면서 단순 진단 목적의 ERCP는 점차 MRCP로 대체되는 추세이나 각종 담도계 질환의 진단이나 치료를 위해서 ERCP는 여전히 필수적 이고 독보적인 검사법이므로 췌담도전문의는 반드시 숙지하여야 한다. ERCP를 담도 질환의 진단 및 치료에 효과 적으로 활용하기 위해서는 먼저 담도구조가 적절하게 묘출된 잘 촬영된 담도조영상의 획득이 선행되어야 하며 동 시에 3차원적인 담도계를 2차원적으로 단순화시킨 담도조영상의 입체적 이해와 해석이 필수적이다.

본장에서는 ERCP 담도조영상의 이해를 돕기 위해 담도계의 3차원적인 구조를 중심으로 한 1. 정상 담도계의 해부, 2. 담도계의 변이, 선천적 기형 및 한국인에 흔한 담도 변이를 알아보고, 3. 올바른 담도조영상 촬영법에 대 해 기술하고자 한다.

1. 정상 담도계의 해부

1) 간내담관

간내담관은 일반적으로 간 분절의 해부학적 구조를 따라 주행하나 흔히 다양한 분지패턴을 보인다. 실제 담도

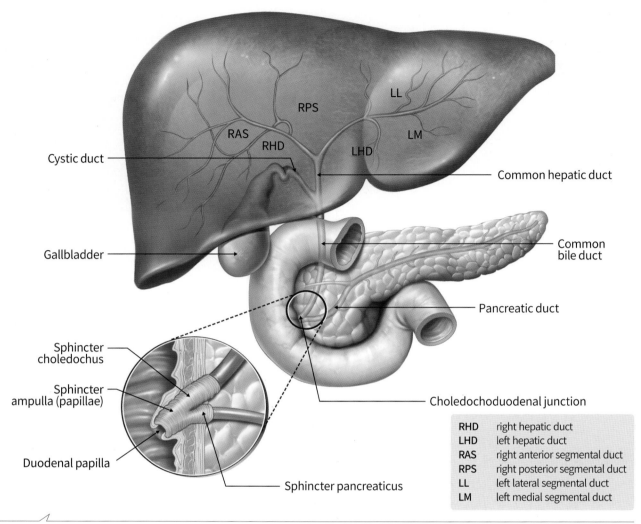

Cystic duct

Common hepatic duct

Gallbladder

Common bile duct

Pancreatic duct

Sphincter choledochus

Sphincter ampulla (papillae)

Duodenal papilla

Choledochoduodenal junction

Sphincter pancreaticus

RHD	right hepatic duct
LHD	left hepatic duct
RAS	right anterior segmental duct
RPS	right posterior segmental duct
LL	left lateral segmental duct
LM	left medial segmental duct

그림 12–1. **담도계의 정상해부**

계의 변이는 부검 시 2.4%, 외과적 절개의 28%, 수술 담도조영술의 5–13%에서 발견된다. 일반적인 해부학적 구조를 살펴보면 좌측과 우측의 간내담관은 각각 간의 좌엽과 우엽의 담즙 배액을 담당한다. 좌간관은 간좌엽의 Ⅱ, Ⅲ, Ⅳ분절을 배액하는 담관으로 2차 분지에서 Ⅳ분절을 배액하는 내측분지와 Ⅱ, Ⅲ분절을 배액하는 외측분지로 나뉘며, 외측분지는 다시 Ⅱ분절과 Ⅲ분절을 배액하는 2개의 분지로 나누어진다. 우간관은 Ⅴ, Ⅵ, Ⅶ, Ⅷ분절을 배액하는 담관으로, 2차 분지에서 전측분지와 후측분지로 나누어지며 전측분지와 후측분지는 각각 Ⅴ, Ⅷ분절과 Ⅵ, Ⅶ분절을 배액하는 2개씩의 분지로 나누어진다(그림 12–2, 3). 정면상에서 좌내측분지는 수직으로 주행하며 좌외측분지는 수평으로 주행한다. 우후측분지는 외측하방으로 비스듬하게 주행하며 우전측분지는 수평으로 주행한다(그림 12–2). 측면상에서는 좌간관이 우간관보다 앞쪽으로 진행하며 우후측분지는 우전측분지보다 후측에서 수평으로 주행하고 우전측분지는 수직상방으로 주행한다(그림 12–4). 따라서, ERCP 시술 중 엎드린 자세에서는 좌간관이 우간관보다 아래쪽에 위치하며 우후측분지가 우전측분지에 비해 아래쪽에 위치하게 된다. 미상엽(Ⅰ분절)은 독립적인 배액구조를 가지고 있으며 1–4개의 담관이 합류부 근처의 좌간관 혹은 우간관으로 연결된다.

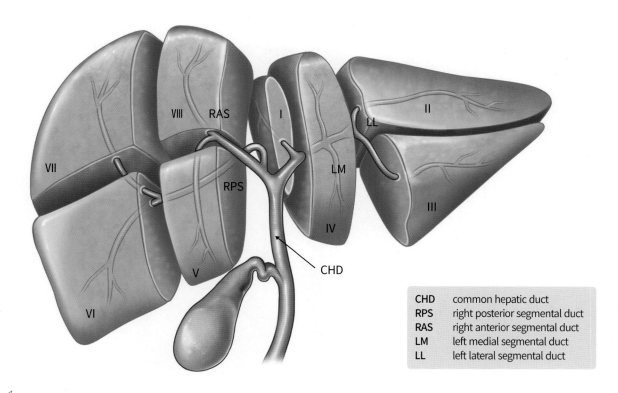

CHD	common hepatic duct
RPS	right posterior segmental duct
RAS	right anterior segmental duct
LM	left medial segmental duct
LL	left lateral segmental duct

그림 12–2. 간구역 및 구역별 간내담관의 해부

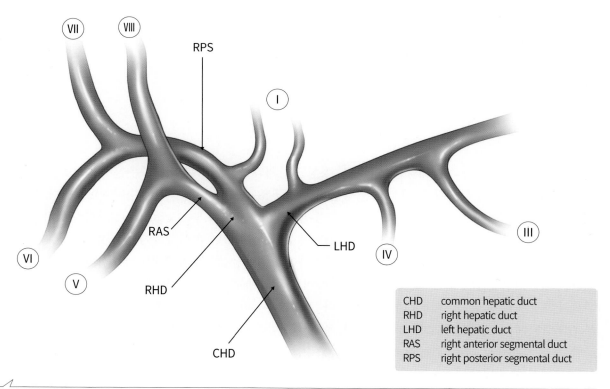

CHD	common hepatic duct
RHD	right hepatic duct
LHD	left hepatic duct
RAS	right anterior segmental duct
RPS	right posterior segmental duct

그림 12–3. 간내담관의 분지 해부

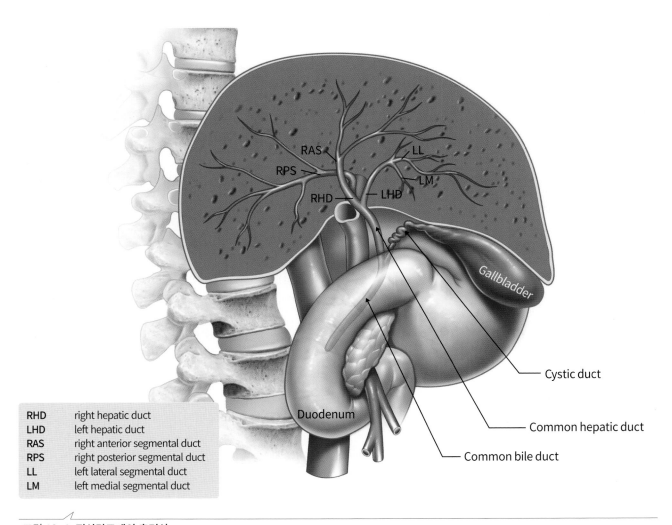

RHD	right hepatic duct
LHD	left hepatic duct
RAS	right anterior segmental duct
RPS	right posterior segmental duct
LL	left lateral segmental duct
LM	left medial segmental duct

그림 12-4. 정상담도계의 측면상

2) 간외담관

　　우측 간내담관과 좌측 간내담관이 합쳐서 형성된 간외담관은 담낭관의 합류부를 기준으로 상부의 총간관과 하부의 총담관으로 구분한다. 간에서 나온 총간관은 평균 3–4 cm 길이이고 너비가 약 4 mm이다. 우측에서 예각으로 담낭관과 합류하여 총담관을 형성한다. 총담관의 길이는 평균 7.5–11 cm이고 정상적인 생리적 압력에서 내경이 6–8 mm이다. 십이지장의 첫 번째 부분보다 약 2.5 cm 위쪽에서 시작하여 십이지장의 1부의 후부를 따라 하강한 후 십이지장의 2부의 내벽을 비스듬히 통과하여 십이지장 2부의 관광내로 개구한다(그림 12-5). 원위부 간외담관이 근위부 간외담관에 비해 후방에 위치하여 신체의 종축을 기준으로 측면상에서 보면 유두부부터 간문부까지 후방에서 전방으로 비스듬하게 주행한다(그림 12-4). 따라서, 엎드린 자세에서는 근위부 간외담관이 원위부 간외담관에 비해 낮은 위치에 놓이게 된다. 총담관은 일반적으로 췌장상부 총담관, 췌장내 총담관, 십이지장내 총담관의 3부분으로 나눈다. 약 70%에서 췌장내 총담관은 췌장 두부나 구상돌기부의 실질내를 관통하며 존재하나 일부에서 췌장 후면에 위치한다(그림 12-6). 췌장내 총담관은 바터팽대부주위 십이지장벽에서 췌관과 합류하여 공통관을 형성한 다음 십이지장 유두부로 개구한다(그림 12-7).

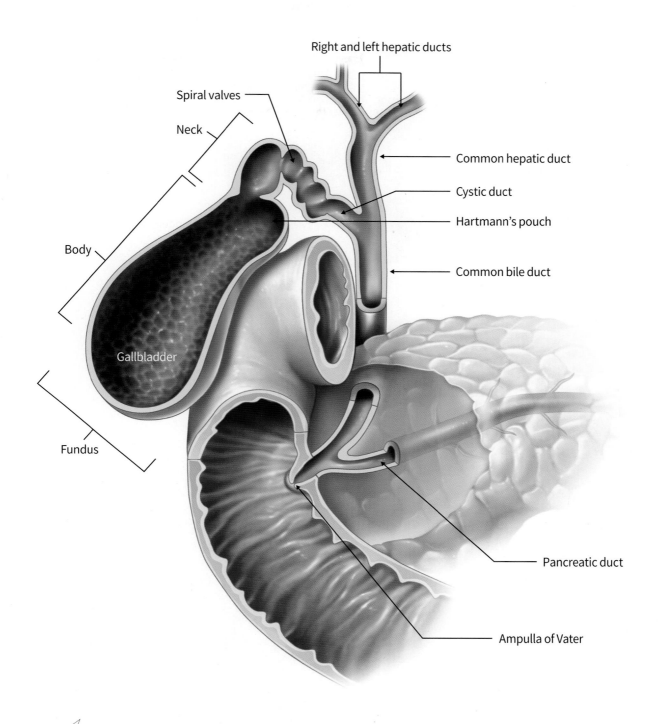

그림 12-5. 간외담관 및 담낭의 해부

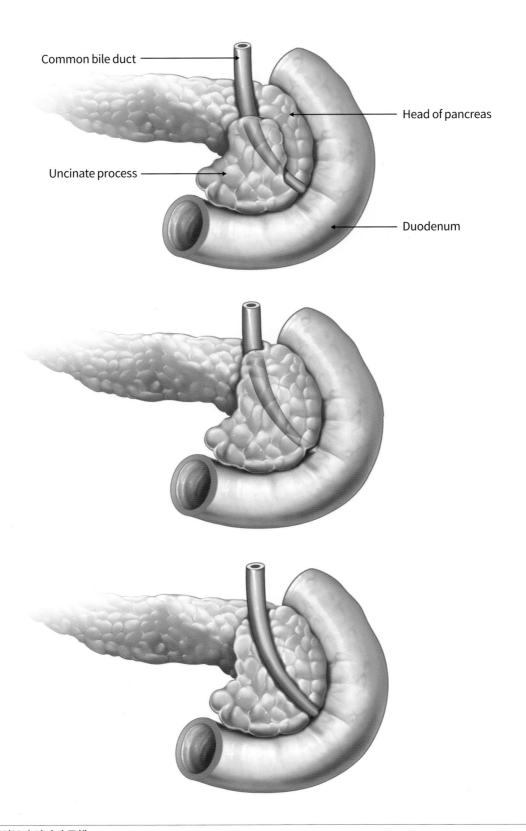

그림 12–6. 원위부 총담관의 주행

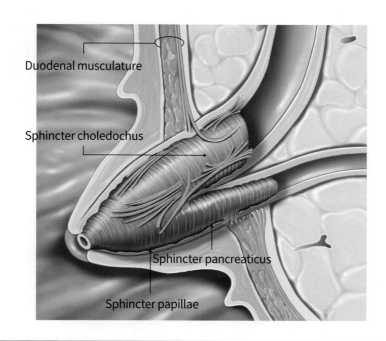

Duodenal musculature

Sphincter choledochus

Sphincter pancreaticus

Sphincter papillae

그림 12-7. 췌담관합류부 오디괄약근의 해부

총담관과 총간관의 길이는 담낭관이 담관에 합류하는 위치에 의해 결정되며 합류부가 유두부에 가까울수록 총간관의 길이는 길어지고 총담관의 길이는 짧아지게 된다. 담낭관이 간외담관과 합류하는 위치와 형태는 매우 다양하므로 총간관과 총담관의 길이 역시 매우 다양하여 개인 간 편차가 크다. 국내 췌담관 장상구조 및 기형에 관한 다기관 합동조사에 따르면 ERCP 상 한국인의 정상담관의 평균 직경은 총간관의 최대 직경이 6.1+1.8 mm, 총담관의 최대직경이 6.4+1.8 mm였고 40세 이전에 비해 40세 이후에서 의미있게 직경이 증가하는 소견을 보였다.

3) 담낭

해부학적으로 정상적인 담낭은 간우엽과 간좌엽 사이의 간하단부, 담낭와에 위치한다. 크기와 모양은 다양하지만 이완된 담낭의 길이는 약 10 cm, 지름은 3-5 cm, 용량은 약 50 mL이다. 정상적인 담낭벽은 두께가 2-3 mm이고 점막은 단순한 원주상피로 구성되어 있다. 담낭은 저부, 체부, 경부로 구분한다 담낭경부는 담낭관을 통해 간외담관과 합류하는데 담낭관은 내부에 수많은 나선형 판막(spiral valve of Heister)이 있어 주름진 모양으로 보이며 대부분 사행성의 주행 경로를 보인다(그림 12-5).

4) 유두부

십이지장 내 총담관은 십이지장과 담관의 합류부 근처에서 췌관과 합류하여 공통관을 형성한 다음 십이지장 주유두부로 개구한다(그림 12-5). 주유두부는 담관과 췌관의 확장된 접합부(바터팽대부)가 십이지장으로 들어가는 지점이다. 내시경으로 관찰 시 주유두는 일반적으로 십이지장의 2부의 점막에 약간 융기된 형태로 관찰된다. 담관의 주행은 십이지장 유두를 정면으로 보았을 때 개구부로부터 구측(oral side)으로 11-12시 방향(그림 12-8), 그리고 십이지장벽과 20-30° 각도(그림 12-9)로 주행한다. 바터팽대부는 오디 괄약근으로 둘러싸여 있어 담즙과 췌액이 십이지장으로 흘러가는 것을 조절할 뿐만 아니라 십이지장 내용물, 담즙과 췌액이 담관과 췌관으로 역류하는 것을 방지한다(그림 12-7). 공통관은 중격에 의해 담관과 췌관으로 분리되어 있으며 괄약근으로 둘러싸여 있어 내경이 좁다. 길이는 1 mm에서 15 mm까지 다양하며 평균 길이는 5 mm이다. 담관과 췌관이 합류하는 위치와 형태 및 공통관의 길이는 매우 다양한데 공통관내 중격의 길이에 따라 췌담관합류부는 3가지 형태로 나눌 수 있다. 가장 흔한 형태는 담관과 췌관이 십이지장 벽에 들어가기 전 만나서 비교적 긴 공통관을 형성하여 하나의 개

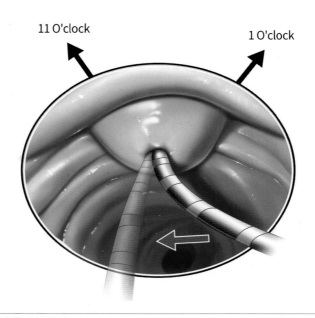

그림 12-8. 정면에서 본 십이지장벽과 담관 주행축

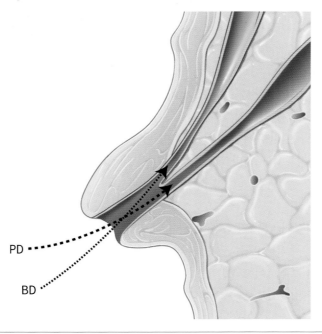

그림 12-9. 측면에서 바라본 십이지장벽과 담관주행축

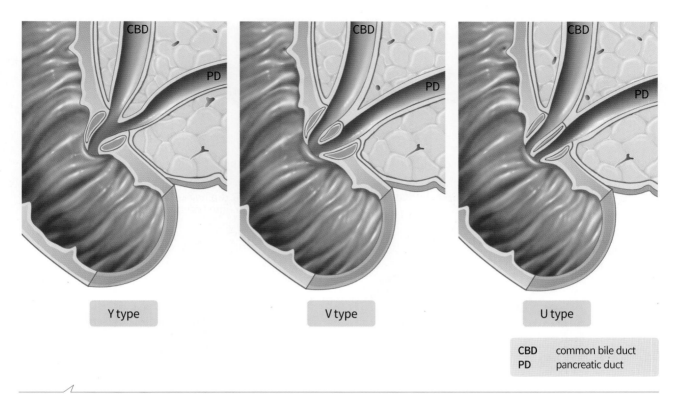

| CBD | common bile duct |
| PD | pancreatic duct |

그림 12-10. 다양한 형태의 췌담관합류부

구부로 연결되는 형태(Y형)로 70%를 차지한다. 담관과 췌관이 십이지장 벽 안에서 만나 짧은 공통관을 형성하여 하나의 개구부로 연결되는 형태(V형)는 20%에서 관찰되며 약 10%에서는 중격이 길어서 공통관을 형성하지 않고 담관과 췌관이 각각 분리된 개구부로 연결되는 형태(U형)를 보인다(그림 12-10). 국내 다기관연구로 췌담관합류형태를 조사한 자료에서 한국인은 V형이 60.2%(446/710), U형은 23.7%(175/710), Y형은 16.1%(119/751)이다.

2. 담도계의 변이 및 선천성 기형

1) 간내담관

우측간관과 좌측간관의 합류부에는 매우 많은 변이가 있으며 좌우 간관의 분지가 합류하는 형태에 따라 A–F형으로 분류한다. 가장 흔한 형태는 우후측 분지가 우측간관의 위쪽으로 합류하는 A형으로 1/3–1/2를 차지한다. B형은 우후측 분지가 좌간관과 우간관의 중심부로 합류하여 3개의 간관이 간외담관으로 합류하는 형태로 보인다. C형은 우간관의 2차 분지가 총간관으로 합류하는 형태이며 D형은 우간관의 2차 분지가 좌간관으로 합류하는 형태이다. E형은 좌간관과 우간관의 분지가 각각 독립적으로 간외담관으로 합류하는 형태이며 F형은 우후측간관이 담낭관으로 합류하는 형태로 E형과 F형은 매우 드물게 보인다(그림 12-11, 12)

국내 간이식 공여자 300명의 담도조영술을 대상으로 한국인의 간내담관의 변이에 관한 조사 보고에 따르면 전형적 형태인 A형이 63%(n=188), 삼중합류형인 B형이 10%(n=29), 우간관의 2차 분지가 총간관으로 합류하는

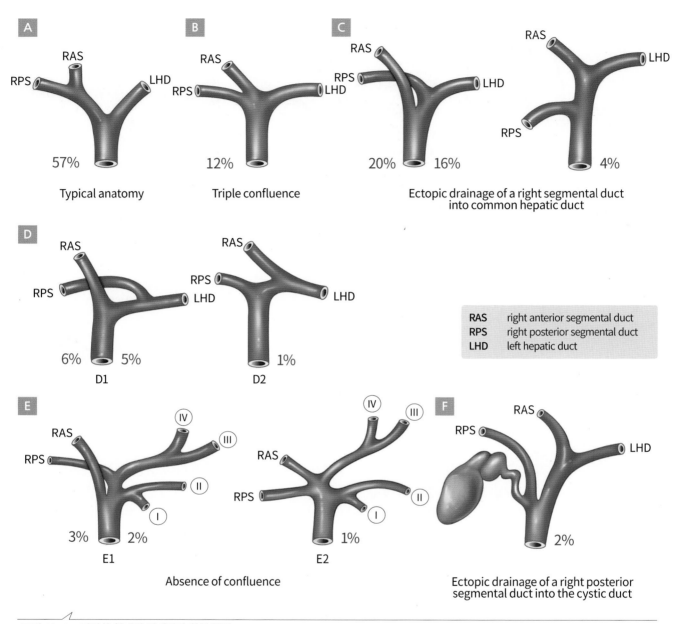

그림 12-11. 다양한 형태의 간내담관 합류 변이

C형이 6%(n=19), 우간관의 2차 분지가 좌간관으로 합류하는 D형이 11%(n=34)로 대부분을 차지하고 있다. F형이 3례로 매우 드물게 관찰되었다.

드물게 이소담관(aberrant bile duct)이 나타날 수 있다. 이소담관은 대부분 간의 우엽에서 기원하여 우간관, 좌간관의 분지, 혹은 총간관으로 합류한다. 드물게는 총담관이나 담낭관으로 합류하며 매우 드물게 담낭이나 십이지장으로 직접 연결될 수도 있다(그림 12-13). 이러한 우엽에서 시작한 이소담관을 담낭하담관(subvesical duct) 혹은 duct of Luschka라 하며 수술 중 인지를 하지 못할 경우 손상을 주어 담즙 누출이나 담도 폐쇄를 초래할 수 있다(그림 12-14).

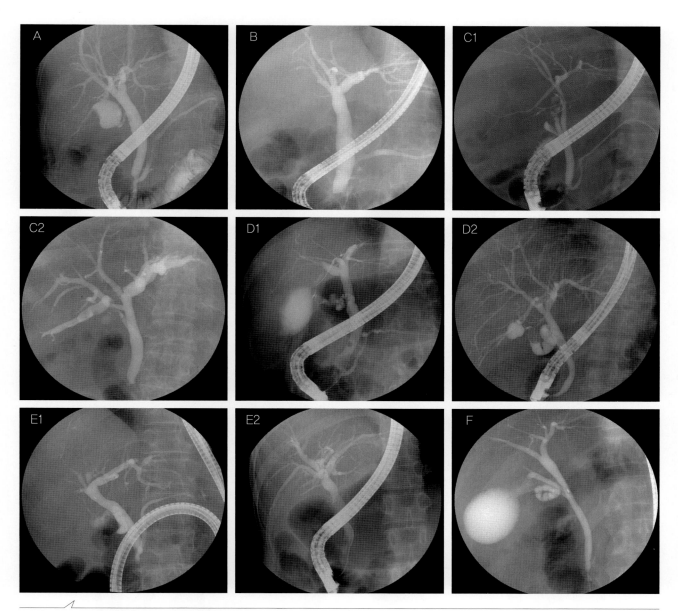

그림 12-12. 다양한 형태의 간내담관 합류 변이 ERCP 조영상

2) 간외담관

좌측 간내담관과 우측간내담관의 합류부는 일반적으로 간의 하단면 직하방에 위치하거나 상방으로 1.5 cm 내에 위치한다. 간외담관은 간내담관의 합류 위치에 따라 길이에 차이가 있으며 합류부가 하방으로 내려올수록 간외담관의 길이는 단축된다. 간외담관의 변이는 위치나 길이에서 주로 나타나며 드물지만 담관의 형태변이나 수적변이가 있다.

총간관과 총담관의 길이는 담낭관이 간외담관에 합류하는 위치에 따라 상당히 많은 변이가 있다. 간외담관의 변이는 담낭관이나 간내담관과 연관된 변이를 포함할 경우 약 13%에서 나타나는 것으로 알려져 있으나 간외담관 자체에서 발생하는 변이는 드물다.

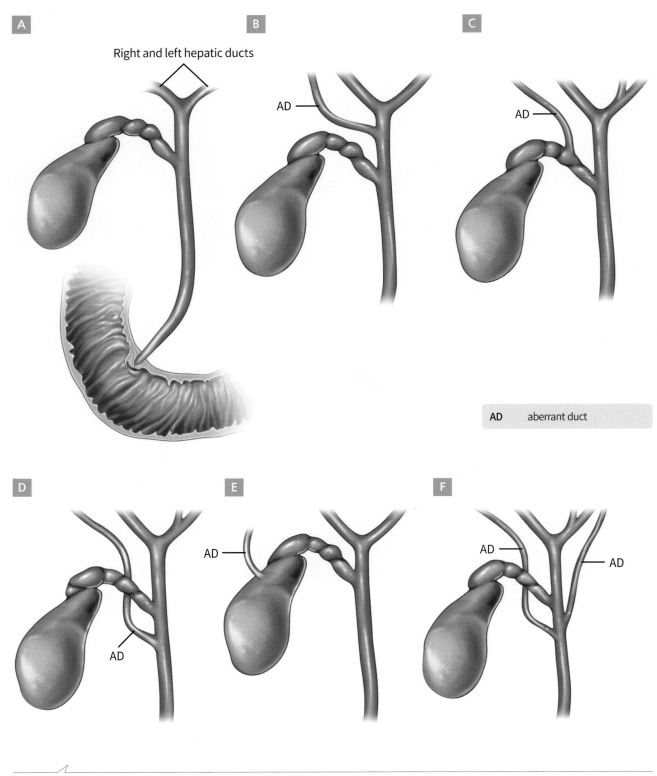

그림 12–13. **다양한 형태의 이소담관**

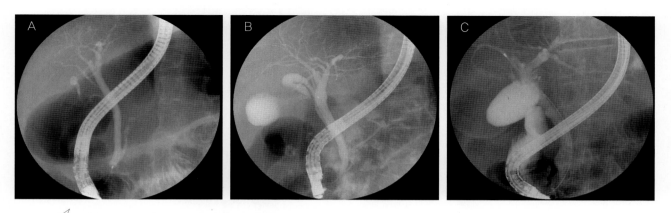

그림 12-14. 다양한 형태의 이소담관의 ERCP 조영상

　　담관낭종은 대표적인 담관 형태의 변이로서 선천적 담관의 낭성 확장으로 정의된다. 간내·외 담관 어디서나 발생할 수 있으나 총담관에서 흔히 관찰된다. 담관낭종의 원인은 아직 알려져 있지 않으나 다양한 변이와 동반되어 보고되고 있으며 특히 췌담관합류부 변이가 동반된 경우가 흔하여 췌담관합류부 변이가 담관낭종의 형성에 중요한 역할을 하는 것으로 추정된다. 종양, 결석 염증 등 담관 확장을 유발할 만한 담관 폐쇄의 원인 없이 담관 확장을 보이는 경우 의심할 수 있다. 서구 국가보다 아시아에서 더 높은 발병률을 보이며 서구의 경우 추정 발생률은 100,000명 중 1명에서 150,000명 중 1명이다. 여성에서 더 자주 발생하며(남:여-1:4), 출생부터 노년까지 나타날 수 있으나 환자의 60%에서 10세 이전에 발병한다. 담즙복막염을 동반한 파열, 2차 감염에 의한 담관염, 담석, 담즙성 간경변 및 문맥고혈압, 간 농양등의 합병증뿐 아니라 담관내 악성화 변형의 위험도가 높아 수술적 치료가 필요하다.

　　담관낭종은 형태에 따른 여러 가지 분류법이 제시되었으나 현재 Todani 분류법을 가장 많이 이용하고 있다(그림 12-15). Ⅰ형은 간외담관의 확장으로 낭종 근위부의 총간관과 간내담관은 정상이며 간외담관의 침범 범위와 췌담관 합류 이상의 유무에 따라 Ia, Ib, Ic로 세분한다. Ⅱ형은 가장 드문 형태이며 낭종의 형태는 간외담관의 게실형 확장으로 췌담관합류 이상을 동반하지 않는다. Ⅲ형은 십이지장 내 간외담관의 국소 확장으로 총담관류(choledochocele)라고도 부르며 낭종이 바로 십이지장으로 들어가는 형태와 낭종이 총담관을 통해 십이지장으로 연결되는 형태로 세분할 수 있다(그림 12-16, 17). Ⅳ형은 간외담관과 간내담관이 모두 확장되는 형태로 가장 흔한 형이다. Ⅴ형은 간내담관에 국한된 낭종으로 Carol's disease라고 하며 단발성 혹은 다발성으로 발생한다.

　　국내 다기관연구로 담관낭종를 조사한 자료에 따르면 한국인에서 담관낭종의 유병률은 0.32%였다. 35%에서 담관낭종 단독으로 관찰되었으며 65%에서 췌담관합류부 변이와 동반되었다. 담관낭종의 형태분류에서 Todani Ⅰ형 69%, Ⅱ형 4%, Ⅲ형 4%, Ⅳ형 19%, Ⅴ형 4%로 보고하였다.

　　수적변이인 중복 총담관은 매우 드문 선천성 이상으로 담즙을 배액하는 2개의 담관이 각각 독립적으로 소화관으로 연결되는 상태이며 췌담관 합류 이상이 잘 동반된다. 간외담관의 중복 범위와 중복담관 간의 연결유무 및 개구 양상에 따라 다양한 형태로 나타난다. 총담관이 관내 중격으로 분리된 형태(Ⅰ형), 2개의 총담관이 독립적으로 개구 하는 형태(Ⅱ형), 서로 연결되지 않는 2개의 간외담관이 독립적으로 개구 하는 형태(Ⅲ형), 서로 연결되는 2개의 간외담관이 독립적으로 개구하는 형태(Ⅳ형)로 분류하며 최근 2개의 독립적인 간외담관이 유두부 직상방에서 합류하여 동일한 개구부로 연결되는 형태(Ⅴ형)가 보고되었다(그림 12-18).

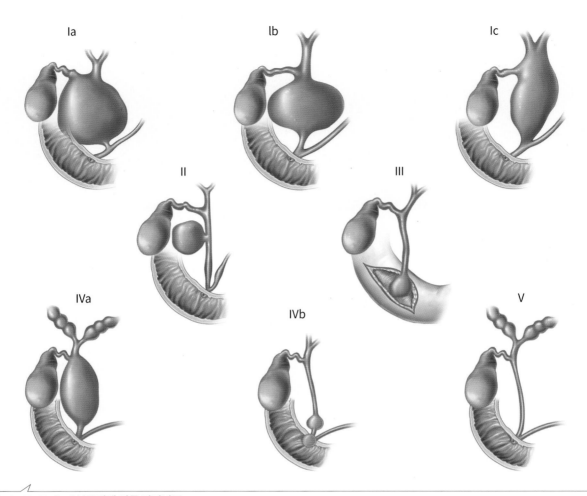

그림 12-15. Todani 분류법에 따른 담관낭종

3) 담낭 및 담낭관

담낭의 변이는 담낭의 위치와 형태에 따른 변이로 구분할 수 있다. 담낭은 대부분 간외담관의 우측으로 간의 하단부 바로 밑에 위치하며 드물게 상방으로 이동하여 간의 내부에 위치하는 경우도 있다(그림 12-19). 담낭 위치의 변이는 발생 과정상의 장애에 기인하며 부분 혹은 완전 내장역위에서는 담낭이 간외담관의 내측에 위치하게 된다. 담낭의 형태에 따른 변이나 기형으로는 담낭의 무형성 혹은 형성저하증, 중복담낭, 이엽담낭, 담낭게실 등이 있다(그림 12-20). 국내 담낭 및 담낭관변이를 조사한 자료에 따르면 무담낭, 중복담낭, 격벽담낭 등의 담낭의 수적 이상은 없었으나 프리지아 모자모양, 담낭게실, 모래시계모양 등의 담낭 형태의 이상이 4.2%에서 관찰되었다.

담낭관은 직경과 길이, 주행 경로, 담낭관이 간외담관과 합류하는 위치와 각도 등은 매우 다양하며 많은 변이가 존재한다(그림 12-21). 담낭관은 보통 간외담관의 후방을 지나 내측에서 아래쪽을 향하면서 합류하지만 간외 담관의 외측에서 합류하거나 나선형으로 간외담관의 전방을 지나서 내측에 합류하기도 하며 간외담관과 평행하게 주행하면서 간외담관의 내측, 외측 혹은 전방으로 합류하기도 한다. 담낭관의 합류부위는 간외담관의 상부에 서부터 하부까지 다양한 위치로 합류하며 십이지장 근처의 간외담관에서 합류하여 총담관이 없는 경우도 있다. 한 연구에 의하면 담낭관이 간외담관과 합류하는 형태는 49.9%에서는 간외담관의 외측으로, 18.4%는 내측으

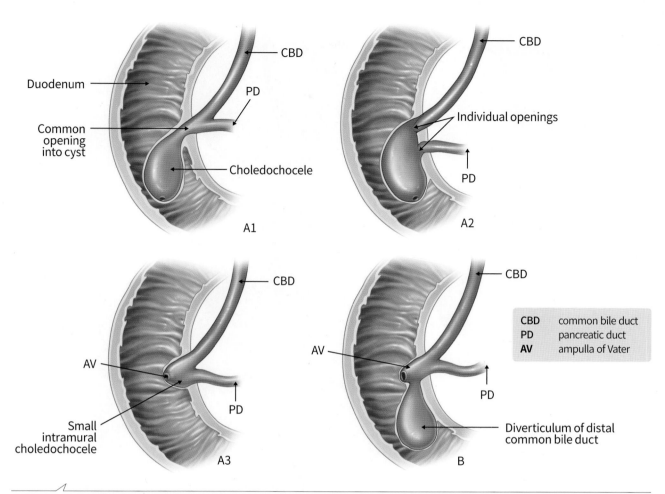

그림 12-16. **Choledochoceles**의 분류

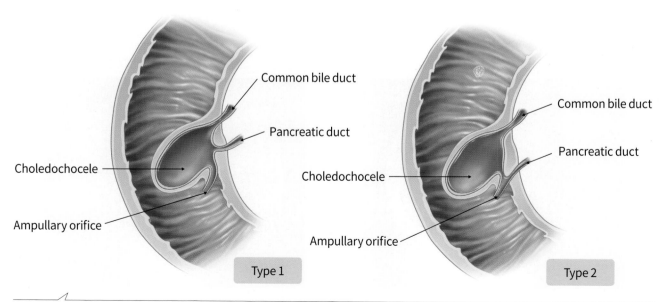

그림 12-17. **Choledochoceles**의 분류

181

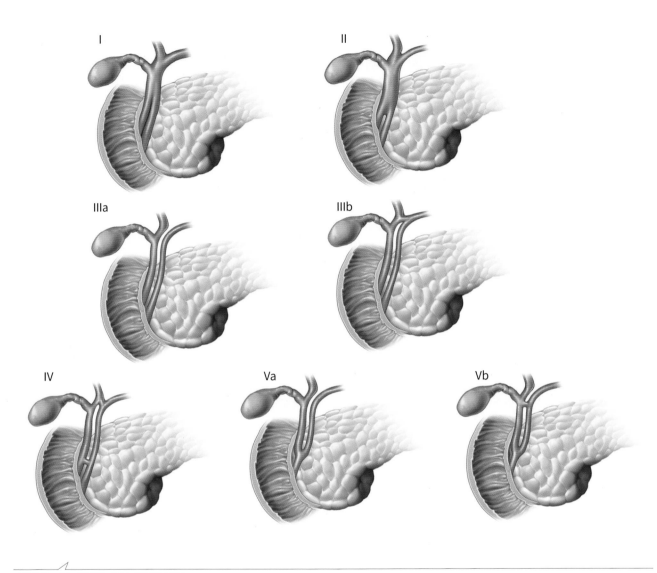

그림 12-18. 다양한 중복 총담관 변이

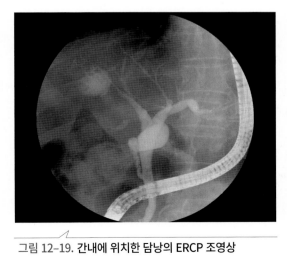

그림 12-19. 간내에 위치한 담낭의 ERCP 조영상

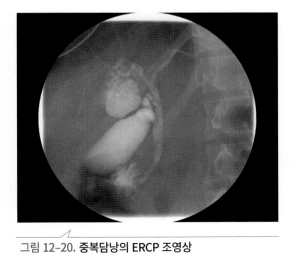

그림 12-20. 중복담낭의 ERCP 조영상

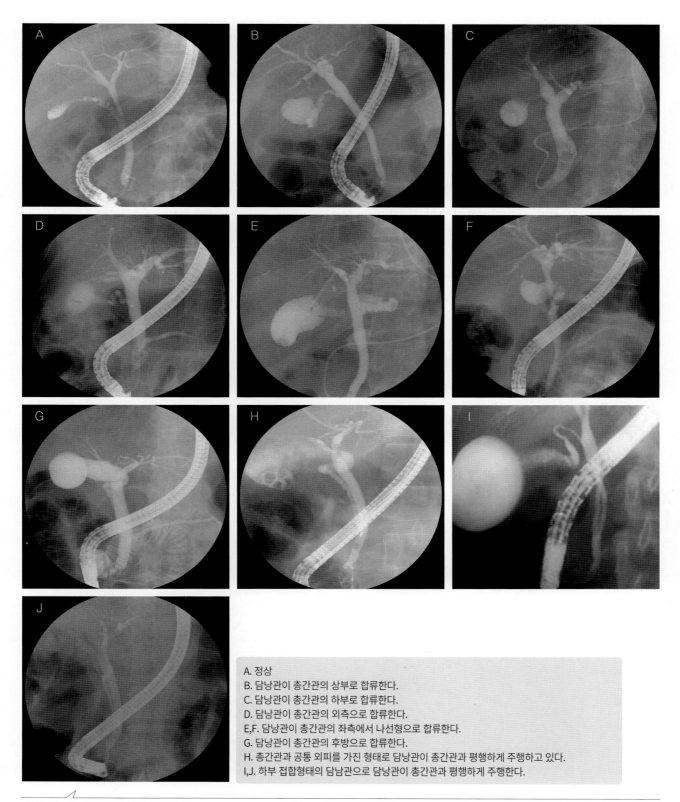

A. 정상
B. 담낭관이 총간관의 상부로 합류한다.
C. 담낭관이 총간관의 하부로 합류한다.
D. 담낭관이 총간관의 외측으로 합류한다.
E,F. 담낭관이 총간관의 좌측에서 나선형으로 합류한다.
G. 담낭관이 총간관의 후방으로 합류한다.
H. 총간관과 공통 외피를 가진 형태로 담낭관이 총간관과 평행하게 주행하고 있다.
I,J. 하부 접합형태의 담낭관으로 담낭관이 총간관과 평행하게 주행한다.

그림 12-21. 다양한 담낭관 합류변이

로, 31.7%는 나선형으로 합류한다. 약 10%에서는 담낭관과 간외담관이 평행하게 주행하며 평행한 부위의 길이는 1.5–9.5 cm에 이른다. 간외담관과 평행하게 주행하는 담낭관은 54%에서 내측으로 합류하며 외측에 합류하거나 나선형으로 합류하기도 한다. 또한, 담낭관이 간외담관과 합류하는 위치는 27%에서 간외담관의 상부 1/3부위, 63%에서 중부 1/3부위, 10%에서 하부 1/3부위로 합류한다. 담낭관이 총담관과 평행하게 주행하는 경우 임상적으로는 담낭경부 혹은 담낭관 담석에 의한 총담관 폐쇄의 가능성이 높아지며 수술 중 총담관을 담낭관으로 오인하여 총담관의 손상을 초래할 수 있어 주의를 요한다.

국내자료에 따르면 담낭관의 경우 담낭관의 주행이 일반적인 경우가 83.1%, 담낭관과 총간관의 주행이 평형인 경우가 9%, 담낭관이 총간관의 앞뒤로 나선상으로 주행하는 경우가 7.9%에서 관찰되었다. 담낭관이 간외담관에 합류하는 위치를 고·중·저로 3등분하였을 때 고합류가 22%, 중합류가 70.9%, 저합류가 7.1%에서 관찰되었다.

4) 췌담관합류부 변이

췌담관합류부 변이(pancreatobiliary maljunction, anomalous union of pancreatobiliary duct, AUPBD)는 담관과 췌관이 합류하는 부위의 발생학적 이상으로서 췌관과 담관이 합쳐진 공통관이 비정상적으로 길어 십이지장의 벽외(extramural)까지 확장되어 있는 기형이다. 70%의 경우 선천성 담관낭종과 연관되어 나타나나 담관낭종없이 단독으로 존재하기도 한다(그림 12-22). 15 mm 이상의 비정상적으로 긴 공통관의 존재를 영상학적 진단기준으로 제시하고 있으나 실제 공통관 길이는 짧지만 췌담관합류부 변이가 있는 경우도 있어 진단에 어려움이 있을 수도 있다. 담즙과 췌액이 각각 췌관과 담관으로 역류하는 것을 방지하는 십이지장벽내의 오디괄약근이 미치지 않는 곳까지 공통관이 형성되어 긴 공통관을 통해 지속적으로 췌액이 담관내로 역류한다. 담관, 담낭의 만성적 염증과 이와 연관된 담관, 담낭상피세포의 악성화가 임상적으로 중요한 문제이다. 문헌보고에 따르면 췌담관합류부변이가 있는 환자에서 담도암 및 담낭암의 발생률은 3.6–4.9%, 6.8–14.9%로 매우 높게 보고된다. 형태학적으로 다양한 분류법이 제시되고 있는데 Kimura 등은 췌관이 담관에 합류하는 Ⅰ형(P–B type)과 담관이 췌관

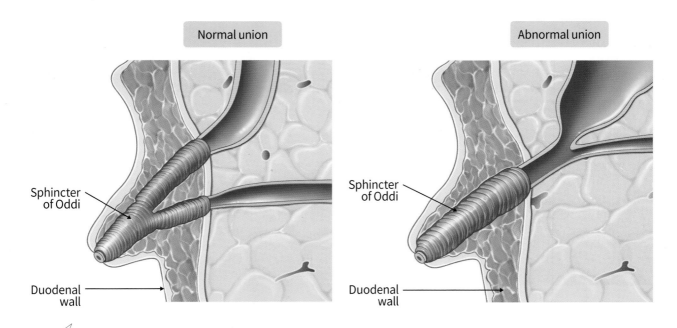

그림 12-22. 정상췌담관합류부 및 변이 췌담관합류부의 십이지장벽과 유두부괄약근의 해부학적 관계

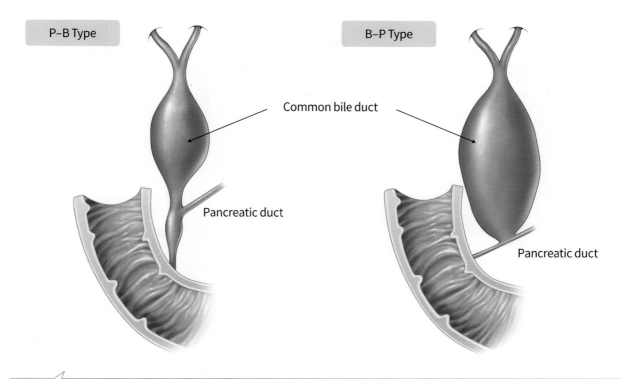

그림 12-23. **Kimura** 분류법에 따른 췌담관합류부 변이

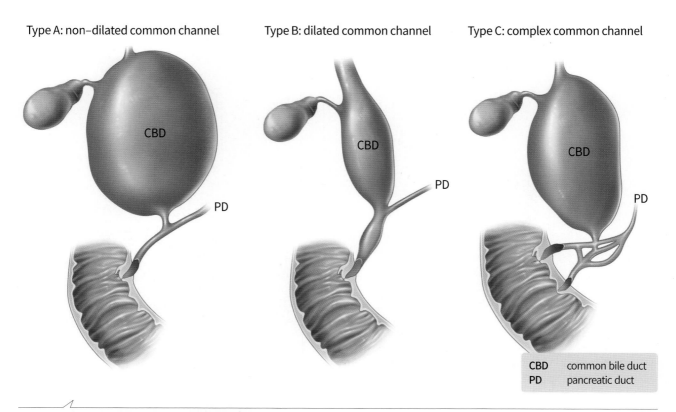

그림 12-24. **Todani** 분류법에 따른 췌담관합류부 변이

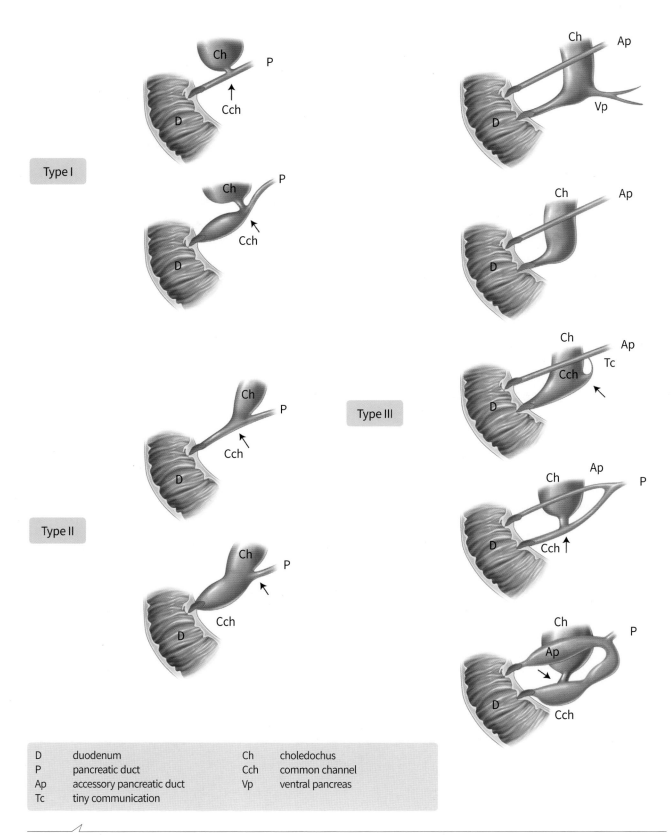

D	duodenum	Ch	choledochus
P	pancreatic duct	Cch	common channel
Ap	accessory pancreatic duct	Vp	ventral pancreas
Tc	tiny communication		

그림 12–25. **Komi 분류법에 따른 췌담관합류부변이**

으로 합류하는 Ⅱ형(B–P type)으로 분류하였으며(그림 12-23), Komi 등은 1977년에 췌관과 담관의 합류 각도를 기준으로 담관이 췌관으로 합류하는 A형, 췌관이 담관으로 합류하는 B형, 췌관이 부췌관과 연결을 가지면서 담관과 합류하는 C형으로 분류하였다(그림 12-24). 그 후 Komi 등이 다시 제시한 새로운 분류법에서는 이전의 A, B, C형에 해당하는 Ⅰ, Ⅱ, Ⅲ형을 기본으로 공통관의 확장 유무, 부췌관과의 연결 및 부췌관의 확장이나 협착 유무를 고려한 아형을 추가하여 9개의 형태로 세분하였다(그림 12-25).

국내 보고자료에 따르면 췌담관합류부 변이는 전체 ERCP를 시행한 환자 중 0.5%(229/46,049)에서 발견되었다. 229의 변이 중 73.4%가 P–B 형 합류부 변이, 26.6%가 B–P형에 해당하였다. 이들 중 76명에서 담낭암, 7명에서 간외담도암, 3명에서 간내담도암이 진단되어 췌담관합류변이가 없는 경우보다 높은 빈도로 담도계암이 발생함을 보고하였다.

3. 올바른 담도조영상 획득법

1) 담도조영상

초심자에 의해 시행된 담도조영상은 많은 경우 부적절하게 촬영되어 정확한 해석이 어려운 경우가 흔하므로 올바른 담도조영상 획득법에 대해 숙지하여야 한다. 정확하고 높은 해상도의 조영상을 얻기 위해서는 투시조영장비와 환자의 자세를 최적의 상태로 준비해 두고 담관의 조영상을 관찰하면서 조영제를 서서히 주입하여야 한다. 조영제의 주입은 유두부에서 가능한 가까운 부위의 담관에서부터 시작하며 X–ray 투시화면에 나타나는 조영 양상에 따라 도관의 위치, 조영제의 주입속도, 환자의 자세 등의 적절한 조절이 필요하다. 적절한 담도 조영상을 획득하기 위해서는 전체 담도계가 잘 채워지고 적절한 위치에서 잘 투시되어야 한다. 그러나 모든 담도계를 잘 채우기 위해 과도하게 사용된 조영제는 과도한 담도 확장에 따른 통증, 주입한 조영제의 불완전한 배액으로 인한 담관염이나 담낭염 등의 합병증을 발생시킬 수 있으므로 환자 개개인별로 ERCP 시행의 목적이나 조영필수 부위를 시술 전 유념하여 조영제의 남용없이 적절하게 조영하여야 한다.

ERCP에서 사용하는 조영제는 비중이 담즙보다 무거워 중력에 의해 담관의 낮은 부위부터 충만된다. 따라서, 유두부에서 담관내로 조영제를 주입하면 간외담관에서부터 시작하여 간내담관으로 조영제가 충만된다. 엎드린 자세에서는 좌측담관이 우측담관에 비해 낮은 위치에 있으므로 오른쪽 간내담관이 마지막으로 채워지고 담낭저가 보이지 않을 수 있다. 또한 간외담관의 근위부는 원위부에 비해 낮은 위치에 있어 간외담관의 근위부로 조영제가 모이는 경향이 있다, 일반적인 형태는 나뭇가지 모양으로 분지가 갈라질수록 점차 가늘어지는 모양으로 조영제를 유두부에서 담관 내로 주입하여 획득하며 담관계 내부로 조영제가 완전히 충만될 경우 간내담관의 4–5분지까지 조영될 수 있다.

총담관 말단부는 십이지장 내에 위치하며 유두부괄약근으로 둘러싸여 있어 내경이 매우 좁으며 X–ray 투시화면에서 총담관의 말단부는 괄약근의 수축과 이완에 따라 움직이며 유두부로 조영제가 배출되는 것을 관찰할 수 있다 총담관 말단부의 형태는 개인 간 차이가 많아 매우 다양한데 십이지장 내 담관은 내경이 좁아 간혹 담관협착으로 오인할 수 있으며, 괄약근의 수축과 이완에 따라 조영상이 다르게 나타날 수도 있으며 괄약근이 수축할 경우에는 충만결손처럼 보이기도 한다.

상대적으로 높은 위치에 있는 담관 내로는 조영제가 충만되기 어려운데 이러한 조영제의 불완전 충만은 담관이 확장되어 있거나 조영제 주입 시 담낭 내로 조영제가 많이 들어갈 경우 잘 발생한다. 담관으로 조영제가 충만하지 못할 경우 근위부 담관의 폐쇄가 있는 것으로 오인할 수 있으며 폐쇄가 있더라도 정확한 폐쇄 부위를 알 수 없으므로 담관의 위치에 의한 조영상의 오류 가능성을 점검하여야 한다.

우측간내담관으로 조영제가 충만되지 않는 경우에는 총간간부위에 도관을 삽입하고 조영제를 주입하거나, 일단 엎드린 자세에서 조영제를 충분히 주입한 다음 환자를 좀 더 오른쪽으로 돌려 눕혀 우측간내담관의 위치를 낮추어 담관을 채워보는 방법이 있다. 이러한 방법으로도 우측간내담관 내로 조영제가 충만되지 않을 경우 풍선도관을 이용하여 총간관을 막은 다음 조영제를 주입하면 원하는 부위의 조영상을 얻을 수 있다. 이러한 풍선폐쇄 담도조영술은 유두부괄약근 절개술이나 담관십이지장문합술이 시행되어 있어 조영제가 쉽게 십이지장으로 흘러내릴 경우에도 유용하게 이용할 수 있다. 원위부 간외담도에 조영제가 충만하지 않는 경우에는 환자의 상체를 높여 조영제가 총담관의 원위부로 채워질 때까지 기다리거나 상체를 높인 상태에서 조영제를 조금 더 주입하면 정확한 조영상을 얻을 수 있다.

담낭관과 담낭은 담낭관이 간외담관에 합류하는 위치에 따라 조영제 주입 초기에 나타나기도 하며 간외담관과 간내담관 내에 조영제가 충분히 채워진 후에 담낭관으로 조영제가 들어가기도 한다. 일반적으로 도관을 담낭관 합류부 하단에 두고 조영제를 주입하면 상대적으로 저항이 낮은 담낭관 내로 조영제가 우선적으로 들어가며, 도관이 담낭관 내로 삽입된 상태에서 조영제를 주입할 경우에도 담낭관과 담낭이 먼저 채워지게 된다. 간혹, 담낭관이 유두부 근처의 총담관에서 시작하여 총담관과 평행하게 주행하는 환자에서는 도관이 담낭관으로 들어가기 쉬우며 이러한 상태에서 조영제를 주입할 경우 담낭관을 총담낭관으로 오인할 수 있다. 반대로, 담낭관의 합류부가 간외담관의 높은 위치에 있거나 조영제의 주입량이 모자라는 경우에는 담낭이 조영제로 잘 채워지지 않는다. 담낭관으로 조영제가 잘 들어가지 않을 때에는 환자의 자세를 돌려보거나 도관의 위치를 바꾸어 보고 좀 더 많은 양의 조영제를 빠른 속도로 주입하면 담낭관이 잘 나타난다. 일반적으로 간내담관이 완전히 충만된 상태에서 이러한 방법을 시도하여도 담낭이 조영되지 않을 경우에는 담낭관이나 원위부 총담관의 폐쇄를 의심하여야 한다.

2) 담도조영상 촬영 시 주의점

조영제 주입 시 담관 내 공기가 들어가는 경우 담석으로 오인할 수 있으므로 조영제 주입 전 도관 내에 기포를 완전히 제거하여야 한다. 조영제는 반드시 X-ray 투시화면을 보면서 주입하여야 하며 조영제를 너무 빨리 주입할 경우 작은 담석은 보이지 않을 수 있으며, 도관이 담낭관내로 들어가 있는 경우 담낭 내로 너무 많은 조영제가 주입될 수 있어 주의를 요한다. X-ray 투시화면으로 담관을 관찰하면서 조영제를 서서히 주입할 경우 작은 담석의 움직임도 비교적 쉽게 관찰할 수 있다. 도관이 원하지 않는 위치에 들어있는 경우에는 가능한 조기에 발견하여 도관의 위치를 교정하여야 한다.

참/고/문/헌

1. 김명환, 임병철, 박현주 등. 한국인 췌담관의 정상구조 및 기형에 관한 연구: 다기관 협동조사. 대한소화기내시경학회지 2000;21:624–32.

2. 대한췌장담도학회. ERCP. 군자출판사; 2010. pp. 119–55.

3. Adkins RB Jr, Chapman WC, Reddy VS. Embryology, anatomy, and surgical applications of the extrahepatic biliary system. Surg Clin North Am 2000;80:363–79.

4. Babbitt DP. [Congenital choledochal cysts: new etiological concept based on anomalous relationships of the common bile duct and pancreatic bulb]. Ann Radiol (Paris) 1969;12:231–40.

5. Benson EA, Page RE. A practical reappraisal of the anatomy of the extrahepatic bile ducts and arteries. Br J Surg 1976;63:853–60.

6. Cheng YF, Huang TL, Chen CL, et al. Variations of the intrahepatic bile ducts: application in living related liver transplantation and splitting liver transplantation. Clin Transplant 1997;11:337–40.

7. Choi E, Byun JH, Park BJ, et al. Duplication of the extrahepatic bile duct with anomalous union of the pancreaticobiliary ductal system revealed by MR cholangiopancreatography. Br J Radiol 2007;80:150–4.

8. Goor DA, Ebert PA. Anomalies of the biliary tree. Report of a repair of an accessory bile duct and review of the literature. Arch Surg 1972;104:302–9.

9. Hand BH. Anatomy and function of the extrahepatic biliary system. Clin Gastroenterol 1973;2:3–29.

10. Haubrich WS, Schaffner F, Berk JE. Bockus gastroenterology. 5th ed. Philadephia: WB Sounders Co; 1995. pp. 2547–53.

11. Park JS, Song TJ, Park TY, et al. Predictive factors of biliary tract cancer in anomalous union of the pancreaticobiliary duct. Medicine (Baltimore) 2016;95:e3526.

12. Choi JW, Kim TK, Kim KW, et al. Anatomic variation in intrahepatic bile ducts: an analysis of intraoperative cholangiogram in 300 consecutive donors for living donor liver transplantation. Korean J Radiol 2003;4:85–90.

13. Kimura K, Ohto M, Ono T, et al. Congenital cystic dilatation of the common bile duct: relationship to anomalous pancreaticobiliary ductal union. AJR Am J Roentgenol 1977;128:571–7.

14. Komi N, Takehara H, Kunitomo K, et al. Does the type of anomalous arrangement of pancreaticobiliary ducts influence the surgery and prognosis of choledochal cyst? J Pediatr Surg 1992;27:728–31.

15. Komi N, Udaka H, Ikeda N, et al. Congenital dilatation of the biliary tract; new classification and study with particular reference to anomalous arrangement of the pancreaticobiliary ducts. Gastroenterol Jpn 1977;12:293–304.

16. Saito N, Nakano A, Arase M, et al. A case of duplication of the common bile duct with anomaly of the intrahepatic bile duct. Nippon Geka Gakkai Zasshi 1988;89:1296–301.

17. Shaw MJ, Dorsher PJ, Vennes JA. Cystic duct anatomy: an endoscopic perspective. Am J Gastroenterol 1993;88:2102–6.

18. Siegel JH. Endoscopic retrograde cholangiopancreatography. New York; Raven Press. 1992.

19. Silvis SE, Rohrmann CA Jr., Ansel HJ. Text and atlas of Endoscopic retrograde cholangiopancreatography. New York: IgakuShoin; 1995. p. 61.

20. Sterling JA. The common channel for bile and pancreatic ducts. Surg Gynecol Obstet 1954;98:420–4.

21. Todani T, Watanabe Y, Narusue M, et al. Congenital bile duct cysts: Classification, operative procedures, and review of thirty–seven cases including cancer arising from choledochal cyst. Am J Surg 1977;134:263–9.

22. Turner MA, Laufer I, ed. Textbook of gastrointestinal radiology, vol 2. 2nd ed. Philadelphia: Saunders; 2000. pp. 1250–76.

내시경 유두부괄약근 절개술

Endoscopic Sphincterotomy

이광혁 성균관대학교 의과대학

1. 서론

　　내시경 유두부괄약근 절개술(endoscopic sphincterotomy, EST)은 다양한 치료적 내시경역행담췌관조영술 (endoscopic retrograde cholangiopancreatography, ERCP) 시술을 위해서 필요한 술기로 ERCP를 통한 다양한 시술을 위해서 담관 삽관술 혹은 췌관 삽관술만큼이나 꼭 익혀야 하는 술기이다. 1974년에 소개된 이후로 다양한 술기의 개선과 기구의 개발을 통해서 담관 삽관 후 시행되는 내시경 유두부괄약근 절개술의 기본 술기가 확립되었다(표 13-1).

표 13-1. History of endoscopic sphincterotomy

Year	Physician	Event
1974	Kawai[1], Classen[2]	First EST
1978	Caletti[3]	Infundibulotomy
1980	Siegel[4]	Pre-cut papillotomy (pull-type sphincterotome)
1985	Fuji[5]	Pancreatic sphincterotomy
1986	Huibregtse[6]	Pre-cut papillotomy with needle knife

1. Kawai K, Akasaka Y, Murakami K, Tada M, Kohli Y, Nakajima M. Endoscopic sphincterotomy of the ampulla of Vater. Gastrointest Endosc 1974;20:148-151.
2. Classen M, Demling L. Endoskopische Sphinketerotomie der papilla Vateri und steinextraktion aus dem ductus holedochus. Dtsch Med Wochenschr 1974;99:496-497.
3. Caletti GC, Vandelli A, Bolondi L, Fontana G, Lab G. Endoscopic retrograde cholangiography (ERC) through artificial endoscopic choledochoduodenal fistula. Endoscopy 1978;10:203-206.
4. Siegel JH. Precut papillotomy: a method to improve success of ERCP and papillotomy. Endoscopy 1980;12:130-133.
5. T Fuji, H Amano, K Harima, T Aibe, F Asagami, K Kinukawa, S Ariyama, T Takemoto. Pancreatic sphincterotomy and pancreatic endoprosthesis. Endoscopy 1985;17:69-72.
6. Huibregtse K, Katon RM, Tytgat GNJ. Precut papillotomy via fine-needle knife papillotome: a safe and effective technique. Gastrointest Endosc 1986;32:403-405.

십이지장 팽대부에서 시행하는 EST는 절개 위치에 따라서 담도 괄약근을 절개하는 내시경 유두부 담도괄약근 절개술(endoscopic biliary sphincterotomy)과 췌관 괄약근을 절개하는 내시경 유두부 췌관괄약근 절개술(endoscopic pancreatic sphincterotomy)이 있다. 담도 절개술에는 대상이 되는 담관에 카테터를 이용하여 삽관을 성공한 뒤 시행하는 절개술과 담도삽관에 성공하지 못한 경우에 시행되는 예비절개술(precut papllotomy)이 있다. 예비절개술은 절개를 시작하는 부위에 따라서 십이지장 바터씨 팽대(유두)부 입구(orifice of the ampulla of Vater)에서 시작하는 것과 유두지붕(papillary roof)에 시작하는 누두절개술(infundibulotomy)로 나뉜다.

이러한 EST를 효과적으로 안전하게 하기 위해서는 관련된 해부학적 구조와 사용되는 기구 및 술기에 대해서 정확히 알고 있어야 한다. 본 장에서는 정상적인 해부학적 구조에서 담도 괄약근을 절개하는 방법에 대해서 삽관 후 시행하는 담도 괄약근 절개술 기본 술기(standard endoscopic biliary sphincterotomy)와 담도 괄약근 예비 절개술의 기술적 측면에 대해서 기술하고자 한다.

2. 유두부 담도 괄약근 절개술과 관련된 해부학적 구조

모든 시술에 있어서 전반적인 해부학적 구조를 이해하는 것은 반드시 필요하다. 제2부 1장 담도계의 해부 및 변이를 참고하여 깊이 있는 해부학적 구조의 이해가 반드시 시술을 시행하기 전에 선행되어야 한다. 본 장에서는 주로 기술적 측면에서 필요한 해부학적 구조에 대해서 기술하였다.

십이지장 바터씨 팽대부는 대부분 십이지장 2부에 위치하며 크기는 1 cm 내외로 십이지장 벽에서 돌출되어 있다. 이렇게 팽대부 입구 경구 방향으로 돌출된 부위를 누두라고 부르며 대개는 이 부위를 찾음으로써 바터씨 팽대부의 입구를 찾게 된다. 이 돌출부와 십이지장 벽이 만나는 부위를 명확하게 파악하는 것이 담도 괄약근 절개술을 안전하게 시행하는 데 매우 중요하다. 일반적으로 십이지장벽내 담도(intramural bile duct)가 끝나는 부위는 바터씨 팽대부 돌출부와 십이지장 벽이 만나는 부위에서 경구방향으로 1–2 mm 정도밖에 떨어져 있지 않다. 십이지장벽내 담도를 지나서 절개하게 되면 천공이 발생한다.

누두 위로 지나가는 십이지장의 윤상 주름(circular fold)을 덮개 주름(hooding fold) 또는 매듭 주름이라고 부른다. 특징적으로 십이지장 바터씨 팽대부 하부연으로부터 항문 방향으로 세로 주름(longitudinal fold, frenulum)이 관찰된다. 바터씨 팽대부가 작고 주름 뒤에 숨어 있는 경우에 찾기가 어려울 수 있는데 이 때 세로 주름을 찾고 추적하면 바터씨 팽대부를 발견할 수 있다(그림 13-1).

담관의 주행 방향을 파악하는 것은 안전하고 효과적인 절개를 위해서 매우 중요한 요소이다. 대개 유도선이 삽입된 상황에서는 대부분의 경우 유도선의 방향을 따라서 장력을 이용하여 절개하면 자연스럽게 담관의 주행방향으로 절개가 되지만 해부학적 변이 등으로 절개도에 장력을 가하여 절개를 시도할 때 담관의 주행 방향과 다른 방향으로 틀어지는 경우가 있다. 예비 절개술과 같이 유도선 없이 절개를 시도하는 경우도 있어서 담관의 주행을 정확히 파악하고 절개 중에 벗어나지 않도록 하는 것이 중요하다.

내시경 화면은 2차원의 화면이지만 담관은 십이지장 벽에서 3차원으로 주행하고 있다. 이 주행 방향은 팽대부 입구를 중심으로 돌출된 누두 즉 구측 융기 중심을 12시로 가정했을 때 11시와 12시 방향으로 십이지장 점막과 평행하게 주행한다. 상대적으로 췌관은 1시와 2시 방향으로 십이지장 점막과 수직으로 주행한다(그림 13-2).

대부분의 경우에는 췌관과 담관이 합쳐져서 팽대부 입구로 개구하지만(Y or V type) 일부는 분리되어서 개구

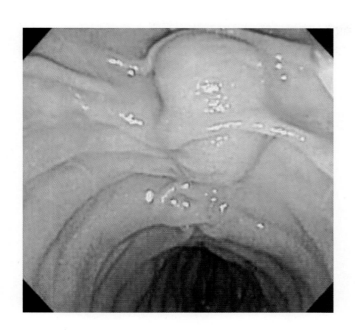
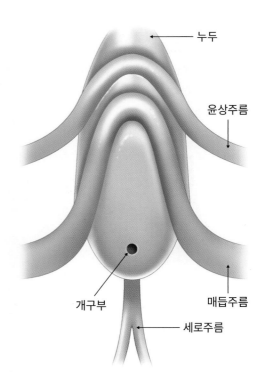

누두

윤상주름

매듭주름

개구부

세로주름

그림 13-1. 십이지장 바터씨 팽대부 구조

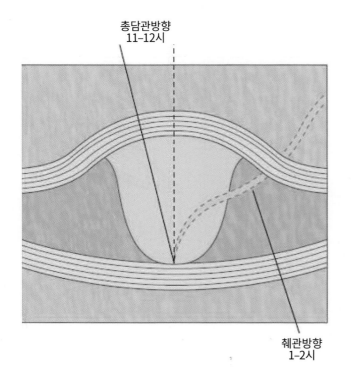
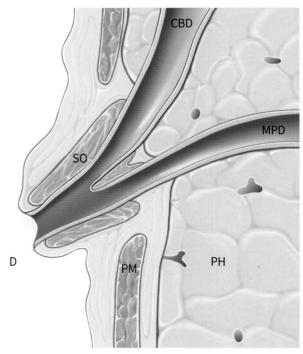

총담관방향
11-12시

췌관방향
1-2시

CBD

MPD

SO

D

PM

PH

그림 13-2. 바터씨 팽대부에서 담도 주행 방향

한다(U type). 합쳐지는 경우에 십이지장 내 공통관의 길이가 다르다(그림 13-3).이러한 모양에 따라서 바터씨 팽대부에서 담관과 췌관의 상대적 위치가 다르게 보고되었다. 이 보고에 따르면 Y형의 경우 우측에 담관 입구 좌측에 췌관 입구가 팽대부 입구의 상부에서 서로 가까이 위치하고 V형의 경우에는 담도 입구는 좌하부에, 췌관 입구는 우상부에 위치한다(그림 13-4).

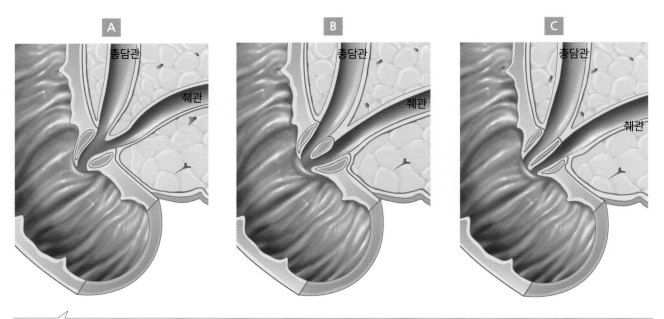

그림 13-3. 췌담관 합류의 해부학적 변이. (A) Y형(long common channel), (B) V형(short common channel), (C) U형

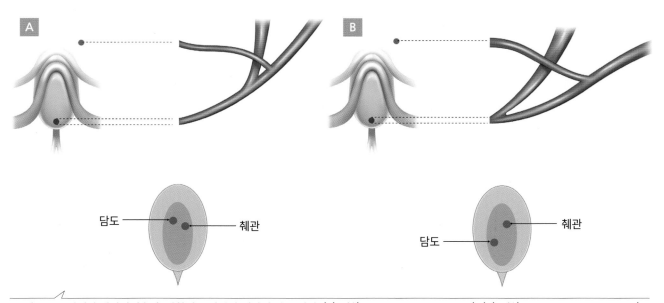

그림 13-4. 경췌관 예비절개술 후 관찰되는 담관과 췌관의 상호 위치. (A) Y형(long common channel), (B) V형(short common channel)

3. 유두부 담도 괄약근 절개술 기본 술기

대부분의 치료적 ERCP의 성공을 위해서는 안전하고 효과적인 유두부 담도 괄약근 절개술이 반드시 필요하다. 다른 내시경 시술과 마찬가지로 적응증(1부 3장 ERCP 환자 준비 동의서 적응증 및 금기증)에 해당하는 환자를 적절하게 진정시킨 뒤(1부 4장 ERCP에서의 진정) 합병증에 대해 충분히 이해하고 대비하면서 시행해야 한다(1부 8장 합병증의 종류, 예방 및 치료). 다양한 기구의 개발에 따른 장단점에 대해 이해가 깊을수록 적절한 선택을 통해서 시술을 안전하고 효과적으로 쉽고 빠르게 시행할 수 있다(1부 7장 부속기구).

삽관 후 유도선을 따라서 당김형 절개도(pull-type sphincterotome)를 삽입하고 시행하는 기본적인 절개술이 예비 절개술보다 더 안전하고 원하는 범위의 충분한 절개를 얻을 수 있기에 우선적으로 시행되고 있다(그림 13-5). 삽입된 당김형 절개도의 절개전선(diathermy wire)에 전류를 흐르게 함으로써 팽대부 점막과 괄약근을 절개하여 팽대부 입구를 넓게 된다. 이 때 절개 방향과 절개의 상부 경계를 잘 이해해야 출혈 및 천공 등의 합병증 발생을 줄이면서 원하는 범위의 절개를 시행할 수 있다. 절개 방향은 담관의 장축이고 절개 상부 경계는 구측 융기와 십이지장이 만나는 지점 즉 십이지장벽내의 담도가 끝나는 부위이다.

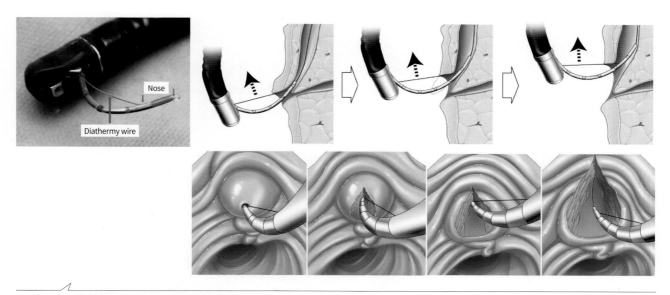

그림 13-5. 담김형 절개도의 구조 및 절개 모식도

내시경 화면상에서 가상의 담관의 장축을 정하고 절개도가 절개하는 방향이 이 장축과 일치하게 절개해야 한다. 대개 유두부에서 11시에서 1시 방향으로 담관의 장축이 위치하므로 이 방향으로 절개하게 된다. 12시 방향을 결정할 때 중요한 기준은 장관의 장축 방향이 아니라 십이지장에 돌출된 유두부 모양으로부터 판단된 유두부의 구측 융기 즉 누두의 가운데이다(그림 13-6).

절개도를 조작하여 이 방향으로 지속적으로 적절한 장력이 점막에 가해져야 십이지장 점막과 절개 철사가 밀착된다. 이 상태에서 시술자가 1초에 1-3 mm 정도의 속도로 조절하면서 절개해야 한다. 올바른 방향으로 적절한 장력을 유지하기 위해서 시술자는 장관내 공기 양, 겸자 올림 장치의 담김 정도, 당김형 절개도의 구부림 정도, 내

195

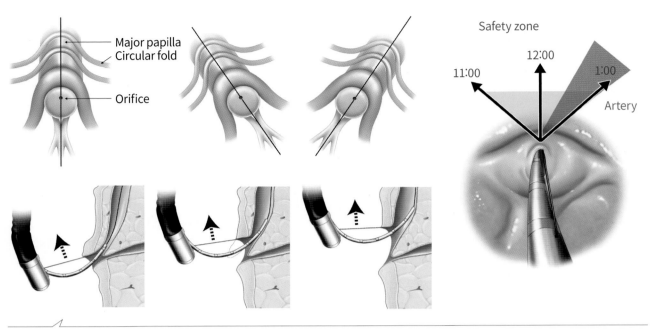

그림 13-6. 담도 괄약근 절개 방향 및 상부 경계

시경의 상하 및 좌우 조절 및 내시경의 전체적인 위치 등을 적절히 조작하여 조합할 수 있어야 한다. 이렇게 적절하게 장력을 가하기 위해서는 ERCP 내시경을 충분히 시행하여 내시경 조작에 익숙해지는 과정이 반드시 필요하다. 이러한 방법으로도 원하는 방향으로 절개가 어려운 경우라면 절개도 끝의 방향을 돌릴 수 있는 절개도의 사용 혹은 내시경 유두 풍선확장술(2부 3장)의 병행 시행 등을 고려할 수 있다.

절개 깊이는 삽입된 철사의 길이로 결정되게 되는데 전체 철사의 대개 1/3 내지 1/2 정도를 유두부 안으로 삽입하고 절개하면 된다. 따라서 적절한 깊이로 절개도가 삽관되면, 내시경으로 관찰하였을 때 전체 철사 길이의 1/2 내지 2/3 정도가 유두부 밖에서 보이게 된다(그림 13-7).

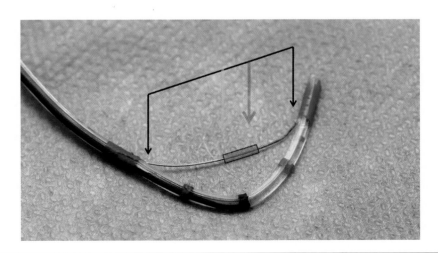

그림 13-7. 담도 괄약근 절개시 절개도에서 점막과 접촉하는 부분
붉은색으로 표시한 부위가 점막과 만나게 삽입하는 것을 추천함(절개 깊이)

　　내시경으로 확인할 수 있는 안전한 범위의 구측부 상단은 유두부의 구측 융기 상단으로 이 부위가 거의 십이지장벽내의 담도가 끝나는 부위이다. 십이지장 근육 내를 주행하는 담관의 한계를 넘어서 절개하게 되면 십이지장천공이 발생할 수 있으므로 이 범위를 절개 전에 미리 확인해야 한다(그림 13-6).

　　대부분의 경우에 상부 한계가 명확하게 관찰되지만 그 상연이 불확실한 경우가 있다. 임상적을 가장 흔히 만나는 경우로 게실과 관련되어 유두부가 위치한 경우와 이전 유두부괄약근 절개술을 시행받은 경우가 있다. 게실 주변, 입구 혹은 내부에 유두부가 위치한 경우 게실로 인하여 담도의 주행 방향도 바뀐다. 임상 경험이 많은 경우에는 대략의 주행을 알 수 있지만 그렇지 못한 경우에는 정확한 주행 방향과 상부 경계를 알기가 어렵다. 이렇게 구측부 상단 경계가 불명확할 때 담도에 유도선이 삽입되어 있다면 담석 제거용 풍선도관을 삽입하고 풍선을 부풀린 뒤 당기면서 관찰되는 점막 돌출 부위를 확인해서 담도 주행 방향과 상부 경계를 파악할 수 있다(그림 13-8). 이러한 방법이 번거롭다면 유도선을 따라서 담도 방향을 예측하고 작은 절개를 넣은 뒤에 내시경 유두 풍선확장술(2부 3장)을 같이 시행하는 것도 좋은 대안이다.

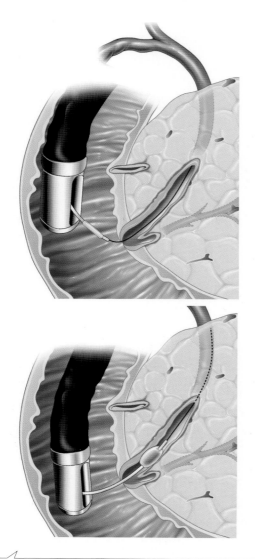
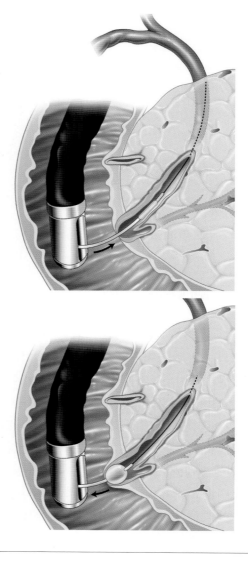

그림 13-8. 확장 풍선 담김법으로 절개 상부 경계를 확인하는 법

구측 융기 상단이 절개 가능한 최대 범위까지 절개하는 경우를 대절개라고 부르고 첫 덮개 주름(covering fold)까지의 절개를 소절개, 대절개와 소절개 사이를 중절개라고 한다(그림 13-9). 절개 길이는 각각의 시술의 목적에 따라서 시술을 용이하게 하기 위해서 시술자가 선택하게 된다. 일반적으로 절개 길이가 충분한지 확인하기 위해서 담석 제거 풍선을 확장하여 절개 부위를 통과시키거나 75% 정도 구부린 당김형 절개도를 절개 구멍으로 통과시켜 볼 필요가 있다. 이 때 큰 저항 없이 통과가 된다면 향후 협착을 예방할 수 있는 충분한 괄약근 절개로 생각할 수 있다.

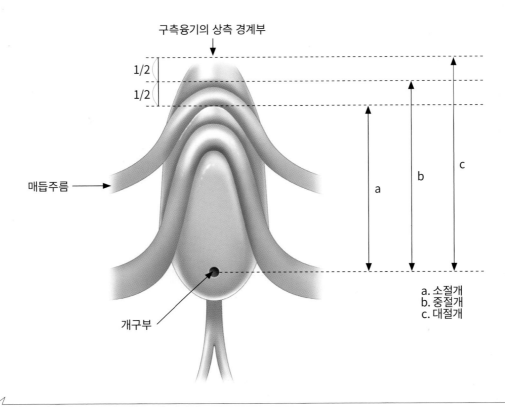

그림 13-9. 소(small), 중(medium), 대(large) 절개의 모식도

절개도의 조절 손잡이가 과도하게 긴장되어 있으면서 상방으로의 압력이 순간적으로 많이 들어가게 되면 빠른 속도로 절개가 이루어지면서 천공이 일어날 수 있다. 특히 대절개를 할 때 절개 상부 상단에 가까운 지점에서 이러한 일이 벌어질 수 있다. 이러한 급속 절개가 이루어지지 않게 주의를 기울이는 것이 중요하며 급속 절개가 이루어져서 발생한 천공이 크지 않고 조기에 발견되면 완전 피막형 금속 스텐트(fully covered metal stent)를 삽입하여 장기간의 입원 및 수술적 치료를 피할 수 있다.

시술 전에 시행한 위 및 십이지장 수술로 해부학적 변형이 온 경우에도 유두부 괄약근 절개술을 시행할 수 있다. 이러한 수술로 내시경에 대한 상대적 담관의 주행 방향이 바뀐 경우에는 이에 맞춰서 개발된 절개도를 사용해야 한다. 이에 대해서는 수술로 변형된 해부학적 구조에서 ERCP(4부 9장)에 기술되어 있다.

EST에 사용하는 전류는 절단파와 응고파로 나눌 수 있다. 절단파를 사용하면 췌장염의 발생을 줄일 수 있지만 출혈의 위험성이 높아진다. 응고파는 출혈의 발생은 줄이지만 췌장염의 발생을 높인다. 이 둘을 적절히 혼합한 혼합파를 사용하여 각각의 장단점을 보완한 할 수 있는 endocut mode가 현재 사용되고 있다. 이러한 전류를 생산해 내는 기계(electrosurgical units, ESU)는 일정한 와트를 유지하는 경우–conventional ESU–와 일정한 전압을 유지하는 경우–Erbe–가 있다. 전압을 일정하게 유지하는 Erbe 방식이 빠른 속도의 절개가 일어나서 천공 및 출혈의 위험이 높은 'Zipper cut'의 발생을 억제한다. 이러한 이유로 합병증의 발생이 적은 Erbe endocut mode가 현재 괄약근 절개술에 사용되고 있다.

이렇게 절개를 시도할 때 종종 팽대부 절개가 되지 않는 경우가 있다. 절개철사와 절개부위가 충분히 접촉될 만큼 장력을 받지 못하는 경우가 가장 흔하며 절개 부위 주변에 물이나 체액 등의 액체가 저류되어 전기가 방전되었을 경우와 절개철사가 내시경의 금속성 올림장치와 접촉된 경우도 있다. 장력을 전달하기 위해서는 적절한 내시경 조작을 해야 하며 액체가 저류된 경우는 충분히 흡입을 해주어야 한다. 내시경의 금속 부분과 절개 철사의 접촉을 피할 수 있도록 절개철사 상부의 일부를 피복하여 절연한 절개도가 있다.

4. 괄약근 예비 절개술

통상적인 방법으로 담도 삽관을 실패한 경우 가장 담도가 주행할 가능성이 높은 부위를 예측하여 절개하는 방법으로 다양한 형태의 절개도가 개발되었다. 대부분의 경우 침형절개도가 가장 많이 사용되며 이외에도 침형절개도 끝에 절연체를 부착한 Iso-Tome®, 예비절개술에 이용되는 당김형 절개도로 Noseless 형과 DomeTip® 형이 있으며 유두부괄약근 절개 가위가 있다(그림 13-10).

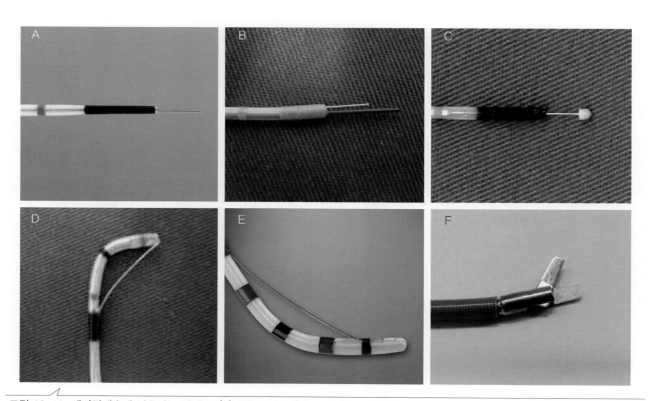

그림 13-10. 예비절개술에 이용되는 절개도. (A) 침형절개도, (B) 유도선이 통과되는 침형절개도, (C) Iso-Tome®, (D) Noseless 절개도, (E) DomeTip® 절개도, (F) 유두부괄약근 절개가위

유두부 입구에서 시작되는 예비절개술은 유두부 입구에서 구강 쪽으로 예측되는 담도 방향으로 절개하는 방법이다. 당김형 절개도의 경우 끝을 유두부에 위치하고 11–12시 방향으로 절개한다. 침형 절개도는 선단을 유두부 입구에 위치하고 11–12시 방향으로 절개한다. Iso–Tome® 절개도는 반구형 절연체를 유두부 입구에 위치하고 절개하며 절개 가위의 경우 아래쪽 날을 입구에 위치하고 상방의 날로 방향을 맞추고 절개한다(그림 13–11).

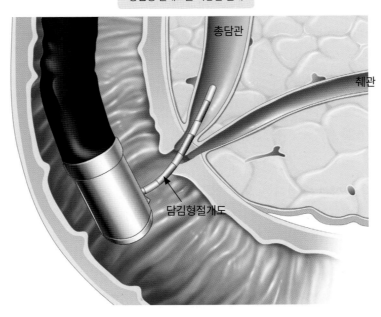

당김형 절개도를 이용한 절개

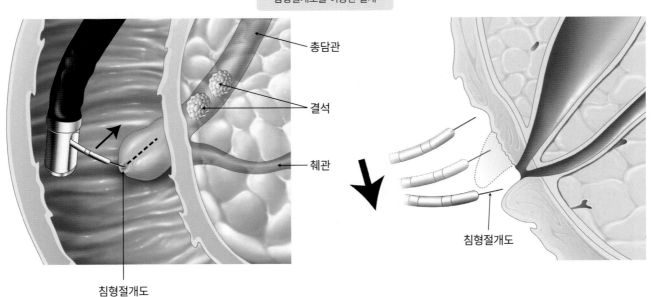

침형절개도를 이용한 절개

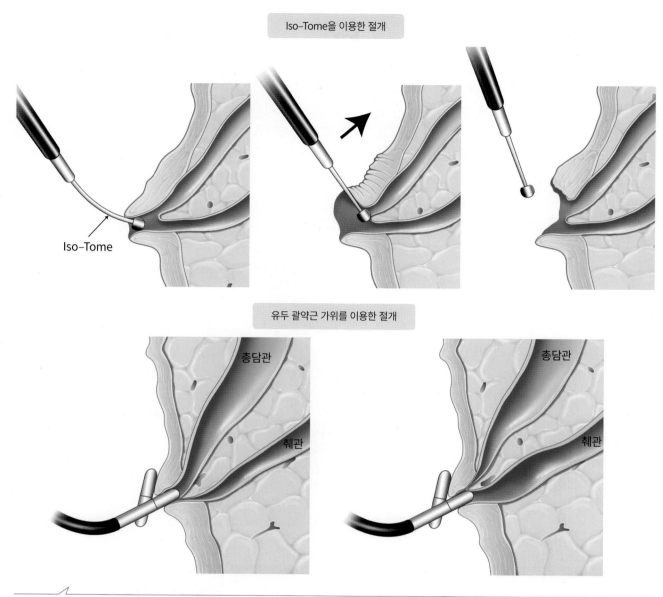

Iso-Tome을 이용한 절개

Iso-Tome

유두 괄약근 가위를 이용한 절개

총담관

췌관

총담관

췌관

그림 13-11. AOV에서 시작하는 예비 절개술

예비절개술이 효과적으로 진행되면 절개면이 펼쳐지면서 핑크색 점막이 노출되고 조금 기다리면 담즙이 배출되는 것을 관찰하여 담즙이 나오는 담도 입구를 확인할 수 있다. 담도와 췌관이 인접해 있기 때문에 이 방법으로 유두부 입구에서 절개를 하면 췌관 손상 및 부종이 발생하여 췌장염이 발생할 수 있다.

누두절개술은 구측융기 즉 누두 부위에서 유두부 입구 쪽으로 절개를 하는 방법으로 주로 침형절개도를 사용한다. 시술 전에 촬영한 복부전산화단층촬영 등의 검사에서 유두부 주위에서의 담관이 확장되어 있고 십이지장 유두부의 구축 융기가 돌출되어 있으면서 유두부가 항문측으로 이동해 있어서 유두부 정면상을 얻기가 힘든 경우에는 표준 괄약근 절개보다 침형 절개도를 이용한 절개가 더 용이할 수 있다. 적절한 절개를 위해서는 주변 조직이 달라붙지 않을 정도의 적절한 속도와 천공이 되지 않을 정도의 깊이로 절개해야 한다. 정확한 유두부와 구측 융기의 관찰로 절개의 방향을 담관의 주행 방향과 일치시켜야 합병증의 발생을 피할 수 있다. 절개 후에 약간의 시간을 두고 기다리면 담즙이 흘러 나오는 것을 관찰하거나 내시경으로 공기 흡입 후 부풀어 오르는 담관을 관찰하여 유두부내 담관의 위치를 육안적으로 찾을 수도 있다.

　최적의 절개를 위해서 보통 구축 융기의 최정점으로 돌출된 부위를 절개 부위로 정하고 절개 전에 설정한 가상의 절개선을 따라서 통전하지 않은 상태에서 상하 양방향으로 여러 번 절개 시술을 연습하면 적절한 힘과 방향을 주기 위한 내시경 조작을 익힐 수 있다. 침형절개도의 절개 철사는 3–4 mm 정도 혹은 관찰된 구측 유기의 정도에 따라서 설정된 적절한 길이를 노출시킨다. 절개 철사가 지나치게 길게 노출되면 십이지장 벽을 통과하여 천공의 위험이 있으므로 조심해야 하며 시술 중에 노출된 절개 철사의 길이가 변할 수 있기에 자주 길이를 확인해야 한다(그림 13–12).

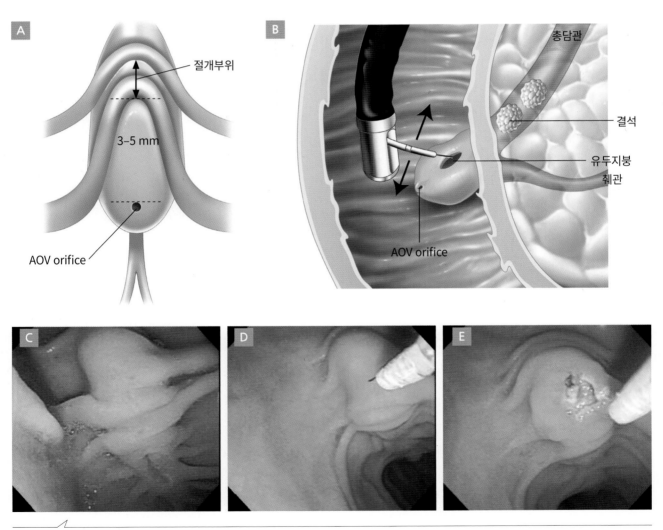

그림 13–12. **누두절개술**

유두부 입구에서 시작하는 예비절개술에 비해서 누두절개술은 췌장염의 발생을 줄일 수 있는 장점이 있다. 하지만 구측 융기와 담도 주행에 대한 명확한 확인 없이 누두절개술을 시행하면 천공의 위험이 매우 높다. 특히 시술 중에 유두부의 부종 및 출혈이 발생하여 정확한 절개 부위 선정이 어려운 경우가 발생한다. 이런 경우에는 무리하게 진행하지 말고 2–3일 후 재시도하면 부종과 출혈이 가라앉아 좀 더 정상적인 구조가 잘 관찰되면서 쉽게 성공할 수 있다.

담관 삽관 후 치료가 필요한 상황에서 반복적으로 췌관으로만 삽입되는 경우에 담관 삽관을 위한 예비 절개술로 췌관배액관 삽입 후 예비절개술을 시행하는 방법과 경췌관 예비절개술 방법이 있다. 췌관배액관 삽입하면 췌관을 일직선으로 유지시키면 담관의 주행도 같이 일직선으로 유지된다. 이 상황에서 췌관과 담관의 상대적 위치를 고려하여 담관 부위 정하고 절개를 할 수 있다. 특히 게실 내 유두부가 위치한 상황에서 반복적인 췌관 삽관이 되고 구측 융기가 명확하지 않은 상황에서 고려해 볼 수 있다(그림 13-13). 반복적으로 췌관 삽관만 되는 경우에

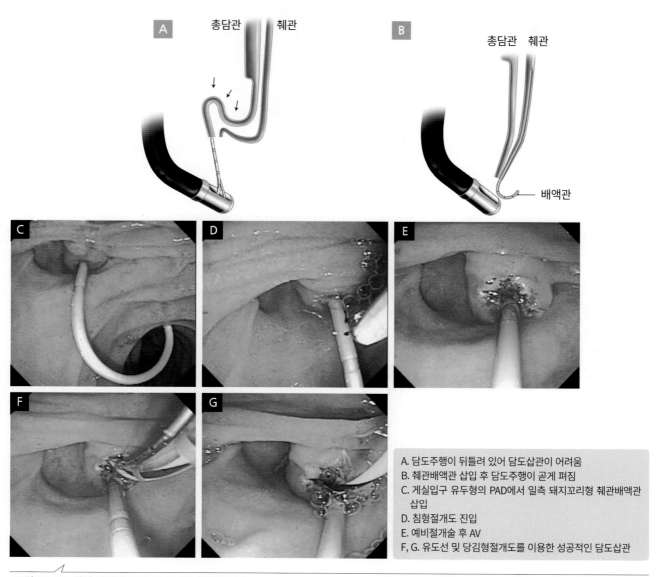

A. 담도주행이 뒤틀려 있어 담도삽관이 어려움
B. 췌관배액관 삽입 후 담도주행이 곧게 펴짐
C. 게실입구 유두형의 PAD에서 일측 돼지꼬리형 췌관배액관 삽입
D. 침형절개도 진입
E. 예비절개술 후 AV
F, G. 유도선 및 당김형절개도를 이용한 성공적인 담도삽관

그림 13-13. 췌액 배액관 삽입 후 시행한 예비 절개술

담관 삽관을 시도하는 다른 방법인 경췌관 예비절개술은 당김형 절개도를 유도선을 따라서 췌관에 삽입하고 중격을 포함하여 11시 및 12시 방향 즉 담관 방향으로 절개하는 방법이다. 초기에는 성공률이 높고 합병증 빈도가 낮다고 보고되었으나 후속 연구에서 다른 결과가 보고되고 있어서 좀 더 연구가 필요하다(그림 13-14).

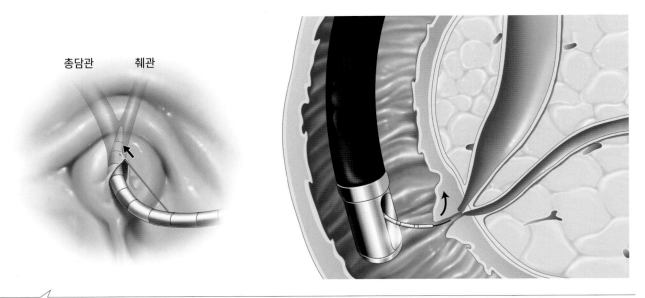

총담관   췌관

그림 13-14. **경췌관 예비절개술(transpancreatic precut papillotomy, transpancreatic papillary septotomy)**

현재는 ERCP가 거의 대부분 치료 목적으로 이루어지고 있다. 따라서 괄약근 절개술이 거의 대부분에서 필요하다. 반복적인 삽관 시도로 인한 팽대부 부종이 없어야 성공적인 치료가 잘 되기 때문에 가능한 조기에 예비절개술을 하는 것이 좀 더 유리할 것으로 생각된다. 경험이 있는 시술자가 치료 목적의 ERCP를 시행할 때, 유두부 모양이 예비 절개술이 안전할 것으로 여겨지면서 반복적인 췌관 삽관 발생이 예상될 것으로 예측되는 모양이면 예비 절개술을 조기에 시행하는 것이 더 안전할 수 있다. 일부 연구자는 통상적인 방법으로 10분 안에 담관 삽관을 성공하지 못하고, 5차례 이상 췌관 삽관이 이루어지면 예비절개술을 비롯한 다른 방법을 우선적으로 사용할 것을 권고하기도 한다.

예비 절개술을 시행하면서 절개된 면을 관찰하면 분홍색의 점막과 담즙이 관찰된다. 절개된 면에서 관찰되는 분홍색의 점막은 십이지장 유두부내 점막(pink intrapapillary mucosa, PIPM; common channel, bile and pancreatic duct mucosa)으로 이 부위에서 담즙이 배출되면 담관 절개 부위일 가능성이 높다(그림 13-15). Iso-Tome®을 이용한 절개의 경우 절연체로 인하여 선단에 의한 전기 손상이 없기 때문에 분홍색의 십이지장내 유두부 점막을 좀 더 잘 관찰된다. 일반적으로 널리 쓰이는 침형절개도의 경우 선단에 의해서 점막 손상이 있게 되면 핑크색의 점막이 관찰되지 않을 수 있다. 이렇게 점막과 담즙의 배출되는 부위를 관찰함으로써 담관의 위치를 좀 더 잘 알 수 있으며, 점막이 관찰되지 않는 경우에는 좀 더 절개를 해야 한다. 예비절개술 후에도 췌관으로 삽관이 되는 경우가 있다. 이 경우에 췌관과 담관의 삼차원적 상호 위치를 고려해서 담관을 찾으면 절개술 전보다 쉽게 찾을 수 있다.

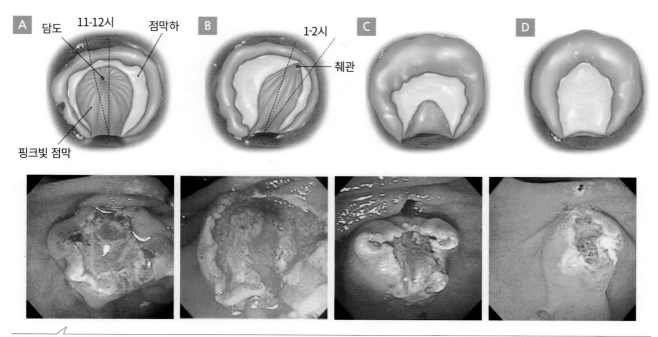

그림 13-15. Iso-Tome®을 이용한 예비절개술 후 관찰되는 4가지 형태의 핑크색 십이지장 유두부내 점막(pink intrapapillary mucosa, PIPM). (A) 담도방향으로 완전히 노출된 PIPM (fully exposed PIPM, oriented toward the bile duct), (B) 췌관방향으로 완전히 노출된 PIPM (fully exposed PIPM, oriented toward the pancreatic duct), (C) 일부 노출된 PIPM (partially exposed PIPM), (D) 노출되지 않은 PIPM (unexposed PIPM)

5. 맺음말

본장에서는 담도 괄약근 절개술을 배우고 시행하는 과정에 있어서 좀 더 빠르게 익히고 안전하게 하기 위해서 알고 있어야 할 내용을 중심으로 숙련자의 의견에 대한 저술과 저자의 경험을 바탕으로 약간의 요령에 대해서 기술하였다.

담도 괄약근 절개술과 같은 수기는 글과 그림보다는 동영상, 동영상보다는 직접시행을 해야 제대로 익힐 수 있다. 따라서 수기를 잘 익히기 위해서는 숙련자가 직접 시행하는 것을 보고 숙련자의 지도 아래 직접 해 봐야만 한다. 발레와 골프를 라디오 방송 해설만으로 익힐 수 없듯이 괄약근 절개술 역시 교과서만으로는 익힐 수 없다. 따라서 숙련된 술기를 위해서는 책 이상의 임상 경험이 필요함을 명심하길 바란다.

본 원고는 마지막에서 하나 더 강조하고 싶은 내용은 괄약근 절개술과 같은 수기를 행하는데 가장 중요한 요소는 수기의 성공이 아니라 대상 환자에게 도움을 주는 임상적 목적을 달성하는 것이라는 점이다. 이러한 목적을 달성하는데 내시경 시술만 있는 것이 아니라 수술, 영상의학적 중재술, 적절한 투약 및 경과 관찰 등이 있으므로 모든 눈에 보이는 문제를 내시경 시술로만 해결하려는 시야를 넓히고 내시경 시술 중에도 시술의 진행 상황에 따라서 냉철한 판단을 하면서 전체적으로 환자에게 도움이 되는 방법을 선택하기 위해서 노력해야 한다.

참/고/문/헌

1. 김명환, 민영일, 이성구. ERCP 역행성 담도췌관 조영술. 일조각; 1993. pp. 93-117.

2. 박상흠, 오영수, 김은주 등. 내시경적 담도삽관을 위한 침형절개도를 이용한 누두절개술(infundibuloto¬my)의 유용성. 대한소화기내시경학회지 2000;20:267-73.

3. 박흥배. 내시경적 유두괄약근 절개술. 대한소화기내시경학회지 1991;11:173-9.

4. 윤용범, 김창덕, 심찬섭 등. 내시경적 역행성 담췌관 조영술. 고려의학; 1999. pp. 23-7.

5. 이동기. Needle knife fistulotomy. 대한소화기내시경학회지 2005;31(suppl 1):160-4.

6. ASGE Technology Committee, Kethu SR, Adler DG, Conway JD, et al. ERCP cannulation and sphincterotomy devices. Gastrointest Endosc 2010;71:435-45.

7. Catalano MF, Linder JD, Geenen JE. Endoscopic transpancreatic papillary septotomy for inaccessible obstructed bile ducts: comparison with standard pre-cut papillotomy. Gastrointest Endosc 2004;60:557-61.

8. Cotton PB, Lehman G, Vennes J, et al. Endoscopic sphincterotomy complications and their management: an attempt at consensus. Gastrointest Endosc 1991;37:383-93.

9. Elta GH, Barnett JL, Wille RT, et al. Pure cut electrocautery current for sphincterotomy causes less post-procedure pancreatitis than blended current. Gastrointest Endosc 1998;47:149-53.

10. Fogel EL, Sherman S, Lehman GA. Increased selective biliary cannulation rates in the setting of periampullary diverticula; main pancreatic duct stent placement followed by pre-cut biliary sphincterotomy. Gastrointest Endosc 1998;47:396-400.

11. Freeman ML, Nelson DB, Sherman S, et al. Complications of endoscopic biliary sphincterotomy. N Engl J Med 1996;335:909-18.

12. Goff JS. Common bile duct pre-cut sphincterotomy: transpancreatic sphincter approach. Gastrointest Endosc 1995;41:502-5.

13. Haag R, Cuschieri A. Recent advances in high-frequency electrosurgery: development of automated systems. J R Coll Surg Edinb 1993;38:354-64.

14. Kaffes AJ, Sriram PVJ, Rao GV, et al. Early institution of pre-cutting for difficult biliary cannulation: a prospective study comparing conventional vs. a modified technique. Gastrointest Endosc 2005;62:669-74.

15. Kasmin FE, Cohen D, Batra S, et al. Needle-knife sphincterotomy in a tertiary referral center: efficacy and complications. Gastrointest Endosc 1996;44:48-53.

16. Kohler A, Maier M, Benz C, et al. A new HF current generator with automatically controlled system (Endocut mode) for endoscopic sphincterotomy--preliminary experience. Endoscopy 1998;30:351-5.

17. Norton ID, Petersen BT, Bosco J, et al. A randomized trial of endoscopic biliary sphincterotomy using pure-cut versus combined cut and coagulation waveforms. Clin Gastroenterol Hepatol 2005;3:1029-33.

18. Park SH, Park DH, Lee TH, et al. Feasibility of mucosa-tracking-technique in precut papilloto¬my with iso-tome as an alternative to needle-knife technique. Gut and Liver 2010;4:76-83.

19. Perini RF, Sadurski R, Cotton PB, et al. Post-sphincterotomy bleeding after the introduction of microprocessor-controlled electrosurgery: does the new technology make the difference? Gastrointest Endosc 2005;61:53-7.

20. Rabenstein T, Ruppert T, Schneider HT, et al. Benefits and risks of needle-knife papillotomy. Gastrointest Endosc 1997;46:207-11.

21. Rabenstein T, Schneider HT, Hahn EG, et al. 25 years of endoscopic sphincterotomy in Erlangen: assessment of the experience in 3498 patients. Endoscopy 1998;30:A194-201.

22. Sherman, S, Uzer MF, Lehman GA. Wire-guided sphincterotomy. Am J Gastroenterol 1994;89:2125-9.

23. Siegel JH, Ben-Zvi JS, Pullano W. The needle knife: a valuable tool in diagnostic and therapeutic ERCP. Gastrointest Endosc 1989;35:499-503.

24. Vaira D, Dowsett JF, Hatfield AR, et al. Is duodenal diverticulum a risk factor for sphincterotomy? Gut 1989;30:939-42.

내시경 유두부 풍선확장술

Endoscopic Papillary Balloon Dilation

정 석 인하대학교 의과대학

1. 서론

　총담관 결석의 내시경 치료에 있어 담관 내 결석 제거를 위한 필수적인 주 시술은 담관의 입구인 주유두를 절개하거나 확장하여 유두 입구를 넓히는 것으로, 전통적으로 시행되어 오던 내시경 유두부괄약근 절개술(endoscopic sphincterotomy, EST) 이외에, 1983년 확장용 풍선도관(dilation balloon catheter)을 이용한 내시경 유두부 풍선확장술(endoscopic papillary balloon dilation, EPBD)과 2003년 내시경 유두부 큰풍선확장술(endoscopic papillary large balloon dilation, EPLBD)이 각각 도입되어 수십 년간 임상에서 시행되어 왔다.

　이 두 가지 내시경시술방법은 유두확장술에 사용되는 확장용 풍선 도관의 직경에 따라 구분되는데, 담관 결석의 크기에 따라 적용되는 풍선 도관의 직경이 달라지나 기본적인 시술의 목적과 원리, 그리고 시술과정은 매우 유사하다.

　반면에 두 시술 간의 차이를 살펴보면, EPBD는 보통 1 cm 이하의 작은 담석을 치료할 목적으로 작은 직경의 풍선으로 확장술을 시행하기 때문에 오디괄약근의 기능을 어느 정도 보전할 수 있어 EST에 비하여 담석 재발과 같은 장기 합병증 발생을 줄일 수 있다는 점과(8% vs. 17%, p=0.0011) Billroth II 위절제수술 후나 방유두게실과 같이 해부학적 변형으로 EST에 기술적인 제한을 받는 환자에서 담석제거에 유용하게 이용될 수 있다는 장점이 있다. 또한 EPBD는 EST와 비교하여 24시간 이내에 발생하는 단기 합병증으로 출혈은 거의 관찰되지 않아 진행성 간경변(liver cirrhosis, LC)이나 혈액투석을 시행 받는 말기 신질환(end-stage renal disease, ESRD), 응고병증(coagulopathy)와 같은 출혈 경향이 있는 환자에서 EST를 대신할 수 있는 매우 유용한 치료법이 될 수 있다. 그러나 담관개구부의 확장 효과가 작기 때문에 크기가 큰 결석을 제거하는 것은 용이하지 않아 기계적 쇄석술을 요하는 경우가 많으며, 급성 췌장염의 발생률이 EST에 비해 더 높다(7.4% vs. 4.3%, p=0.05).

　EPLBD의 경우 그 정의 상 직경 12 mm 이상의 확장용 풍선 도관을 이용하여 유두 및 하부 담관을 확장하는 내시경시술이기 때문에, 직경이 10 mm 이상되는 담관 결석을 치료할 목적으로 시행된다. 사용되는 확장용 풍선의 직경이 크기 때문에 유두확장효과가 커서, EST에 비하여 기계적 쇄석술의 사용빈도를 줄여주고 시술시간과 투시검사(fluoroscopy) 시간을 단축시키며, 낮은 합병증 발생률을 보여주었다. 그러나 EST 선행여부와 관계없이 EPLBD는 작은 직경의 확장용 풍선을 사용하는 EPBD와 달리 시술 시 유두부괄약근이 파열되어 괄약근 기능의 영구적 소실이 발생하기 때문에 EPBD보다 장기간 담석 재발률이 높다(11–14.5% vs. 8%).

　　EPBD와 EPLBD는 숙련되지 않은 시술자들도 담관의 선택적 삽관만 이루어지면 쉽게 시행할 수 있는 시술로, 시술과정의 간편성과 시술 용이성으로 인해 내시경역행담췌관조영술(endoscopic retrograde cholangio pancreatography, ERCP) 시술경험이 충분하지 않은 내시경의사가 선호하는 시술방법 중 하나이다. 또한 전세계적으로 총담관 결석 치료에 있어 우수한 치료 성적을 보고하고 있으며 심각한 합병증의 보고도 드물지만 본 시술 후 출혈이나 천공이 발생하는 경우, 치명적인 임상결과를 초래할 수 있다. 따라서 이러한 심각한 합병증 발생 위험성을 최소화하는 안전한 시술을 위하여 내시경 시술자는 EPBD 및 EPLBD의 시술 전 준비과정과 시술 대상의 선정, 그리고 안전하고 효과적인 실질적 술기 요령과 가이드라인에 관하여 충분히 숙지하고 있어야 한다.

2. 시술기구 준비

1) 확장용 풍선도관

　　조영제 주입용 삽입관(cannula)과 ERCP 시행 시 통상적으로 많이 사용되는 0.035 inch나 0.025 inch의 직경과 최소 230 cm의 길이를 가진 유도철사, 그리고 유도철사 유도용 확장용 풍선도관(wire–guided balloon catheter)을 직경별로 준비한다. 확장용 풍선 도관은 직경이 고정된 모델과 직경이 풍선확장압력에 따라 직경이 가변적인 모델로 나누어지는데, 고정 직경의 풍선 도관 모델은 4–10 mm의 작은 직경으로 주로 담관 협착 확장술이나 EPBD 시행 시 사용된다(그림 14–1). EPBD의 경우, 유두와 하부 담관에서 최소한의 확장 효과를 갖기 위해서 8–10 mm 직경의 풍선도관을 주로 사용한다. 반면에 가변 직경의 풍선도관 모델은 직경의 종류에 따라 10–12 mm, 12–15 mm, 15–18 mm 및 18–20 mm 직경의 풍선이 있다(그림 14–2).

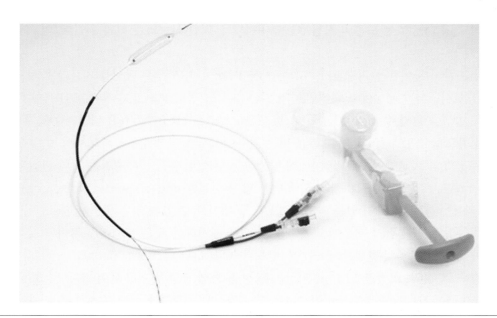

그림 14–1. 내시경 유두 풍선확장술에 사용되는 고정된 직경의 소구경 확장용 풍선도관(Boston Scientific사 사진 제공)

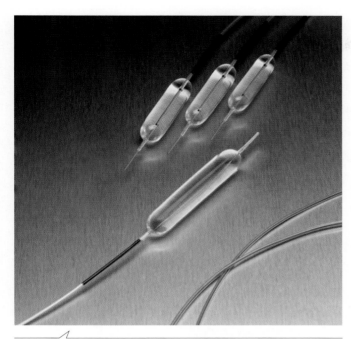

그림 14-2. 내시경 유두 큰풍선확장술에 사용되는 가변 직경의 대구경 확장용 풍선도관(Boston Scientific사 사진 제공)

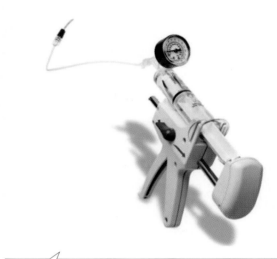

그림 14-3. 조영제를 기계적으로 풍선 도관 내로 주입하여 풍선을 팽창시키는 확장기(Boston Scientific사 사진 제공)

풍선도관은 내부에 조영제 주입용과 유도철사 삽입용의 두 개의 채널을 가진다. 조영제를 조영제 주입용 채널을 통해 주입하여 풍선을 확장하면 소시지 모양이 되며, 풍선의 팽창은 방사상으로 균일한 압력으로 진행되는 구조를 가진다. 풍선도관의 외경은 7.5 Fr (2.5 mm)로 부속기구 삽입용 채널(working channel)이 최소한 2.8 mm 이상이 되는 내시경을 사용해야 한다. 풍선 도관은 직경의 종류에 따라 최대 확장압력이 정해져 있으며(6–8 mm, 10 atm; 10–12 mm, 8 atm), 이를 초과하게 되면 풍선이 파열될 수 있다.

2) 확장기(Indeflator)

조영제를 연결관을 통해 풍선 도관 내로 기계적으로 주입하여 풍선을 팽창시키는 장치인 확장기(indeflator)를 준비한다. 제조사마다 다양한 형태의 확장기가 나와 있는데, 확장기에는 대개 선단에 압력 단위가 psi와 atm으로 표시된 압력계가 장착되어 있고, 중간부에 조영제를 최대 20 mL까지 채울 수 있는 주사기가 있으며 후단에는 밀어서 풍선 도관 내로 조영제를 주입하는 플런저(plunger)가 달려있다(그림 14-3).

3. 시술대상의 선정

EPBD와 EPLBD의 시술 적응증은 주로 원발성 혹은 이차 담관 결석이 된다. 그러나 EPBD의 경우 EPBD가 가진 한계 때문에 모든 담관 결석 환자를 대상으로 EPBD를 일상적으로 적용하기는 어렵다고 생각한다. EPBD와 EST의 무작위 통제 임상연구들의 메타분석 결과를 근거로 시술 대상을 선정하여 보면, 우선 LC나 ESRD 등과 같이 응고병증(coagulopathy)을 동반한 담관 결석 환자에서 출혈의 위험성이 큰 EST에 비해, 유용한 시술이 된다.

EST에서보다 EPBD에서 췌장염의 발생위험이 더 큰데, 특히 60세 이하 환자에서 그 위험성이 더 크고 췌장염으로 인한 사망위험도 더 커서 주로 60세 이상의 고령 결석 환자에서 시행할 수 있다. 그리고 Billroth II 위절제술과 같은 위 우회수술을 했던 환자나 방유두게실이 있는 경우처럼 해부학적 변화를 가진 담관 결석 환자에서 안전하고 효과적인 시술이 될 수 있다.

또한 EPBD는 담도 개구부를 확장시키는 정도가 작기 때문에 크기가 큰 결석에서 EPBD를 시행하는 경우, 결석을 완전히 제거하기 위하여 기계적 쇄석술과 같은 추가적인 시술이 필요한 경우가 많아서 급성 췌장염을 일으킬 수 있는 유두부의 기계적 손상의 위험성이 있다. 한 임상연구에 따르면 10 mm 미만의 3개 이하의 담관 결석 환자에서 8 mm 직경의 풍선 도관으로 EPBD를 시행했을 때 추가로 EST나 기계적 쇄석술 필요 없이 거의 모든 대상자에서 성공적인 결석 제거가 가능하였으며, 시술 후 췌장염의 발생도 EST와 차이가 없었다고 하였다. 따라서 EPBD가 크기가 작은 담관 결석에 적절한 치료가 될 수 있다.

EPBD에 관한 대부분의 임상연구에서 제외 기준에 하부 담관의 협착이 포함되어 있지 않지만, 특히 단단하거나 긴 분절의 양성 담관 협착이 의심되는 경우, 협착부의 섬유화로 인해 담관의 탄성이 저하되어 있어, EPBD 시행시 천공의 우려가 있기 때문에 EPBD를 시행하는데 있어 주의를 요한다.

EPLBD는 치료가 어려운 직경 10 mm 이상의 거대 총담관 결석 환자가 치료 대상이 된다.

4. 기본 술기

삽입관(cannula)의 선택적인 담관 삽관이 성공하게 되면, 삽입관을 통해 담관 내 조영제를 충분히 주입하여 담관조영술을 시행한다. 담관조영검사에서 담관의 전체적인 모양을 파악하고, 이미 알고 있는 십이지장경의 원위부 말단의 외경(13.5 cm)을 기준으로 하부 담관의 최대 직경을 대략 정하고 담관 내 가장 큰 결석의 최대 횡경을 파악하거나, 시술 전 해당 환자의 복부 CT의 관상영상(coronal view)에서 하부 담관과 결석의 횡경을 직접 측정하여 사용할 풍선의 직경을 결정한다.

삽입관의 내강을 통해 유도선을 담관 내로 충분한 길이를 삽입하고 나서 삽입관을 제거한 후, 유도선을 따라 허탈된 상태의 확장용 풍선 도관을 진입시켜 내시경 화면을 보면서 확장용 풍선의 중간부위가 유두개구부에 위치하도록 한다. 이 때 시술 보조자는 내시경의 부속기구 삽입용 채널 밖으로 나와 있는 풍선 도관의 근위부 말단에 있는 조영제 주입용 채널에 조영제를 채워 둔 확장기의 연결관을 연결한다. 시술자가 투시검사 영상과 내시경 화면을 계속 관찰하면서 보조자로 하여금 플런저를 서서히 전방으로 밀어서 확장기 내에 있는 조영제를 풍선 내로 주입하여 채우게 함으로써, 목표로 하는 풍선의 직경과 압력까지 중간에 시술 보조자가 확장기의 핸들을 통해 타이트한 정도를 느끼면서 풍선을 서서히 팽창시킨다. 목표로 하는 직경까지 풍선을 팽창시키면 투시검사 영상에서 풍선 중간부에 balloon waist 혹은 절흔 징후(notch sign)가 나타나는데, 이것은 팽창되는 풍선에 의해 밀려 확장되고 있는 오디 괄약근의 위치이다. 이 절흔 징후가 사라질 때까지 풍선을 팽창시키고, 팽창된 풍선의 압력을 일정시간 유지시킨다. 유두확장시간은 시술자에 따라 30초에서 3분 정도 지속하는데 대부분 1분 정도 확장한다.

이후 다시 플런저를 후방으로 당겨서 팽창된 풍선 내의 조영제를 빼내고 풍선을 수축시켜 허탈시켜 뒤, 풍선 도관을 제거한다. 그 다음 넓혀진 유두 개구부를 통해 바스켓이나 결석 회수용 풍선 도관을 이용하여 담관 결석을 십이지장 내로 빼내어 제거한다.

이러한 과정에서 시술 후 급성 췌장염 발생의 위험을 줄이기 위해서는 유두에 기계적 손상을 최소화하는 방

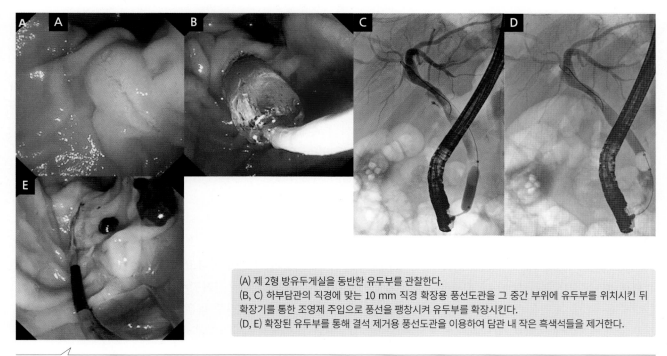

(A) 제 2형 방유두게실을 동반한 유두부를 관찰한다.
(B, C) 하부담관의 직경에 맞는 10 mm 직경 확장용 풍선도관을 그 중간 부위에 유두부를 위치시킨 뒤 확장기를 통한 조영제 주입으로 풍선을 팽창시켜 유두부를 확장시킨다.
(D, E) 확장된 유두부를 통해 결석 제거용 풍선도관을 이용하여 담관 내 작은 흑색석들을 제거한다.

그림 14-4. 내시경 유두 풍선확장술

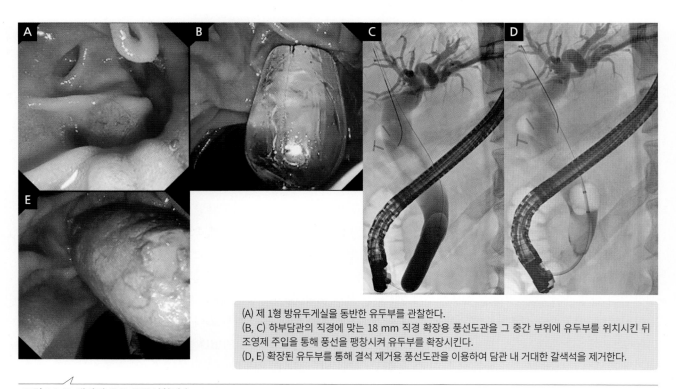

(A) 제 1형 방유두게실을 동반한 유두부를 관찰한다.
(B, C) 하부담관의 직경에 맞는 18 mm 직경 확장용 풍선도관을 그 중간 부위에 유두부를 위치시킨 뒤 조영제 주입을 통해 풍선을 팽창시켜 유두부를 확장시킨다.
(D, E) 확장된 유두부를 통해 결석 제거용 풍선도관을 이용하여 담관 내 거대한 갈색석을 제거한다.

그림 14-5. 내시경 유두 큰풍선확장술

향으로 시술을 시행하도록 하는데, 이러한 목적을 달성하기 위해 EPBD 및 EPLBD 시술과 관련된 몇 가지 요인들에 대한 고려가 필요하다(그림 14-4, 5).

1) 풍선 직경

EPBD와 EPLBD에서 사용할 풍선의 직경을 결정하는 방법은 담관조영상에서 십이지장경의 원위부 말단의 외경을 기준으로 담관의 최대 직경과 담관 내 가장 큰 결석의 최대 직경을 파악하거나 복부 CT의 관상영상(coronal view)에서 하부 담관과 결석의 횡경을 측정하여 유두 확장용 풍선의 직경을 결정하는데, 이 때 췌장염이나 담관 천공의 발생을 피할 수 있는 최선의 풍선 직경은 총담관의 직경보다는 작으면서 담관 내 최대 결석보다 크거나 같은 것을 선택하는 것이 췌관 개구부나 담관의 손상을 최소화할 수 있다.

2) 풍선확장압력

EPBD를 시행할 때의 풍선확장압력도 이론적으로 유두 손상과 관련이 있다고 할 수 있는데, 아직까지 이와 관련한 연구가 미미한 상태이다. Tsujino 등은 낮은 풍선확장압력과 짧은 풍선확장시간이 유두에 손상을 덜 줘서 합병증을 줄일 수 있음을 보여주었고, Nakagawa 등은 EPBD 후 췌장염 발생의 위험요인에 관한 연구에서 절흔 징후 소실에 필요한 풍선확장압력이 5 atm 이상이었던 2명의 환자에서 시술 후 췌장염 발생을 보고하였다.

만약 절흔 징후 소실을 위하여 높은 풍선확장압력이 필요한 경우에 췌장염 발생과 관련이 있다는 것이 사실이라면, EPBD 중 절흔 징후가 5 atm 이상의 높은 풍선확장압력에서도 소실되지 않는 경우, EPBD를 중단하고 EST로 전환하여야 한다.

EPLBD의 경우, 풍선확장압력과 관련한 직접적인 임상 데이터는 없으나, 관련 임상데이터의 문헌 고찰 분석에 기반한 안전한 EPLBD 시술의 가이드라인에 따르면, 해당 직경에서 권고하는 최대 압력의 75%에 도달 시에도 풍선 도관의 절흔 징후 소실이 없는 경우, 그 이상 압력 상승은 담관 천공의 위험성 때문에 지양하도록 권고하고 있으며, 저자의 개인적인 경험에 의하면 2-3 atm 이하의 낮은 확장 압력으로도 충분한 유두 확장효과를 얻으면서 췌장염과 천공 같은 심각한 합병증을 예방할 수 있다고 생각한다.

3) 풍선확장시간

목표 직경까지 팽창된 풍선으로 하부담관과 유두의 확장을 유지하는 시간인 풍선확장시간은 EPBD관련 임상연구에서 15-120초 사이였으며, 대부분의 연구자들은 주로 60초를 사용하였다. 그러나 담석 재발과 같은 장기 합병증을 줄이기 위하여 오디괄약근 손상을 최소화하는 방향의 시술을 고려한다면, 이론적으로 가능한 풍선확장시간을 단축하는 것이 타당할 것이다. Tsujino 등은 EPBD 임상연구에서 대부분의 환자가 풍선확장시간 15초 이내에 balloon waist가 소실되므로, 15초이면 유두의 풍선 확장 효과가 충분하다고 보고 이것이 유두 손상을 최소화하고 최소한의 오디괄약근 확장 효과를 낼 수 있는 시간으로 판단하여, 120초군과 비교하였는데, 15초군에서 췌장염의 발생률이 낮은 경향을 보였으며(4.0% vs. 7.4%, p=0.0626), 중증 췌장염의 발생은 유의하게 낮았다고 보고하였다. 또한 Bang 등의 EPBD에서 풍선확장시간에 관한 비교 연구에서도 췌장염 발생률에 있어 비슷한 결과를 보고하였다(20초군, 5.7% vs. 60초군, 11.4%). 그러나 최근에 발표된 EPBD 풍선확장시간에 관한 무작위통제연구에서는 오디괄약근이 충분히 긴 시간 동안 스트레칭이 되지 않으면 EPBD 직후 유두 입구 조직부종으로 인한 담관과 췌관 입구 폐쇄를 유발할 수 있기 때문에, 유두 풍선확장시간을 5분으로 증가시켰을 때 오히려 1분간의 풍선확장시간에 비하여 결석제거 효율이 향상되고 췌장염 발생 위험이 감소하였다고 하여(5분군, 4.8% vs. 1분군,

15.1%, RR 0.32, p=0.038), 기존의 연구들과 상반된 결과를 보여준 바 EPBD 시 적절한 풍선확장시간에 대한 논란이 있다.

한편 단단하거나 긴 분절의 담관 협착이 의심되는 경우, EPBD가 꼭 필요한 시술인지 신중히 고려해야 하며, EPBD 도중에 담관 협착이 의심되고 balloon waist가 나타난 뒤 20여 초 이상 경과 후에도 소실되지 않고 지속 시에는 풍선 확장 시술의 중단을 고려해야 한다.

EPLBD의 경우 관련 임상연구에서 풍선확장시간이 대부분 1분이었으며, 풍선확장시간에 따른 임상성적을 비교하였던 EPLBD 연구는 아직 없다. EPLBD에 관한 개인적인 경험에 의하면 특히 EST 선행없이 EPLBD를 시행하는 경우, 일부 환자에서 유두 확장 효과가 떨어지거나 일시적인 경향성이 있어서, 낮은 확장압력과 느린 확장속도를 유지하면서 풍선확장시간을 최소 2분 이상으로 연장 시, 시술 합병증의 위험없이 확장 효과를 높이거나 유지시켜 주는 경향이 있다고 생각한다.

4) 풍선 확장 속도

실제 풍선 확장 속도를 정확하게 측정하기 어렵기 때문에 대부분의 EPBD 및 EPLBD의 임상연구에서 이에 관한 정확한 기술이 안 되어 있고, 관련 연구도 미미한 실정이나, 15초당 0.5 atm의 느린 풍선 확장 속도를 사용한 한 EPBD 연구에서 4.0%의 낮은 췌장염 발생률을 보였으며, 서서히 풍선확장을 시행하였다고 기술된 연구에서 췌장염 발생률이 낮은 경향을 보였다.

EPBD에 사용되는 풍선 도관들은 일반적으로 polyethylene terephthalate나 nylon으로 제작되므로, 낮은 압력에서도 신속히 팽창되고 0.5 atm의 낮은 확장압력에서도 풍선의 직경이 완전히 팽창된 풍선 직경의 90% 이상 도달할 수 있다. 따라서 풍선을 서서히 팽창시키는 EPBD는 오디괄약근에 손상 위험을 줄이는데 매우 중요할 수 있으며, 특히 풍선 팽창 시작 후 첫 0–2 atm 중에 풍선 팽창을 서서히 하는 것이 중요하다. 이러한 풍선 확장 속도는 안전한 EPBD의 가장 중요한 요인일 것으로 제시되었으며, 저자도 이 의견에 전적으로 동의한다.

EPLBD의 경우에도 관련 임상연구 데이터는 없지만, 개인적으로 EPBD에서와 마찬가지로 풍선 확장 속도를 낮게 유지하는 것이 합병증 발생률을 낮게 유지하는 방법 중 하나로 생각한다.

5) 풍선 확장 횟수

안전하고 효과적인 EPBD및 EPLBD를 위해 풍선 확장을 반복해야 하는 지에 대해 아직 알려진 바 없다. 대부분 EPBD와 EPLBD의 임상연구에서 관습적으로 1회의 풍선 확장을 시행하였다. 저자의 경우, EPBD 및 EPLBD 시술 시행 시, 1회의 유두 풍선 확장 시술 후 확장 효과가 부족하다고 판단되는 경우, 동일 ERCP 세션에서 추가로 여러 번 풍선확장술을 반복하거나, 다른 ERCP 세션에서 반복적인 풍선확장술을 시행하기도 하는데, 이는 유두 풍선확장술 직후에 발생하는 유두 조직의 탄성 반동(elastic recoil)을 극복하고 조직 재형성(tissue remodeling) 발생을 유도하려는 시도로 이러한 경우 시술 합병증 발생의 증가없이 유두 확장 효과가 증가하는 경향을 경험하였다.

5. 시술자가 숙지해야 할 안전하고 효과적인 EPLBD의 가이드라인

2012년 대규모 임상연구의 다변량 분석에 근거하여 다음과 같이 EPLBD의 가이드라인이 소개되었다.

1. 하부담관의 협착을 동반하지 않은 확장된 담관을 가진 환자가 EPLBD의 적응증이 된다.
2. EPLBD 시행 전에 시행하는 EST를 시행함에 있어 천공과 출혈의 합병증을 예방하기 위하여 대절개를 피한다.
3. 유두 풍선확장술 시행 시 풍선의 팽창을 낮은 압력으로 서서히 진행하여야 하며, 이를 통하여 풍선확장 도중 절흔 징후의 지속을 확인하여 시술 전 확인이 안되었거나 숨어있던 하부 담관 협착을 찾는다.
4. 풍선 확장 시술 중 저항이나 지속적인 절흔 징후 발생 시, 풍선도관의 과팽창을 피한다.
   1) 하부 담관의 협착을 시사하는 풍선확장 중 유두의 심한 저항 발생 시, 풍선확장압력을 올리지 말고 풍선확장술을 중단한다.
   2) 유두 풍선확장술 시행 시, 권고하는 최대 풍선확장압력의 75%까지 도달 시에도 풍선도관 중간에 나타나는 절흔 징후가 소실되지 않고 지속 시, 풍선확장압력을 올리지 말고 풍선확장시술을 중단한다.
5. EPLBD 시술 전 하부 담관의 최대 직경을 초과하는 확장용 풍선 도관을 선택하지 않으며, 담관의 최대 직경을 초과한 풍선 확장술을 시행하지 않는다.
6. 유두 풍선확장 도중 필요한 경우, 기계적 쇄석술이나 스텐트 삽입술과 같은 대안이 되는 결석제거방법으로의 전환을 주저하지 않는다.

6. 임상적 미충족 수요

총담관결석 치료가 주 목적인 EPBD와 EPLBD는 본 시술을 통하여 합병증 없이 담관 입구의 확장을 통하여, 결석을 제거할 때 담관 입구에서 저항없이 결석을 쉽게 십이지장으로 회수할 수 있어야 한다. 그러나 기본적으로 담관과 유두의 생체 조직은 탄성을 가지고 있어서 풍선에 의한 유두확장 직후, 풍선을 제거하면 조직의 탄성 반동 (elastic recoil)에 의하여 담관 입구의 확장이 일시적이거나 효과적이지 않은 경우가 발생한다. 따라서 효과적이고 안전한 내시경 유두 풍선확장술이 되기 위하여 높은 수준의 근거를 제공할 수 있는 임상연구들을 통하여 적절한 시술 프로토콜의 개발이 요구된다.

7. 결론

EPBD 및 EPLBD는 특히 ERCP를 시작하는 초심자들에게 있어 EST에 비해 기술적인 측면에서 시행이 용이하므로, 시술에 앞서 시술자가 EPBD와 EPLBD의 장단점을 파악하고 적절한 시술 대상을 선정하며 안전하고 효과적인 술기 요령을 숙지한다면, 임상에서 많은 췌담도내시경의들에게 있어 담관 결석 제거를 위한 내시경치료의 좋은 방법이 될 수 있다.

참/고/문/헌

1. Aiura K, Kitagawa Y. Current status of endoscopic papillary balloon dilation for the treatment of bile duct stones. J Hepatobiliary Pancreat Sci 2011;18:339–45.

2. Attasaranya S, Cheon YK, Vittal H, et al. Large-diameter biliary orifice balloon dilation to aid in endoscopic bile duct stone removal: a multicenter series. Gastrointest Endosc 2008;67:1046–52.

3. Bang BW, Jeong S, Lee DH, et al. The ballooning time in endoscopic papillary balloon dilation for the treatment of bile duct stones. Korean J Intern Med 2010;25:239–45.

4. Bang S, Kim MH, Park JY, et al. Endoscopic papillary balloon dilation with large balloon after limited sphincterotomy for retrieval of choledocholithiasis. Yonsei Med J 2006;47:805–10.

5. Baron TH, Harewood GC. Endoscopic balloon dilation of the biliary sphincter compared to endoscopic biliary sphincterotomy for removal of common bile duct stones during ERCP: A metaanalysis of randomized, controlled trials. Am J Gastroenterol 2004;99:1455–60.

6. Bergman JJ, Tytgat GN, Huibregtse K. Endoscopic dilation of the biliary sphincter for removal of bile duct stones: an overview of current indication and limitations. Scand J Gastroenterol Suppl 998;225:59–65.

7. Bergman, J. J., van Berkel, A. M., Bruno, M. J., et al. A randomized trial of endoscopic balloon dilation and endoscopic sphincterotomy for removal of bile duct stones in patients with a prior Billroth II gastrectomy. Gastrointest Endosc 2001;53,19–26.

8. Chan HH, Lai KH, Lin CK, et al. Endoscopic papillary large balloon dilation alone without sphincterotomy for the treatment of large common bile duct stones. BMC Gastroenterol 2011;11:1–6.

9. Cheon YK, Lee TY, Kim SN, et al. Impact of endoscopic papillary large-balloon dilation on sphincter of Oddi function: a prospective randomized study. Gastrointest Endosc 2017;85:782–90.

10. Ersoz G, Tekesin O, Ozutemiz AO, et al. Biliary sphincterotomy plus dilation with a large balloon for bile duct stones that are difficult to extract. Gastrointest Endosc 2003;57:156–9.

11. Heo JH, Kang DH, Jung HJ, et al. Endoscopic sphincterotomy plus large-balloon dilation versus endoscopic sphincterotomy for removal of bile-duct stones. Gastrointest Endosc 2007;66:720–6.

12. Ito Y, Tsujino T, Togawa O, et al. Endoscopic papillary balloon dilation for the management of bile duct stones in patients 85 years of age and older. Gastrointest Endosc 2008;68:477–82.

13. Itoi T, Itokawa F, Sofuni A, et al. Endoscopic sphincterotomy combined with large balloon dilation can reduce the procedure time and fluoroscopy time for removal of large bile duct stones. Am J Gastroenterol 2009;104:560–5.

14. Kim TH, Oh HJ, Lee JY, et al. Can a small endoscopic sphincterotomy plus a large-balloon dilation reduce the use of mechanical lithotripsy in patients with large bile duct stones? Surg Endosc 2011;25:3330–7.

15. Kogure H, Tsujino T, Isayama H, et al. Short- and long-term outcomes of endoscopic papillary large balloon dilation with or without sphincterotomy for removal of large bile duct stones. Scand J Gastroenterol 2014;49:121–28.

16. Lee DK, Han JW. Endoscopic papillary large balloon dilation: guidelines for pursuing zero mortality. Clin Endosc 2012;45:299–304.

17. Liao WC, Lee CT, Chang CY, et al. Randomized trial of 1-minute versus 5-minute endoscopic balloon dilation for extraction of bile duct stones. Gastrointest Endosc 2010;72:1154–62.

18. Maydeo A, Bhandari S. Balloon sphincteroplasty for removing difficult bile duct stones. Endoscopy 2007;39:958–61.

19. Minami A, Hirose S, Nomoto T, et al. Small sphincterotomy combined with papillary dilation with large balloon permits retrieval of large stones without mechanical lithotripsy. World J Gastroenterol 2007;13:2179–82.

20. Minami A, Nakatsu T, Uchida N, et al. Papillary dilation vs sphincterotomy in endoscopic removal of bile duct stones. A randomized trial with manometric function. Dig Dis Sci 1995;40:2550–4.

21. Nakagawa H, Ohara K. Safeguards against acute acute pancreatitis associated with endocopic papillary balloon dilation. J Hepatobiliary Pancreat Surg 2006;13:75–9.

22. Park DH, Kim MH, Lee SK, et al. Endoscopic sphincterotomy vs. endoscopic papillary balloon dilation for choledocho-

lithiasis in patients with liver cirrhosis and coagulopathy. Gastrointest Endosc 2004;60:180–5.

23. Park JS, Jeong S, Bang BW, et al. Endoscopic papillary large balloon dilatation without sphincterotomy for the treatment of large common bile duct stone: long–term outcomes at a single center. Dig Dis Sci 2016;61:3045–53.

24. Park JS, Jeong S, Cho JH, et al. Clinical outcome of endoscopic retrograde cholangiopancreatography for choledocholithiasis in end–stage renal disease patients on hemodialysis. Turk J Gastroenterol 2020;31:538–646.

25. Park JS, Jeong S, Lee DK, et al. Comparison of endoscopic papillary large balloon dilation with or without endoscopic sphincterotomy for the treatment of large bile duct stones. Endoscopy 2019;51:125–32.

26. Sato H, Kodama T, Takaaki J, et al. Endoscopic papillary balloon dilation may preserve sphincter of oddi function after common bile duct stone management: evaluation from the viewpoint of endoscopic manometry. Gut 1997;41:541–4.

27. Staritz M, Ewe K, Meyer zum Büschenfelde KH. Endoscopic papillary dilation (EPD) for the treatment of common bile duct stones and papillary stenosis. Endoscopy. 1983;15:197–8.

28. Takahara N, Isayama H, Sasaki T, et al. Endoscopic papillary balloon dilation for bile duct stones in patients on hemodialysis. J Gastroenterol 2012;47:918–23.

29. Toda N, Saito K, Wada R, et al. Endoscopic sphincterotomy and papillary balloon dilation for bile duct stones. Hepatogastroenterology 2005;52:700–4.

30. Tsujino T, Kawabe T, Isayama H, et al. Efficacy and safety of low–pressured and short–time dilation in endoscopic papillary balloon dilation for bile duct stone removal. J Gastroenterol Hepatol 2008;23:867–71.

31. Weinberg BM, Shindy W, Lo S. Endoscopic balloon sphincter dilation (sphincteroplasty) versus sphincterotomy for common bile duct stones. Cochrane Database Syst Rev 2006;4:CD004890.

32. Yang XM, Hu B. Endoscopic sphincterotomy plus large–balloon dilation vs endoscopic sphincterotomy for choledocholithiasis: A meta–analysis. World J Gastroenterol 2013;19:9453–60.

33. Yasuda I, Fujita N, Maguchi H, et al. Long–term outcomes after endoscopic sphincterotomy versus endoscopic papillary balloon dilation for bile duct stones. Gastrointest Endosc 2010;72:1185–91.

34. Yasuda I, Tomita E, Enya M, et al. Can endoscopic papillary balloon dilation really preserve sphincter of Oddi function? Gut 2001;49:686–91.

ERCP 유도하 조직 검사법

ERCP Guided Tissue Sampling

김재환 서울대학교 의과대학

1. 서론

담관 협착은 황달을 포함한 여러 증상을 유발할 수 있는 중요한 임상적인 조건으로 췌장암이나 담관암을 포함한 악성 질환이 협착 원인의 약 70%에 해당되나 만성췌장염이나 IgG4 연관 경화성 담관염(IgG4 related sclerosing cholangitis)과 같은 양성 협착도 원인으로 가능하기 때문에 적절한 검체 획득을 통한 병리학적 감별 진단은 임상적으로 매우 중요하다. 하지만 여러 검사에도 불구하고 최종 진단이 불가능하여 모호한 협착(indeterminate stricture)으로 남아있는 경우도 임상적으로는 드물지 않다.

내시경역행담췌관조영술(endoscopic retrograde cholangiopancreatography, ERCP)은 췌장담도질환의 진단 및 치료를 위해 가장 중요한 내시경 검사법으로 담관 협착에서 검체를 얻는 가장 기본 검사이다. 비록 초음파내시경 유도하 세침흡인술/생검술(endoscopic ultrasound guided fine–needle aspiration/biopsy, EUS–FNA/B) 등의 발전을 포함해 여러 기술적인 검체 획득 방법 및 세포 병리학적 분석 방법의 발전이 있었으나, ERCP 검사 중 이루어지는 조직 검사는 담관 협착의 세포병리학 진단을 위한 가장 기본적인 검사법으로서 여전히 매우 중요하다.

이상적인 ERCP 조직 검사법은 질환의 병리학적 진단을 위해 진단의 민감도와 특이도가 높고, 시술이 용이하며, 안전하고 경제적이어야 한다. 하지만 이와 같은 조건을 모두 만족하는 이상적인 검사법은 없기 때문에 시술을 시행하는 의료진은 각 검사의 특징 및 장단점을 이해하고 적절한 방법을 사용해야 한다. 이에 이번 장에서는 ERCP 유도하 조직 검사법에 대해 설명하고자 한다.

2. ERCP 유도하 세포진 검사(ERCP Guided Cytology)

1) 솔 세포진 검사(Brush Cytology)

ERCP 유도하 솔세포진 검사는 담관 협착을 위한 조직 검사로 가장 흔하고 제일 먼저 사용되는 검사법이다.

이 검사법은 쉽고 행하기가 용이하며 원위부 담관뿐만 아니라 간문부에서도 가능한다. 검사는 경유두 담관 삽관 (transpapillary biliary cannulation) 후 유도선(guidewire)을 삽입한 뒤 솔카테터(brush catheter)를 유도선을 따라 삽입하고, 협착부위의 근위부에서 솔을 카테터 바깥으로 내어놓은 후 협착부위에서 약 10회 정도 솔을 왕복 하고 솔을 카테터 안쪽으로 다시 넣은 뒤에 카테터를 회수한다(그림 15–1). 회수된 카테터는 내시경 바깥에서 솔 을 다시 내어 놓은 뒤 유리 슬라이드에 도말한 후 알코올로 고정하고 Papanicolaou (PAP) 염색을 시행한다.

솔세포진 검사의 민감도는 약 30–57%에 불과하나 특이도는 약 100%에 이를 정도로 높다고 알려져 있다(표 15–1).

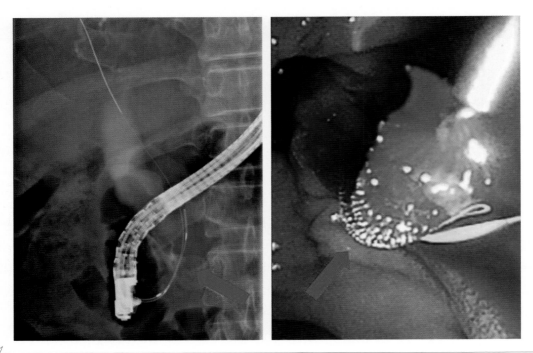

그림 15–1. ERCP 유도하 솔 세포진 검사(Brush cytology). 파란색 화살표가 솔(brush)을 가리킨다.

표 15–1. 솔 세포진의 검사의 진단능

저자	연도	전체 검사 대상 환자수	악성 질환 환자수	예민도 (%)	특이도 (%)	양성 예측도(%)	음성 예측도(%)
Pouchon 등	1995	204	127	35	97	96	44
Pugliese 등	1995	94	64	54	100	100	50
Jailwala 등	2000	133	104	30	100	100	28
Mansfield 등	1997	43	41	42	100	100	8
Glasbrenner 등	1999	78	57	56	90	94	43
Macken 등	2000	106	62	57	100	100	62
Foutch 등	1991	30	17	33	100	100	58
Lee 등	1995	149	106	37	100	100	39

2) 흡인 세포진 검사(Aspiration Cytology)

담즙 흡인은 또 다른 세포진 검사법으로 가장 쉽고 오래된 검사법 중 하나이다. ERCP를 통해 삽입된 내시경 경비담관배액술(endoscopic nasobiliary drainage, ENBD) 카테터나 경피경간 담관배액술(percutaneous transhepatic biliary drainage, PTBD) 카테터를 통해 담즙을 약 10–50 cc 정도 흡인하여 원심분리 후 모아진 세포를 도말하여 PAP 염색을 한다. 흡인 세포진 검사법의 단점은 담즙내에 상피 세포가 적다보니 검사의 민감도가 약 6–32%에 불과하여 진단 능력이 낮고, 검사를 위한 적절한 흡인양이 알려져 있지 않으며 흡인의 최적의 위치가 알려져 있지 않다는 점이다.

3) ERCP 유도하 겸자 생검(ERCP Guided Forceps Biopsy)

ERCP 검사 중 내시경 겸자 생검은 일반적으로 유두부절개술(sphincterotomy) 후 담관내로 생검용 겸자를 삽입하여 투시 유도하에서 협착부위까지 겸자를 진입한 뒤 겸자를 이용해 조직을 획득하는 방법이다(그림 15–2). 겸자 생검은 이론적으로 담관 상피의 깊은 곳에서 조직을 얻기 때문에 이론적으로 솔 세포진 검사에 비해 진단 능력이 개선될 것으로 여겨지나 기술적으로 검사가 조금 더 어렵고 시간이 더 든다는 단점이 있다.

겸자 생검은 대개 1–2번의 검체가 획득되면 겸자를 회수하여 조직을 얻게 된다. 몇 번의 생검이 최적인지에 대해서는 아직 알려지지 않았으나 일부 연구들에서는 최소 3회의 검체를 얻을 것을 제시하였다. ERCP 검사 중 경유두 겸자 생검의 민감도는 약 40–60%, 특이도는 약 97–100%로 알려져 있다(표 15–2).

겸자 생검의 제한점으로는 병변의 위치가 겸자가 도달하기 어려운 경우 검사가 행해지기 어렵다는 점이 있다. 겸자 생검으로 인한 합병증에 대해서는 알려진 바가 제한적이나 출혈이 가장 흔한 부작용으로 알려져 있다. 출혈이 있을 경우 대부분 저절로 멈추는 경한 출혈이나 일부에서 대량 출혈에 대한 보고가 있었으며, 심지어 천공예를 보고한 경우도 있었다.

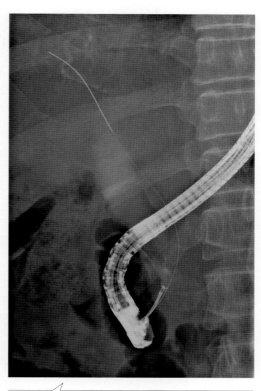

그림 15–2. ERCP 유도하 겸자 생검.
그림 15–1의 같은 환자로 원위부에서 겸자 생검을 시행하고 있다.

표 15–2. 겸자 생검 검사의 진단능

저자	연도	전체 검사 대상 환자수	악성 질환 환자수	예민도 (%)	특이도 (%)	양성 예측도(%)	음성 예측도(%)
Pouchon 등	1995	128	82	43	97	97	41
Pugliese 등	1995	52	36	53	100	100	48
Nanda 등	2015	50	22	50	100	100	72
Naitoh 등	2016	208	160	61	100	100	43
Weber 등	2008	58	31	53			

3. 담도경 유도하 표적 생검(Cholangioscopy Guided Target Biopsy)

경구 담도경(peroral cholangioscopy)은 담관 협착부위를 내시경으로 직접 관찰하면서 표적 생검을 가능하게 하기 때문에 ERCP 유도하 겸자 생검이나 솔 세포진 검사에 비해 우월한 진단 능력을 보여준다고 알려져 있다. 전통적인 경구 담도경 검사는 십이지장경의 처치구(working channel)를 통해 세경내시경(slim endoscope)을 담도내로 진입시킨 뒤 병변을 직접 관찰하고 조직 검사를 하는 "Mother–Baby" 내시경 검사이나, 이 검사법은 두 명의 내시경의가 필요하고 내시경 손상의 단점이 있었으며, 이에 대한 대안으로 극세경내시경(ultraslim)을 이용한 직접 경구 담도내시경(direct peroral cholangioscopy)이 제시되었다.

경구 담도경 검사의 검사 성공률은 병변의 관찰을 성공 기준으로 할 경우 약 90%, 병변의 병리학적 진단을 성공 기준으로 할 경우 약 80% 정도로 알려져 있으며, 기존 겸자 생검이나 솔 세포진 검사에 경구 담도경 검사를 추가할 경우 검사의 예민도가 100%까지 증가한다는 보고가 있다. 경구 담도경은 약 15%에서 협착 부위 통과가 불가능한 경우가 있는데 가장 흔한 원인은 원발성 담도 경화증(primary sclerosing cholangitis)이라고 알려져 있다. 최근 한 명의 내시경의에 의한 담도경[single operator cholangioscopy (SOC), SpyGlass®, SpyGlass® DS, SpyScope™, Boston scientific, Marlborough, MA, USA] 및 전용 생검겸자(SpyBite™, Boston scientific, Marlborough, MA, USA) (그림 15–3)를 이용한 표적 생검이 민감도 66–86%, 특이도 94–100%라는 보고들이 있었다. 담도경을 이용한 조직 검사는 보고된 연구들이 제한적이기에 해석에 주의를 기울여야 하나 모호한 협착의 진단에 도움이 될 것으로 예상된다(표 15–3).

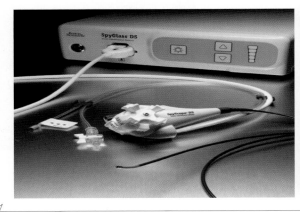 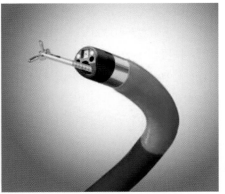

그림 15–3. SpyGlass® DS™, SpyScope™ 및 SpyByte™ (Boston scientific, Marlborough, MA, USA)

표 15–3. 담도경 종류에 따른 담도경 유도하 표적 생검 진단 능력

담도경 종류	연구 수	전체 검사 대상 환자수	예민도(%)	특이도(%)	정확도(%)
Mother baby scope	3	80	38–100	100	61–100
DOC	3	81	80–100	75–100	79–93
Fiberoptic SOC	7	303	49–100	94–100	73–100
Digital SOC	2	72	80–85	100	93

DOC, direct peroral cholangioscopy; SOC, single operator cholangioscopy

담도경의 합병증으로는 일반적인 ERCP와 비슷한 것으로 알려져 있으며, 췌장염, 천공, 출혈 등이 가능한 것으로 알려져 있다. 다만, 일부 연구에서 담관염이 일반적인 ERCP에 비해서 높다는 보고가 있으나 아직 전향적인 연구 결과는 제한적이다.

4. 초음파내시경 유도하 조직 검사법(Endoscopic Ultrasound Guided Tissue Sampling)

초음파내시경 유도하 세침흡인술/생검(EUS–FNA/B)은 ERCP 유도하 조직검사법은 아니나 최근 ERCP 유도하 조직검사와 더불어 췌장 및 담도의 악성 질환의 조직학적 진단을 위해 보편적으로 사용되고 있으므로 이번 장에서 간단히 설명하고자 한다. EUS–FNA/B는 담관 협착의 감별 진단을 위해 매우 안전하고 유용한 검사로 알려져 있다(그림 15-4). 특히, 췌장암이나 원위부 담관암과 같은 원위부 담관의 협착에서 초음파내시경 유도하 세침흡인술/생검은 ERCP 유도하 조직 생검 보다 우월하다는 보고가 많으나, 담관암의 경우만을 분석한 최근 메타 분석에 따르면 솔 세포진 단일 검사를 제외한 겸자 생검, 솔 세포진 검사과 겸자 생검, 초음파내시경 유도하 세침흡인술/생검 사이에서 예민도에는 차이가 없다는 보고도 있었다.

EUS–FNA/B 도입 이후 원위부 담관 협착의 병리학적 진단을 위한 ERCP 유도하 조직 생검에 대한 의존은 줄었으나 그럼에도 불구하고 EUS–FNA/B는 근위부 담관의 협착에서는 성적이 떨어지며, ERCP가 필요한 모든 상황에서 EUS가 일률적으로 필요하지 않기에 ERCP 유도하 조직 검사는 임상에서 여전히 중요한 역할을 하고 있다.

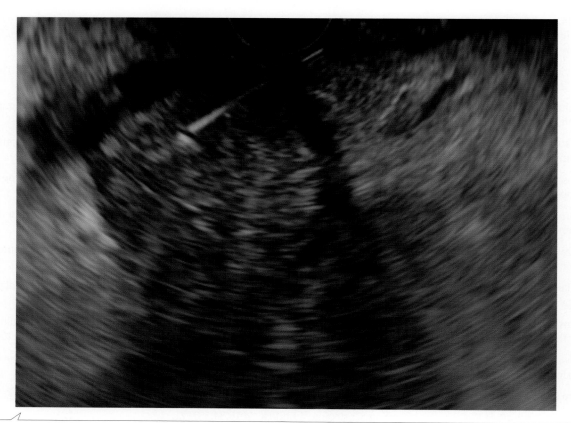

그림 15-4. 초음파내시경 유도하 세침흡인생검(EUS–FNB). 종괴 내로 삽입된 세침이 관찰된다.

5. 결론

　　임상에서 담관 협착의 많은 경우는 악성이나 원인이 명백하지 않은 경우도 드물지 않다. 악성의 경우 수술이 가능하더라도 수술이 매우 광범위하여 수술 전 조직학적 확진이 요구되는 경우가 늘고 있으며, 수술 불가능한 병기의 악성 종양이 흔하고, 환자의 조건이 수술을 견디기 어려운 경우도 흔하게 접하게 된다. 특히, 최근에는 수술 전 선행 치료가 많이 이루어진다는 측면에서 치료 전 조직 검체의 획득을 통한 병리학적 진단은 매우 중요하다.

　　ERCP는 췌장담도 질환의 진단 및 치료를 위해 가장 중요한 검사법으로 ERCP 검사 중 세포진 검사는 가장 쉽고, 간단하며 적은 비용의 검사로 알려져 있다. ERCP 유도하 조직 검사법 중 대표 방법은 ERCP 유도하 솔 세포진, 흡인 세포진, 그리고 겸자 생검으로 이 중 세포진 검사와 겸자 생검을 함께 할 경우 각각의 검사에 비해 예민도가 개선된다고 알려져 있다. 최근에는 일회용 담관경을 포함한 담관경을 이용한 조직 생검이나 초음파내시경 유도하 세침흡인술/생검이 기존 ERCP 유도하 조직 검사에 비해 우월한 성적을 보고하였으나 각각의 검사법들은 서로 다른 장단점을 지니고 있기에 상호 보완적이라고 여겨지며, 시술을 시행하는 임상의가 다양한 조직 검사법의 장단점을 이해하고 선택하는 것이 중요하다.

참/고/문/헌

1.　Aabakken L, Karlsen TH, Albert J, et al. Role of endoscopy in primary sclerosing cholangitis: European Society of Gastrointestinal Endoscopy (ESGE) and European Association for the Study of the Liver (EASL) Clinical Guideline. Endoscopy 2017;49:588–608.

2.　Davidson B, Varsamidakis N, Dooley J, et al. Value of exfoliative cytology for investigating bile duct strictures. Gut 1992;33:1408–11.

3.　Foutch PG, Kerr DM, Harlan JR, et al. A prospective, controlled analysis of endoscopic cytotechniques for diagnosis of malignant biliary strictures. Am J Gastroenterol 1991;86:577–80.

4.　Fukuda Y, Tsuyuguchi T, Sakai Y, et al. Diagnostic utility of peroral cholangioscopy for various bile–duct lesions. Gastrointest Endosc 2005;62:374–82.

5.　Glasbrenner B, Ardan M, Boeck W, et al. Prospective evaluation of brush cytology of biliary strictures during endoscopic retrograde cholangiopancreatography. Endoscopy 1999;31:712–7.

6.　Hammerle CW, Haider S, Chung M, et al. Endoscopic retrograde cholangiopancreatography complications in the era of cholangioscopy: is there an increased risk? Dig Liver Dis 2012;44:754–8.

7.　Jailwala J, Fogel EL, Sherman S, et al. Triple–tissue sampling at ERCP in malignant biliary obstruction. Gastrointest Endosc 2000;51(4 Pt 1):383–90.

8.　Kalaitzakis E, Webster GJ, Oppong KW, et al. Diagnostic and therapeutic utility of single–operator peroral cholangioscopy for indeterminate biliary lesions and bile duct stones. Eur J Gastroenterol Hepatol 2012;24:656–64.

9.　Kamp E, Dinjens WNM, Doukas M, et al. Optimal tissue sampling during ERCP and emerging molecular techniques for the differentiation of benign and malignant biliary strictures. Therap Adv Gastroenterol 2021;14:17562848211002023.

10.　Kawakami H, Kuwatani M, Etoh K, et al. Endoscopic retrograde cholangiography versus peroral cholangioscopy to evaluate intraepithelial tumor spread in biliary cancer. Endoscopy. 2009;41:959–64.

11.　Kim KH. Diagnostic Approach to Indeterminate Biliary Stricture. Korean J Pancreas Biliary Tract 2018;23:101–7.

12.　Korc P, Sherman S. ERCP tissue sampling. Gastrointest Endosc. 2016;84:557–71.

13. Korrapati P, Ciolino J, Wani S, et al. The efficacy of peroral cholangioscopy for difficult bile duct stones and indeterminate strictures: a systematic review and meta-analysis. Endosc Int Open 2016;4:E263–75.

14. Kurzawinski T, Deery A, Davidson BR. Diagnostic value of cytology for biliary stricture. Br J Surg 1993;80:414–21.

15. Kurzawinski TR, Deery A, Dooley JS, et al. A prospective study of biliary cytology in 100 pa-tients with bile duct strictures. Hepatology 1993;18:1399–403.

16. Laleman W, Verraes K, Van Steenbergen W, et al. Usefulness of the single-operator cholangioscopy system SpyGlass in biliary disease: a single-center prospective cohort study and aggregated review. Surg Endosc 2017;31:2223–32.

17. Lee JG, Leung JW, Baillie J, et al. Benign, dysplastic, or malignant--making sense of endoscopic bile duct brush cytology: results in 149 consecutive patients. Am J Gastroenterol 1995;90:722–6.

18. Macken E, Drijkoningen M, Van Aken E, et al. Brush cytology of ductal strictures during ERCP. Acta Gastroenterol Belg 2000;63:254–9.

19. Mansfield JC, Griffin SM, Wadehra V, et al. A prospective evaluation of cytology from biliary strictures. Gut 1997;40:671–7.

20. Manta R, Frazzoni M, Conigliaro R, et al. SpyGlass single-operator peroral cholangioscopy in the evaluation of indeterminate biliary lesions: a single-center, prospective, cohort study. Surg Endosc 2013;27:1569–72.

21. Naitoh I, Nakazawa T, Kato A, et al. Predictive factors for positive diagnosis of malignant biliary strictures by transpapillary brush cytology and forceps biopsy. J Dig Dis 2016;17:44–51.

22. Nanda A, Brown JM, Berger SH, et al. Triple modality testing by endoscopic retrograde cholangiopancreatography for the diagnosis of cholangiocarcinoma. Therap Adv Gastroenterol 2015;8:56– 65.

23. Navaneethan U, Hasan MK, Kommaraju K, et al. Digital, single-operator cholangi-opancreatoscopy in the diagnosis and management of pancreatobiliary disorders: a multicenter clinical experience (with video). Gastrointest Endosc 2016;84:649–55.

24. Navaneethan U, Hasan MK, Lourdusamy V, et al. Single-operator cholangioscopy and tar-geted biopsies in the diagnosis of indeterminate biliary strictures: a systematic review. Gastrointest Endosc 2015;82:608–14.e2.

25. Nishikawa T, Tsuyuguchi T, Sakai Y, et al. Comparison of the diagnostic accuracy of peroral video-cholangioscopic visual findings and cholangioscopy-guided forceps biopsy findings for indeterminate biliary lesions: a prospective study. Gastrointest Endosc 2013;77:219–26.

26. Ponchon T, Gagnon P, Berger F, et al. Value of endobiliary brush cytology and biopsies for the diagnosis of malignant bile duct stenosis: results of a prospective study. Gastrointest Endosc 1995;42:565– 72.

27. Pugliese V, Conio M, Nicolo G, et al. Endoscopic retrograde forceps biopsy and brush cytology of biliary strictures: a prospective study. Gastrointest Endosc 1995;42:520–6.

28. Ramchandani M, Reddy DN, Gupta R, et al. Role of single-operator peroral cholangioscopy in the diagnosis of indeterminate biliary lesions: a single-center, prospective study. Gastrointest Endosc 2011;74:511–9.

29. Schoefl R, Haefner M, Wrba F, et al. Forceps biopsy and brush cytology during endoscopic retrograde cholangiopancreatography for the diagnosis of biliary stenoses. Scand J Gastroenterol 1997;32:363–8.

30. Siddiqui AA, Mehendiratta V, Jackson W, et al. Identification of cholangiocarcinoma by using the SpyGlass Spyscope system for peroral cholangioscopy and biopsy collection. Clin Gastroenterol Hepatol 2012;10:466–71; quiz e48.

31. Sioulas AD, El-Masry MA, Groth S, et al. Prospective evaluation of the short access cholangioscopy for stone clearance and evaluation of indeterminate strictures. Hepatobiliary Pancreat Dis Int 2017;16:96–103.

32. Sugiyama M, Atomi Y, Wada N, et al. Endoscopic transpapillary bile duct biopsy without sphincterotomy for diagnosing biliary strictures: a prospective comparative study with bile and brush cytology. Am J Gastroenterol 1996;91:465–7.

33. Tieu AH, Kumbhari V, Jakhete N, et al. Diagnostic and therapeutic utility of SpyGlass(®) peroral cholangioscopy in intraductal biliary disease: single-center, retrospective, cohort study. Dig Endosc 2015;27:479–85.

34. Tummala P, Munigala S, Eloubeidi MA, et al. Patients with obstructive jaundice and biliary stricture +/- mass lesion on imaging: prevalence of malignancy and potential role of EUS-FNA. J Clin Gastroenterol 2013;47:532–7.

35. Weber A, von Weyhern C, Fend F, et al. Endoscopic transpapillary brush cytology and forceps biopsy in patients with hilar cholangiocarcinoma. World J Gastroenterol 2008;14:1097–101.

36. Yoon SB, Moon SH, Ko SW, et al. Brush Cytology, Forceps Biopsy, or Endoscopic Ultrasound–Guided Sampling for Diagnosis of Bile Duct Cancer: A Meta–Analysis. Dig Dis Sci 2021; doi: 10.1007/s10620–021–07138–4.

내시경 총담관석제거술: 바스켓, 풍선, 기계 쇄석술

Endoscopic Common Bile Duct Stone Extraction: Using Basket, Balloon Catheter and Mechanical Lithotripsy

이상협 서울대학교 의과대학

총담관석은 담낭에서 총담관으로 담석이 이동하여 발생하는 경우가 가장 흔하다. 총담관석의 자연사는 잘 설명되어 있지 않지만 총담관석이 감지되면 췌장염, 담관염, 폐쇄성황달 등 합병증의 위험을 줄이기 위해 제거해야 한다. 총담관석의 크기에 따라 합병증의 빈도가 증가하지만 4 mm 미만의 총담관석에서도 합병증이 발생할 수 있기 때문에 크기에 상관없이 총담관석은 제거해야 한다. 또한 증상 유무에 따른 합병증의 차이가 없고 선행 증상 없이 심각한 합병증이 발생할 수도 있어 무증상의 총담관석도 제거가 필요하다. 다만 수술적 혹은 내시경적 시술의 위험성이 총담관석을 치료하지 않는 위험보다 클 경우에는 보수적인 접근이 필요하다.

내시경 유두부괄약근 절개술이나 풍선확장술 시행 후에 담관내의 담석을 바스켓이나 풍선으로 제거하는 방법은 숙련된 내시경 의사의 경우 성공률은 80–90%이다. 담관의 폐쇄로 인한 급성 합병증을 줄이기 위해서 담석의 내시경 치료 시에는 담관내의 담석 완전 제거(bile duct clearing)를 목표로 하여야 한다.

1. 총담관석제거술

성공적인 담석 추출을 위한 가장 중요한 단계는 담석에 대해 적절한 출구를 제공하는 것이다. 이는 내시경유두부괄약근절개술, 내시경 유두부 풍선확장술 또는 이 둘의 조합으로 할 수 있다. 그러나 유두부 풍선확장술만으로는 결석 제거에 대해 기술적 성공률이 낮고, 내시경괄약근절개술보다 더 빈번한 기계적 쇄석술의 필요성, 췌장염의 위험 증가와 관련이 있기 때문에 일반적인 경우에는 권장되지 않는다. 내시경 괄약근 절개의 정도는 유두부의 해부학적 구조와 결석의 크기에 따라 조절되어야 한다.

담석제거를 위한 부속기구로는 흔히 담석제거용 바스켓과 풍선이 사용되며 이 둘은 총담관 결석 제거에 동등하게 효과적이고 안전하다고 알려져 있다. 바스켓과 풍선 중 어떤 것을 사용할지는 주로 담관의 해부학적 구조, 결석 특성, 재정적 고려 사항 및 개인 취향에 따라 다를 수 있다. 일반적으로 담석제거용 바스켓은 풍선에 비해 견인력이 강하기 때문에 비교적 큰 담석의 제거에 유리하다. 반면에 담석제거용 풍선은 확장되지 않은 담관에서 1 cm 이하의 작은 담석이나 분쇄된 담석조각들을 제거할 때 유용하게 쓸 수 있다. 유두절개부에 비하여 담석의 크기가 큰 경우에는 이러한 기구만으로 담석을 제거하기 어렵다. 이러한 경우 기계 쇄석기를 이용하여 담석을 작은 조각으로 부스러뜨려서 제거할 수 있다.

2. 총담관석제거술의 실제

1) 말단부위 담석부터 한 번에 하나씩 제거

담관내에 담석이 여러 개 있는 경우에는 담관 말단부위의 담석부터 한 번에 하나씩 제거하는 것이 원칙이다. 만약 상부의 담석이 먼저 잡히거나 여러 개의 담석이 한꺼번에 바스켓에 잡힌 경우에는 바스켓을 벌린 채로 담관 내에서 위아래로 흔들어서 담석이 풀려나게 하거나, 상부로 밀어 올려 바스켓이 고리 모양을 만들게 하여 담석을 풀어줘야 한다(그림 16-1). 여러 개의 담석이 잡힌 경우에는 그대로 꺼내려고 바스켓을 무리하게 당기게 되면 출혈이나 천공과 같은 합병증이 발생할 수 있다. 또한 담석을 배출시키지 못하고 오히려 바스켓에 감돈되어 곤란한 상황을 만들 수 있으므로 무리한 담석제거는 시도하지 않아야 한다.

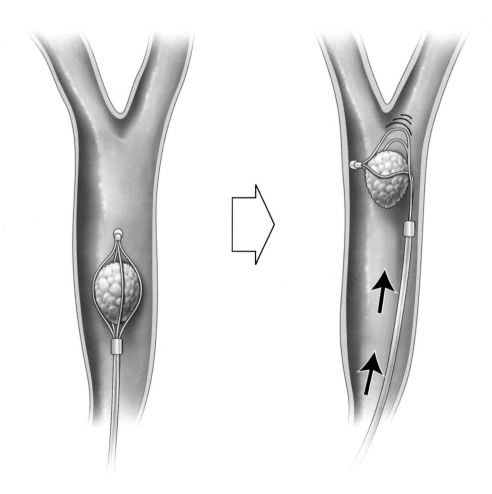

그림 16-1. 담석의 크기로 인해 감돈의 위험이 있을 때 바스켓을 벌린 채로 밀어 올려 루프모양으로 만들어서 담석을 풀어준 다음에 하나씩 차례로 제거한다.

2) 담관의 주행축에 바스켓이나 풍선의 축을 맞춤

담석을 빼낼 때 바스켓이나 풍선을 무조건 당기게 되면 담석이 유두부에 걸리면서 저항이 심해진다. 이때는 내시경선단을 십이지장 하부로 좀더 싶숙히 삽입하여 바스켓이나 풍선도관의 축을 담관의 장축과 일치하도록 맞추어 유두부 하방으로 조심스럽게 당기면 유두부를 비교적 쉽게 빠져나올 수 있다. 바스켓이나 풍선도관을 담관내로 삽입할 때는 담석이 밀려 올라가지 않도록 주의를 기울여야 한다. 조영제를 주입할 때에 담석이 작은 경우에는 담석이 간내담관으로 흘러 들어 갈 수 있으므로, 도관을 담석의 상부에 위치시킨 후 조영제를 주입하면 담석을 담관 하부로 이동시킬 수 있어 유리하다.

3) 바스켓을 연 상태로 담석제거술을 시행(Open Basket 기법)

담석 상부에서 바스켓을 충분히 열어 놓은 상태에서 그대로 직선적으로 당겨 내리면 유두부 통과시에 바스켓이 오므라들면서 자연스럽게 담석이 포획되면서 제거가 될 수 있다(open basket technique). 무른 담석의 경우 너무 강하게 잡으면 담석이 부서지면서, 조각난 담석을 제거하기 위해 불필요한 추가적 수기가 요구되어 번거로워진다. 그러므로 담석을 바스켓으로 잡을 때는 가볍게 잡는 느낌으로, 혹은 바스켓을 벌린 채로 끌어내려서 자연스럽게 바스켓에 걸리게 하는 것이 좋다. 이 방법의 또 다른 장점은 담석이 유두부에서 배출되지 못하는 경우 쉽게 담석을 놓아줄 수 있어서, 바스켓에 감돈되는 것을 방지할 수 있다는 점이다.

4) 담관의 주행축과 동일한 방향으로 제거하는 힘을 가함(Flip Down 기법)

포획한 담석을 유두부로부터 빼내는 포인트는 담관의 주행축과 동일한 방향으로 최대한 힘이 가해지도록 하는 것이다. 이를 위해서 'flip down 기법'을 사용한다(그림 16-2). 이 기술의 첫 번째 단계는 내시경 선단과 유두부가 서로 맞닿게 앵글을 'up'하고, 바스켓을 서서히 잡아당겨서 고정하는 것이다. 이렇게 자세를 취한 상태에서 두 번째 단계로 앵글을 'down'하여 내시경 선단이 유두부에서 멀어지게 한다. 이와 동시에 어깨를 오른쪽으로 돌리게 되면 내시경 축은 시계방향으로 회전(clockwise torque)하면서 바스켓을 감아 돌리게 된다. 이런 움직임의 총체적인 결과로 유두부로부터 바스켓을 당기는 힘이 최고조에 달하게 되면서 담석이 유두부를 빠져나오게 되는 것이다.

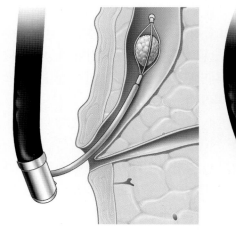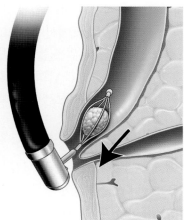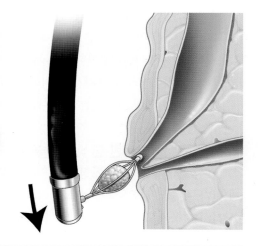

그림 16-2. Flip down 기법

이 방법으로도 담석제거가 용이하지 않으면 유두절개부위를 추가 확장하거나 쇄석술을 사용한다. 담석이 빠져나오지 않는다고 무리하게 내시경을 잡아당기면, 유두부에 손상을 입혀서 출혈이나 천공 같은 합병증이 발생할 수 있으므로 주의해야 한다.

5) 난치성 총담관석 및 재발성 총담관석의 관리

난치성 담석은 담석의 크기가 크거나 개수가 많아 기존의 내시경적 제거술만으로는 한 번에 제거가 어려운 담석을 말한다. 난치성 담석을 치료하기 위해서는 우선적으로 제한된(limited) EST 및 내시경 유두부 큰풍선확장술(endoscopic papillary large balloon dilation, EPLBD)을 추천한다. 그리고 한 번에 담석을 모두 제거하기 어려운 경우 일시적인 플라스틱 배액관 삽입을 시행한다. 플라스틱 배액관 삽입은 7 Fr 배액관이 10 Fr 배액관에 비해 선호된다. 삽입한 배액관은 감염성 합병증을 예방하기 위해 3–6개월 내에 제거하거나 교체할 것을 권고하며 그 시기에 담석의 크기가 적당한 크기로 줄어든 경우 앞에서 설명한 여러 방법들을 이용하여 제거한다. 배액관을 계속 유지하는 definitive stenting은 피할 것을 권고하고 있다.

시술 중 총담관에 생리식염수를 이용한 세척은 잔여 담석의 빈도를 줄일 수 있다. 일반적으로 생리식염수를 이용하여 절개된 유두부로 배출되는 담즙에 담석 슬러지가 없고 투명한 정도가 될 때까지 하며 역행 담관염의 발생을 예방하기 위해 투시기를 가능한 세우고(upright position) 내시경 선단에 음압을 건다.

3. 담석 제거를 위한 부속기구의 사용

1) 바스켓을 이용한 담석제거술

담석제거용 바스켓에는 모양과 크기 및 기능이 다양한 여러 제품들이 나와있다. 바스켓의 철선은 monofilament나 multifilament wire로 구성되어 있고, wire 재질은 스테인레스(stainless steel)와 나이티놀(nitinol)이 사용되고 있다. 바스켓의 크기는 15–30 mm 정도가 흔히 사용되며 45 mm 크기까지 있다. 모양은 4선으로 이루어진 Dormia 바스켓이 기본형이며 나선형의 바스켓도 있다. 또한 바스케의 선단만 8선으로 와이어를 늘린 Flower basket (Olympus, Japan)이나 나선형 8선 형태의 Memory basket 8 wire (Wilson–Cook, USA)는 기존의 4선 바스켓으로 포획하기 곤란하고 빠져나가기 쉬운 작은 담석을 쉽게 잡을 수 있게 고안되었다(그림 16-3).

그러나 이런 바스켓들은 큰 담석이 포획되면 오히려 바스켓에서 담석이 풀리지 않는 바스켓 감돈이 일어날 수 있음을 고려해 사용해야 한다. Flower 바스켓의 경우 핸들부위를 돌리면 담관내에서 바스켓 회전이 가능하므로 잘 잡히지 않는 담석을 포획시 용이하게 사용할 수 있다. 총담관 담석이 간내담관으로 밀려 올라가서 간내담관으로 바스켓의 삽입이 요구되는 경우에 유도선의 삽입이 가능한 바스켓도 나와 있다.

2) 풍선도관을 이용한 담석제거술

담석 제거용 풍선은 확장되지 않은 담관에 있는 5–10 mm 정도의 크지 않은 담석을 제거하는데 주로 사용하게 된다. 부풀리지 않은 풍선을 담석의 상부로 올린 다음, 풍선을 담관의 직경보다 큰 정도로 팽창시켜 담관을 막아 서서히 풍선도관을 빼내며 담석을 제거한다. 풍선을 과도하게 당기는 경우 풍선에 의해서 담석이 옆으로 밀리게 되어 담석이 빠져나오지 못하게 된다(그림 16-4). 풍선이 충분히 확장되면 담관내에서 사각형의 모양을 보이게 된다. 공기 주입시 팽창되는 풍선의 크기는 그 직경이 8.5, 11, 12, 13, 15, 18 mm 등으로 다양하며, 직경 15 mm

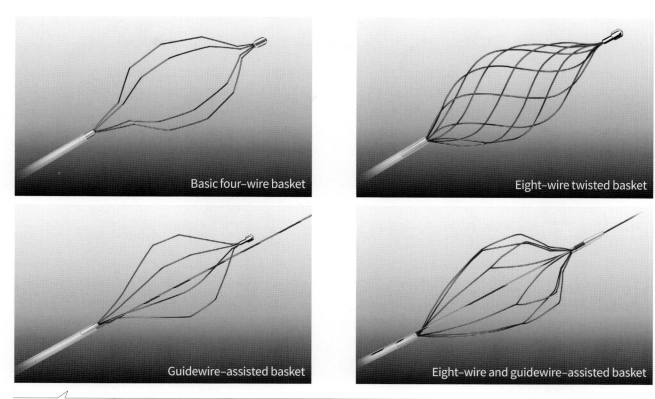

그림 16-3. Types of basket catheter

풍선이 가장 널리 쓰인다. Multiple sizing balloon의 경우 풍선크기의 조절이 가능하여 하나의 풍선으로 직경이 각각 8.5, 12, 15 mm로 조절이 가능한 제품들이 제조사별로 나와있다(그림 16-5).

 담석 제거용 풍선은 기본적으로 풍선을 팽창시키는 공기 주입구와 유도선이나 조영제의 주입이 가능한 내강이 있는 두 개의 내강(double lumen)구조로 되어 있다. 유도선과 조영제의 주입구가 각각인 세 개의 내강(triple lumen)을 지닌 구조를 지닌 형태도 있다. Triple lumen 제품은 유도선이 담관에 삽입된 상태에서 조영제의 주입이 가능한 장점이 있다. 또한 유도선을 선택적으로 간내담관에 삽입한 채 조영제를 주입할 수 있으므로 간내담석의 제거시 유용하다. 그러나 제품의 구조상 double lumen 제품에 비해 조영제의 주입구 내강이 좁아서 조영제 주입시 저항이 큰 불편감이 있을 수 있다.

3) 기계 쇄석술

 담석의 크기가 15 mm 이상으로 큰 경우에는 일반적인 방법으로 담석의 제거가 어렵다. 이러한 경우 기계 쇄석기를 사용하여 담석을 분쇄하면 제거가 용이하게 된다. 기계 쇄석술의 성공률은 70-80% 정도이며, 쇄석의 실패 요인으로는 담석의 크기가 30 mm 이상, 담관에 감돈된 담석, 담관직경에 대한 담석직경의 비율이 1 이상, 사용된 쇄석기의 종류 등이 관련된다.

 기계 쇄석기의 사용 방법은 다음과 같다. 쇄석용 바스켓으로 분쇄할 담석을 포획한 다음, 내시경 처치공 밖으로 나와 있는 바스켓 철선을 쇄석기 핸들에 연결하여 돌리게 되면, 바스켓이 금속외피(sheath) 속으로 들어가면서 포획되어있는 담석은 점점 조여지고 마침내 여러 조각으로 분쇄된다(그림 16-6). 이때 주의할 점은 담석을 포획하

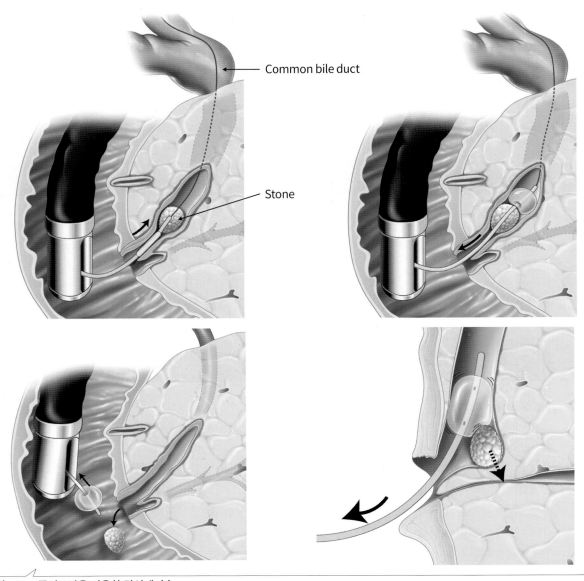

Common bile duct

Stone

그림 16-4. 풍선도관을 이용한 담석제거술

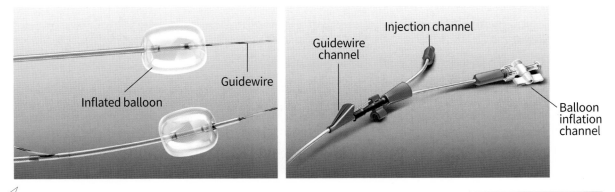

Inflated balloon

Guidewire

Guidewire channel

Injection channel

Balloon inflation channel

그림 16-5. Balloon extraction catheter

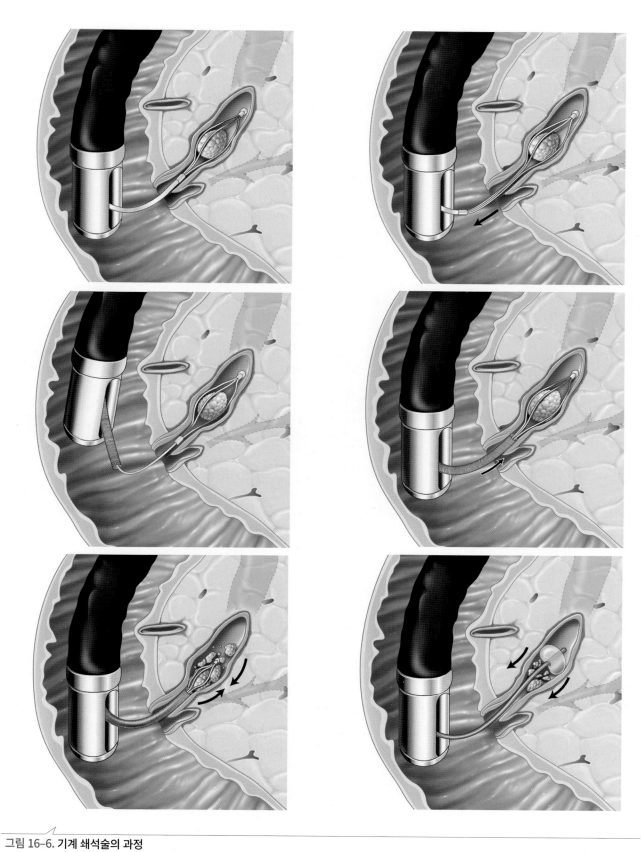

그림 16-6. **기계 쇄석술의 과정**

고 있는 바스켓과 금속외피가 꺾이지 않고 일자의 형태를 취하도록 방사선 투시 하에 담관 내에서 바스켓이 잘 위치하도록 해야 한다. 그렇지 않으면 바스켓의 4가닥 철선 중 일부에만 힘이 전달되어 분쇄가 잘 안되거나 바스켓의 철선이 끊어질 수 있으므로 주의해야 한다.

담석을 포획한 후 비닐외피를 금속외피로 교체한 후 쇄석기 핸들에 연결하여 쇄석술을 시행한다. 이때 바스켓과 금속외피가 꺾이지 않고 직선의 형태를 유지하는 것이 중요하다.

현재 널리 사용되고 있는 쇄석기는 대부분의 제조회사에서 일반 처치용 십이지장경의 처치공으로도 삽입이 가능한 제품들이 많아졌다. 핸들의 제거가 가능한 쇄석용 바스켓으로 담석을 포획 후 기계 쇄석술이 필요하면 바스켓의 핸들과 비닐외피를 제거 후 금속외피로 대체하여 바스켓 강선을 쇄석기 핸들에 연결하여 쇄석술을 시행하는 것이 보편적 기구들이다(그림 16-7). 이러한 형태의 쇄석기는 비닐외피를 제거하고 금속외피로 교체하는 과정에서 포획된 담석이 움직여 빠져 나갈 수 있으므로 시술자와 조력자 사이에 협력이 필요하다.

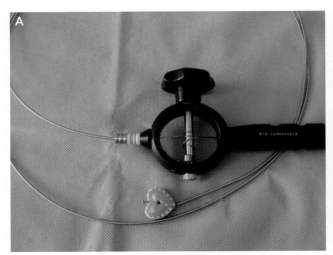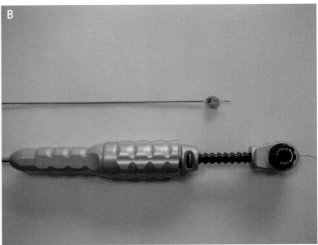

그림 16-7. (A) MTW lithotripter (Germany), (B) Medi-globe Lithotriptor (USA)

비닐외피를 금속코일로 보강한 일체형 바스켓은 담석포획 후 추가적인 금속외피로 교환할 필요가 없이 그대로 쇄석을 시도 할 수 있다(그림 16-8).

이들 제품은 유도선을 따라서 담관 내로 삽입이 용이하며, 일반 바스켓처럼 사용하여 담석을 제거 할 수도 있고, 필요시 핸들을 연결하여 바로 쇄석술을 시행할 수도 있는 장점이 있다. 그러나 담석이 매우 단단한 경우에는 쇄석에 실패할 수 있는 단점이 있다.

강한 쇄석용 바스켓을 내장하고, 비닐외피의 바깥쪽을 금속외피가 싸고 있는 이중 구조로 조립된 제품도 출시되어 있다(그림 16-9). 이 제품은 기존의 일체형 쇄석 바스켓에 비하여 매우 강한 바스켓을 내장하고 있어서 바스켓이 담관내에서 잘 벌어져서 담석 포획에 용이하고, 또한 일체형 바스켓에 비하여 쇄석력이 매우 강해서 단단한 담석도 분쇄가 가능하다. 이 제품의 사용법은 다음과 같다. 비닐외피에 내장된 바스켓으로 담석을 포획한 후 핸들 손잡이를 돌리면 비닐외피를 덮고 있는 바깥쪽의 금속외피에 의해서 담석을 파괴하게 된다. 즉, 일반적인 쇄석기와 달리 담석포획 후 금속외피로 교체하는 작업을 줄임으로써 한 번의 조작으로 손쉽게 쇄석을 시행할 수 있는 장점이 있다. 또한 핸들의 holder를 돌리면 바스켓을 회전시킬 수 있어서 담석포획에도 용이하게 된다.

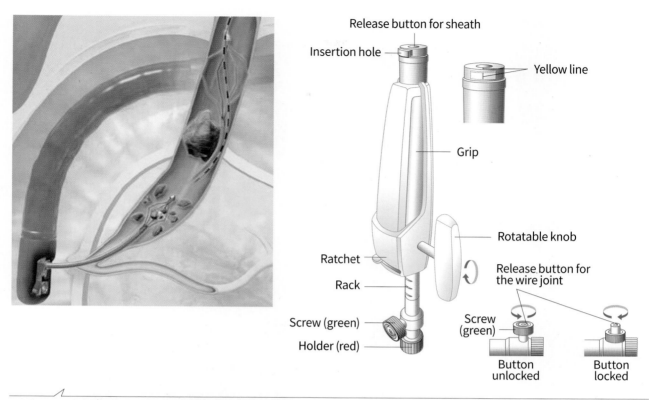

그림 16–8. **쇄석용 바스켓과 금속외피 일체형 쇄석기(Olympus, Japan)**

그림 16–9. **(A)** Trapezoid basket (Boston Scientific, USA), **(B)** Fusion Lithotomy extraction basket (Wilson–Cook, USA), **(C)** Handle

　일반 바스켓으로 담석을 포획하였는데 유두개구부를 통해서 잘 나오지 않고 바스켓에 감돈되어 풀리지 않는 불상사가 발생할 수 있다. 이런 경우에는 응급 쇄석기를 사용할 수 있다. 시술 방법은 감돈된 바스켓의 핸들을 제거하고 철심부위를 절단 후 방사선 투시 하에 조심스럽게 내시경을 제거하고 응급 쇄석기의 금속외피를 바스켓의 강선을 따라 방사선 투시하에서 담석이 포획된 부위까지 밀어 넣은 후 바스켓의 강선을 쇄석기 핸들에 고정하고 담석의 파괴를 시행한다(그림 16–10).

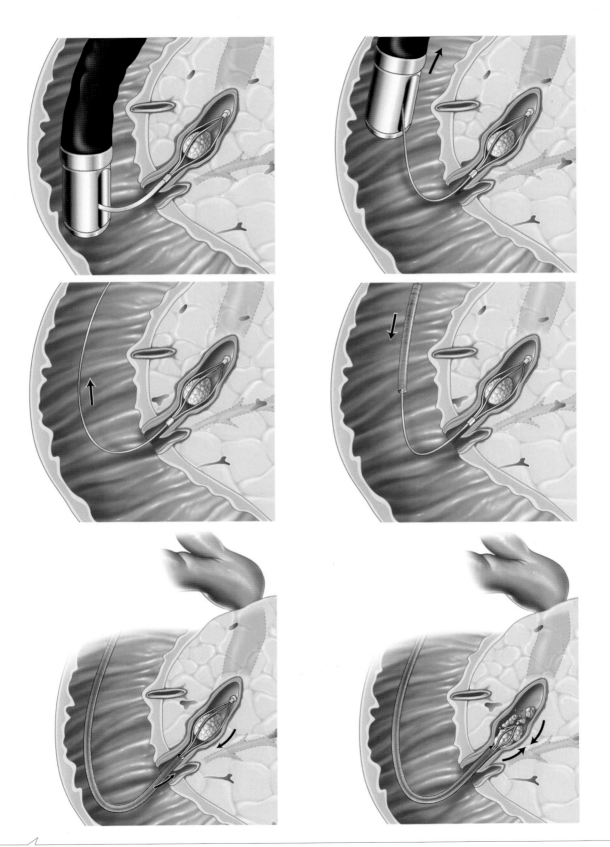

그림 16-10. 응급 쇄석술

　　그러나 일반 바스켓은 쇄석용 바스켓보다 장력이 약하기 때문에 잘 끊어질 수 있으므로 주의해야 한다. 특히 바스켓과 쇄석용 금속외피가 같은 선상에 있지 않고 꺾여 있으면, 힘이 골고루 가해지지 않고 바스켓의 한쪽 선에만 힘이 가해져서 담석을 문 상태에서 바스켓이 끊어질 수 있다. 바스켓이 끊어진 경우에는 바스켓 철심의 한 가닥만 풀어서 당기면, 담석을 잡고 있던 바스켓이 풀리면서 끊어진 바스켓을 제거할 수 있다. 만약 이 방법으로 바스켓이 제거되지 않으면, 다른 쇄석용 바스켓을 삽입하여 담석과 함께 기존의 바스켓을 한꺼번에 잡아서 담석을 분쇄하거나 새로운 유도선을 삽입하여 EPLBD를 시행하면 제거가 가능하다. 이렇게 해도 감돈된 바스켓을 제거하지 못하면 수술을 고려해야 한다.

참/고/문/헌

1. 대한췌장담도학회. ERCP. 군자출판사; 2010.

2. Ahn DW, Lee SH, Paik WH, et al. Effects of saline irrigation of the bile duct to reduce the rate of residual common bile duct stones: a multicenter, prospective, randomized study. Am J Gastroenterol 2018;113:548–55.

3. Buxbaum JL, Abbas Fehmi SM, Sultan S, et al. ASGE guideline on the role of endoscopy in the evaluation and management of choledocholithiasis. Gastrointest Endosc 2019;89:1075–105.e15.

4. Jang DK, Lee SH, Ahn DW, et al. Factors associated with complete clearance of difficult common bile duct stones after temporary biliary stenting followed by a second ERCP: a multicenter, retrospective, cohort study. Endoscopy 2020;52:462–8.

5. John GL. Stone extraction. Techniques in Gastrointest Endosc 1999;1:17–20.

6. Lee SH, Park JK, Yoon WJ, et al. How to predict the outcome of endoscopic mechanical lithotripsy in patients with difficult bile duct stones? Scand J Gastroenterol 2007;42:1006–10.

7. Manes G, Paspatis G, Abakken L, et al. Endoscopic management of common bile duct stones: European Society of Gastrointestinal Endoscopy (ESGE) guideline. Endoscopy 2019;51:472–91.

내시경 총담관석제거술: 전기수압쇄석술, 레이저 쇄석술

Endoscopic Common Bile Duct Stone Extraction: Electrohydraulic Lithotripsy, Laser Lithotripsy

고동희 한림대학교 의과대학

일반적인 내시경 담석 제거술로 제거하기 어려운 거대 담석, 감돈, 혹은 협착부의 상부의 담석이 위치한 경우와 같은 난치성 담석의 경우 일차적으로 분쇄 후 결석 제거를 위해서는 대부분 기계 쇄석술을 이용한다. 그러나, 1.5–2.0 cm 이상의 결석이나 협착이 동반된 경우에는 기계 쇄석술로 분쇄에 실패할 수 있고, 이런 경우 시도하는 쇄석술로 전기수압쇄석술(electrohydraulic lithotripsy, EHL)과 레이저 쇄석술(Laser lithotripsy)이 사용된다. EHL과 레이저 쇄석술은 투시 유도하 또는 담도경 직시하에 시행할 수 있는데 결석에 탐촉자(probe)를 적절히 위치시켜 담관 손상을 방지하고 쇄석효과를 높이기 위해서는 직접 담도경을 보면서 시술하는 것이 좋다. 이 시술법은 담관 협착이 동반되거나 간내담석이 동반된 경우에도 유용하며, 최근에는 직접 EHL을 시행하기 위해서 시술자 한 명이 시행할 수 있는 담도경(single–operator cholangioscopy)이 사용되기도 한다. 담관결석 제거술에 있어서 전기수압쇄석술과 레이저 쇄석술에 대해 기술하고자 한다.

1. 전기수압쇄석술

전기수압쇄석술은 거대한 바위를 분쇄할 목적으로 개발되었던 산업용 기술이었는데, 1959년 처음으로 방광 결석 분쇄에 사용된 이후 1976년 경피경간으로 탐촉자를 삽입하여 담관 결석에 사용되었다.

EHL의 원리는 섬유 끝에 위치한 두 개의 절연 전극 사이에 전기 고전압 스파크를 생성하는 것이다. 전기 스파크는 주변 액체의 즉각적인 팽창을 유발하여 큰 거품이 생기면서 터지면서 짧은 펄스로 전달되어 구형 충격파를 유도한다. 구형 충격파가 진동하여 돌을 파편화 하기에 충분한 압력을 생성한다.

EHL 시스템은 체외의 전기발생장치와 전기충격파를 전달하는 탐촉자로 이루어져 있다(그림 17–1). 이 탐촉자를 도관이나 담도경의 처치공을 통해 담도 내강으로 삽입한다.

EHL 시술은 주변에 충격파를 전달한 생리 식염수가 있어야 하므로 지속적으로 생리 식염수를 관류할 수 있는 다른 도관이나 관류장치가 필요하다. 그리고 이 관류를 통해 작은 찌꺼기를 씻어내고, 시야를 확보하는데도 필요하다. 식염수의 주입을 위해 경비 담관배액관을 이용할 수도 있고 경피경간 담관배액관(percutaneous tran-

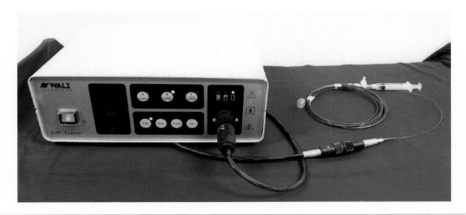

그림 17-1. EHL 발생장치

shepatic biliary drainage, PTBD)이 유치되어 있는 경우에는 경피 경로를 통하여 식염수를 주입할 수 있다. 결석을 적절히 분쇄하기 위해서는 탐촉자의 위치는 내시경 선단으로 부터는 5 mm 이상 떨어져야하며 결석과 탐촉자의 사이는 1–2 mm 정도를 유지해야 한다. 적절한 위치에 탐촉자를 위치시키고 돌이 파편화 될 때까지 충격파를 발사하여 분쇄한 후 일반적인 방법으로 돌 파편을 제거한다.

초기의 EHL 시술은 바스켓으로 결석을 포획하고 내강으로 탐촉자를 진입시켜 시도하여 EHL 시행하였고, 이후 특별히 고안된 풍선 도관을 이용하여 탐촉자를 중앙에 위치시켜 X-ray 투시하에 EHL 사용하여 쇄석을 하였다. 그러나, 이런 2차원적인 투시영상을 통한 방법은 정확히 탐촉자의 위치를 알기 어려워서 담관 손상의 위험이 있다. 그러므로, 현재는 EHL은 대부분 내시경 직시하에 시행하는 것을 추천한다.

담도경을 접근하는 방법은 경피경간 담도내시경(percutaneous transhepatic cholangioscopy)과 경구 담도내시경(peroral cholangioscopy)이 있다. 경피경간 담도내시경은 과거부터 중요한 치료 방법으로 사용되고 있고, 현재도 사용되고 있지만, 시술 전에 준비기간 및 환자의 불편감이 있어서 사용에 제한이 있다(그림 17-2, 3). 최근 경구 담도내시경의 발전으로 담도내 쇄석술에 경구 담도내시경이 많이 사용되고 있다. 경구 담도내시경은 과거에는 모자 담도내시경(mother-baby duodenoscope)을 통해 시행되었는데 수기가 비교적 복잡하고 숙련된 두 명의 내시경의사가 필요하다는 단점이 있어 사용에 제한이 많았으나 최근에는 한 명의 내시경의사가 검사를 할 수 있는 담도내시경(single-operator cholangioscopy, SOC)이 개발되어 사용되고 있다.

최근 SpyGlass® DS system (Boston Scientific, Marlborough, MA, USA)이 개발되어 3.5 mm 디지털 담도내시경으로 십이지장경의 겸자공에 삽입하여 EHL을 시술할 수 있어 시술 중에 흡인도 가능한 장점이 있다(그림 17-4). 또한, 극세경 상부위장관내시경(ultra-slim upper endoscope)을 이용한 직접 경구 담도내시경(Direct peroral cholangioscopy, DPOC)도 소개되어 담도내 쇄석술을 시행하였다. SpyGlass®에 비해 저렴하고 더 좋은 화상을 보여주지만, 시술이 어렵고 부속기구의 제한이 있어 아직은 좀 더 개선이 필요하다.

EHL 치료 성적을 보면, 보통 여러 차례 시술이 필요하며 결석제거율은 70–90%로 보고되고 있으며 다양한 접근 방법과 다른 시술법들을 병용하면 전반적인 치료 성공률은 90% 이상으로 알려져 있다. 합병증으로는 담관염, 황달 등이 생길 수 있고, 담도 손상에 의한 혈액담즙증(hemobilia)과 천공이 생길 수 있다. 그러므로, 쇄석술 시에 내시경 직시하에 잘 조준하여 시술하는 것이 좋으며, 투시 영상에서 시행할 때는 풍선 도관이나 바스켓을 이용하여 탐촉자가 결석의 중앙에 위치할 수 있도록 해야 한다.

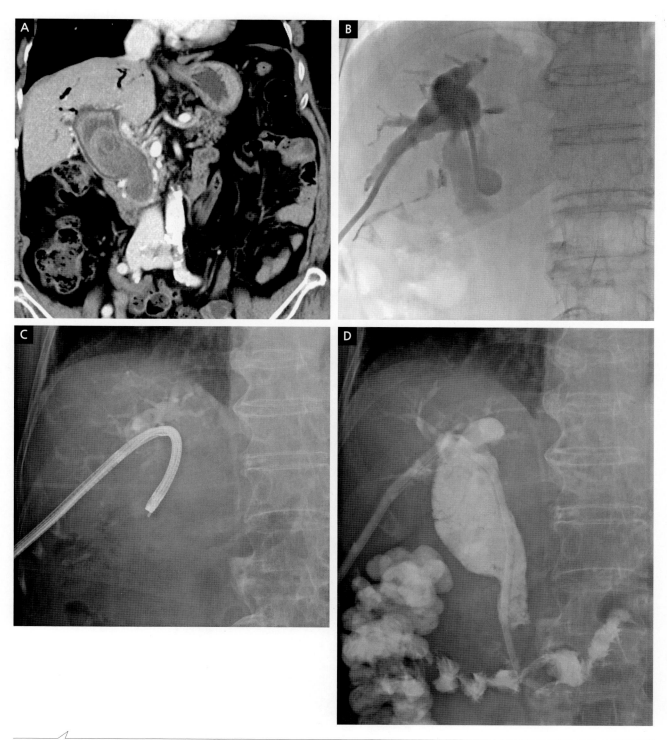

그림 17-2. 거대 총담관 결석에서 경피경간 담도경을 이용한 EHL 시술
(A) 복부 CT에서 총담관을 막고 있는 거대 결석이 관찰된다.
(B) PTBD를 통한 담관조영술에서 총담관이 조영되지 않는 소견이 관찰된다.
(C) 경피경간 담도경을 이용하여 EHL 시술을 시행하고 있다.
(D) EHL 시행 후 담관조영술에서 총담관이 잘 관찰되고 있다.

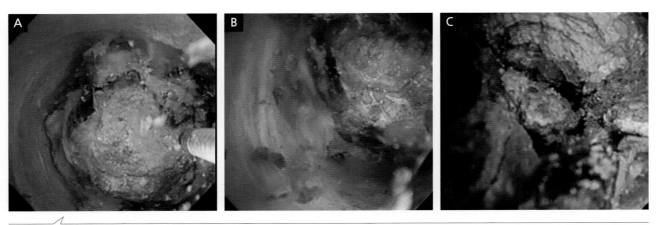

그림 17-3. 경피경간 담도경하 EHL을 이용한 담석 제거술(담도경)

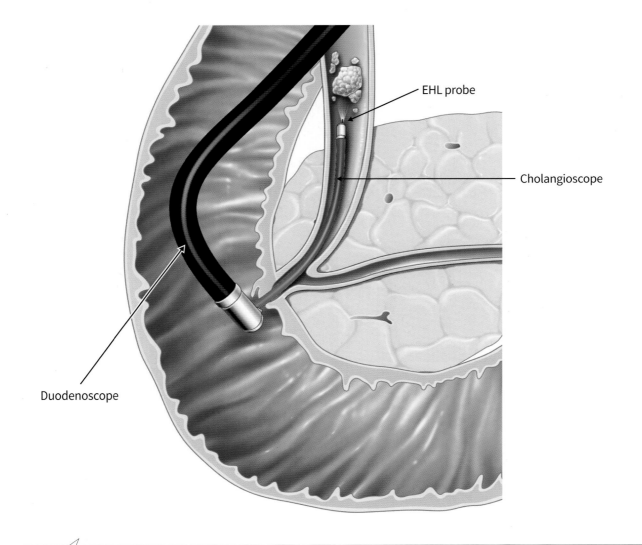

EHL probe

Cholangioscope

Duodenoscope

그림 17-4. 단일시술자 경구 담도내시경 직시하 전기수압쇄석술

2. 레이저 쇄석술

레이저는 1960년에 개발되어 초기부터 의료분야에 사용되기 시작하였다. 레이저의 조직에 대한 작용으로 쇄석, 응고, 소작, 절제 등을 시행할 수 있어서 내외과 다양한 의료분야에서 사용되고 있다.

1988년 Pulsed Nd–YAG laser를 이용하여 내시경을 통해 담관 결석 레이저 쇄석술을 처음 시도하였고, 그 이후 coumarin green, rhodamine–6G pulsed dye, neodymium–yttrium aluminum garnet (Nd–YAG), frequency–doubled double–pulse yttrium aluminum garnet (FREDDY), CO_2 laser 등의 다양한 레이저를 사용하여 시술되었고, 최근에는 holmium:yttrium aluminum garnet (Ho:YAG)가 개발되어 사용되고 있다. Ho:YAG 레이저는 다른 레이저에 비해 조직 침투성이 낮으면서 물의 파장과 비슷한 파장으로 Nd–YAG 레이저 보다 물에 60배 잘 흡수되므로 물을 매질로 사용한 담석 쇄석술에서는 조직에 침투가 적고, 물에서 쉽게 흡수되어 조직 손상이 적어 더욱더 안전하게 시술할 수 있는 장점이 있다.

레이저 쇄석술의 기전은 pulsed laser로 인해서 광섬유 팁에 광학에너지가 결석 표면에서 플라즈마(plasma)를 형성하여 기포가 생기고, 커진 이후 줄어들면서 결석에 강한 충격파를 전달하여 결석을 쇄석한다. 그러므로, 최적의 쇄석을 일으키기 위해서는 담석과 1–2 mm 정도의 거리를 유지해야 한다. 이 간격보다 가까워지면, 레이저는 드릴링 효과가 주로 이루어져 구멍만 나고 쇄석은 되지 않을 수 있다. 큰 결석을 쇄석할 때는 이 두 효과를 적절

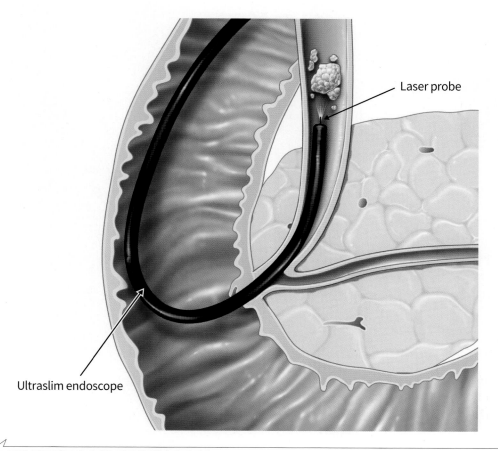

Laser probe

Ultraslim endoscope

그림 17-5. **직접 경구 담도내시경을 이용한 레이저 쇄석술**

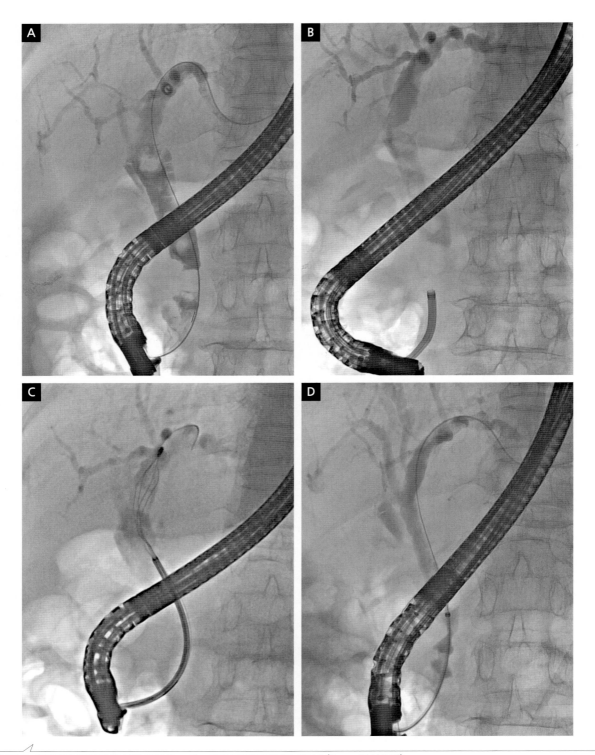

그림 17-6. 총담관에 감돈된 결석에 대한 SpyGlass®를 이용한 레이저 쇄석술(X-ray 투시소견)
(A) 원위부 총담관에 결석이 감돈된 소견이 관찰된다.
(B) SpyGlass®를 이용하여 레이저 쇄석술을 시행하고 있다.
(C) 레이저 쇄석술을 시행 후 바스켓을 이용하여 담석을 제거하고 있다.
(D) 담석이 완전히 제거된 소견이 관찰된다.

히 사용하면 더 빠르게 쇄석할 수 있다.

레이저 쇄석술은 전기수압쇄석술과 유사하게 경유두 또는 경피경간 경로를 통하여 시술을 시행한다. 경피경
간은 담도경하에서 직접 보면서 쇄석술을 시행하고, 경유두 경로는 모자내시경 방식을 이용하여 보면서 시술하거
나, X-ray 투시 하에서 풍선 도관, 바스켓, 슬리브 도관 등을 이용하여 결석과 레이저 탐촉자 적절히 위치시키는데
도움을 받아 시술한다. 레이저 쇄석술의 치료 효과는 대부분의 연구에서 80-90% 정도로 보고되고 있다.

레이저 쇄석술에서도 전기수압쇄석술과 같이 담도 손상이 발생할 수 있다. 초기에는 X-ray 투시하에서도 다
양한 기구를 도움을 받아 비교적 안전하게 시술하였다고 보고하였고, Lithognost 레이저와 같이 조직 인식 시스
템이 개발되어 레이저 뒤로 산란된 빛을 분석하여 조직을 나타내는 경우 신호를 차단하여 담관 손상을 가능성을
줄였다고 보고 하였다. 그러나, 완벽하지는 않으며, 장비가 크고 비용이 많이 들어 보편적으로 사용되지는 못하였
다. 그러므로, 직접 보면서 레이저 쇄석술을 시행하는 것이 가장 안전하고 효과적이다 하겠다. 전기수압쇄석술에
서도 소개하였듯이 최근에는 모자내시경을 한계를 넘어서는 한 명의 내시경의사가 검사를 할 수 있는 SOC의 발
달과 극세경 상부위장관내시경을 이용하여 레이저 쇄석술 시행하고 있고(그림 17-5), SpyGlass®을 이용하여서도
시술을 시행하고 있다(그림 17-6, 7).

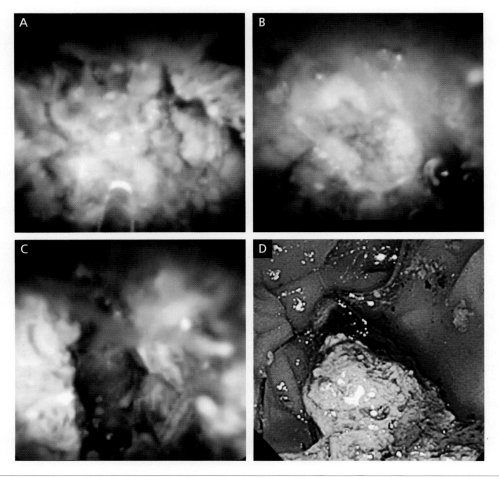

그림 17-7. 총담관에 감돈된 결석에 대한 SpyGlass®를 이용한 레이저 쇄석술(담도경, 십이지장경 소견).
(A-C) SpyGlass® 담도경을 보면서 레이저 쇄석술을 시행하고 있다.
(D) 십이지장경에서 바스켓으로 담석이 제거되고 있다.

최근 경구 담도내시경 발달로 이를 이용한 레이저 쇄석술의 효과는 93–100% 정도로 높은 성공률을 보이고 있고 한 번의 시술만으로도 대부분 성공하는 좋은 성적을 보여주고 있다.

레이저 쇄석술과 EHL의 효과에 대한 직접적인 비교 연구는 없었으나. 저자들이 국내에서 처음으로 시행한 다기관 전향적 연구에 따르면 성공률과 전반적인 합병증에서는 차이는 없었다. 하지만, 담관염의 발생이 EHL에서 좀더 많이 발생되는 것을 보였다. 레이저 쇄석술이 EHL 비해 비용이 많이 드는 단점이 있지만, 최근에 보고된 메타 분석에서는 레이저 쇄석술이 EHL에 비해 담관결석 제거 성공률이 높고, 합병증 발생은 적으며, 첫 섹션에서 결석 쇄석율이 높아 시술 시간이 더 짧다는 보고가 있어서 앞으로 좀더 레이저 쇄석술이 발달된다면 EHL 비해 좋은 결과를 보여줄 것으로 판단된다.

3. 맺음말

대부분의 담관 결석은 일반적인 ERCP와 유두부괄약근 절개술를 시행하거나 어려운 경우에는 기계쇄석술을 이용하여 제거할 수 있다. 하지만, 거대 결석이나 담관 협착, 간내 담석 등의 경우에 EHL이나 레이저 쇄석술을 이용하면 90% 이상에서 효과적이면서 안전하게 제거할 수 있다. 최근 경유두 담도내시경의 발달로 난치성 담관 결석의 치료에 있어서 EHL이나 레이저 쇄석술의 사용은 증가할 것이고, EHL과 레이저 쇄석술의 선택은 각 기관에 상황에 맞추어 선택하면 될 것이다.

참/고/문/헌

1. Arya N, Nelles SE, Haber GB, et al. Electrohydraulic lithotripsy in 111 patients: a safe and effective therapy for difficult bile duct stones. Am J Gastroenterol 2004;99:2330–4.

2. Cho YD, Cheon YK, Moon JH, et al. Clinical role of frequency–doubled double–pulsed yttrium aluminum garnet laser technology for removing difficult bile duct stones (with videos). Gastrointest Endosc 2009;70:684–9.

3. Cotton PB, Kozarek RA, Schapiro RH, et al. Endoscopic laser lithotripsy of large bile duct stones. Gastroenterology 1990;99:1128–33.

4. Easler JJ, Sherman S. Endoscopic retrograde cholangiopancreatography for the management of common bile duct stones and gallstone pancreatitis. Gastrointest Endosc Clin N Am 2015;25:657–75.

5. Ell C, Hochberger J, May A, et al. Laser lithotripsy of difficult bile duct stones by means of a rhodamine–6G laser and an integrated automatic stone–tissue detection system. Gastrointest Endosc 1993;39:755–62.

6. Hochberger J, Bayer J, May A, et al. Laser lithotripsy of difficult bile duct stones: results in 60 patients using a rhodamine 6G dye laser with optical stone tissue detection system. Gut 1998;43:823–9.

7. Hochberger J, Tex S, Maiss J, et al. Management of difficult common bile duct stones. Gastrointest Endosc Clin N Am 2003;13:623–34.

8. Jakobs R, Maier M, Kohler B, et al. Peroral laser lithotripsy of difficult intrahepatic and extrahepatic bile duct stones: laser effectiveness using an automatic stone–tissue discrimination system. Am J Gastroenterol 1996;91:468–73.

9. Katon RM. The giant common duct stone: still a hard nut to crack. Gastrointest Endosc 1988;34:281–3.

10. Lee JE, Moon JH, Choi HJ, et al. Endoscopic treatment of difficult bile duct stones by using a double–lumen basket for laser lithotripsy––a case series. Endoscopy 2010;42:169–72.

11. McCarty TR, Thompson CC. The current state of bariatric endoscopy. Dig Endosc 2021;33:321–34.

12. Moon JH, Cha SW, Ryu CB, et al. Endoscopic treatment of retained bile-duct stones by using a balloon catheter for electrohydraulic lithotripsy without cholangioscopy. Gastrointest Endosc 2004;60:562-6.

13. Moon JH, Ko BM, Choi HJ, et al. Direct peroral cholangioscopy using an ultra-slim upper endoscope for the treatment of retained bile duct stones. Am J Gastroenterol 2009;104:2729-33.

14. Neuhaus H, Hoffmann W, Gottlieb K, et al. Endoscopic lithotripsy of bile duct stones using a new laser with automatic stone recognition. Gastrointest Endosc 1994;40:708-15.

15. Neuhaus H, Hoffmann W, Zillinger C, et al. Laser lithotripsy of difficult bile duct stones under direct visual control. Gut 1993;34:415-21.

16. Patel SN, Rosenkranz L, Hooks B, et al. Holmium-yttrium aluminum garnet laser lithotripsy in the treatment of biliary calculi using single-operator cholangioscopy: a multicenter experience (with video). Gastrointest Endosc 2014;79:344-8.

17. Siegel JH, Ben-Zvi JS, Pullano WE. Endoscopic electrohydraulic lithotripsy. Gastrointest Endosc 1990;36:134-6.

18. Teichman JM, Rao RD, Rogenes VJ, et al. Ureteroscopic management of ureteral calculi: electrohydraulic versus holmium:YAG lithotripsy. J Urol 1997;158:1357-61.

19. Teng P, Nishioka NS, Farinelli WA, et al. Microsecond-long flash photography of laser-induced ablation of biliary and urinary calculi. Lasers Surg Med 1987;7:394-7.

20. Trikudanathan G, Arain MA, Attam R, et al. Advances in the endoscopic management of common bile duct stones. Nat Rev Gastroenterol Hepatol 2014;11:535-44.

21. Veld JV, van Huijgevoort NCM, Boermeester MA, et al. A systematic review of advanced endoscopy-assisted lithotripsy for retained biliary tract stones: laser, electrohydraulic or extracorporeal shock wave. Endoscopy 2018;50:896-909.

22. Yoo KS, Lehman GA. Endoscopic management of biliary ductal stones. Gastroenterol Clin North Am 2010;39:209-27, viii.

23. Koh DH, Lee J, Moon SH et al. Endoscopy 2019;51:S15.

24. Oh CH, Dong SH. Recent advances in the management of difficult bile-duct stones: a focus on single-operator cholangioscopy-guided lithotripsy. Korean J Intern Med 2021;36:235-46.

양성 담관 협착의 내시경 치료

Endoscopic Management of Benign Biliary Stricture

이인석 가톨릭대학교 의과대학

양성 담관 협착(benign biliary stricture, BBS)은 다양한 원인에서 발생하는데 수술 후 발생하는 경우가 가장 흔하다. 담낭절제술이 가장 흔하고 간절제술, 간장문합술 및 특히 간이식 후 담관 협착이 발생하는 경우가 흔하다. 다양한 담관염, 각종 시술 후 합병증, 만성췌장염 등에 의해 양성 담관 협착이 동반된다.

담낭절제술은 복강경이나 최근 로봇으로 미세침습수술 형태로 진행되어 많은 장점이 있음에도 불구하고 술후 0.3–0.7%에서 담관 손상이 발생하며 그 원인의 대부분은 담관의 해부학적 구조 이상에 발생한다. BBS는 주로 담관의 부분적 혹은 전체적인 클립시술이나 결찰에 의해서 유발되며, 박리(dissection)나 열 손상에 의한 담관의 허혈에 의해서도 초래된다. 임상에서는 수술 후 BBS가 진단되면 이미 수술과 연관된 합병증이 동반되거나 재수술이 어려운 경우가 많으며, 진단 당시 담즙누출이 있으면 간내담관 및 간외담관의 확장이 없으므로 경피적담관배액 역시 곤란한 경우가 많다. 그러므로 BBS를 포함한 담관병변의 치료는 ERCP를 이용한 내시경치료가 매우 유용하다.

이번 장에서는 BBS의 진단, 치료 및 예후에 대해 증례와 함께 정리하였다.

1. 원인

양성 담관 협착의 원인은 다양하며 가장 흔한 원인은 수술 후 협착이다. 담낭절제술이 가장 흔하고 간소장문합술(hepaticojejunostomy) 및 간이식 수술 후에도 발생할 수 있다. 비수술적인 원인으로는 만성췌장염으로 인한 담관 협착이 가장 흔하다.

2. 양성 담관 협착의 임상양상과 진단

BBS는 황달, 간수치이상, 복통, 반복되는 담관염, 담석 등의 담관 폐쇄증상 및 감염으로 인한 증상을 동반하지만 무증상으로 영상검사에서 진단된다. 수술 직후 BBS가 발생하는 경우는 증상 발현이 빠르지만, 간이식이나

표 18-1. 양성 담관 협착의 원인

Common	Less common
Postsurgical	Bile duct ischemia
Liver transplantation	Vasculitis: SLE- and ANCA-associated
Cholecystectomy	Radiation therapy
Bilioenteric anastomosis	Portal biliopathy
Inflammatory	Post-radiofrequency ablation
Chronic pancreatitis	Tuberculosis
Primary sclerosing cholangitis	Postsphincterotomy
IgG4 cholangiopathy	Trauma
Parasitic infection	Mirizzi syndrome

간소장문합술 후에는 수개월에서 수년이 지난 후에도 협착이 진행되면서 진단되기도 한다.

진단을 위해서는 혈액검사 및 초음파, CT, MRI 영상검사를 시행한다. BBS는 다양한 원인에 의해 발생하므로 악성종양을 감별하는 것이 중요하다. 감별이 어려운 경우 영상검사나 ERCP를 통해 병변을 확인하고 조직학적 진단을 시행하여야 한다. 초음파내시경 검사, 담관내초음파검사(IDUS)로 협착부위를 관찰할 수 있고, 담관경(예. 단일시술자에 의한 담관경검사, SpyGlass® system)을 통해 협착부위를 직접 관찰하면서 조직검사를 할 수 있다. 최근에는 공초점내시경검사나 FISH검사 등의 추가 검사로 감별진단을 시도하기도 한다. 만약 BBS가 악성인지 애매모호한 경우 6개월 이내로 영상검사나 ERCP검사를 통해 추적관찰을 한다.

BBS의 분류는 협착부위에 따라 Bismuth 분류가 가장 흔히 사용된다(그림 18-1). Strasberg 분류는 Bismuth 분류의 변형으로 type A-type D까지는 복강경담낭절제술 후 발생하는 담관손상을 보여주고 type E는 Bismuth 분류와 유사하다(그림 18-2).

3. 양성 담관 협착의 내시경 치료

1) 일반적인 원칙

ERCP는 경피적접근이나 수술보다 더 효과적이고 비침습적이어서 BBS의 표준치료법으로 사용된다. BBS의 치료과정은 선택적 삽관, 괄약근절개술, 유도선을 협착부 통과, 부우지확장기 또는 풍선확장기를 이용하여 확장술을 시행한 후 배액관을 삽입하는 단계를 거친다. 삽입한 플라스틱스텐트는 3개월 간격으로 교체하며 전체적으로 12개월 유치하도록 한다.

협착부위를 확장하는 것은 내시경 치료에서 중요한 과정이다. 협착부위를 통과하기 위해서 친수성 피막형성이 된 유도선을 사용하며 0.035인치(0.889 mm), 0.025인치 또는 심한 협착이 있는 경우 0.018인치 직경의 유도선을 사용하여 협착부위를 통과시킨다. 협착부위가 각져 있으면 선단이 굽어있는 유도선을 사용하여 협착 부위로 선택적 삽관을 시도한다. 양성협착이 단단한 경우 유도선 통과 후 부우지 확장을 먼저 시행한다. 확장은 부우지 확장의 경우 30-60초 이내가 적당하며 풍선확장술시에는 협착부 전후의 담관의 직경을 고려하여 최대 125-130% 굵기의 풍선확장기를 선택한다. 협착부위의 풍선확장은 목표 직경 70-80% 이상 확장되고, 조영제가 자연배출되는 소견이 보이면 확장이 성공한 것으로 간주한다. 무리한 확장을 시도하는 경우나 풍선확장술로 협착부의 확장이 압력을 가해도 이루어지지 않는 경우 천공의 위험이 증가하므로 확장술을 시행하는 동안 투시영상을 통해 신중히 관찰하면서 확장술을 시행하여야 한다. 협착이 단단하여 부우지나 풍선확장기가 협착을 통과하지 않는

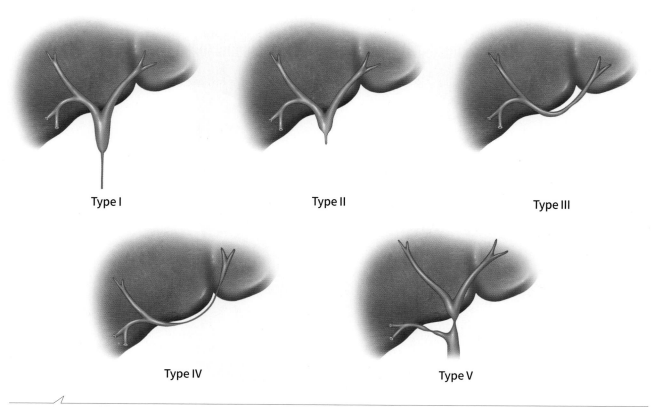

Type I   Type II   Type III

Type IV   Type V

그림 18–1. 양성 담관 협착의 Bismuth 분류
Type I strictures are located more than 2 cm distal to confluence of left and right hepatic ducts, whereas type II strictures are seen within 2 cm from hepatic confluence. Type III strictures affect confluence, which is patent; type IV strictures involve confluence and interrupt it; type V strictures involve the hepatic duct associated with stricture on aberrant right intrahepatic branch.

경우 Soehendra stent retriever (Wilson–Cook Medical GI Endoscopy)가 효과적이다. 확장 중 천공을 예방하기 위해서 저자는 풍선 확장 시 압력을 서서히 압력을 증가시켜 협착부가 서서히 확장되도록 하고 있다. 또한 풍선 확장시 최대압력의 70%에서 협착이 완전히 펴지지 않는 경우는 더 이상 무리하여 풍선의 압력을 증가시키지 않도록 하여 천공을 예방하고 있다. 일반적으로 총담관의 경우는 8–10 mm 직경의 2–4 cm 길이의 풍선확장기를 사용하여 최소 1분 이상 확장하며. 이후 수차례 풍선확장을 반복한다(그림 18–3, 4, 5).

문맥부위의 담관 협착이나 간내담관 등 협착의 부위가 근위부에 위치할수록 내시경선단에서 멀어지므로 유도선의 선택적 통과, 확장술이나 배액관의 삽입이 어렵다. 그러므로 근위부 담관의 협착부위를 치료 시 충분한 확장과 배액관을 삽입하기 위해 굵거나 빳빳한(stiff) 유도선을 사용하는 것이 더 유리하다.

양성 담관 협착의 내시경 치료 및 플라스틱 배액관 삽입술의 합병증은 출혈, 담관염, 췌장염, 배액관의 이탈, 배액관폐쇄 등이 발생할 수 있으므로 내시경 치료 후 환자의 경과를 관찰하여야 한다. 무엇보다도 BBS의 내시경 치료 중 담관 협착의 해결이 어려운 경우에는 시술을 중단하고 무리하지 말고 날짜를 바꾸어 재시술하거나, 중재 방사선학적이나 수술적 접근과 같이 다학제적 치료법을 고려하도록 한다.

2) 플라스틱 스텐트의 유치기간

플라스틱 스텐트는 3개월 간격으로 교체하면서 협착부의 완전한 확장을 위해 스텐트의 개수나 스텐트의 굵기

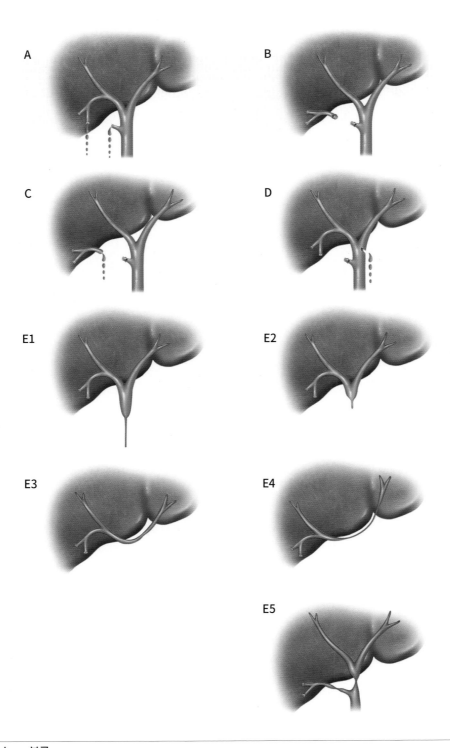

그림 18–2. Strasberg 분류

Type A. Bile leak from cystic duct stump or minor biliary radical in gallbladder fossa. type B. Occluded right posterior sectoral duct. type C. Bile leak from divided right posterior sectoral duct. type D. Bile leak from main bile duct without major tissue loss. type E1. Transected main bile duct with a stricture more than 2 cm from the hilus. type E2. Transected main bile duct with a stricture less than 2 cm from the hilus. type E3. Stricture of the hilus with right and left ducts in communication. type E4. Stricture of the hilus with separation of right and left ducts. type E5. Stricture of the main bile duct and the right posterior sectoral duct

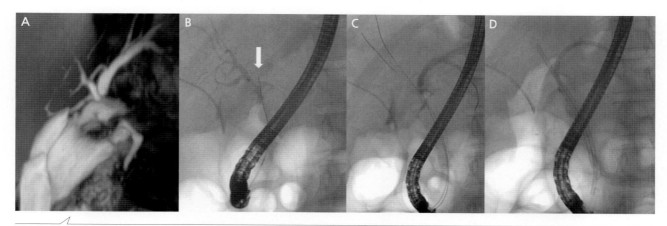

그림 18-3. 복강경 담낭절제술 후 발생한 Bismuth 2형 담관 협착 및 담즙 누출에서 내시경 치료
(A) MRCP에서 담관 협착 및 담즙누출 관찰됨. (B) 우측 간내담관으로 유도선 통과. 화살표에서 담즙누출 관찰. (C) 좌측 간내담관으로 유도선 통과. 조영제 누출이 여전히 관찰됨. (D) 양측 담관에 10 Fr 배액관 삽입.

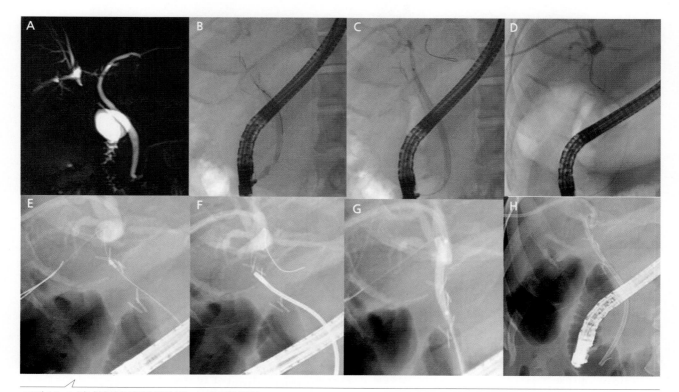

그림 18-4. 담낭절제술 후 발생한 Bismuth 5형 협착
(A) MRCP에서 담관절제술 후 우측간내담관 기시부에 협착 관찰. (B) 조영제 주입 시 우측간내담관 기시부에 협착 및 조영제가 주입되지 않음. (C) 좌측 간내담관은 정상소견. (D) 우측담관으로 유도선 삽입. (E) 우측담관으로 선택적으로 유도선 진입. (F) 10 Fr Sohendra stent retrieval로 확장. (G) 6 mm 풍선으로 확장술. (F) 10 Fr 스텐트 삽입.

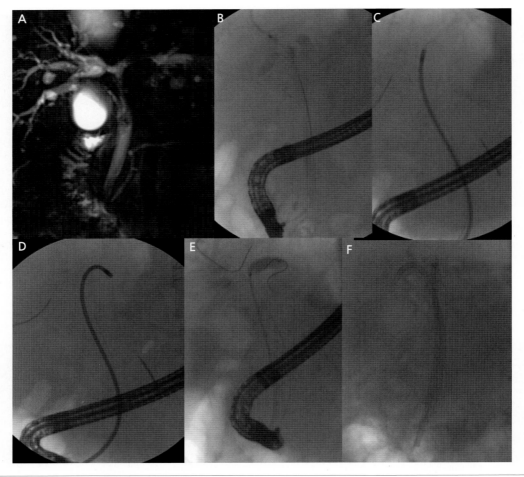

그림 18–5. 간암에서 TACE후 발생한 양측 간문맥담관의 협착
(A) MRCP에서 양측 간문맥담관과 이차분지의 협착이 관찰됨. (B) ERCP에서 유도선 통과. (C) 좌측간내담관 기시부의 협착이 단단하여 10 Fr Sohendra stent retrieval로 확장시행. (D) 확장에 성공하여 retrieval 카테터가 협착부를 통과함. (E) 추가로 풍선확장술 시행함. (F) 양측담관에 플라스틱스텐트를 삽입함.

를 증가시키면서 교체한다. 전체적으로 12개월 이상 스텐트를 유치하도록 한다. 만약 협착부위에 최대 갯수의 스텐트를 삽입하였다면 유치기간을 6개월까지 유지할 수 있다. 스텐트 유치기간 동안 임상증상, 혈액검사 및 영상검사를 시행하여 다음 시술 날짜를 결정한다.

3) 단일 또는 다발성 배액관 삽입

BBS의 내시경 치료 및 배액관 유치 중 협착부가 재형성(remodelling)이 발생한다. 충분한 조직의 재형성을 위해서는 협착부의 충분한 확장 및 배액관의 적절한 유치기간이 가장 중요하다. 그러므로 BBS가 충분히 개선될 수 있을 정도로 단일 플라스틱 배액관(single plastic stent, SPS)보다 다발성배액관(multiple plastic stent, MPS)을 삽입하는 것이 BBS 치료성공률을 향상시킨다.

MPS 시술 방법은 첫 시술부터 2개의 10 Fr의 스텐트를 한번에 삽입하고 2개를 교환하면서 유지하는 방식과 시술할 때마다 점진적으로 배액관의 갯수를 늘려 최대 갯수까지 삽입하는 방법이 알려져 있으며, 협착의 위치와 모양 및 특성에 따라 시술방법을 결정하도록 한다.

4) 양성 담관 협착에서 내시경 치료의 예후

내시경 확장 및 배액관삽입술에 의한 BBS의 치료성공률은 60–90%이다. 협착 재발에 관여하는 인자는 고령, 남성, 협착의 위치와 원인 질환, 수술 후 협착이 진단된 시점, 담즙 누출 동반여부 및 협착의 길이 등이다.

Parlak 등은 156명의 BBS에서 MPS를 평균 9개월 유치 후 제거하고 6.5년간 추적하였을 때 11%의 환자에서 재발하였다. MPS 방법에 따라서도 2개의 10 Fr 스텐트를 삽입하는 것보다 점차적으로 협착부를 확장하여 스텐트의 3–4개월 간격으로 개수를 늘여나가면서 협착부를 담관의 직경대비 76% 이상 확장하는 것이 협착의 재발이 적었다.

최근 보고된 장기 관찰 연구에서 담낭절제술후 발생한 담관 협착 환자 154명에서 BBS 치료성공률은 96.7%이었고, 평균 11.1년을 추적하였을 때 협착의 재발률은 9.4%이었다.

5) 양성 담관 협착에서 금속 스텐트 치료

금속 스텐트는 플라스틱스텐트에 비해 직경이 크고, MPS 보다 시술이 쉬우며, ERCP 횟수를 줄여주므로 BBS 치료에 유리하다. 막이 부착되지 않은 비피막형 금속 스텐트(non covered self expandable metal stent, ncSEMS)

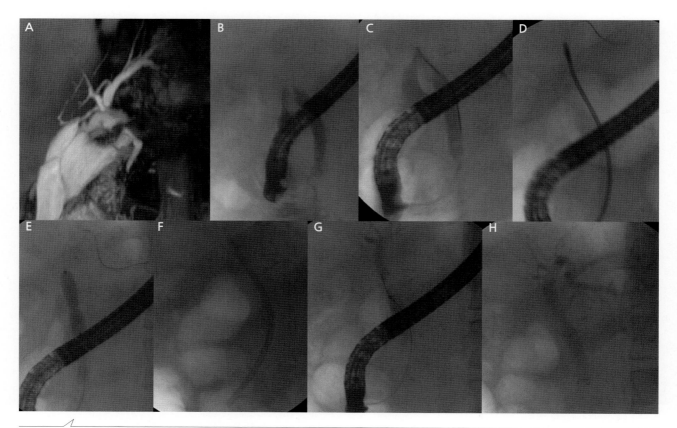

그림 18–6. 담낭절제술 후 발생한 Bismuth 1형 협착
(A) 담낭절제술 후 2개월 후 MRCP에서 협착 관찰. (B) ERCP에서 1형 협착 관찰. (C) 유도선을 통과. (D) 10 Fr Sohendra stent retrieval로 확장.
(E) 10 mm 풍선확장술. (F) 10 Fr 스텐트 삽입. (G) 3개월 후 배액관 제거 후 조영술에서 담관 협착이 개선되지 않음. (H) 10 mm CSEMS 삽입.

는 금속 스텐트 내로 담관 상피세포의 과증식 발생하여 제거가 불가능하므로 제거가 가능한 피막형 금속 스텐트(covered self expandable metal stent, cSEMS)가 BBS 치료에 사용된다. cSEMS의 막 재질은 폴리우레탄(polyurathane), 실리콘(silicon), PTFE (polytetrafluoroethylene) 등이 있다. 장착 후 담즙에 의한 막 손상은 실리콘이나 PTFE가 폴리우레탄보다 덜하다. cSEMS는 장착 후 6개월 이내에는 대부분 제거 가능하다(그림 18-6).

cSEMS는 BBS 치료에서 효과적이다. cSEMS의 치료 유용성은 MPS와 유사한 것으로 알려져 있다. 메타분석 연구에서 cSEMS의 협착개선은 83%에 이르며, MPS와 비교해도 치료성공률과 재발률은 감소하는 효과가 있었다. 다른 전향적 연구에서 수술문합부에 협착이 발생한 간이식후 BBS 환자에서 cSEMS는 MPS에 비해 협착개선이 높았고(81–92% vs. 76–90%), 스텐트 유치기간이 짧고(3.8 vs. 10.1 months), 시술 회수(median 2.0 vs. 4.5), 합병증 발생(10% vs. 50%) 및 시술비용이 적었다.

cSEMS는 금속 스텐트의 이탈, 담관염, 담낭염, 췌장염 및 출혈 등의 합병증이 발생할 수 있다. 최근 금속 스텐트의 이탈을 예방하는 다양한 형태의 cSEMS가 개발되어 임상에 사용되고 있다.

결론적으로 현재까지 임상 결과로 담관 협착을 충분히 확장하고 조직 재형성을 유도하는 MPS 시술이나 CSEMS 삽입이 양성 담관 협착에 가장 효과적이다.

6) 치료가 어려운 담관 협착에서 공격적인 치료법

(1) 자석을 이용한 확장

담관–담관 문합술 혹은 담–장관 문합 술 후 유도선은 물론 조영제가 통과하지 못할 정도의 완전한 문합부 폐쇄가 초래된 경우에는 환자가 지속적으로 경피경간 배액관을 갖고 있거나 재수술을 받아야 한다. 일본의 Yamanouchi에 의하여 개발된 자석 문합부 형성술(magnet anastomosis formation, MAF)은 각각 경피경간 통로와 경유두경로를 통하여 직경이 4 mm 정도되는 원통 모양의 두 개의 자석을 폐쇄된 문합부에 접근시키면 강력한 자성의 힘으로 두 개의 자석이 어느 거리 이내가 되면 최단거리로 두 자석이 달라 붙는다. 문합부 폐쇄의 정도에 따라 차이가 있지만 4–8주 사이에 두 자석은 자석 사이 문합부 결체 조직의 압력괴사(pressure necrosis)를 초래하여 폐쇄된 문합부 재개통을 가능하게 해 준다. 이 통로로 16 Fr 도관을 6개월 이상 유치하면 폐쇄 문합부의 치료가 가능하고 문합부 협착의 재발도 빈도가 낮다(그림 18-7).

(2) 경피적 재관류(Recanalization)

간이식이나 수술 후 발생한 담관 협착이 완전히 막힌 경우 경피적으로 관류(recanalization)하는 방법들이 사례별로 보고되어 있다. 이러한 경피적 재관류 방법은 transeptial kneedle 로 천자하여 재관류하는 것으로 내시경 시술이나 인터벤션시술로 치료가 불가능한 환자에서 선택적으로 시도되었다. 하지만 시술과 연관된 합병증을 고려하여 신중히 결정하여 시술하는 것이 바람직하다(그림 18-8).

(3) 생체분해 담관스텐트(Biodegradable biliary stents, BDBS)

생체분해 담관스텐트는 양성 담관 협착에서 사용될려면 다음과 같은 조건이 필요하다. 생체분해에 적합한 물질, 금속 스텐트에 준하는 팽창력(radial force), 담관염이나 담석형성이 없어야 하며 주변 췌담관과 이물질 반응이 없고, 내시경내로 삽입이 가능한 기구형태로 존재하여야 한다. 현재까지 polydioxanone (PDX)가 적합한 BDBS 물질로 임상에 도입되는 단계이다. BDBS를 인체에 적용한 연구는 13명의 양성협착이나 담관절제술 후 담

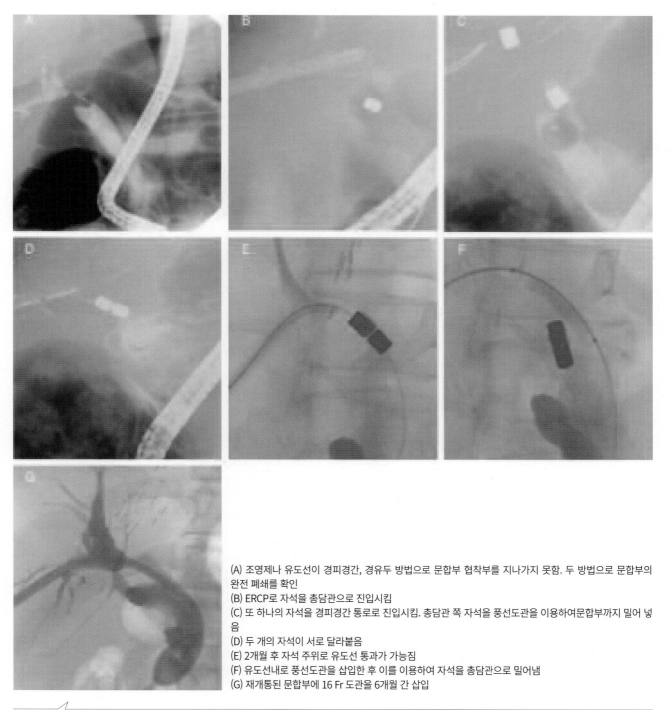

(A) 조영제나 유도선이 경피경간, 경유두 방법으로 문합부 협착부를 지나가지 못함. 두 방법으로 문합부의 완전 폐쇄를 확인
(B) ERCP로 자석을 총담관으로 진입시킴
(C) 또 하나의 자석을 경피경간 통로로 진입시킴. 총담관 쪽 자석을 풍선도관을 이용하여 문합부까지 밀어 넣음
(D) 두 개의 자석이 서로 달라붙음
(E) 2개월 후 자석 주위로 유도선 통과가 가능짐
(F) 유도선내로 풍선도관을 삽입한 후 이를 이용하여 자석을 총담관으로 밀어냄
(G) 재개통된 문합부에 16 Fr 도관을 6개월 간 삽입

그림 18-7. 생체간이식 수술을 받은 환자

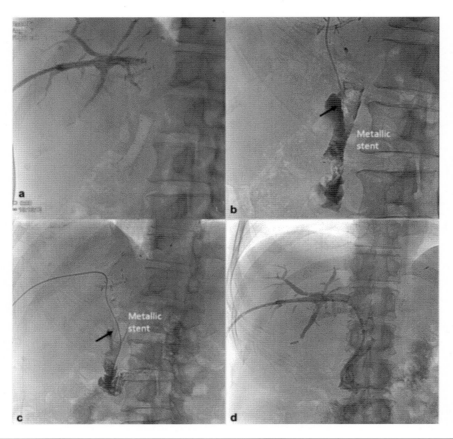

그림 18-8. 56세 LDLT 환자에서 발생한 담관 협착에서 경피적 재관류
(A) 총담관에 먼저 금속 스텐트를 삽입하였으며, 경패적 조영술로 우측 간내담관이 문합부에서 완전히 막힘. (B) 빳빳한 선단의 035인치 유도선과 5 Fr Kumpe 카테터를 이용하여 협착부로 transeptal kneedle을 진행하면서 총담관의 금속 스텐트 방향으로 천자 시행. (C) 천자가 성공하여 금속 스텐트 방향으로 유도선을 내림. (D) 경피적 재관류된 경로를 따라 배액관을 통과하여 거치함.

즙 누출환자에서 BDBS 삽입 후 21개월을 관찰하였을 때 임상적 치료 성공률은 83%이었고 2차적인 협착부의 과증식은 없었다. 또한 담낭절제술후 담즙누출에서도 효과가 있었다. 향후 추가로 대조군연구 및 장기간 추적 연구이 요구된다.

4. 다양한 임상에서 발생하는 양성 담관 협착

1) 간이식 후 담관 협착

간이식은 공여자에 따라 사체간이식(deceased donor liver transplantation, DDLT)과 생체간이식(living donor liver transplantation, LDLT)으로 구분된다. 양성 담관 협착 발생부위에 따라 문합부의 협착(anatomotioc stricture, AS) 및 비문합부의 협착(non–anastomotic stricture, NAS)으로 구분되며, AS가 80% 이상을 차지한다. NAS는 문합부의 5 mm 이상 거리를 두고 발생하며 다발성으로 협착이 발생하며, 담석이나 담관원주(biliary cast)가 발생하기도 한다. 간이식후 협착이 발생하는 빈도는 사체간이식에서는 5–15%, 생체간이식에서는

28–32%로 알려져 있다. 담관 협착이 진단되는 시점은 평균 간이식 5–8개월 후이며, 담관 협착이 발생하는 환자의 70–87%가 이식 후 1년 이내에 발생한다. AS는 간이식 후 6개월 기준으로 조기와 후기 협착으로 구분되는 반면 NAS는 간이식 12개월을 기준으로 구분한다(그림 18–9).

간이식 후 담관 협착에서 내시경치료는 담관의 직경을 고려하여 단일 또는 MPS 또는 cSEMS를 삽입할 수 있다. 내시경 치료는 괄약근절개술, 확장술 및 스텐트 삽입의 단계를 거친다. 시술 간격은 스텐트는 3개월마다 교환하며 전체적으로 1년 이상 스텐트를 유지한다.

DDLT 협착의 치료는 간외담관 협착의 내시경 치료와 유사하며, 가능하면 협착부위를 최대한 확장하고 MPS를 삽입하거나 cSEMS를 삽입한다. LDLT 환자에서 담관 협착의 근위부의 직경이 작은 경우 7 Fr 또는 8.5 Fr의 스텐트를 삽입하고 1년 이상 유치하여 충분히 협착부위가 확장되도록 한다. 풍선확장술시 선택되는 풍선의 직경은 협착이 발생한 담관 주변의 직경을 고려하여 선택한다. NAS에서 다발성 담관 협착의 치료를 위해서 선단의 조작이 가능한 캐뉼라(Swing Tip cannula, Olympus EndoTherapy, Tokyo)나 절개도 및 다양한 유도선을 이용하여 협착부에 선택적으로 삽입한다. 협착부가 단단하여 확장기나 풍선이 통과하지 않으면 Soehendra stent retriever가 효과적이다.

간이식 후 담관 협착의 내시경 치료 시 주의할 점은 공여자의 간이 취약하므로 불필요한 시술은 삼가고, 조영제는 필요 이상으로 주입하지 않으며, 주입된 조영제는 가능한 배액이 되어야 한다. 또한 담관 협착 주변의 해부학적 구조와 특히 혈관구조를 미리 숙지하고 시술에 임하여야 한다. 마지막으로 내시경 치료가 매우 어렵거나 긴 시술시간이 예상되면 경피적 시술로 변경하는 것도 고려해야 한다.

LDLT 협착의 치료 성공률은 DDLT보다 낮다(58–76% vs. 80–90%). 이는 LDLT 환자에서는 이식간의 재생과 문합부의 섬유화 진행으로 협착부 주변 담관이 가늘고, 다발성 협착이 흔하며, 담관주행이 구불하며 협착부도 단단한 경우가 흔하다. 협착의 발생시점에 따라서 LDLT 수술 1–2개월 이내 발생하는 문합부 협착의 치료는 성적이 좋다. 그러나 수술 6개월 후에 늦게 협착이 진단되는 경우 치료 성공률이 감소한다.

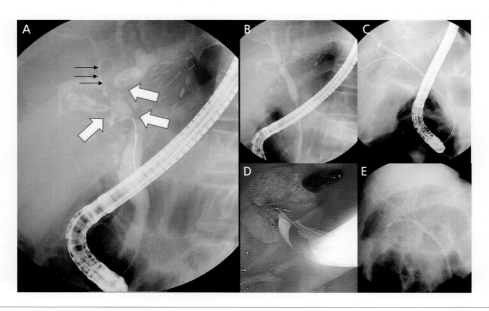

그림 18–9. **LDLT 환자에서 발생한 NAS 협착 및 간내담석의 치료**
(A) 조영술에서 다발성 간내담관의 협착이 관찰됨(white arrow), 간내담관 내 담석도 관찰됨(black arrow). (B) 간내담석 제거위해 문합부를 풍선확장술을 시행함. (C, D) 3부위의 간내담관에 유도선 삽입하고 간내담석을 바스켓으로 제거. (E) 3개의 7 Fr 플라스틱 스텐트 삽입.

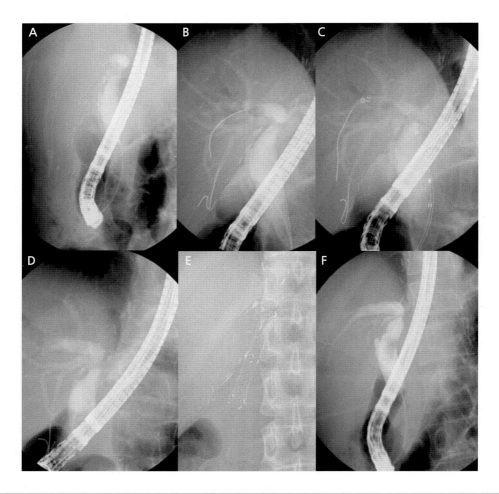

그림 18-10. LDLT에서 발생한 양성 담관 협착을 cSEMS로 치료
(A) 간이식 4년 후 발생한 문합부협착. (B) 유도관삽입. (C) cSEMS를 삽입함. (D) cSEMS를 거치함. 스텐트의 근위부가 담관문합부 직상방에 위치시킴. (E) 단순복부 X-ray에서 금속 스텐트가 완전히 팽창됨. (F) 6개월 후 금속 스텐트 제거 후 조영술 시행 시 문합협착부가 개선됨.

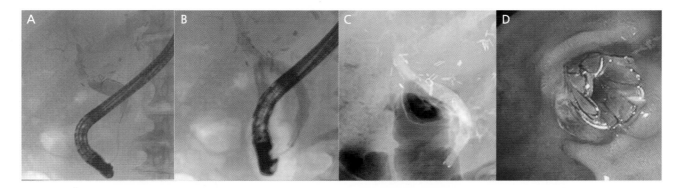

그림 18-11. DDLT에서 발생한 양성담도협착
(A) 사체간이식 30일 경과 후 문합부의 협착이 관찰됨. (B) 캐뉼라를 이용하여 문합부를 확장함. (C) cSEMS 삽입. 스텐트 근위부를 문합부 위에 위치 (D) 내시경 소견.

cSEMS는 직경이 커서 협착부를 확장시키는 효과가 있어 이식환자에서도 효과적으로 사용할 수 있다. AS에서 금속 스텐트의 치료성공률은 53–100%로 알려져 있다. cSEMS의 유치기간은 평균 3개월에서 최대 6개월까지 유치가 가능하다. cSEMS 시술 후 협착 재발률은 17–32%이다. 메타분석에서 다발성담관스텐트와 금속 스텐트의 치료효과나 재발률은 비슷한 것으로 알려져 있으며, 최근 보고된 162명의 환자를 대상으로 시행된 비교 연구에서 cSEMS와 MPS의 치료성공률은 96.5%와 83%이었고 협착재발률은 32%와 0%이었다. 최근에는 이탈을 예방하는 형태의 금속 스텐트가 개발되어 이식환자에 사용한 연구들이 보고되고 있다(그림 18–10, 11).

간이식환자에서 cSEMS의 합병증으로 이탈, 담관염, 담석 형성 등의 기존의 합병증 함께 금속 스텐트가 팽창하면서 주변의 담관 분지가 눌리면서 담관 폐쇄가 발생할 수 있으므로 LDLT 담관 협착에서 cSEMS의 선택은 신중히 결정해야 한다.

생체간이식에서 내시경치료의 예측인자는 수혜자의 나이가 고령, 장기간의 수술시간, 협착부 주변 담관이 주머니 모양(pouch), 다발성 담관 협착이 있는 경우 및 오랜 기간 담즙유출이 동반되는 경우 등이다. 간이식 환자에서 담관 협착의 치료알고리즘은 그림 18–12에 정리하였다.

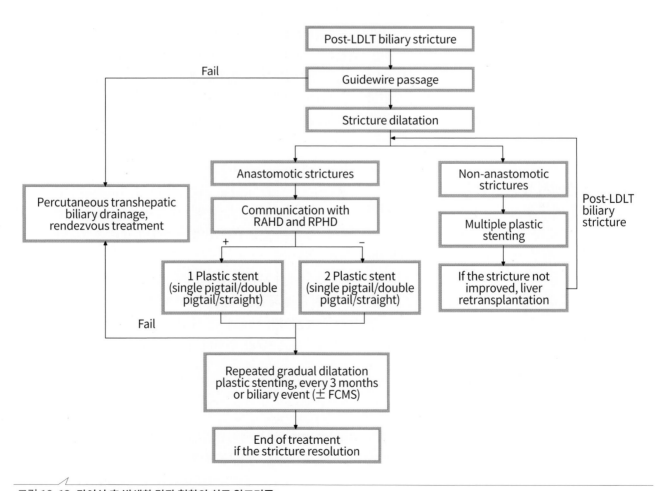

그림 18-12. 간이식 후 발생한 담관 협착의 치료 알고리즘

2) 수술로 해부구조가 변형된 환자에서 양성 담관 협착이 발생한 경우(ERCP in Surgically Altered Anatomy)

담관–담관 문합부 협착은 대부분 내시경 치료로 해결이 가능하나, 담관–장 문합술의 경우는 장관 쪽 문합부로 내시경 접근이 어려운 경우가 많다. 이 경우 이중풍선 소장내시경이나 단일풍선소장내시경 또는 최근 도입된 길이가 짧은 소장내시경으로 장관 쪽으로 접근하여 문합부 내시경 시술이 가능하게 되었다. 소장내시경을 이용한 BBS 치료는 소장으로 내시경을 통과하여 담관–장문합부까지 진입하는 단계와 문합부에 유도선을 통과하여 담관내시경검사를 시행하는 2가지 단계로 나눌 수 있다. 그러나 수술 받은 환자는 유착으로 인해 소장내시경이 담관–장 문합부로 접근이 난해하거나 실패할 수 있다. 그러므로 시술자는 소장내시경과 담관내시경검사법 술기와 사용되는 부속기구에 대한 충분한 이해와 숙달이 필요가 필요하다. 소장내시경을 이용한 ERCP검사는 다음 장에 논하였다.

소장내시경이 없거나 내시경 접근이 불가능한 경우 경피경간 방법으로 담관 쪽 문합부로 접근하여 문합부 협착을 해결한다. 방사선 투시 하에 문합부로 유도선을 통과시켜 도관을 문합부에 유치한다. 내시경 치료와 마찬가지로 순차적으로 도관의 굵기를 넓혀 14–16 Fr의 경피경간 도관을 문합부에 유치시킨다(그림 18–13). 이 방법도 내시경 치료와 마찬가지로 시술 후 재협착이 가장 문제가 된다. 굵은 도관을 오랜 기간 유치시킬수록 재 협착을 예방할 수 있다. 도관을 3개월 이내에 제거한 경우 거의 대부분 환자에서 협착이 재발하기 때문에 도관 유치 기간은 적어도 6개월 이상을 권장하고 있다. 유치 기간 동안 도관을 2–3개월 간격으로 교체해 주는 것이 좋다. 문합부의 협착이 견고하여 경피경간 접근법으로 도관 통과가 안 되는 경우에는 경피경간 담관내시경으로 문합부을 침형절개도로 절개 후 풍선확장 등을 시도해 도관을 삽입할 수도 있다. 침형절개도 절개는 맹목적(blind)인 시술이기 때문에 육안으로 가장 섬유화가 많이 된 여유 있는 쪽을 침으로 전류를 가하여 관통시키고 십자방향으로 조금씩 절개 후 풍선 확장 혹은 부지 확장을 한다(그림 18–14).

3) 만성췌장염에서 발생한 양성 담관 협착

만성췌장염에서 협착이 동반되는 경우 내시경치료가 접근과 시술이 용이해서 우선적으로 시도된다. 그러나 만성췌장염은 담관주변 췌장의 섬유화가 심하고 석회화를 동반하는 경우가 있어 과거 단일플라스틱스텐트를 삽입하여 치료하는 경우 치료 효과가 다른 BBS에 비해 저조하였다.

이에 만성췌장염으로 인한 BBS를 효과적으로 치료하기 위해서 MPS나 cSEMS를 삽입하여야 한다. 메타분석 연구에서 만성췌장염에서 cSEMS는 MPS보다 12개월 후 치료 성공률이 높고(77% vs. 30%) 시술횟수가 낮았다(1.5 vs. 3.9, P=0.002). 최근 보고된 전향적 비교 연구에서는 6개월간 cSEMS를 삽입한 군과 10 Fr 3개의 10 Fr 스텐트를 2번에 걸쳐 6개월간 삽입한 MPS군에서 6개월 후 제거하고 2년간 추적하였을 때 치료 성공률이 각각 92%와 90%로 유사하였다(그림 18–15).

4) 담즙 누출(Biliary Leakage)

담즙 누출의 치료법으로는 괄약근절제술(sphincterectomy), 담관배액관삽입, 경피적담관배액, cSEMS 삽입 등이 있다. 일반적으로 배액관 삽입이 기본적인 치료이며 필요한 경우 괄약근 절제술을 시행한다. 단일 배액관 삽입으로도 담즙 누출은 치료가 가능하며, 배액관의 굵기는 7 Fr이나 10 Fr가 치료효과는 유사하며 배액관의 삽입 기간은 4–8주 정도이다. 담즙 누출이 지속되는 경우에는 cSEMS를 사용할 수 있다(그림 18–16).

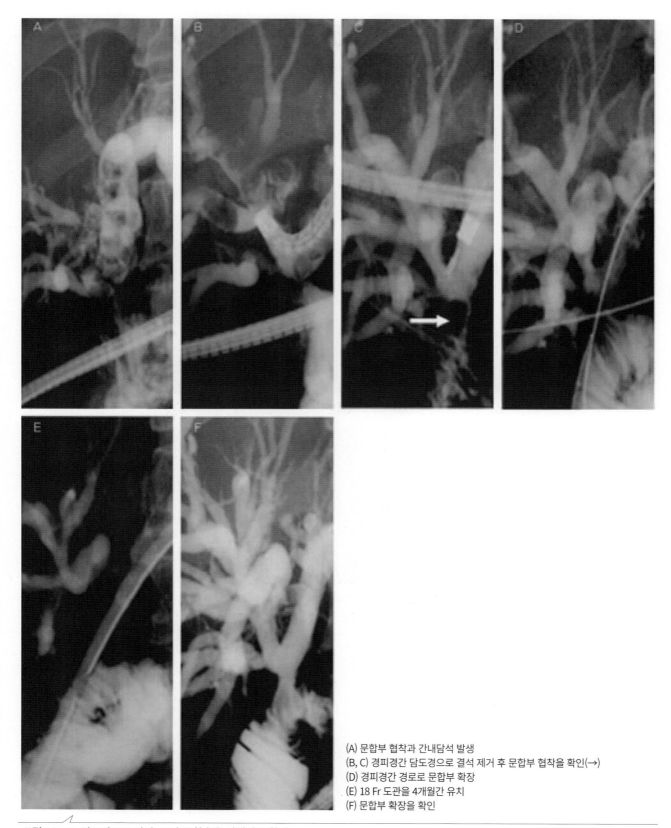

(A) 문합부 협착과 간내담석 발생
(B, C) 경피경간 담도경으로 결석 제거 후 문합부 협착을 확인(→)
(D) 경피경간 경로로 문합부 확장
(E) 18 Fr 도관을 4개월간 유치
(F) 문합부 확장을 확인

그림 18-13. 담도암으로 담관-공장 문합술을 시행받은 환자

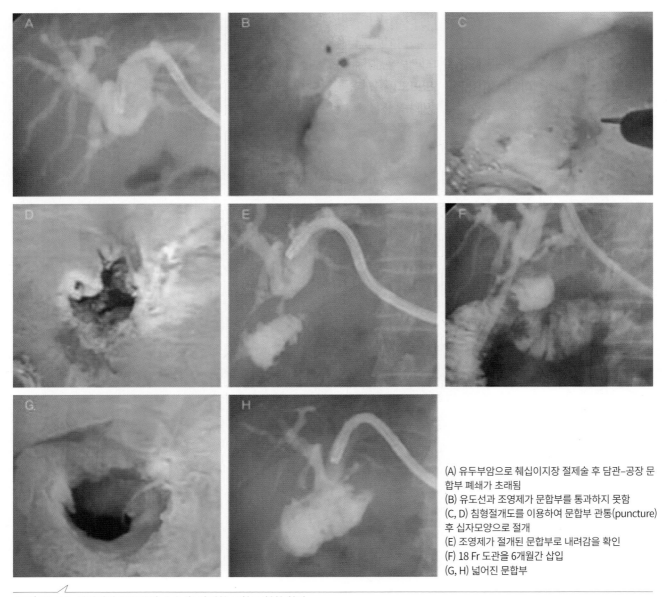

(A) 유두부암으로 췌십이지장 절제술 후 담관–공장 문합부 폐쇄가 초래됨
(B) 유도선과 조영제가 문합부를 통과하지 못함
(C, D) 침형절개도를 이용하여 문합부 관통(puncture) 후 십자모양으로 절개
(E) 조영제가 절개된 문합부로 내려감을 확인
(F) 18 Fr 도관을 6개월간 삽입
(G, H) 넓어진 문합부

그림 18–14. 십이지장 유두부암 수술 후 발생한 문합부 협착 환자

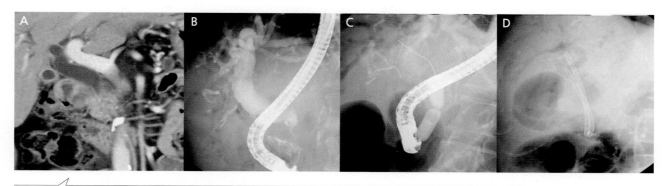

그림 18-15. 만성췌장염에서 발생한 담관 협착
(A) 복부CT에서 만성췌장염으로 인한 담관 협착이 관찰됨. 췌장두부에 석회화 침착이 관찰됨. (B) ERCP에서 원위부담관의 협착 관찰. (C) 풍선 확장술 시행. (D) 2개의 10 Fr 플라스틱 스텐트 삽입.

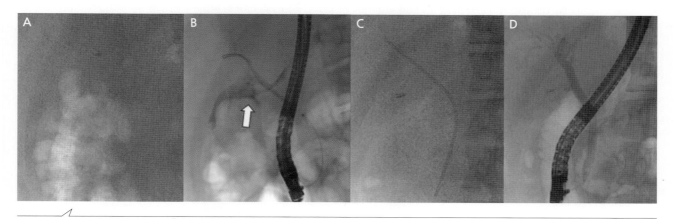

그림 18-16. 담낭절제술 후 발생한 담즙누출
(A) 조영제 주입전 영상. (B) 담관으로 삽관 후 조영제 주입 시 담낭관에서 조영제의 누출이 관찰. (C) 7 Fr 배액관 삽입. (D) 3개월 경과 후 ERCP 시행. 조영제 누출이 소실됨.

5. 맺음말

양성 담관 협착은 내시경치료가 가장 유용하게 사용된다. 가장 흔히 발생하는 양성협착의 원인은 수술 후 협착으로 담낭절제술, 간이식, 장-간문합술 시행 후 발생한다. 최근 다발성플라스틱스텐트와 피막형 금속 스텐트 사용이 양성협착의 치료효과를 향상시켰다. 국내에서도 양성협착에서 cSEMS를 급여 하에 사용이 가능해졌다. BBS 치료 전 양성협착의 원인, 위치와 주변 해부학적 구조를 파악하는 것은 시술의 성공을 위해 매우 중요하다. 내시경 치료의 다양한 술기를 습득하고 각 시술의 장단점 및 합병증을 잘 숙지하고 있어야 한다. 또한 사용되는 부속기기의 특성을 잘 이해하고 있어야 한다. 경우에 따라 중재적 시술이나 다른 치료법의 선택이 BSS 치료에 유리할 수 있으므로 미리 양성협착의 치료 전략을 세우고 치료를 시작한다. BBS 내시경 치료 과정은 협착부로 유도선을 통과, 협착 확장, 스텐트의 종류나 갯수를 선택하여 삽입한다. 스텐트는 3개월 간격으로 교체하며, 협착부 조직이 충분히 형성되도록 12개월 이상 유지한다.

참/고/문/헌

1. Bergman JJ, Burgenmeister L, Bruno MJ, et al. Long-term follow-up after stent placement for postoperative bile duct stenosis. Gastrointest Endosc 2001;54:154–61.

2. Brunet M, Blouin Y, Mosimann F. Biliary strictures after cholecystectomy: long term results of a novative endoscopic treatment. Hepatogastroenterology 2014;61:2203–8.

3. Canena J, Liberato M, Meireles L et al. A non-randomized study in consecutive patients with postcholecystectomy refractory biliary leaks who were managed endoscopically with the use of multiple plastic stents or fully covered self-expandable metal stents (with videos). Gastrointest Endosc 2015;82:70–8.

4. Costamagna G, Pandolfi M, Mutignani M, et al. Long-term results of endoscopic management of postoperative bile duct strictures with increasing numbers of stents. Gastroenterol Endosc 2001;54:162–8.

5. Costamagna G, Tringali A, Mutignani M, et al. Endotherapy of postoperative biliary strictures with multiple stents: results after more than 10 years of follow-up. Gastrointest Endosc 2010;72:551–7.

6. Costamagna G, Tringali A, Perri V, et al. Endotherapy of postcholecystectomy biliary strictures with multiple plastic stents: long-term results in a large cohort of patients. Gastrointest Endosc 2020;91:81–9.

7. Coté GA, Slivka A, Tarnasky P, et al. Effect of covered metallic stents compared with plastic stents on benign biliary stricture resolution: a randomized clinical trial. JAMA 2016;315:1250–7.

8. Davids PH, Tanka AKF, Rauws EAJ, et al. Benign biliary strictures surgery or endoscopy? Ann Surg 1993;217:237–43.

9. de Reuver PR, Rauws EA, Vermeulen M, et al. Endoscopic treatment of post-surgical bile duct injuries: long term outcome and predictors of success. Gut 2007;56:1599–605.

10. Dolay K, Soylu A, Aygun E. The role of ERCP in the management of bile leakage: endoscopic sphincterotomy versus biliary stenting. J Laparoendosc Adv Surg Tech A 2010;20:455–9.

11. Dumonceau JM, Tringali A, Papanikolaou IS, et al. Endoscopic biliary stenting: indications, choice of stents, and results: European Society of Gastrointestinal Endoscopy (ESGE) Clinical Guideline–Updated October 2017. Endoscopy 2018;50:910–30.

12. Familiari F, Boskoski I, Bove V, et al. ERCP for biliary strictures associated with chronic pancreatitis. Gastrointest Endosc Clin N Am 2013;23:833–45.

13. Haapamäki C, Kylanpaa L, Udd M, et al. Randomized multicenter study of multiple plastic stents vs covered self-expandable metallic stent in the treatment of biliary stricture in chronic pancreatitis. Endoscopy 2015;47:605–10.

14. Horinouchi H, Ueshima1 E, Sofue K, et al. Extraluminal recanalization for postoperative biliary obstruction using transseptal needle. Surg Case Rep 2020;6:304–7.

15. Huibregtse K, Katon RM, Tytgat GNJ. Endoscopic treatment of postoperative biliary strictures. Endoscopy 1986;18:133–7.

16. Dumonceau, J.-M., Tringali, A., Blero, D., et al. Biliary stenting: indications, choice of stents and results: European Society of Gastrointestinal Endoscopy (ESGE) clinical guideline. Endoscopy 2012;44:277–98.

17. Jang SI, Chung TR, Cho JH, et al. Short fully covered self-expandable metal stent for treatment of proximal anastomotic benign biliary stricture after living-donor liver transplantation. Dig Endosc 2021 Jul;33(5):840–8.

18. Jang SI, Kim JH, Won JY, et al. Magnetic compression anastomosis is useful in biliary anastomotic strictures after living donor liver transplantation. Gastrointest Endosc 2011;74:1040–8.

19. Judah JR, Draganov PV. Endoscopic therapy of benign biliary strictures. World J Gastroenterol 2007;13:3531–9.

20. Kaffes A, Griffin S, Vaughan R, et al. A randomized trial of a fully covered self-expandable metallic stent versus plastic stents in anastomotic biliary strictures after liver transplantation. Therap Adv Gastroenterol 2014;7:64–71.

21. Kapoor BS, Mauri G, Lorenz JM, Management of biliary strictures: state-of-the-art review. Radiology 2018;289:590–603.

22. Katsinelos P, Kountouras J, Paroutoglou G et al. A comparative study of 10-Fr vs. 7-Fr straight plastic stents in the treatment of postcholecystectomy bile leak. Surg Endosc 2008;22:101–6.

23. Khan MA, Baron TH, Kamal F, et al. Efficacy of self-expandable metal stents in management of benign biliary strictures and comparison with multiple plastic stents: a meta-analysis. Endoscopy 2017;49:682-94.

24. Kim EH, Lee HG, Oh JS, et al. Extraluminal Recanalization of Bile Duct Anastomosis Obstruction after Liver Transplantation. J Vasc Interv Radiol 2018;29:1466-71.

25. Kloeckner R, Dueber C, dos Santos DP, et al. Fluoroscopy-guided hepaticoneojejunostomy in recurrent anastomotic stricture after repeated surgical hepaticojejunostomy. J Vasc Interv Radiol 2013;24:1750-2.

26. Lawrence C, Romagnuolo J, Payne KM et al. Low symptomatic premature stent occlusion of multiple plastic stents for benign biliary strictures: comparing standard and prolonged stent change intervals. Gastrointest Endosc 2010;72:558-63.

27. Lee DW, Hara K. Management of Post-Transplant Anastomotic Stricture Using Self-Expandable Metal Stent. Clin Endosc 2020;53:261-5.

28. LEE HW, Shah NH, Lee SK. An update on endoscopic management of post-liver transplant biliary complications. Clin Endosc 2017;50:451-63.

29. Martins FP, de Paulo GA, Contini ML, et al. Metal versus plastic stents for anastomotic biliary strictures after liver transplantation: a randomized controlled trial. Gastrointest Endosc 2018;87:131.e1-e13.

30. Navaneethan U, Singh T, Gutierrez NG, et al. Predictors for detection of cancer in patients with indeterminate biliary stricture and atypical cells on endoscopic retrograde brush cytology. J Dig Dis 2014;15:268-75.

31. Park JK, Yang JI, Lee JK, et al. Long-term outcome of endoscopic retrograde biliary drainage of biliary stricture following living donor liver transplantation. Gut Liver 2020;14:125-34.

32. Parlak E, Dişibeyaz S, Ödemiş B, et al. Endoscopic treatment of patients with bile duct stricture after cholecystectomy: factors predicting recurrence in the long term. Dig Dis Sci 2015;60:1778-86.

33. Pesce A, Portale TR, Minutolo V, et al. Bile duct injury during laparoscopic cholecystectomy without intraoperative cholangiography: a retrospective study on 1,100 selected patients. Dig Surg 2012;29:310-4.

34. Sakai Y, Tsuyuguchi T, Ishihara T, et al. Long-term prognosis of patients with endoscopically treated postoperative bile duct stricture and bile duct stricture due to chronic pancreatitis. J Gastroenterol Hepatol 2009;24:1191-7.

35. Siiki A, Helminen M, Sand J, et al. Covered self-expanding metal stents may be preferable to plastic stents in the treatment of chronic pancreatitis-related biliary strictures: a systematic review comparing 2 methods of stent therapy in benign biliary strictures. J Clin Gastroenterol 2014;48:635-43.

36. Siiki A, Rinta-Kiikka I, Sand J, et al. A pilot study of endoscopically inserted biodegradable biliary stents in the treatment of benign biliary strictures and cystic duct leaks. Gastrointest Endosc 2018;87:1132-7.

37. Siikia A, Sandc J, Laukkarinen J. A systematic review of biodegradable biliary stents: promising biocompatibility without stent removal. Eur J Gastroent Hep 2018;30:813-8.

38. Strasberg SM, Hertl M, Soper NJ. An analysis of the problem of biliary injury during laparoscopic cholecystectomy. J Am Coll Surg 1995;180:101-25.

39. Tuvignon N, Liguory C, Ponchon T, et al. Long-term follow-up after biliary stent placement for postcholecystectomy bile duct strictures: a multicenter study. Endoscopy 2011;43:208-16.

40. Verdonk RC, Buis Ci, Porte RJ at al. Anastomotic biliary strictures after liver transplantation: causes and consequence. Liver Transpl 2000;12:726-35.

41. Visconti TAC, Bernardo WM, Moura DTH, et al. Metallic vs plastic stents to treat biliary stricture after liver transplantation: a systematic review and meta-analysis based on randomized trials. Endosc Int Open 2018;6:E914-E923.

42. Vitale GC, Tran TC, Davis BR, et al. Endoscopic management of postcholecystectomy bile duct strictures. J Am Coll Surg 2008;206:918-23.

43. Yoo JJ, Lee JK, Moon JH, et al, Intraductal placement of non-flared fully covered metallic stent for refractory anastomotic biliary strictures after living donor liver transplantation: long-term results of prospective multicenter trial. J Gastroenterol Hepatol 2020;35:492-8.

44. Zoepf T, Maldonalo-Lopez EJ, Hilgard P, et al. Balloon dilatation vs. balloon dilatation plus bile duct endoprostheses for treatment of anastomotic biliary strictures after liver transplantation. Liver Transpl 2006;12:88-94.

내시경 담관배액술: 경비담관배액술, 플라스틱 배액관 삽입술

Endoscopic Bilary Drainage: Endoscopic Nasobiliaryt Drainage, Plastic Stent, and Technic for Insertion

박은택 고신대학교 의과대학

내시경 담관배액술은 췌장담도계의 가장 대표적인 질환인 담관 폐쇄에 의한 담관염 증상 및 간기능 악화 등을 개선하는데 필수적인 내시경적 기법이다. 나아가 담도계 및 췌장 악성 종양에 의한 담도 폐쇄 시 수술 전 증상 완화 및 수술 후 예후 향상을 위해 반드시 필요한 시술이다. 최근 폐쇄의 원인이 양성 질환이거나 초고령 또는 전신 기저질환으로 인해 수술의 적응증이 되지 않는 악성 질환인 경우 담관배액을 해줌으로써 일시적 또는 반영구적으로 환자의 전신 상태를 양호하게 유지시킬 수 있다. 또한 수술이 불가능한 췌장 담도계 악성종양 환자에서 항암 요법의 발달과 이로 인한 예후 향상은 여러 연구를 통해 증명되었고 지속적인 항암요법을 위해서는 적절한 담관배액술을 통한 담도계 개통 및 담관염 완화가 필수조건이다. 담관배액 방법 중 비수술적 방법으로는 담도 내 배액관을 삽입함으로써 치료할 수 있는 경피경간담관배액술(percutaneous transhepatic biliary drainage, PTBD)과 경피경간 담낭배액술(percutaneous transhepatic gallbladder drainage, PTGBD)의 경피적 방법 그리고 내시경역행담췌관조영술(endoscopic retrograde cholangiopancreatography, ERCP)을 이용한 내시경 경비담관배액술(endoscopic nasobiliary drainage, ENBD)과 담관내 플라스틱 또는 금속 배액관을 유치시키는 내시경 담관배액술(endoscopic retrograde biliary drainage, ERBD)로 나눌 수 있다. 본 장에서는 악성 협착에서 내시경 경비담관배액술(ENBD), 그리고 플라스틱 배액관을 유치시키는 내시경역행담관배액술(ERBD)을 기술하고자 한다.

1. 내시경 경비담관배액술(ENBD)

1) 적응증

급성 담관염의 경우 담도 감압 및 증상 완화 목적으로 가장 많이 이용된다. 또한 심한 폐쇄성 황달의 경우 수술 전 담도 감압 및 전신 상태 회복 시 많이 이용된다. 내시경 총담관 결석 제거 후 추적 담도 촬영을 시행할 수 있어 잔류 결석의 존재 유무를 확인할 수 있다. 악성 담도 폐쇄가 의심 되는 경우 세포 검사를 통한 확진을 시도할 수 있고 최근 증가 추세인 점액 분비성 유두상 종양의 경우 일반적인 경화성 담도암 보다 높은 진단율을 보인다. 배액된 담즙의 양과 양상 등을 파악할 수 있어 환자의 상태 파악에도 도움이 된다. 다만 환자 측면에서는 상당한 불편감이 있고 관리에 주의해야 하며 부적절한 유치 시 원하는 배액 목적을 달성하지 못하고 제거되는 경우(migration and dislodgement)가 종종 있어 주의를 요한다. 고령이나 의식이 저하된 경우 삽입 후 무의식적으로 자가 제거되는 경우가 종종 있으므로 시술 전 고려해야 한다. 출혈성 경향이 있는 경우 유두부 절개술을 시행하지 않아도 7 Fr 배액관 삽입이 가능하므로 선호된다.

2) 경비 담관배액관 시술의 필수 기구

일반적으로 5 Fr 또는 7 Fr의 직경을 갖는 배액관과 담즙주머니(bile bag), 유도철사(guidewire), 비인두강관(nasopharyngeal tube), grasping forceps 그리고 십이지장내시경(duodenoscope) 등이 필요하다. 배액관의 선단부에는 7–8개의 측공(side hole)이 있어서 배액이 원활하도록 고안되어 있으며, 담관에서 잘 빠지지 않도록 하기 위하여 십이지장내에서 알파 모양을 이룬다. 선단은 돼지꼬리(pigtail)형과 일직선 모양의 두 가지가 있는데, 돼지꼬리 모양으로 된 것이 일반적으로 이용되고 있다. 유도철사의 길이는 480 cm로 준비하고 직경이 0.035인치의 표준형을 사용하는 것을 권장하고 그 이유는 너무 가는 것을 사용하면 배액관 삽입 시 원하는 위치에 고정하기 어렵기 때문이다. 삽관 후 구강내로 나온 경비 담관배액관을 비강을 통해 빼어 내기 위해 굴곡성이 좋은 비인두강관이 필요하다.

3) 시술 방법

(1) 경비 담관배액관을 유치하기 전에 병변의 양상을 파악하는 것이 중요하다. 병변의 양상을 파악하는 방법으로 시술 전에 ERCP를 시행하여 병변의 위치 및 정도를 파악할 수 있지만, 과도한 조영제 투여는 담관염 가능성이 높으므로, 가능하면 자기공명 담췌관조영술(magnetic resonance cholangiopancreatography, MRCP)을 시행하는 것이 좋다.

(2) 먼저 진단 도관(catheter)을 총담관 내에 삽입한 후, 도관 내강으로 유도철사를 간내담관까지 충분히 넣은 다음, 유도철사가 빠지지 않도록 주의하면서 유도철사를 조금씩 밀어 넣으면서 동시에 도관을 제거한다. 간내담관내 유도철사는 가급적 깊이 삽입하고 간문부나 직선화되어 있는 우측 간내담관에 위치 시 향후 쉽게 제거 내지는 이동(migration) 또는 이탈(dislodgement)할 수 있으므로 각별히 유의한다.

(3) 도관을 완전히 제거한 후 유도철사를 따라서 경비 담관배액관을 밀어 넣는다. 이때 시술자는 내시경으로는 유두부를 관찰하면서 배액관이 유두부를 통해 잘 들어가도록 각도를 유지하여야 한다. 한편으로는 X–ray 투시기로 유도철사가 빠지지 않도록 주의하며 배액관이 잘 들어가고 있는 지를 확인하면서 밀어 넣어야 한다. 이때 밀어 넣을 때는 억지로 밀지 말고 elevator를 이용하여 리듬감 있게 일정한 속도로 삽입하려고 노력해야 한다. 또한 내시경의 선단부가 유두부와 멀리 떨어져 있으면 배액관이 큰 고리를 형성하여 담관에서 빠져나오거나 밀어 넣는 힘이 제대로 전달되지 않으므로, 가급적 내시경 선단부를 유두부에 접근하도록 위치를 조절하면서 시술해야 한다.

(4) 경비 담관배액관이 협착부 상부의 원하는 곳에 이르면 유도철사를 약 30–50 cm 정도 제거하여 선단부가 적절한 위치에 있는 것을 확인한 후, X–ray 투시하에 배액관이 빠지지 않도록 배액관을 조금씩 밀어 넣으면서 동시에 내시경을 제거한다. 내시경을 제거 중 또는 제거 후 유도철사는 제거할 수 있다.

(5) 내시경을 완전히 제거한 후에는 X–ray 투시를 이용하여 경비 담관배액관의 위치 및 모양을 관찰하면서 불필요한 고리를 형성하거나 예각으로 굽어 있지 않도록 배액관을 조정한 후, 배액관을 바깥쪽 끝이 코를 통하여

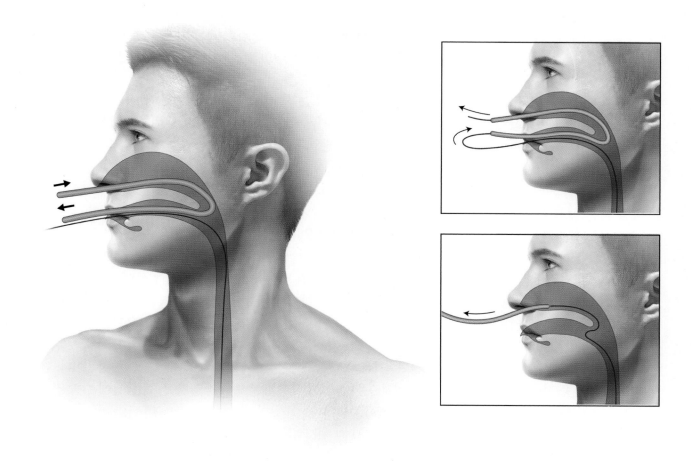

그림 19-1. 경비 담관배액관을 코를 통하여 유치시키는 방법

나오게 하고 담즙 주머니에 연결한다. 이때 비강 내에서 배액관이 꺾이는 경우 배액 실패 및 환자의 불편감이 심하므로 시술 후 X-ray 투시기를 이용하여 비강을 확인하는 습관을 가지는 것이 좋다(그림 19-1).

4) 시술 후 환자 관리와 합병증

시술 후 2-4시간 동안은 금식을 한다. 비점막의 자극, 인두염, 복부불쾌감 등을 호소할 수 있고 이를 미리 예측하고 1-2일 후 증상이 완화됨을 미리 설명하여야 한다. 점액이나 농즙 등으로 인해 담즙이 잘 나오지 않을 경우에는 배액관을 생리식염수 10 mL로 하루 3-4회 세정 시 해결되는 경우가 많고 세정이 잘 되지 않아서 막히거나, 경비 담도관이 꺾인 것이 의심될 때에는 X-ray 투시하에 유도철사를 통과시키고, 그래도 잘되지 않으면 새로운 경비 담관배액관으로 교체하여야 한다. 원하는 위치에서 이동 또는 십이지장으로 빠지는 경우 담관염 증상 악화 및 소화기 증상의 발생이 나타날 수 있으므로 주기적으로 X-ray 촬영을 하면서 추적 관찰한다.

2. 내시경을 이용한 플라스틱 배액관 삽입

1) 적응증

담관의 폐색이나 협착 부위를 통해 배액관을 유치할 수 있는 시술이므로 외과적 수술에 적응이 되지 않는 폐쇄성 황달을 일으키는 모든 질환 특히 유두부, 원위부 총담관, 중간부 총담관, 간문부에 위치한 악성 질환에 의한 폐쇄성 황달이 적응이 된다. 담도 확장은 심하지 않으나 담관염 증상이 나타나고 간기능 이상을 초래하는 경우 경피경간 담관배액술이 원활하지 않은 경우 특히 도움이 된다.

2) 악성 담관 협착 시 수술 전 담관배액술이 필요한가

수술적 절제가 가능하다고 판단되는 악성 담관 협착의 경우, 황달이 심하다고 하여서 수술 전 담관 배액을 반드시 시행할 필요는 없다. 최근의 연구들을 보면 수술 전 담관 배액을 해준 군에서 수술 전 담관 배액을 받지 않고 수술받은 환자들에 비해 수술 후 합병증의 빈도, 회복 촉진, 병원 재원 기간 단축 등에서 임상적 이득은 보이지 못하였다. 오히려 수술 전 담관 배액을 시행하다가 시술에 따른 합병증이 유발되어 재원 기간이 연장될 수 있다. 그러나 환자가 수술 전 담관염이 있거나, 영양 상태가 불량하여 수술 전 영양 상태를 개선할 필요가 있을 때에는 담관 배액을 고려할 수 있다.

수술 전 담관 배액이 필요한 또 다른 경우는 간문부 담관암과 같이 간 일부의 절제가 필요한 경우이다. 간 절제 후에 남겨 놓을 간(future remnant lobe)의 기능이 좋아야 하기 때문에 남겨 놓을 간 쪽 담관에 수술 전 담관 배액을 하여 간기능을 호전시킨 후 수술을 하는 것이 유리하다.

수술 전 담관 배액이 필요한 경우 경피 접근(PTBD)과 내시경 접근(ERBD) 방법 중 어떤 방법이 더 유리한 지에 대해서도 논란이 있다. 수기의 용이성은 PTBD가 우수하나 시술의 안정성 및 내부 배액을 통한 생리적 회복 속도 그리고 생활 제한 측면에서 ERBD가 유리하다. 일반적으로 원위부 담관 폐쇄의 경우에는 내시경을 이용한 담관배액이 유리하나, 간문부 담관암과 같은 근위부 담관 폐쇄의 경우에는 내시경을 이용하는 경우 조영제를 주입하더라도 근위부 담관 모양을 정확하게 알기 어렵고, 담관조영술 후 조영제가 잘 배출되지 않아 담관염의 가능성이 높으므로 경피배액술이 유리하다.

3) 악성 담관 협착에서 배액관의 적절한 선택

(1) 배액관 선택 원칙

배액관을 선택함에 있어 시술자는 배액관의 배액 효과와 개존 기간, 양성 협착 또는 악성 협착, 협착의 위치, 시술의 용이성, 환자의 상태와 여명, 비용 효과 측면 등을 고려하여야 한다. 사용되는 배액관으로는 크게 플라스틱 배액관과 금속 배액관이 있다. 일반적으로 구경이 큰 배액관은 배액 효과의 촉진과 배액관의 막힘을 방지해 주는 이점이 있다. 플라스틱 배액관의 경우, 배액관의 직경이 크고 모양이 일자(straight)일수록 배액 효과가 큰 반면, 이탈(migration) 방지를 위해 주로 사용하는 돼지꼬리형 배액관은 담즙의 거친 흐름을 일으켜 배액관의 폐색을 더욱 빈번히 유발시킬 수 있다. 직선형의 경우 이탈의 경우가 종종 있어 위치 유지를 위해 날개(flap)가 있는 형태를 많이 사용한다.

(2) 플라스틱 배액관의 종류

재질은 polyethylene, polyurethane, 혹은 Teflon으로 만들어져 있으며, 금속 배액관에 비해 저렴하다. 외경에 따라 7, 10, 12, 14 Fr 크기가 있고, 배액관의 개존 기간을 연장하기 위해서는 10 Fr 이상의 배액관을 선택하는 것이 유리하나 10 Fr 이상의 배액관 사이에는 유의한 차이가 없어 10 Fr 배액관을 주로 사용하고 있다. 길이는 8–20 cm로 매우 다양하여 병변의 위치 및 길이에 따라서 적절한 배액관을 선택할 수 있다.

(3) 플라스틱 배액관 vs. 금속 배액관

플라스틱 배액관과 금속 배액관의 효과를 비교해 보면 황달 개선, 시술 시 합병증 등은 유사하나 금속 배액관은 보다 긴 개존 기간으로 인해 반복적인 시술 횟수, 입원 기간, 비용을 줄일 수 있어 비용 효과면에서 진단 시 환자의 여명이 6개월 이상으로 판단될 경우에는 처음부터 플라스틱 배액 관보다는 금속 배액관을 선택하는 것이 바람직하다.

(4) 플라스틱 배액관의 관리

플라스틱 배액관의 가장 중요한 문제점은 시간의 경과에 따라 폐쇄가 생기는 것이다. 폐쇄까지의 개존 기간은 평균 3–4개월이다. 배액관 폐쇄의 중요 기전으로 배액관 안쪽 면에 세균이 자라고 이어서 생물막(biofilm)이 형성되며, 여기에 담즙의 찌꺼기들이 붙으면서 관 안쪽이 막히게 된다. 개존 기간을 늘리기 위해 재질 및 형상의 변경, 담즙산 제제 복용, 항생제 투여, 아스피린 복용 등 다양한 시도를 하고 있지만 만족할만한 성과는 없다. 플라스틱 배액관은 금속 배액관과 달리 바스켓이나 겸자를 이용해서 쉽게 제거할 수 있어 장기적으로 유치가 필요한 경우 3–6개월 간격으로 예방적으로 교환하거나 황달, 담관염 등의 폐색 증상 발생시 교체할 수 있다.

4) 시술 전 고려해야 할 사항

(1) 플라스틱 배액관 시술의 필수 기구

플라스틱 배액관, 유도철사, 유도도관(guiding catheter), 밀기도관(push catheter), 십이지장내시경 등이 필요하다. 유도철사의 길이는 480 cm로 준비하고 직경이 0.035인치의 표준형을 사용하는 것을 권장하는데 그 이유는 너무 가는 것을 사용하면 배액관 삽입 시 원하는 위치에 고정하기 어렵기 때문이다.

(2) 플라스틱 배액관의 시술 방법

① 우선 도관을 담도내로 삽입하고, 유도철사를 도관을 통해서 협착 부위 상부로 충분히 진입시킨 후, 유도철사는 그대로 둔 채 도관을 제거한다. 배액관의 길이는 협착 부위 상부로 1–2 cm, 십이지장 개구부 아래로 1 cm 정도에 유치시킬 수 있는 것을 선택한다.
② 이후 유도철사를 따라서 유도 도관을 넣은 후, 유치할 배액관과 밀기도관을 차례로 밀어 넣어 배액관의 선단부가 협착 부위보다 상방에 충분히 삽입될 때까지 밀기도관을 이용하여 배액관을 밀어 넣으며, 배액관의 십이지장 쪽 날개가 십이지장에 적절히 위치하도록 조정한다.
③ 이후 유도철사와 유도 도관 및 밀기 도관을 제거하며 유치한 배액관을 통해 담즙이 배출되는 것을 확인하고 시술을 마친다.

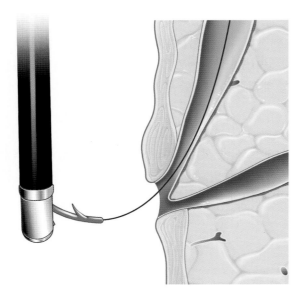

Advance the stent tip until it comes into view

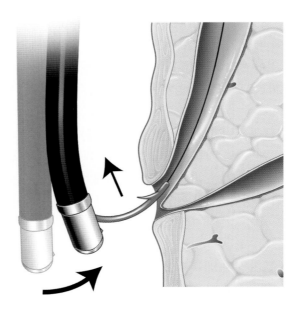

Insert the stent tip into the bile duct by angling
the scope tip up and lifting the elevator

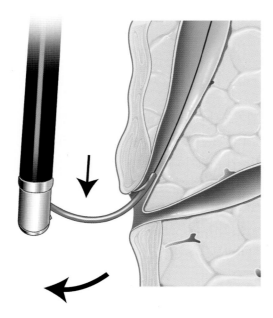

Then back off the scope slightly (angle down),
drop the elevator and advance the stent slightly

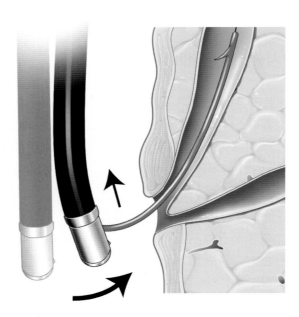

Then push the stent into the bile duct by angling
the scope tip and lifting the elevator

그림 19-2. 플라스틱 배액관의 삽입 방법

(3) 플라스틱 배액관의 유치 시 주의 사항

① 과도한 조영제 주입은 담관염의 가능성을 높여, 가급적 최소한의 주입을 하는 것이 바람직하다. 특히 간문부 담도암의 경우 조영제 주입 후에 배액이 충분하지 않으면 담관염의 가능성이 높기 때문에 주의를 요한다.

② 배액관 삽입 시 내시경의 선단부가 유두부와 멀리 떨어져 있으면 유도도관, 배액관, 밀기도관 등이 큰 고리를 형성하여 담관에서 빠져 나오거나 밀어 넣는 힘이 담도 방향으로 직접 전달되지 않으므로, 시술자는 내시경 선단부를 유두부에 접근하도록 위치를 조절하면서 시술을 하는 것이 중요하다.

③ 협착의 부위와 범위를 확인하는 방법으로는, 담관 조영 후 유도철사 선단부의 표지자를 협착부 상단부에 두고 내시경 겸자공으로 나와 있는 유도철사에 표시를 한 다음, 유도철사를 서서히 빼내면서 표지자 부위가 십이지장 내로 나왔을 때, 겸자공에서 빠져 나온 만큼의 길이를 측정할 수 있다. 또는 이미 도관의 선단부를 협착 부위 상단에 두고 이때에 십이지장으로 나와 있는 부 위의 눈금을 보면서 배액관의 길이를 측정할 수도 있다. 그리고 MRCP를 시술 전에 시행하여, 협착 부위 및 범위를 평가할 수 있다.

④ 내시경 유두부괄약근 절개술(endoscopic sphincterotomy, EST)은 삽입해야 할 배액관의 종류, 직경, 개수에 따라 시행할 수 있다. 작은 직경의 플라스틱 배액관이나 단수의 금속 배액관 유치 시에는 EST 없이도 시행할 수 있다. 그러나 2개 이상의 배액관, 10 Fr 이상의 플라스틱 배액관의 경우에는 EST가 필요하다. EST 시에는 일반적으로 소절개만으로도 충분하다.

참/고/문/헌

1. 김용태. 악성 담도폐쇄의 내시경 중재술(endoscopic intervention for malignant biliary tract obstruction). In: 대한췌장담도학회. 담도학. 군자출판사; 2008. pp. 470–476.

2. 김재선. 내시경 담관배액술. In: 대한췌장담도학회. ERCP. 군자출판사; 2010. pp. 239–244.

3. 김진홍. New materials and design of biliary stent. 대한소화기내시경학회지 2006;33(Suppl. 1):302–7.

4. 심찬섭. 소화기 치료내시경학(Therapeutic Gastrointestinal Endoscopy). 고려의학; 1992. pp. 317–351.

5. Gouma DJ. Stent versus surgery. HPB (Oxford) 2007;9:408–13.

6. Nagino M, Takada T, Miyazaki M, et al. Preoperative biliary drainage for biliary tract and ampullary carcinomas. J Hepatobiliary Pancreat Surg 2008;15:25–30.

7. Nguyen K, Sing JT Jr. Review of endoscopic techniques in the diagnosis and management of cholangiocarcinoma. World J Gastroenterol 2008;14:2995–9.

8. Sawas T, Al Halabi S, Parsi MA et al. Self-expandable metal stents versus plastic stents for malignant biliary obstruction: ameta-analysis. Gastrointest Endosc 2015;82:256–67.

9. Stern N, Sturgess R. Endoscopic therapy in the management of malignant biliary obstruction. Eur J Surg Oncol 2008;34:313–7.

10. Tsuyuguchi T, Takada T, Miyazaki M, et al. Stenting and interventional radiology for obstructive jaundice in patients with unresectable biliary tract carcinomas. J Hepatobiliary Pancreat Surg 2008;15:69–73.

내시경 담관배액술: 팽창성 금속 배액관 삽입술

Endoscopic Biliary Drainage: Self-Expandable Mental Stent and Technic for Stent Insertion

장성일 연세대학교 의과대학 / **정 석** 인하대학교 의과대학

스텐트란 혈관, 위장관, 담관등에서 혈액이나 체액의 흐름이 양성 혹은 악성질환으로 인하여 순조롭지 못할 경우, 폐쇄 부위에 삽입하여 그 흐름을 정상화시키는데 사용되는 원통형의 의료기기를 말한다. 담관배액관은 크게 플라스틱 배액관과 자가팽창성 금속 배액관(self-expandable metal stent, SEMS)으로 나눌 수 있다. 플라스틱 배액관의 개통기간은 3–6개월 이내이다. 이는 플라스틱 배액관의 경우 내시경 처치공(accessory channel)의 직경에 맞춰 배액관의 최대 내경이 12 Fr까지로 제한된 내경으로 인해 배액관 폐색(stent occlusion)이 야기된다. 이러한 내경의 한계를 극복하기 위해 SEMS가 개발되었고, 7.5 Fr의 작은 직경을 가진 삽입도관(introducer catheter)을 통해 10 mm의 큰 직경을 가진 SEMS을 삽입하는 것이 가능하게 되었다(그림 20–1).

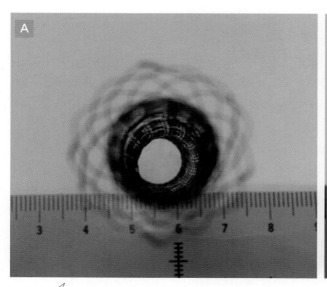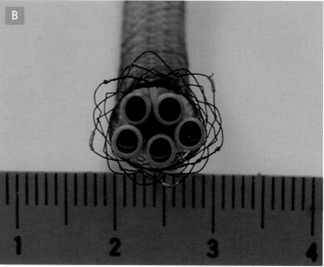

그림 20–1. 팽창성 금속 배액관과 플라스틱 배액관의 비교.
(A) 팽창성 금속 배액관의 지름은 약 10 mm이며 자가팽창성이 있다. (B) 플라스틱 스텐트는 다양한 직경을 가지고 있으나, 팽창성 금속 배액관은 7 Fr 플라스틱 스텐트 5개 정도보다 더 넓게 펴질 수 있다.

담관 금속 스텐트는 1989년 임상에 도입된 이래, 지난 수십 년간 많은 연구자들과 의료기기 기업들에 의하여 담관 폐쇄의 치료를 위한 다양한 SEMS가 개발되어 왔다. 그 결과 현재 성능이 우수한 다양한 금속 스텐트들이 임상에서 사용되고 있다. SEMS가 플라스틱 배액관과 비교하여 개통기간이 길고, 담관염, 배액관 폐색, 담관 내 이탈(migration) 등의 부작용은 덜 발생되는 것으로 알려져 있다. 그러나 아직 임상에서 담관 금속 스텐트에 관한 미충족 수요가 여전히 존재하고 있다. 본 장은 담관 금속 스텐트의 기본 구조와 물리적 특성 및 대표적인 SEMS의 시술 기법에 관하여 기술되었다.

1. 자가팽창성 금속 배액관(Self-expandable Metal Stent)

십이지장경의 처치공 내로 삽입하는 작은 직경의 스텐트전달시스템(stent delivery system, SDS)에 장착되어 체내에 들어간 후 전개된(deployed) 자리에서 스스로 원래의 직경으로 커지는 형태의 금속 스텐트를 SEMS라 한다. 금속 스텐트는 1969년에 Charles Dotter에 의하여 처음으로 폐쇄 혈관을 개통할 목적으로 시술을 함으로써 장을 열게 되었다. 초기의 금속 스텐트는 풍선 확장형 금속 스텐트가 사용되었다. 그러나 스텐트의 자체 팽창력이 약하고 종양에 눌려 스텐트 폐쇄가 쉽게 발생하는 문제점이 있어, 최근 삽입 후 스스로 팽창하는 SEMS가 개발되어 사용되고 있다. SEMS는 금속사를 손으로 직접 짜거나 원통형의 금속 판을 레이저로 가공하여 금속판에 구멍을 만들어 제작되는데, 금속사의 재질, 금속사의 엮인 모양과 스텐트전달시스템 등에 의하여 스텐트의 물리적 성상이 달라진다. 담관 배액을 위한 SEMS 중에서 현재까지 세계적으로 Wallstent™가 가장 많이 사용되어왔고 국내에서도 순수 기술로 다수의 SEMS가 개발되어 이미 활발하게 사용되고 있다.

1) 팽창성 금속 배액관의 기본 구조

(1) 금속 합금(Metal alloys): 금속 스텐트의 기본 구조가 원통형임을 고려했을 때, SEMS에 탄성과 유연성을 부여해 주는 금속사는 필수적인 물질이라 할 수 있다. SEMS는 크게 Elgiloy® 합금(stainless steel)과 nickel-titanium 합금(nitinol), 두 가지 합금 중 하나로 만든 금속사들로 만들어진다.

(2) 피복 재료(Covering material): 피막형 스텐트에서 현재 사용되고 있는 피복의 재질은 silicon, polyure-thane, expanded polytetrafluoroethylene (ePTFE) 등이 있다. 처음에는 polyurethane이 피복 재질로 주로 사용되었으나 최근에는 silicone과 ePTFE가 polyurethane보다는 장기간 담관 내 유치 시, 내구성이 더 우수한 것으로 판단되어 주로 사용되고 있다.

(3) 디자인과 금속사 뜨개질 방식(Knitting method of metal wire): 스텐트의 구조는 대부분이 원통형의 구조로 제작되나 스텐트 이탈(stent migration)을 방지하기 위해 일부 변형된 구조로 제조되기도 한다. 스텐트 제작 방식은 수작업으로 한가닥 혹은 여러 가닥의 합금사를 망 모양으로 엮어서 만드는 방식과 nitinol 합금 원통을 레이저 장비를 이용하여 특정 패턴으로 절단하고 구멍을 만드는 방식이 있다(그림 20-2). 금속사의 뜨개질 방식은 크게 세 가지 방식이 있는데, hook wire는 금속사 간 중첩되는 부분이 많아 SDS의 직경을 증가시키는 원인이 되며 금속사 사이 공간의 크기가 커서 종양 내증식의 위험이 있다. Cross wire 방식은 단축률이 높은 것이 단점이다. 반면 hook and cross wire 방식은 두가지 방식을 혼합한 것인데, 단축률도 낮고 금속사 사이 공간의 크기도 작아져서 SDS의 직경을 줄일 수 있었으며 유연성을 향상시키기 때문에 최근 개발된 스텐트들은 대부분 이 방식을 채택하고 있다.

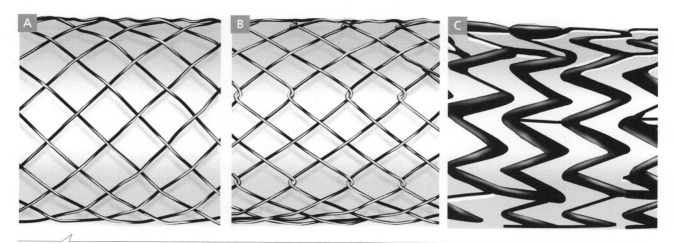

그림 20-2. Basic structures of metal stents according to the manufacturing methods.
(A, B) 한 가닥 혹은 여러 가닥의 합금사를 망 모양으로 엮어서 스텐트를 제작한다. (C) 레이저 장비를 이용하여 특정 패턴으로 절단하고 구멍을 만들어 스텐트를 제작한다.

(4) 길이와 직경: 스텐트의 길이는 5–10 cm으로 제조사에 따라서는 더 긴 것을 주문 제작하기도 한다. 스텐트의 직경은 6–10 mm이며, 대부분의 스텐트들이 8 mm와 10 mm로 제작된다.

(5) 방사선비투과성 표지자: SEMS 삽입 도중 스텐트의 정확한 위치 선정을 용이하게 하게하고, SEMS 삽입 후 추적 단순복부촬영검사에서 스텐트의 위치와 팽창 정도를 평가하는데 도움을 받기 위해 방사선비투과성 물질을 스텐트 일부에 부착되어 있다. 대개 gold나 platinum으로 만들며 SMS의 근위부, 원위부 양 끝의 금속사들에 부착된다. 스텐트 종류에 따라서는 스텐트 중간부위의 금속사들에도 표지자들이 부착된다.

(6) 스텐트전달시스템(stent delivery system, SDS): SEMS는 SDS 내에 압착된 상태로 들어 있다가 외측 sheath를 후방으로 후퇴하면서 풀어주게 되면 선단부터 풀리면서 고유의 직경으로 팽창된다. 스텐트 전달 기구의 직경이 작을수록 내시경 처치공과 유두부를 통하여 협착부까지 접근하기가 쉽고 협착부의 통과가 용이하며, 스텐트를 전달시스템 밖으로 밀어내기가 용이하다. 실제로 전달관(delivery catheter) 구경이 0.5–1 Fr의 차이로도 시술의 용이성에 큰 영향을 줄 수 있다. 현재 사용되고 있는 스텐트 전달 시스템의 직경은 7–8.5 Fr으로, 9 Fr 이상의 것으로는 치료목적의 십이지장경의 처치공의 내경(4.2 mm)을 고려했을 때 시술이 매우 어렵다.

2) 팽창성 금속 배액관의 물리적 특성

(1) 팽창력(Radial force): 팽창력은 SEMS를 팽창시키는 힘으로 잘 알려져 있지만 만성 팽창력과는 다르다. 만성 팽창력은 SEMS가 확장된 상태에서 SEMS를 축소하는 힘을 나타내며, 임상적으로는 종양에 의한 압박력에 대한 팽창 상태를 유지하는 능력과 관련이 있다. 그러나 팽창력은 원통형으로 압박된 상태에서 확장하는 힘을 나타내는 것을 의미한다. 팽창력은 주로 금속 합금사의 재질과 두께, 금속사의 뜨개질 횟수(wire bend), 금속사 뜨개질 방법 등에 의해 달라진다. 예를 들면 금속사의 직경이 클수록 뜨개질 횟수가 많을수록 커지게 된다. 팽창력은 특히 피막형 스텐트에서의 미끄러짐과 스텐트 삽입 직후 협착부에서의 내강의 개통 정도와 효과적인 담관배액에 영향을 줄 수 있지만 무조건 팽창력이 강하다고 좋은 것은 아니다. 팽창력이 너무 강하면 담관계의 곁가지에 해당하는 췌관이나 담낭관의 폐쇄를 유도하여 급성 췌장염이나 급성 담낭염 발생의 원인

이 될 수 있다. 제조사마다 팽창력을 측정하는 방법과 장비가 상이하여 스텐트 간에 팽창력을 통일된 방법으로 측정하여 객관적으로 비교하기가 어렵다.

(2) 복원력(Axial force): 복원력은 스텐트 상단에 압력을 가하여 특정 각도까지 스텐트를 구부리는데 가해진 힘이나, 스텐트를 구부린 뒤 압력을 제거했을 때 구부려진 상태에서 다시 원래의 위치로 회복되는 정도를 의미한다. 복원력이 과도하게 크면 SEMS 근위부 선단에 의한 총담관 내 스텐트 꼬임(kinking)이 발생하거나 피막형 스텐트에서 스텐트 미끄러짐 현상의 발생 위험이 있다. 복원력을 측정하고자 하는 방법을 제시하는 일부 연구들이 있으나(그림 20-3), 아직까지 복원력을 측정하는 표준 방법은 없다. 상업화되어 있는 일부 스텐트들에 대한 팽창력과 복원력을 비교한 연구결과가 있다(그림 20-4). SEMS의 물리적 특성이 합병증 발생에 영향을 주는 측면에서 보면 팽창력은 높고 복원력은 낮은 것이 합병증을 줄일 수 있다.

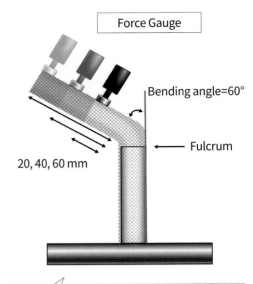

그림 20-3. **복원력 측정방법(adapted from reference 12)**
Axial force measurement machine (Zeon Medical Devices,Toyama, Japan)

(3) 일치성(Conformability): 일치성은 담관의 굴곡에 맞추어 스텐트 모양이 일치되는 능력을 말한다. 스텐트의 복원력이 일치성에 영향을 주기 때문에 복원력이 작으면 작을수록 일치성이 향상된다. 일치성이 높은 스텐트일수록 스텐트 꼬임 현상이나 미끄러짐 위험성을 줄일 수 있다.

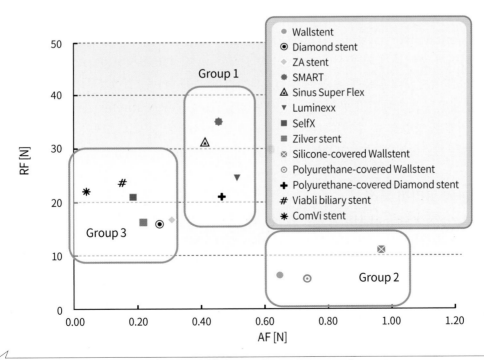

그림 20-4. **상용화된 스텐트의 팽창력과 복원력 측정결과(adapted from reference 12)**
Relation between the axial and radial force. RF, radial force; AF, axial force

(4) 단축률(Shortening ratio): 단축률은 SDS 내에서 압축된 상태의 스텐트 길이에 대비하여 전개(deployment) 후 팽창된 스텐트 길이의 비율 차이를 백분율로 보는 것이다(그림 20-5). 단축률이 클수록 스텐트 삽입 시 정확한 위치 선정이 어렵고 부적절한 위치에 삽입이 될 위험성이 있다. 이는 금속사를 엮는 방식에 따라 차이가 나며, 레이저 절단 방식을 쓰면 단축률이 현저히 줄어든다. 국내 사용 중인 스텐트들은 대개 20-30% 정도를 보이나, Wallflex™의 경우는 45%로 단축이 심한 편이다. 반면에 레이저 절단 방식을 사용한 Zilver™ 스텐트는 단축률이 0%이다(표 20-1).

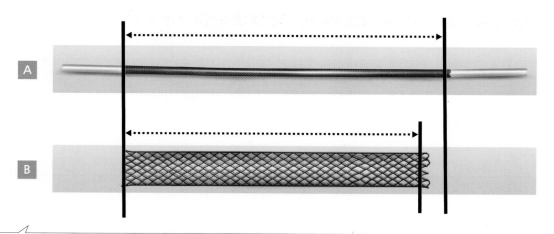

그림 20-5. 단축률(Shortening ratio). (A) 전단시스템 내의 스텐트 길이, (B) 전개된 뒤의 스텐트 길이

Shortening ratio (%) of a metal stent which is calculated by

$$\frac{\text{Length Constrained (A) − Length Deployed (B)}}{\text{Length Constrained (A)}} \times 100\%$$

표 20-1. **Physical properties and characteristics of biliary metal stents which are available in Korea**

Products	Bare/covered	Construction	Shortening ratio (%)	Introducer (Fr)	Stent materials	Covering materials
Wallflex™	Bare	Braided, multiple wires	45	8	Platinol	None
Zilver™	Bare	Laser cut	0	6 or 7	Nitinol	None
Niti-S S-type™	Bare	Braided, single wire	37	7	Nitinol	None
Niti-S D-type™	Bare	Braided, multiple wires	26	8	Nitinol	None
EGIS™ (double)	Double, bare	Braided, double wires	21	8	Nitinol	None
Hanarostent™	Bare	Braided, single wire	22	8	Nitinol	None
Bonastent™	Bare	Braided, single wire	30	7	Nitinol	None
Wallflex™	Cover	Braided, multiple wires	45	8.5	Platinol	Permalume
Niti-S™	Cover	Braided, single wire	35	8	Nitinol	Silicone
ComVi™	Cover	Braided, multiple wires	25	8	Nitinol	PTFE
EGIS™ (double)	Cover	Braidede, double wires	20	8	Nitinol	Silicone
Hanarostent™	Cover	Braided, single wire	28	8	Nitinol	Silicone

(5) 방사선비투과성(Radioopacity): 스텐트 전개 중 스텐트의 정확한 위치 선정을 위해 필요한 것으로 스텐트 삽입 후 스텐트 팽창 여부, 미끄러짐이나 이탈 여부를 확인을 위해 필요하다. 스텐트의 본체를 이루는 금속 합금사 중 stainless steel이 nitinol에 비해 방사선 비투과성이 우수하여 방사선비투과성 표지자가 별도로 필요하지 않는다. 그러나 stainless steel로 제작된 스텐트는 팽창력이 너무 강하고 복원력도 강할 뿐만 아니라, 스텐트 원위부 끝이 마감 처리가 안되어 십이지장 손상이나 출혈의 위험성이 있다. 따라서 최근에는 대부분의 스텐트들이 이러한 단점들을 해결한 nitinol 합금사로 제작되어 있다. 그러나 nitinol은 방사선비투과성이 약하기 때문에 이를 보완하기 위해 방사선비투과 표지자를 유도철사에 붙인다. 주로 platinum이나 gold를 사용하며, platinum이 방사선 투과성이 더 우수하나 가격이 높다.

(6) 금속사 사이 공간(Cavity): 금속사 사이의 공간의 크기가 클수록 스텐트 공간내로의 종양 내성장(tumor in-growth)의 위험성이 커진다. 최근에는 금속사를 촘촘히 엮어서 cavity 크기를 줄이고자 하고 있으며, 제조사나 사용 목적에 따라서 cavity가 다양한 스텐트가 출시되고 있다.

3) 팽창성 금속 배액관의 종류

담관 금속 스텐트는 스텐트에 피복재료가 덮여 있느냐 유무에 따라 크게 비피막형 스텐트와 피막형 스텐트로 분류된다(그림 20-6). 역사적으로 스텐트에 피복이 덮여 있지 않은 비피막형 스텐트(uncovered self-expandable metal stent, ucSEMS)가 먼저 개발되었는데, 스텐트 개통기간을 향상시키고 스텐트 폐쇄 발생 위험을 줄이기 위하여 스텐트에 피복 재료를 씌운 피막형 스텐트(covered self-expandable metal stent, cSEMS)가 개발되었다.

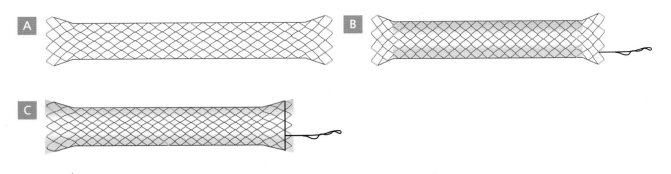

그림 20-6. 자가팽창성 금속 스텐트 종류. (A) 비피막형(uncovered or bare metal stent), **(B)** 부분 피막형(Partially covered metal stent with lasso), **(C)** 피막형(Fully covered metal stent with lasso)

(1) 비피막형 팽창성 금속 배액관

간문부 악성 담도 폐쇄에서는 담도 분지의 폐쇄 우려로 비피막형 스텐트를 주로 사용된다. 그러나 원위부 담도 폐쇄에서는 비피막형, 부분피막형, 피막형 스텐트가 모두 사용될 수 있다. 비피막형 담도스텐트는 스텐트 이탈율이 낮으나 스텐트 내로 종양증식(tumor ingrowth)이 높아 담관 폐쇄율이 높다. 담도 폐쇄의 원인이 악성 종양에 의한 것이 확실하지 않을 경우 비피막성 스텐트를 삽입하면 안 된다. 비록 스텐트 내 스텐트 방식(stent-in stent technique)으로 비피막성 스텐트를 제거가 가능하다는 보고가 있으나, 이 방식이 상당히 기술적으로 어렵고 부작용이 많으며 스텐트 제거가 어려운 경우가 많다.

(2) 피막형 팽창성 금속 배액관

피막형 스텐트는 스텐트의 피복 범위에 따라, 피막이 스텐트 전체를 피복하는 전체피막형 스텐트(fully cov-ered self-expandable metal stent, fcSEMS)와 피막이 스텐트 양 끝 부분에 덮여 있지 않은 부분피막형 스텐트(partially covered self-expandable metal stent, pcSEMS)로 구분된다. 특히 fcSEMS는 담관 내 삽입 후 일정 기간 유치 후에도 내시경 제거가 가능하기 때문에 양성 담관 협착에 사용된다. 그러나 피막형 스텐트가 확실히 비피막형 스텐트보다 개통기간을 향상시키거나 스텐트 폐쇄율을 낮추어 준다는 임상결과에는 아직 논란이 있다. 피막형 스텐트는 종양 내성장은 효과적으로 방지하지만, 담관 내 삽입된 스텐트의 미끄러짐 위험성이 높고 담즙 찌꺼기나 역류된 음식물에 의한 스텐트 폐쇄 위험이 있다.

(3) 기능성 금속 배액관

여러 목적을 위한 다양한 기능성 스텐트가 개발되고 있다. 기능성 스텐트에는 항이동 스텐트(antimigratory stent), 쉽게 제거가 가능하거나 모양이 변화할 수 있는 스텐트(easy removable stent or shape-modifying stent), 항증식 스텐트(antihyperplasia stent) 혹은 약물 담지 스텐트(drug-eluting stent), 방사성 스텐트(radio-active stent), 생분해성 스텐트(bioabsorbable stent) 등이 있다. 이러한 기능성 금속 배액관들에 대한 다양한 연구와 상용화를 위한 노력에도 불구하고 현재까지 항이동 스텐트와 제거 가능한 스텐트만 임상적으로 사용되고 있다(그림 20-7). 관내 근접 치료(intraluminal brachytherapy), 약물방출배액관(drug-eluting stent) 등 국소적인 종양 억제를 위한 새로운 배액관의 개발이 이루어지고 있으며, 이러한 새로운 시도가 악성 담도 폐색의 치료를 위해 효과적인 또 하나의 치료법으로 자리 잡을 수 있을 것으로 기대된다.

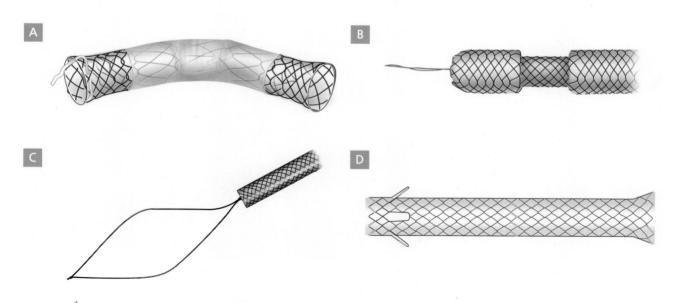

그림 20-7. **기능성 자가팽창성 금속 스텐트.** (A) Anti-migration fully covered metal stent with lasso (different radial forces in each segment), (B) Anti-migration fully covered metal stent with lasso (different diameters in each segment), (C) Anti-migration fully covered metal stent with long nitinol lasso (Proximal flanged), (D) Anti-migration fully covered metal stent (single flap type)

2. 내시경 팽창성 금속 배액관삽입술

1) 협착 부위를 확인한다.

스텐트 시술 전에 시술자는 먼저 영상검사(복부 CT, 자기공명담췌관조영검사 등)에서 담관 확장, 협착부위, 간내담관 침범여부, 영향을 받은 간부위와 부피, 십이지장 협착유무, 위 배출 부위 협착유무 등을 확인한다. 내시경 담관배액술의 수기는 기본적으로 ERCP를 시행하여 정확한 담관과 협착부위에 대한 해부학적 정보를 얻어야 한다(그림 20-8). 대부분의 ERCP 시행 시에는 4.2 mm의 처치공을 가지고 있는 치료용 십이지장내시경을 이용한다. 선택적 유두부 삽관술(selective cannulation) 후 유도철사를 담도 협착 부위보다 상방의 담도까지 삽입한 후 이를 따라 도관(catheter)을 밀어 넣는다. 이후 도관을 통해 담도 조영을 보면서 협착의 위치, 형태, 길이를 확인한다.

2) 협착 길이를 측정한다.

배액관의 길이를 선택할 때에는 담관의 협착 부위에서 스텐트 전개 후 스텐트 팽창과 동시에 스텐트의 길이 단축으로 인한 스텐트 이동 위험성을 줄이고, 종양이 배액관의 상부 또는 하부로 자라 들어오는 것을 방지하기 위해, 배액관 협착부위의 원위부와 근위부를 최소 10 mm의 여유를 가지도록 설치해야 한다. 담관 조영으로 협착부의

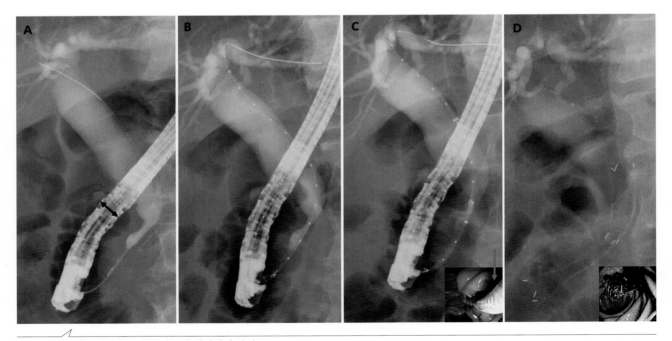

그림 20-8. 자가팽창성 금속 스텐트의 내시경적 삽입.
(A) 췌장암으로 인한 총담관의 협착이 관찰된다. 치료용 십이지장내시경의 외부 직경(검은 화살표)을 통해 협착 부위의 길이(붉은 화살표)를 유추할 수 있다.
(B) 눈금 있는 유도선을 이용하여 협착 부위 길이를 측정할 수 있다(한 눈금당 1 cm).
(C) 스텐트전달시스템을 유도선을 따라 협착 부위의 근위부까지 삽입한다. 내시경 화면 상에서는 스텐트의 원위부가 유두 개구부로부터 약 1 cm 정도 나오도록 한다. 여기에서 내시경 화면을 통해 스텐트 원위부 선단을 확인하는 방법은 스텐트전달시스템의 황색 띠(붉은 화살표)를 기준으로 한다.
(D) 배액관을 감싸고 있는 외피(sheath)를 천천히 빼내어 스텐트가 펴지게 한 후 확장된 모습을 확인한다. 내시경 화면 상 열린 스텐트 끝에서 담즙 배출이 잘 되는 지 관찰하고, 필요하면 흡인을 하여 확인한다.

상연을 확인하고, 유도철선이나 조영제 주입용 도관이나 유두절개도를 이용하여 협착부 상연에서 유두 개구부까지의 길이를 측정한다. 그 다음 스텐트의 양 끝이 협착부 상연의 상부로 1 cm, 유두 개구부의 하부로 1 cm 정도 나온다고 생각하여 2 cm를 더한 값을 스텐트 길이로 선택한다.

협착의 길이는 다음 두 가지 방법에 의해 측정할 수 있다. 첫째, 치료용 십이지장내시경의 직경을 미리 숙지하여 이를 바탕으로 협착의 길이를 유추할 수 있다. 치료용 십이지장내시경의 외부 직경에 대비하여 담관 조영상 협착 부위의 길이를 비교하여 유추할 수 있다. 둘째, 정확한 협착길이를 측정하기 위해서 눈금이 표시된 유도철사를 사용할 수 있다(그림 20-9). 유도철사에 방사선 비투과성 표시가 1 cm 간격으로 표시되어 있어 정확한 협착 길이를 확인하여 스텐트의 길이를 결정할 수 있다.

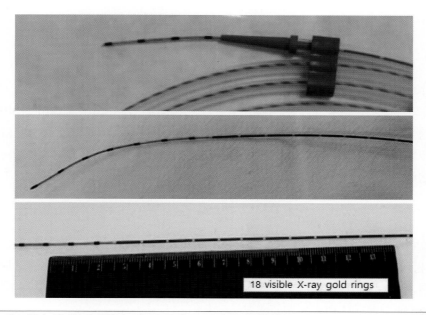

18 visible X-ray gold rings

그림 20-9. 눈금이 있는 유도철사. 길이를 측정할 수 있는 눈금이 1 cm 단위로 표시되어 스텐트 삽입 시 스텐트 길이 선택에 유용하다(Platin-Star 0.035, MTW Endoskopie Manufaktur).

3) 금속 스텐트 삽입 및 방출

담관 조영으로 충분히 협착부위를 확인한 뒤 스텐트 삽입술을 시행하기 전 일반적으로 SDS의 담관 내 진입을 용이하게 하고 시술 후 췌장염 발생의 예방을 위하여, 제한적 유두부 괄약근절개술(소절개 혹은 중절개)을 시행한다. 배액관 삽입 전 협착부위의 확장술이 반드시 필요한 것은 아니나, 간혹 SDS가 협착부위를 통과하도록 확장술이 필요한 경우도 있다.

담관 조영에 사용된 도관을 제거하고 유도철사를 따라 SDS를 밀어 넣는다. 이때 내시경의 선단이 유두부에 가깝게 위치할 수 있도록 하여야 하며, 유도철사가 내시경 화면을 통해 가능한 짧게 보일 수 있도록 한다. 이렇게 함으로써 다소 뻣뻣한 배액관 삽입기 도관을 유두부 입구를 통해 용이하게 전진시킬 수 있다. 투시검사 영상하에 유도철사를 따라 SDS를 담관 협착부위를 지나 SDS의 선단이 협착 부위보다 상방에 충분히 위치할 수 있도록 밀어 넣고, 배액관의 십이지장 쪽 끝부분이 십이지장내에 잘 위치하도록 조절한다. 스텐트의 단축율을 고려하여 협착부위를 충분히 스텐트가 포함할 수 있도록 스텐트 근위부 끝이 협착 부위 상방에 적절히 위치시킨다. 내시경 화면 상에서는 스텐트의 원위부가 유두 개구부로부터 약 1 cm 정도 나오도록 한다. 여기에서 내시경 화면을 통해 스텐트 원위부 선단을 확인하는 방법은 SDS의 황색 띠를 기준으로 한다.

X-ray 투시 하에 배액관의 선단이 올바르게 위치했다고 판단되면, 시술 보조자는 스텐트 유도관의 핸들을 잡고 뒤로 서서히 일정한 힘과 속도로 당기면서 유도관이 피복(sheath)을 벗겨낸다. 피복 내에 있던 스텐트가 협착부에서 근위부 선단부터 펴지면서 유도관 밖으로 방출되며 팽창되게 된다. 시술 도중 담관의 근위부 방향으로 배액관의 위치를 조절할 필요가 있다고 생각되면 일부 방출된 배액관을 다시 감쌀 수 있도록 외피를 밀어 올린 후 배액관 선단의 위치를 조정한다. 스텐트 전개 직후, 내시경 화면상 열린 스텐트 끝에서 담즙 배출이 잘 되는 지 관찰하고, 필요하면 흡인을 하여 확인한다. 또한 투시기로 X-ray 사진 촬영을 시행하여 스텐트 삽입 위치가 적절한 지 확인한 후 삽입기 도관과 유도철사를 제거한다.

4) 유의사항

(1) 스텐트 방출 장애

스텐트 방출 시 외피밖으로 펴지지 않을 시에는 담관과 내시경사이의 각도를 넓혀서 천천히 다시 진행해 본다. 무리하게 힘을 줄 경우 외피밖으로 스텐트가 나오기 전에 피복내 방출 줄이 끊어질 수 있다. SDS를 내시경에 넣기 전에 미리 스텐트를 피복에서 잘 방출되는지 확인하고 재장착 후 담관 내에서 스텐트를 방출하면 이러한 방출 장애를 예방할 수도 있다.

(2) 스텐트 이동

스텐트가 전개(deployment)되면서 스텐트가 담관내로 딸려 들어갈 수 있다. 시술보조자가 스텐트 전개를 시행하는 동안 시술자는 스텐트가 담관 내로 딸려 들어가지 않도록 내시경 화면상의 스텐트 원위부 끝을 계속 주시해야 한다. 시술자는 스텐트 끝이 스텐트 전개 전의 위치를 유지할 수 있도록 유도관을 오른손으로 잡고 뒤로 조금씩 당겨주어야 스텐트의 원위부를 일정한 위치에 둘 수 있다.

(3) 스텐트전달시스템 제거 시 유의점

협착 부위가 단단한 경우, 전개 직후 협착부에 위치한 스텐트 부분의 내강이 미처 펴지지 않고 좁은 상태인 경우가 많다. SDS를 당겨서 회수 시, 유도관 끝의 둥근 올리브 선단이 덜 펴진 스텐트 중간 부분 내강에서 걸려 전개된 스텐트가 같이 딸려 나와 원위부로 이동할 수 있어 주의하여야 한다. 이는 협착 부위가 단단하고 좁을 경우 스텐트를 방출 후에도 협착부위에서 충분히 스텐트가 팽창되지 않을 수 있기 때문이다.

따라서 스텐트 전개 후 서둘러 유도관을 회수하지 말고 잠시 기다려서 협착부위의 스텐트 중간부분이 어느정도 펴지길 기다렸다가 유도관을 살살 당겨서 올리브 선단을 제거한다. 만약 이렇게 해도 올리브 선단이 스텐트 내강 내에 걸려 안 빠진다면, SDS의 피복을 다시 내부 카테터를 따라 밀어 올려 좁은 스텐트 내강에 끼여 있는 올리브 선단 하부까지 피복을 올려 붙여 밀착시켜서 올리브 하부의 각을 없애면 저항 없이 손쉽게 SDS를 회수할 수 있다.

SDS의 피복이 스텐트 하단 부위를 통과한 것을 확인 한 뒤에 유도철사와 같이 제거하는데, 필요에 따라 유도철사를 남기고 우선 피복만 제거한다. 스텐트가 협착 부위를 충분히 포함하고 있는지 확인해야 하며, 필요시 남긴 유도철사로 추가 스텐트 시술이나 풍선 확장술이 필요할 수 있기 때문이다.

참/고/문/헌

1. Arias Dachary FJ, Chioccioli C, Deprez PH. Application of the "covered–stent–in–uncovered–stent" technique for easy and safe removal of embedded biliary uncovered SEMS with tissue ingrowth. Endoscopy 2010;42(suppl 2):E304–5.

2. Baron TH, Sr., Davee T. Endoscopic management of benign bile duct strictures. Gastrointest Endosc Clin N Am 2013;23:295–311.

3. Chahal P, Baron TH. Expandable metal stents for endoscopic bilateral stent–within–stent placement for malignant hilar biliary obstruction. Gastrointest Endosc 2010;71:195–9.

4. Chun HJ, Kim ES, Hyun JJ, et al. Gastrointestinal and biliary stents. J Gastroenterol Hepatol 2010;25:234–43.

5. Conio M, Mangiavillano B, Caruso A, et al. Covered versus uncovered self–expandable metal stent for palliation of primary malignant extrahepatic biliary strictures: a randomized multicenter study. Gastrointest Endosc 2018;88:283–91. e3.

6. Duda SH, Wiskirchen J, Tepe G, et al. Physical properties of endovascular stents: an experimental comparison. J Vasc Interv Radiol 2000;11:645–54.

7. Dumonceau JM, Tringali A, Papanikolaou IS, et al. Endoscopic biliary stenting: indications, choice of stents, and results: European Society of Gastrointestinal Endoscopy (ESGE) Clinical Guideline – Updated October 2017. Endoscopy 2018;50:910–30.

8. Dyet JF, Watts WG, Ettles DF, et al. Mechanical properties of metallic stents: how do these properties influence the choice of stent for specific lesions? Cardiovasc Intervent Radiol 2000;23:47–54.

9. Gerges C, Schumacher B, Terheggen G, et al. Expandable metal stents for malignant hilar biliary obstruction. Gastrointest Endosc Clin N Am 2011;21:481–97, ix.

10. Hair CD, Sejpal DV. Future developments in biliary stenting. Clin Exp Gastroenterol 2013;6:91–9.

11. Irving JD, Adam A, Dick R, et al. Gianturco expandable metallic biliary stents: results of a European clinical trial. Radiology. 1989;172:321–6.

12. Isayama H, Nakai Y, Hamada T, et al. Understanding the mechanical forces of self–expandable metal stents in the biliary ducts. Curr Gastroenterol Rep 2016;18:64.

13. Isayama H, Nakai Y, Toyokawa Y, et al. Measurement of radial and axial forces of biliary self–expandable metallic stents. Gastrointest Endosc 2009;70:37–44.

14. Jaganmohan S, Lee JH. Self–expandable metal stents in malignant biliary obstruction. Expert Rev Gastroenterol Hepatol 2012;6:105–14.

15. Jang SI, Kim JH, You JW, et al. Efficacy of a metallic stent covered with a paclitaxel–incorpo–rated membrane versus a covered metal stent for malignant biliary obstruction: a prospective comparative study. Dig Dis Sci 2013;58:865–71.

16. Jang SI, Lee KT, Choi JS, et al. Efficacy of a paclitaxel–eluting biliary metal stent with sodium caprate in malignant biliary obstruction: a prospective randomized comparative study. Endoscopy 2019;51:843–51.

17. Jang SI, Lee SJ, Jeong S, et al. Efficacy of a multiplex paclitaxel emission stent using a pluronic® mixture membrane versus a covered metal stent in malignant biliary obstruction: a prospective randomized comparative study. Gut Liver 2017;11:567–73.

18. Kaassis M, Boyer J, Dumas R, et al. Plastic or metal stents for malignant stricture of the common bile duct? Results of a randomized prospective study. Gastrointest Endosc 2003;57:178– 82.

19. Kalinowski M, Alfke H, Kleb B, et al. Paclitaxel inhibits proliferation of cell lines responsible for metal stent obstruction: possible topical application in malignant bile duct obstructions. Invest Radiol 2002;37:399–404.

20. Kwon CI, Ko KH, Hahm KB, et al. Functional self–expandable metal stents in biliary obstruction. Clin Endosc 2013;46:515–21.

21. Lee DK. Drug–eluting stent in malignant biliary obstruction. J Hepatobiliary Pancreat Surg 2009;16:628–32.

22. Lee JH, Krishna SG, Singh A, et al. Comparison of the utility of covered metal stents versus uncovered metal stents in the management of malignant biliary strictures in 749 patients. Gastrointest Endosc 2013;78:312–24.

23. Lee TH, Moon JH, Choi HJ, et al. Third metal stent for revision of malignant hilar biliary strictures. Endoscopy 2016;48:1129–33.

24. Moole H, Bechtold ML, Cashman M, et al. Covered versus uncovered self–expandable metal stents for malignant biliary strictures: A meta–analysis and systematic review. Indian J Gastroenterol 2016;35:323–30.

25. O'Brien S, Hatfield AR, Craig PI, et al. A three year follow up of self expanding metal stents in the endoscopic palliation of longterm survivors with malignant biliary obstruction. Gut 1995;36:618–21.

26. Park DH, Lee SS, Moon JH, et al. Newly designed stent for endoscopic bilateral stent–in–stent placement of metallic stents in patients with malignant hilar biliary strictures: multicenter prospective feasibility study (with videos). Gastrointest Endosc 2009;69:1357–60.

27. Perdue DG, Freeman ML, DiSario JA, et al. Plastic versus self–expanding metallic stents for malignant hilar biliary obstruction: a prospective multicenter observational cohort study. J Clin Gastroenterol 2008;42:1040–6.

28. Saleem A, Leggett CL, Murad MH, et al. Meta–analysis of randomized trials comparing the patency of covered and uncovered self–expandable metal stents for palliation of distal malignant bile duct obstruction. Gastrointest Endosc 2011;74:321–7.e1–3.

29. Singh V, Kapoor R, Solanki KK, et al. Endoscopic intraluminal brachytherapy and metal stent in malignant hilar biliary obstruction: a pilot study. Liver Int 2007;27:347–52.

30. Suk KT, Kim JW, Kim HS, et al. Human application of a metallic stent covered with a paclitaxel–incorporated membrane for malignant biliary obstruction: multicenter pilot study. Gastrointest Endosc 2007;66:798–803.

31. Tan DM, Lillemoe KD, Fogel EL. A new technique for endoscopic removal of uncovered biliary self–expandable metal stents: stent–in–stent technique with a fully covered biliary stent. Gastrointest Endosc 2012;75:923–5.

32. Tarantino I, Mangiavillano B, Di Mitri R, et al. Fully covered self–expandable metallic stents in benign biliary strictures: a multicenter study on efficacy and safety. Endoscopy 2012;44:923–7.

33. Tringali A, Hassan C, Rota M, et al. Covered vs. uncovered self–expandable metal stents for malignant distal biliary strictures: a systematic review and meta–analysis. Endoscopy 2018;50:631–41.

34. Walter D, Laleman W, Jansen JM, et al. A fully covered self–expandable metal stent with antimigration features for benign biliary strictures: a prospective, multicenter cohort study. Gastrointest Endosc 2015;81:1197–203.

35. Yoon WJ, Ryu JK, Yang KY, et al. A comparison of metal and plastic stents for the relief of jaundice in unresectable malignant biliary obstruction in Korea: an emphasis on cost–effectiveness in a country with a low ERCP cost. Gastrointest Endosc 2009;70:284–9.

악성 원위부 담관 협착의
내시경 치료

Endoscopic Treatment of Malignant Stricture in Distal Bile Duct

방승민 연세대학교 의과대학

악성 원위부 담관 협착은 췌장, 원위부 담관 또는 십이지장 유두를 포함한 십이지장에서 원발하는 악성 종양에 의해 주로 발생한다. 그 외 췌장 또는 원위부 담관 주변의 림파선 전이를 유발하는 타장기 원발 악성 종양들에 의해 발생되기도 한다. 담관의 협착은 정상적인 담즙의 배출을 저해하게 되어 폐쇄성 황달을 유발하며, 적절한 담관 감압이 이루어지지 않는 경우에는 간손상을 유발하기 때문에 반드시 치료해야 하는 임상 상황이다. 따라서 치료를 목적으로 하는 담췌관 내시경 술기에 있어 악성 원위부 담관 협착은 매우 흔하고, 중요한 적응증이다. 현재 악성 원위부 담관 협착의 내시경 치료는 금속 또는 플라스틱 소재의 배액관 삽입이 근간을 이루고 있으나, 최근 초음파내시경을 통한 치료내시경 술기의 발전과 고주파열치료(radiofrequency ablation, RFA) 또는 광역학치료(photodynamic therapy, PDT) 등의 새로운 치료법이 임상에 도입되고 있음도 주목할 만하다. 본 장에서는 악성 원위부 담관 협착의 내시경 기반 배액관 삽입의 적응증과 실제 술기에 대해 소개하고, 나아가 최근 일부 기관에서 시술의 빈도가 증가하고 있는 초음파내시경 기반 원위부 담관 협착 치료에 대해서도 간략하게 소개하고자 한다.

1. 담췌관 내시경을 통한 악성 원위부 담관 협착의 배액관 삽입술

1) 적응증

악성 원위부 담관 협착을 유발하는 모든 상황은 내시경을 통한 배액관 삽입을 필요로 한다. 담도 폐쇄를 동반한 질환의 담관 감압 및 감황 치료는 이후 예정되어 있는 악성 질환의 근본적인 치료를 위해 반드시 선행되어야 한다. 가장 흔한 적응증으로는 췌장 두부암, 담도암, 십이지장 유두부암이다(그림 21–1).

2) 배액관 삽입 술기

성공적인 내시경을 통한 담관배액관 삽입술을 시행하기 위해서는 담췌관 내시경을 삽입하는 과정에 대한 충분한 경험과 해부학적 정보를 인지하고 있어야 한다. 또한 원위부 담도협착을 유발하는 악성 종양은 드물지 않게 위출구와 십이지장 유부두 주변까지의 경로의 변형 또는 협착이 동반되는 경우가 많으므로 십이지장경의 당김법

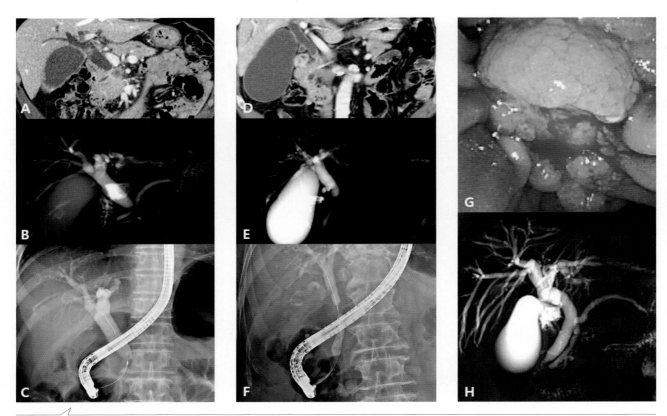

그림 21-1. 악성 원위부 담관 협착의 주요 원인 질환. (A-C) 췌장 두부암으로 인한 원위부 담관 협착(A. CT scan, B. MRCP, C. ERCP), (D-F) 총담관암으로 인한 원위부 담관 협착(D. CT scan, B. MRCP, C. ERCP), (G,H) 십이지장 유두암으로 인한 원위부 담관 협착(G. Endoscopic image, H. MRCP)

을 이용한 삽입뿐만 아니라 밀기법을 이용한 삽입법에 대해서도 수련이 필요하다. 일단 십이지장경의 성공적인 삽입이 이루어진 후에는 (1) 담관내 선택적 도관 삽입, (2) 십이지장 유두부 괄약근 절개술, (3) 담관 조영을 통한 담관 협착 병변의 확인, (4) 적절한 배액관 선택 및 삽입의 단계를 통해 담관 배액관을 삽입하면 된다. 이 과정 중 본 장에서는 (3), (4)단계의 과정에 대해 조금 더 살펴보겠다.

　　먼저, 담관내로 도관 삽입이 이루어지고 나면 유도철사를 협착 부위 상방 간내담관까지 삽입하고, 조영제를 주입하여 담관의 해부학적 구조를 확인하여야 한다. 이때 조영제 삽입을 지나치게 강한 압력으로 주입하거나, 필요 이상의 조영제를 삽입하게 되면 시술 후 세균혈증(bacteremia), 또는 담관염을 유발할 수 있으므로 필요한 양 만큼 주입하여 협착 부위를 정확히 평가하는 것이 중요하다. 또한 담관배액관 삽입을 위해 십이지장 유두 괄약근 절개가 반드시 필요한 것은 아니다. 그러나 통상 담관배액관 삽입은 반복적 시술이 필요한 경우가 많은 것을 감안한다면, 출혈의 위험이 크지 않은 경우에는 첫 번째 시술 과정에 유두 괄약근 절개를 시행하는 것이 반복 시술을 보다 용이하게 할 수도 있다. 조영제 주입을 통해 담관의 협착 부위를 확인하면, 적절한 길이의 배액관을 삽입하기 위해 협착부위의 길이와 십이지장 유두로부터 협착부 최상단까지의 길이를 측정하여야 한다. 이를 위해 다양한 방법이 사용될 수 있으나, 대표적인 방법들을 소개하면 다음과 같다.

　　첫째, 십이지장경의 직경을 기반으로 하여 길이를 유추할 수 있다. 둘째, 시술과정에서 촬영한 X-ray에서 관찰되는 척추를 이용하는 방법이 있다. 대게 성인의 하나의 척추뼈와 추간판을 포함한 높이는 통상 2.5-3 cm임을 감안하면 이를 토대로 그 길이를 유추할 수 있다. 셋째, 최근에는 유도철선에 길이를 알 수 있는 표식자가 있는 경우가 있어 이를 토대로 보다 정확한 길이를 유추할 수도 있다. 원위부 담관 협착에 있어 적절한 배액관의 길이를 측정하기 위해서는 협착 부위의 원위부와 십이지장 유두부 근위부에서 약 10 mm 정도의 여유를 포함해서 판단하는 것이 바람직하다.

삽입할 배액관의 길이를 결정한 뒤에는 어떤 종류의 배액관을 삽입할 것인가에 대해 결정하여야 한다. 배액관의 종류는 크게 플라스틱 배액관과 금속 배액관으로 나눌 수 있으며, 각각의 특성과 장단점을 잘 숙지하고 있어야 실제 환자마다 가장 알맞은 배액관을 선택할 수 있다. 배액관의 종류와 특성에 대해서는 본 책자의 다른 장에서 다루고 있으므로 본 장에서는 플라스틱 배액관의 삽입술기와 금속 배액관의 삽입술기에 대해서만 설명하고자 한다.

먼저, 금속 배액관의 삽입은 미리 삽입되어 있는 유도철선을 따라 금속 배액관이 장전되어 있는 도관을 내시경 관강을 통해 삽입한다. 이때 담관내 삽입된 유도철선과 내시경 선단 사이의 거리가 지나치게 멀어지게 되면 배액관이 장전된 도관에 가해지는 힘의 방향과 유도철선이 형성하는 각도가 예각으로 변하여 큰 고리(loop)를 형성하게 되며, 결국은 유도철선이 이탈될 수 있다. 따라서 십이지장 유두부와 내시경 선단 사이의 적절한 거리를 유지하여 유도 철선이 완만한 둔각을 이루도록 주의하면서 삽입하여야 한다. 배액관이 장전된 도관의 선단이 협착부를 통과하여 총담관 상부에 위치하게 한 뒤, 십이지장경을 통해 도관의 배액관 원위부 선단에 위치한 표지자를 확인하여야 한다. 초심자의 경우 해당 표지자를 확인하지 못하고 배액관을 거치시키는 과정에서 배액관이 십이지장 유두부 안쪽으로 이탈되거나 심지어 협착부 상단으로 이탈되는 경우가 있을 수 있다. 따라서 금속 배액관의 삽입 과정에서 배액관 말단을 표시하는 도관내 표지자를 시술 과정 끝까지 내시경 영상에서 확인하도록 주의하는 것이 매우 중요하다. 시술 도중 담관의 근위부 방향으로 배액관의 위치를 조정할 필요가 있다고 판단되면, 일부 방출된 배액관을 다시 감쌀 수 있도록 외피를 밀어 올린 후 배액관 선단의 위치를 조정한다(그림 21-2).

두 번째로 플라스틱 배액관의 삽입은 제조사에 따라 일부 삽입방법에 차이가 있을 수 있다. 이는 플라스틱 배액관을 장전할 수 있는 유도 도관이 필요한 제품과 없는 제품의 특성 때문이다. 시술과정은 우선 유도철선을 협착부 상방의 담관까지 거치시키고, 배액관을 장전한 유도도관(guiding catheter)을 협착부 상단까지 삽입하고, 유치할 배액관과 밀기도관(pushing catheter)를 차례로 밀어 넣어 배액관 선단부가 원하는 위치에 도달하도록 한 뒤, 유도도관과 밀기도관 및 유도철선을 제거하는 순서로 진행한다(그림 19-2 참조). 이때 내시경 선단부가 십이지장 유두부와 멀어지게 되면 유도도관, 배액관 등이 예각을 이루는 큰 고리를 형성하게 되어, 유도철선이 담관 내에서

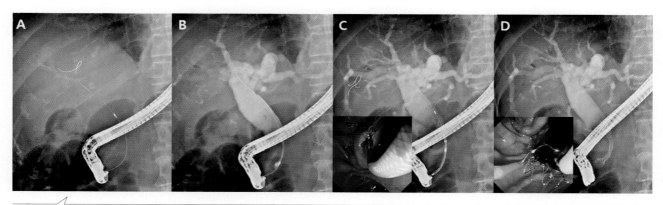

그림 21-2. 췌장 두부암으로 인한 악성 원위부 담관 협착의 금속 배액관 삽입 과정
(A) 유도철선의 담관내 선택적 삽관 (B) 담관내 조영제 주입을 통한 원위부 담관 협착 평가 (C) 담관 협착의 상방에서 배액관 추출 시작 (이때 내시경 영상의 노란색 표지자가 시술과정에서 지속적으로 확인되도록 유의할 것) (D) 금속 배액관의 거치 완료

십이지장으로 이탈할 수 있다. 따라서 플라스틱 배액관을 삽입하는 경우에는 내시경 선단과 십이지장 유두간의 거리를 최대한 가깝게 유지하는 것이 매우 중요하다.

2. 초음파내시경을 통한 원위부 담관 협착의 치료

십이지장 협착이나 유두부 암이 진행된 경우에는 측시경을 이용한 담관의 선택적 도관삽입이 불가능한 경우가 있다. 이러한 경우 전통적 담관 감압술은 경피경간 담관배액술(percutaneous transhepatic biliary drainage, PTBD)이 시행되어 왔다. 그러나 최근 국내외 초음파내시경(endoscopic ultrasound, EUS) 전문가들 사이에서는 이러한 경우 초음파내시경을 통한 담관감압술을 시행하고 있다. 초음파내시경을 통한 담관배액술은 간내담관을 천자하여 시행한 경우와 총담관을 천자하여 시행하는 방법으로 크게 나눌 수 있으며, 본 장에서는 총담관을 천자하여 배액관을 삽입하는 방법에 대해 소개하고자 한다.

1) 술기의 준비

치료를 목적으로 하는 경우 종주형 초음파내시경(linear EUS)이 필요하다. 이는 종주형 초음파내시경 선단부에 위치한 겸자공을 통해 시술에 필요한 보조기구들의 초음파 영상을 통한 확인과 추적이 가능하기 때문이다. 시술에 필요한 보조 기구들은 (1) 병변내 최조 진입을 위한 천자용 바늘, (2) 병변내 안정적 기구 삽입을 위한 유도철선, (3) 십이지장과 담관까지의 누공을 형성하기 위한 확장 도구 또는 전기소작(electrocautery) 확장 도관 및 (4) 피막형 금속 배액관 또는 플라스틱 배액관 등이다.

성공적인 시술을 위해서는 무엇보다 시술자가 종주형 초음파내시경을 기반으로 하는 영상 진단과 조직 생검 등에 대하여 충분한 수련이 필요하다.

2) 술기

초음파내시경을 통한 총담관내 배액관 삽입술은 소위 내시경적 총담관십이지장 연결술(EUS-guided choledochoduodenostomy, EUS-CDS)로 명칭하고 있다. 이를 위해서는 우선 종주형 초음파내시경을 십이지장 구부에 밀기법을 통해 삽입하여 초음파 영상을 통해 확장된 총담관과 주변 혈관등의 구조를 묘출하여야 한다. 이 위치에서 19 G EUS 바늘로 간외 담관을 천자하고, 조영제를 삽입하여 담관의 구조를 X-ray에서 확인한다. 이때 조영제를 주입하기 전에 바늘에 음압 주사기를 연결하여 담즙이 흡입되는지를 먼저 확인하는 것이 좋다. 이후 0.035 혹은 0.025 inch 유도철선을 간문부담관 방향으로 삽입하여 간내담관내에 안정적으로 거치시킨다. 이후 누공확장기구를 삽입하여 4.5 Fr부터 10 Fr까지 단계적으로 확장한다. 간혹 이 과정에서 담즙 누출 또는 공기 누출이 복강내로 발생하는 경우가 있어 최근에는 전기소작 확장기구를 이용하여 한번에 누공 확장을 시도하는 방법도 흔히 사용된다. 안정적인 누공 확장이 이루어진 뒤 적절한 배액관을 삽입하면 시술이 종료된다(그림 21-3).

EUS-CDS는 상대적으로 시술의 난이도가 높아 기본적인 ERCP 술기와 초음파내시경 술기에 대해 충분한 경험과 지식을 축적한 뒤에 시도하는 것을 권고한다. 통상 초음파내시경의 선단이 십이지장 구부에 위치하게 되면 담관의 주행과 평행하게 될 가능성이 높기 때문에 바늘의 천자 방향이 담관의 주행 방향과 가급적 직각에 가깝게 되도록 하는 것이 시술의 성공에 매우 중요하다. 또한 초음파내시경의 초음파 영상과 X-ray만을 이용하여 시술을 진행하도록 노력하여야 한다. 즉, 시술과정에서 내시경 영상을 확인하면서 시술을 진행하려고 하면 내시경의 선단이 적절한 위치에서 이탈하게 되어 초음파 영상을 묘출할 수가 없고, 선단과 시술부의 거리가 멀어지게 되어 유도철선 등 도관이 이탈이 발생할 수 있어 주의하여야 한다.

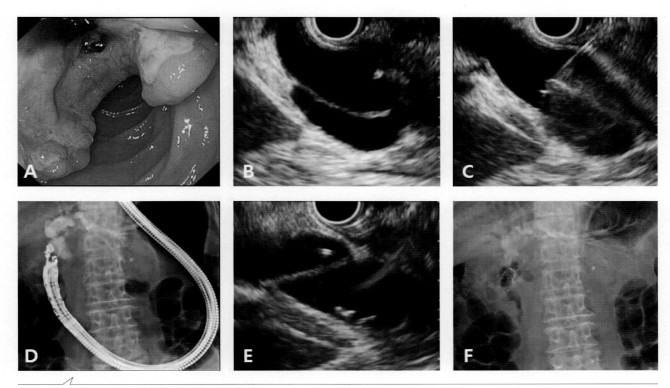

그림 21–3. 초음파내시경 유도하 담관십이지장 문합술
(A) 십이지장 유두암으로 인한 십이지장 유두 구조의 심한 변형으로 담관의 선택적 삽관이 불가능함
(B) 십이지장 구부에서 초음파내시경을 통한 확장된 근위부 총담관과 간문맥 확인
(C) 19 G 천자바늘을 통한 담관의 천자
(D) 조영제 주입을 통한 확장된 총담관과 간내담관의 X–ray 영상 확인
(E) 플라스틱 누공확장 기구를 이용한 누공 확장
(F) 피막형 금속 도관 삽입을 통한 초음파내시경 유도하 담관십이지장 문합술 X–ray 영상

참/고/문/헌

1. 대한 소화기내시경학회 초음파내시경연구회. Endoscopic Ultrasonography. 4th ed. 진기획; 2021. pp. 371–397.

2. 대한췌장담도학회. ERCP color illustration. 2nd ed. 군자출판사; 2020. p.153.

3. 대한췌장담도학회. ERCP. 군자출판사; 2010. pp. 246–256.

4. Canakis A, Baron TH. Relief of biliary obstruction: choosing between endoscopic ultrasound and endoscopic retrograde cholangiopancreatography. BMJ Open Gastroenterol 2020;7:e000428.

5. Davids PH, Groen AK, Rauws EA, et al. Randomized trial of self–expanding metal stents versus polyethylene stents for distal malignant biliary obstruction. Lancet 1992;340:1488–92.

6. Dumonceau JM, Tringali A, Papanikolaou IS, et al. Endoscopic biliary stenting: indications, choice of stents, and results: European Society of Gastrointestinal Endoscopy (ESGE) Clinical Guideline–Updated October 2017. Endoscopy 2018;50:910–30.

7.   Giovannini M, Moutardier V, Pesesnti C, et al. Endoscopic ultrasound–guided bilioduodenal anastomosis: a new technique for biliary drainage. Endoscopy 2001;33:898–900.

8.   Kaassis M, Boyer J, Dumas R, et al. Plastic or metal stents for malignant stricture of the common bile duct? Results of a randomized prospective study. Gastroinstest Endosc 2003;57:178–82.

9.   Lee HJ, Chung MJ, Park JY, et al. A prospective randomized study for efficacy of an uncovered double bare metal stent compared to a single bare metal stent in malignant biliary obstruction. Surg Endosc 2017;31:3159–67.

10. Nakai Y, Isayama H, Komatsu Y, et al. Efficacy and safety of the covered Wallstent in patients with distal malignant biliary obstruction. Gastrointest Endosc 2005;62:742–8.

11. Rosewicz S, Wiedenmann B. Pancreatic carcinoma. Lancet 1997;349:485–9.

12. Sassatelli R, Cecinato P, Lupo M, et al. Endoscopic ultrasound–guided biliary drainage for malignant biliary obstruction after failed ERCP in low performance status patients. Dig Liver Dis. 2020;52:57–63.

13. Smith AC, Dowsett JF, Russell RC, et al. Randomized trial of endoscopic stenting versus surgical bypass in malignant low bile duct obstruction. Lancet 1994;344:1655–60.

14. Speer AG, Cotton PB, Russell RC, et al. Randomized trial of endoscopic versus percutaneous stent insertion in malignant obstructive jaundice. Lancet 1987;2:57–62.

15. Warshaw AL, Castillo CF. Pancreatic carcinoma. N Engl J Med 1992;326:455–65.

16. Wiersema MJ, Sandusky D, Carr R, et al. Endosonography–guided cholangiopancreatography. Gastrointest Endosc 1996;43:102–6

악성 간문부 담도 폐쇄의 내시경 치료

Endoscopic Treatment of Advanced Malignant Hilar Biliary Obstruction

이태훈 순천향대학교 의과대학

1. 서론

악성 간문부 담도 폐쇄(malignant hilar biliary obstruction, MHO)는 간문부를 침범하는 담도암(Klatskin tumor), 담낭암, 혹은 전이성암이나 임파절 전이에 인한 폐쇄로 발생하며 2019년 우리나라 암 발생 통계에 의하면 담낭 및 기타 담도암이 전체 9위에 해당하나 고령화와 더불어 점차 증가하는 추세에 있다. 대부분 환자의 진단 당시 병기에서 수술적으로 근치적 절제가 어려운 경우가 많고 근치적 수술을 시행한 경우에도 완전절제율이 떨어지고 재발률이 높아 5년 생존율이 10% 내외로 예후가 매우 불량해 아직까지 난치성 질환으로 여겨진다. 따라서 수술적으로 완전 절제가 불가능하거나 고령 및 동반된 질환으로 수술이 어려운 환자에서 담관배액술은 황달 해소와 증상 완화뿐 아니라 항암치료 및 방사선치료 등을 시행하기 위해서도 일차적인 치료로서 필수적이다. 현재 MHO에서 담관배액술은 내시경 배액술이 일차적인 담관배액 방법으로 자리 잡고 있고 다양한 종류의 스텐트 및 시술 방법이 사용되고 있다. 또한 고식적인 항암화학요법이나 방사선치료 외에도 국소적 치료로 내시경을 이용한 광역학치료(photodynamic therapy, PDT)나 고주파 소작술(radiofrequency ablation, RFA)과 같은 방법들도 함께 시도되고 있다.

그러나 여전히 MHO에서 내시경 담관배액술은 기술적으로 어려운 경우가 많고, 시술 방법이나 스텐트에 따른 다양한 연구 결과들을 보고하고 있다. 또한 상대적으로 짧은 생존기간으로 인해 장기간 효과에 대한 평가가 제한적이다. 따라서, 본고에서는 MHO에서 일차적인 내시경 담관배액술의 다양한 방법과 최근의 연구 결과들을 분석해보고 최적의 배액방법에 대해 알아보고자 한다.

2. 담관배액 전 고려할 요인들

1) 해부학적 이해

    MHO은 담도의 종양 침범 범위에 따라 잘 알려진 Bismuth 분류로 형태적으로 나누는데(그림 22-1) 이는 수술적 절제범위를 결정할 때뿐만 아니라 담관배액 위치를 결정하는 데도 역시 중요하다. 분류는 다음과 같다.

Anatomical Classification by Bismuth–Corlette

Type I: MHO which is found at the level of the cystic duct but below the confluence of the right and left hepatic ducts.

Type II: MHO which is found at the bifurcation of right and left hepatic ducts.

Type IIIA: MHO which is found at the bifurcation with extension into the right hepatic duct.

Type IIIB: MHO which is found at the bifurcation with extension into the left hepatic duct.

Type IV: MHO which is found extending into both the right and left hepatic ducts or multicentric disease.

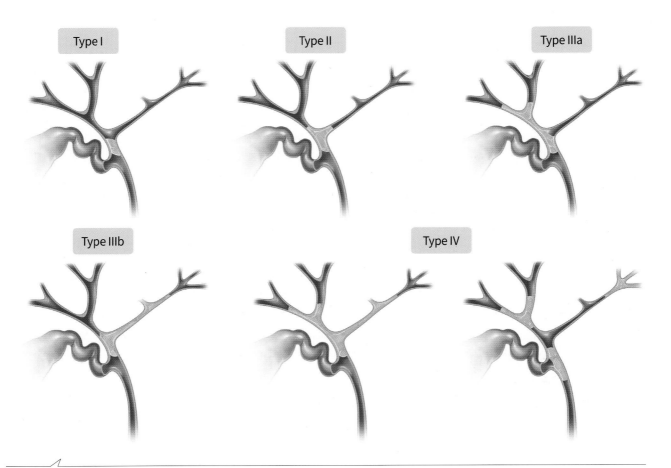

그림 22-1. Bismuth classification of perihilar biliary obstruction.

좌측간내담도는 2, 3, 4번 segment로 분지되기 전까지 3 cm 정도 길이로 비교적 길지만 우측간내담도는 anterior, posterior duct로 분지되기까지 약 1 cm 정도로 상대적으로 짧다. 일반적으로 IIIA type이 빈번한 이유는 이러한 해부학적 차이에서 발생할 수 있다. 따라서 이러한 해부학적 차이는 담관배액 위치를 결정함에 있어서도 다발성 배액이 필요한 경우 right anterior duct와 posterior duct를 각각 배액해 주는 것은 좌측간내담관배액보다 많은 양의 배액을 가능하게 할 수 있다. 세 곳 이상을 배액하는 경우 right anterior duct, posterior duct와 좌측간내담도를 배액하는 것이 효과적이다.

2) 배액위치와 방법의 결정

MHO에서 고위부협착(Bismuth–Corlette type III, IV)은 Bismuth type I, II 협착과 달리 양측 혹은 다발성으로 배액이 필요한 경우가 많다. 특히 조영제 주입 후 적절한 배액이 이루어지지 않는 경우 담관염, 간농양과 같은 합병증 발생 빈도가 높고 이는 사망률 증가에도 영향을 줄 수 있다. 따라서 고위부 협착에서는 배액 시술 전 배액할 위치 결정 및 적절한 방법 선택에 주의를 요한다. 최근 영상기술의 발전으로 multidetector computed tomography (MDCT)나 magnetic resonance image (MRI)/magnetic resonance cholangiography (MRCP)는 진단 및 병기설정에 가장 좋은 방법으로 수술적 절제여부 결정뿐 아니라 담관배액 위치 결정에도 중요한 역할을 한다. CT나 MRI를 이용한 삼차원 영상을 이용해 사전에 배액 가능한 위치를 결정하고 종양에 의한 간실질 위축이나 간내담도종양에 의한 viable lesion이 없는 경우는 가능한 불필요한 배액을 피하고 조영제 주입도 역시 최소화할 수 있다.

또한 효과적인 배액을 위해서는 어느 정도의 간 용적을 배액할 것인지 고려해야 하는데 간용적의 약 55%에서 60%는 우측간에서 배액되고 30%에서 35%는 좌측간에서 나머지 10% 정도는 미상엽에서 배액된다. 통상적으로는 간 용적의 25% 이상 배액하면 충분하다고 알려져 왔으나 최근의 연구결과 및 가이드라인에 따르면 Bismuth type II 이상의 진행성 간문부폐쇄에서 적절한 배액을 위해서는 간 용적의 50% 이상 배액할 것을 권고하고 있다. 간용적의 50% 이상 배액하는 것이 그렇지 않은 군에 비해 생존율의 증가와 연관 있다고 보고하였다(119 days vs. 59 days, p=0.005). 이러한 담관배액을 위해서 특히, 고위부 MHO에서는 경피경간 담관배액술(percutaneous transhepatic biliary drainage, PTBD)을 권고하고 있으나 최근의 가이드라인에서는 내시경 배액술(endoscopic retrograde cholangiopancreatography, ERCP)과 큰 차이를 보이지 않는 경향을 보여준다.

따라서 고위부 MHO에서는 담관배액 전 영상 결과를 통해 배액 할 위치를 미리 결정해 불필요한 담도 삽관을 피하고 가능한 조영제 사용 역시 최소화하는 것이 필요하며, 간용적의 50% 이상을 배액하기 위한 계획을 수립해야 한다. 이후 내시경 배액술과 경피배액술 선택 및 스텐트 종류, 스텐트 삽입 방법을 결정해야 한다. 또한, 향후 치료 계획, 즉 수술적 가능성 여부와 기대 여명 및 항암치료나 국소적 치료 계획 등을 고려한 배액 방법의 계획이 필요하다.

3. 수술 전 담관배액술(Preoperative Biliary Drainage, PBD)

수술적 절제가 가능하다고 판단되거나 절제여부를 명확히 판단이 어려운 경우 PBD를 모든 환자에서 일률적으로 적용하는 것은 권고되지 않는다. 연구 결과들에서 PBD는 생존율에 영향은 없으나 수술 후 감염 합병증의 빈도를 증가시킨다고 알려져 있고 수술 중 출혈이나 간부전과 같은 합병증에도 영향을 준다고 알려져 있다. 일반적으로 PBD의 적응증은 담관염, 고빌리루빈혈증과 연관된 영양장애, 간부전이나 신부전이 있는 경우, 수술 전 항암치료 등을 요하는 경우나 수술이 지연되는 경우 등이다. 또한 수술 후 남게 되는 간용적이 30% 이하일 경우 수술 후 간부전 등의 합병증 위험이 높아 간문맥색전술(portal vein embolization)을 통해 잔여 간용적을 증가시키고자 하는데 이러한 시술 시 간부전의 위험성을 줄이기 위해 PBD가 선행되어야 한다.

PBD 방법은 PTBD나 ERCP를 이용한 내시경 배액술이 모두 사용될 수 있는데 일반적으로 PTBD가 ERCP보다 기술적 성공률이 높고 담관염이나 췌장염 등 합병증이 낮다고 보고하고 있지만, 다른 연구 결과들에서는 PTBD 시행한 군에서 morbidity가 높고 5년 생존율이 짧다는 보고가 있으며, 특히 복막전이(peritoneal metastasis)의 빈도가 유의하게 높다고 하였다. Takahashi 등은 PTBD를 시행한 군에 복막전이가 5.2%로 높게 나타난다고 보고한 바 있고, Hirano 등은 PTBD가 복막전이의 주요 인자임을 보고한 바 있다. 2021년 American Society of Gastrointestinal Endoscopy (ASGE) 가이드라인에서도 이러한 이유로 내시경배액술과 비교해 일차적으로 PTBD를 시행하는 것에 대해서는 찬성하지 않는다. 향후 대규모의 전향적 비교연구가 필요하지만 경험있는 내시경의사에 의해 시행되는 경우 내시경배액술은 기술적 성공률뿐 아니라 합병증 면에서도 큰 차이가 없어 일반적으로는 내시경 배액술이 선호되며 이는 환자측면에서도 PTBD가 갖는 불편함과 합병증으로 인해 선호되지 않고 있다.

4. 경피경간 담관배액술과 내시경 담관배액술의 선택

원위부 담도 폐쇄와 달리 수술적 절제가 불가능하거나 어려운 Bismuth Type III 이상의 진행성 고위부 간문부 폐쇄에서 일차적인 배액 방법으로 PTBD와 ERCP 중 어느 것을 먼저 우선적으로 시행할 것인가에 대해서는 이전부터 논란이 있었다. 2018년 European Society of Gastrointestinal Endoscopy (ESGE) 가이드라인이나 2013년 Asian–Pacific consensus에서는 가능한 먼저 PTBD를 권고하고 있다. 메타분석 연구에서도 PTBD가 기술적 성공률의 우위를 보이면서 기타 합병증이나 사망률 등에서도 차이가 없음을 보여주었다. 그러나 최근의 내시경에 기반한 연구 결과들을 보면 합병증이나 성공률에서 우위를 평가하기가 쉽지 않고 숙련된 내시경 의사에서 ERCP의 기술적 성공률은 PTBD와 다르지 않고 합병증은 오히려 낮은 경향을 보인다. PTBD 관련 연구 결과들은 ERCP가 보편적으로 진행되기 이전의 결과들이 많고 전향적 비교연구가 매우 제한되어 현재 직접적인 효과를 비교하기는 매우 어렵다. 2021년 ASGE 가이드라인에서는 PTBD나 ERCP를 권고함에 있어 환자의 선호도, 질환의 특징, 숙련된 내시경 전문가 상황에 비추어 결정할 것을 권고하고 있다. 현재 국내 대부분의 상급 병원에서는 내시경 배액술이 일차적으로 많이 시행되고 있다.

전통적으로 PTBD는 비교적 안전하고 정형화된 방법으로 높은 성공률을 보여주지만 가장 큰 단점은 배액관을 외부로 유치함에 따른 환자의 불편감, 통증 및 잦은 배액관 이탈로 인한 연관 합병증이며, 삶의 질 측면에서도 장기간 외부로 관을 유치하는 것은 매우 불편하다. 두 번째, 담즙의 강제적인 외부 배액은 생리적인 관점에서도 좋지 않다. 세 번째, 간내담도가 충분히 확장되어 있지 않거나 다발성 간내전이 및 종괴가 산재한 경우, 다량의 복수, 혈액응고장애 등이 있는 경우 접근이 어렵다. 또한 다발성 배액을 위해서는 여러 곳에 천자를 해야 할 수 있고 담도내로 스텐트 삽입을 위해서는 일정 간격을 두고 two–steps으로 시행하는 경우가 많아 역시 환자에 불편을 가중시킬 수 있다. 내시경 배액술은 숙련된 전문가에 의해 시행되는 경우 이러한 PTBD의 단점을 충분히 상쇄한다. 그러나 환자가 내시경을 시행받을 수 있는 상태가 되지 못하거나 수술적 변형으로 내시경적 접근이 어려운 경우, 내시경배액 후에도 충분한 배액이 이루어지지 않는 경우 추가로 PTBD를 시행하거나 대신할 수 있다.

결론적으로 PTBD와 ERCP는 숙련된 내시경의사나 영상의학과 의사에 따라 혹은 의료기관 여건에 따라 일차적인 선호도가 다를 수 있고 두 시술 중 한 가지만 우선적으로 선택해야 하는 경쟁적인 관계라기보다는 보완적인 관계로 질환의 난이도, 시술자 경험도, 환자 상태에 따라 상호 보완적으로 시행되는 것이 바람직하다. 또한 최근에는 초음파내시경(endoscopic ultrasonography, EUS)의 술기 발전에 따라 ERCP가 실패한 경우 PTBD를 대체하는 방법으로도 사용되고 있어 제한적이지만 EUS를 이용한 배액술도 점차 증가하고 있다. 따라서 보편적으로는 ERCP를 이용한 내시경 배액술이 먼저 고려되나 각 시술의 장단점과 시술 여건, 경험도에 따라 최선의 방법을 선택하는 것이 필요하다. 각 시술의 장단점은 표 22-1에 요약하였다.

표 22-1. Comparision of PTBD, ERCP, and EUS for the palliative drainage of advanced MHO

	PTBD	ERCP	EUS
Pros	Well-tailored method Higher technical and clinical success as a primary or rescue technique Possible selective lobar selection	Well-establised method Primary clinical and long-term data available Comfortable for the patients	Accessible in altered anatomy or failed ERCP One-step procedure in ERCP room
Cons	Impaired quality of life Relatively high adverse events; frequent catheter displacement, possibility of track seeding	Complexity in high-grade strictures Difficult revision in multiple metal stents	Limited data No definite tailored methods and accessories Performed in specialized centers

PTBD, percutaneous transhepatic biliary drainage; ERCP, endoscopic retrograde cholangiopancreatography; EUS, endoscopic ultrasonography

5. 어떤 종류의 스텐트를 삽입할 것인가?

1) 플라스틱 스텐트(Plastic Stent)

ERCP를 이용한 내시경 배액 시 플라스틱이나 자가팽창성 금속 스텐트(self-expandable metal stent, SEMS)가 사용된다. 플라스틱 배액관은 비용이 저렴하고 삽입하기가 쉬울 뿐 아니라 스텐트 폐쇄 시 쉽게 교체할 수 있고 추가 삽입도 용이하다(그림 22-2). 또한 MHO처럼 대부분 간외담도가 늘어나 있지 않은 상태에서 정상 담관의 내경을 인위적으로 확장시켜 발생가능한 합병증이 적다는 장점이 있다. 특히 기대여명이 길어질수록 금속이든 플라스틱이든 폐쇄가 불가피하고 이런 경우 금속 스텐트 삽입 후 폐쇄 시 재관류시키는 것보다 플라스틱 스텐트를 교체하거나 정기적으로 교체하는 것이 기술적으로 좀더 편리할 수 있다.

그러나 플라스틱 스텐트는 구경이 상대적으로 작아 장기간 개존율을 유지하기는 어렵다. 또한 상대적으로 매우 긴 길이(최소 10-12 cm 이상)의 스텐트를 간내 담도에서 십이지장 유두부에 걸쳐 삽입해야 하므로 십이지장 내용물의 역류 등에 의한 바이오필름(biofilm) 형성으로 스텐트 폐쇄나 스텐트 원위부가 막히기 쉽고 자연적 이탈 가능성도 증가할 수 있다. 스텐트 직경에 따른 차이를 보면 담도 원위부 협착에서 10 Fr나 11.5 Fr 플라스틱 스텐트의 개존율은 5-8.5 Fr 스텐트보다 길었으나 10 Fr와 11.5 Fr 간에 차이는 없었고 스텐트의 재질이나 모양에 따른 차이는 없었다. 그러나 고위부 MHO에서 플라스틱 스텐트라 하더라도 10 Fr 이상의 스텐트를 2개 이상 삽입하는 것은 협착이 심할수록 매우 어렵고 구경이 클수록 강한 axial force로 인해 스텐트 이탈 및 이로 인한 장 천공

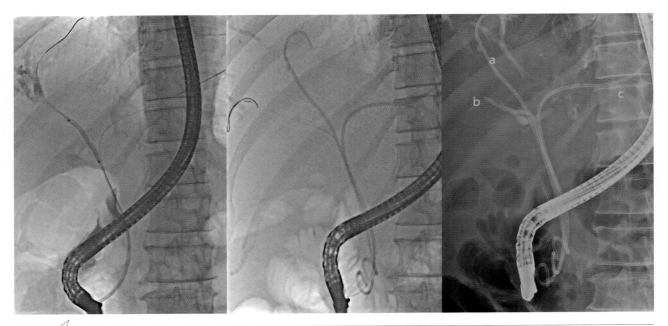

그림 22-2. Multiple insertion of double-pigtail type plastic stents to right anterior (a) and posterior duct (b), and left duct (c) in MHO

과 같은 합병증 위험도 높아질 수 있다. 이러한 이유로 MHO에서 10 Fr 이상의 플라스틱 스텐트는 잘 사용되지 않으며 일반적으로 7 Fr 직경의 straight 혹은 double-pigtail 형태의 스텐트가 주로 사용된다.

2) 자가팽창성 금속 스텐트(Self-expandable Metal Stent, SEMS)

플라스틱 스텐트의 삽입이 일반적으로 쉽다고는 하지만 SEMS는 담도 삽입 시 delivery catheter를 통해 삽입하게 되므로 심한 협착 통과 시 플라스틱 스텐트를 단순히 밀어서 삽입하는 것 보다 기술적으로 오히려 더 쉽다. 또한 이론적으로 간내 분지하는 담도 세관들을 막지 않아 배액에 유리하고 플라스틱 스텐트 보다 큰 구경으로 인한 스텐트 개존율을 증가시켜 재시술의 빈도를 줄일 수 있어 비용대비 효과적이다. 따라서 수술적 절제가 불가능하거나 기대여명이 짧아 반복적인 시술을 최소화하기 위한 경우 혹은 반대로 기대여명이 3개월 이상으로 장기간 스텐트 개존을 목적으로 일차적인 내시경 배액시 금속 스텐트의 사용이 늘고 있다.

SEMS의 재질은 주로 stainless steel이나 nitinol로 이루어지고 구조적으로 closed-cell type (Wallstent, Boston Scientific Co., Natick, MA, USA; Niti-S, Taewoong Medical Inc., Seoul, Korea; Hanarostent, M.I. Tech Co., Seoul, Korea; Bonastent, Standard SciTech Inc., Seoul, Korea)과 open-cell type (Zilver stent, Wilson-Cook Medical Inc.; Winston-Salem, NC, USA; JOSTENT SelfX stent, Abbott Vascular Devices, Redwood City, Calif., USA; Niti-S Y-type, Taewoong Medical Inc., Seoul, Korea)으로 나눌 수 있다. Open-cell은 wire mesh가 넓어 풍선확장기나 카테터 등에 위해 쉽게 벌어지고 스텐트 내로 통과가 수월해 Y자 형태로 양측 스텐트(Stent-in-Stent, SIS)를 거치하거나 스텐트 폐쇄 시 재시술에 용이할 수 있다. 그러나 이러한 구조로 인해 스텐트 중앙부의 radial force가 떨어지거나 tumor ingrowth에 취약할 수 있다는 단점이 있다. Closed-cell은 반대로 좀 더 강한 radial force로 개존율을 증가시킬 수 있으나 구조적으로 폐쇄 시 재관류 시술이 어려울 수 있다. 이런 스텐트 구조는 Stent-by-Stent (SBS) 형태의 삽입에 더 적절하다. Small closed-cell 혼합 형태

로 스텐트의 중앙 부분만 cross-wired type으로 되어 두 번째 스텐트 삽입(SIS 방법)에 유용하게 고안된 스텐트 (M-Hilar stent, Standard SciTech, Inc.)도 사용된다. 그러나 현재까지 이러한 스텐트의 구조적 차이에 따른 우월성을 입증한 연구 결과는 없다. 디자인이나 구조는 제품마다 조금씩 다르나 양측성 금속 스텐트 삽입의 기술적 성공률은 방법에 상관없이 73.3-100%로 보고된다. 기술적 성공률은 양측성으로 삽입시 일반적으로 플라스틱 스텐트에 비해 떨어지고 삽입 후 내시경적 제거가 불가능하나 스텐트 개존율이 높아 재시술 빈도가 떨어지므로 비용대비 효과적이어서 현재는 수술적 절제가 불가능한 MHO에서 금속 스텐트는 플라스틱 스텐트보다 우위를 점하고 있다. 2013년 Asia-Pacific consensus와 2018년 ESGE 가이드라인에서도 기대여명이 3개월 이상 예상되는 Bismuth II-IV 간문부암에서 금속 스텐트의 사용을 권고하고 있다. 2021년 ASGE 가이드라인에서는 수술적 절제가 불가능한 간문부암에서 기대여명이 3개월 이내이거나 반복적인 시술을 최소화하기 위한 경우 금속 스텐트를 권고하고 있다.

스텐트의 삽입위치는 유두부를 통과해 십이지장내까지 위치하는 방법과 담도내 거치하는 방법이 있다. 협착부를 통과해 십이지장 내로 위치하는 경우 스텐트 폐쇄 시 재시술이 용이한 장점이 있으나 십이지장 내용물의 역류로 이로 인한 바이오필름, 슬러지 및 담석 형성, 담관염 등의 가능성이 높아질 수 있다. 담도 내에 거치하는 경우 이러한 가능성은 이론적으로 줄어들지만 실제 임상적으로 이러한 차이가 있는지 여부는 명확하지 않다. 원위부 폐쇄암에서 10 Fr Teflon stent를 이용한 스텐트 위치에 따른 임상 결과의 차이는 없었다. 간문부암에서 양측성 (SBS방법) 금속 스텐트 삽입 시 유두부 위에 거치하는 방법과 유두부 통과해 십이지장내로 거치하는 방법을 비교한 연구에서는 기술적 성공률이나 스텐트 개존 기간에 차이는 없으나 췌장염 등 합병증 발생이 유두부를 통과해 위치한 경우가 좀더 높았다. 따라서 스텐트의 삽입위치에 따른 장단점을 볼 때 이론적으로나 생리학적으로 담도내에 위치하는 것이 유리할 것으로 생각되나 장기 생존 및 스텐트 폐쇄로 인한 이차 시술을 고려할 때 유두부를 통과해 위치하는 것이 시술면에서는 좀 더 유리하겠다.

결론적으로 플라스틱 스텐트와 금속 스텐트는 각각 시술상의 장단점을 갖고 있어 고위부 협착의 정도, 시술자의 숙련도 및 환자 상태(기대여명 등)를 고려해야 하고, 추후 항암치료나 국소치료 등의 병행여부 및 이후 치료 결과에 따른 수술적 치료 가능성 등을 고려해야한다. 수술적 절제가 불가능하거나 기대여명이 길지 않아 반복적인 재시술을 최소화하기 위한 경우 혹은 기대여명이 3개월 이상으로 장기간 스텐트 개존을 목적으로 하는 경우 금속 스텐트가 유리하겠고, 수술적 절제 여부가 불분명하거나 항암치료 후 재평가가 필요한 경우 혹은 반복적인 국소적 치료를 계획한다면 플라스틱 스텐트를 삽입 후 정기적으로 교체하거나 이후 금속 스텐트로 교체하는 전략이 필요하다.

3) 피막형 금속 스텐트(Covered SEMS)

피막형 금속 스텐트는 일반적으로 고위부 간문부 폐쇄에서 일차적 사용은 추천되지 않았다. 피막으로 인한 주변 미세담관의 폐쇄로 담관염, 간농양 등의 합병증 가능성이 높고, 양쪽으로 삽입 시 상대적으로 내부 구경이 작아지고 바이오필름 형성에 의한 폐쇄 및 합병증 가능성이 높기 때문이다. 그러나 최근 MHO에서 부분 피막형 스텐트를 이용한 기술적 삽입의 안전성 및 효과가 보고되면서 이에 대한 연구들이 진행되고 있다. 부분 피막형 스텐트를 이용해 17명의 환자를 대상으로 한 SBS 삽입 연구에서 기술적 성공률 100%, 임상적 성공률은 82%였다. 스텐트 폐쇄까지 평균기간은 79일로 76%에서 재시술이 필요했다. 기술적, 임상적 유용성은 기존의 비피막형 스텐트에서의 결과와 유사했고 스텐트 개존율이 상대적으로 짧았으나 스텐트 교체가 용이해 재시술이 용이하다는 장점이 있다. 또한, 일부 증례 보고에서는 간암에 의한 담도 폐쇄 및 출혈 시 피막형 스텐트를 이용함으로써 지혈 효과와 함께 담관배액을 효과적으로 수행할 수 있다는 결과를 보여주어 상황에 따른 선택적 사용을 고려해 볼 수 있겠다. 그러나 아직까지 MHO에서 일차적으로 피막형 금속 스텐트 삽입은 정립되지 않았고, 특히 고위부 폐쇄에서 안전성과 효과에 대한 전향적 비교연구가 필요하다. 간문부 폐쇄 위치 및 스텐트 구경, 종류에 따른 다각적인 접근이 요구된다.

6. 스텐트 삽입 방법

1) 양측성(다발성) 혹은 단측성 담관배액

수술적 절제가 어려운 MHO에서 어느 정도 배액을 할지, 즉 좌우측 간내담도를 모두 배액할지 한쪽만 배액해도 충분한지에 대한 연구 결과들은 일관적이진 않으나 생리적인 관점에서 가능한 최대한의 배액을 해주는 것이 유리함에는 이견이 없다. 2013년 Asian–Pacific consensus에서는 Bismuth II 이상의 고위부 협착 시 단측 배액으로 간 용적의 50% 이상 배액 가능하다면 단측성 스텐트 삽입을, 그렇지 않다면 다발성 배액을 권고하고 있다. 그러나 임상적으로 고위부 협착에서 배액 가능한 양을 정확히 측정하기란 쉽지 않고 생리적으로 가능한 많은 양의 배액을 위해서는 최대한 많은 곳을 배액해 주는 것이 유리하다. 따라서 Bismuth type I에서는 단측성 배액으로 충분하나 type II 이상의 형태에서는 가능한 양측 혹은 다발성 배액이 유리하다. 담관배액의 정도는 일반적으로 협착의 위치나 협착 진행 정도, 담관염 여부, 간실질 위축 정도나 종양 위치 등을 고려해 시행된다. 좌우측 어느 쪽을 배액하던 성공률이나 합병증, 생존율 등에서 밝혀진 차이는 없었다. 그러나 간용적의 50% 이상 배액하는 경우 그렇지 않은 군에 비해 생존율의 증가와 연관 있다고 보고된 바 있다. 2021년 ASGE 가이드라인에서도 단측배액 보다는 양측성 배액을 권고하고 있다.

(1) 단측성 배액(Unilateral drainage): De Palma 등은 수술적 절제가 불가능한 MHO에서 단측성 금속 스텐트 배액만으로도 충분해 안전하고 효과적인 배액 방법이라 제시하였다. 양측성 스텐트와 비교해 기술적 성공률이 높았고(88.6% vs. 76.9%; p=0.041) 합병증 발생 빈도도 낮았다(18.9% vs. 26.9%; p=0.026). Iwano 등은 단측성 스텐트 삽입군에서 간농양 등의 합병증 빈도가 낮고 스텐트 개존율 및 다른 합병증에서도 별다른 차이가 없다고 하였다. 이처럼 초기 연구들은 양측성 스텐트 삽입의 기술적 성공률이 떨어지고 스텐트 개존율에서 유의한 이점을 보여주지 못하였고, 따라서 양측성 스텐트 삽입을 일반적으로 시행하는 것을 권고하지 않았다. 또한 검사 도중 조영제 주입 후 담도 스텐트 삽입이 실패할 경우 담관염, 간농양과 같은 합병증 발생의 위험이 높고 기술적 성공률도 높지 않아 원위부 폐쇄에 비해 합병증 발생 위험이 높아 생존율에도 위험인자로 작용할 수 있다고 지적한다.

(2) 양측성 배액(Bilateral drainage): Chang 등은 양측성 담관배액 환자의 생존율이 단측성 배액 그룹보다 유의하게 높음을 처음으로 보고하였고, Naitoh 등은 스텐트 개존율이 양측성 그룹에서 더 높음을 보고하였다. 2013년 Asia–Pacific consensus에서는 예상 생존 기간이 3개월 이상 기대 시 금속 스텐트 삽입을 추천하고 단측이든 양측이든 간용적의 50% 이상을 배액할 것을 권고하고 있다. Bismuth II 이상의 고위부 협착시 단측으로 간용적의 50% 이상을 배액하기 어렵다면 양측성 스텐트 삽입을 추천한다. Lee 등은 대규모의 다기관 연구에서 수술적 절제가 어려운 진행성 MHO 환자의 양측성 SEMS 삽입은 단측성 보다 개존율이 유의하게 증가함을 보여주었고 합병증 면에서도 단측성과 비교해 차이가 없어 수술적 절제가 불가능하거나 어려운 환자

에서 양측성 SEMS 삽입이 단측 삽입 보다 우수함을 보여주었다. 메타분석 연구에서는 플라스틱 스텐트를 이용한 단측이나 양측성 배액방법에 따른 기술적 성공률이나 합병증에는 차이가 없었으나, 금속 스텐트를 이용한 배액에서는 기술적 성공률이나 합병증에서 차이가 없다는 결과도 있고, 금속 스텐트의 양측성 배액이 기술적 성공률이 낮다는 결과도 있다.

동일한 이론적 배경에서 생존기간 동안 합병증 빈도를 줄이고 스텐트 개존 기간을 연장하고자 최대한의 간용적 배액을 위해 금속 스텐트를 이용한 triple stenting 결과도 보고되었다. SIS나 SBS 방법 모두 동일한 방법으로 가능하고 연구 결과들이 단일 방법 연구로 숫자 역시 제한적이나 Kawamoto 등은 기술적 성공률 100% 및 시술 후 폐쇄율 33–37%로 보고하였다. 또한 Lee 등은 triple stenting이 기술적으로 양측성 스텐트가 성공적으로 삽입된 환자군에서 기능적으로 조기 폐쇄 시 스텐트 재관류의 목적으로도 유용함을 보고한 바 있다. 따라서 3개 이상의 SEMS를 이용한 triple stenting은 right anterior bile duct, right posterior bile duct, left bile duct 모두를 효과적으로 배액할 수 있는 방법으로 활용해 볼 수 있다.

최근에는 MRI/MRCP나 3D 영상 CT 등을 이용해 내시경 시술 전에 배액을 해야 할 정확한 위치를 선정하는 데 유리해졌고, 불필요한 조영제 주입이나 반복 시술을 최소화 함으로써 담관염 과 같은 시술 후 합병증을 최소화 할 수 있다. 또한 다양한 금속 스텐트와 부속기구(accessory)의 개발로 기술적 어려움을 극복해 나가고 있어 기술적 성공률이 점차 증가하고 있다. 여전히 양측성 배액이 꼭 필요한가에 대한 논란은 있으나 간용적의 50% 이상 배액을 위해서는 기능적이고 이상적인 선택이 될 수 있고 양쪽 간내담관염이 발생하거나 의심되는 경우 패혈증의 위험을 줄이고 효과적인 배액을 할 수 있다.

따라서 현재까지의 가이드라인이나 메타분석 등 연구 결과를 종합하면 양측성 배액의 기술적인 성공률은 단측성보다 낮을 수 있으나 기능적 배액 성공률, 장기 스텐트 개존율, 생존율 면에서 우월성을 보여주고 있고 합병증에서는 큰 차이가 없었다. 기술적인 성공률의 차이는 숙련된 내시경의사에 의해 시행되는 경우 그 차이는 미미할 것으로 판단되며 고위부 협착일수록 가능한 최대한의 간 용적 배액을 위해서는 플라스틱이든 금속 스텐트이든 상관없이 가능한 다발성 스텐트 삽입이 추천된다.

2) 양측 금속 스텐트 삽입 방법: Stent-in-Stent와 Stent-by-Stent (Side-by-Side)

양측 혹은 다발성으로 SEMS를 삽입하는 방법은 두개의 스텐트를 나란히 삽입하는 방법(SBS deployment)과 스텐트 내로 두 번째 스텐트를 통과해 Y자 형태로 만드는 방법(SIS deployment)이 있다. 양측성 SEMS 삽입의 기술적 성공률은 73.3–100%로 다양하게 보고하나 최근의 연구 결과들은 대부분 90% 이상의 높은 기술적 성공률을 보여주고 있다(표 22-2).

(1) Bilateral Stent-by-Stent (SBS) deployment: 양측성 SBS 삽입은 유도철사(guidewire)를 양측 간내 담도로 삽입 후 순차적으로 SEMS를 삽입하는 방법(그림 22-3)으로 일반적으로 SIS 삽입 보다 기술적으로 수월하다고 알려져있다. 그러나 첫 번째 스텐트 삽입 후 두번째 스텐트 삽입 시 확장된 첫 번째 스텐트로 인해 삽입이 어려운 경우가 발생할 수 있고 대부분 MHO에서 총담관은 늘어나 있지 않은 경우가 많아 8–10 mm 직경의 스텐트 2개 이상을 나란히 삽입 시 정상적인 담관을 과도하게 확장시켜 주변 구조물을 압박할 수 있다. 보다 작은 6 mm 직경의 스텐트 사용 시 이러한 단점을 극복할 수 있으나 구경 감소에 따른 개존율 감소가 발생할 수 있다. Chennat과 Waxman은 동시에 SBS로 삽입 가능한 6 Fr delivery system을 이용한 결과를 보여주었는

표 22-2. **Studies that have analyzed bilateral metallic stenting for advanced MHO**

% (No.)	Bilateral method	Type of stent	Technical success	Clinical success	Revision rate	Stent patency°	Survival°
Lee et al.	SIS	Niti-S	80 (8/10)	100 (8/8)	25 (2/8), 50 (1/2)*	217	N/A
Park et al.	SIS	Bona M-Hilar	94.3 (33/35)	100 (33/33)	6 (2/33)	150	180
Kim et al.	SIS	Niti-S, Zilver	85.3 (29/34)	100 (29/29)	31 (9/29), 44.4 (4/9)*	186	239
Chahal et al.	SIS	Wallstent, Zilver, Flexxus	100 (21/21)	N/A	38 (8/21) 100 (8/8)*	189	N/A
Kawamoto et al.	SIS	JOSTENT SelfX	100 (9/9)	100	33 (3/9)	7.1 m, mean	7.5 m, mean
Hwang et al.	SIS	Y-type Niti-S	86.7 (26/30)	100 (26/26)	30.8 (24/78)	140	176
Lee et al.	SIS	Bona M-Hilar	95.2 (80/84)	92.9 (78/84)	30.8 (24/78)	238	256
Dumas et al.	SBS	Wallstent	73.3 (33/45)	100 (33/33)	3 (1/33)	N/A	N/A
Cheng et al.	SBS	Wallstent	97 (35/36, bilateral 9)	N/A	31 (11/35)	169	147
Chennat et al.	SBS	Zilver	100 (16/16, bilateral 10)	75 (11/16)	25 (4/16), 25 (1/4)*	130	N/A
Lee et al.	SBS	Bona M-Hilar	90.9 (40/44)	97.5 (39/40)	45 (18/40), 92.3 (12/13)*	157	180

*Success rate of endoscopic revision
°day, median
SIS, stent-in-stent; SBS, stent-by-stent; N/A, not available

데 기술적 성공률은 우수하나 스텐트 개존 기간이 130일로 상대적으로 짧았다. 이는 상대적으로 작은 스텐트 직경 때문인 것으로 판단된다. 스텐트의 원위부 위치는 가능한 동일한 선상에 위치시키는데 유두부 밖으로 위치하는 경우 스텐트 폐쇄 시 재시술에 용이하다는 장점이 있으나 십이지장 내용물의 역류 및 잦은 clogging 등으로 담관염이나 조기 폐쇄가 발생할 수 있고 췌장염의 발생 빈도가 높다고 보고된 바 있다.

(2) Bilateral Stent-in-Stent (SIS) deployment: 양측성 SIS 삽입은 좌 또는 우측 간내담관에 SEMS를 삽입 후 1차로 삽입된 스텐트의 중앙부 wire mesh 사이로 유도철사를 통과시켜 두 번째 스텐트를 삽입하는 방법으로 Y자 형태를 이루게 된다(그림 22-4). 따라서 구조적으로 이상적인 담도 형태로 스텐트 삽입이 가능하다. 그러나 고위부 협착일수록 반대편 방향으로 유도철사 통과 및 스텐트 삽입 시 기술적인 숙련도가 요구되고 스텐트 폐쇄 시 재시술이 SBS에 비해 어렵다. 심한 협착으로 반대편으로 스텐트 삽입이 어려운 경우 부지(bougie dilator)나 풍선 확장기를 이용해 확장 후 스텐트를 삽입하거나 1-2일 후 일차 삽입된 스텐트가 확장 후 시행 시 두 번째 스텐트 삽입 성공률을 높일 수 있다.

SIS형태의 스텐트 삽입 시 large open-cell wire mesh를 갖는 스텐트는 두 번째 스텐트 삽입이 좀 더 쉬울 수 있으나 radial force 감소와 tumor ingrowth에 취약할 수 있다. Small closed-cell type은 기술적인 성공률이 large open-cell에 비해 떨어질 수 있으나 large cell이 갖는 단점을 최소화할 수 있다. 중간형태로 cross-wired

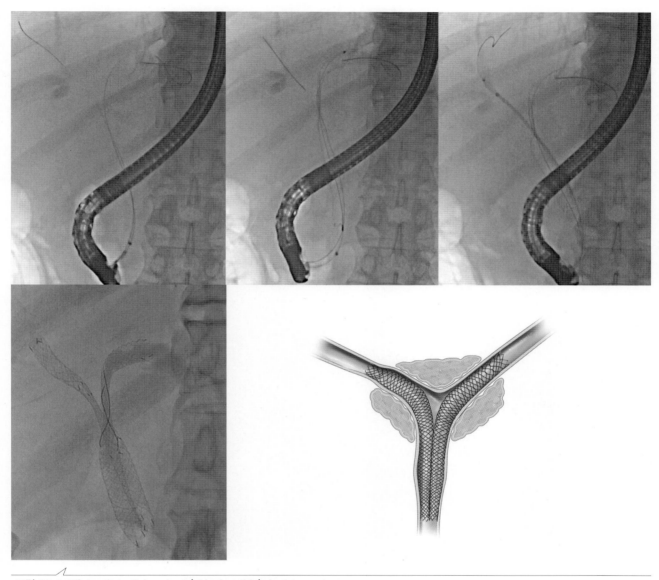

그림 22-3. Bilateral stent-by-stent (side-by-side) deployment

type의 스텐트는 스텐트의 중간 부분만 cross wire 형태로 두 번째 스텐트 삽입이 좀 더 쉽게 고안된 형태이다. 스텐트 종류나 구조에 따라 SIS 방법의 기술적 우위성이 입증된 바는 없지만 다양한 스텐트의 개발로 기술적 성공률은 점차 높아지고 있다. 스텐트 폐쇄나 합병증시 재시술에 대한 기술적 성공률은 매우 다양해 44.4–100%에 이른다. 일차적 삽입과 달리 폐쇄 시 내시경을 이용한 이차 시술은 PTBD에 비해 성공률이 떨어지고 어렵다고 알려져 있으나 짧은 생존기간으로 장기간 추적 관찰된 연구 결과가 제한적이다.

　　Naitoh 등은 SBS나 SIS에서 기술적 성공률은 차이가 없었으나(SBS 89% vs. SIS 100%), 합병증 빈도는 SBS에서 좀더 높았다고 하였다(44% vs. 13%; p=0.016). 그러나 누적 스텐트 개존율은 SBS가 더 우수한 결과를 보여주어 합병증과는 상반된 결과를 보여주었다. 국내에서 발표된 다기관 연구에서는 두 방법간의 기술적 성공률이나 합병증, 개존율에 차이는 없었고(표 22-3), 최근 메타분석 연구에서는 시술 후 합병증이나 스텐트 개존율, 생존율

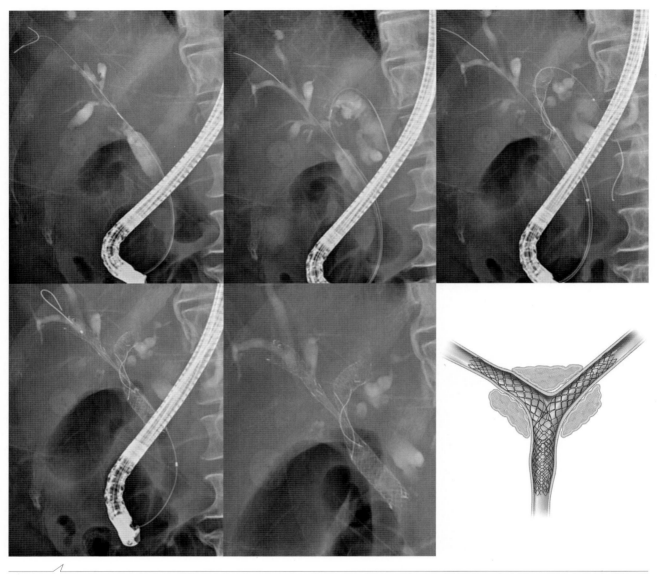

그림 22–4. **Bilateral stent–in–stent deployment**

등에서 차이는 없었으나 일반적인 예상과는 다르게 기술적 성공률이 SIS가 더 높았다. 이는 기존의 이론과는 배치되는 결과이지만 메타분석에 포함된 연구가 매우 제한적이고 숙련된 내시경의사에 의해 시행된 결과로 판단된다.

    결론적으로 양측성 SEMS 시술 방법의 선택에 있어 아직까지는 어느 것이 더 우월하다 판단하기 어렵지만 각 시술의 장단점이 있어 고위부 협착정도, 담관 확장유무 및 시술자의 선호도나 경험에 따라 결정되고 있다. 그러나 양측성 SEMS는 시술방법과 상관없이 장기 스텐트 개존율에서의 장점은 분명하다. 일부 기술적 어려움, 특히 스텐트 폐쇄 시에 재시술의 성공률이 상대적으로 높지 않아 향후 스텐트 폐쇄 시 재시술 및 추가 치료 계획에 따른 삽입 방법의 선택을 고려해야 한다.

표 22-3. Comparative studies for endoscopic SIS versus SBS deployment for advanced MHO

% (No.)	Design	Stent, No.	Technical success	Clinical success	Early adverse events	Late adverse events	Total adverse events	Occlusion rate	Stent patency, day*	Survival, day*
Naitoh et al.	Retrospective	SIS, 24	100 (24)	100 (24/24)	4 (1/24)	8 (2/24)	13 (3/24)	42 (10/24)	104	159
		SBS, 28	89 (25)	96 (24/25)	11 (3/28)	32 (8/25)	44 (11/25)	20 (5/25)	155	198
		p-value	0.148	0.51	0.366	0.074	0.016	0.091	0.388	0.952
Kim et al.	Retrospective	SIS, 22	100 (22)	81.8 (18)	22.7 (5/22)	50 (11/22)	72.7 (16/22)	59.1 (13/22)	134	225
		SBS, 19	100 (19)	78.9 (15)	31.6 (6/19)	36.8 (7/19)	68.4 (13/19)	47.4 (9/19)	118	146
		p-value	NS	1	0.725	0.531		0.538	0.074	0.266
Law et al.	Retrospective	SIS, 7	100 (7)	N/A	Total 4/0		Total 4/0	42.9 (3/7)	Total 86	N/A
		SBS, 17	100 (17)					52.9 (9/17)		
		p-value	NS					0.31		
Lee et al.	Randomized study	SIS, 34	100 (34)	94.1 (32/34)	11.8 (4/34)	17.6 (6/34)	23.5 (8/34)	44.1 (15/34)	253	209
		SBS, 35	91.4 (32)	90.6 (29/32)	11.4 (4/35)	22.9 (8/35)	28.6 (10/35)	34.3 (12/35)	262	221
		p-value	0.081	0.668	0.965	0.591	0.633	0.403	0.865	0.197
Ishigaki et al.	Retrospective	SIS, 40	100 (40)	93 (37)	23 (9)	10 (4)	32.5 (13)	48 (19)	169	238
		SBS, 24	96 (23)	96 (23)	46 (11)	12 (3)	58.3 (14)	43 (11)	205	381
		p-value	0.99	0.99	0.09	0.99	N/A	0.99	0.67	0.07

*Median
SIS, stent-in-stent; SBS, stent-by-stent; N/A, not available; NS, not significant; SD, standard deviation

7. 초음파내시경을 이용한 배액술(Endoscopic Ultrasound-guided Biliary Drainage, EUS-BD)

초음파내시경의 개발과 최근 다양한 악세서리, 스텐트 개발 및 술기의 진보로 다양한 중재적 시술이 이루어지고 있다. MHO에서는 EUS-BD가 일차적인 목적의 배액 시술보다는 해부학적 변이로 ERCP를 이용한 접근이 어렵거나 일차적인 ERCP가 실패한 경우 또는 경유두적 시술로 재시술이 실패한 경우 전통적으로 시행해오던 PTBD를 대신해 시행되고 있다. 금기는 일반적으로 PTBD와 유사해 조절되지 않은 혈액응고 질환이 있거나 다량의 복수, 환자가 내시경시술을 받을 수 없는 상태인 경우가 해당한다. 기본적인 시술 방법은 좌측 간내담관을 위를 통해 배액

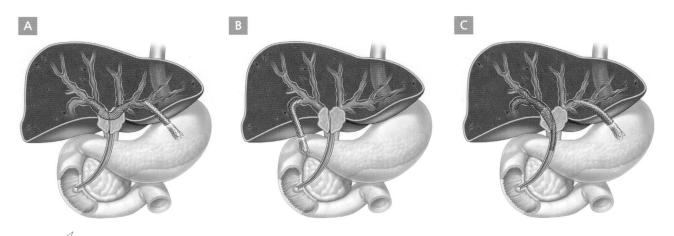

그림 22-5. Techniques of EUS-BD. (A) Bridging method, (B) EUS-guided HDS, and (C) Combined EUS-guided HGS and transpapillary stenting

하는 EUS-guided hepaticogastrostomy (EUS-HGS) 외에도 십이지장에서 우측 간내담관으로 배액하는 EUS-guided hepaticoduodenostomy (EUS-HDS)와 bridging methods로 좌우간내담관을 연결 후 HGS를 시행하는 방법이 있다. 또한 ERCP와 병행해서 경유두배액과 EUS-HGS를 병용해 시행할 수 있는데 이는 한 가지 방법으로 충분한 배액이 어려운 경우 및 반대편 배액이 ERCP로 불가능하거나 실패한 경우 유용할 수 있다(그림 22-5).

그러나 현재까지 보고된 연구결과들의 높은 시술 성공률과 낮은 합병증은 특정 상급병원 및 숙련된 내시경의사에 의해서 시행된 결과로서 시술의 난이도와 합병증을 고려할 때 MHO에서 EUS-BD를 ERCP 정도로 일반화하기 위해서는 향후 보다 많은 경험과 연구 결과가 필요하다. 특히 원위부 담도암에서의 연구결과와 비교해 고위부 MHO에서의 연구결과는 더욱 제한적이며 보다 정형화된 시술 방법 및 기구가 더 개발되어야 한다.

8. 스텐트 폐쇄 시 재시술(Stent Revision)

MHO에서 성공적인 스텐트 배액술 시행 후 종양의 진행 및 스텐트 연관된 합병증으로 인한 스텐트 기능장애 및 폐쇄는 3-45%로 보고되고 있으나 실제 생존기간이 길어질수록 피할 수 없다. 따라서 재발성 담도 폐쇄 시 이에 대한 재시술이 필요하다. 시술 방법은 일차적 시술과 마찬가지로 ERCP를 이용한 방법이 기본적으로 사용되고 ERCP로 시술이 어렵거나 실패한 경우 PTBD, EUS-BD를 시도해 볼 수 있다. 환자가 패혈성 쇼크 상태이거나 내시경을 할 수 없는 상황이라면 PTBD를 우선적으로 고려해야 한다.

일차적으로 플라스틱 스텐트를 삽입한 경우에는 제거 후 동일한 방법으로 교체할 수 있다. 이때 동일한 플라스틱 스텐트로 교체할지 금속 스텐트로 교체할지 여부는 향후 수술적 치료 가능성 및 항암치료, 국소적 치료와 같은 다음 치료 계획이나 기대여명을 고려해 결정해야 한다. 처음부터 금속 스텐트를 삽입했던 경우에는 금속 스텐트 내로 플라스틱 스텐트를 삽입하거나 금속 스텐트를 동일한 방법으로 재삽입 할 수 있다. 플라스틱 스텐트 보다는 금속 스텐트를 재삽입하는 경우가 역시 일차적 방법과 마찬가지로 어렵고 특히 SIS 형태로 삽입된 경우 SBS 보다 더 어렵다. 마찬가지로 단측보다 양측 모두 배액이 이상적이나 역시 기술적으로 좀더 어렵다. 기존에 삽입된

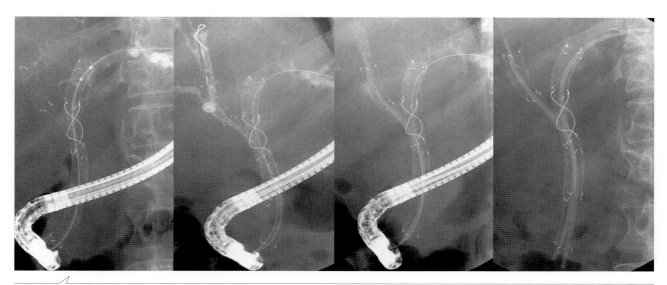

그림 22-6A. Bilateral revision of bilateral SIS with plastic stents

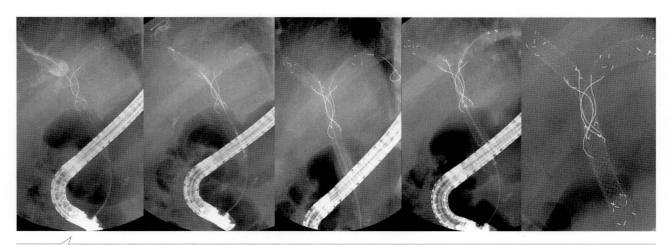

그림 22-6B. Bilateral SIS revision of primary bilateral SIS placement with same metal stents

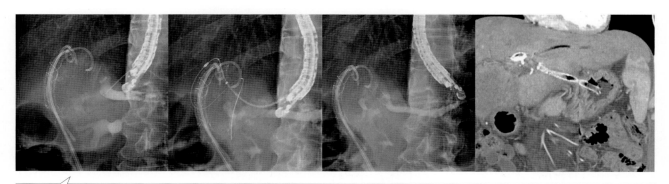

그림 22-6C. EUS-HGS as a revision of non-functional primary metal and plastic stents

스텐트가 있는 담관이 아닌 다른 가지의 담관을 배액하는 것도 재시술의 방법으로 SIS의 경우 두 스텐트 사이로 다른 담관을 선택적으로 배액할 수 있고 EUS–HGS, –HDS 등도 사용해 볼 수 있다(그림 22-6).

그러나 재관류 방법이나 스텐트에 따른 우위성을 뚜렷하게 입증한 연구 결과는 아직 없다. 담도 폐쇄에서 금속 스텐트 삽입 후 플라스틱과 금속 스텐트 재시술 후 결과를 분석한 체계적 고찰에서는 재시술 후 스텐트 개존 기간에 대한 차이는 없었다(weighted mean difference 0.46, 95% CI −0.30, 1.23). 상대적으로 짧은 생존기간과 추적검사의 어려움으로 고위부 MHO를 대상으로 한 대규모 전향적 비교 연구 결과는 없고, 후향연구나 전향적 연구 결과의 일부로서 분석한 재시술에 대한 결과에서는 다발성 배액시술이나 금속 스텐트 삽입이 역시 재시술에서 도 좀 더 좋은 경향을 보여주었다. 내시경적 재시술의 성공률은 44.4–100%로 다양하다. 처음 삽입 방법, 즉 SIS와 SBS에 따른 차이는 일반적으로 SBS에서 높은 성공률을 보여준다.

9. 국소적 치료(Local Ablation Therapy)

현재 항암치료나 방사선 치료는 수술적 절제가 어렵거나 불가능한 MHO 환자에서 담관배액술 이후 시행할 수 있는 최선이다. 그러나 이 역시 고령 및 동반질환으로 인한 전신상태 불량 시 치료를 받기 어려운 경우가 많고 항암치료 효과가 아직까지는 획기적인 결과를 보여주고 있지 못하며 사용가능한 약제도 매우 제한적이다. 따라서 이러한 배경에서 적극적인 항암치료와 더불어 혹은 전신치료가 아닌 국소적 치료이지만 스텐트 개존율의 증가와 나아가 생존율 향상을 위한 방법으로 국소적 종양 치료에 대한 관심이 지속되어 왔다.

1) 광역학치료(Photodynamic Therapy, PDT)

PDT는 광감작제(photosensitizer, hematoporphyrin derivative) 주사 후 국소적 종양 치료를 시행함으로써 스텐트의 개존율 증가와 나아가 생존율 향상에도 기여한다고 알려져 있다. 광감작제를 주사 후 종양조직내에 축적 된 후 빛을 조사하면 가시광선에 의해 활성화된 광감작제에 의해 oxygen free radical이 형성되어 세포막과 lyso-somal membranes을 손상키고 microvasculature 손상을 일으킴으로써 종양 괴사를 유도하게 된다고 알려져 있다. Ortner 등은 절제불가능한 담도암에서 PDT를 시행한 그룹이 담관스텐트만 삽입한 군보다 생존율(PDT군 493 days vs. Stent군 98 days; p<0.0001)과 Karnofsky performance status가 개선되었다고 보고하였다. Zoepf 등도 역시 생존율에서 이점이 있음을 보여주었다. 보고된 연구 결과들이 비교적 소규모의 연구로 진행되었지만 최 근까지의 RCT나 후향적 연구 및 메타분석의 결과를 보면 진행성 MHO에서도 PDT는 단순히 스텐트만 삽입하는 경우 보다 생존율 향상의 이점이 있었다. 또한 합병증 역시 광감각제에 의한 phototoxicity 외 차이가 없었다(표 22-4).

PDT는 phototoxicity 외 기타 다른 합병증의 차이는 크지 않고 생존율의 향상에 긍정적이라는 장점에도 불 구하고 국내에서는 반복적인 시술에 따른 고비용 및 보험급여 등의 문제로 초기에 몇몇 연구 결과 이후로는 보편 적인 시술로는 일반적으로 활용되고 있지 못한 실정이다. 또한 항암화학요법이나 방사선 치료 등과 비교 및 우위 성을 논하기 위해서는 좀 더 많은 국내 연구 결과가 필요하다.

2) 고주파열치료(Radiofrequency Ablation, RFA)

고주파열치료 역시 국소적인 내시경 치료요법으로 ERCP를 통해 담도내로 프로브를 삽입해 종양부위에 열을

표 22-4. Comparative studies performed by using PDT with stent and stent only in MHO

No.(%)	Design	Diagnosis	Group	PDT mean session (range)	Stent	Adverse events Early/Late	Survival (day) median
Ortner et al.	RCT	HCCA B II~IV	PDT 20 Stent 19	2.4 (1–5)	10F plastic	7 (35) 7 (37)	493 98 (p<0.01)
Zoepf et al.	RCT	HCCA B II, IV	PDT 16 Stent 16	1~2	Plastic	4* 1*	21 m 7 m (p<0.01)
Dumoulin et al.	Retrospective	HCCA B III, IV	PDT 24 Stent 20	N/A	Plastic, Metal	Cholangitis 2 (0–5) per patient/ 0 in control	9.9 m 5.6 m (not significant)
Kahaleh et al.	Retrospective	HCCA B I~IV	PDT 19 Stent 29	1.6 (1~3)	7~10F plastic	7† 10†	16.2 m 7.4 m (p=0.003)
Witzigman et al.	Prospective	HCCA B I~IV	PDT 68 Stent 56	2 (1–6)	9, 11.5F plastic	46 (67.6) 37 (66)	12 m 6.4 m (p<0.01)
Quyn et al.	Cohort	HCCA B II~IV	PDT 23 Stent 17	1 Endoscopic or Percutaneous	10F plastic or metal	7/23, 4/23	425 169 (p<0.01)
Cheon et al.	Retrospective	HCCA B II~IV	PDT 72 Stent 71	N/A	N/A	N/A	9.8 m 7.3 m (p=0.029)

RCT, randomized controlled trial; HCCA, hilar cholangiocarcinoma; PDT, photodynamic therapy
*Severe infectious complications
†Cholangitis
N/A, not available

가함으로써 국소적인 종양 괴사를 유도한다(표 22-5, 그림 22-7). PDT처럼 광감작제를 주입할 필요가 없고 ERCP 시행 시 유도철사를 따라 프로브 삽입으로 비교적 간단히 시행할 수 있고 시술시간도 수분 내외로 매우 짧다는 장점이 있다. 수술적 절제가 어려운 Bismuth I, II의 간문부 암을 대상으로 한 연구에서는 스텐트만 삽입한 군에 비해, RFA를 함께 시행한 그룹에서 스텐트의 개존율뿐 아니라 생존율에서 우위성을 보여주었다. 그러나 Bismuth III, IV와 같은 고위부 진행성 MHO에서의 효과는 아직 좀 더 많은 연구 결과가 필요하다. 간외담도암보다 상대적으로 협착부위가 길고 복잡하며 담도가 가늘고 주변 혈관계에 의해 합병증 발병 가능성이 높을 수 있다. 특히 이전의 연구들에서 고위부 MHO에서 RFA 시 담관염, 간농양 외에도 출혈로 인한 사망 등이 보고된 바 있어 안정된 시술을 위한 적정 모드와 고위부 MHO에서의 효과에 대한 비교 연구가 필요하다. 2021년 ASGE 가이드라인에서는 SEMS를 통한 RFA와 PDT의 시행을 국소적 내시경 치료로서 연구기관이나 3차급 이상 병원에서 시술을 고려해 볼 수 있겠다고 언급하고 있다.

간외담관암에서 PDT나 RFA를 시행한 그룹과 단순히 스텐트만 삽입한 그룹을 분석한 메타분석 연구를 보면 생존율(PDT 11.9개월, RFA 8.1개월, 스텐트 6.7개월)과 30-day 사망률(PDT 3.3%, RFA 7%, 스텐트 4.9%)에서 PDT가 RFA나 단순스텐트 삽입보다 우수한 결과를 보여주었다. 고위부 MHO만을 대상으로 한 연구는 아니지만

표 22-5. Efficacy of RFA for advanced MHO

% (No.)	No.	Technical success	RFA session (range)	Stent	Complication Early/Late	Recurrent biliary obstruction	Patency (day)	Survival (day)
Inoue et al.	41	95.1 (39/41)	*39	SBS, SEMS	2.4/7.7	38.5 (15/39)	230	N/A
Bokemeyer et al.	32 (21 hilar)	100	*54 (1–2)	Plastic 85.2, SEMS 14.8	18.5 (10/54)	N/A	N/A	342/221 (control; p=0.046)
Tal et al.	12	100	*19 (1–5)	Plastic	Late bleeding (3) Cholangitis (4)	N/A	N/A	6.4m
Kim et al.	11	100	°4 (2–8)	Plastic, SEMS	Early; pancreatitis (1), fever only (5)	27.3 (3)	30-day stent patency, 100%	191
Schmidt et al.	14	100	*31	Plastic, SEMS	28 (4); cholangitis, liver abscess, sepsis	Premature stent replacements (<3 m), 29 (4)	N/A	N/A
Kang et al.	15 (RFA) 14 (non-RFA)	100 93.3	°1.2 (1–2)	Plastic, SEMS	9/6[+] 12/7[+]	46.2 (6) 53.8 (7)	178 122 (p=0.154)	230 144 (p=0.643)

* Habib™ EndoHPB Biopolar Radiofrequency Catheter (Boston Scientific, Marlborough, USA; EMcision UK, London, United Kingdom)
° Temperature-controlled ID-RFA catheter (ELRA; STARmed, Goyang, Korea) and RF generator (VIVA Combo; STARmed)
SEMS, self-expandable metal stent; n/a, not available.
[+] Occlusion number of SEMS

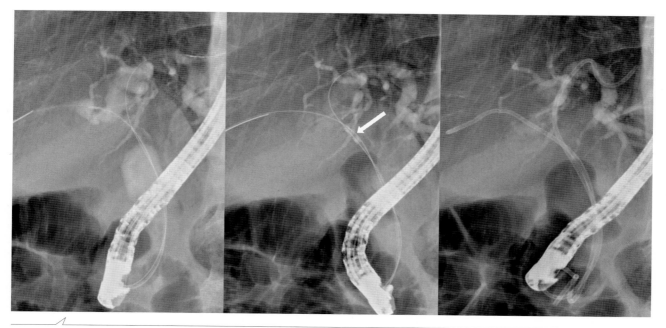

그림 22-7. RFA in unresectable MHO. Following insertion of guidewires into both IHD, performed RFA (arrow) during 2 minutes through the guidewire in perihilar obstruction site. Then, inserted two plastic stents.

PDT와 RFA가 국소적 종양치료로서 효과를 보여줄 수 있음을 시사하고 있다. 따라서 수술이 불가능하거나 어려운 MHO 환자에서라도 전신상태 및 기대여명을 고려해 적극적인 항암치료 등과 더불어 국소적 내시경치료를 병행함으로써 향후 스텐트의 개존율 향상과 합병증 감소 및 이로 인한 생존율 향상에도 기여해 볼 수 있다.

10. 요약

수술적 절제가 어렵거나 불가능한 고위부 MHO에서 일차적인 담관배액술은 간기능 개선뿐 아니라 삶의 질 향상을 위해 필수적인 방법으로 질환의 진행 정도뿐 아니라 시술자 경험, 시술자 환경에 따라 경피배액술이나 내시경 배액술이 선택적으로 사용된다. 최근에는 내시경 기술의 발전과 다양한 배액관 및 악세서리의 개발로 인해 플라스틱이나 금속 스텐트를 이용한 내시경 배액술이 일차적인 배액 방법으로 자리잡았다. 효과적인 배액을 위해서는 가능한 많은 간용적 배액을 위해 다발성 배액을 권고하나 금속 스텐트 삽입 시에는 일차적인 기술적 난이도뿐만 아니라 이후 스텐트 폐쇄 시 재시술에 대한 기술적 고려가 필요하다. EUS-BD는 일차적인 배액술로 고려되지는 않지만 ERCP를 이용한 배액이 어려운 경우 기존의 PTBD를 대신해 선택적으로 시행할 수 있다. 또한 고식적인 항암치료나 방사선 치료 외에도 최근에는 PDT나 RFA 같은 국소적 치료 방법들이 시행됨으로써 스텐트의 개존 기간이 늘어나고 더불어 생존 기간의 연장에도 고무적인 결과를 보여주고 있다. 따라서 MHO에서 배액 시술 시에는 일차적인 스텐트 삽입뿐 아니라 이후 보조적 치료와 재시술에 대한 중요성이 점차 증가하고 있다. 단순히 일차적 배액의 성공만을 고려할 것이 아니라 환자의 기대여명과 향후 치료 계획에 따라 배액 전략이 달라져야 한다. 항암치료나 국소적 치료를 시행하는 경우 플라스틱 스텐트와 금속 스텐트를 순차적으로 삽입하거나 주기적으로 플라스틱 스텐트를 교체하는 방법을 계획할 수 있다. 현재까지의 연구 결과들이 어떤 재질의 스텐트나 시술 방법이 보다 효과적인지에 초점을 맞추어 성과를 이루었다면 앞으로는 환자의 치료 방향에 따라 어떠한 알고리즘으로 배액 시술이 진행되어야 할지에 대한 내시경 배액술의 계획 수립에 대한 고민이 필요하다.

참/고/문/헌

1. Aghaie Meybodi M, Shakoor D, Nanavati J, et al. Unilateral versus bilateral endoscopic stenting in patients with unresectable malignant hilar obstruction: a systematic review and meta-analysis. Endosc Int Open 2020;8:E281-E290.

2. Al Mahjoub A, Menahem B, Fohlen A, et al. Preoperative biliary drainage in patients with resectable perihilar cholangiocarcinoma: is percutaneous transhepatic biliary drainage safer and more effective than endoscopic biliary drainage? A meta-analysis. J Vasc Interv Radiol 2017;28:576-82.

3. Ashat M, Arora S, Klair JS, et al. Bilateral vs unilateral placement of metal stents for inoperable high-grade hilar biliary strictures: A systemic review and meta-analysis. World J Gastroenterol 2019;25:5210-9.

4. Bismuth H, Castaing D, Traynor O. Resection or palliation: priority of surgery in the treatment of hilar cancer. World J Surg 1988;12:39-47.

5. Bokemeyer A, Matern P, Bettenworth D, et al. Endoscopic radiofrequency ablation prolongs survival of patients with unresectable hilar cholangiocellular carcinoma - A case-control study. Sci Rep 2019;9:13685.

6. Celotti A, Solaini L, Montori G, et al. Preoperative biliary drainage in hilar cholangiocarcinoma: systematic review and meta-analysis. Eur J Surg Oncol 2017;43:1628-35.

7. Chahal P, Baron TH. Expandable metal stents for endoscopic bilateral stent-within-stent placement for malignant hi-

lar biliary obstruction. Gastrointest Endosc 2010;71:195–9.

8. Chang WH, Kortan P, Haber GB. Outcome in patients with bifurcation tumors who undergo unilateral versus bilateral hepatic duct drainage. Gastrointest Endosc 1998;47:354–62.

9. Chen GF, Yu WD, Wang JR, et al. The methods of preoperative biliary drainage for resectable hilar cholangiocarcinoma patients: A protocol for systematic review and meta analysis. Medicine (Baltimore) 2020;99:e20237.

10. Cheng JL, Bruno MJ, Bergman JJ, et al. Endoscopic palliation of patients with biliary obstruction caused by nonresectable hilar cholangiocarcinoma: efficacy of self–expandable metallic Wallstents. Gastrointest Endosc 2002;56:33–9.

11. Chennat J, Waxman I. Initial performance profile of a new 6F self-expanding metal stent for palliation of malignant hilar biliary obstruction. Gastrointest Endosc 2010;72:632–6.

12. Cheon YK, Cho YD, Baek SH, et al. [Comparison of survival of advanced hilar cholangiocarcinoma after biliary drainage alone versus photodynamic therapy with external drainage]. Korean J Gastroenterol 2004;44:280–7.

13. Cheon YK, Lee TY, Lee SM, et al. Longterm outcome of photodynamic therapy compared with biliary stenting alone in patients with advanced hilar cholangiocarcinoma. HPB (Oxford) 2012;14:185–93.

14. Cheon YK. The role of photodynamic therapy for hilar cholangiocarcinoma. Korean J Intern Med 2010;25:345–52.

15. Cosgrove N, Siddiqui AA, Adler DG, et al. A comparison of bilateral side–by–side metal stents deployed above and across the sphincter of oddi in the management of malignant hilar biliary obstruction. J Clin Gastroenterol 2017;51:528–33.

16. Davids PH, Groen AK, Rauws EA, et al. Randomised trial of self–expanding metal stents versus polyethylene stents for distal malignant biliary obstruction. Lancet 1992;340:1488–92.

17. De Palma GD, Galloro G, Siciliano S, et al. Unilateral versus bilateral endoscopic hepatic duct drainage in patients with malignant hilar biliary obstruction: results of a prospective, randomized, and controlled study. Gastrointest Endosc 2001;53:547–53.

18. De Palma GD, Pezzullo A, Rega M, et al. Unilateral placement of metallic stents for malignant hilar obstruction: a prospective study. Gastrointest Endosc 2003;58:50–3.

19. Dowsett JF, Vaira D, Hatfield AR, et al. Endoscopic biliary therapy using the combined percutaneous and endoscopic technique. Gastroenterology 1989;96:1180–6.

20. Dumas R, Demuth N, Buckley M, et al. Endoscopic bilateral metal stent placement for malignant hilar stenoses: identification of optimal technique. Gastrointest Endosc 2000;51:334–8.

21. Dumonceau JM, Tringali A, Papanikolaou IS, et al. Endoscopic biliary stenting: indications, choice of stents, and results: European Society of Gastrointestinal Endoscopy (ESGE) Clinical Guideline – Updated October 2017. Endoscopy 2018;50:910–30.

22. Dumoulin FL, Gerhardt T, Fuchs S, et al. Phase II study of photodynamic therapy and metal stent as palliative treatment for nonresectable hilar cholangiocarcinoma. Gastrointest Endosc 2003;57:860–7.

23. England RE, Martin DF, Morris J, et al. A prospective randomised multicentre trial comparing 10 Fr Teflon Tannenbaum stents with 10 Fr polyethylene Cotton–Leung stents in patients with malignant common duct strictures. Gut 2000;46:395–400.

24. Farges O, Regimbeau JM, Fuks D, et al. Multicentre European study of preoperative biliary drainage for hilar cholangiocarcinoma. Br J Surg 2013;100:274–83.

25. Ferrero A, Lo Tesoriere R, Viganò L, et al. Preoperative biliary drainage increases infectious complications after hepatectomy for proximal bile duct tumor obstruction. World J Surg 2009;33:318–25.

26. Freeman ML, Overby C. Selective MRCP and CT–targeted drainage of malignant hilar biliary obstruction with self–expanding metallic stents. Gastrointest Endosc 2003;58:41–9.

27. Gerhardt T, Rings D, Höblinger A, et al. Combination of bilateral metal stenting and trans–stent photodynamic therapy for palliative treatment of hilar cholangiocarcinoma. Z Gastroenterol 2010;48:28–32.

28. Hameed A, Pang T, Chiou J, et al. Percutaneous vs. endoscopic pre–operative biliary drainage in hilar cholangiocarcinoma – a systematic review and meta–analysis. HPB (Oxford) 2016;18:400–10.

29. Hintze RE, Abou-Rebyeh H, Adler A, et al. Magnetic resonance cholangiopancreatography–guided unilateral endoscopic stent placement for Klatskin tumors. Gastrointest Endosc 2001;53:40–6.

30. Hirano S, Tanaka E, Tsuchikawa T, et al. Oncological benefit of preoperative endoscopic biliary drainage in patients with hilar cholangiocarcinoma. J Hepatobiliary Pancreat Sci 2014;21:533–40.

31. Hochwald SN, Burke EC, Jarnagin WR, et al. Association of preoperative biliary stenting with increased postoperative infectious complications in proximal cholangiocarcinoma. Arch Surg 1999;134:261–6.

32. Hwang JC, Kim JH, Lim SG, et al. Y-shaped endoscopic bilateral metal stent placement for malignant hilar biliary obstruction: prospective long–term study. Scand J Gastroenterol 2011;46:326–32.

33. Inoue T, Ibusuki M, Kitano R, et al. Endobiliary radiofrequency ablation combined with bilateral metal stent placement for malignant hilar biliary obstruction. Endoscopy 2020;52:595–9.

34. Ishigaki K, Hamada T, Nakai Y, et al. Retrospective comparative study of side–by–side and stent–in–stent metal stent placement for hilar malignant biliary obstruction. Dig Dis Sci 2020;65:3710–8.

35. Iwano H, Ryozawa S, Ishigaki N, et al. Unilateral versus bilateral drainage using self-expandable metallic stent for unresectable hilar biliary obstruction. Dig Endosc 2011;23:43–8.

36. Jarnagin WR, Fong Y, DeMatteo RP, et al. Staging, resectability, and outcome in 225 patients with hilar cholangiocarcinoma. Ann Surg 2001;234:507–17; discussion 517–9.

37. Kaassis M, Boyer J, Dumas R, et al. Plastic or metal stents for malignant stricture of the common bile duct? Results of a randomized prospective study. Gastrointest Endosc 2003;57:178–82.

38. Kadakia SC, Starnes E. Comparison of 10 French gauge stent with 11.5 French gauge stent in patients with biliary tract diseases. Gastrointest Endosc 1992;38:454–9.

39. Kahaleh M, Mishra R, Shami VM, et al. Unresectable cholangiocarcinoma: comparison of survival in biliary stenting alone versus stenting with photodynamic therapy. Clin Gastroenterol Hepatol 2008;6:290–7.

40. Kang H, Han SY, Cho JH, et al. Efficacy and safety of temperature-controlled intraductal radiofrequency ablation in advanced malignant hilar biliary obstruction: A pilot multicenter randomized comparative trial. J Hepatobiliary Pancreat Sci. 2021 Nov 20. doi: 10.1002/jhbp.1082.

41. Kawamoto H, Tsutsumi K, Fujii M, et al. Endoscopic 3–branched partial stent–in–stent deployment of metallic stents in high–grade malignant hilar biliary stricture (with videos). Gastrointest Endosc 2007;66:1030–7.

42. Kawamoto H, Tsutsumi K, Harada R, et al. Endoscopic deployment of multiple JOSTENT SelfX is effective and safe in treatment of malignant hilar biliary strictures. Clin Gastroenterol Hepatol 2008;6:401–8.

43. Khan SA, Davidson BR, Goldin R, et al. Guidelines for the diagnosis and treatment of cholangiocarcinoma: consensus document. Gut 2002;51(suppl 6):VI1–9.

44. Kim EJ, Cho JH, Kim YJ, et al. Intraductal temperature–controlled radiofrequency ablation in malignant hilar obstruction: a preliminary study in animals and initial human experience. Endosc Int Open 2019;7:E1293–E1300.

45. Kim JH. Endoscopic stent placement in the palliation of malignant biliary obstruction. Clin Endosc 2011;44:76–86.

46. Kim JY, Kang DH, Kim HW, et al. Usefulness of slimmer and open–cell–design stents for endoscopic bilateral stenting and endoscopic revision in patients with hilar cholangiocarcinoma (with video). Gastrointest Endosc 2009;70:1109–15.

47. Kim KM, Lee KH, Chung YH, et al. A comparison of bilateral stenting methods for malignant hilar biliary obstruction. Hepatogastroenterology 2012;59:341–6.

48. Kishi Y, Shimada K, Nara S, et al. The type of preoperative biliary drainage predicts short–term outcome after major hepatectomy. Langenbecks Arch Surg 2016;401:503–11.

49. Kitamura K, Yamamiya A, Ishii Y, et al. Side–by–side partially covered self-expandable metal stent placement for malignant hilar biliary obstruction. Endosc Int Open 2017;5:E1211–E1217.

50. Law R, Baron TH. Bilateral metal stents for hilar biliary obstruction using a 6Fr delivery system: outcomes following bilateral and side–by–side stent deployment. Dig Dis Sci 2013;58:2667–72.

51. Lee JH, Kang DH, Kim JY, et al. Endoscopic bilateral metal stent placement for advanced hilar cholangiocarcinoma: a pilot study of a newly designed Y stent. Gastrointest Endosc 2007;66:364–9.

52. Lee TH, Choi JH, Park do H, et al. Similar efficacies of endoscopic ultrasound–guided transmural and percutaneous drainage for malignant distal biliary obstruction. Clin Gastroenterol Hepatol 2016;14:1011–1019.e3.

53. Lee TH, Jang SI, Moon JH, et al. Endoscopic revision efficacy after clinically successful bilateral metal stenting for advanced malignant hilar obstruction. J Gastroenterol Hepatol 2020;35:2248–55.

54. Lee TH, Kim TH, Moon JH, et al. Bilateral versus unilateral placement of metal stents for inoperable high–grade malignant hilar biliary strictures: a multicenter, prospective, randomized study (with video). Gastrointest Endosc 2017;86:817–27.

55. Lee TH, Lee SJ, Moon JH, et al. Technical tips and issues of biliary stenting, focusing on malignant hilar obstruction. Minerva Gastroenterol Dietol 2014;60:135–49.

56. Lee TH, Moon JH, Choi HJ, et al. Third metal stent for revision of malignant hilar biliary strictures. Endoscopy 2016;48:1129–33.

57. Lee TH, Moon JH, Choi JH, et al. Prospective comparison of endoscopic bilateral stent–in–stent versus stent–by–stent deployment for inoperable advanced malignant hilar biliary stricture. Gastrointest Endosc 2019;90:222–30.

58. Lee TH, Moon JH, Kim JH, et al. Primary and revision efficacy of cross–wired metallic stents for endoscopic bilateral stent–in–stent placement in malignant hilar biliary strictures. Endoscopy 2013;45:106–13.

59. Lee TH, Moon JH, Park SH. Biliary stenting for hilar malignant biliary obstruction. Dig Endosc 2020;32:275–86.

60. Lee TH, Park do H, Lee SS, et al. Technical feasibility and revision efficacy of the sequential deployment of endoscopic bilateral side–by–side metal stents for malignant hilar biliary strictures: a multicenter prospective study. Dig Dis Sci 2013;58:547–55.

61. Lee TH. Technical tips and issues of biliary stenting, focusing on malignant hilar obstruction. Clin Endosc 2013;46:260–6.

62. Maillot N, Aucher P, Robert S, et al. Polyethylene stent blockage: a porcine model. Gastrointest Endosc 2000;51:12–8.

63. Mansour JC, Aloia TA, Crane CH, et al. Hilar cholangiocarcinoma: expert consensus statement. HPB (Oxford) 2015;17:691–9.

64. Mohan BP, Chandan S, Khan SR, et al. Photodynamic Therapy (PDT), Radiofrequency Ablation (RFA) with biliary stents in palliative treatment of unresectable extrahepatic cholangiocarcinoma: A systematic review and meta–analysis. J Clin Gastroenterol 2022;56:e153–e160.

65. Moole H, Dharmapuri S, Duvvuri A, et al. Endoscopic versus percutaneous biliary drainage in palliation of advanced malignant hilar obstruction: A meta–analysis and systematic review. Can J Gastroenterol Hepatol 2016;2016:4726078.

66. Moole H, Tathireddy H, Dharmapuri S, et al. Success of photodynamic therapy in palliating patients with nonresectable cholangiocarcinoma: A systematic review and meta–analysis. World J Gastroenterol 2017;23:1278–88.

67. Naitoh I, Hayashi K, Nakazawa T, et al. Side–by–side versus stent–in–stent deployment in bilateral endoscopic metal stenting for malignant hilar biliary obstruction. Dig Dis Sci 2012;57:3279–85.

68. Naitoh I, Ohara H, Nakazawa T, et al. Unilateral versus bilateral endoscopic metal stenting for malignant hilar biliary obstruction. J Gastroenterol Hepatol 2009;24:552–7.

69. Nakai Y, Kogure H, Isayama H, et al. Endoscopic ultrasound–guided biliary drainage for unresectable hilar malignant biliary obstruction. Clin Endosc 2019;52:220–5.

70. Nomura T, Shirai Y, Hatakeyama K. Cholangitis after endoscopic biliary drainage for hilar lesions. Hepatogastroenterology 1997;44:1267–70.

71. Ogura T, Okuda A, Fukunishi S, et al. Side–by–side stent deployment above the papilla to treat hepatic hilar obstruction using a new covered metal stent. Dig Liver Dis 2018;50:972.

72. Olthof PB, Wiggers JK, Groot Koerkamp B, et al. Postoperative liver failure risk score: Identifying patients with resectable perihilar cholangiocarcinoma who can benefit from portal vein embolization. J Am Coll Surg 2017;225:387–94.

73. Ortner ME, Caca K, Berr F, et al. Successful photodynamic therapy for nonresectable cholangiocarcinoma: a randomized prospective study. Gastroenterology 2003;125:1355–63.

74. Paik WH, Lee TH, Park DH, et al. EUS–guided biliary drainage versus ERCP for the primary palliation of malignant biliary obstruction: A multicenter randomized clinical trial. Am J Gastroenterol 2018;113:987–97.

75. Paik WH, Park YS, Hwang JH, et al. Palliative treatment with self-expandable metallic stents in patients with advanced type III or IV hilar cholangiocarcinoma: a percutaneous versus endoscopic approach. Gastrointest Endosc 2009;69:55-62.

76. Park do H, Lee SS, Moon JH, et al. Newly designed stent for endoscopic bilateral stent-in-stent placement of metallic stents in patients with malignant hilar biliary strictures: multicenter prospective feasibility study (with videos). Gastrointest Endosc 2009;69:1357-60.

77. Pedersen FM, Lassen AT, Schaffalitzky de Muckadell OB. Randomized trial of stent placed above and across the sphincter of Oddi in malignant bile duct obstruction. Gastrointest Endosc 1998;48:574-9.

78. Pedersen FM. Endoscopic management of malignant biliary obstruction. Is stent size of 10 French gauge better than 7 French gauge? Scand J Gastroenterol 1993;28:185-9.

79. Perdue DG, Freeman ML, DiSario JA, et al. Plastic versus self-expanding metallic stents for malignant hilar biliary obstruction: a prospective multicenter observational cohort study. J Clin Gastroenterol 2008;42:1040-6.

80. Polydorou AA, Cairns SR, Dowsett JF, et al. Palliation of proximal malignant biliary obstruction by endoscopic endoprosthesis insertion. Gut 1991;32:685-9.

81. Polydorou AA, Chisholm EM, Romanos AA, et al. A comparison of right versus left hepatic duct endoprosthesis insertion in malignant hilar biliary obstruction. Endoscopy 1989;21:266-71.

82. Puli SR, Kalva N, Pamulaparthy SR, et al. Bilateral and unilateral stenting for malignant hilar obstruction: a systematic review and meta-analysis. Indian J Gastroenterol 2013;32:355-62.

83. Qumseya BJ, Jamil LH, Elmunzer BJ, et al. ASGE guideline on the role of endoscopy in the management of malignant hilar obstruction. Gastrointest Endosc 2021;94:222-34.e22.

84. Quyn AJ, Ziyaie D, Polignano FM, et al. Photodynamic therapy is associated with an improvement in survival in patients with irresectable hilar cholangiocarcinoma. HPB (Oxford) 2009;11:570-7.

85. Raijman I. Biliary and pancreatic stents. Gastrointest Endosc Clin N Am 2003;13:561-92, vii-viii.

86. Raju RP, Jaganmohan SR, Ross WA, et al. Optimum palliation of inoperable hilar cholangiocarcinoma: comparative assessment of the efficacy of plastic and self-expanding metal stents. Dig Dis Sci 2011;56:1557-64.

87. Rerknimitr R, Angsuwatcharakon P, Ratanachu-ek T, et al. Asia-Pacific consensus recommendations for endoscopic and interventional management of hilar cholangiocarcinoma. J Gastroenterol Hepatol 2013;28:593-607.

88. Schmassmann A, von Gunten E, Knuchel J, et al. Wallstents versus plastic stents in malignant biliary obstruction: effects of stent patency of the first and second stent on patient compliance and survival. Am J Gastroenterol 1996;91:654-9.

89. Schmidt A, Bloechinger M, Weber A, et al. Short-term effects and adverse events of endoscopically applied radiofrequency ablation appear to be comparable with photodynamic therapy in hilar cholangiocarcinoma. United European Gastroenterol J 2016;4:570-9.

90. Sherman S. Endoscopic drainage of malignant hilar obstruction: is one biliary stent enough or should we work to place two? Gastrointest Endosc 2001;53:681-4.

91. Shim SR, Lee TH, Yang JK, et al. Endoscopic bilateral stent-in-stent versus stent-by-stent deployment in advanced malignant hilar obstruction: A meta-analysis and systematic review. Dig Dis Sci 2021; doi: 10.1007/s10620-021-06885-8.

92. Speer AG, Cotton PB, MacRae KD. Endoscopic management of malignant biliary obstruction: stents of 10 French gauge are preferable to stents of 8 French gauge. Gastrointest Endosc 1988;34:412-7.

93. Stern N, Sturgess R. Endoscopic therapy in the management of malignant biliary obstruction. Eur J Surg Oncol 2008;34:313-7.

94. Takahashi Y, Nagino M, Nishio H, et al. Percutaneous transhepatic biliary drainage catheter tract recurrence in cholangiocarcinoma. Br J Surg 2010;97:1860-6.

95. Tal AO, Vermehren J, Friedrich-Rust M, et al. Intraductal endoscopic radiofrequency ablation for the treatment of hilar non-resectable malignant bile duct obstruction. World J Gastrointest Endosc 2014;6:13-9.

96. Tang Z, Yang Y, Meng W, et al. Best option for preoperative biliary drainage in Klatskin tumor: A systematic review and meta-analysis. Medicine (Baltimore) 2017;96:e8372.

97. Terruzzi V, Comin U, De Grazia F, et al. Prospective randomized trial comparing Tannenbaum Teflon and standard

polyethylene stents in distal malignant biliary stenosis. Gastrointest Endosc 2000;51:23–7.

98. Tibble JA, Cairns SR. Role of endoscopic endoprostheses in proximal malignant biliary obstruction. J Hepatobiliary Pancreat Surg 2001;8:118–23.

99. van Berkel AM, Boland C, Redekop WK, et al. A prospective randomized trial of Teflon versus polyethylene stents for distal malignant biliary obstruction. Endoscopy 1998;30:681–6.

100. Wagner HJ, Knyrim K, Vakil N, et al. Plastic endoprostheses versus metal stents in the palliative treatment of malignant hilar biliary obstruction. A prospective and randomized trial. Endoscopy 1993;25:213–8.

101. Wiedmann M, Berr F, Schiefke I, et al. Photodynamic therapy in patients with non–resectable hilar cholangiocarcinoma: 5–year follow–up of a prospective phase II study. Gastrointest Endosc 2004;60:68–75.

102. Wiggers JK, Groot Koerkamp B, Cieslak KP, et al. Postoperative mortality after liver resection for perihilar cholangiocarcinoma: Development of a risk score and importance of biliary drainage of the future liver remnant. J Am Coll Surg 2016;223:321–31.e1.

103. Witzigmann H, Berr F, Ringel U, et al. Surgical and palliative management and outcome in 184 patients with hilar cholangiocarcinoma: palliative photodynamic therapy plus stenting is comparable to r1/r2 resection. Ann Surg 2006;244:230–9.

104. Yang J, Wang J, Zhou H, et al. Efficacy and safety of endoscopic radiofrequency ablation for unresectable extrahepatic cholangiocarcinoma: a randomized trial. Endoscopy 2018;50:751–60.

105. Zoepf T, Jakobs R, Arnold JC, et al. Palliation of nonresectable bile duct cancer: improved survival after photodynamic therapy. Am J Gastroenterol 2005;100:2426–30.

악성 십이지장 폐쇄가 동반된
담관 협착의 내시경 치료

Endoscopic Management of Combined Malignant Biliary and Duodenal Obstruction

현종진 고려대학교 의과대학

1. 서론

수술이 불가능하거나 전이된 유두부 주위암 환자들의 약 15–20%에서는 암이 직접 십이지장을 침범하거나 외부에서 압박을 가하여 십이지장 폐쇄가 동반되게 된다. 이러한 경우 음식물이 위에서 소장으로 넘어갈 수 있도록 조치를 취해 주어야 하는데, 전신마취를 견딜 수 있다면 수술적으로 위공장 문합술(surgical gastrojejunostomy)을 시도해 볼 수 있으나 대부분의 환자들은 수술을 받을 수 있는 상태가 아니기 때문에 수술 외의 다른 방법을 고려해야 하는 경우가 많다. 그리하여 대안으로 내시경을 통해 자가팽창성 금속 스텐트(self–expandable metal stent, SEMS)를 삽입하거나 풍선으로 십이지장 협착을 확장 또는 초음파내시경(endoscopic ultrasonography, EUS)을 통해서 위공장 문합술을 시도하는 방법들이 고안되었다. 이중에서 자가팽창성 금속 스텐트의 삽입은 다른 방법들에 비해 합병증도 적고 상대적으로 시술이 용이하며, 수술과 비교하여서도 증상이 호전되는 비율이 높고 사망률은 낮은 반면 입원기간도 짧으며 비용적인 면에서도 이득이 있기 때문에 악성 십이지장 폐쇄를 해결하는 1차적인 방법으로 선호된다.

유두부 주위암 환자들은 진단을 받을 당시나 추적관찰 도중 암이 진행됨에 따라 앞에서 언급한 십이지장 폐쇄뿐만 아니라 담관 협착도 발생할 수 있는데, 환자의 삶의 질을 향상시키기 위해서는 십이지장 폐쇄와 함께 담관 협착도 해결해주는 것이 필요하다. 담관 배액을 위한 방법으로는 내시경역행담췌관조영술(endoscopic retrograde cholangiopancreatography, ERCP), EUS, 경피경간 담관배액술(percutaneous transhepatic biliary drainage, PTBD), 그리고 수술적 우회술(surgical bypass)이 있다. 이중에서 내시경역행담췌관조영술을 통한 담관배액술은 효과적이고 합병증이 적으며 생리적인 배액 방법임은 물론이고 재시술 또한 용이하기 때문에 표준적인 시술로 자리를 잡게 되었다.

전통적으로는 악성 십이지장 폐쇄와 담관 협착이 함께 동반된 경우 수술적 방법이 사용되었으나, 수술과 연관된 사망률이 낮지 않기 때문에 현재는 내시경적 또는 경피적으로 스텐트를 삽입하는 것이 선호되며 그 효과도 잘 정립이 되어 있다. 악성 십이지장 폐쇄와 담관 협착을 모두 중재술(intervention)을 통해 해결할 수도 있으나, 가장 흔히 사용되는 방법은 경피적으로 담관에 스텐트를 삽입한 후 내시경으로 십이지장에 스텐트를 삽입하는 방법이다. 그러나 내시경 기술의 발전으로 인하여 십이지장 스텐트(duodenal stent)와 담관 스텐트를 모두 내시경적으로 삽입하는 것이 가능해졌고, 여전히 기술적으로 어렵기는 하지만 34–100%의 성공률을 보이고 있다. 본 장에서는 악성 십이지장 폐쇄가 동반된 담관합착의 내시경적 치료 방법에 대해서 알아보고자 한다.

2. 내시경적 치료 방법에 영향을 미치는 요인들

악성 십이지장 폐쇄가 동반된 담관 협착의 내시경적 치료의 성공 여부는 다음 두가지 요인에 의해서 영향을 받고 결정이 된다고 볼 수 있다.

1) Clinical Classification (Group 1–3)
2) Anatomical Classification (Type I–III)

첫 번째 요인인 임상적인 상황은 담관 협착이 십이지장 폐쇄에 비해서 언제 발생하는지에 따라 표 23–1에서 보는 바와 같이 세 가지 경우로 나누어서 생각해볼 수 있다.

표 23–1. 악성 십이지장 폐쇄가 동반된 담관 협착의 임상적 분류(Clinical Classification of Combined Malignant Duodenobiliary Obstruction)

– Group 1: 담관 협착이 십이지장 폐쇄보다 먼저 일어나는 경우
– Group 2: 담관 협착과 십이지장 폐쇄가 동시에 일어나는 경우
– Group 3: 담관 협착 또는 폐쇄가 십이지장 스텐트 삽입 후에 발생하는 경우

이 중에서 가장 흔한 임상적인 상황은 담관 협착이 십이지장 폐쇄보다 먼저 일어나는 경우이며 약 2/3가 이에 해당된다. 따라서 십이지장 폐쇄가 발생할 당시 유두부 주위암 환자들에서 이전에 담관 협착을 해결하기 위해 담관에 금속이나 플라스틱 스텐트가 삽입되어 있는 경우가 많다.

두 번째 요인인 해부학적 분류는 Mutignani 등에 의해서 제안된 분류법으로(표 23–2), 악성 십이지장 폐쇄가 동반된 담관 협착에서 십이지장 협착이 발생한 부위와 십이지장 유두부의 상대적인 위치에 따라 다음과 같이 분류된다(그림 23–1).

표 23–2. 악성 십이지장 폐쇄가 동반된 담관 협착의 해부학적 분류(Anatomical Classification of Combined Malignant Duodenobiliary Obstruction)

– Type I 협착: 십이지장 협착이 십이지장 유두부를 침범하지 않으면서 근위부인 십이지장 구부에서 발생
– Type II 협착: 십이지장 협착이 십이지장 유부부를 침범하면서 십이지장의 두 번째 부분에서 발생
– Type III 협착: 십이지장 협착이 십이지장 유두부를 침범하지 않으면서 십이지장 원위부인 십이지장 세 번째 부위에 발생

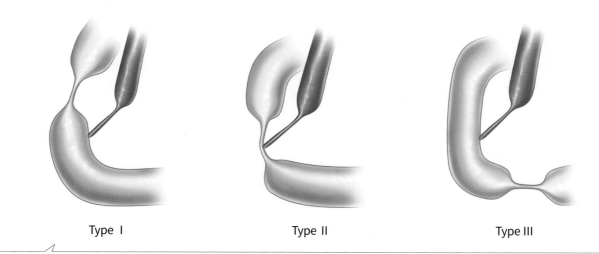

Type Ⅰ Type Ⅱ Type Ⅲ

그림 23-1. Mutignani의 악성 십이지장 폐쇄가 동반된 담관 협착의 해부학적 분류

3. 해부학적 분류에 따른 치료 방법

악성 십이지장 폐쇄와 담관 협착이 동반된 경우 가능하다면 담관에 스텐트를 먼저 삽입하는 것이 권유되는데, 이는 십이지장 스텐트를 먼저 삽입하게 되면 십이지장 스텐트의 그물(mesh)을 통해 담관에 스텐트를 넣는 것이 용이하지 않기 때문이다. 그러나 항상 십이지장경이 십이지장 유두부에 도달되지 않기 때문에 담도에 스텐트를 먼저 삽입하는 것이 가능하지 않을 수 있는데, 십이지장경의 십이지장 유두부 접근 가능여부는 악성 십이지장 폐쇄를 동반한 담관 협착의 해부학적인 분류에 따라서 결정되는 경우가 많다.

1) Type I 협착

Type I 협착의 경우 십이지장 협착을 풍선으로 확장시킨 후 십이지장경의 삽입을 시도해 볼 수 있다. 그러나 풍선으로 협착을 확장시키게 되면 출혈이 발생하여 시야에 장애를 줄 수 있고 부종으로 인하여 십이지장경의 삽입 자체가 어려울 수 있으며, 확장 도중 또는 확장 후 십이지장경을 삽입하면서 십이지장 천공이 발생할 수 있다는 위험성이 있다. 다른 방법으로는 십이지장 협착 부위에 스텐트를 먼저 삽입하여 십이지장경이 협착을 지나갈 수 있도록 만든 후 담도에 스텐트를 삽입하는 방법이 있다.

2) Type II 협착

Type II 협착의 경우는 십이지장 두 번째 부분이 종양에 의해 침범이 되어있기 때문에 풍선으로 협착을 확장시킨다 할지라도 십이지장경으로 십이지장 유두부에 접근하는 것 자체가 힘들고, 설령 유두부까지 접근이 가능하다고 하여도 십이지장경과 유두부 사이의 간격이 거의 없고 출혈 등으로 인하여 시야가 가려지기 때문에 담관 삽관 자체가 거의 불가능하다. 따라서 이러한 경우에는 십이지장 스텐트를 우선적으로 삽입하게 되며, 십이지장 스텐트가 충분히 펴져서 십이지장경이 삽입될 수 있다면 십이지장 스텐트의 그물을 통해서 담관을 삽관하여 스텐트를 넣게 된다.

십이지장 스텐트를 통해서 담관에 스텐트를 stent-in-stent 모양으로 삽입을 하게 될 때 중요한 것은 담관의 삽관 가능여부와 함께 십이지장 스텐트의 그물 사이로 담관 스텐트가 충분히 펴지느냐는 것이다. 담관 스텐트가 충분히 펴져서 성공적인 담관 배액이 되게 하기 위해서는 스텐트의 형태와 만들어진 방식 등에 따라서 표 23-3에 나열된 방법들이 시도될 수 있다.

표 23-3. 십이지장 스텐트의 그물을 넓히는 방법

- 풍선으로 확장
- Rat-tooth forceps를 이용하여 wire를 몇 개 제거해서 공간을 형성
- 아르곤 플라즈마 소작술(argon plasma coagulation, APC)을 통해서 십이지장 유두부 주위 그물을 파괴

이러한 방법들을 사용하면 담관 스텐트가 펴지는 데 도움은 될 수 있으나, 이러한 시술의 성공률은 높지 않고 시술 시간도 오래 걸리며 각각의 방법들에 제한점이 있어서 그동안 만족스러운 결과를 가져다 주지는 못했다. 하나씩 살펴보면, 첫 번째 방법인 풍선으로 스텐트의 그물을 넓힐 경우 풍선을 감압시키는 순간 넓어졌던 스텐트의 그물이 다시 줄어들게 되는데, 십이지장 스텐트가 shape memory 기능이 있다면 wire가 다시 제 위치로 돌아가려고 하는 현상은 더 현저하게 된다. 두 번째 방법인 rat-tooth forceps로 wire를 제거하여 공간을 확보하려는 경우에 문제점은 wire가 항상 제거가 되지 않을 수 있다는 것인데, 스텐트가 하나의 wire로 만들어진 경우는 더욱 그러하다. 그리고 만약 wire 제거가 가능한 스텐트라고 하더라도 wire를 제거한 후에 스텐트의 구조 자체에 문제가 생길 수 있고 radial force가 감소될 가능성이 높다. 세 번째 방법인 아르곤 플라즈마 소작술로 십이지장 스텐트에 구멍을 만드는 경우 스텐트와 내시경 사이의 거리가 충분히 확보가 되어야지 안전하게 시술이 가능하다. 그리고 충분한 거리가 확보된다 하여도 시술 중에 십이지장 점막에 열손상이 일어날 수 있으므로 주의를 요한다.

3) Type III 협착

Type III 협착의 경우 십이지장 유두부까지 십이지장경을 삽입하는 것 자체는 용이하기 때문에 담도스텐트를 먼저 삽입한 후 이어서 십이지장 스텐트를 삽입하는데 큰 문제는 없다.

4. 악성 십이지장 폐쇄가 동반된 담관 협착의 치료에 특화된 십이지장 스텐트

앞에서 언급한 여러가지 제한점들을 극복하기 위해 특화된 uncovered duodenal SEMS (BONASTENT M-duodenal, Standard Sci·Tech Inc, Seoul, Korea)가 개발되었다. 이 특화된 십이지장 스텐트는 가운데 3 cm 정도가 고정이 되지 않은 cross-wired형식으로 만들어져 있어서 그물을 넓힐 수 있는 expandable lattices부분이 있고, 나머지 부분은 고정된 hook and cross-wire형태로 되어 있다. 이 expandable lattices가 있는 부분을 통해 담관 스텐트를 삽입하게 되면 담관 스텐트가 충분히 펴져서 만족스러운 담관 배액을 얻을 수 있다. 그림 23-2에서 보는 바와 같이 expandable lattices의 위치는 3가지로 다양한데, 이는 십이지장 협착의 종류에 따라서 원위부(Type I), 중간(Type II), 또는 근위부(Type III)에 expandable lattices가 위치한 스텐트를 사용하게 된다. 그림 23-3과 그림 23-4에서 보이는 증례가 이와 같은 스텐트가 가장 유용하게 사용되는 예일 것이다.

이러한 expandable lattices가 항상 만족할 만한 결과를 갖고 오는 것은 아니다. 스텐트의 wire를 엮는 방식

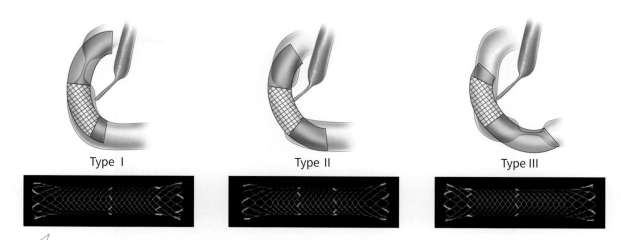

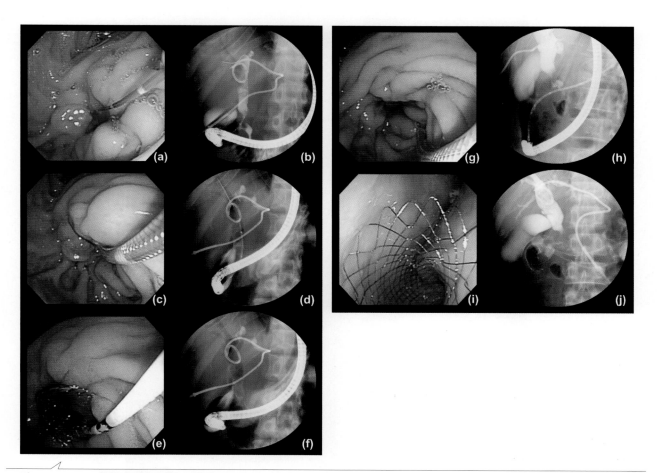

그림 23-2. 십이지장 협착에 따른 특화된 십이지장 스텐트의 선택

그림 23-3. Type II 협착에서의 스텐트 삽입 part 1.
십이지장유두부 암을 진단받고 담관 스텐트를 삽입 받은 후 항암치료를 받아오던 47세 남자가 황달이 발생하여 타원에서 경피경간 담관배액술을 시행받고 전원되었다. 담관조영술을 시행하니 담관 내에 음식물이 가득 차 있었고 내시경담췌관조영술을 통해서 음식물로 가득찬 담관 스텐트와 담관 내의 음식물을 모두 제거하였다. 십이지장유두부암에 의해서 담관과 십이지장이 모두 좁아져 있음이 확인되어서 담관에 스텐트를 다시 삽입하였으나(a, b, c, d) 삽입한 뒤 담관 스텐트에 의해서 좁아진 십이지장이 막히게 되어(e, f) 담관에 삽입했던 스텐트를 제거하였다. 그런 후 특화된 십이지장 스텐트를 삽입하였으며(g, h), 삽입 후 십이지장 스텐트가 충분히 펴지지 않아서 십이지장경의 삽입이 불가능하여 일단 시술을 마쳤다(i, j).

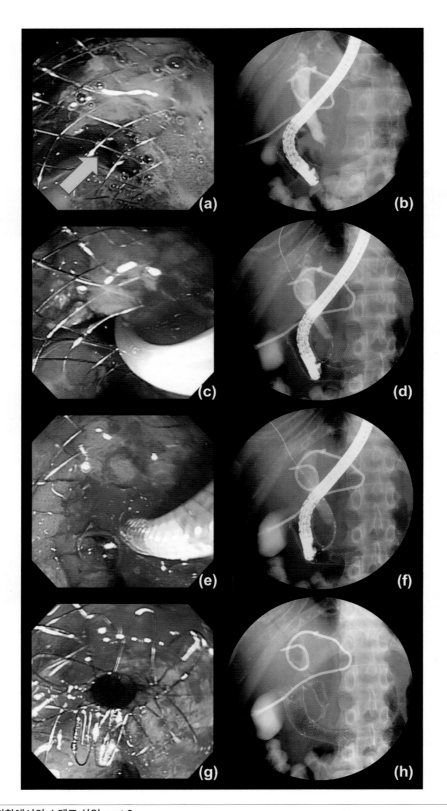

그림 23–4. Type II 협착에서의 스텐트 삽입 part 2.
며칠 뒤 십이지장 스텐트가 충분히 펴져서 십이지장경 삽입이 가능하였으며, 십이지장 스텐트의 그물을 통해서 담관입구(노란색 화살표)가 관찰되었다(a, b). 그리하여 담관에 삽관을 시행한 후(c, d) 금속 스텐트를 삽입하여(e, f) stent-in-stent 모양으로 펼쳤다(g, h).

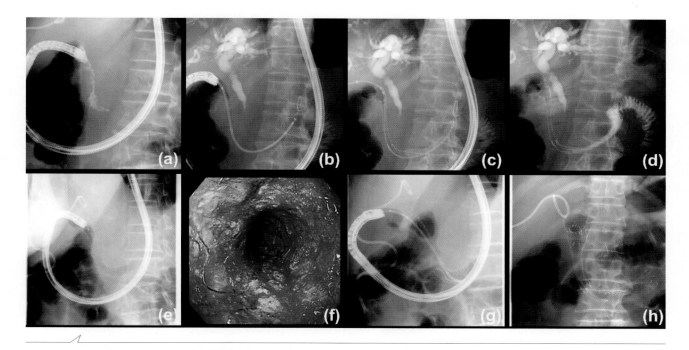

그림 23-5. Type II 협착 환자에서 담관 스텐트 삽입이 실패한 예
담낭암으로 진단받은 63세 남자 환자가 악성 십이지장 폐쇄가 동반된 담관 협착을 주소로 내원하여 경피경간 담관배액술을 시행받았다. 십이지장은 십이지장 구부와 두 번째 부분이 모두 좁아져 있었고(a), 내시경을 통해서 특화된 십이지장 스텐트를 삽입하였다(b,c). 십이지장 스텐트 삽입 후 십이지장경을 삽입할 만큼 펴지지 않았다(d). 10일 이상을 기다렸으나 여전히 위내시경의 삽입도 잘 되지 않았고 환자는 여전히 십이지장 폐쇄 증상을 호소하였다(e.f). 그리하여 추가적으로 십이지장 스텐트를 삽입하였고 이후 환자는 식사가 가능하게 되었다(g,h).

때문에 expandable portion의 radial force는 스텐트의 다른 부분보다 낮을 수밖에 없다. 그리하여 Type II 협착에 사용되는 십이지장 스텐트의 경우 가운데 부분에 radial force가 낮은 expandable lattices가 있어서 정작 가장 힘을 많이 받아서 넓어져야 하는 부분의 힘이 오히려 낮아 십이지장 스텐트가 충분히 펴지지 않는 경우도 있다. 이로 인하여 십이지장경 자체의 삽입이 힘들기 때문에 담도스텐트를 삽입하지 못하는 경우도 생기게 된다(그림 23-5). 십이지장경의 삽입이 가능하다고 해도 Type II 협착의 경우 가장 시야 확보가 안 되기 때문에 Moon 등과 Mutignani 등에 의하면 악성 십이지장 폐쇄와 담관 협착이 동반된 환자에서 담관삽관을 실패했던 57-60%의 환자는 모두 처음 시술을 받았던 Type II 협착이 있는 환자라고 보고하였다.

이와 같은 특화된 십이지장 스텐트는 Type I과 Type III 협착의 경우에도 사용이 될 수 있으나 이보다는 앞에서 언급한 방법들이 더 일반적이라고 할 수 있다. 그러나 Type I과 Type III 협착에서 십이지장 스텐트를 삽입했을 때 스텐트가 십이지장 유두부를 가리게 되어 추후 담관 스텐트 삽입에 지장을 줄 수 있다고 판단이 되는 경우에는 특화된 십이지장 스텐트가 유용할 것으로 생각된다. 그리고 십이지장 스텐트와 담관 스텐트를 stent-in-stent 모양으로 삽입을 하여 얻게 되는 하나의 장점으로 기대되는 것은 스텐트가 서로 interlocking되어 스텐트가 이탈되는 것을 막아줄 가능성도 있다는 것이다.

5. 스텐트 삽입과 관련된 기술적인 Tip

　십이지장 스텐트를 통해서 담관 스텐트를 삽입할 때 시술을 성공시키는데 도움이 될 수 있을것으로 생각되는 몇 가지 tip을 소개하고자 한다.

- 십이지장 스텐트를 삽입한 후 바로 이어서 담관 스텐트를 삽입 할 수 있는 경우가 있기도 하지만(그림 23-6) 상황에 따라서는 십이지장 스텐트가 충분히 확장이 되어 십이지장경이 삽입될 수 있을 때까지 며칠을 기다려야 하는 경우가 종종 있다(그림 23-3, 4). 따라서, 복부 X-ray를 통해서 십이지장 스텐트가 충분히 펴졌는지 확인한 후 담관 스텐트의 삽입 시점을 정하도록 한다.

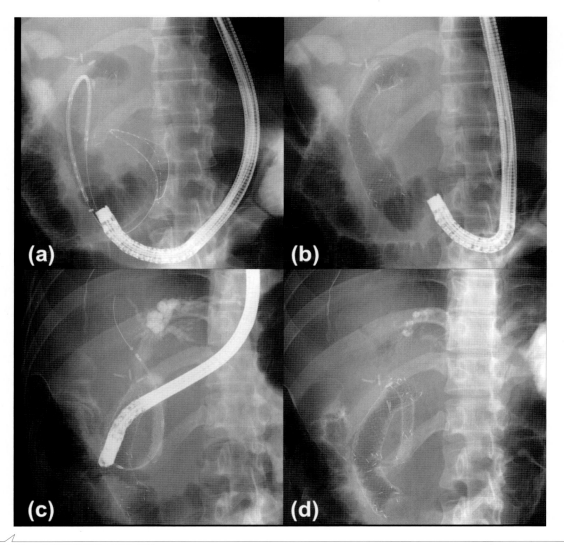

그림 23-6. Type I 협착에서의 스텐트 삽입.
담낭암의 다발성 전이로 진단된 38세 남자 환자가 담관에 스텐트를 삽입 받은 후 항암치료를 받다가 암이 진행되어 십이지장 폐쇄 증상과 간수치 상승으로 내원하였다. 환자에게 우선 십이지장에 특화된 십이지장 스텐트를 삽입한 후(a) 십이지장경이 삽입될 수 있을 정도로 펴진 것을 확인하였다(b). 그러나 TJF-260 scope의 삽입은 되지 않아서 이보다 직경이 얇은 JF-260 scope을 사용하여 십이지장 스텐트 내로 십이지장경을 삽입하였고, 이전에 삽입된 담관 스텐트를 가이드 삼아 담관삽관과 스텐트 삽입을 하였다(c). 시술 후 담관에 스텐트가 십이지장 스텐트를 통해서 stent-in-stent 모양으로 잘 삽입된 것을 볼 수 있다(d).

- 십이지장 스텐트를 통해서 십이지장경 삽입이 용이하지 않을 때에는 굵기가 굵은 십이지장경(TJF scope, Olympus)을 고집하지 말고 굵기가 가는 십이지장경(JF scope, Olympus)을 사용해 보는 것도 방법이 될 수 있다(그림 23-6).

- 십이지장 스텐트를 통해서 십이지장경을 삽입할 때 평상시 내시경역행담췌관조영술을 시행할 때와 같이 내시경 화면만 보면서 삽입을 하면 삽입이 잘 안되는 경우가 있다. 이럴 때에는 십이지장경을 십이지장 스텐트 안으로 어느 정도 삽입을 한 뒤 내시경 화면을 보지 말고 투시조영술(fluoroscopy)을 보면서 삽입하면 조금 더 수월하게 삽입이 가능한 경우가 있다.

- 십이지장 스텐트와 담관 스텐트를 삽입한 후에도 환자가 식사를 잘 하지 못하고 구토를 하거나 간수치가 상승할 때에는 UGI series를 통해서 조영제가 제대로 통과되는지 알아봐야 한다.

- 이전에 내시경역행담췌관조영술로 시술을 받은 적이 없는 경우 십이지장 스텐트의 그물을 통과해서 십이지장 유두부에 접근하여 담관에 삽관을 성공시키는 것은 쉽지 않은 일이다. 이는 십이지장 스텐트가 시야를 방해하기 때문인데(그림 23-7), 앞에서 언급한 바와 같이 특히 Type II 협착의 경우에는 더욱 그러하다(그림 23-5). 이는 암이 십이지장의 두 번째 부분을 침범하여 십이지장 유두부의 해부학적 구조도 일그러져 있기도 하고 좁아진 십이지장 두 번째 부분을 십이지장 스텐트가 누르면서 안 그래도 잘 확보가 되지 않는 시야가 더 잘 보이지 않게 되는 결과를 야기하기 때문이다. 이러한 경우에 만약 이전에 담도에 스텐트가 삽입되어 있다면 이것을 가이드 삼아서 투시조영술하에 십이지장 유두부의 위치를 상당히 정확히 예측하여 담관에 삽관을 할 수 있다. 앞에서 언급한 바와 같이 담관 협착이 십이지장 폐쇄보다 먼저 일어나는 2/3 정도의 경우가 이에 해당된다.

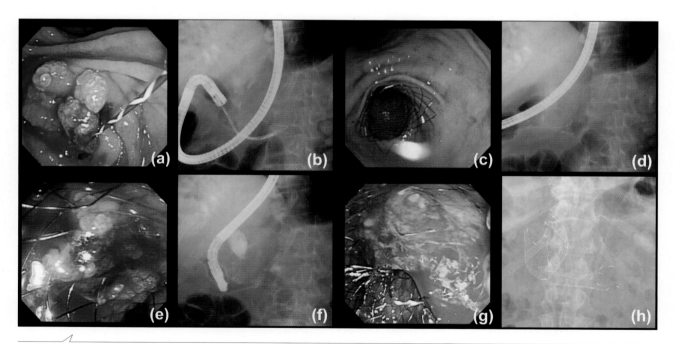

그림 23-7. Type III 협착에서의 스텐트 삽입

담관암을 진단받고 담관에 금속 스텐트 삽입 후 추가적인 치료는 원하지 않아 추적관찰 중이던 66세 남자 환자가 십이지장폐쇄 증상과 황달이 발생하여 내원하였다. 담관암의 진행으로 이전에 삽입했던 담관 스텐트 안과 밖으로 암이 자란 것이 관찰되었고 이와 더불어 십이지장 세번째 부위로 넘어가는 부분도 협착이 있는 것이 확인되었다(a). 그리하여 특화된 십이지장 스텐트를 우선 삽입하였다(b,c,e). Type III 협착이었기 때문에 십이지장 스텐트내로 십이지장경을 삽입하는 것은 어렵지 않았으나 십이지장 스텐트가 암을 눌러서 담관 입구가 잘 관찰이 되지 않는 것을 볼 수 있다(e). 그러나 이전에 담관에 삽입된 스텐트가 있었기 때문에 이를 가이드 삼아서 담관 삽관이 이루어질 수 있었고(f), 성공적으로 십이지장 스텐트의 그물을 통해서 stent-in-stent 모양으로 담관 스텐트를 삽입할 수 있었다(g,h).

Type II 협착뿐만 아니라 Type I 협착(그림 23-6)과 Type III 협착(그림 23-7)에서도 만약에 십이지장 스텐트를 삽입했을 때 스텐트가 십이지장 유두부를 가리게 되어 시술에 지장을 줄 것으로 판단되면 특화된 십이지장 스텐트를 사용해 볼 수 있다. 또한 끝이 금속으로 되어 있는 카테터를 사용하면 카테터의 위치를 더 확실히 알 수 있어 이러한 카테터를 사용하면 시술에 도움이 될 수 있다.

6. 내시경 시술이 실패했을 때의 대안

십이지장에는 스텐트를 삽입하였으나 담관 스텐트 삽입을 성공시키지 못한 경우에는 경피경간 담관배액술이나 초음파내시경 유도하 배액술(EUS-guided drainage)이 시행될 수 있다. 이 중에서 내시경으로 시행할 수 있는 초음파내시경 유도하 배액술은 크게 초음파내시경 유도하 간위연결술(EUS-guided hepaticogastrostomy, EUS-HGS)과 초음파내시경 유도하 총담관십이지장연결술(EUS-guided choledochoduodenostomy, EUS-CDS)로 나눌 수 있는데, 기술적 성공률과 기능적 성공률이 >90%으로 보고되고 있어서 이러한 상황에서 좋은 대안이 될 수 있을 것으로 보인다. 그러나 담즙 누출, 복막염, 스텐트 이탈, 그리고 출혈과 같은 합병증의 발생률이 15%까지 보고되고 있어서 주의를 요하며, 숙련된 의사에 의해 시행되는 것이 권유된다.

참/고/문/헌

1. Akinci D, Akhan O, Ozkan F et al. Palliation of malignant biliary and duodenal obstruction with combined metallic stenting. Cardiovasc Intervent Radiol 2007;30:1173-7.

2. Castano R, Lopes TL, Alvarez O et al. Nitinol biliary stent versus surgery for palliation of distal malignant biliary obstruction. Surg Endosc 2010;24:2092-8.

3. Hara K, Yamao K, Mizuno N et al. Endoscopic ultrasonography-guided biliary drainage: Who, when, which, and how? World J Gastroenterol 2016;22:1297-303.

4. Kaw M, Singh S, Gagneja H. Clinical outcome of simultaneous self-expandable metal stents for palliation of malignant biliary and duodenal obstruction. Surg Endosc 2003;17:457-61.

5. Laasch HU, Martin DF, Maetani I. Enteral stents in the gastric outlet and duodenum. Endoscopy 2005;37:74-81.

6. Lee JJ, Hyun JJ, Choe JW et al. Endoscopic biliary stent insertion through specialized duodenal stent for combined malignant biliary and duodenal obstruction facilitated by stent or PTBD guidance. Scand J Gastroenterol 2017;52:1258-62.

7. Lillemoe KD, Cameron JL, Hardacre JM et al. Is prophylactic gastrojejunostomy indicated for unresectable periampullary cancer? A prospective randomized trial. Ann Surg 1999;230:322-8; discussion 328-30.

8. Maetani I, Ogawa S, Hoshi H et al. Self-expanding metal stents for palliative treatment of malignant biliary and duodenal stenosis. Endoscopy 1994;24:701-4.

9. Maire F, Hammel P, Ponsot P et al. Long-term outcome of biliary and duodenal stents in palliative treatment of patients with unresectable adenocarcinoma of the head of pancreas. Am J Gastroenterol 2006;101:735-42.

10. Moon JH, Choi HJ, Ko BM et al. Combined endoscopic stent-in-stent placement for malignant biliary and duodenal obstruction by using a new duodenal metal stent (with videos). Gastrointest Endosc 2009;70:772-7.

11. Moon JH, Choi HJ. Endoscopic double-metallic stenting for malignant biliary and duodenal obstructions. J Hepatobiliary Pancreat Sci 2011;18:658-63.

12. Mutignani M, Tringali A, Shah SG et al. Combined endoscopic stent insertion in malignant biliary and duodenal ob-

struction. Endoscopy 2007;39:440–7.

13. Nassif T, Prat F, Meduri B et al. Endoscopic palliation of malignant gastric outlet obstruction using self-expandable metallic stents: results of a multicenter study. Endoscopy 2003;35:483–9.

14. Novacek G, Potzi R, Kornek G et al. Endoscopic placement of a biliary expandable metal stent through the mesh wall of a duodenal stent. Endoscopy 2003;35:982–3.

15. Prat F, Chapat O, Ducot B et al. A randomized trial of endoscopic drainage methods for inoperable malignant strictures of the common bile duct. Gastrointest Endosc 1998;47:1–7.

16. Profili S, Feo CF, Meloni GB et al. Combined biliary and duodenal stenting for palliation of pancreatic cancer. Scand J Gastroenterol 2003;38:1099–102.

17. Siddiqui, Stuart J Spechler SJ, Huerta S. Surgical bypass versus endoscopic stenting for malignant gastroduodenal obstruction: a decision analysis. Dig Dis Sci 2007;52:276–81.

18. Van Heek NT, De Castro SM, van Eijck CH et al. The need for a prophylactic gastrojejunostomy for unresectable periampullary cancer: a prospective randomized multicenter trial with special focus on assessment of quality of life. Ann Surg. 2003;238:894–902.

19. Vanbiervliet G, Demarquay JF, Dumas R et al. Endoscopic insertion of biliary stents in 18 patients with metallic duodenal stents who developed secondary malignant obstructive jaundice. Gastroenterol Clin Biol 2004;28:1209–13.

20. Yamao K, Hara K, Mizuno N et al. EUS-Guided Biliary Drainage. Gut Liver 2010;4(suppl 1):S67–75.

21. Yohida Y, Fukutomi A, Tanaka M et al. Gastrojejunostomy versus duodenal stent placement for gastric outlet obstruction in patients with unresectable pancreatic cancer. Pancreatology 2017;17:983–9.

22. Zheng B, Wang X, Ma B et al., Endoscopic stenting versus gastrojejunostomy for palliation of malignant gastric outlet obstruction. Dig Endosc 2012;24:71–8.

내시경 경유두 담낭배액술

Endoscopic Trans–Papillary Gallbladder Drainage

전형구 원광대학교 의과대학 / **김태현** 원광대학교 의과대학

1. 서론

급성 담낭염은 다양한 중증도를 보이며 단순한 담낭벽의 염증에서부터 국소적인 합병증, 심한 경우 다발성 장기부전까지 유발할 수 있다. 급성 담낭염의 주된 치료 방법은 수술적 담낭절제술이다. 그러나 환자의 여러 가지 요인들, 즉 고령, 심각한 기저질환, 동반된 담관염으로 인한 간기능 저하, 혈압저하(쇼크) 등으로 전신 마취의 위험성이 높아 조기에 담낭절제술이 어려울 수 있다. 따라서 수술 고위험군 환자들에서는 적극적인 보존적 치료와 더불어 다른 담낭배액술들이 필요하다. 수술을 대체할 수 있는 치료 방법으로 경피 담낭배액술(percutaneous gallbladder drainage)과 내시경 담낭배액술(endoscopic gallbladder drainage)이 있다. 일반적으로 담낭배액술로 담낭염이 호전된 이후 수술이 가능하다고 판단되는 경우 최종적으로 담낭절제술을 시행한다.

경피 담낭배액술은 시술 성공률이 높고, 급성 담낭염에 대한 치료 효과가 높다. 그러나 시술 관련 통증, 담즙누출(bile leak), 출혈(hemorrhage), 기흉(pneumothorax), 기복증(pneumoperitoneum) 등의 합병증이 발생할 수 있다. 또한 배액관으로 인해 환자의 삶의 질이 저하될 수 있고, 배액관 관리 부주의로 배액관 이탈, 삽입 부위 염증 등도 발생할 수 있다. 더욱이 경피 담낭배액술 이후 환자의 재평가에서도 수술 고위험군으로 판단되어 담낭절제술을 못할 수 있다. 담낭절제술 없이 경피 담낭배액관을 제거 시 약 21–47%에서 급성 담낭염이 재발할 수 있고, 경피 담낭배액관을 장기간 유지할 경우에도 앞에서 언급했던 여러 가지 배액관 관련 합병증이 발생할 수 있다. 이 합병증들을 피할 수 있고 지속적으로 담낭 배액을 유지할 수는 방법으로 내시경 담낭배액술이 제시되고 있다.

내시경 담낭배액술에는 초음파내시경 유도하 담낭배액술(endoscopic ultrasound–guided gallbladder drainage, EUS–GBD)과 내시경역행담췌관조영술(endoscopic retrograde pancreatocholangioscopy, ERCP)을 통한 내시경 경유두 담낭배액술(endoscopic trans–papillary gallbladder drainage)이 있다. 내시경 경유두 담낭배액술에는 내시경 경비담낭배액술(endoscopic trans–papillary nasogallbladder drainage)과 내시경 경유두 담낭배액관 삽입술(endoscopic trans–papillary gallbladder stenting)이 있다. 체계적 문헌 고찰에서 내시경 경유두 담낭배액술은 약 75–96%의 기술적 성공률, 약 86.7–100%의 임상적 성공률을 보고하였다. 내시경 경유두 담

낭배액술은 다른 배액술과 비교했을 때 자연적으로 존재하는 십이지장 팽대부입구와 담낭관을 통하여 시술이 이루어지므로 좀더 생리적이며, 시술 관련 통증이 덜하고, 동반된 담도 결석 등을 제거할 수 있으며, ERCP에 일반적으로 이용되는 기구들을 사용한다는 장점이 있다. 그러나 시술의 성공에서 중요한 담낭관(cystic duct)으로의 유도철사 삽입이 쉽지 않다는 단점이 있다. 본 장에서는 내시경 경유두 담낭배액술에 대하여 소개하고자 한다.

2. 본론

1) 시술방법(그림 24-1)

십이지장 유두부로 십이지장경(duodenoscope)을 접근하여 시술자의 선호도에 따라 도관(catheter) 혹은 절개도(sphincterotome)를 사용하여 선택적 담도 삽관을 한다. 내시경 경유두 담낭배액술 이외에 다른 필요한 시술(예: 담도 결석 제거, 악성 종양에 대한 조직검사 등)을 시행한다. 이후 하부 담도에서 도관을 통해 조영제를 주입하여 담낭관의 주행을 확인한다. 담낭관의 주행이 확인되지 않을 경우에는 담석 제거용 풍선 카테터로 하부 담도에서 풍선을 부풀린 상태로 조영제를 주입하게 되면 담낭관의 주행이 관찰될 수 있다. 그러나 담낭관의 주행이 확인이 되지 않을 경우에는 영상 검사(CT or MRCP)를 통해 담낭관 입구를 예측하며 유도철사와 도관을 조작하여 담낭관으로 유도철사 삽입을 시도한다. 일련의 과정을 통해 유도철사가 담낭관으로 삽입되면 유도철사를 따라 담낭관의 입구에 도관을 삽입한다. 도관이 담낭관의 입구에 도달하게 되면 조영제를 주입하여 담낭관의 주행 경로를 확인한다. 대부분 담낭관은 구불구불한 주행으로 유도철사 조작만으로 담낭까지 유도철사를 진입시키기 쉽지 않다. 따라서 담낭관으로 유도철사를 조금씩 삽입하면서 도관도 같이 담낭관 안으로 진입한다. 이때 도관을 통해 조영제를 주입하면서 시술을 진행한다. 무리하게 도관을 담낭관 내로 진입하려다 보면 담낭관 손상이 발생할 수

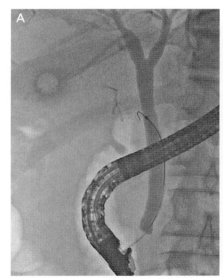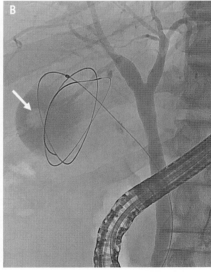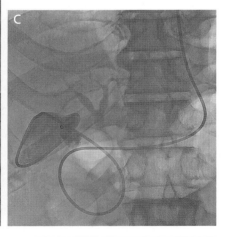

그림 24-1. Endoscopic trans–papillary gallbladder drainage.
(A) A guidewire inserted into the cystic duct after selective biliary cannulation. (B) Coiled guidewire and the catheter were placed in the gallbladder with large gallstone (white arrow). (C) The 7–Fr pigtail type nasogallbladder drainage tube was placed and left to dwell in the gallbladder.

있어 주의가 필요하다. 유도철사의 이탈을 방지하기 위해 담낭 내에서 유도철사를 나선형으로 2회 정도 감아준다. 이후 구불거리던 담낭관이 직선화되면 도관의 담낭 내 삽입이 용이하다. 도관을 담낭 내로 진입 후 조영제를 주입하여 담낭 내로 유도철사와 도관이 잘 위치해 있고, 조영제 누출이 없는지 확인한다. 삽입된 도관을 통해 담낭의 염증성 담즙을 충분히 흡인해준다. 그리고 담낭 내에 유도철사만 유지하고 도관을 회수한다. 시술자의 판단에 따라 5 Fr, 6 Fr, 7 Fr 굵기의 경비 담낭 배액관이나 담낭과 십이지장에 7 Fr double pigtail 플라스틱 스텐트(길이: 10 cm, 12 cm, 15 cm)를 삽입한다.

2) 담도내시경을 이용한 시술 방법(그림 24-2)

내시경 경유두 담낭배액술의 성공에서 중요한 과정은 유도철사를 담낭관으로 삽입하는 단계이다. 그러나 반복적인 조영제 주입 및 유도철사와 도관의 조정에도 불구하고 유도철사가 담낭관으로 삽입되지 않는 경우가 있다.

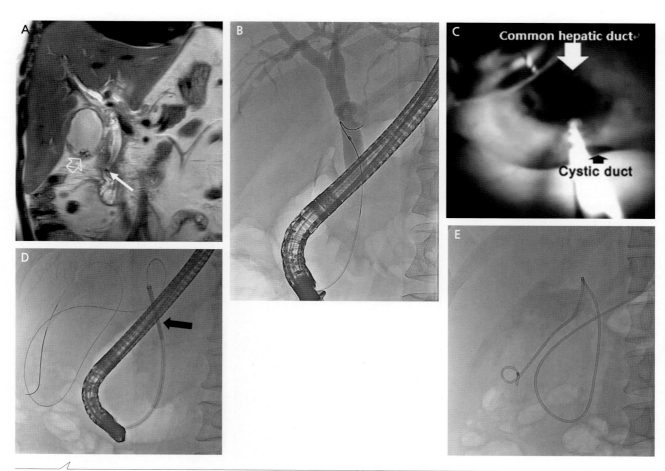

그림 24-2. Peroral cholangioscopy-guided cystic duct cannulation for endoscopic trans-papillary nasogallbladder drainage. (A) MRCP showed diffuse wall thickening of the distended gallbladder with multiple gallstones (open white arrow) and stones in the distal common bile duct (white arrow) (B) After removal of bile duct stone, endoscopic trans-papillary gallbladder drainage was attempted, but cystic duct cannulation with guidewire failed. (C) Peroral cholangioscopy using a SpyGlass® DS direct visualization system inserted into the bile duct and the cystic duct orifice was observed. (D) A guidewire inserted into the gallbladder through the cystic duct under direct visualization by SpyGlass® DS direct system (black arrow). (E) X-ray showed nasogallbladder drainage tube placed in the gallbladder.

이러한 경우에는 담도내시경(direct peroral cholangioscopy)을 이용하여 도움을 얻을 수 있다. 담도내시경으로 담도를 직접 관찰하면 담낭관의 입구를 확인할 수 있다. 이를 통해 직접 담낭관의 입구를 보면서 담낭관으로 유도 철사를 삽입한 후, 내시경 경유두 담낭배액술을 시행할 수 있다. 특히 최근 스파이글래스 담도내시경(SpyGlass® cholangioscopy) DS™의 도입으로 담도내시경 시술이 용이해졌으며, 이를 이용한 내시경 경유두 담낭배액술에 관한 연구가 보고되었다.

3) 경피 담낭배액술을 받은 환자에서의 시술

　　급성 담낭염의 일차 치료로 경피 담낭배액술을 받았던 환자에서 담낭 염증이 호전된 이후에도 수술 고위험군 으로 판단되어 담낭절제술을 시행받지 못하는 경우가 있다. 이런 경우에 내시경 경유두 담낭 배액관 삽입술을 시 도해 볼 수 있다(그림 24-3). 국내 연구에서 이러한 시술의 기술적 성공률과 임상적 성공률을 각각 97.7%, 90.5%로 보고하였다. 특히 담낭 배액관을 통한 조영제 주입 시 담낭관의 개통(cystic duct patency) 여부가 시술 성공에 중요

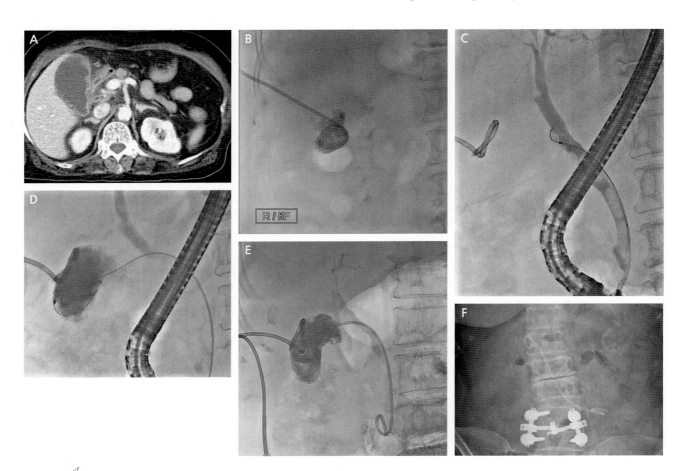

그림 24-3. Conversion of endoscopic trans-papillary gallbladder stenting from percutaneous gallbladder drainage in an 81-year-old woman with acute cholecystitis.
(A) Abdominal CT showed diffuse irregular wall thickening of the gallbladder with multiple gall stones. (B) Initial percutaneous gallbladder drainage was performed due to high surgical risk of underlying severe aortic stenosis. (C and D) A guidewire with catheter was inserted into the cystic duct and gallbladder after selective bile duct cannulation. (E) A 7 Fr double pigtail plastic stent (12 cm in length) was inserted between the gallbladder and the 2nd portion of the duodenum. (F) The percutaneous gallbladder drainage was removed after 4 weeks later.

한 요소로 보고하였다. 이 외에도 경피 담낭배액관을 통해 유도철사를 삽입하여 유도철사를 담낭관–담도–십이지장으로 거치시킨 뒤 랑데뷰법을 이용하여 내시경 경유두 담낭 배액관 삽입술을 시행하는 방법도 있다.

4) 임상적 유용성

급성 담낭염의 주된 치료 방법은 담낭절제술이다. 그러나 환자의 수술 위험도, 담낭염의 중증도 및 합병증의 유무, 그리고 담관염 동반 유무에 따라 수술 시기를 비롯한 치료방법이 달라질 수 있다. 수술 고위험 환자들에서는 수술 전 담낭배액술을 시행한 후 담낭염과 담관염이 호전되면 환자의 심폐기능, 체력상태, 기저질환 중증도를 평가하여 담낭절제술 가능 여부를 결정할 수 있다. 조기 담낭절제술이 어려운 급성 담낭염 환자에서 십이지장 유두부(ampulla of Vater)로의 내시경 접근이 가능한 경우 십이지장 유두부를 통한 담낭배액술을 시도해 볼 수 있다. 특히 ERCP를 통해서 담관배액술이 필요한 급성 담관염을 동반한 급성 담낭염 환자들이 내시경 경유두 담낭배액술의 좋은 적응증이 될 수 있다. 총담관 결석이 동반되어 있을 때는 총담관 결석을 제거하거나 담관배액술을 시행한 후 담낭배액술를 시행할 수 있다. 내시경 경비담낭배액술은 담낭배액술 이후 수술이 가능하다고 예측되었을 때나 수술여부와 상관없이 농(pus)을 포함한 끈끈한 담낭담즙으로 배액이 원활하지 않을 때 고려해볼 수 있다. 경유두 담낭 배액관 삽입술은 담낭배액술 이후에도 담낭절제술이 어렵다고 판단되거나 섬망, 치매, 고령 등으로 경비담낭배액관을 환자가 제거할 가능성이 높은 경우에 이용될 수 있다. 일부 보고에서 항응고제나 항혈소판제 복용, 파종혈관내응고(disseminated intravascular coagulation, DIC)질환, 다량의 복수가 있는 환자에서도 비교적 안전하게 내시경 경유두 담낭배액술을 시행한 보고가 있어 주목할 만하다.

최근 메타 분석에서 초음파내시경 유도하 담낭배액술이 내시경 경유두 담낭배액술 보다 기술적 임상적 성공률과 급성 담낭염의 재발률 측면에서 우월한 결과를 보였다. 그러나 경피 담낭배액술과의 비교에서는 내시경 경유두 담낭배액술이 급성 담낭염 재발이 적고, 재시술 빈도가 낮은 것으로 보고하였다. 시술 관련 비용, 시술의 난이도, 현재까지의 연구 결과 등을 고려했을 때 내시경 경유두 담낭배액술의 임상적 유용성은 유효하다.

5) 합병증과 한계점

내시경 경유두 담낭배액술의 조기 합병증으로 급성 췌장염, 유두부괄약근 절개술 관련 출혈, 담낭관 손상 등이 발생할 수 있다. 지연성 합병증으로는 담도 결석으로 인한 담관염, 삽입된 플라스틱 스텐트나 경비담낭배액관의 이탈, 급성 담낭염 재발 등이 있다. 급성 췌장염이나 유두부괄약근 절개술 관련 출혈 등은 대부분 보존적 치료나 내시경 지혈술을 통해 치료될 수 있다. 시술 과정에서 담낭관 손상이 발생했을 경우에는 먼저 총담관 내 스텐트를 삽입하고 경피 담낭배액술을 시행하면 대부분 추가적인 수술 없이 치료될 수 있다. 담도 결석으로 인한 담관염, 급성 담낭염이 재발한 경우에는 ERCP 통한 담도 결석 제거 후 내시경 경유두 담낭배액술을 다시 시도해 볼 수 있다.

내시경 경유두 담낭배액술 성공에서 중요한 단계는 유도철사의 담낭관내로의 성공적인 진입이다. 그러나 유도철사가 담낭관 내로 진입되었더라도 담낭관이 담낭관 입구보다 아래 방향으로 주행하거나 심한 구불구불 담낭관으로 담낭으로의 유도철사 진입이 실패 할 수 있다. 또한 담낭으로 유도철사 진입은 가능하나 경비담낭배액관이나 플라스틱 스텐트가 담낭관 협착 등으로 삽입되지 않는 경우가 있다. 더욱이 담낭관 진입 부위가 악성 종양이나 이전에 삽입된 금속 스텐트로 막혀 있거나 담석이 담낭관 내부를 막고 있을 경우에는 시술이 어렵다. 따라서 적절한 적응증의 환자를 선택하여 시술을 시행해야 하며, 시술이 어려울 경우에는 다른 방법의 담낭배액술을 고려해야 한다.

아직까지 내시경 경유두 담낭배액관삽입술에 성공한 환자에서 주기적으로 배액관을 교체해야 되는지에 대한 해답을 줄 수 있는 연구는 없다. 대부분의 관련 연구에서 주기적인 교체보다는 급성 담낭염이 재발했을 경우에 재시술하는 것을 선호하고 있다. 최근 일본에서 담낭 배액관 이탈을 막고자 새롭게 디자인된 플라스틱 스텐트가 개발되어 사용되고 있으며, 임상 연구에서도 의미있는 결과를 보여주고 있어 주목할 만하다.

3. 결론

최근에는 기저질환이 동반된 고령환자에서 급성 담낭염 발생 빈도가 증가하고 있어 비수술적 담낭배액술의 필요성이 증가하고 있다. 내시경 경유두 담낭배액술은 십이지장 유두부(ampulla of Vater)로의 내시경 접근이 가능한 경우 급성 담낭염의 수술 전 배액술로 선택 가능한 방법이며, 기술적으로 성공했을 때 높은 임상적 성공률을 얻을 수 있다. 또한 담낭절제술이 어려운 고위험군 환자들에서 지속적인 담낭 배액과 급성 담낭염 예방을 위해서 이 시술을 고려해 볼 수 있다. 유도철사와 도관 등의 조작에도 불구하고 담낭관으로의 유도철사 삽입이 어려운 경우에는 담도내시경을 이용하여 시술을 시도해 볼 수 있다. 내시경 경유두 담낭배액술이 모든 환자에서 성공적으로 시행되지 않을 수 있고 합병증이 발생할 수도 있다. 담낭 배액술의 접근방법은 환자의 기저 질환, 담낭과 담낭관의 형태 또는 구조, 시술을 시행할 수 있는 전문가의 존재 여부에 따라 달라질 수 있다. 배액술의 효과는 일반적으로 좋으나 담낭절제술이 근본적인 치료 방법이므로 외과와 영상의학과와 충분한 협의를 통하여 치료 방법을 신중히 결정하여야 한다.

참/고/문/헌

1. Arvanitakis M. Endoscopic transpapillary gallbladder stent placement for high-risk patients with cholecystitis: an oldie but still a goodie. Gastrointest Endosc 2020;92:645-7.

2. Chon HK, Park C, Park DE, et al. Efficacy and safety of conversion of percutaneous cholecystostomy to endoscopic transpapillary gallbladder stenting in high-risk surgical patients. Hepatobiliary Pancreat Dis Int. 2021;20:478-84.

3. Itoi T, Coelho-Prabhu N, Baron TH. Endoscopic gallbladder drainage for management of acute cholecystitis. Gastrointest Endosc 2010;71:1038-45.

4. Jandura DM, Puli SR. Efficacy and safety of endoscopic transpapillary gallbladder drainage in acute cholecystitis: An updated meta-analysis. World J Gastrointest Endosc 2021;13:345-55.

5. Kim TH, Park DE, Chon HK. Endoscopic transpapillary gallbladder drainage for the management of acute calculus cholecystitis patients unfit for urgent cholecystectomy. PLoS One 2020;15:e0240219.

6. Lee TH, Park DH, Lee SS, et al. Outcomes of endoscopic transpapillary gallbladder stenting for symptomatic gallbladder diseases: a multicenter prospective follow-up study. Endoscopy 2011;43:702-8.

7. Lyu Y, Li T, Wang B, et al. Comparison of three methods of gallbladder drainage for patients with acute cholecystitis who are at high surgical risk: A network meta-analysis and systematic review. J Laparoendosc Adv Surg Tech A 2021;31:1295-302.

8. Nakahara K, Michikawa Y, Morita R, et al. Endoscopic transpapillary gallbladder stenting using a newly designed plastic stent for acute cholecystitis. Endosc Int Open 2019;7:E1105-E14.

9. Nakahara K, Sato J, Morita R, et al. Incidence and management of cystic duct perforation during endoscopic transpapillary gallbladder drainage for acute cholecystitis. Dig Endosc 2021;34:207-14.

10. Nam K, Choi JH. Conversion of percutaneous cholecystostomy to endoscopic gallbladder stenting by using the rendezvous technique. Clin Endosc 2017;50:301–4.

11. Oh D, Song TJ, Cho DH, et al. EUS–guided cholecystostomy versus endoscopic transpapillary cholecystostomy for acute cholecystitis in high–risk surgical patients. Gastrointest Endosc 2019;89:289–98.

12. Ridtitid W, Piyachaturawat P, Teeratorn N, et al. Single–operator peroral cholangioscopy cystic duct cannulation for transpapillary gallbladder stent placement in patients with acute cholecystitis at moderate to high surgical risk (with videos). Gastrointest Endosc 2020;92:634–44.

13. Sagami R, Hayasaka K, Ujihara T, et al. Endoscopic transpapillary gallbladder drainage for acute cholecystitis is feasible for patients receiving antithrombotic therapy. Dig Endosc 2020;32:1092–9.

14. Siddiqui A, Kunda R, Tyberg A, et al. Three–way comparative study of endoscopic ultrasound–guided transmural gallbladder drainage using lumen–apposing metal stents versus endoscopic transpapillary drainage versus percutaneous cholecystostomy for gallbladder drainage in high–risk surgical patients with acute cholecystitis: clinical outcomes and success in an international, multicenter Study. Surg Endosc 2019;33:1260–70.

15. Sofuni A, Itoi T. Transpapillary gallbladder drainage: when and how? Endosc Int Open 2019;7:E1115–E6.

16. Sun X, Liu Y, Hu Q, et al. Endoscopic transpapillary gallbladder drainage for management of acute cholecystitis with coagulopathy. J Int Med Res 2021;49:300060521996912.

17. Tsuyuguchi T, Itoi T, Takada T, et al. TG13 indications and techniques for gallbladder drainage in acute cholecystitis (with videos). J Hepatobiliary Pancreat Sci 2013;20:81–8.

18. Yoshida M, Naitoh I, Hayashi K, et al. Four–step classification of endoscopic transpapillary gallbladder drainage and the practical efficacy of cholangioscopic assistance. Gut Liver 2021;15:476–85.

췌장 질환의
내시경접근

ENDOSCOPIC
APPROACH TO
PANCREATIC
DISEASE

SECTION

3

췌장의 해부 및 변이

Anatomy, Embryology, and Developmental Anomalies of the Pancreas

윤재훈 한양대학교 의과대학

1. 췌장의 정상해부 및 혈관분포

췌장은 길이 12–20 cm의 부드럽고 가늘고 납작한 모양의 내분비 및 외분비기능을 하는 샘(gland)기관이다. 성인 췌장의 무게는 70–110 g이고, 췌장은 소엽형태가 모여있는 외형을 보이며, 피막 없이 미세한 결합 조직으로 덮여 있다. 췌장은 두부(head), 경부(neck), 체부(body), 그리고 미부(tail)와 같이 네 부분으로 구분할 수 있다(그림 25-1). 주로 요추 1–2번 부근의 후복막에 위치하고 있으며(그림 25-2), 췌장의 두부는 십이지장의 제2구부 만곡 내에 놓여 있고 췌장의 나머지 부분은 후복막에 비스듬히 놓여 있으며 미부는 비장의 위측 표면(gastric surface) 까지 뻗어 있다(그림 25-1).

췌장은 주로 근처를 지나가는 동맥이나 정맥에 의해 네 부분으로 구분된다. 췌장 두부는 십이지장 제2부 외에도 위전정부, 십이지장 제3부, 횡행결장(transverse colon)과도 맞닿아 있는 평편한 구조이며, 두부와 경부의 구분은 위십이지장동맥(gastroduodenal artery)이 췌장에 접하는 부위가 된다. 갈고리돌기(uncinate process) 는 두부의 일부분으로 크기와 모양이 다양하며, 두부 아래 부분에서 경부 뒤에서 내려오는 상장간동맥(superior mesenteric artery)과 상장간정맥(superior mesenteric vein)의 뒤쪽에 위치하며 왼쪽으로 뻗어 있다(그림 25-3). 췌장의 갈고리돌기는 췌장 두부의 아래쪽 부분에서 돌출되어 위쪽과 왼쪽으로 확장되는 췌장 조직의 연장 이다. 갈고리돌기는 대동맥(aorta)과 하대정맥(inferior vena cava)의 앞쪽에 있으며, 췌장의 경부 아래에서 나오는 상장간막 혈관에 의해 위쪽이 덮여 있다. 갈고리돌기의 크기와 모양에는 많은 변화가 있으며 아예 없을 수도 있다. 췌장의 경부는 길이 1.5–2 cm, 폭 3–4 cm의 크기로 두부와 체부의 연결부분으로 췌장의 두부에서 왼쪽으로 뻗어 두부와 췌장의 몸체를 연결한다. 췌장의 경부 뒤로 문맥과 상장간막 및 비장정맥(splenic vein)이 합류하는 곳이 있다. 앞쪽은 위의 유문부와 복막의 그물막 주머니(소낭, lesser sac)으로 부분적으로 덮여 있다(그림 25-2).

경부는 위 십이지장 동맥에서 전상방췌십이지장 동맥(anterosuperior pancreaticoduodenal artery)까지 오른쪽으로 확장된다. 췌장의 체부는 대동맥의 앞쪽에서 왼쪽을 향하고 있으며 후복막에 위치하며 소낭의 복막에 의해 대동맥에 고정된다. 몸의 앞쪽 표면은 위와 췌장을 분리하는 그물막 주머니에 덮여 있다. 위의 전정부와 체부,

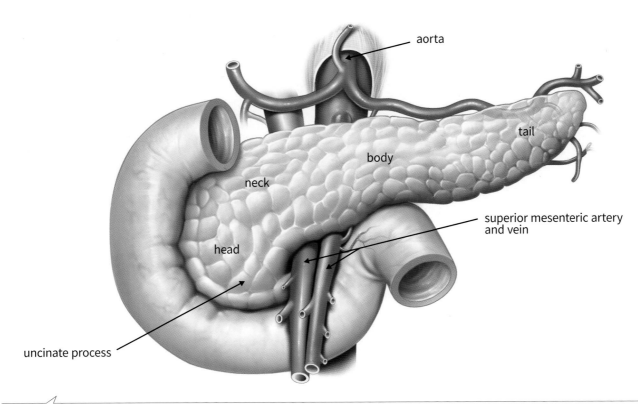

그림 25-1. 정상췌장의 구조. 췌장은 두부(head), 경부(neck), 체부(body), 그리고 미부(tail) 등 네 부분으로 구분할 수 있다.

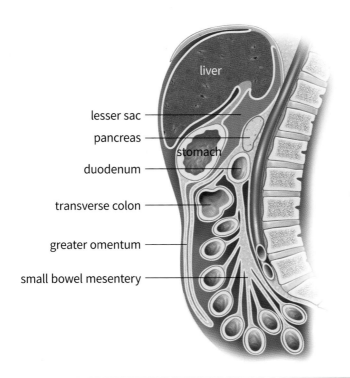

그림 25-2. 상복부 시상절단(sagittal section)의 모식도. 췌장은 그물막주머니(lesser sac)와 척추 사이의 후복막강에 위치한다.

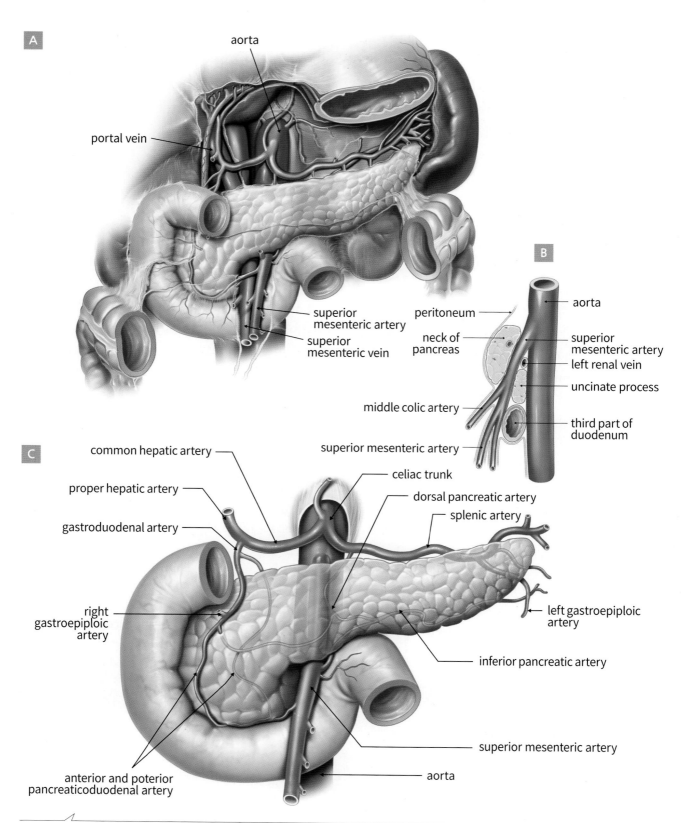

A

aorta

portal vein

superior mesenteric artery

superior mesenteric vein

B

peritoneum

neck of pancreas

middle colic artery

superior mesenteric artery

aorta

superior mesenteric artery

left renal vein

uncinate process

third part of duodenum

C

common hepatic artery

proper hepatic artery

gastroduodenal artery

right gastroepiploic artery

anterior and poterior pancreaticoduodenal artery

celiac trunk

dorsal pancreatic artery

splenic artery

left gastroepiploic artery

inferior pancreatic artery

superior mesenteric artery

aorta

그림 25-3. 췌장의 구조와 주위 혈관과의 관계. (A) 동맥과 정맥, 주변장기와 췌장의 관계, (B) 췌장의 경부과 갈고리돌기의 동맥의 위치, (C) 췌장의 갈고리돌기, 경부, 체부, 미부와 혈관과의 관계

횡행결장이 췌장의 몸 앞쪽에 접촉하고 있다. 췌장의 몸 뒤에는 대동맥, 상장간동맥의 문합부, 왼쪽 신장, 왼쪽 부신 및 비장정맥이 있다. 췌장 체부의 정중선 부분은 요추 앞에 있으며, 이는 췌장의 이 영역을 복부 외상에 가장 취약하게 만드는 이유이기도 하다. 체부는 옆으로 지나가다가 눈에 띄는 접합점 없이 췌장 미부와 합쳐진다. 미부는 상대적으로 움직이며 끝부분이 일반적으로 비장의 문(hilum)에 도달한다. 미부의 끝은 비신인대(splenorenal ligament) 사이에 복강 내에 위치한다.

1) 췌관의 정상 구조

주췌관(main pancreatic duct, Wirsung duct)은 췌장 미부에서 시작되어 좌측에서 우측으로 진행하면서 체부를 지난다. 미부와 체부에서는 췌장의 상부와 하부 모서리의 중앙을 통과하게 된다. 췌장의 경부을 지나면서 주췌관은 아래쪽, 뒤쪽으로 방향을 틀면서 S자 모양을 만들게 되고 마지막에는 수평으로 주행하면서 팽대부에서 총담관(common bile duct)과 만나서 짧은 공통관(common channel)을 만들면서 주유두를 통해 십이지장으로 나오게 된다(그림 25-4).

총담관과 주췌관의 공통관 길이는 평균 4.5 mm이며 1–12 mm의 범위를 가진다. 그러나 공통관 없이 중격만 있는 경우도 있고 때로는 대유두에서 따로 별개의 창을 통해 십이지장으로 개구되기도 한다. 부췌관(accessory pancreatic duct of Santorini)은 췌장의 경부근처에서 주췌관과 연결되어 주췌관보다 상부, 담관의 앞쪽으로 주행하여 부유두(minor papilla)를 통해 십이지장으로 개구되며, 부유두는 주유두보다 근위부의 십이지장 제2부에 있다. 부췌관이 일반인구의 70%에서는 연결이 유지되는 것으로 알려져 있다. 부췌관이 주췌관과 연결이 없는 경우는 서양에서는 10% 정도이며 동양에서는 이보다 더 드물다. 연결이 없는 경우에 분할췌장이라고 한다. 주췌관의 직경은 췌장 두부에서 가장 굵으며 미부로 가면서 점차 가늘어져서 두부에서는 3.1–4.8 mm, 미부에서는 0.9–2.4 mm의 범위를 가진다. 영상에서 얻는 췌관의 굵기는 진단방법에 따라 차이가 있어 내시경역행담췌관조영술(endoscopic retrograde cholangiopancreatography, ERCP)에서 자기공명담췌관조영술(magnetic resonance cholangiopancreatography, MRCP)보다 굵게 보일 수 있으며 초음파내시경(endoscopic ultrasound, EUS)에서 비교적 정확히 측정할 수 있다. 주췌관의 정상 직경은 두부에서 4–5 mm 이하, 체부에서는 3–4 mm, 미부에서는 2–3 mm 이하이며, 나이가 들수록 정상에서도 주췌관 직경이 더 굵어진다. 담관 원위부는 췌장 두부

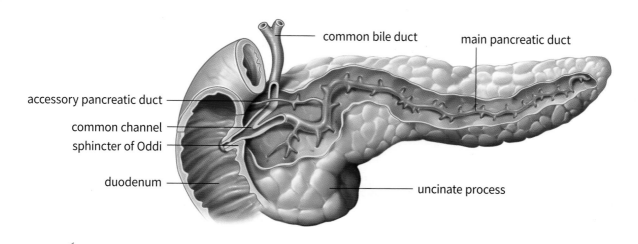

그림 25-4. 췌관과 간외담관의 구조

안으로 주행하면서 팽대부(ampulla)에서 주췌관과 함께 십이지장 제2부의 주유두로 개구되어 3개의 구조는 하나의 단위를 이루고 있다(그림 25-5).

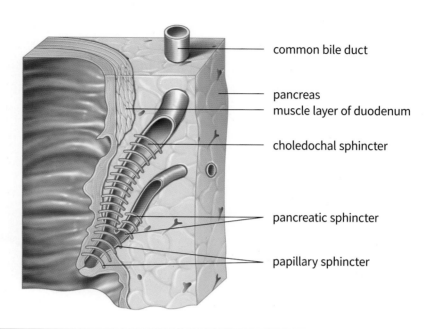

common bile duct

pancreas
muscle layer of duodenum

choledochal sphincter

pancreatic sphincter

papillary sphincter

그림 25-5. 십이지장 유두부와 췌장, 췌관, 유두부괄약근의 해부모식도

2) 림프관배액

췌장의 위 가장자리를 따라 비장동정맥과 밀착하여 위림프관(superior lymphatic vessels)이 주행한다. 췌장 체부의 왼쪽과 췌장 미부에 있는 위림프관은 비장문에 있는 림프절로 배액한다. 췌장 체부의 오른쪽과 췌장 경부의 위림프관은 췌장의 위 가장자리에 있는 림프절로 배액한다. 그리고 췌장의 앞면과 뒷면에 있는 위림프관도 췌장의 위 가장자리에 있는 림프절로 배액한다. 췌장의 아래 가장자리에는 하림프관(inferior lymphatic vessels)이 하췌장동맥과 같이 주행한다. 췌장 체부의 왼쪽과 췌장 미부에 있는 하림프관은 비장문에 있는 림프절로 배액한다. 췌장 체부의 오른쪽과 췌장 경부의 하림프관은 췌장의 아래 가장자리에 있는 림프절로 배액한다. 그리고 췌장의 앞면과 뒷면에 있는 하림프관도 췌장의 아래 가장자리에 있는 림프절로 배액한다.

3) 신경분포

췌장의 내장원심신경분포(visceral efferent innervation)는 미주신경(vagus nerve)과 내장신경(visceral nerve)을 통해 이루어진다. 이들 신경섬유는 간신경얼기(hepatic plexus)와 복강신경얼기(celiac plexus)를 경유하여 췌장 내부의 부교감신경절에서 끝난다. 신경절이후신경섬유(postganglionic nerve)는 췌장의 샘꽈리(acini), 소도(islet) 및 췌관에 분포한다. 교감신경의 신경절이전신경섬유(preganglionic nerve)는 흉부척수와 요부척수의 가쪽회색질(lateral gray matter)에서 기시한다. 교감신경의 신경절이후신경섬유는 복강 내 큰 신경얼기에 위치하고 있다. 자율신경섬유는 모두 췌장 혈관 가까이에 위치하고 있다. 미주신경은 내장구심(visceral afferent) 신경섬유의 일부를 포함하고 있다.

2. 췌장의 정상 변이

주췌관의 형상(contour)은 90%에서는 모양의 차이는 있지만 정상의 형태를 보인다. 거의 직선 형태부터 역 L 자 모양까지 다양하지만 대부분 주로 S자 모양을 보인다(그림 25-6). 심한 곡선의 모양을 보이면 N자 모양을 보이는 경우도 있고 때로는 췌장의 두부나 경부 부분에서 고리(loop)형을 보이는 경우도 있다(그림 25-6, 7). 이 경우는 ERCP에서 췌관 삽관 중에 유도철사에 의해 췌관에 손상을 줄 수 있기 때문에 주의하여야 한다. 부췌관이 주췌관에서 분지되어 부유두로 개구될 때에 때로는 주췌관의 아래 부분에서 역 S자 모양으로 나와서 부유두로 개구되는 경우를 ansa pancreaticus라고 하며(그림 25-6, 7), 이는 급성 혹은 만성 췌장염의 원인이 되기도 한다.

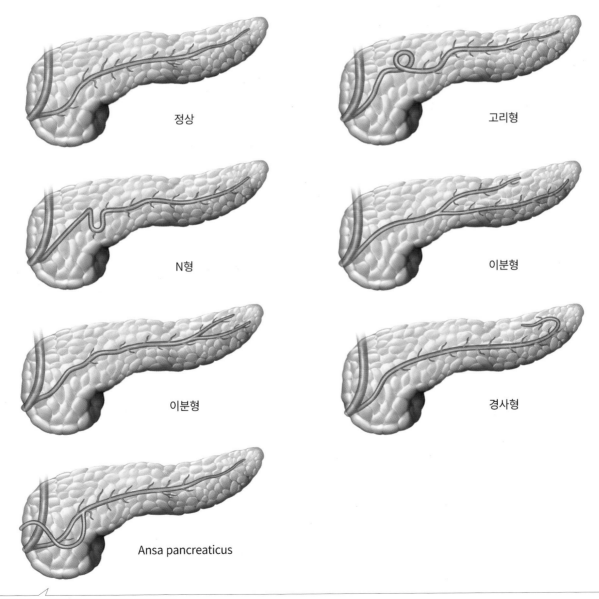

그림 25-6. 췌관의 정상형태와 정상변이

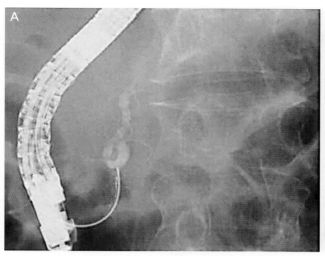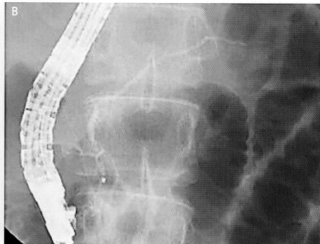

그림 25-7. 주췌관의 고리형 변형(A)과 Ansa pancreaticus (B)의 ERCP소견

3. 췌장의 발생과 선천성 변이

1) 췌장의 발생

췌장은 태아(embryo)의 발생 6주째에 배측췌장(dorsal pancreas)이 발생기 중간창자(midgut)의 좌측에서 성장하고 복측췌장(ventral pancreas)은 담관계에서 연결되어 성장한다. 7주째에 담관계와 복측췌장은 십이지장의 뒤를 돌아 배측췌장의 아래 부분에 융합하며, 배측췌장은 췌장의 미부, 체부, 두부의 일부분이 되고 복측췌장은 나머지 두부와 갈고리돌기가 된다(그림 25-8). 융합한 후에 복측관(ventral duct)은 배측관(dorsal duct)과 문합하여 주췌관이 되고 배측관의 십이지장 가까운 부분은 산토리니 부췌관이 된다.

2) 췌장의 선천성 변이

(1) 분할췌장(Pancreas divisum)

분할췌장은 배아 발생 동안 배측췌관과 복측췌관이 융합되지 않아 발생하며(그림 25-9), 상대적으로 작은 부췌과 부유두에서 대부분의 외분비액이 배출된다. 분할췌장은 크게 3가지 유형이 있다. 부췌관과 주췌관 사이의 완전한 융합에 실패가 있는 전형적인 또는 완전한 형태의 분할췌장은 분할췌장 환자의 71%에서 발생한다(그림 25-10). 두 번째 유형의 분할췌장은 복측췌관이 없이 배측췌관으로 주로 췌액이 분비되는 형태로 분할췌장 환자의 6%에서 발생한다. 마지막 유형인 불완전 췌장 분열은 복측과 배측췌관 사이에 작은 연결관이 남아 있는 상태로 분할췌장 환자의 23%에서 발생한다(그림 25-11). 분할췌장은 부검을 한 환자에 대한 연구에서 5-10%에서 발견되었고, ERCP를 받은 환자에서도 비슷한 빈도로 발견된다. Cotton 등의 연구에서는 재발성 급성 췌장염 평가를 위해 ERCP를 받은 성인 환자의 26%가 분할췌장이 있다고 보고하였고, 이는 분할췌장과 췌장염과의 인과 관계를 시사한다. MRCP를 기반으로 한 연구에서 분할췌장이 만성 및 재발성 췌장염의 원인으로 보기도 하였다. 최근

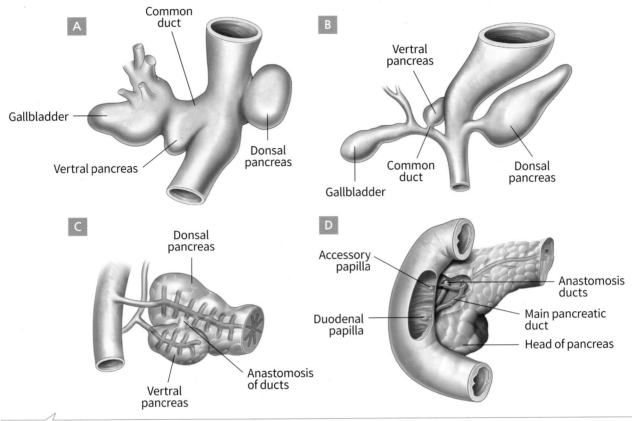

그림 25-8. 췌장의 발생. (A, B) 중간창자에서 배측췌장과 복측췌장의 아(bud, 싹)가 형성된다, (C, D) 중간창자가 회전하면서 배측췌장과 복측췌장의 싹이 융합한다.

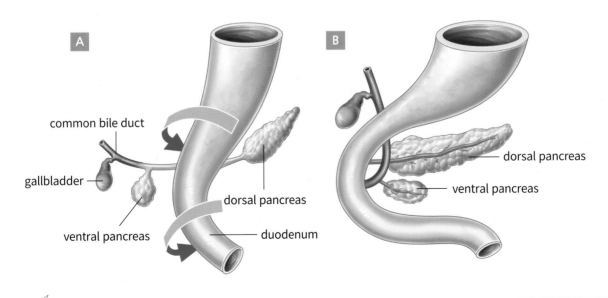

그림 25-9. 분할췌장의 발생. 주안창자가 회전한 후 복측췌장과 배측췌장이 융합되지 않아 분할췌장이 발생한다.

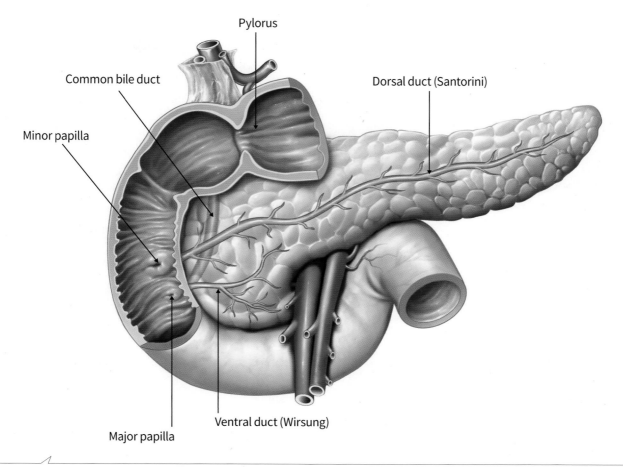

Pylorus

Common bile duct

Dorsal duct (Santorini)

Minor papilla

Ventral duct (Wirsung)

Major papilla

그림 25-10. 완전 분할췌장을 가진 성인환자의 췌장모식도

연구에서 SPINK1과 CFTR의 유전적 돌연변이와 증상이 있는 환자의 분할췌장 사이의 연관성을 보여주었고, 이는 분할췌장이 췌장 질환의 다른 위험 인자와 관련하여 췌장 질환의 발병에 부가적인 영향을 미친다는 것을 시사한다. 더욱이 최근의 체계적 문헌고찰에서는 분할췌장과 췌장 질환 사이에 명확한 상관 관계가 없다고 보고하기도 하였다. 분할췌장이 질환 발병의 원인인지 또는 보조 인자인지는 아직 명확하지 않다. 분할췌장의 암발생인자로의 역할은 분할췌장과 관련된 팽대부암의 증례 되기도 하였고, 후향적 연구에서 분할췌장 환자의 7.8%가 췌담도 종양을 가지고 있다는 보고도 있었다. 분할췌장은 ERCP, EUS, 복부 전산화단층촬영(computed tomography, CT) 또는 MRCP로 진단할 수 있다(그림 25-12). ERCP가 분할췌장의 진단의 표준검사법으로 알려져 있지만, 최근 연구에서 민감도 73.3%, 특이도 96.8%를 보여주는 세크레틴 강화 자기공명담췌관조영술(secretin-enhanced MRCP)도 상당히 유용한 검사로 알려져 있다. 세크레틴 강화가 없는 MRCP는 진단적이지 못하다. 분할췌장 환자의 극소수만이 비정상 해부학적 구조로 인해 증상을 나타내지만, 재발성 급성 췌장염 및 만성 췌장염이 있는 일부 환자에서는 내시경 또는 외과적 치료가 증상을 완화할 수 있는 것으로 보인다. 부유두에 대한 내시경 치료를 받은 분할췌장 환자 57명을 대상으로 한 약 20개월 추적 관찰한 후향적 연구에서 재발성 급성 췌장염의 경우 76%, 만성 췌장염의 경우 42%에서 증상의 호전을 관찰할 수 있었다. 145명의 환자에 대해 약 43개월을 관찰한 장기관찰 연구에서는 부유두에 대한 내시경치료 후 분할췌장을 가진 환자에서 재발성 급성 췌장염 환자의 53%, 만성 췌장

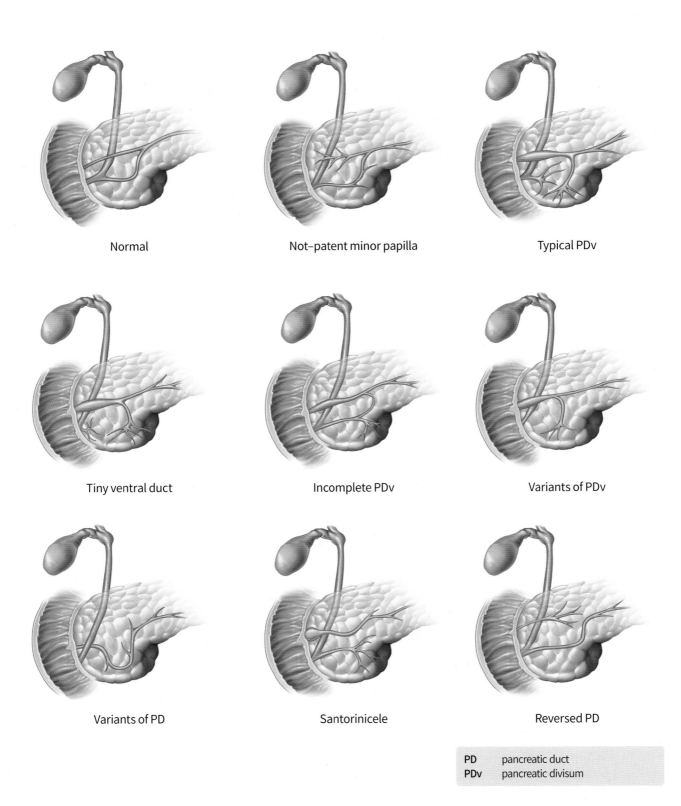

Normal	Not–patent minor papilla	Typical PDv
Tiny ventral duct	Incomplete PDv	Variants of PDv
Variants of PD	Santorinicele	Reversed PD

PD	pancreatic duct
PDv	pancreatic divisum

그림 25-11. 정상췌관과 분할췌장, 그외 다양한 형태의 췌관변이

염 환자의 18%, 췌장형 복통 환자의 41%에서 임상적인 호전을 보였다. Kanth 등은 528명의 분할췌장 환자에 대한 체계적 문헌고찰을 통해 내시경 치료가 분할췌장으로 인한 재발성 급성 췌장염 환자에 대한 효과적인 치료방법이라는 점을 발견했다.

(2) 윤상췌장(Annular pancreas)

윤상췌장은 발생기에 중간창자의 회전 시에 배측 췌장이 밴드모양으로 십이지장 제2부를 둘러싸서 십이지장의 폐쇄를 일으킬 수 있는 것으로(그림 25-12) 췌장의 일부가 십이지장의 팽대부 근위부 주위에 얇은 띠를 형성하여 완전한 또는 부분적인 장 폐쇄를 초래하는 선천적 기형이다(그림 25-13). 윤상췌장의 발병률은 복부영상촬영 및 부검을 받은 환자에 대한 후향적 연구에 기초하여 각각 1/1,000 및 3/20,000로 추정된다. 형제자매 및 일란성 쌍둥이에서 많이 발생하는 점등으로 윤상췌장의 발병기전에 유전적 요인이 관련되어 있다고 보고 있다. utrophin 유전자(UTRN)를 포함하는 염색체 6q24.2의 미세중복이 관여하고 있을 것으로 보고 있다. 게다가 윤상췌장은 21번 삼염색체증과 같은 다른 선천적 기형이 있는 환자에서 더 흔한 소견이 있고, 또한 심장 결함, 십이지장 폐쇄증, 비뇨 생식기 기형 및 기관 식도 누공 같은 선천성 질환이 있는 환자에게 더욱 흔하여 유전적 소인이 윤상췌장의 발생에 관여하고 있다고 볼 수 있다. 윤상췌장은 산전이나 유아기에 진단되는 경우가 많지만, 40-70대에 발견되는 경우도 있다. 유아기와 성인에 발견되는 경우 증상의 차이가 있는데, 소아 환자는 비담즙성 구토와 섭식장애가 주로 나타나고, 성인은 복통, 췌장염, 담도 폐쇄, 또는 메스꺼움, 구토 및 팽만감을 주소로 검사 중 우연히 발견되는 경우가 많다. 소아에서 진단은 복부 방사선 사진, 초음파 또는 상부 위장관 조영술을 통해 진단되는 경우가 많고, 성인의 경우 복부CT나, MRCP 또는 ERCP가 더 일반적으로 사용될 수 있다(그림 25-14). 장 폐쇄에 대한 효과적인 치료로 외과적 수술이 필요할 수 있다. 윤상췌장이 있는 성인에서 췌담도 종양의 발생위험도가 유의하게 증가하며 십이지장암과의 연관성도 있다. 따라서 윤상췌장이 있는 환자에서 암 검진 및 감시를 고려해야 한다.

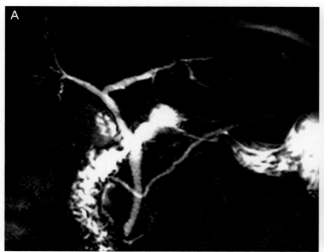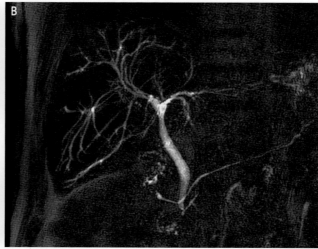

그림 25-12. 분할췌장 환자의 MRCP사진

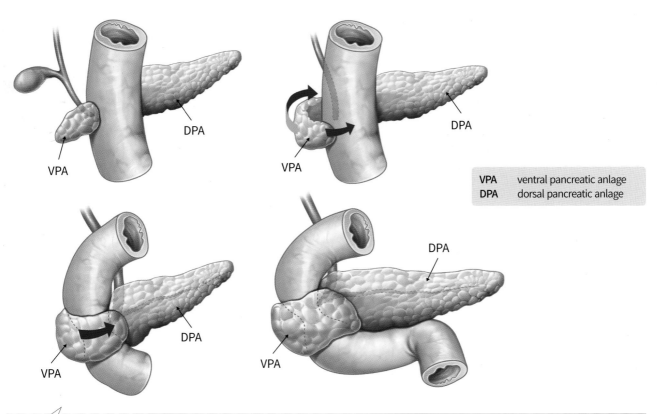

| **VPA** | ventral pancreatic anlage |
| **DPA** | dorsal pancreatic anlage |

그림 25-12. 윤상췌장의 발생. 중간창자에서 발생한 배측췌장의 싹이 십이지장을 감싸면서 양측방향으로 자란다.

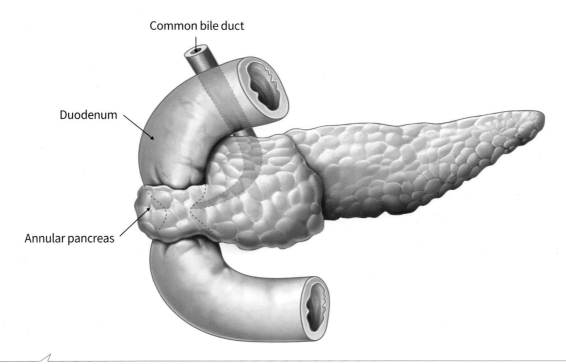

그림 25-13. 윤상췌장의 가진 환자의 모식도

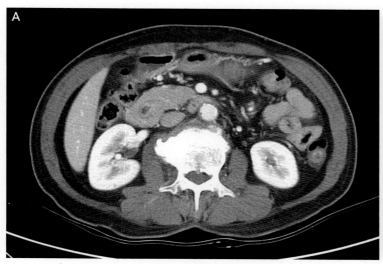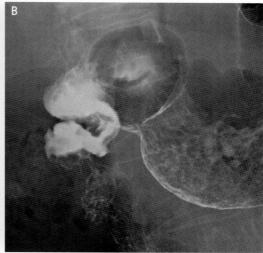

그림 25-14. 윤상췌장환자의 복부CT (A) 및 상부위장관 조영술(B) 사진

(3) 기타 선천성 췌장변이

췌장무형성은 매우 드문 췌장의 선천성 변이로 PTF1A gene이 관여하는 것으로 알려져 있다. 최근 GATA6 돌연변이도 췌장무형성 증에 관여하고 있다는 연구가 발표되기도 하였다. 부분적 췌장무형성증 또는 등쪽 췌장의 무형성증은 일부 기능하는 췌장 조직의 존재로 인해 임상적으로 발견이 늦을 수도 있다. 선천성 짧은 췌장으로도 알려진 배측 췌장의 무형성증은 다발성 비장증 및 장 회전 이상, 신장 기형 및 이형과 관련이 있다. 췌장의 선천성 낭종은 드물고 모든 연령에서 진단될 수 있다. 낭종은 단독 또는 다발성일 수 있으며 상피 내막의 존재한다. 임상 양상은 우연히 발견되는 경우부터 구토를 동반하는 경우나, 복부 종괴, 담도 폐쇄, 급성 췌장염에 이르기까지 다양하다. 다발성 췌장 낭종은 폰 히펠–린다우 증후군(Von Hippel–Lindau syndrome), 아이브마크 II증후군(Ive-mark II syndrome) 또는 다낭성 신장 질환과 같은 전신 질환에서 나타나는 경우가 많다. 선천성 췌장낭종은 췌장의 두부(32%)보다 체부와 미부(62%)에 더 자주 발생한다. 치료를 위해 외과적 절제술을 하는 경우도 있고, 췌장 두부의 낭종은 필요한 경우 내시경 또는 외과적 배액술을 사용하여 치료할 수도 있다.

참/고/문/헌

1. Adibelli ZH, Adatepe M, Isayeva L, et al. Pancreas divisum: a risk factor for pancreaticobiliary tumors – an analysis of 1628 MR cholangiography examinations. Diagn Interv Imaging 2017;98:141–7.

2. Bertin C, Pelletier AL, Vullierme MP, et al. Pancreas divisum is not a cause of pancreatitis by itself but acts as a partner of genetic mutations. Am J Gastroenterol 2012;107:311–7.

3. Bronnimann E, Potthast S, Vlajnic T, et al. Annular pancreas associated with duodenal carcinoma. World J Gastroenterol 2010;16:3206–10.

4. Choi SJ, Kang MC, Kim YH, et al. Prenatal detection of a congenital pancreatic cyst by ultrasound. J Korean Med Sci 2007;22:156–8.

5. DiMagno EP, Shorter RG, Taylor WF, et al. Relationships between pancreaticobiliary ductal anatomy and pancreatic

ductal and parenchymal histology. Cancer 1982;49:361–8.

6. Dimitriou I, Katsourakis A, Nikolaidou E, et al. The main anatomical variations of the pancreatic duct system: review of the literature and its importance in surgical practice. J Clin Med Res 2018;10:370–5.

7. Fogel E, Zyromski N, McHenry L, et al. Annular pancreas in the adult: experience at a large pancreatobiliary endoscopy center. Gastrointestinal Endosc 2006;63:308.

8. Gittes GK. Developmental biology of the pancreas: a comprehensive review. Dev Biol 2009;326:4–35.

9. Gonoi W, Akai H, Hagiwara K, et al. Pancreas divisum as a predisposing factor for chronic and recurrent idiopathic pancreatitis:Initial in vivo survey. Gut 2011;60:1103–8.

10. Hafezi M, Mayschak B, Probst P, et al. A systematic review and quantitative analysis of different therapies for pancreas divisum. Am J Surg 2017;214:525–37.

11. Lango Allen H, Flanagan SE, Shaw-Smith C, et al. GATA6 haploinsufficiency causes pancreatic agenesis in humans. Nat Genet 2011;44:20–2.

12. Markljung E, Adamovic T, Ortqvist L, et al. A rare microduplication in a familial case of annular pancreas and duodenal stenosis. J Pediatr Surg 2012;47:2039–43.

13. Megha S. Mehta, Bradley A. Barth, Sohail Z. Husain. Anatomy, Histology, Embryology, and Developmental Anomalies of the Pancreas. In: Mark Feldman, Lawrence S. Friedman, Lawrence J. Brandt. Sleisenger and Fordtran's Gastrointestinal and Liver Disease. 11th ed. Philadelphia: Elsevier; 2021. pp. 842–852.

14. Misra SP, Gulati P, Thorat VK, et al. Pancreaticobiliary ductal union in biliary diseases. An endoscopic retrograde cholangiopancreatographic study. Gastroenterology 1989;96:907–12.

15. Mosler P, Akisik F, Sandrasegaran K, et al. Accuracy of magnetic resonance cholangiopancreatography in the diagnosis of pancreas divisum. Dig Dis Sci 2012;57:170–4.

16. Mumprecht V, Detmar M. Lymphangiogenesis and cancer metastasis. J Cell Mol Med 2009;13:1405–16.

17. Pan FC, Brissova M. Pancreas development in humans. Curr Opin Endocrinol Diabetes Obes 2014;21:77–82.

18. Rottenberg N. Macroscopic and microscopic vasculature of the duodenal–biliary–pancreatic complex. Morphol Embryol (Bucur) 1989;35:15–9.

19. Skandalakis LJ, Rowe Jr JS, Gray SW, et al. Surgical embryology and anatomy of the pancreas. Surg Clin North Am 1993;73:661–97.

20. Smanio T. Proposed nomenclature and classification of the human pancreatic ducts and duodenal papillae: study based on 200 postmortems. Int Surg 1969;52:125–41.

21. Stamm BH. Incidence and diagnostic significance of minor pathologic changes in the adult pancreas at autopsy: a systematic study of 112 autopsies in patients without known pancreatic disease. Hum Pathol 1984;15:677–83.

22. Theodorides T. Annular pancreas. J Chir (Paris) 1964;87:445–62.

23. Warshaw AL, Simeone JF, Schapiro RH, et al. Evaluation and treatment of the dominant dorsal duct syndrome (pancreas divisum redefined). Am J Surg 1990;159:59–64.

24. Zyromski N, Sandoval J, Pitt H, et al. Annular pancreas: dramatic differences between children and adults. J Am Coll Surg 2008;206:1019–25.

췌장질환의 감별을 위한 ERCP의 역할

The Role of ERCP in the Differentiation of Pancreatic Diseases

문성훈 한림대학교 의과대학

1984년 영국 캠브리지에서 만성 췌장염의 진단에 대한 영상 진단기준을 세운 이후 내시경역행담췌관조영술(endoscopic retrograde cholangiopancreatography, ERCP)은 만성 췌장염의 진단을 위해 임상에서 많이 사용되었다. ERCP는 정확하게 영상을 보여주는 장점이 있지만 침습적인 검사라는 단점이 있어서, 컴퓨터전산화단층촬영(computed tomography, CT), 자기공명영상(magnetic resonance imaging, MRI), 자기공명담췌관조영술(magnetic resonance cholangiopancreatography, MRCP)와 같은 비침습적 영상검사 및 초음파내시경(endoscopic ultrasonography, EUS) 검사가 발달하면서 진단만을 위한 ERCP의 빈도는 점점 감소하고 있다. 본 챕터에서는 현재 췌장질환의 감별을 위해 ERCP가 사용되는 경우를 기술하고자 한다.

1. 만성 췌장염

만성 췌장염의 진단을 위해서 주로 이용되는 영상검사로는 CT, MRI, MRCP, EUS 등이 있다. MRCP는 3.0 T 도입 및 장비의 개선과 더불어 췌관을 보여주는데 ERCP와 매우 유사한 수준이 되었다. 현재 ERCP는 만성 췌장염이 의심되는 증상이 있지만 다른 비침습적인 검사에서 진단되지 않을 때 시도해 볼 수 있는 진단방법이다. 통상적으로 만성 췌장염에서 ERCP를 이용하는 경우는 통증이 동반된 만성 췌장염에서 췌관 협착, 췌석에 대한 치료를 시행하기 위한 경우가 대부분이다.

2. 자가면역성 췌장염

ERCP는 자가면역성 췌장염(autoimmune pancreatitis)의 진단에 있어서 중요한 역할을 한다. ERCP는 췌관을 조영하여 주췌관의 협착유무, 협착의 정도 및 양상을 잘 보여주기 때문에 자가면역성 췌장염의 진단에 있어서 중요한 역할을 한다. 실제로 이전의 일본 췌장학회에서 발표한 자가면역성 췌장염의 진단기준을 살펴보면, ERCP

검사를 통한 주췌관 조영소견은 진단을 위한 필수 항목으로 기술되어 있다. 자가면역성 췌장염 환자의 췌관조영 소견은 주췌관이 전반적 또는 부분적으로 그 내강이 불규칙적으로 좁아져 있다는 것이다(그림 26-1). 자가면역성 췌장염의 염증이 진행함에 따라 부분적인 협착이 전반적으로 진행하기도 한다. 주췌관이 전반적으로 가늘어져 있으면서 협착이 동반된 소견은 다른 일반적인 만성 췌장염에서 관찰되는 주췌관의 불규칙한 확장과는 확실히 구분되는 특이한 소견이다. 췌관조영술을 시행할 때 조영제의 주입압력이 적당하지 않은 경우 자가면역성 췌장염에서 관찰되는 주췌관 전반에 걸친 불규칙한 협착이 조영되지 않을 수 있으므로 자가면역성 췌장염이 의심되어 췌관조영을 얻을 때는 도관(catheter)을 췌관 내로 깊숙이 삽관한 후 조영제를 좀 더 높은 압력으로 주입하는 것이 필요하다. ERCP 시술과 연관된 췌장염은 자가면역성 췌장염에서 드문데, 아마도 이것은 자가면역성 췌장염이 췌실질 섬유화가 동반되어 있고 나이 든 사람에서 호발하기 때문으로 추정된다. ERCP 소견상 자가면역성 췌장염과 췌장암의 감별점은 다음과 같다(표 26-1). 전형적인 자가면역성 췌장염은 ERCP에서 협착의 길이가 주췌관 전체의 1/3이상을 차지하고 주췌관이 가늘고 군데군데 그 내강이 좁아져 있지만, 췌장암은 짧은 협착이며 주췌관이 완전히 폐쇄되어 보인다(그림 26-2). 자가면역성 췌장염에서는 주췌관의 협착이 띄엄띄엄 나타날 수 있으나(multiple stricture), 췌장암에서는 그런 경우가 드물다. 협착부위 상류쪽 주췌관은 자가면역성 췌장염에서는 확장되지 않거나 확장되어도 그 정도가 미약하지만 췌장암에서는 현저하게 확장된다.

자가면역성 췌장염이 의심되는 환자는 ERCP 검사 시 십이지장 주유두의 생검을 시행할 것을 추천한다. 십이

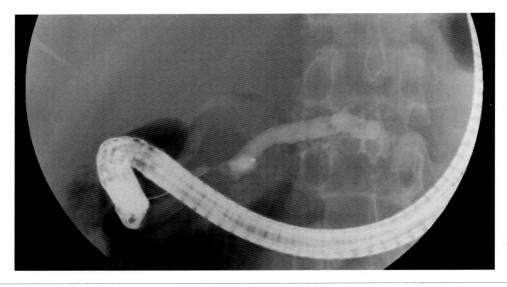

그림 26-1. 만성 췌장염의 ERCP 소견. 주췌관과 분지췌관의 확장이 보인다.

표 26-1. 내시경역행담췌관조영술 이용한 자가면역성 췌장염과 췌장암의 감별

자가면역성 췌장염을 시사하는 ERP 소견	민감도(%)	특이도(%)
길고(30 mm 이상 또는 췌관길이의 1/3 이상) 불규칙한 주췌관 협착	38–95	75–100
협착부위 상류췌관 확장이 미약함(<5 mm)	62–94	71–89
다발성 주췌관 협착	9–55	98–100
협착부위에서 기원하는 분지췌관(Side branches arising from the stricture site)	61–97	64–73

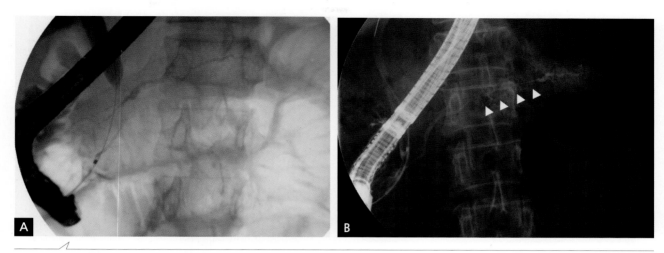

그림 26-2. 자가면역성 췌장염의 ERCP 소견
(A) 주췌관 전체가 가늘고 군데군데 내강이 좁아져 있다. (B) 주췌관 일부의 협착이 있고(화살표머리), 상류췌관의 확장은 경미하다.

지장 주유두 생검 조직에 대하여 IgG4 면역염색검사는 자가면역성 췌장염의 진단에 중등도의 민감도(50–80% sensitivity)와 높은 특이도(90–100% specificity)를 보인다.

또한 ERCP는 CT와 함께 스테로이드 치료에 대한 반응을 판정하는 수단이 될 수 있다. 자가면역성 췌장염이 확실하게 진단된 경우는 스테로이드 투여 후 대개 1–2달 뒤에 CT와 ERCP를 추적검사하게 된다. 자가면역성 췌장염이 의심되지만 췌장암과의 감별이 확실하지 않고 시험적인 스테로이드 치료를 시행한 경우에는 치료시작 2주 후에 추적검사를 시행하는 것이 안전하다. 추적 ERCP검사에서 주췌관의 협착이 호전되는 소견이 자가면역성 췌장염의 특징으로, 추적검사에서 주췌관의 협착의 호전이 없다면 췌장암의 가능성을 생각해야 한다.

MRCP의 발달과 함께 자가면역성 췌장염에서도 ERCP의 역할은 작아지는 추세인데, 2018년 개정된 일본 췌장학회 진단기준에서는 췌관조영술의 방법으로 ERCP와 MRCP 모두 이용 가능하도록 하였다.

3. 췌장의 악성종양

ERCP 시행 시에 췌관에 대해서도 담관과 동일한 방법으로 솔세포진(brush cytology) 검사와 겸자생검(forceps biopsy)를 통한 경유두 조직검사를 시행할 수 있다(그림 26-3). 그러나 췌관의 세포진 및 생검은 췌장암 진단에 대한 민감도가 낮아서(35–75%), 보다 정확한 초음파내시경 유도하 세침흡인세포검사(EUS–guided fine needle aspiration cytology, EUS–FNA)가 먼저 추천된다. EUS가 발달하면서 현재는 ERCP를 이용한 솔세포진 검사의 활용은 많이 감소하였다. 그러나 주췌관 협착은 있지만, MRI와 EUS에도 종괴가 보이지 않는 조기 췌장암을 진단하는 데에는 ERCP를 이용한 솔세포진 검사 또는 췌장액 세포검사는 여전히 이용할 수 있는 진단방법이다.

최근 일본에서는 조기췌장암 진단을 위한 위원회를 구성하여 췌장암을 초기에 진단하기 위하여 노력하고 있다. 일본 연구자들의 연구에 의하면 조기췌장암의 수술전 병리진단을 위해서는 EUS–FNA보다는 ERCP를 이용한 솔세포진 검사나 경비췌관배액술(endoscopic nasopancreatic drainage)을 시행한 후 반복적으로 획득한 췌장액(pancreatic juice)으로 세포진 검사를 시행하는 것이 효과적이라고 보고하고 있다.

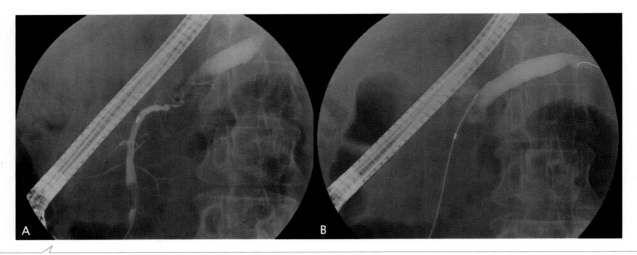

그림 26-3. 췌관에 대한 솔세포진 검사
(A) 췌관조영술에서 주췌관의 짧은 협착과 상류췌관의 확장이 관찰된다. (B) X-ray 투시 유도하에서 솔세포진 검사를 시행하고 있다.

4. 췌관내 점액분비 유두상 종양(Intraductal Papillary Mucinous Neoplasm, IPMN)

이전에는 ERCP가 IPMN의 식별 및 분류에 있어 표준적인 진단 과정이었다. IPMN을 진단할 수 있는 특징적인 십이지장경 소견은 끈끈한 점액이 흘러 나오는 물고기 입모양의 주유두 형태였다(그림 26-4). 현재의 국제 합의 가이드라인에서는 ERCP의 합병증의 위험이 높기 때문에 IPMN의 형태 및 세포학적 진단을 위해 통상적인 경우 ERCP를 권장하지 않는다. 대신 현재 IPMN의 진단을 위해서는 MRCP, EUS 및 EUS-FNA가 가장 선호되고 있다. 다른 종류의 췌장낭종은 일반적으로 췌관과 연결되어 있지 않으므로 ERCP를 통하여 조영되지 않는다.

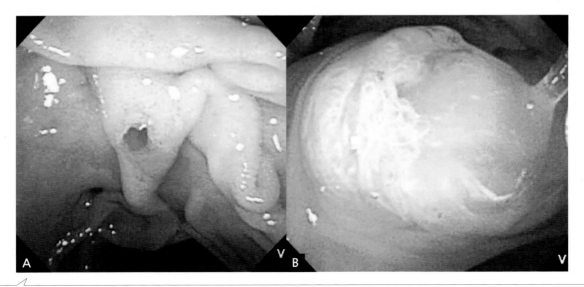

그림 26-4. IPMN의 십이지장경 소견

참/고/문/헌

1. Bor R, Madacsy L, Fabian A, et al. Endoscopic retrograde pancreatography: When should we do it? World J Gastrointest Endosc 2015;7:1023–31.

2. Dumonceau JM, Polkowski M, Larghi A, et al. Indications, results, and clinical impact of endoscopic ultrasound (EUS)–guided sampling in gastroenterology: European Society of Gastrointestinal Endoscopy (ESGE) Clinical Guideline. Endoscopy 2011;43:897–912.

3. Iiboshi T, Hanada K, Fukuda T, et al. Value of cytodiagnosis using endoscopic nasopancreatic drainage for early diagnosis of pancreatic cancer: establishing a new method for the early detection of pancreatic carcinoma in situ. Pancreas 2012;41:523–9.

4. Kanno A, Masamune A, Hanada K, et al. Multicenter study of early pancreatic cancer in Japan. Pancreatology. 2018;18:61–7.

5. Matsubayashi H, Sasaki K, Ono S, et al. Efficacy of endoscopic samplings during initial biliary drainage for cases of pancreatic head cancer: United diagnostic yields of multiple pathological samplings. Pancreatology 2021;21:1548–54.

6. Moon SH, Kim MH, Park DH, et al. Is a 2–week steroid trial after initial negative investigation for malignancy useful in differentiating autoimmune pancreatitis from pancreatic cancer? A prospective outcome study. Gut 2008;57:1704–12.

7. Moon SH, Kim MH, Park do H, et al. IgG4 immunostaining of duodenal papillary biopsy specimens may be useful for supporting a diagnosis of autoimmune pancreatitis. Gastrointest Endosc 2010;71:960–6.

8. Moon SH, Kim MH. Autoimmune pancreatitis: role of endoscopy in diagnosis and treatment. Gastrointest Endosc Clin N Am 2013;23:893–915.

9. Moon SH, Kim MH. The role of endoscopy in the diagnosis of autoimmune pancreatitis. Gastrointest Endosc 2012;76:645–56.

10. Sugumar A, Levy MJ, Kamisawa T, et al. Endoscopic retrograde pancreatography criteria to diagnose autoimmune pancreatitis: an international multicentre study. Gut 2011;60:666–70.

11. Uchida N, Kamada H, Tsutsui K, et al. Utility of pancreatic duct brushing for diagnosis of pancreatic carcinoma. J Gastroenterol 2007;42:657–62.

12. Yoon SB, Moon SH, Kim JH, et al. The use of immunohistochemistry for IgG4 in the diagnosis of autoimmune pancreatitis: A systematic review and meta–analysis. Pancreatology 2020;20:1611–9.

급성 췌장염에 대한 내시경 치료

Endoscopic Treatment for Acute Pancreatitis

고성우 가톨릭대학교 의과대학 / **송태준** 울산대학교 의과대학

1. 급성 췌장염에서의 내시경 치료

급성 췌장염(acute pancreatitis)에서 내시경 치료가 필요한 경우는 크게 두 가지 경우로 구분할 수 있다. 첫 번째는 급성 췌장염을 일으키는 원인을 제거하여 급성 췌장염의 악화를 방지하고 재발을 막기위한 목적의 내시경 치료가 있고 두 번째는 급성 췌장염으로 인한 합병증에 대한 내시경 치료가 있다. 급성 췌장염의 합병증에 대한 내시경 치료는 다음 장에서 다루고 있어 이번 장에서는 급성 췌장염의 원인에 대한 내시경 치료에 대해서 알아보겠다.

급성 췌장염에서 내시경 치료가 필요한 경우는 급성 담석성 췌장염(biliary acute pancreatitis), 유두부종양(ampullary neoplasm)에 의한 췌관폐쇄에 의한 급성 췌장염, 췌담관합류부 이상(anomalous union of pancreaticobiliary duct, AUPBD)에 의한 급성 췌장염, 분할췌장(pancreas divisum)에 의한 급성 췌장염, 췌관공장문합부위협착(pancreaticojejunostomy stricture)에 의한 급성 췌장염, Oddi 괄약근 기능부전(sphincter of Oddi dysfunction, SOD)에 의한 급성 췌장염 등이 있다.

1) 급성 담석성 췌장염에 대한 내시경 치료

담석증은 알코올과 더불어 급성 췌장염의 가장 흔한 원인으로, 급성 췌장염 원인의 약 40–70%가 담석증이다. 급성 담석성 췌장염은 담석에 의한 유두부 폐쇄로 췌관 및 담관의 배액장애, 담즙 및 십이지장 내용물의 췌관내 역류, 췌장의 분비 촉진 등이 발병 기전으로 작용하는 것으로 추정된다.

(1) 진단

급성 담석성 췌장염은 급성 췌장염이 있으면서 영상 검사에서 담관 담석이 있거나, 내시경에서 유두부 담석이 감돈되어 있는 직접적인 징후가 있으면 진단할 수 있다. 내시경이나 영상 검사에서 담관 담석이 보이지 않는 경우에도 간접적인 징후(예를 들면 담관의 확장과 담낭 담석의 존재)로 담석성 췌장염을 의심할 수 있다. 복부 초음파에서 담관의 확장이 있으면서 간기능검사 수치의 상승을 보이는 경우 급성 담석성 췌장염을 진단하는데 민감도가

95%로 높다고 알려져 있다. 또한 alanine aminotransferase (ALT) 수치가 췌장염 증상 발현 후 48시간 이내에 150 U/L 이상 상승한 경우 총담관 담석이 발견될 양성 예측도는 85% 이상으로 알려져 있다.

(2) 치료

급성 담석성 췌장염에서 약 50%까지 담석의 자발적인 십이지장 배출이 일어나는 것으로 알려져 있다. 내시경 역행담췌관조영술(endoscopic retrograde cholangiopancreatography, ERCP)은 일반 내시경에 비해 합병증, 사망률이 높은 시술인 만큼, 급성 담석성 췌장염에서 어떤 환자에게 언제 ERCP를 시행할 것인지 결정하는 것은 매우 중요한 문제이다.

① 적응증

급성 담석성 췌장염에서 ERCP 치료가 필요한 경우는 다음과 같다. 가) 영상검사에서 담관 담석에 의한 담관 폐쇄가 확인된 경우, 나) 영상검사에서 담관 담석이 명확하지 않지만 급성 담관염의 증상이 있으면서 담관이 확장된 경우, 다) 담관 담석이나 담관염은 뚜렷하지 않지만 간기능검사 수치가 지속적으로 상승된 경우에는 ERCP를 시행하여야 한다. 담관염이나 담관 폐쇄의 정의는 연구들마다 다소 차이가 있으나, 다음의 내용과 대동소이하다. 황달, 복통, 발열을 포함하는 Charcot's triad가 있으면 담관염으로 진단할 수 있고, 체온이 38.5도를 초과하면서 혈청 총빌리루빈이 2.3 mg/dL를 초과하거나 영상 검사에서 총담관 직경이 8 mm 이상일 때에도 담관염으로 진단 할 수 있다. 담관 폐쇄는 발열 없이 혈청 빌리루빈이 2.3 mg/dL를 초과하거나 영상 검사에서 총담관 직경이 8 mm

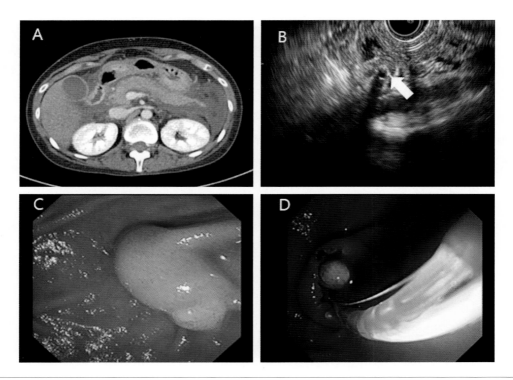

그림 27-1. 급성 담석성 췌장염의 내시경 치료
(A) 전산화 단층촬영에서 췌장의 부종, 체액고임 등 급성 췌장염의 소견이 관찰된다. (B) 초음파내시경에서 유두부에 담석이 확인된다(화살표) (C) 십이지장경 진입 시 유두부에 감돈되어있는 담석이 확인된다. (D) 내시경역행담췌관조영술 및 유두부괄약근 절개술로 감돈되어 있던 담석 을 제거한다.

이상일때 의심할 수 있다. 치료의 적응증에 해당하는 환자는 ERCP를 통해 내시경 유두부괄약근 절개술(endoscopic sphincterotomy)을 시행하고 담석을 제거한다(그림 27–1).

그러나 모든 급성 담석성 췌장염 환자에서 ERCP가 필요한 것은 아니다. 급성 췌장염 환자에서 담관염은 없지만 담관의 폐쇄가 의심되는 경우에는 자기공명담췌관조영술(magnetic resonance cholangiopancreatography, MRCP)이나 초음파내시경(endoscopic ultrasound, EUS)으로 담석의 유무를 확인한 후, 필요에 따라 ERCP를 시행하는 것이 ERCP로 인한 잠재적인 이환율, 사망률을 낮추는 데 도움이 될 것이다. 이러한 영상검사가 불가능하다면 24–48시간 후에 간기능 수치를 다시 한번 확인하여, 간기능검사 수치와 환자의 증상이 호전 추세라면 보존적 치료만으로 경과관찰을 고려할 수 있다.

② ERCP 시행 시점

급성 담석성 췌장염에서 조기 ERCP(24–72시간 내)의 유용성에 대해 여러 연구가 시행되었다. 연구에 따라 췌장염의 합병증이나 사망률 등에 대하여 상반된 결과를 보였다. 최근 발표된 다기관연구에서 담관염이 동반되지 않은 급성 담석성 췌장염 환자 232명을 대상으로 응급 ERCP(입원 24시간 이내)와 보존적치료 비교하였을 때 두 군에서 사망률, 주요 합병증 발생률에서 차이가 없었다. Tse등이 전체 급성 담석성 췌장염 환자에서 조기 ERCP 치료와 보존적 치료를 비교한 무작위 연구들을 메타분석하였을 때에도 두 군간에 사망률, 합병증 발생률은 차이를 보이지 않았다. 그러나, 담관염이 동반되었거나 지속적인 담관 폐쇄가 있는 경우에는 조기에 ERCP를 시행했을 때 급성 담석성 췌장염의 사망률과 주요 합병증 발생률이 유의하게 감소하였다. ERCP의 정확한 시점은 연구마다 다르기 때문에 일괄적으로 정의하기 어렵다. 현재까지 연구 결과들을 종합해보면 담관염이 동반되어 있거나 지속적인 담관 폐쇄가 있는 경우에는 24시간 내에, 급성 중증췌장염이 있으면서 담관 폐쇄가 진행하는 경우에는 48–72시간 이내에 ERCP를 시행할 것을 권고한다.

요약하면, 모든 급성 담석성 췌장염 환자에서 조기에 ERCP를 시행할 필요는 없으나 담관염이나 담관 폐쇄가 동반되어 있다면 조기에 ERCP를 시행하는 것이 환자 예후 향상에 도움이 되겠다. 현재까지 급성 담석성 췌장염에서 조기 ERCP와 보존적 치료를 비교한 무작위 대조 연구들을 표 27–1에 요약하였다.

표 27–1. 급성 담석성 췌장염에서 조기 ERCP와 보존적치료 비교 연구 요약

저자, 연도	연구 설계	ERCP/보존적치료	ERCP 시점	연구결과
Zhou, 2002	무작위 대조	20/25	≤입원 24시간	중증 췌장염에서는 ERCP 시행 시 합병증, 비용, 재원기간 단축 경증 췌장염에서는 두 군에서 차이 없음
Acosta, 2006	무작위 대조	30/31	≤ 증상 24–48시간	ERCP군에서 췌장염 합병증 감소
Oría, 2007*	무작위 대조	51/52	≤ 증상 24–48시간(n=46) ≤ 증상 48–72시간(n=5)	두 군에서 합병증, 이환율, 사망률 차이 없음
Chen, 2010	무작위 대조	21/32	< 증상 24시간(n=5) 증상 24–48시간(n=10) > 증상 48시간(n=6)	ERCP 군에서 APACHE II score 감소
Yang, 2012	무작위 대조	60/60	≤ 증상 72시간	ERCP 군에서 합병증, 재원기간 감소. 사망률은 차이 없음
Schepers, 2020*	무작위 대조	118/114	≤입원 24시간	두 군에서 합병증, 이환율, 사망률 차이 없음

* 급성 담관염이 동반되어 있지 않은 환자만 포함시킴
ERCP, Endoscopic retrograde cholangiopancreatography; APACHE, Acute physiology and chronic health evaluation

③ 담낭절제술

급성 담석성 췌장염 환자들은 담관 담석과 담낭 담석이 동반되는 경우가 많다. 담낭 담석이 동반된 경우에는 추후 급성담낭염이 발생할 위험성이 있고 급성 담석성 췌장염이 재발할 위험성이 있기 때문에 담낭절제술을 시행하는 것이 원칙이다. 다만 수술 시점에 대해서는 그 동안 이견이 존재하였는데, 최근의 체계적 문헌고찰에서 급성 담석성 췌장염 환자가 담낭절제술 없이 퇴원하였을 때 약 18%의 환자가 반복적으로 담도계 질환이 발생한다고 보고 하였다. 미국소화기학회(American Gastroenterological Association) 가이드라인에서도 가급적이면 급성 담석성 췌장염으로 입원하고 있는 기간 동안 담낭절제술을 시행할 것을 권고하고 있는데, 조기 담낭절제술이 급성 췌장염의 재발 위험과 담관염 관련 합병증을 낮출 수 있기 때문이다. 그러나 중등도 이상의 급성 담석성 췌장염 환자에서 가성 낭종이나 체액 고임이 있는 경우에는 가성 낭종이나 체액 고임이 소실되었을 때나 소실되지 않더라도 이러한 소견이 안정화되는 6주 이상 지난 시점에 담낭절제술을 시행하는 것이 패혈증이나 수술 관련 합병증을 낮출 수 있다는 보고도 있었다. 따라서 급성 담석성 췌장염 환자에서 담낭절제술은 가급적 조기에 시행할 것을 고려하되, 췌장염이 중등도 이상일 경우에는 외과와 적절한 수술 시점에 대해 상의하는 것이 필요하겠다.

2) 바터팽대부 종양에 의한 췌관폐쇄로 발생한 급성 췌장염

바터팽대부의 종양도 급성 췌장염을 일으키는 드문 원인 중 하나로 원인이 불분명한 급성 췌장염 환자, 특히 고령의 환자에서는 바터팽대부에 이상이 없는지 확인이 필요하다. 특히 급성 췌장염 환자에서 미만성으로 췌관이 확장된 경우에는 췌장이나 바터팽대부의 종양을 의심해야 한다. 바터팽대부 종양이 있으면서 급성 췌장염이 발생하는 경우 ERCP를 통한 췌관배액술(endoscopic retrograde pancreatic drainage)이 필요할 수 있으나 급성 췌장염의 합병증으로 십이지장의 부종이 심하거나 바터팽대부의 종양이 큰 경우 시술이 어려울 수 있다. 바터팽대부 종양의 치료는 급성 췌장염이 호전된 후, 크기, 조직검사 결과, 그리고 EUS나 MRI 등 영상검사에서 담관, 췌관 침범 등을 고려한다. 악성종양이거나 췌관, 담관을 침범하였을 때는 경우 수술적 치료를 고려하고 선종 등의 양성종양인 경우 내시경적 절제술을 고려할 수 있다.

3) 췌담관합류부 이상 및 총담관류에 의한 급성 췌장염

AUPBD는 췌관과 담관이 십이지장벽 밖에서 합류하고 긴 공통관을 형성하여 합류부에 오디괄약근의 작용이 미치지 못하여 췌액이 담관내 역류가 가능하게 되는 상태를 말한다. 영상검사에서 공통관의 길이가 15 mm 이상이면 AUPBD로 진단할 수 있다. AUPBD로 인하여 췌장액이 지속적으로 담관으로 역류, 담관내압이 상승하여 많은 AUPBD 환자가 총담관낭종(choledochal cyst)을 동반한다. 총담관낭종은 Todani 분류법에 의해 1형부터 5형으로 분류하는데, 그 중에서 총담관류(choledochocele)가 동반된 3형 총담관낭이 급성 췌장염을 잘 일으킨다. 기전은 총담관류내 담즙으로 인한 알칼리성 환경이 췌장 외분비 기능을 변형, 췌관결석 생성 및 췌관 협착을 일으키는 것으로 추정한다. 총담관낭종은 악성화 위험으로 인하여 수술적인 절제가 원칙이지만, 3형은 상대적으로 악성화 위험이 낮은 것으로 알려져 있다. 따라서 최근에는 ERCP를 통한 내시경적 유두부괄약근 절개술 및 총담관류 절개(unroofing)로 담즙의 췌관 자극을 감소시키는 방향으로 치료가 이루어지고 있다.

4) 분할췌장에 의한 급성 췌장염

분할췌장은 췌장의 선천성 변형 중에 가장 흔한 것으로 발생 과정에서 췌장의 두 개의 싹(bud)이 완전히 융합되지 못하여, 짧고 가는 복측(ventral) 췌관이 주유두로, 길고 굵은 배측(dorsal) 췌관이 부유두로 개구하게 된

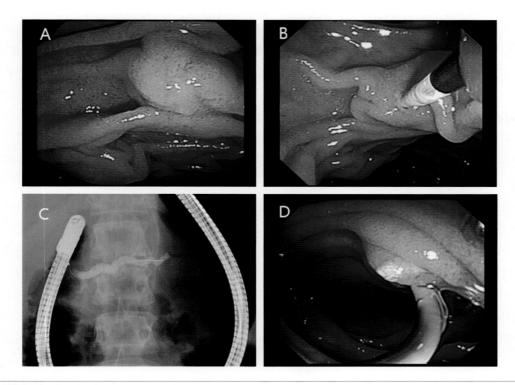

그림 27-2. 분할췌장의 내시경적 치료
(A) 주유두 우측 상방에서 부유두가 확인된다. (B) 부유두를 통한 췌관삽관을 시행한다. (C) 췌관조영술에서 확장된 췌관이 확인된다. 내시경을 긴 위치(Long position)으로 만들고 췌관을 촬영하면 췌관의 전체영상을 촬영할 수 있다. (D) 내시경 유두부괄약근 절개술 후 배액관을 삽입한다.

다. MRCP에서 배측 췌관과 총담관이 교차하는 "Cross sign"이 보이면 진단할 수 있다. 분할췌장을 가진 환자의 약 5%에서 췌장염이 발생하는 것으로 추정되는데, 이는 상대적으로 좁은 부유두로 대부분의 췌장액이 배출됨으로 인하여, 췌관내 압력상승과 부적절한 췌장액 배액이 원인인 것으로 추정된다. 분할췌장이 있는 환자가 급성 췌장염이 반복되거나, 중등도 이상의 췌장염이 발생하였거나, 영상검사에서 췌관 확장이 있을 때 내시경 치료를 시도해 볼 수 있다. 분할췌장에서 췌관 삽관을 위해서는 부유두로 접근해야 한다. 주유두에서 내시경 선단을 조금씩 뒤로 후퇴하면서, 구측방향(oral side)에 위치한 부유두를 확인한다. 그 다음 부유두를 내시경 화면에 고정시킨 상태로 내시경을 밀어 긴 위치(long position)으로 만들면 부유두 삽관이 용이할 뿐 아니라 췌관 조영 영상이 내시경에 의해 가려지는 것을 방지할 수 있다. 부유두 삽관에 성공하면 괄약근 절개술, 풍선확장술 등으로 부유두를 확장하며 환자의 췌관 협착정도에 따라 배액관을 삽입한다(그림 27-2).

배액관 삽입 2-3개월 후, ERCP를 시행하여 배액관을 교체 혹은 제거한다. 한 코호트 연구에 의하면 증상이 있는 분할췌장 환자에게 부유두 삽관 성공률은 74.1%였으며, 이 중 약 42%의 환자가 췌장염의 재발이 사라졌다고 보고하였다. 그리고 증상이 완전히 사라지지 않는 환자들도 췌장염의 재발 횟수가 ERCP 후 약 1/3로 감소하였다.

5) 췌관공장 문합부위 협착에 의한 급성 췌장염

췌장 두부에 대한 수술(Whipple's operation 혹은 pylorus preserving pancreaticoduodenectomy) 이후 췌관공장 문합술을 시행하는데 문합부의 협착에 의한 췌관 폐쇄로 급성 췌장염이 발생할 수 있다. 과거에는 수술적인 방법으로 치료를 시도했지만 수술이 어렵고 합병증이 높아 현재는 잘 시행하지 않는다. 최근에는 내시경을 이용한 치료법이 주로 사용되고 있으며 협착을 해결하기 위한 내시경 치료는 소장내시경을 이용한 ERCP 방법(enteroscopy–assisted ERCP)과 초음파내시경 유도하 중재시술(EUS–guided intervention)으로 구분할 수 있다.

(1) 소장내시경을 이용한 ERCP (Enteroscopy–assisted ERCP)

수술로 인한 위장관 구조가 변형된 환자에서 ERCP를 통한 담관 삽관의 성공률은 50–94%로 알려져 있다. 그러나 이러한 환자에서 췌관 삽관의 성공률은 8–38%에 불과하고 특히 췌관공장 문합술을 받은 환자에서는 ERCP의 성적이 좋지 않다. 담즙과는 달리 췌장액이 투명하여 문합부를 확인하거나 위치를 추정하기 어려운 경우가 많고, 췌관이 공장의 벽과 예각을 이루어 문합부를 확인하더라도 삽관이 어려운 경우가 많기 때문이다. 또한 췌장 두부에 대한 수술 후 췌장공장 문합부 협착의 발생률이 2–4% 정도로, 여기에 대한 충분한 시술경험을 하기 어려운 점 역시 원인이다. 따라서 췌장공장 문합부 협착에 대한 ERCP에 대한 연구는 현재까지 많지 않은데, 기존의 연구들에서 췌관공장 문합술 환자에서 소장내시경을 이용한 ERCP의 성공률은 40% 정도로 보고되고 있다. 또한 장기간 추적관찰을 했을 때 약 33%의 환자에서 협착의 재발이 발생한다고 알려져 있다. 최근 췌담도 시술을 위해 유효길이가 152–155 cm인 단축형 풍선 소장내시경이 개발되어 일본에서는 수술 후 해부학적 구조가 변형된 환자의 표준 ERCP 술식으로 자리잡아 가고 있으며, 국내에서도 사용이 가능하다. 또한 최근에 SpyGass™ (Boston Scientific Co., MA, USA)를 이용한 경구 췌장내시경으로 췌장공장 문합부 협착을 확장한 증례도 소개되었다. 내시경의 발달로 인하여 향후에는 췌장공장 문합부 협착에서도 높은 기술적 성공률을 보일 것이 예상된다.

(2) 초음파내시경 유도하 중재시술(EUS–guided intervention)

ERCP를 통한 췌관 삽관은 숙련자에게도 쉬운 일은 아닌데, 수술로 해부학적 구조가 변형이 되었거나 췌관 협착이 심한 경우 특히 실패할 확률이 높다. ERCP로 췌관 삽관이 되지 않을 때 대체적으로 시행할 수 있는 시술이 초음파내시경 유도하 췌관 배액술이다. 이 방법은 1995년 Harada 등에 의해 처음 보고 되었으며, 초음파내시경 기계의 발달로 시술 건수가 늘어나고 있다. 췌관공장 문합 부위의 협착에 대한 초음파내시경 유도하 중재술 방법을 알아보면 우선 초음파내시경을 이용하여 위에서 췌관을 천자하고 유도철사를 협착부위를 통과하여 공장에 위치시킨다. 이후 유도철사를 따라 cystotome 등을 이용하여 트랙을 확장시키고 다시 확장용 balloon을 삽입하여 협착부위를 확장시킨다. 이후 협착부위의 지속적인 확장과 천자부위를 통한 췌액의 누출을 예방하기 위해 주로 긴 길이의 double pigtail stent를 공장에서 위에 걸쳐 삽입을 한다(그림 27–3).

현재까지 연구 결과에 따르면 췌관공장 문합부위 협착에 대한 초음파내시경 유도하 췌관 배액술의 기술적 성공률은 77–100%, 합병증은 5–35%로 보고되었다. 소장내시경을 이용한 ERCP보다 기술적 성공률이 높은 것은 초음파내시경로 확장된 췌관을 천자함으로써 췌관에 대한 접근이 더 용이하기 때문인 것으로 추정된다. 그러나 이 시술은 ERCP와 EUS 모두 능숙하게 시행할 수 있어야 하기 때문에, 시술이 필요할 경우 상급 의료기관으로 전원을 고려하여야 한다. 현재까지 보고된 췌관공장 문합부 협착에 대한 초음파내시경 유도하 중재시술을 표 27–2에 요약하였다.

6) 오디괄약근 기능장애에 의한 급성 췌장염

앞서 언급한 급성 췌장염의 원인은 주유두나 췌관의 기계적 폐쇄 혹은 해부학적 이상이 원인이었다. 반면 SOD는 총담관과 췌관의 원위부를 둘러싸는 길이 6–10 mm의 근육조직의 기능적인 운동이상을 보이는 질환이

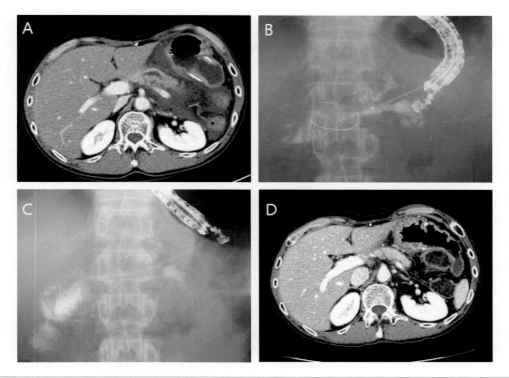

그림 27-3. 수술 후 췌장공장 문합부 협착에 의한 급성 췌장염에서 내시경시술
(A) 유문보존 췌십이자장절제술 후 전산화 단층촬영에서 췌장공장 문합부 협착에 의한 췌관 확장 및 췌장염 소견이 관찰된다. (B) 초음파내시경을 이용하여 위에서 췌관을 천자한다. (C) 확장용 풍선등을 이용하여 문합부를 확장한뒤, double pigtail stent를 삽입한다. (D) 시술 2개월 뒤 췌관확장 및 췌장염이 호전되었음이 확인된다.

표 27-2. 췌장공장 문합부 협착에서 초음파내시경 유도하 췌장 배액술 연구 요약

저자, 연도	총 환자수/ PJA 협착 환자수	기술적 성공률(%)	임상적 성공률 (%)	부작용
Tessier, 2007	36/12	92	70	5% (혈종 및 췌장염)
Kinney, 209	9/9	44.4	55.5	22.2% (발열 및 천공)
Kikuyama, 2011	14/14	100*	100*	28% (발열)
Kahaleh, 2007	13/5	77	100	15% (출혈 및 천공)
Ergun, 2011	15/10	87	72	10% (출혈, 췌장액 누출)
Tyberg, 2017	80/34	81	81	20% (통증 및 출혈)
Chen, 2017	40/17	92.5	87.5	35% (복통, 농양, 공장 궤양)
Matsunami, 2018	30/21	100	100	23.3% (복통, 출혈)

* ERCP로 실패한 환자 6명을 대상으로 초음파내시경 유도하 췌장 배액술을 시행함.
PJA, Pancreaticojejunal anastomosis.

다. 2016년 개정된 ROME IV 가이드라인에서는 췌장담도계 기능장애를 임상 양상에 따라 기능적 담낭 장애, 기능적 담관괄약근장애, 기능적 췌관괄약근장애로 분류하였다. 이중 기능적 췌관괄약근장애에서 췌장액 배출장애 및 저류로 인하여 급성 췌장염이 발생할 수 있다. 실제로 원인미상의 급성 췌장염이 반복되는 환자들이 췌관괄약근 압력이 상승되어있는 사례가 보고되어 왔다. ROME IV 가이드라인에 따르면 가) 급성 췌장염이 반복되고, 나) 급성 췌장염의 다른 원인을 배제할 수 있으며, 다) 초음파내시경에서 췌관의 기계적 폐쇄나 해부학적 이상이 없으며, 라) 오디괄약근 내압이 35–40 mmHg 이상으로 상승하였을 때 기능적 췌관괄약근장애로 진단할 수 있다. 그러나 오디괄약근 내압을 측정할 수 없는 경우가 많으므로 실제 진료현장에서는 언급한 3가지 증상이 동반될 경우나 혹은 담관괄약근장애가 동반되어 급성 췌장염이 반복되면서 간기능검사 수치 상승, 기계적 폐색이 없는 총담관 확장이 있을 때 의심하는 경우가 많다. 치료는 췌관괄약근 압력을 낮추기 위해 ERCP를 통한 췌관괄약근 절개술을 주로 시행한다. 최근 시행된 전향적 연구에 의하면 췌관괄약근 절개술 후 2년 동안 췌장염의 재발률이 50% 였으며, 췌관괄약근 절개술을 시행받지 않는 환자들이 췌장염이 재발할 확률이 3.5배 더 높았다. SOD는 ERCP 후 췌장염의 대표적인 위험인자로, 그 발생률이 많게는 20%까지도 보고가 되어있다. 그러므로 췌관괄약근 장애가 의심되는 환자에게 ERCP를 하기 전에 급성 췌장염의 원인 감별을 위한 검사를 충실히 하고, 시술로 인한 이익과 위험성에 대해 환자와 충분히 상의할 것을 권고한다.

7) 그 외의 원인에 의한 급성 췌장염

바터팽대부 주위의 게실에 의해 췌관이 눌려 급성 췌장염이 발생할 수 있다. 급성 췌장염이 반복되는 환자가 다른 뚜렷한 원인이 없이 바터팽대부 게실이 존재할 경우, 게실이 급성 췌장염의 원인일 가능성이 있다. 게실로 인한 반복성 급성 췌장염이 발생하는 환자 11명에게 ERCP 및 유두부 절개술을 시행하였더니 그 이후 췌장염의 재발이 없었다는 보고가 있었다. 그러나 게실이 동반된 환자에서 ERCP는 담관 삽관이 어렵고 합병증 발생 위험도 높은 만큼, ERCP를 하기 전 다른 췌장염의 원인이 없는지 면밀하게 살피는 것이 중요하겠다.

참/고/문/헌

1. Bahr MH, Davis BR, Vitale GC. Endoscopic management of acute pancreatitis. Surg Clin North Am 2013;93:563–84.

2. Buonocore MR, Germani U, Castellani D, et al. Timing of endoscopic therapy for acute bilio–pancreatic diseases: a practical overview. Ann Gastroenterol 2021;34:125–9.

3. Choi YH, Lee SH. Indications and timing of ERCP and cholecystectomy for biliary pancreatitis. Korean J Pancreas Biliary Tract 2019;24:11–6.

4. Cotton PB, Elta GH, Carter CR, et al. Rome IV. Gallbladder and Sphincter of Oddi Disorders. Gastroenterology 2016; doi: 10.1053/j.gastro.2016.02.033.

5. de Jong DM, Stassen PM, Poley JW, et al. Clinical outcome of endoscopic therapy in patients with symptomatic pancreas divisum: a Dutch cohort study. Endosc Int Open 2021;9:E1164–70.

6. Demirjian AN, Kent TS, Callery MP, et al. The inconsistent nature of symptomatic pancreatico–jejunostomy anastomotic strictures. HPB (Oxford) 2010;12:482–7.

7. Drossman DA. Functional gastrointestinal disorders: history, pathophysiology, clinical features and rome IV. Gastroenterology 2016; doi: 10.1053/j.gastro.2016.02.032.

8. Ghazanfar MA, Soonawalla Z, Silva MA, et al. Management of pancreaticojejunal strictures after pancreaticoduodenectomy: clinical experience and review of literature. ANZ J Surg 2018;88:626–9.

9. Iwai T, Kida M, Yamauchi H, et al. EUS–guided transanastomotic drainage for severe biliopancreatic anastomotic stricture using a forward–viewing echoendoscope in patients with surgically altered anatomy. Endosc Ultrasound 2021;10:33–8.

10. Jearth V, Giri S, Sundaram S. Approach to management of pancreatic strictures: the gastroenterologist's perspective. Clin J Gastroenterol 2021;14:1587–97.

11. Kawakami Y, Koshita S, Kanno Y, et al. Recanalization of an obstructive pancreaticojejunal anastomosis with direct visualization by using antegrade peroral pancreatoscopy. Endoscopy 2020;52:E376–7.

12. Kaye E, Mixter S, Sheth K, et al. Choledochocele Presenting as Recurrent Pancreatitis. Radiol Case Rep 2008;3:174.

13. Kikuyama M, Itoi T, Ota Y, et al. Therapeutic endoscopy for stenotic pancreatodigestive tract anastomosis after pancreatoduodenectomy (with videos). Gastrointest Endosc 2011;73:376–82.

14. Kinney TP, Li R, Gupta K, et al. Therapeutic pancreatic endoscopy after Whipple resection requires rendezvous access. Endoscopy 2009;41:898–901.

15. Kundumadam S, Fogel EL, Gromski MA. Gallstone pancreatitis: general clinical approach and the role of endoscopic retrograde cholangiopancreatography. Korean J Intern Med 2021;36:25–31.

16. Law R, Topazian M. Diagnosis and treatment of choledochoceles. Clin Gastroenterol Hepatol 2014;12:196–203.

17. Nealon WH, Bawduniak J, Walser EM. Appropriate timing of cholecystectomy in patients who present with moderate to severe gallstone–associated acute pancreatitis with peripancreatic fluid collections. Ann Surg 2004;239:741–9; discussion 749–51.

18. Park CH. Single Balloon Enteroscopy–Guided Endoscopic Retrograde Cholangiopancreatography in Surgically Altered Anatomy: Long vs. Short Type. Korean J Pancreas Biliary Tract 2021;26:181–5.

19. Sano I, Katanuma A, Kuwatani M, et al. Long–term outcomes after therapeutic endoscopic retrograde cholangiopancreatography using balloon–assisted enteroscopy for anastomotic stenosis of choledochojejunostomy/pancreaticojejunostomy. J Gastroenterol Hepatol 2019;34:612–9.

20. Schepers NJ, Hallensleben NDL, Besselink MG, et al. Urgent endoscopic retrograde cholangiopancreatography with sphincterotomy versus conservative treatment in predicted severe acute gallstone pancreatitis (APEC): a multicentre randomised controlled trial. The Lancet 2020;396:167–76.

21. Shimatani M, Hatanaka H, Kogure H, et al. Diagnostic and therapeutic endoscopic retrograde cholangiography using a short–type double–balloon endoscope in patients with altered gastrointestinal anatomy: A multicenter prospective study in Japan. Am J Gastroenterol 2016;111:1750–8.

22. Tanisaka Y, Ryozawa S, Mizuide M, et al. Analysis of the factors involved in procedural failure: Endoscopic retrograde cholangiopancreatography using a short–type single–balloon enteroscope for patients with surgically altered gastrointestinal anatomy. Dig Endosc 2019;31:682–9.

23. Tse F, Yuan Y. Early routine endoscopic retrograde cholangiopancreatography strategy versus early conservative management strategy in acute gallstone pancreatitis. Cochrane Database Syst Rev 2012:CD009779.

24. Vanbiervliet G, Strijker M, Arvanitakis M, et al. Endoscopic management of ampullary tumors: European Society of Gastrointestinal Endoscopy (ESGE) Guideline. Endoscopy 2021;53:429–48.

25. Widmer J, Sharaiha RZ, Kahaleh M. Endoscopic ultrasonography–guided drainage of the pancreatic duct. Gastrointest Endosc Clin N Am 2013;23:847–61.

26. Yang MJ, Hwang JC, Yoo BM, et al. Balloon enteroscopy–assisted endoscopic retrograde cholangiopancreatography. Korean J Pancreas Biliary Tract 2021;26:205–8.

급성 췌장염의 합병증에 대한 내시경 치료

Endoscopic Management in Complication of Acute Pancreatitis

이동욱 경북대학교 의과대학

1. 서론

급성 췌장염(acute pancreatitis)은 입원을 요하는 급성 소화기질환 중 흔한 질병군 중 하나이다. 급성 췌장염 환자의 약 80% 정도는 임상경과가 양호하나 약 20% 정도는 급성 궤사성 췌장염(acute necrotizing pancreatitis, ANP)이 발생하며, 개정된 아틀란타(Atlanta) 분류법의 중등도 중증(moderately severe) 혹은 중증(severe) 급성 췌장염은 약 20–30% 정도 발생하는 것으로 알려져 있다. 췌장 및 췌장주위 액체저류는 급성 췌장염 에서 발생할 수 있는 대표적 합병증으로 발생 시기 및 위치에 따라 급성 췌장주위 액체저류(acute peripancreatic fluid collection, APFC), 급성 궤사저류(acute necrotic collection, ANC), 가성낭종(pseudocyst), 구역성 괴사(walled–off necrosis, WON) 등으로 나눌 수 있다. 아울러 발생 빈도가 낮지만 ANP의 발생이 주췌관(main pancreatic duct)을 침범할 경우 주췌관이 단절되는 췌관단절증후군(disconnected pancreatic duct syndrome)이 발생하기도 한다. 그 외 복부구획증후군(abdominal compartment syndrome), 위배출구 폐쇄(gastric outlet obstruction), 담관 폐쇄(biliary obstruction), 비장/간문맥 혈전(splenic and portal thrombosis) 등도 발생할 수 있는 합병증들이다. 본고에서는 내시경으로 치료를 시행할 수 있는 합병증에 대해 알아 보고자 한다.

2. 췌장 및 췌장주위 액체저류의 분류(표 28-1)

1) 급성 췌장주위 액체저류

APFC는 췌장주위 괴사가 없는 간질부종성 췌장염(interstitial pancreatitis)에서 췌장 주위에 고이는 액체를 의미한다. 보통 췌장염 발생 4주 이내의 가성낭종 전 단계를 의미하며, 전산화단층촬영(computed tomography, CT)에서는 액체 밀도가 균일하고, 정상 췌장주위 근막면 내에 위치하며, 액체를 감싸는 뚜렷한 벽이 없는 저음영

표 28–1. Classification of local complications of acute pancreatitis

Within 4 weeks	After ≥ 4 weeks
Acute peripancreatic fluid collections – No well–defined wall – Usually resolved spontaneously	Pancreatic pseudocysts – Fluid collections in the peripancreatic tissues – Surrounded well–defined wall – Contained no solid materials
Acute necrotic collections – Containing variable amounts of fluid and necrotic tissue	Walled–off necrosis – Encapsulated collection containing partially liquefied peripancreatic necrotic tissue

의 병변으로 관찰된다. APFC는 보통 감염이 병발하지 않고, 대부분 저절로 호전되어 추가적인 시술이 필요한 경우는 많지 않다.

2) 급성 괴사저류

급성 괴사성 췌장염 발병 후 1–3주에 흔히 관찰되는 병변으로 CT상 췌장 및 췌장 주위에 고형인 괴사 조직과 액체 성분이 혼재되어 있고, 외벽이 일부 형성되어 가는 상태이다. 미성숙 외벽으로 인해 중재치료 시 합병증 발병 위험도가 높아 급성 췌장염 발생 4주 이전의 ANC는 감염의 증거가 명확하지 않다면 가급적 배액술을 4주 이후로 연기하는 것이 바람직하다.

3) 가성낭종

보통 급성 간질부종성 췌장염 이후 발생한 APFC가 4주 이상 경과되면서 나타나는 액체저류를 지칭한다. 보통 췌장 바깥쪽에 위치하고 괴사는 동반하지 않는다. CT상에는 내부 액체 밀도가 균일하고 고형 성분을 포함하고 있지 않으며, 성숙된 외벽으로 주변과 명확하게 구분되는 둥글거나 타원형 모양의 병변이다. 간혹 가성낭종이 발견되기 전에 급성 췌장염의 병력이 없는 경우 다른 췌장낭종과 감별이 필요할 수 있다. 이 때는 내부 액체를 흡인하여 아밀라제(amylase)가 250 U/L 이상 상승되어 있고, CEA (carcinoembryonic antigen)가 5 ng/mL 이하로 낮은 경우 가성낭종으로 진단할 수 있다.

4) 구역성 췌장괴사

급성 괴사성 췌장염 이후 발생한 ANC가 4주 이상 경과하면, 괴사 조직을 포함한 액체 저류가 정형화된 염증성 벽으로 견고하게 둘러싸이는데 이를 WON이라고 한다. CT 상에는 조영증강이 되지 않는 불균일한 밀도의 물질이 완전히 벽으로 둘러싸인 구획화된 병변으로 관찰된다. 또한 WON은 자기공명영상(magnetic resonance imaging, MRI)에서도 정상 췌장이나 비장의 신호상도(signal intensity)보다 감소한 신호강도를 보이는 병변으로 확인된다.

3. 가성낭종 및 구역성 췌장괴사의 내시경 배액술

1) 적응증

과거에는 가성낭종의 6 cm 크기를 기준으로 추가적인 배액 치료를 고려하였지만, 최근에는 무증상의 경우는 크기가 크더라도 대부분 시간이 지남에 따라 자연소실되기 때문에 악화되는 복통, 위장관 또는 담관의 폐쇄, 주위 혈관 압박 또는 가성낭종 내 감염 등이 동반되는 경우에 한하여 배액술을 고려한다.

WON은 감염이 되지 않은 경우에는 저절로 없어지는 것을 기대할 수 있어 환자 상태가 안정적이라면 배액술 없이 경과 관찰할 수 있다. 하지만 감염된 WON은 배액을 고려해야 하는데, 일반적으로 WON의 감염 여부는 발열이나 장기부전의 악화, 혈액검사상 백혈구 증가, C-reactive protein (CRP)의 상승이 확인된 경우 또는 CT 상 병변 내부나 주위에 공기음영이 관찰되는 것을 토대로 의심할 수 있다. 임상적으로 감염 여부가 모호한 경우에는 초음파내시경(endoscopic ultrasonography, EUS)을 통한 흡인을 시행할 수 있으나, 임상증상과 영상검사를 통한 감염 예측의 정확도가 90%를 상회하며 EUS를 통한 흡인 검사의 위음성이 25%에 달한다는 보고도 있어, EUS를 통한 감염 확인은 일반적으로 추천되지 않는다.

2) 내시경 배액술의 장점

가성낭종의 배액이 필요하다 판단되면 다양한 방법으로 배액을 시도할 수 있다. 수술적 배액술은 과거부터 시행되어 왔지만 침습도가 높고 수술 후 치사율이 높은 것으로 알려져 있어 현재는 일차적으로 바로 시행하는 경우가 드물고 내시경/경피적 배액술이 실패한 경우나 대량 출혈이 발생한 경우에 한해서 시행한다. 경피적 배액술은 피부를 통해 후복막 또는 복막을 지나 배액이 필요한 병변에 배액관을 삽입하는 방법으로 시술 성공률이 높고 덜 침습적이어서 많이 사용하는 배액술 중 하나이다. 하지만 배액관이 몸 밖으로 노출되어 있어 환자의 삶의 질이 떨어지며 환자의 협조가 되지 않으면 배액관 이탈이 발생할 수 있다. 또한 피부의 누공(cutaneous fistula)가 발생할 수 있으며, 출혈이나 복강내 감염 등의 빈도도 높은 것으로 알려져 있어 주의를 요한다. 이에 비해 내시경 배액술은 상기 두 가지 배액술과 치료 효과는 비슷하면서 합병증 발생이 유의하게 낮아 일차적인 배액 방법으로 널리 사용되고 있다.

3) 내시경 배액술의 종류

(1) 내시경역행담췌관조영술을 이용한 배액술

가성낭종과 주췌관이 연결되어 있는 경우나 가성낭종과 위장관 벽이 멀리 떨어져 있을 때 내시경역행담췌관조영술(endoscopic retrograde cholangiopancreatography, ERCP)을 통해 경유두배액술을 시도해 볼 수 있다. 시술은 일반적으로 ERCP를 시행하는 방법과 유사하게 진행되며, 췌관으로 선택적 삽관을 한 뒤 내시경 유두부괄약근 절개술(endoscopic sphincterotomy, EST)을 시행하고 가성낭종과 췌관이 연결된 부위를 통과하여 5-7 Fr의 플라스틱 스텐트를 삽입한다. 보통 스텐트를 삽입한 후 6-8주 정도 경과한 뒤 CT를 통해 가성낭종의 호전 여부를 확인하며, 보고에 따르면 약 85-90% 정도의 치료 성공률을 보이는 것으로 알려져 있다.

(2) 초음파내시경을 이용한 배액술

최근에는 EUS의 개발로 배액을 위해 위장관을 천자할 때 혈관을 피해서 시행할 수 있으며, 위장관벽과 최단거리를 선택하여 시술할 수 있다. 뿐만 아니라 병변 내 액체 상태 및 괴사성 물질의 함유 정도를 확인할 수 있고, 필요시 앞서 기술한 대로 내부 액체를 흡인하여 성분을 분석할 수 있다는 장점도 있다. EUS를 통한 배액술에는 플라스틱 스텐트나 완전 피막형 자가팽창성 금속 스텐트(fully covered self-expandable metal stent, fcSEMS)가 사용되며 fcSEMS의 양쪽 끝을 나팔모양으로 변형하여 병변과 장관 내강을 모아주는 내강접합용 금속 스텐트(lumen apposing metal stent, LAMS)가 사용되기도 한다(그림 28-1, 2). 특히 최근에는 선단부에 전기 소작기구가 장착되어 needle을 이용한 천자 및 누공 확장없이 바로 배액술을 시행할 수 있는 LAMS도 개발되었다.

가성낭종과 WON에서 내시경 배액술을 시행한 연구 17개를 문헌고찰을 해보았을 때 플라스틱 스텐트와 fcSEMS에서 치료 성공률은 차이를 보이지 않았다. 아울러 WON의 배액에 플라스틱 스텐트와 LAMS를 비교한

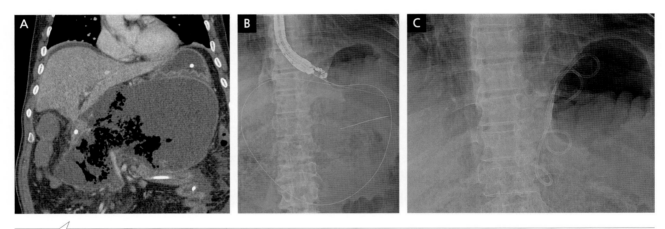

그림 28-1. Endoscopic drainage of infected walled-off necrosis using plastic stent.
(A) Large walled-off necrosis with air containing was observed (B) Guidewire was inserted in the lesion after puncture of stomach wall (C) Two plastic stents were inserted (in fluoroscopic view).

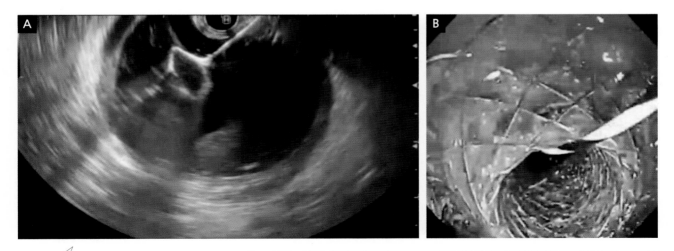

그림 28-2. Endoscopic drainage of infected pseudocyst using lumen apposing metal stent.
(A) Endoscopic ultrasonographic view (B) Endoscopic view

전향적 무작위 대조연구에서도 두 군간에 유의한 치료 결과의 차이를 보이지 않았다(93.5% vs. 96.6%, p=0.999). 하지만 이 연구에서는 LAM를 삽입한 지 3주가 경과된 시점부터는 LAMS 삽입부위 주변으로 출혈과 LAMS의 막힘 또는 위장관 벽내로의 묻힘 등 LAMS 관련 합병증의 발생이 증가한다고 보고하였다. 따라서 LAMS를 통해 배액술을 시행한 환자들에게는 추적관찰 CT를 시행하여 WON이 소실되었으면 LAMS를 4주 이내에 제거하는 것을 고려해야 한다.

4. 내시경을 이용한 괴사 제거술

1) 내시경을 이용한 괴사제거술의 장점

WON의 내부에 괴사된 조직의 찌꺼기나 점도가 높은 고름 등이 포함되어 있으면, 배액술만으로는 치료가 불충분하고 괴사제거술(necrosectomy)을 시행해주어야 한다. 과거에는 경피적 배액술 후 수술을 이용한 괴사조직 제거술을 시행하였으나, 요즘은 내시경 배액술 시 만들어 놓은 배액통로를 이용하여 직접 내시경을 이용한 괴사제거술(direct endoscopic necrosectomy, DEN)을 시행하는 것이 더 보편적이다. 특히 최근 연구에 따르면 수술을 통한 괴사제거술이 DEN보다 합병증 발생 및 의료 비용의 지출이 큰 것으로 밝혀졌으며, 배액술에 사용된 LAMS를 통한 DEN의 시행이 용이해짐에 따라 DEN의 일차적 적용은 더 늘어날 것으로 생각된다.

2) 사용하는 내시경 및 악세서리

DEN 시 사용 가능한 내시경으로는 double channel, 소아내시경, 일반 상부내시경 등이 있으나 어떤 내시경이 표준인지에 대해서는 아직까지 연구된 바가 없다. 하지만 내시경의 종류보다는 추후 DEN이 필요할 것으로 생각되는 환자의 경우 내시경 배액술을 시행할 때 배액관 삽입을 하는 위치가 중요하다. 즉, 직시 내시경이 WON 병변 내로 진입하기 쉬운 각도를 고려하여 위체부에 수직으로 진입하는 것이 좋겠다.

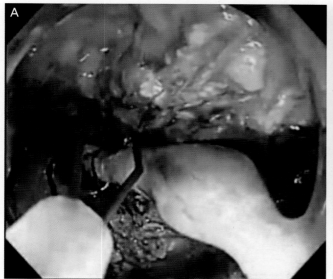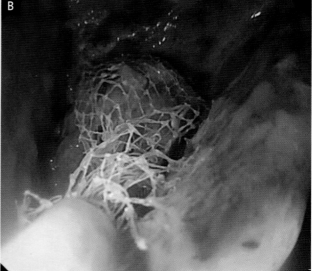

그림 28-3. Endoscopic necrosectomy using various accessories. (A) using basket, (B) using net snare

DEN은 흡입(suction)과 기구를 이용한 괴사조직의 제거 및 세척(irrigation)을 반복적으로 시행하는 시술이다. 일반적으로 이 과정에서 폴립절제용 스네어(polypectomy snare), 바스켓(basket), 넷스네어(net snare), 다양한 종류의 집게들(tripod retrieval forceps, grasping forceps, rat–tooth forceps, pelican forceps)이 사용되나, DEN 전용으로 개발된 기구들은 거의 없는 실정이다(그림 28-3). 따라서 주위 장기나 혈관들의 손상을 피해가면서 병변의 상태를 고려하여 각 기관에 구비된 기구들을 최대한 활용하여 시술해야 한다.

3) 스텐트의 제거

내시경 배액술이나 DEN 후 치료가 완료되어 더 이상 스텐트를 유지할 필요가 없을 경우에는 내시경으로 제거해주면 된다(그림 28-4). 하지만 언제 스텐트를 제거하는지에 대해서는 아직까지 명확하지 않다. 일반적으로 마지막 영상검사에서 병변이 소실되면서 주췌관의 손상이 확인되지 않은 경우에는 스텐트를 제거해 주지만, 주췌관이 손상된 췌관단절증후군이 확인된 경우에는 스텐트를 제거하지 않고 영구적으로 플라스틱 스텐트를 거치해두기도 한다. 배액관으로 LAMS를 사용하였을 경우에는 앞서 기술한 바와 같이 삽입한 지 4주 이내에 제거해주는 것을 원칙으로 해야 하며, 추가 거치가 필요한 경우에는 플라스틱 스텐트로 교체를 해주어야 합병증 발생을 최소화할 수 있다.

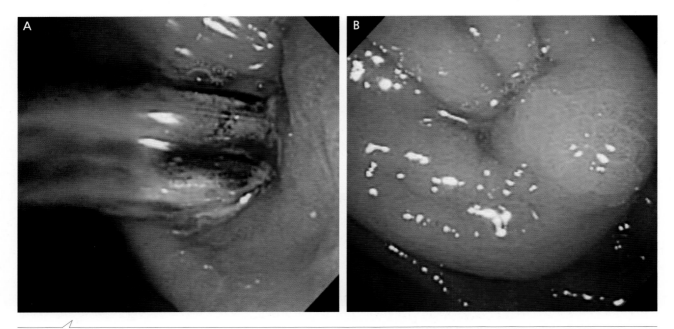

그림 28-4. Endoscopic removal of previous inserted stent. (A) previous inserted plastic stents are observed, (B) Stent removal is performed

5. 췌관단절증후군

췌관단절증후군은 주위 조직 괴사로 인해 주췌관이 손상되는 질환으로, 부분 손상(partial disruption)과 완전 손상(complete disruption)으로 분류된다. 부분 손상의 경우 ERCP를 통한 경유두부 배액이 해결책이 될 수 있으나, 이 때 중요한 것은 스텐트를 거치할 때 손상된 췌관을 지나서 스텐트를 삽입해야 하는데, 실제 시술 성공률이 27%밖에 되지 않는 것으로 보고되고 있다. 완전 손상의 경우나 ERCP를 통한 배액이 실패했을 경우 EUS 유도하 췌관 배액술을 시행해볼 수 있으나 아직까지는 여기에 대한 연구가 부족한 실정이다. 내시경으로 치료가 실패하고 지속적으로 췌장주위 액체 저류가 반복적으로 발생한다면 수술적 치료를 고려할 수 있으나, 이 경우 췌장절제술이 필요한 경우가 많아 수술 후 당뇨의 발생에 유의해야 한다. 그러므로 수술적 치료를 받기 전 혹은 수술을 고려하지 못하는 환자의 경우에는 췌장주위 액체저류의 배액을 위해 삽입한 스텐트를 영구적으로 유지해야 한다.

6. 결론

급성 췌장염은 경미하게 발생하여 합병증 없이 완치되는 경우가 많지만 국소합병증이 발생하는 경우 적절하게 조치를 해주지 않으면 환자의 예후가 나빠질 수 있다. 최근 EUS와 LAMS를 비롯한 다양한 스텐트의 개발로 내시경 배액술 및 DEN이 일차 치료로 자리잡고 있다. 하지만 내시경을 이용한 치료가 불충분하다고 판단되면 경피적 시술이나 수술적 방법을 고려해야 하며 이 과정에서 영상의학과 및 외과와의 긴밀한 협조가 중요하다. 아울러 내시경 배액술 및 내시경을 통한 괴사 제거술의 효과와 성공률을 극대화할 수 있는 전용 기구의 개발이 필요하다.

참/고/문/헌

1. Arvanitakis M, Dumonceau JM, Albert J, et al. Endoscopic management of acute necrotizing pancreatitis: European Society of Gastrointestinal Endoscopy (ESGE) evidence-based multidisciplinary guidelines. Endoscopy 2018;50:524–46.

2. Bakker OJ, van Baal MC, van Santvoort HC et al. Endoscopic transpapillary stenting or conservative treatment for pancreatic fistulas in necrotizing pancreatitis: multicenter series and literature review. Ann Surg 2011;253:961–7.

3. Bang JY, Arnoletti JP, Holt BA, et al. An endoscopic transluminal approach, compared with minimally invasive surgery, reduces complications and costs for patients with necrotizing pancreatitis. Gastroenterology 2019;156:1027–40.

4. Bang JY, Hawes R, Bartolucci A, et al. Efficacy of metal and plastic stents for transmural drainage of pancreatic fluid collections: a systematic review. Digestive endoscopy: official journal of the Japan Gastroenterological Endoscopy Society 2015;27:486–98.

5. Bang JY, Navaneethan U, Hasan MK, et al. Non-superiority of lumen apposing metal stents over plastic stents for drainage of walled-off necrosis in a randomised trial. Gut 2019;68:1200–9.

6. Banks PA, Bollen TL, Dervenis C, et al. Classification of acute pancreatitis-2012: revision of the 241 Atlanta classification and definitions by international consensus. Gut 2013;62:102–11.

7. Banks PA, Gerzof SG, Langevin RE, et al. CT-guided aspiration of suspected pancreatic infection: bacteriology and clinical outcome. International journal of pancreatology: official journal of the International Association of Pancreatology 1995;18:265–70.

8. Bhasin DK, Rana SS, Udawat HP, et al. Management of multiple and large pancreatic pseudo–cysts by endoscopic transpapillary nasopancreatic drainage alone. Am J Gastroenterol 2006;101:1780–6.

9. Boerma D, Rauws EAJ, Van Gulik TM et al. Endoscopic stent placement for pancreaticocutaneous fistula after surgical drainage of the pancreas. Br J Surg 2000;87:1506–9.

10. Catalano MF, Geenen JE, Schmalz MJ, et al. Treatment of pancreatic pseudocysts with ductal communication by transpapillary pancreatic duct endoprosthesis. Gastrointestinal endoscopy 1995;42:214–8.

11. Crockett SD, Wani S, Gardner TB, et al. American Gastroenterological Association Institute Guideline on initial management of acute pancreatitis. Gastroenterology 2018;154:1096–101.

12. Delattre JF, Levy Chazal N, Lubrano D, et al. [Percutaneous ultrasound–guided drainage in the surgical treatment of acute severe pancreatitis]. Annales de chirurgie 2004;129:497–502.

13. Howard TJ, Rhodes GJ, Selzer DJ et al. Roux–en–Y internal drainage is the best surgical option to treat patients with disconnected duct syndrome after severe acute pancreatitis. Surgery 2001;130:714–21.

14. Karjula H, Saarela A, Vaarala A et al. Endoscopic transpapillary stenting for pancreatic fistulas after necrosectomy with necrotizing pancreatitis. Surg Endosc Other Interv Tech 2014;29:108–12.

15. Morton JM, Brown A, Galanko JA, et al. A national comparison of surgical versus percuta–neous drainage of pancreatic pseudocysts: 1997–2001. J Gastrointest Surg 2005;9:15–21.

16. Panwar R, Singh PM. Efficacy and safety of metallic stents in comparison to plastic stents for endoscopic drainage of peripancreatic fluid collections: a meta–analysis and trial sequential analysis. Clin J Gastroenterol 2017;10:403–14.

17. Pearson EG, Scaife CL, Mulvihill SJ et al. Roux–en–Y drainage of a pancreatic fistula for disconnected pancreatic duct syndrome after acute necrotizing pancreatitis. HBP (Oxford) 2012;14:26–31.

18. Rodriguez JR, Razo AO, Targarona J, et al. Debridement and closed packing for sterile or infected necrotizing pancreatitis: insights into indications and outcomes in 167 patients. Ann Surg 2008;247:294–9.

19. Tann M, Maglinte D, Howard TJ et al. Disconnected pancreatic duct syndrome: imaging findings and therapeutic implications in 26 surgically corrected patients. J Comput Assist Tomogr 2003;27:577–82.

20. van Baal MC, Bollen TL, Bakker OJ, et al. The role of routine fine–needle aspiration in the diagnosis of infected necrotizing pancreatitis. Surgery 2014;155:442–8.

21. van Brunschot S, van Grinsven J, van Santvoort HC, et al. Endoscopic or surgical step–up approach for infected necrotising pancreatitis: a multicentre randomised trial. Lancet 2018;391:51–8.

22. van der Waaij LA, van Dullemen HM, Porte RJ. Cyst fluid analysis in the differential diagnosis of pancreatic cystic lesions: a pooled analysis. Gastrointest Endosc 2005;62:383–9.

23. Vege SS, DiMagno MJ, Forsmark CE, et al. Initial medical treatment of acute pancreatitis: American Gastroenterological Association Institute technical review. Gastroenterol 2018;154:1103–39.

24. Zerem E, Pavlović–Čalić N, Sušić A, et al. Percutaneous management of pancreatic abscesses: long term results in a single center. Eur J Intern Med 2011;22:E50–4.

만성 췌장염의 내시경치료: 췌관결석 및 협착 중심으로

Endoscopic Management in Chronic Pancreatitis: Focusing on Pancreatic Duct Stone and Stenosis

이상수 울산대학교 의과대학

1. 서론

만성 췌장염(chronic pancreatitis)은 섬유증의 병리학적 변형, 염증성 침윤, 외분비 및 내분비 조직의 파괴를 특징으로 하는 비가역적이고 진행성 염증 과정으로, 그 결과 실질과 췌관에 특정한 형태적 변화가 나타난다. 만성 췌장염 환자에게 가장 흔한 임상 증상은 복통이며, 반복적 입원, 결근, 반복적인 다양한 치료와 함께 마약성 진통제의 중독을 초래하여 삶의 질을 상당히 저하시킨다. 통증은 췌장 과자극, 허혈, 괴사, 산화 스트레스, 췌관 폐쇄, 괴사–섬유증 등의 다양한 기전에 의해 유발된다. 췌장 신경의 염증 및 손상 또한 만성 췌장염에서 통증의 원인으로 간주된다. 만성 췌장염의 내시경치료는 각각 췌관의 감압과 가성낭종 및 담관 협착의 배액을 사용하여 통증 완화를 제공하고 국소 합병증을 치료하는 것을 목표로 한다.

하지만 만성 췌장염의 임상 및 형태학적 표현의 복잡성과 다양성, 잘 계획된 무작위 대조 시험과 증거 기반 지침이 부족한 상황으로, 임상 의사 결정은 해당의료기관의 전문가의 경험에 기반하는 실정이다. 이 글에서는 확장된 폐쇄성 만성 췌장염의 내시경치료에 대해 논의하고자 한다.

2. 본론

1) 내시경치료의 유럽소화기학회의 진료 지침

유럽소화기학회(ESGE)는 통증이 없는 단순 만성 췌장염에 대한 1차 요법으로 내시경치료를 권장한다. 내시경치료 후 임상 반응은 6–8주에 평가되어야 하며, 치료 효과가 불만족스럽다면 내시경 전문의, 외과의, 방사선과 전문의로 구성된 다학제 팀에서 환자의 췌장 문제에 대해 다시 논의해야 한다. 그 후, 특히 내시경치료 후 결과가 좋지 않은 환자의 경우 수술 옵션을 고려해야 한다. 내시경치료를 통한 통증 완화를 수술과 비교한 결과, 3건의 무작위 대조 시험 중 2건이 장기간 추적 관찰에서 수술이 내시경치료에 비해 우수한 것으로 나타났으나, 현재의 가이드라인은 수술의 비가역성으로 인해 내시경치료를 우선으로 하고 있다.

2) 내시경치료를 우선적으로 고려해야 하는 이유

전향적 연구에서 외과적 치료가 내시경치료에 비해 우월한 성적을 보였음에도 불구하고 내시경치료를 우선적으로 고려해야 하는 이유는 다음과 같다. 외과적 치료는 단기적으로 환자의 증상 호전를 보이는 효과적인 치료이지만 장기적으로 환자의 약 반수에서 재발이 발생한다. 또한 침습적이며 이로 인해 수술 후 이환율과 사망률을 고려해야 하며, 췌장의 기능 손실을 초래하는 단점이 있다. 반면에 내시경치료는 덜 침습적이며 수술과 연관된 이환율의 위험성을 고려 시 환자의 선호도가 높으며 수술의 대안으로 20년 이상 사용되어 왔다. 내시경적 관내 감압 요법이 성공하지 못한 경우, 외과적 치료는 여전히 잠재적 치료 옵션이 될 수 있고, 내시경치료의 결과는 미래 외과적 배액에 대한 반응을 예측할 수 있다. 또한 대부분의 환자는 내시경치료 후 만족스러운 장기 결과를 나타낸다.

3) 내시경치료를 위한 환자 준비

열악한 심폐 기능, 응고 장애, 항생제 또는 조영제에 대한 알레르기를 포함하여 잠재적인 합병증 요인에 대한 주의 깊은 확인에서부터 시술이 시작된다고 할 수 있다. 병력 청취에서 응고병증의 가능성을 시사하는 경우, 특히 괄약근 절개술이 예상되는 경우 추가 검사실 평가가 필요하다. 장기간의 담즙정체가 존재하지 않는 한, 건강한 환자에서는 응고병증에 대한 일상적인 선별검사를 시행할 필요는 없다.

의식하 진정 시 호흡 정지가 발생할 수 있으므로 마취제 및 진정제/수면제는 특히 호흡 예비력이 저하된 환자에서 주의하여 투여해야 한다. 심장 및 산소 공급 상태를 지속적으로 모니터링하여 모든 심폐 사건을 신속하게 인식하고 치료해야 한다. 날록손(naloxone)과 플루마제닐(flumazenil)은 약물로 인한 호흡 억제를 역전시키기 위해 언제든 사용이 가능하게 예방적으로 준비해야 한다.

진단 및 치료 내시경역행담췌관조영술(endoscopic retrograde cholangiopancreatography, ERCP) 동안 일상적인 항생제 예방의 필요성은 여전히 논란의 여지가 있다. 하지만 담관 폐쇄 또는 췌장 가성낭종의 증거가 있는 경우 예방적 항생제는 일반적으로 사용하는 것을 추천한다. 질병 또는 인공 심장 판막이 있는 환자, 전신-폐 단락 및 1년 미만의 합성 혈관 이식 환자는 항생제가 반드시 필요하다.

4) 만성 췌장염의 내시경치료의 치료 전략 수립

내시경치료의 주 목적은 췌관 협착이나 췌관내 췌석으로 인해 상승한 췌관내 압력을 감압하는 것이다. 췌관 폐쇄의 원인은 약 47%에서 췌관 협착 단독, 18%에서 췌석 단독, 32%에서 췌관 협착과 췌석으로 발생하며, 약 3%에서는 다양한 병리현상으로 발생한다고 알려져 있다. 그러므로 췌관 폐쇄의 원인에 따라 치료 전략을 수립해야 한다.

5) 췌관결석의 내시경치료

췌관내 5 mm 이하의 작은 결석은 췌장 괄약근 절개술을 시행한 후 Dormia 바스켓과 풍선을 사용하여 ERCP로 추출할 수 있다(그림 29-1). 5 mm보다 큰 결석은 췌관 스텐트 삽입 여부에 관계없이 쇄석술로 파쇄할 수 있다. 현재 ESGE 권고안에서는 5 mm 이상의 췌석은 체외충격파쇄석술(extracorporeal shock wave lithotripsy, ESWL)을 통한 췌석 파쇄를 첫 번째 치료로 권장하고 있다. 주췌관 전체에 존재하는 결석, 꼬리 부분의 고립된 결석, 다중 주췌관 협착 또는 췌장 꼬리의 협착은 ESWL 및/또는 내시경치료의 좋은 대상이 아니다.

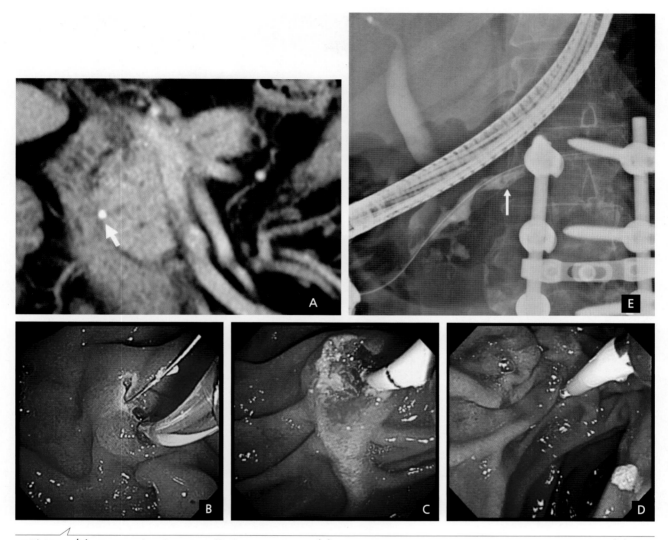

그림 29-1. (A) CT scan showing a small pancreatic stone, (B) The endoscopic view of pancreatic duct cannulation, (C) The endoscopic view of pancreatic sphincterotomy which has been made in the 1 o'clock position, (D) pancreatic calculus in the lumen of the duodenum following endoscopic removal, (E) The pancreatogram demonstrates calculi within dilated duct in the head of the pancreas.

ESWL은 현재 특히 췌장 두부와 체부(pancreatic head and body)에 위치한 5 mm 이상의 큰 통증유발 폐쇄성 췌관 결석을 치료하기 위한 1차 요법이다. 목표는 췌석을 3 mm 미만의 파편으로 줄이는 것이다. 파편화된 결석은 일반적으로 ESWL 후 췌장 괄약근 절개술과 함께 Dormia 바스켓 또는 retrieval 풍선을 이용하여 제거한다. 췌관 협착이 있는 경우 췌관 스텐트 시술을 동시에 시행할 수 있다(그림 29-2). 방사선투과성 결석의 경우 ESWL 전 췌장 괄약근 절제술을 시행한 후 경비췌관배액술(endoscopic nasopancreatic drainge)을 시행하면 ESWL의 정확한 초점을 맞추는 데 도움이 될 수 있다. 체장 미부에 위치한 고립된 관내 결석은 ESWL로 치료할 필요가 없다(그림 29-3). 그 이유는 췌장 미부의 결석은 통증을 유발하기에 충분한 상류 관 압력을 초래할 가능성이 낮기 때문이다. 또한 췌장 미부 췌관 결석을 조각화하려는 시도는 부수적으로 비장 손상을 초래할 수 있다.

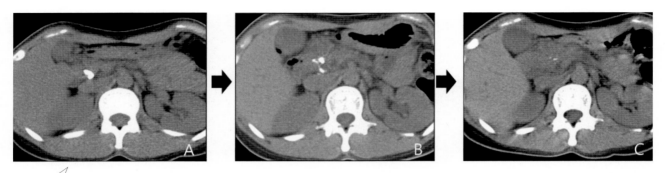

그림 29-2. **Stone fragmentation by using ESWL**

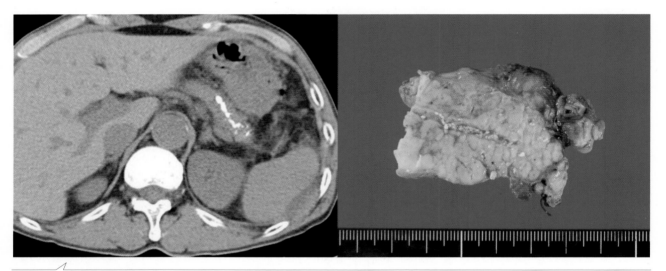

그림 29-3. **A poor candidate for endotherapy/ESWL. CT showing isolated pancreatic tail calculi which is almost completely fil the duct lumen at the pancreatic tail.**

ESWL은 방사선 불투과성 췌장 결석 조각화에 매우 효과적이다. ESWL 치료에 대한 메타 분석에서 췌관내 췌석을 제거율은 37.5–100%로 보고되었다. 많은 연구에서 결석의 조각화와 관 청소율 사이에는 상관관계가 없었으며, 환자의 90% 이상이 3회 미만의 ESWL 세션을 필요로 했다. 결석의 재발은 중간추적군에서 51명(14.01%), 60개월 장기추적군에서 62명(22.8%)에서 관찰되었다. 보다 최근에는 대규모 단일 기관 연구에서 1,006명의 환자 중 935명(93%)에서 결석 조각화를 달성했다. 다른 350명의 환자를 대상으로 44개월 동안 추적 관찰한 후향적 연구에서는 자발적인 주췌관 결석 제거는 환자의 70–88%에서 관찰되었고 환자의 78%에서 장기간 통증 완화 효과를 보였다. 하지만 시술이 적은 센터에서 췌석의 조각화율은 이보다는 낮게 보고되고 있다. 이는 ESWL의 치료 효과가 시술의 경험 축적에 의한 기술적 요인에 영향을 받기 때문이라고 생각한다.

무작위 전향적 비교 연구에서는 55명의 환자를 대상으로 ESWL 단독과 ESWL 및 ERCP를 시행한 군을 비교하였는데, 그룹 간의 유일한 유의한 차이는 ESWL과 ERCP 그룹에서 더 긴 입원 기간과 더 높은 치료 비용을 보였다는 것이다.

ESWL 단독 또는 ERCP와 결합된 이환율은 4개의 대규모(>100명의 환자) 시리즈를 기반으로 검토되었는데,

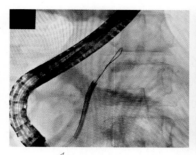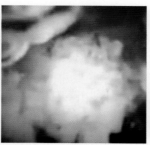

그림 29-4. Pancreatic stone fragmentation by using single operator cholangioscopy and holmium laser.

1,801명의 환자 중 104명의 환자에서 심각한 합병증이 보고되었고, 1명의 사망(이환율 및 사망률, 각각 5.8% 및 0.05%)이 포함되었다. ESWL 단독에 의한 만성 췌장염 치료와 관련된 합병증은 165명의 환자가 관련된 3개의 연구에서 이환율은 6.0%였다. ESWL 단독 또는 ESWL + ERCP 모두에서 합병증은 대부분의 경우 췌장염이었다. ESWL 후에 급성 췌장염, 담도 또는 췌장 패혈증, 위 점막하 혈종 등의 합병증이 발생할 수 있으며, 내분비 및 외분비 췌장 기능 부전에 대한 ESWL의 효과를 평가하려는 시도가 있었지만 기존 데이터는 결론을 내리기에는 충분하지 않았다.

수 년에 걸쳐 췌관 결석을 파쇄하고 제거하는 여러 기술이 발전했다. 기계적 쇄석술(mechanical lithotripsy), 전기수압쇄석술(electrohydraulic lithotripsy, EHL) 및 레이저 유도 쇄석술(laser lithotripsy)과 같은 직접 관내 접근이 필요한 기술이 시도되었다. 관내 기계적 쇄석술은 합병증 발생 비율이 높고 기술적으로 까다로워 현재 거의 사용되지 않는다. EHL은 Mother-baby 스코프 시스템을 사용하여 직접 췌장경 하에 수행되며 결석의 집중된 영역에 에너지를 전달하는 이점이 있다. SpyGlass® 시스템의 사용과 홀뮴 레이저를 사용한 레이저 쇄석술과 같은 기술 진보가 시간이 지남에 따라 발전했지만 여전히 연구문헌은 제한적이다. 그러므로 관내 쇄석술은 ESWL이 실패한 경우 2차 치료로 고려할 수 있다.

결론적으로 단순한 통증성 만성 췌장염 및 5 mm 이상의 관내 결석이 있는 환자의 치료에 대한 첫 번째 단계로 ESWL을 시행하고, 이후 ERCP를 시행하여 결석 조각을 제거하는 것이다. ESWL 단독은 ERCP와 결합된 ESWL보다 선호되어야 한다. ERCP를 통한 결석 제거술은 5 mm 이하의 췌석이 췌장의 두부에 위치하고, 숫자가 적은 경우에 고려할 수 있으며, 관내 쇄석술은 ESWL이 실패한 후에만 시도해 볼 수 있다.

6) 주췌관 협착에 대한 내시경치료

주췌관 협착은 염증이나 섬유증에 의해 유발되며 일반적으로 췌장 머리에 위치하고 만성 췌장염 환자의 약 절반에서 나타난다. 주췌관의 고도 협착은 다음 중 하나로 정의된다. (1) 협착 상부의 주췌관 확장 6 mm 이상, (2) 조영제가 협착 또는 6 Fr 경비췌관을 따라 흐르지 못하는 경우이다.

내시경치료의 방법은 풍선이나 도관(catheter)을 사용하여 협착을 확장한 다음 플라스틱 스텐트를 삽입하는 것이다. 협착을 통과할 수 있는 경우 주췌관이 감압되고 통증이 완화된다. 췌장 스텐트 삽입술은 2-5%의 사망률을 보이는 주췌관 감압 수술의 대안 치료로 인정되고 있다. 스텐트를 삽입하기 위해 괄약근 절개가 반드시 필요한 것은 아니지만, 일부 저자들은 시술 후 췌장염을 예방하기 위해 괄약근 절제술을 권장한다. 스텐트 크기는 협착을 확장하기 위해 적어도 췌관의 직경만큼 큰 것을 선택한다. 10 Fr은 막힐 가능성이 적지만 5 Fr 스텐트보다 삽입 및 유치가 어렵다. 스텐트는 협착증을 넘을 수 있을 만큼 충분히 길어야 하고 관의 변화를 최소화할 수 있을 만큼 짧아야 한다.

스텐트의 수와 기간에 대한 프로토콜은 짧은 기간 스텐트 삽입은 재발의 위험성이 높기 때문에, 처음에는 10 Fr의 스텐트를 삽입하고, 6개월마다 10 Fr의 스텐트를 교체하고, 12개월동안 유치하는 것이다. 환자의 70–94%에서 통증이 완화를 예상할 수 있다. 음주를 중단한 환자에게서 유치한 스텐트를 제거한 후, 46개월의 추적 기간 중 58 %의 환자에서 통증의 완화가 유지되었고, 주췌관 협착의 재발은 2년간 추적 후 38%의 환자에서 보고되었다. 단일 스텐트로 협착이 지속되는 경우 6–12개월 동안 여러 개의 스텐트 삽입이 권장된다. 다중 스텐트 삽입의 장점은 확장을 보다 확실히 할 수 있고, 스텐트 제거 후 장기간 재발을 예방할 수 있다(그림 29–5). 한 연구결과를 보면 38개월 추적 관찰에서 환자의 84%는 무증상, 10.5%는 증상이 있는 재발성 협착증을 보였다.

췌관 협착 환자에서 협착 재발 및 결석 재발을 방지하기 위해 비피막형 금속 스텐트(uncovered self–expandable metallic stent)의 사용은 스텐트 내부로 점막 과형성으로 인해 스텐트의 폐쇄 및 제거가 불가능하기 때문에 사용하지 않는다. 반면 피막형 금속 스텐트(fully covered self–expandable metallic stent, fcSEMS)는 비피

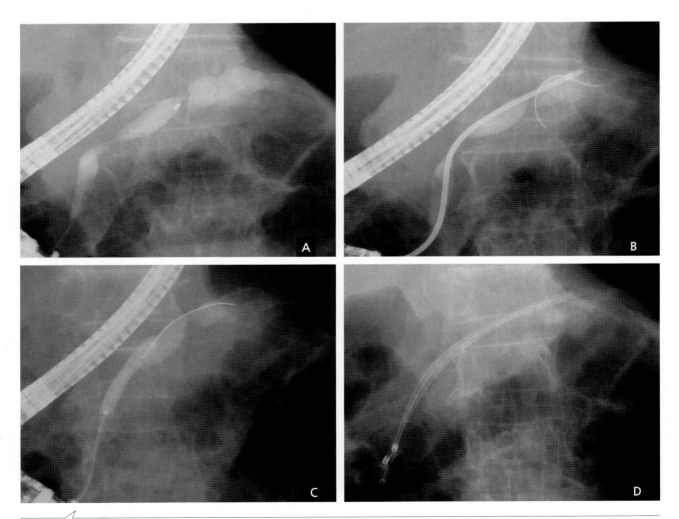

그림 29–5. A poor candidate for endotherapy/ESWL. CT showing isolated pancreatic tail calculi which is almost completely fil the duct lumen at the pancreatic tail.

막형 금속 스텐트의 문제점을 극복하여 제거가 가능하기 때문에 사용해 볼 수 있으며, 유효성과 안전성에 대한 연구들이 보고되고 있다. 초기 연구에서는 3개월간 fcSEMS 유치하였을 때 대부분의 예에서 제거가 가능하였고, 증상의 호전을 보였다. 하지만 스텐트의 이동이 약 30%에서 발생하며, 스텐트로 인한 췌관의 변화 및 협착(stent induced ductal change and de-novo stricture)이 발생하는 문제점이 보고되었다. 이와 같은 유해 사례 비율은 다중플라스틱 스텐트 시술보다 더 높았다. 그 이유는 초창기 연구에 포함된 환자들 중 고도 협착 환자가 아닌 환자 (협착 상부 MPD직경이 6 mm 이하)들이 다수 포함되었을 가능성이 높으며, fcSEMS의 문제점인 높은 axial force와 radial force로 인한 conformability의 저하로 인한 스텐트의 주췌관 자극이 원인이라고 생각된다.

최근에 본 교실에서는 보다 제한적인 환자(협착 상부 주췌관 직경 6 mm 이상 및 플라스틱 스텐트 제거 후 6개월이내 재발한 경우)를 대상으로 fcSEMS의 유효성과 안전성으로 분석하였는데, 본 연구에서는 직경 6 mm의 fcSEMS를 사용하였고, 스텐트의 이동 예방 및 conformability 향상을 위해 fcSEMS의 내강으로 플라스틱 스텐트를 추가로 삽입하였다(그림 29-6). 대상 환자들은 평균 7.5개월간 fcSEMS를 유치하였는데, 스텐트의 이동 및 스텐트 장기 유치로 인한 합병증이 발생하지 않았으며, 약 80%의 환자에서 48개월간의 추적기간 중 재발이 없었음을 보고한 바 있다. 하지만 대상환자수가 제한적이라 보다 많은 환자군을 대상으로 한 추가 연구가 필요하다고 생각한다. 최근에 스텐트의 이동을 방지하고 de-novo stricture를 예방할 수 있는 췌관용 금속 스텐트의 유효성이 보고되고 있다. 하지만 fcSEMS의 한계인 낮은 conformability는 여전히 스텐트로 인한 협착이 발생할 수 있는 위험

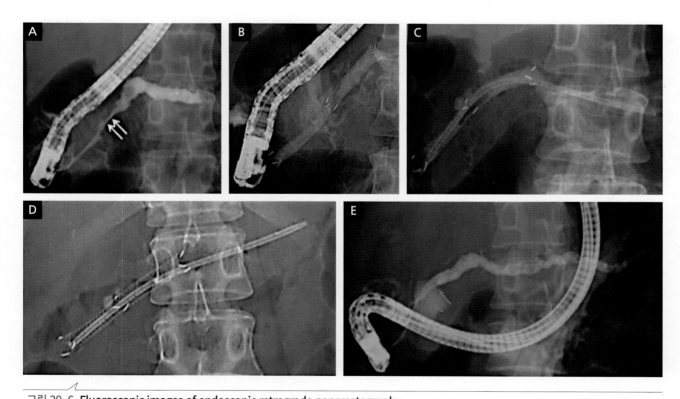

그림 29-6. Fluoroscopic images of endoscopic retrograde pancreatography.
(A) Pancreatogram reveals a tight pancreatic ductal stricture in the head (arrows) with upstream duct dilatation. (B) A fully covered self-expandable metal stent (fcSEMS) is placed across the stricture. The proximal end of fcSEMS directly contacts the pancreatic duct. (C) A plastic stent is inserted into fcSEMS; the proximal end of fcSEMS is not in contact with the pancreatic duct. (D) Follow-up abdominal imaging the day after stent placement showing complete stent expansion with improved conformability of fcSEMS. (E) Follow-up pancreatogram 6 months later showing stricture resolution.

성이 있으므로 췌관 협착 상부의 직경이 6 mm 이상면서 플라스틱 스텐트 시술을 충분한 기간 했음에도 불구하고 6개월 이내 재발이 발생한 난치성 췌관 협착환자에서 제한적으로 사용할 것을 권고한다.

스텐트 시술과 연관된 합병증으로는 스텐트의 폐쇄, 스텐트로 인한 췌관 협착, 스텐트 이동이 있다. 스텐트 폐쇄는 국소 감염 및 가성낭종의 형성을 유발할 수 있다. 스텐트 제거 후 통증이 빠르게 재발하는 경우에는 스텐트 시술을 반복할 필요가 있다. 내시경 의사에 따라 3개월마다 정기적으로 교체하는 것을 선호하는 경우도 있고, 스텐트가 폐색되고 증상이 있는 경우에만(on-demand) 스텐트를 교체하는 경우도 있다. 스텐트 폐색이 발생하더라도 실제로 췌장액은 스텐트의 외경을 따라 배액이 되기 때문에 실제 증상이 발생하는 경우는 많지 않다. ESGE는 10 Fr 플라스틱 스텐트를 삽입하여 주 췌관 협착을 치료할 것을 권장하며, 장기간의 췌장 스텐트 폐색과 관련된 합병증을 예방하기 위해 무증상 환자의 경우에도 1년에 한 번 시행한다. 단일 플라스틱 스텐트 삽입 후 12개월 동안 주췌관 협착이 지속되는 환자에서는 다중 플라스틱 스텐트 동시에 배치하는 것은 권고하고 있다.

7) 통증을 동반한 만성 췌장염의 치료의 도전

만성 췌장염의 통증은 여전히 잘 이해되지 않고 부적절한 신경생물학적 기전과 관련되어 있다. 췌장의 형태가 통증의 심각성이나 치료에 대한 반응을 반영하지 않으며, 유전적 및 환경적 요인을 포함하여 고통스러운 만성 췌장염의 차이에 기여하는 다른 많은 요인이 있음을 알고 있어야 한다. 또한 중추 과민의 정도, 심리사회적 결과, 동반 질환(질병으로 인한 및 이전 치료에 따른 이차적), 외분비 및 내분비 부전의 정도 등도 통증과 연관이 있다. 또한 중요한 고려사항은 만성 췌장염 진행의 단계와 속도이다. 따라서 다른 치료와 치료 조합이 필요할 수 있다. 만성 췌장염 환자의 다양한 스펙트럼에 따라 내시경 의사와 외과의가 함께 만성 췌장염 환자를 치료해야 하는 경우도 있다. 만성 췌장염의 이질성은 중재적 치료에 대한 유사한 적응증을 보다 동질적인 하위 그룹을 정의함으로써 향후 시험을 위한 환자 선택을 개선하기 위해 더 많은 연구가 필요하다는 것을 의미한다.

3. 결론

내시경치료는 통증으로 고통받는 주췌관 폐쇄를 동반한 만성 췌장염 환자에서 외과적 치료의 합리적인 대안이 될 수 있으며, 내시경치료는 외과적 치료의 장애가 되지 않는다. 그러므로 폐쇄성 만성 췌장염 환자에서 우선적으로 내시경치료를 고려하여야 하고 내시경치료가 실패한 환자에서 외과적 치료를 고려하는 것이 합리적 치료 전략이라고 생각한다.

참/고/문/헌

1. Anderson MA, Akshintala V, Albers KM, et al. Mechanism, assessment and management of pain in chronic pancreatitis: Recommendations of a multidisciplinary study group. Pancreatology 2016;16:83–94.

2. Bekkali NL, Murray S, Johnson GJ, et al. Pancreatoscopy–directed electrohydraulic lithotripsy for pancreatic ductal-Stones in painful chronic pancreatitis using SpyGlass. Pancreas 2017;46:528–30.

3. Binmoeller KF, Jue P, Seifert H, et al. Endoscopic pancreatic stent drainage in chronic pancreatitis and a dominant stricture: long–term results. Endoscopy 1995;27:638–44.

4. Costamagna G, Bulajic M, Tringali A, et al. Multiple stenting of refractory pancreatic duct strictures in severe chronic pancreatitis: long-term results. Endoscopy 2006;38:254-9.

5. Cremer M, Deviere J, Delhaye M, et al. Stenting in severe chronic pancreatitis: results of medium-term follow-up in seventy-six patients. Bildgebung 1992;59(suppl 1):20-4.

6. Dumonceau JM, Costamagna G, Tringali A, et al. Treatment for painful calcified chronic pancreatitis: extracorporeal shock wave lithotripsy versus endoscopic treatment: a randomised controlled trial. Gut 2007;56:545-52.

7. Dumonceau JM, Delhaye M, Tringali A, et al. Endoscopic treatment of chronic pancreatitis: European Society of Gastrointestinal Endoscopy (ESGE) Clinical Guideline. Endoscopy 2012;44:784-800.

8. Dumonceau JM. Endoscopic therapy for chronic pancreatitis. Gastrointest Endosc Clin N Am 2013;23:821-32.

9. Eleftherladis N, Dinu F, Delhaye M, et al. Long-term outcome after pancreatic stenting in severe chronic pancreatitis. Endoscopy 2005;37:223-30.

10. Ishihara T, Yamaguchi T, Seza K, et al. Efficacy of s-type stents for the treatment of the main pancreatic duct stricture in patients with chronic pancreatitis. Scand J Gastroenterol 2006;41:744-50.

11. Karasawa Y, Kawa S, Aoki Y, et al. Extracorporeal shock wave lithotripsy of pancreatic duct stones and patient factors related to stone disintegration. J Gastroenterol 2002;37:369-75.

12. Moon SH, Kim MH, Park DH, et al. Modified fully covered self-expandable metal stents with antimigration features for benign pancreatic-duct strictures in advanced chronic pancreatitis, with a focus on the safety profile and reducing migration. Gastrointest Endosc 2010;72:86-91.

13. Nguyen-Tang T, Dumonceau JM. Endoscopic treatment in chronic pancreatitis, timing, duration and type of intervention. Best Pract Res Clin Gastroenterol 2010;24:281-98.

14. Oh DW, Lee JH, Lee SS, et al. Long-term outcomes of 6-mm diameter fully coverd self-expandable metal stents in benign refractory pancreatic ductal stricture. Dig endosc 2018;30:508-15.

15. Ohara H, Gotoh K, Noguchi Y, et al. [Fundamental and clinical studies of extracorporeal shock wave lithotripsy (ESWL) for pancreatic duct stones]. Nihon Shokakibyo Gakkai Zasshi 1991;88:2861-70.

16. Ohara H, Hoshino M, Hayakawa T, et al. Single application extracorporeal shock wave lithotripsy is the first choice for patients with pancreatic duct stones. Am J Gastroenterol 1996;91:1388-94.

17. Park DH, Kim MH, Moon SH, et al. Feasibility and safety of placement of a newly designed, fully covered self-expandable metal stent for refractory benign pancreatic ductal strictures: a pilot study (with video). Gastrointest Endosc 2008;68:1182-9.

18. Raju GS, Gomez G, Xiao SY, et al. Effect of a novel pancreatic stent design on short-term pancreatic injury in a canine model. Endoscopy 2006;38:260-5.

19. Seza K, Yamaguchi T, Ishihara T, et al. A long-term controlled trial of endoscopic pancreatic stenting for treatment of main pancreatic duct stricture in chronic pancreatitis. Hepatogastroenterology 2011;58:2128-31.

20. Tandan M, Nageshwar Reddy D. Endotherapy in chronic pancreatitis. World J Gastroenterol 2013;19:6156-64.

21. Tandan M, Reddy DN, Talukdar R, et al. Long-term clinical outcomes of extracorporeal shockwave lithotripsy in painful chronic calcific pancreatitis. Gastrointest Endosc 2013;78:726-33.

22. Varadarajulu S, Tamhane A, Eloubeidi MA. Yield of EUS-guided FNA of pancreatic masses in the presence or the absence of chronic pancreatitis. Gastrointest Endosc 2005;62:728-36; quiz 751, 753.

23. Weber A, Schneider J, Neu B, et al. Endoscopic stent therapy for patients with chronic pancreatitis: results from a prospective follow-up study. Pancreas 2007;34:287-94.

기타 내시경 술기와 특수한 상황에서의 ERCP

OTHER ENDOSCOPIC PROCEDURES AND ERCP IN SPECIAL CONDITIONS

SECTION

4

경구 담도내시경 검사

Peroral Cholangioscopy, POC

문종호 순천향대학교 의과대학

담도내시경 검사(cholangioscopy)는 직경이 가는 내시경을 담관에 삽입하여 담관내를 직접 관찰하면서 담도 질환에 대한 진단 및 여러 기구를 이용하여 치료적 목적을 수행할 수 있는 유용한 검사 방법이다. 담도내시경 검사는 담관내로 삽입하는 방법에 따라 경피경간 담도내시경 검사(percutaneous transhepatic cholangioscopy, PTCS)와 경구 담도내시경 검사(peroral cholangioscopy, POC)로 나눌 수 있다. PTCS를 시술하기 위해서는 침습적인 경피경간 경로를 만들어야 하고 완전한 검사가 되기까지 2–3주 정도 기간이 소요된다는 단점이 있어, 가능한 경우 POC를 시행하는 것이 환자나 의료진에게 유용할 수 있다. 모자내시경 시스템은 1978년 Nakajima 등이 보고한 초기의 POC는 모자내시경 시스템(mother–baby endoscope system)으로 제시되었다. 십이지장경이 '모내시경(motherscope)'이 되고 십이지장경의 부속기구 채널을 통해 삽입되는 담관내시경이 '자내시경(baby-scope)'이 되어 검사를 하는 방법으로 2개의 내시경 시스템을 2명의 내시경전문의가 협력하면서 시술해야 하고, 기기의 내구성이 약하고, 부속기구 채널의 직경이 작은 단점들로 인하여 임상적으로 널리 이용되지 못하였다. 이후 이러한 단점을 극복하기 위한 담도내시경 분야의 획기적인 발전이 있어 왔으며, 현재 그 임상적 유용성이 확대되고 있다. 2007년 처음 소개된 SpyGlass® 시스템(SpyGlass® Direct Visualization System)을 이용하여 한 명의 내시경의사가 담도내시경 검사를 시행할 수 있게 되었으며, 비슷한 시기에 개발된 극세경 내시경(ultra–slim endoscope)을 이용한 직접 경구 담도내시경(direct POC) 방법에 대한 임상연구들도 꾸준히 발표되고 있다. 여기에서는 POC의 진보된 검사 방법들에 대해 소개하고 검사법, 진단과 치료에 관하여 알아보고자 한다.

1. 경구 담도내시경의 분류

현재 시행되고 있는 POC 방법은 크게 세 가지로 1) 모자내시경 시스템(mother–baby endoscope system), 2) SpyGlass® 시스템(SpyGlass® Direct Visualization System), 3) 극세경 내시경(ultra–slim endoscope)을 이용한 direct POC 방법이 있다. 담관 내로 내시경을 삽입하는 방법에 따라 나눌 경우, 모자내시경 시스템과 Spy-Glass® 시스템은 ERCP를 시행하는 십이지장경(duodenoscope)의 부속기구 채널을 통해 작은 직경의 담관내시경

(choledochoscope)을 담관 내로 삽입하는 방법이고, direct POC 방법은 다른 내시경의 도움 없이 작은 직경의 내시경을 구강, 식도 및 위를 지나 십이지장 유두부 입구를 통하여 담관 내로 직접 삽입하는 방법이다. 시술에 필요한 내시경의사에 따라 나눌 경우, 모자내시경 시스템은 2명의 내시경 의사가 각각 조작하기 때문에 서로 긴밀한 협력이 필요하며, SpyGlass® 시스템과 direct POC 방법은 한 명의 내시경 의사가 시술을 시행할 수 있다.

2. SpyGlass® Direct Visualization 시스템

SpyGlass® 시스템은 Boston Scientific사에서 개발한 새로운 내시경시스템으로 모자내시경 시스템과 유사한 방식이지만 한 명의 내시경 의사가 시행할 수 있는 POC로 개발되었다. 초기 시스템(SpyGlass® Legacy)은 기존의 내시경시스템과 분리된 본체, 광학탐촉자(SpyGlass® optical probe), 그리고 광학탐촉자를 십이지장경을 통해 담관으로 유도하는 일회용 전달 도관(delivery catheter) 등이 필요하였다. 담관내시경의 역할을 하는 0.9 mm 직경의 광학탐촉자를 10 Fr 직경의 전달 도관에 장착하여 다른 ERCP 부속기구처럼 담관 내로 삽입하며, 결합된 Spy-Scope의 조작부를 십이지장경 조작부 아래에 장착하여 한 명의 내시경 의사가 담도내시경 검사를 시행할 수 있도록 하였다. 이 SpyScope은 선단부가 상, 하, 좌, 우의 4가지 방향으로 굴곡이 가능하고, 광학탐촉자가 통과되는 채널 이외에 조직 검사를 위한 조직생검겸자(SpyBite), 쇄석술을 위한 레이저 또는 전기수압 탐촉자를 삽입할 수 있는 1.2 mm의 부속기구 채널과 0.6 mm 직경의 물을 주입할 수 있는 채널이 독립적으로 존재하도록 구성되었다.

초기 시스템의 만족스럽지 못한 영상 해상도나 조작의 불편함 등을 향상시킨 새로운 SpyGlass® DS 시스템 (SpyGlass® DS Direct Visualization System)이 기술적 발전을 통해 개발되었다. 광학탐촉자와 SpyScope을 일체화시켜 사용이 편리하고, 초기 시스템보다 4배 향상된 높은 해상도의 디지털 영상을 제공하며, 내시경 시야각

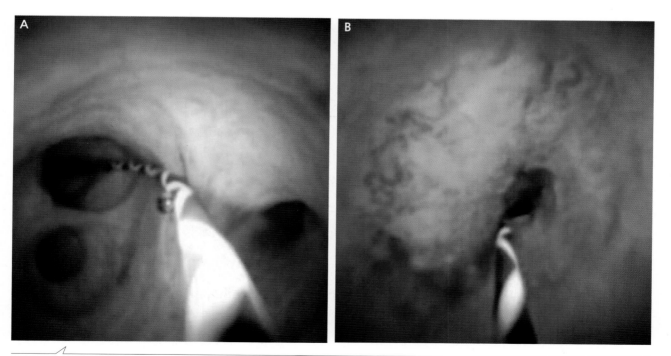

그림 30-1. SpyGlass® DS II 시스템을 이용한 담도내시경 소견. (A) 정상소견, (B) 악성담도협착에서 발견된 불규칙적이고 확장된 미세혈관 소견

이 이전에 비해 약 60% 정도 향상되었다. 또한 담관내시경을 본체에 꽂기만 하면 바로 시스템을 사용할 수 있는 plug and play 기능이 가능하게 되었으며, 조명의 자동 조절 기능이 탑재되었고, 겸자를 비롯한 부속기구들이 6시 방향에서 일정하게 담관내로 삽입 가능하도록 개선되었으며, 흡인(aspiration) 기능이 추가되었다.

최근에는 새로운 CMOS칩을 사용하여 SpyGlass® DS 시스템보다 2.5배 향상된 해상도와 조명의 조절기능이 탑재된 SpyScope DS II 시스템이 추가로 개발되어 임상에서의 적용이 기대되고 있다. SpyGlass® DS 시스템에 비해 중심부 맹점을 최소화하여 내시경을 이용한 관찰이 쉬워졌고, 겸자공을 통한 부속기구 삽입이 한층 용이해졌다. 아울러, 조직검사를 위한 겸자인 SpyBite도 개량되어(SpyBite® Max), 이전에 비해 한번에 회수할 수 있는 조직검체의 크기가 2배 향상되어 좀 더 정확한 악양성의 감별진단이 가능해졌다.

이러한 SpyGlass® 시스템의 발전을 통하여 어려운 담석의 쇄석술, 진단이 어려운 담관 협착에 대한 진단 및 조직생검 등 다양한 담췌관 질환의 진단 및 치료에 있어서 POC가 적용되고 있다(그림 30-1).

현재까지 SpyGlass® 시스템의 제한점으로는 기존의 내시경시스템과 호환이 되지않아 본체부터 다시 구비하여야 하고, 담관내시경을 비롯한 여러 가지 부속기구 마련에 고가의 비용을 필요로 하고, 기술적으로 아직 어려운 시술에 속하고, 처치공의 크기가 1.2 mm로 작아 다양한 시술을 하기에 충분하지 못하며, 송수는 가능하나 송기가 불가능한 점들이 있으며 앞으로의 개선이 필요하다.

3. 극세경 상부위장관 내시경을 이용한 직접 경구 담도내시경 검사

Direct POC는 모자내시경 방식과 달리 하나의 내시경을 담관 내로 직접 삽입하여 담도내시경 검사를 시행하는 검사 방법이다. 1977년 처음 소개된 이후 더 이상의 연구나 보고가 없다가 2006년, 2009년에 미국과 국내에서 내시경을 직접 담관 내로 삽입하기 위해 보조기구의 도움을 사용하는 연구들이 보고되면서 발전하게 되었다. 담관이 매우 확장되어 있고, 십이지장 유두부 입구가 넓게 확장되어 있는 경우에는 일반 상부위장관 내시경을 이용한 direct POC가 가능할 수 있지만, 일반적인 담관 질환에서 담관 직경 및 유두부 입구의 확장 정도를 고려하여 소아 상부위장관 내시경 검사나 경비내시경 검사에 사용되는 극세경 내시경(ultra-slim endoscope)이 사용된다. 극세경 상부위장관 내시경의 선단부위 직경은 불과 4.9-5.4 mm로 초창기 담도내시경의 4.5 mm와 비교하여서도 큰 차이가 나지 않을 만큼 가늘지만, 기존의 상부위장관 내시경과 크게 다를 바 없는 우수한 영상품질을 보여주며(그림 30-2), 부속기구 채널이 2.0-2.2 mm로 기존의 모자내시경이나 SpyGlass® 시스템의 1.2 mm에 비해 넓어 argon plasma coagulation (APC) 탐촉자, 큰 생검겸자 등을 통과시킬 수 있으며, 기본적으로 videoscope 형식으로 개발되어 narrow-band imaging (NBI), i-scan 등의 영상증강 내시경검사도 가능하다(그림 30-3). 또한 담도내시경 검사를 위한 추가적인 장비가 필요하지 않고 일반적으로 사용되고 있는 내시경 시스템과 극세경 내시경을 사용하여 검사를 진행하기 때문에 현재로서는 가장 경제적인 POC 방법이다. 하지만 총담관이 8-10 mm 이상으로 확장된 환자에서 시행되고, 풍선도관의 지지를 통해 내시경이 담관 내에 삽입되었다가 담관 내 시술을 위해서 풍선도관을 제거하게 될 때 내시경이 담관에서 이탈되는 내시경 위치의 불안정성이 환자에 따라 나타날 수 있다.

최근에는 풍선도관의 조작부를 잘라도 풍선이 유지되는 풍선도관이 개발되어 ERCP를 통해 풍선도관을 간내담관이나 협착 상부에 위치시켜 고정한 후, 풍선도관 조작부를 절단하고 십이지장경을 제거한 다음, 고정된 풍선도관을 따라 극세경 내시경을 삽입하여 POC를 시행할 수 있다. 이 때, 극세경 내시경을 삽입하는 도중 지지하는 풍선도관이 담관에서 이탈될 위험이 적어 쉽고 안전하게 POC를 시행할 수 있다. 또한, 풍선도관과 같은 보조기구의 도움 없이 직접 내시경을 담관 내로 삽입하기 위해 내시경 선단에 이중 굴곡 기능을 갖는 극세경 내시경(multi-bending ultraslim endoscope)이 direct POC를 위해 개발 중이다.

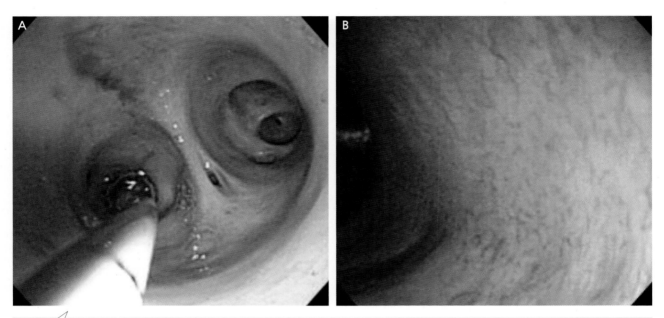

그림 30-2. 정상 담도내시경 소견. (A) 간문부담관, (B) 총담관

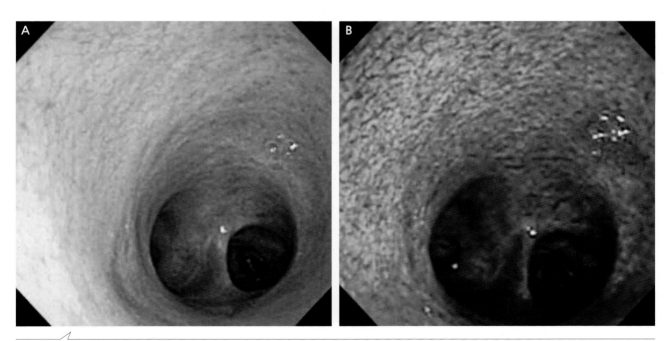

그림 30-3. 정상 담도내시경 소견. (A) 일반 담도내시경 소견, (B) 협대역영상 담도내시경 소견

4. 경구 담도내시경 검사 방법

POC 전 먼저 십이지장경으로 ERCP를 시행하여 십이지장 유두부의 모양, 담관과 췌관 상태를 관찰하여 POC의 삽입에 무리가 없는지 판단하도록 한다. 십이지장 유두부가 너무 작은 경우나, 위치가 안 좋은 경우에는 환자의 안전을 위해 검사를 진행할지를 다른 의사와 상의 또는 심사숙고하도록 한다. 경우에 따라서는 유두부에 대해 별다른 조작이 없이 담도내시경의 삽관을 시도해 볼 수 있으나, 일반적으로는 내시경 유두부괄약근 절개술(endoscopic sphincterotomy, EST)을 대절개로 시행한 후에 삽관을 시도하는 것이 검사의 성공률을 높일 수 있다. 좀 더 쉬운 삽관을 위해 EST 후에 다시 8–10 mm 정도의 풍선도관을 이용하여 내시경 유두부 풍선확장술(endoscopic papillary balloon dilation, EPBD)을 시행한 후에 담도내시경의 삽입을 시도해볼 수 있다.

1) SpyGlass® 시스템 이용한 담도내시경 검사 방법

SpyGlass® 시스템을 이용한 담도내시경 검사 시, SpyScope의 직경은 10.8 Fr.로 4.2 mm의 부속기구 채널이 있는 치료용 십이지장내시경을 이용한다. SpyScope을 유두를 통하여 담관내로 삽입 시 유도철사를 통하여 삽입할 수도 있고, 유도철사 도움 없이 삽입할 수도 있다. SpyScope이 유두부를 통과하여 담관 내로 삽입된 다음에는 SpyScope을 담관 근위부로 전진시켜 담관내를 관찰하도록 한다. 십이지장경의 조작부 아래 고정된 SpyScope 조작부를 이용하여 SpyScope의 선단부위를 네 방향으로 움직이게 하여 담관내 병변을 찾을 수 있으며, 또한 원하는 부위에서 잠금장치를 통해 선단부위를 고정시킨 다음 부속기구를 1.2 mm 직경의 부속기구 채널로 삽입한 후 조직생검 또는 쇄석술 등을 시행할 수 있다. 내시경 조작 중에 SpyScope에 위치한 세척 채널을 통해 세척도 가능하나, 유도철사나 기타 부속기구가 부속기구 채널 내에 위치하고 있는 경우에는 별도의 장치가 필요하다.

2) 극세경 내시경을 이용한 직접 경구 담도내시경 검사 방법

극세경 내시경을 유두로 통하여 삽입하는 방법으로 유도철사를 이용한 방법, 풍선 장착 overtube를 이용한 방법, 관강 내 풍선도관을 이용한 방법 등이 보고되었다. 유도철사를 이용한 direct POC는 일반적인 ERCP 후 간내담관의 한 분지에 0.035 inch의 유도철사를 위치시킨 후 유도철사가 빠지지 않도록 조심하면서 십이지장경을 천천히 제거한 후, 유도철사를 극세경 내시경의 처치공으로 삽입하고 이 유도철사를 따라 극세경 내시경을 십이지장 유두부까지 진입하고 유두부를 통해 담관 내로 삽입하는 방법으로 비교적 시술이 간편하지만, 십이지장경을 제거하거나 극세경 내시경을 삽입하는 과정에서 유도철사가 담관 밖으로 빠져버리기 쉬우며, 일단 유두부를 무사히 통과하더라도 극세경 내시경을 원하고자 하는 상부 담관으로 진입시키기 위해 유도철사만으로 버티기에는 어려운 경우가 많아 별도의 부속기구가 필요한 단점이 있다.

Overtube를 이용한 direct POC는 선단에 풍선이 장착된 overtube를 이용하여 십이지장에서 풍선을 고정하여 세경내시경이 밀리지 않도록 한 후 담관 내로 삽입하는 방법으로 유도철사를 통해 삽입하는 방법과 유도철사 없이 삽입하는 방법이 있다. 먼저, 극세경 내시경을 overtube에 장착하고, 극세경 내시경의 선단부위가 overtube 바깥으로 나오게 한 후, 내시경과 함께 overtube를 십이지장 내로 밀어 넣는다. 십이지장 유두부 상방이나 십이지장 구부에서 풍선을 부풀려 overtube를 고정시킨 후 극세경 내시경을 담관내로의 삽입을 시도한다. 일단 담관 내로 삽입된 후에는 비교적 자유롭게 극세경 내시경을 움직여볼 수 있고, 처치공 내에 다른 부속기구가 없으므로, 다른 시술들을 자유롭게 시행할 수 있다는 장점이 있으나 아직까지 직접 경구 담도내시경 검사 전용의 overtube

가 개발되어 있지 않고, 풍선을 어느 위치에 두어야 성
공률을 높일 수 있는지 더 많은 연구가 필요하며, over-
tube의 삽입을 통해 환자에게 불편감을 초래할 수 있다
는 단점이 있다.

현재까지 보고된 direct POC를 위한 부속기구로는
관강 내 풍선도관이 가장 유용하다. 이 방법은 극세경
내시경의 부속기구 채널 내로 5 Fr의 풍선도관을 위치시
킨 후, 세경내시경을 십이지장까지 넣어 유두부를 통과
한 다음, 풍선도관을 간내담관의 한 분지에서 확장시켜
고정시킨 후, 이 고정된 풍선도관을 축으로 하여 세경내
시경을 상부 담관으로 전진시키는 방법이다(그림 30-4).
극세경 내시경을 유두부로 통과시키기 위해 일반적으로
ERCP 후 간내담관에 유치해 두었던 유도철사를 부속기
구 채널 내에 위치한 관강 내 풍선도관을 통해 밖으로 나
오게 하여 이 유도철사를 따라 세경내시경을 삽입하는
방법과, 유도철사 없이 세경내시경을 바로 유두부에 위

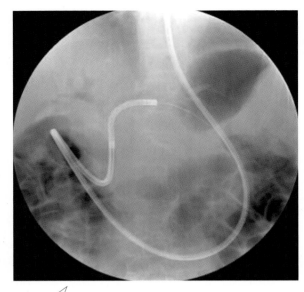

그림 30-4. 관강내 풍선도관 유도하 직접 경구 담도내시경 검사

치시킨 후 유도철사를 먼저 간내담관으로 삽입하고 이 유도철사를 따라 관강 내 풍선도관을 밀어 넣어 간내담관
에 고정시키는 방법이 있다. 관강 내 풍선도관을 이용한 방법은 direct POC의 성공률을 높일 수 있으며, 부속기구
에 대한 비용도 저렴하다는 장점이 있다. 하지만, 이러한 방법이 자유롭게 성공하기 위해서는 아직까지 기술적으
로 어려운 점이 있고 고정된 풍선도관이 세경내시경을 전진시키는 도중 간내담관에서 빠져버리는 경우가 발생하
며, 조직생검 또는 치료적 목적의 시술을 위해서는 부속기구 채널 내에 위치한 유도철사나 관강내 풍선도관을 완
전히 제거하여야 한다는 단점이 있다.

5. 담도내시경 검사를 이용한 담도질환의 진단

대부분의 담도질환의 진단은 ERCP를 통해 진단되지만, 다음과 같은 경우 POC가 필요하다(표 30-1).

담도협착에 대한 악, 양성 감별진단이 가장 흔한 적응증으로, 담도조영술에서 발견된 담도협착에 대해 직접
내시경으로 관찰하고, 때에 따라서는 내시경하에서 육안적으로 병변을 관찰하면서 조직생검을 시행하여 조직병
리학적 확진을 할 수 있다(그림 30-5). 다음으로는 담관내 충만결손에 대한 감별진단으로 ERCP에서 확실하지 않
는 종괴성 병변과 결석 병변의 감별진단에 결정적인 도움을 준다(그림 30-6).

표 30-1. 담도내시경 검사의 진단 적응증
- 원인미상의 담관 협착
- 담관내 용종성 병변의 감별진단
- 담관조영술에서 모호한 소견을 보이는 병변
- 담도암, 관강내 유두상 점액성 종양 또는 담관 유두종의 진단과 침범범위의 평가
- 원인 미상의 혈담증

담도조영술에서 담도암이 의심되는 경우에도 담도내시경 검사를 시행하여 병변에 대한 확진과 담관내 침범정도를 진단할 수 있다. 담관내 유두모양 종양(intraductal papillary neoplasm of bile duct)이 의심되는 경우에는 담도내시경 검사로 확진과 침범정도를 확인하는 것이 추후 치료 결정에 유용하다(그림 30-7). 그 외 담관 벽내 비특이적인 병변이나 혈담증(hemobilia)의 감별진단에도 도움이 된다(그림 30-8).

모든 담도내시경 검사는 내시경하 육안적인 병변 관찰과 조직생검이 가능하나, 경우에 따라서는 육안적으로 병변을 관찰하여도 악, 양성 병변이 감별이 안되는 경우도 있다. 감별진단을 위해 methylene blue 등을 이용한

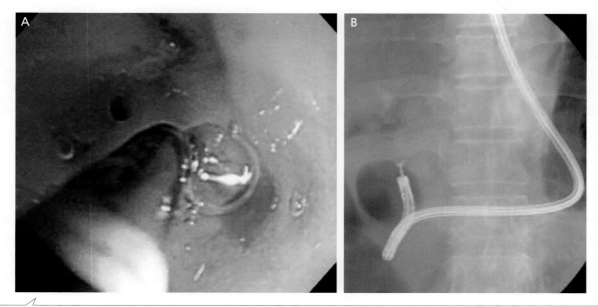

그림 30-5. 담도 협착에 대해 생검겸자를 이용하여 조직생검을 시행하는 담도내시경 소견(A)과 X-ray 소견(B)

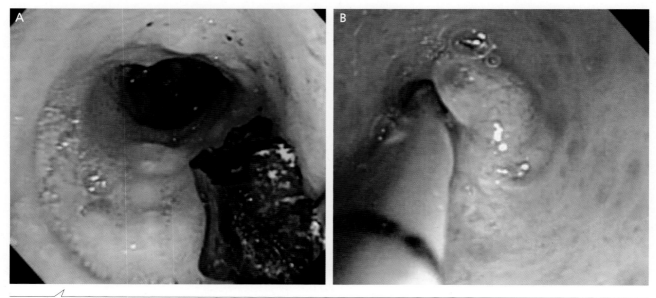

그림 30-6. 담관내 충만결손의 담도내시경 진단. (A) 담관결석, (B) 용종성 병변

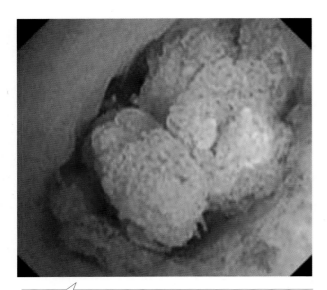

그림 30-7. 관강내 유두상 점액성 종양

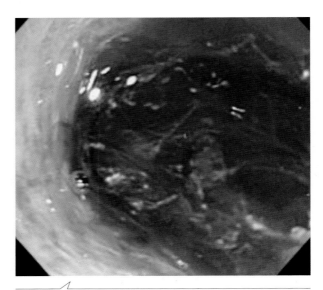

그림 30-8. 관강내로 침범한 간암에 의한 혈담증

색소 담도내시경검사(chromocholangioscopy)을 시행하여 볼 수도 있다. 담도내시경 검사 중 극세경 내시경을 이용한 담도내시경 검사는 NBI, i-scan과 같은 영상증강 내시경(enhancing endoscopy)의 사용이 가능하다. 담도내시경 검사 시 NBI 검사의 장점으로는 담도내 종괴나 협착병변의 표면 구조를 좀 더 자세히 관찰할 수 있고, 표면 혈관 구조를 좀 더 정확하게 볼 수 있어 병변의 악, 양성 감별진단에 좀 더 도움을 줄 수 있다(그림 30-9).

이미 위장관 병변에 대한 NBI 검사의 유용성에 대해서는 많은 보고가 되어 있고, 담도병변에 대해서도 유용할 수 있다는 보고가 있으나, 현시점에서 담도병변에 대한 NBI의 유용성에 대해서는 좀 더 많은 연구가 필요하다. 또

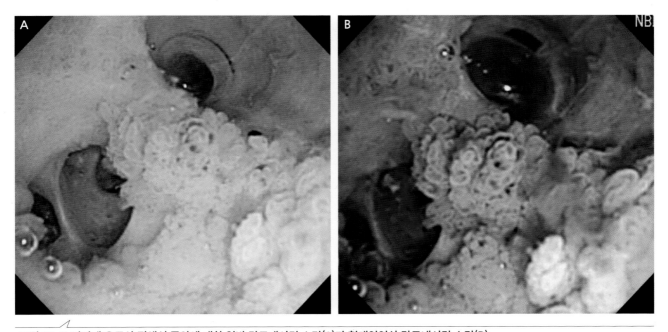

그림 30-9. 관강내 유두상 점액성 종양에 대한 일반 담도내시경 소견(A)과 협대역영상 담도내시경 소견(B)

한 위장관병변에 대한 NBI의 유용성은 대부분 확대내시경검사를 시행한 후의 결과로, 담도내시경에는 확대내시경 기능이 없어 발전이 필요하다.

6. 담도내시경 검사를 이용한 담도질환의 치료

POC를 이용하여 담도질환에 대해 여러 가지 치료를 시행할 수 있다(표 30-2). 가장 많은 적응증은 난치성 담관결석에 대해 POC를 이용하여 전기수압쇄석술(electrohydraulic lithotripsy, EHL) 또는 레이저쇄석술(laser lithotripsy, LL)로 결석을 제거하는 것이다. 그 외 담도암 또는 악성종괴에 대한 내시경관찰 하 광역동 치료(photodynamic therapy, PDT) 등을 시행하는데도 도움을 줄 수 있다.

표 30-2. 담도내시경 검사를 통해 가능한 치료내시경술

내시경 결석제거술	내시경 종양제거술	내시경 제거술	내시경 담관배액술	내시경 절제술
전기수압쇄석술 레이저쇄석술	아르곤 플라스마 응고술 광역동 치료 레이저 치료	담관결석제거술 일탈된 배액관의 제거	선택적 유도철사의 삽입 내시경 경비담관배액술 플라스틱 배액관의 삽입	고온생검(hot biopsy) 올가미를 이용한 절제 (snare resection)

1) 담관결석의 치료

총담관결석 환자의 90% 정도는 EST 후 Dormia 바스켓이나 풍선도관을 이용하여 결석을 제거하거나 기계 쇄석술을 이용하여 결석의 완전제거가 가능하다. 그러나 나머지 10%의 난치성 담관결석을 내시경으로 치료하기 위해서는 다른 방법의 쇄석술이 필요한데, 일반적으로는 EHL 또는 LL을 이용한 체내 쇄석술을 많이 시행하고 있다. 이러한 시술은 일반적으로 PTCS 또는 POC를 통해서 시행되며, 최근 담도내시경 장비와 기술의 발달로 이러한 시술들을 좀 더 편리하게 할 수 있는 방법들이 개발되고 있다. 경구 담도내시경 하 쇄석술(peroral cholangioscopy guided lithotripsy, POC-L)은 담관결석을 직접 관찰하면서 결석을 분쇄하는 방법이다(그림 30-10).

경구 담도내시경하 쇄석술은 경구 경유두 경로를 통해 직시하에 결석을 확인한 후 쇄석이 가능한 유일한 방법이며, 담도내시경이 도달할 수 있는 모든 부위의 담관결석은 본 치료의 적응증이 된다. 총담관결석에 대한 경구 경유두 쇄석법의 결과는 매우 효과적이며, 특히 ERCP로 제거하려고 시도하는 중 기계 쇄석 바스켓 내에 포획이 안 될 정도로 크거나, 결석의 크기에 비해 담관이 확장되지 않아 바스켓으로 포획이 곤란할 경우에 유용하다. EHL은 액체 중에서의 고전압방전에 의해서 발생한 충격파가 고체를 파괴하는 효과를 이용한 것으로, 전기수압쇄석용 탐촉자가 통과할 수 있는 부속기구 채널을 갖춘 담도내시경이 개발되고 내시경 직시 하에 쇄석 탐촉자의 첨단을 정확하게 결석의 표면에 접

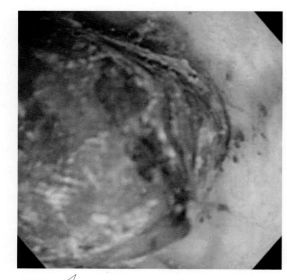

그림 30-10. 담관내 거대 결석

근시키는 것이 가능하게 되어 보다 안전하고 유효한 쇄석법으로 널리 이용되고 있다(그림 30-11).

담도내시경 직시하에서 EHL을 시술하는 방법은 충격파를 담관벽이 아닌 담석에만 정확하게 적용할 수 있으므로, 시술에 따른 합병증을 줄일 수 있다. 쇄석용 탐촉자는 경구 담관내시경용으로 길이 3 m, 최대직경은 4.5 Fr와 3 Fr가 있다. EHL은 물속에서만 작동이 되므로, 시술 중에 지속적으로 식염수를 투여하도록 한다. 합병증으로는 전기수압 충격파에 의한 경미한 동통, 일시적인 경미한 출혈, 일시적인 발열이나 오한 등이 있을 수 있으나, 대량 출혈이나 천공 등의 중증 합병증은 거의 동반되지 않는다.

LL은 레이저 펄스(laser pulse)에 의해 가는 레이저 섬유 선단에서 충격파가 만들어져 이 충격파에 의해 담석을 분쇄시키는 것으로(그림 30-12) 레이저 섬유의 직경은 통상적으로 0.3 mm 정도이다. 레이저가 처음 담석의 내시경적 치료에 응용되었을 때에는 충격파가 담관벽에 손상을 줄 수 있기 때문에 내시경하에서 직접 관찰하면서 시술되었다.

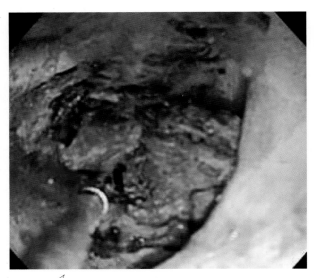

그림 30-11. 담도내시경을 이용한 담관내 거대 결석의 전기수압 쇄석술

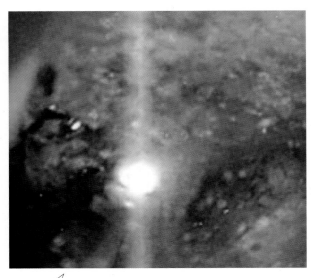

그림 30-12. 담도내시경을 이용한 담관내 거대 결석의 레이저쇄석술

이후에 개발된 Optical Stone/Tissue Discrimination System (OSTDS)은 레이저 치료의 보다 안전한 시술을 가능하게 하였다. 이 시스템은 담관상피세포에서 돌아오는 광선과 결석으로부터 돌아오는 광선을 구별하여 결석과 같은 물질과 조직을 감별할 수 있어, 레이저 섬유 선단이 결석과의 접촉이 없는 경우에는 레이저 펄스의 전달이 자동적으로 중단되게 한다. 이러한 시스템으로 전체 레이저 펄스 에너지의 5–8%만이 잘못 전달되어져 훨씬 안전한 시술이 가능하다. 이러한 FREDDY 레이저(frequency–doubled double–pulse neodymium: YAG laser with piezoacoustic stone/tissue discrimation system)는 이전의 시스템에 비해 결석의 분쇄에 있어서 더 좋은 성적의 안전한 시스템으로 평가받고 있다. 담도내시경하에서 시술되는 LL의 수기는 기본적으로 EHL과 같으나, 담관 벽에 레이저 섬유가 닿더라도 EHL에 비해 훨씬 안전하다. LL은 기본적으로 물속에서 작동되는 것이 아니지만 EHL과 마찬가지로 시술 중에 지속적으로 조영제와 식염수를 혼합한 액체를 투여하는 것이 더 효과적이다.

SpyGlass® 시스템을 이용한 쇄석술은 전술한 바와 같이 한 명의 시술자로도 EHL 등을 이용하여 결석의 제거가 가능하다. 극세경 내시경을 이용한 direct POC를 이용한 쇄석술의 경우 전술한 바와 같이 극세경 내시경의 부속기구 채널 직경이 2.0-2.2 mm로 기존의 모자내시경 시스템이나 SpyGlass® 시스템의 직경 1.2 mm에 비해 크므로, EHL 또는 LL을 시행하기가 더 용이하다는 장점이 있다.

2) 담도암에 대한 치료

담도내시경 하에서 담도암을 직접 보면서 치료가 가능하다. 먼저 수술 절제가 어려운 담도암에 대해 담도내시경 하 광역동 치료(photodynamic therapy, PDT)를 시행할 수 있는데, 담도내시경으로 담도암을 직접 관찰하면서 PDT를 시술할 수 있으므로 보다 효과적인 시술이 가능하다(그림 30-13). 또한 시술 후에 효과판정, 잔존 암조직의 유무, 또는 재발 유무를 판단하는 데도 담도내시경 검사가 도움이 될 수 있다. 또한 담도내시경하에서 Nd-YAG 레이저치료나 APC를 시행하여 담도내시경하에서 담도 내 종양 제거 또는 지혈술 등을 시행할 수 있다. 최근 경구 담도내시경 하 담관 내 고주파 열치료(radiofrequency ablation, RFA)의 치료의 유용성에 대한 보고도 이루어지고 있어 추후 경구 담도내시경을 이용한 치료의 유용성이 더욱 더 증가할 것으로 기대되고 있다.

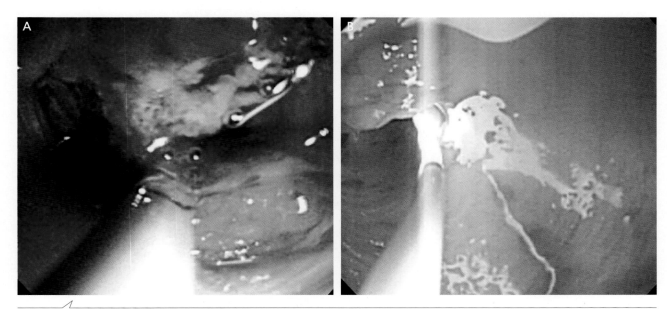

그림 30-13. 담도암(A)에서 광역동 치료를 시술하는 담도내시경 소견 사진(B)

3) 그 외 담도내시경 검사의 치료적 적용

필요한 시술을 위해 일정한 위치로 유도철사를 삽입하는 것이 협착 등으로 어려운 경우, 담도내시경하에서 직접 관찰하면서 유도철사의 삽입을 시도하여 볼 수 있다. 이전에 EST를 시행한 환자에서 재발성 담석이 발생된 경우에 세경내시경을 경비담도내시경의 형태로 삽입하여 내시경 경비 담관배액술(endoscopic nasobiliary drainage, ENBD)을 시행하여 볼 수 있다. 또한 담도내시경하 5 Fr의 바스켓을 이용하여 직접 담관결석을 제거할 수 있으며(그림 30-14) 담관 내로 일탈된 담관배액관의 제거에도 담도내시경을 이용할 수 있다. 2.0-2.2 mm 겸자공을 가진 세경내시경은 6 Fr 기구들을 이용할 수 있으므로 담관선종 등의 담도 종양에 대해 내시경 절제술을 시도하여 볼 수 있다(그림 30-15).

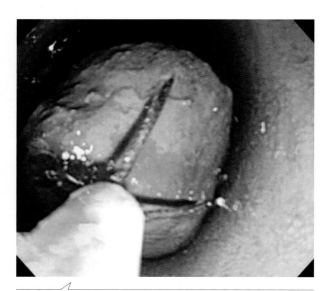

그림 30-14. 바스켓을 이용한 담관결석제거술

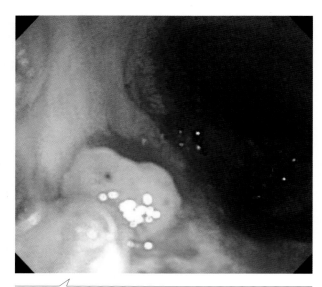

그림 30-15. 담도내시경하 용종 절제술

7. 담도내시경 검사의 제한점

　　POC가 여러 가지 유용한 점들이 있음에도 불구하고 임상적으로 널리 이용되지 못하는 이유는 담도내시경의 취약한 내구성, 고도로 훈련된 내시경의사의 필요, 장시간의 검사 시간 등의 제한점들이 있기 때문이다. 또한, 담도내시경을 위해서는 일반적으로 EST 등을 통한 유두개구부에 대한 확장술이 필요하고, 담관 협착이 심한 부위는 내시경의 통과가 불가능하며, 하부 담관이 가는 경우는 검사를 시행하기 곤란한 문제점 등이 있다. 내시경 선단부의 굴곡이 심한 경우, 협착이 심한 경우에는 처치공을 통한 조직 생검용 겸자나 기타 부속기구들의 이용이 제한적일 수도 있다. 또한 담관이 너무 확장되어 있는 경우에는 한꺼번에 담관 내부를 전부 관찰할 수 없다는 문제도 있다.

8. 맺음말

　　현재까지도 ERCP가 담도 질환에 대한 진단 및 치료 내시경 검사의 기본적이고 주요한 검사 방법이지만, POC는 진단이 어려운 담도 협착의 진단과 치료가 어려운 담관 결석의 치료에 유용한 방법으로 자리잡고 있으며, 일반적인 영상 검사와 ERCP를 통해 진단이 어려운 미세한 담관병변이나 조기 담관암 등이 담도내시경 검사를 통해 진단될 수 있다. NBI, i-scan 등의 내시경 기술 발전으로 진단 목적에서 POC의 유용성은 앞으로 더욱 증대될 수 있으며, 난치성 담관결석 이외의 다양한 담관병변에 대해서도 POC를 이용한 치료내시경술이 적용 가능하다. 검사를 위해서 여전히 고가의 장비가 필요하고, 숙련된 내시경의사가 필요하며, 이런 인력과 장비가 준비된다고 하더라도 술기가 어렵고, 시간이 많이 걸리는 것이 사실이다. 더욱 효과적인 방법과 장비를 개발하고 임상적으로 적용하는 과정을 통하여 담도질환의 진단과 치료에 더욱 많은 도움이 될 수 있도록 노력하는 것이 필요하다.

<h1 style="text-align:center">참/고/문/헌</h1>

1. Brauer BC, Fukami N, Chen YK. Direct cholangioscopy with narrow-band imaging, chromoendoscopy, and argon plasma coagulation of intraductal papillary mucinous neoplasm of the bile duct (with videos). Gastrointest Endosc 2008;67:574-6.

2. Chen YK, Pleskow DK. SpyGlass single-operator peroral cholangiopancreatoscopy system for the diagnosis and therapy of bile-duct disorders: a clinical feasibility study (with video). Gastrointest Endosc 2007;65:832-41.

3. Cheon YK. Preclinical characterization of the SpyGlass peroral cholangiopancreatoscopy system for direct access, visualization, and biopsy. Gastrointest Endosc 2007;65:303-11.

4. Cho YD, Cheon YK, Moon JH, et al. Clinical role of frequency-doubled double-pulsed yttrium aluminum garnet laser technology for removing difficult bile duct stones (with videos). Gastrointest Endosc 2009;70:684-9.

5. Choi HJ, Moon JH, Ko BM, et al. Overtube-balloon-assisted direct peroral cholangioscopy by using an ultra-slim upper endoscope (with videos). Gastrointest Endosc 2009;69:935-40.

6. Hixson LJ, Fennerty MB, Jaffee PE, et al. Peroral cholangioscopy with intracorporeal electrohydrualic lithotripsy for choledocholithiasis. Am J Gastroenterol 1992;87:296-9.

7. Hoffman A, Kiesslich R, Bittinger F, et al. Methylene blue-aided cholangioscopy in patients with biliary strictures: feasibility and outcome analysis. Endoscopy 2008;40:563-71.

8. Itoi T, Kawai T, Sofuni A, et al. Efficacy and safety of 1-step transnasal endoscopic nasobiliary drainage for the treatment of acute cholangitis in patients with previous endoscopic sphincterotomy (with videos). Gastrointest Endosc 2008;68:84-90.

9. Itoi T, Sofuni A, Itokawa F, et al. Peroral cholangioscopic diagnosis of biliary-tract diseases by using narrow-band imaging (with videos). Gastrointest Endosc 2007;66:730-6.

10. Itoi T, Sofuni A, Itokawa F. Free-hand direct insertion ability into a simulated ex vivo model using a prototype multibending peroral cholangioscope (with videos). Gastrointest Endosc 2012;76:454-7.

11. Larghi A, Waxman I. Endoscopic direct cholangioscopy by using an ultra-slim upper endoscope: a feasibility study. Gastrointest Endosc 2006;63:853-7.

12. Lee YN, Moon JH, Choi HJ. A newly modified access balloon catheter for direct peroral cholangioscopy by using an ultraslim upper endoscope (with videos). Gastrointest Endosc 2016;83:240-7.

13. Lee YN, Moon JH, Lee TH, et al. Prospective randomized trial of a new multibending versus conventional ultra-slim endoscope for peroral cholangioscopy without device or endoscope assistance (with video). Gastrointest Endosc 2020;91:92-101.

14. Moon JH, Choi HJ. The role of direct peroral cholangioscopy using an ultraslim endoscope for biliary lesions: indications, limitations, and complications. Clin Eondsc 2013;46:537-9.

15. Moon JH, Ko BM, Choi HJ, et al. Direct peroral cholangioscopy using an ultra-slim upper endoscope for the treatment of retained bile duct stones. Am J Gastroenterol 2009;104:2729-33.

16. Moon JH, Ko BM, Choi HJ, et al. Intraductal balloon-guided direct peroral cholangioscopy with an ultraslim upper endoscope (with videos). Gastrointest Endosc 2009;70:297-302.

17. Moon JH, Terheggen G, Choi HJ, et al. Peroral cholangioscopy: diagnostic and therapeutic applications. Gastroenterology 2013;144:276-82.

18. Nakajima M, Akasaka Y, Yamaguchi K, et al. Direct endoscopic visualization of the bile and pancreatic duct systems by peroral cholangiopancreatoscopy (PCPS). Gastrointest Endosc 1978;24:141-5.

19. Neuhaus H, Hoffmann W, Zillinger C, et al. Laser lithotripsy of difficult bile duct stones under direct visual control. Gut 1993;34:415-21.

20. Ogura T, Onda S, Sano T, et al. Evaluation of the safety of endoscopic radiofrequency ablation for malignant biliary stricture using a digital peroral cholangioscope (with videos). Dig Endosc 2017;29:712-7.

21. Park DH, Park BW, Lee HS, et al. Peroral direct cholangioscopic argon plasma coagulation by using an ultraslim upper

endoscope for recurrent hepatoma with intraductal nodular tumor growth (with videos). Gastrointest Endosc 2007;66:201–3.

22. Schreiber F, Gurakagi GC, Trauner M. Endoscopic intracorporeal laser lithotripsy of difficult common bile duct stones with a stone–recognition pulsed dye laser system. Gastrointest Endosc 1995;42:416–9.

23. Shah RJ, Adler DG, Conway JD, et al. Cholangiopancreatoscopy. Gastrointest Endosc 2008;68:411–21.

24. Shim CS, Cheon YK, Cha SW, et al. Prospective study of the effectiveness of percutaneous transhepatic photodynamic therapy for advanced bile duct cancer and the role of intraductal ultrasonography in response assessment. Endoscopy 2005;37:425–33.

25. Shin IS, Moon JH, Lee YN, et al. Use of peroral cholangioscopy to screen for neoplastic bile duct lesions in patients with bile duct stones (with videos). Gastrointest Endosc 2021;94:776–85.

26. Siddique I, Galati J, Ankoma–Sey V, et al. The role of choledochoscopy in the diagnosis and management of biliary tract diseases. Gastrointest Endosc 1999;50:67–73.

경피경간 담도내시경

Percutaneous Transhepatic Cholangioscopy, PTCS

차상우 순천향대학교 의과대학

담도내시경(cholangioscopy)은 담관내로 내시경을 삽입하여 담관을 직접 관찰하며 진단 및 치료에 사용되는 유용한 검사이다. 이러한 담도내시경은 담관내로의 접근법에 따라 크게 경피적 접근과 경구적 접근으로 나눌수 있다. 경피적 접근의 담도내시경은 먼저 경피경간 담관배액술(percutaneous transhepatic biliary drainage, PTBD)을 시행하고 피부와 담관 사이의 누공을 확장 후 배액관을 위치하여 누공이 성숙되기까지 기다렸다 배액관을 제거 후 그 경로를 통하여 담관 내로 담도내시경을 삽입하여 시행하는 경피경간 담도내시경(percutaneous transhepatic cholangioscopy, PTCS)과 PTBD 대신 담낭절제술 등 수술을 시행하며 총담관 내에 삽입한 T-tube tract이 성숙 완성되기를 기다렸다가 T-tube를 제거 후 그 경로를 통해 담도내시경을 시행하는 수술 후 담도내시경(postoperative cholangioscopy, PCS)로 나눌 수 있다. 경구적 접근의 경구 담도내시경(Peroral cholangioscopy, POC)은 환자의 구강을 통하여 식도, 위, 십이지장 제2부를 통과하여 담관에 접근하는 방법이며 이전에는 보통 모자내시경(mother-babyscope)을 이용하여 시행하였으나 두 명의 시술자가 필요한 단점이 있어서 최근에는 SpyGlass® 담도경이나 극세경 내시경을 이용하여 담관에 접근하는 방법이 이용되고 있다. 담도내시경중 경피경간 담도내시경은 다양한 담관병변의 감별과 치료에 이용되는데 특히 간내담관 및 수술 후 담관 장 문합부 협착, 담관종양의 진단 및 국소적 치료에 이용되며 특히 우리나라와 같이 간내담석의 호발지역에서 다발성 간내담석의 치료에 많이 이용되고 있다. 그러나 경피경간 담도내시경은 누공을 준비하는 과정, 시술을 시행하는 과정, 배액관을 유치하는 과정 등에서 합병증의 발생이 가능한 침습적 검사임으로 시술의 결정과 시행에 주의가 필요하다.

1. 경피경간 담도내시경 시술방법

1) 경피경간 통로의 확보

PTCS를 위해서는 담도경이 간내담관으로 진입하는 경피경간 경로(percutaneous transhepatic route)가 필요하다. 이를 위해서는 우선 경피경간 담관배액술(percutaneous transhepatic biliary drainage, PTBD)을 시행하여 환자의 피부로부터 담관 내로 진입하는 누관(fistulous tract)을 만들어야 한다. 직경이 약 5 mm 정도인 담도경이 통과하여 PTCS를 시행하려면 적어도 16–18 Fr 정도의 비교적 넓은 통로가 필요하다. 그러므로 일반적으로 처음에는 8.5 Fr 정도의 통상적인 PTBD를 초음파와 투시 영상의 유도하에 시행하고 이후 누관을 16–18 Fr 정도로 확장하고 확장된 통로를 일정 기간 성숙 안정화(maturation)시키는 일련의 과정을 통하여 PTCS에 필요한 적절한 직경의 통로를 확보할 수 있다.

PTCS를 위한 PTBD의 시행 부위는 시술이 시행될 담관의 위치에 따라 정하는 것이 중요하다. PTCS를 시행할 병변 측의 간내담관으로 PTBD를 시행하면 담도경의 접근이 필요한 간내담관과 PTBD가 지나치게 예각으로 위치하여 담도경이 병변에 접근하기 어려운 경우가 있어서 일반적으로는 가능하면 PTCS 시술이 필요한 간내담관의 반대쪽으로 PTBD를 시행하는 것이 좋다. 병변이 여러 간내담관에 분포하여 여러 담관에 내시경이 접근해야 하는 경우에도 반대편으로 PTBD를 시행하면 추후 PTCS 시에 어려움 없이 담도경이 접근할 수 있다. 그러나 병변이 한 간내담관 내에 국한되어 있어서 그 담관으로 직접 접근하는 것이 좋겠다고 판단되는 경우에는 해당 담관에 직접 PTBD를 시행하기도 한다. 총담관 병변의 경우에는 어떤 쪽의 간내담관에 PTBD를 시행하는지의 여부가 큰 상관이 없으므로 간내담관의 확장 여부 등에 따라 어떤 쪽의 간내담관에 PTBD가 용이한지 고려하여 결정할 수도 있다. 그러므로 PTCS 시술 전 CT, MRI 등 영상진단 검사를 세밀하게 검토하여 PTBD 및 PTCS의 시행 계획을 세우는 것이 중요하다.

PTBD로 확보된 경피경간 통로를 확장하는 데는 두 가지 방법이 있는데, 먼저 PTBD 후 2–3일 간격으로 2–4 Fr 정도씩 점진적으로 확장해 나가는 방법과 PTBD 시행 2–4일 후 한 번에 16–18 Fr로 확장하는 방법이 있다. 최근에는 일반적으로 먼저 8.5 Fr의 PTBD를 시행하고 PTBD 2–4일 후에 한 번에 16–18 Fr로 통로를 확장하는 방법을 이용되고 있다. 환자에 따라 확장 후 1–2일 정도 통증 조절이 필요하지만 합병증은 거의 없어서 비교적 안전한 확장 방법이라고 생각한다. 확장된 PTBD 통로가 카테터를 제거한 이후에도 안정적으로 유지되어 PTCS 시술이 용이하게 이루어지려면 통로 확장 후에 적어도 7–10일 정도 안정화 기간이 필요하다. 이 기간은 환자 상태나 시술 종류에 따라 다소 차이가 있을 수 있는데, 일반적으로 담관 병변의 관찰이나 조직생검 등의 간단한 시술의 경우는 확장 후 1주 정도 경과 후 PTCS 시술이 가능하지만 다발성 간내담석의 제거 등 반복적인 시술이 필요하거나 치료 목적의 시술이 필요한 경우에는 14일 정도 경과 후 시술을 시행하는 것이 좋다. 조기에 PTCS를 시행하는 경우에는 시술 중 환자가 통증을 호소하기 쉽고 담석 제거를 위해 담도경이 반복적으로 PTBD 통로를 드나들면 시술 중에도 PTBD 통로에 부종이 발생하거나 바스켓으로 잡은 담석을 끌고 나오면서 PTBD 통로에 손상을 주어 시술이 어려울 수도 있다. 담낭절제술 후 삽입한 T–tube tract 이용하여 경피적 담도내시경을 시행하는 경우도 있는데 이를 수술후 담도내시경(postoperative cholangioscopy, PCS)이라고 하며 이런 경우에는 PTBD와 달리 통로가 충분히 안정화되는데 4–6주 정도가 소요되어야 하므로 이 기간 이후에 PCS 시술을 시행하는 것이 좋다.

2) 경피경간 담도내시경

환자는 시술 전 적어도 8시간 이상 금식을 하며 예방적 항균제를 투여하는 것이 좋으며 환자의 불안과 통증을 덜어주기 위하여 시술 전 전처치로 메페리딘(페치딘), 미다졸람 등을 투여한다. 환자는 앙와위 자세로 시술 받게 되며, PTBD가 간우엽에 되어있는 경우는 환자의 우측에, 좌엽에 되어 있는 경우는 환자의 좌측에 시술자가 위치하여 시술할 수 있도록 환자의 눕는 방향을 정하는 것이 시술을 용이하게 진행할 수 있다. PTCS 시술은 ERCP와는 달리 무균적으로 시행되어야 한다. 그러므로 시술자 및 시술보조자 모두 이에 대해 숙지하고 시술준비 과정 및 시술이 무균 원칙에 따라 시행될 수 있도록 해야 한다.

PTCS를 시작하기 전 PTBD 카테터를 통해 조영제를 주입하여 전체적인 담관 영상과 병변 부위를 확인한다.

그런 다음 카테터의 내강으로 유도철사를 삽입하여 담관 내로 충분히 진입시킨 후 카테터를 제거하고 담도경을 삽입하여 PTBD 통로가 시술에 문제가 없음이 확인되면 유도선을 제거하고 PTCS를 시행할 수 있다. 유도철사는 담도경이 담관 내로 진입할 때 보조하는 역할을 하며 누관이 충분히 안정화되지 않은 경우에는 통로를 잃어버리지 않게 하는 데에도 도움을 준다.

특히 경피경간 담도내시경은 만들어진 tract이 짧고 직선형이어서 삽입에 있어서 상대적으로 쉽지만 삽입 시에 간혹 복벽과 간의 유착이 분리되면서 누공이 막혀 그 경로를 찾아낼 수 없는 경우가 있으므로 특히 환자의 첫 번째 삽입일 경우 담관배액관을 빼내기 전에 담관배액관을 통하여 미리 유도철사를 간내담관으로 넣은 뒤 담도경에 무리한 힘을 주지 말고 유도철사를 따라서 들어가는 것이 안전하다. 수술 후 T-tube tract을 통하여 삽입하는 경우 경피경간 담도내시경과 비슷하지만 T-tube tract은 만들어진 경로가 길고 직선이 아니고 곡선이거나 각이 많이 꺾이는 경우가 있어서 삽입 시에 주의를 기울여야 한다(그림 31-1).

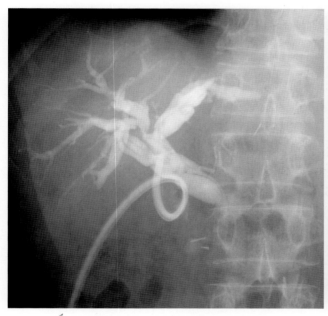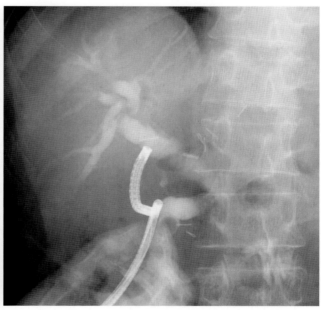

그림 31-1. 굴곡이 심한 T-tube tract, 수술 후 담도경 검사

3) 경피경간 담도내시경 관찰 요령

담관의 깨끗한 담도경 영상을 얻기 위해서는 PTCS 시술 중에 지속적으로 생리식염수를 담관 내로 흘려주는 것이 좋다. 이는 담관 내강을 세척해주어 고름, 오니(sludge), 혈액 등에 의해 내시경 시야가 불량해지지 않도록 해준다. 간내담관으로 삽입된 담도경은 담관 벽의 손상에 주의하면서 담관의 주행을 따라 서서히 진입시키면 되고 담관의 분지부위에서 내시경의 진행 방향을 바꾸는 것은 일반적인 내시경의 조작법과 같다. 다만 급한 예각 방향으로 담도경을 진입하는 경우에는 내시경을 진입시켜도 루프가 형성되면서 진행이 어려운 경우도 있다. PTCS 시술 중 내시경 화면만을 통하여 담도경의 위치와 진행 방향을 판단하는 데는 어려움이 있다. 그러므로 처음 시술을 시작할 때 내시경 화면에서의 간내담관의 분지 위치에서 간간이 담도경의 겸자공으로 조영제를 주입하면서 투시

영상을 확인하여 환자 담관의 개괄적인 해부학적 구조를 이해하고 PTCS를 진행하는 것이 좋다. 또한 투시 영상에서 담관 내에서의 담도경의 위치를 확인하고자 할 때에도 반복적으로 조영제를 주입하여 얻은 담관조영술 영상에서 담도경의 선단부를 확인하면 된다.

4) 경피경간 담도내시경 후 마무리

추가의 PTCS 시술이 필요한 경우 시술 후 도관(catheter)을 재삽입해 두어 추후 시술을 위한 통로를 확보해 두어야 한다. 이를 위해서는 PTCS 도관을 삽입해 두고자 하는 위치를 확인하여 담도경을 위치시키고 유도철사를 담관 내에 삽입한 채로 유도철사가 빠지지 않게 주의하면서 담도경을 회수한다. 이후 이 유도철사를 따라 PTCS 도관을 삽입하고 선단부를 원하는 위치까지 진입 후 고정하여 시술을 종료한다. 추가 시술이 필요한 경우에는 2-3일 정도 경과 후 추가 시술을 시행할 수 있다. 더 이상의 PTCS 시술이 필요 없는 경우에는 내시경을 제거한 후 PTCS 도관을 삽입하지 않고 PTBD 누공 근처를 소독하고 거즈를 덮어 드레싱을 하고 시술을 종료한다. 이런 경우 누공을 봉합할 필요는 없으며 거즈만 덮어 두어도 2-3일 정도 경과하면 누공은 대부분 문제없이 자연스럽게 폐쇄된다.

2. 정상 경피경간 담도내시경 소견

경피경간 담도내시경을 통하여 담관의 여러 가지 양성 및 악성 질환을 감별 진단하기 위해서는 정상적인 담관의 담도경 소견에 대하여 잘 알고 있어야 한다. 담도경을 이용하여 담관을 관찰할 때 유의할 점들은 첫째로는 담관 구경의 변화로서 비정상적인 협착 또는 확장의 여부를 확인해야 한다. 둘째로는 점막을 포함한 담관 벽면의 변화로서, 표면이 매끄러운지, 불규칙적인지, 또는 돌출된 병변은 없는지 확인해야 한다. 셋째로는 점막 표면의 혈관상의 관찰이 필요하며, 마지막으로 담관 내강에 담즙 외에 점액이나 오니(sludge) 또는 농(pus)과 같은 다른 물질이 있는지를 확인하면서 검사를 시행하는 것이 필요하다.

1) 간외 담관

총간관(common hepatic duct) 및 총담관(common bile duct)의 정상 담도경 소견은 담관 내강이 원형에 가깝고 점막 표면이 매끄러우며 불규칙한 함몰이나 돌출이 없는 것이 특징이다. 간외 담관벽을 담도경으로 자세히 관찰하면 동심원 모양의 미세한 요철이 관찰될 수도 있는데 이는 정상적인 모양으로 점막하층으로 침윤하는 종양이 있게 되면 이러한 변화가 없어지는 것을 볼 수 있다. 정상적인 간외 담관 표면은 점막 혈관상이 뚜렷하지 않기 때문에 잘 관찰할 수가 없으나 담도경을 점막 표면에 근접시키고 자세히 관찰해 보면 가지를 치면서 그물망(network)을 형성하는 듯한 혈관상을 확인할 수 있다(그림 31-2). 이렇게 혈관상이 희미하게 보이면서 가는 혈관이 가지를 치는 듯한 모양이 정상이라고 할 수 있으며, 담도계 악성 종양때 보이는 혈관상과는 큰 차이를 보인다고 할 수 있다.

간외 담관의 최하부, 즉 유두팽대부(ampulla of Vater)의 직상부에서는 담관 내강이 서서히 좁아지는 것이 특징이고 십이지장으로 통하는 개구부는 정상적으로 바늘 구멍처럼 작게 보이게 된다(그림 31-3). 바터씨 팽대부의 직상부는 담관 점막이 정상적으로도 과증식(hyperplasia)이 동반되어서 표면이 약간씩 불규칙해지고 거칠어진다. 또한 장시간 원위부 담관을 담도경으로 관찰하다 보면 십이지장의 연동 운동(peristalsis)에 따라서 십이지장으로의 개구부가 열렸다 닫혔다 하는 모습을 목격할 수 있다.

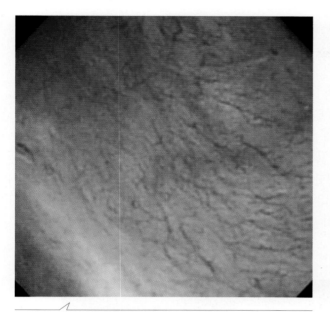

그림 31-2. 정상 담관벽의 혈관상
정상 담관벽면은 표면이 매끈하고 약간의 연분홍 색조를 띠고 있다. 담도경을 벽면에 근접시켜 관찰하면 그물모양의 가지를 치는 혈관상을 관찰할 수 있다.

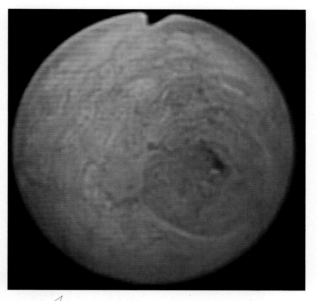

그림 31-3. 정상 원위부 담관
담관 내강이 점점 좁아지며 유두 개구부로 이어진다. 정상적으로도 유두부 주위 점막은 과증식이 자주 동반되어 거친 표면을 보이는 경우가 많다.

2) 간내담관

간외 담관과 달리 간내담관은 대체적으로 내강이 좁고 간의 변연부로 갈수록 점차적으로 내강이 좁아지는(proportional narrowing) 특징을 가지고 있다. 간내담관도 정상적으로는 표면이 매끈하며 내강이 원형 또는 약간의 타원형의 형태를 취하고 있다(그림 31-4). 간내담관은 특징적으로 여러 가지로 분지하는 모양을 잘 관찰할 수 있는 곳으로 간외 담관의 경우 담낭관(cystic duct) 기시부에서만 분지를 관찰할 수 있는 것과는 대조를 이룬다. 간내담관은 해부학적 구조가 복잡한데 경로가 다양하고 변이가 심하여 일단 담관내로 진입이 된 후에도 해부학적 표지자가 따로 없어 간내담관을 모두 관찰하기 위해서는 간의 구역에 따른 담관의 해부학적 정상 변이에 대한 지식을 숙지하고 수시로 X-ray 투시로서 위치를 확인해야 한다.

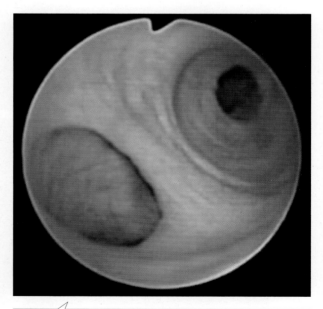

그림 31-4. 정상 간내담관의 분지모양
간내담관은 정상적인 경우에는 표면이 매끈하고 담관 내강이 원형 또는 타원형의 형태를 보인다. 또한 간내담관이 여러 가지로 분지하는 모양이 잘 관찰된다.

3. 경피경간 담도경 검사 적용

1) 담석

　　담도경으로 담석을 관찰할 경우 특징적으로 담관내에서 움직이는 황갈색, 흑갈색 또는 흑색의 물체로 보여 가장 쉽게 확인할 수 있는 병변으로 구형, 타원형, 또는 다면체 형태 등 다양한 모양을 지니고 있고 크기도 다양하다 (그림 31-5). 담관내에서 대개는 움직이는 것을 확인할 수 있으나 협착 부위에 감돈된 경우에는 전체 모양을 관찰하기 어려운 경우도 있다. 담석이 늘어난 담관 내부에 존재할 때는 그 존재 여부를 담도경으로 쉽게 확인할 수 있으나 가장 어려운 경우는 협착 부위의 상부에 존재하는 간내담석으로 담도조영술에서도 협착 상부가 보이지 않고 담도경 검사상에서도 협착의 상부가 확인되지 않아 그 존재를 알지 못하는 경우(missing duct)도 있어서 주의를 요한다.

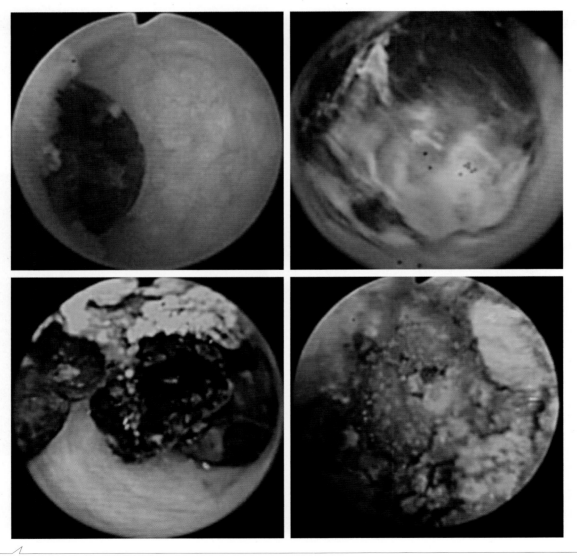

그림 31-5. 담관에 관찰되는 다양한 담석

특히 심한 담관 협착 근위부에 담석이 위치하거나 수술 후 위장관 구조의 변형으로 경구적 내시경 도달이 불가하면 PTCS가 담석제거에 유일한 대안일 수 있다. 간내담관 담석은 흔히 담관 협착과 동반되고 합병증으로 담관염, 간농양, 간경변, 담관암 등의 유발이 가능하며 적절한 치료가 필수적이다. 간내담관 담석이 간 일부에 국한되어 있고 그 부분 간실질이 위축되어 있으며 부분 간절제술이 담석과 함께 병든 담관 및 간실질을 함께 제거하는 근본적 치료일 수 있다. 그러나 실제 수술로 담석의 완전제거가 가능한 경우가 많지 않아 수술 후에도 담석이 남은 경우, 좌우 간내담관에 담석이 위치하는 경우, 수술을 받기 어려운 환자의 경우 등에서는 PTCS를 이용해 간내담관 담석을 치료할 수 있다.

담도경으로 담석을 제거할 때에는 바스켓으로 잡아서 tract을 통하여 밖으로 제거하거나 십이지장 또는 수술 후 문합된 소장을 향하여 담도경 등을 이용하여 결석을 밀어서 제거할 수 있다. 결석이 크면 전기 수압 쇄석기나 레이저 쇄석기 등의 기구를 이용하여 분쇄한 후 제거하게 된다(그림 31-6). 간내 담석이 확인이 되어도 간내담관의 협착이 심하여 담도경의 접근이 되지 않으면 유도철사를 협착부위를 통과하여 삽입하고 풍선 확장기를 이용하여 간내담관을 확장시킨 후 담도경을 통과시켜 결석을 제거할 수 있다. 간내담관의 협착이 심한 경우에는 담석이 있는 간내담관의 입구를 확인하기 어려울 수 있는데 이런 경우에는 담석이 있는 간내담관의 입구로 추정되는 부분에서 주의 깊게 관찰하면 오니나 농이 나와서 입구를 찾을 수 있는 경우가 많다. 간내 담석이 여러 담관분지에 있었던 경우는 관찰되는 간내 담석을 제거한 후 조영증강전 CT를 촬영하여서 간내 담석이 모두 제거되었는지 확인하는 것이 좋다.

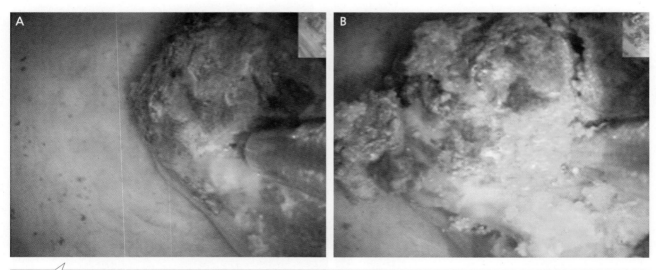

그림 31-6. 전기수압쇄석기를 이용한 담석의 분쇄. (A) 전기수압쇄석기 탐촉자(probe) 끝을 담석 주변에 위치한다. (B) 쇄석을 시행하여 담석이 분쇄되고 있다.

2) 담관 협착

담관 협착의 명확한 악, 양성 감별은 치료방법의 결정에 기본이 되며 ERCP를 통한 조직의 체취가 핵심이다. ERCP를 이용한 전통적인 조직의 체취는 brush cytology나 tissue biopsy가 이용된다. 그러나 이러한 방법은 비교적 어렵지 않게 시행할 수 있지만 수술력 등으로 내시경의 접근이 어려운 경우도 있고 간혹 협착 부위의 세포진 혹은 생검이 기술적으로 어려울 수도 있으며, 병변이 간내담관에 국한된 경우는 경구적 접근으로는 선택적인 조직의 체취가 불가능한 경우도 있다.

　담도내시경은 직접적인 담관의 변화를 관찰할 수 있고 선택적 생검을 통해 악성 담관 협착의 감별에 중요하고 효과적인 검사이다. PTCS를 시행하여 선택적 생검과 담관내 종양성 혈관의 관찰을 통해 진단률을 96%까지 보고하고 있다.

　양성의 담관 협착은 대개 담석이나 수술 후 문합 부위 등에서 호발하며, 담도경 검사의 중요한 목적 중의 한가지가 이러한 양성 협착과 악성 협착의 감별 진단이라고 말할 수 있다. 담석에 의한 담관 염증이 반복적으로 발생

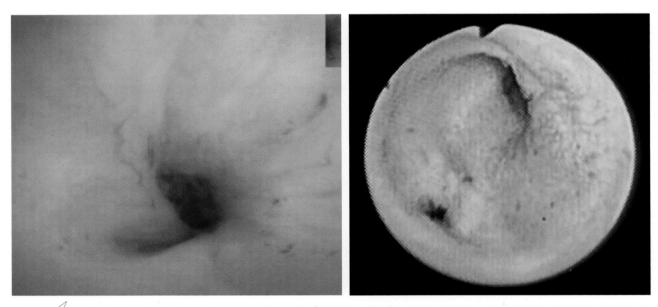

그림 31-7. 반복적인 담관염으로 인하여 간내담관이 변형되고 양성 협착이 발생한 경우로 담관 내강이 찌그러져 있다.

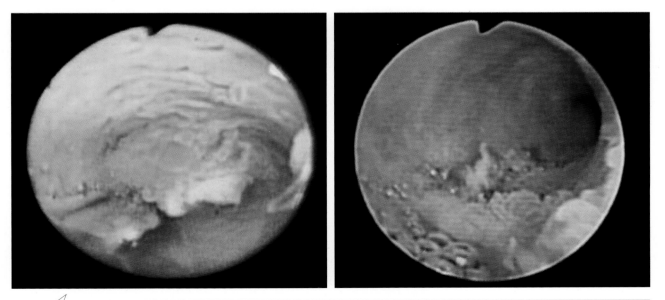

그림 31-8. 간내담석이 있는 환자에서 담석 주위의 담관점막의 변화를 보여주고 있다. 점막이 반복되는 자극과 염증으로 유두상 증식이 초래되었다.

하면 이에 의해서 담관 점막에도 여러 변화가 올 수 있는데 첫째로는 정상적인 담관 점막은 매끈한데 반하여 염증을 반복적으로 앓은 경우에는 점막이 거칠어지고 미세한 융모상의 변화가 생길 수 있다. 둘째로는 담관 벽면에 반흔성 변화가 오면서 표면에 요철이 생기고 내강이 한쪽으로 쏠리게 되는 변화가 생길 수 있으며 심하면 협착이 생겨서 내강이 폐쇄되는 경우도 발생하게 된다(그림 31-7). 또한 담석이 있었던 주변 부위 담관 점막이 유두상 증식(papillary hyperplasia)을 보일 수 있다(그림 31-8). 따라서 양성 담관 협착의 유무는 협착 부위만이 아니고 주변 점막의 변화 양상을 잘 관찰하면 비교적 어렵지 않게 악성 담관 협착과 구별이 가능하다고 생각된다. 또한 양성 담관 협착에서는 악성 담관 협착과는 달리 소위 종양 혈관(tumor vessel)이라고 하는 사행성의 신생 혈관 형성을 관찰할 수 없기 때문에 만일 이러한 혈관상을 관찰하게 되면 양성보다는 악성 협착을 생각해야 하겠다.

3) 수술 후 담관–장문부 협착

수술 후 담관–장 문합부의 협착은 문합부의 fibrosis 혹은 scarring으로 발생하는 양성 협착과 종양의 재발로 생기는 악성 협착이 있을 수 있다. 담관–장문합부(bilioenteric anastomosis site)에서 협착 혹은 종양의 재발이 의심되는 경우 경구적 접근으로는 수술접합부에 내시경 접근이 불가한 경우가 많아 PTCS는 진단을 위한 가장 적합한 검사법일 수 있으며 양성 협착의 경우 비수술적 치료법의 적용에도 유용하다.

수술 후 담관 장관의 문합 부위에도 협착이 자주 발생하는데 이 경우에도 담석 및 담관염에 의해서 발생하는 양성 담관 협착과 기본적으로 비슷한 점막 변화가 관찰되기 때문에 악성 종양에 의한 협착과 감별이 가능하다. 그러나 경우에 따라서는 이러한 소견을 모두 종합하여도 양성과 악성 협착의 감별 진단이 어려운 경우들이 있는데, 이때는 담도경 직시하에 조직검사를 시행하여 이들의 감별 진단에 활용하면 되겠다(그림 31-9).

담관의 협착이 종양의 재발에 의한 것이면 수술적 절제술이 가능한 경우는 수술적 치료가 원칙이다. 수술 후 양성 협착의 경우도 수술적 비수술적 치료가 가능하지만 수술적 치료는 기술적 어려움과 위험뿐 아니라 재수술 후 협착이 다시 발생할 수 있다. 이에 PTCS를 이용한 치료는 상대적으로 높은 치료 성공률과 낮은 합병증 발생으로 수술적 치료에 비해 선호된다. 특히 담관장 문합부 협착은 내시경이 경유두 경로로 문합부에 도달하기 불가능한 경우가 많아 PTCS를 이용한 확장술을 시행하게 된다. 협착부 확장은 풍선 혹은 PTCS도관을 사용하며, 풍선 확장술은 보통 직경 8–10 mm, 2–3분을 시행한다. 확장술 시행 후에는 상환에 적절히 14–18 Fr PTCS 도관 혹은 nelaton을 유치 후 임상경과, 검사실 소견, 담도조영술 소견 등을 살피며 약 2–3개월 후 도관을 제거하게 된다. 이러한 담관–장 문합부위 협착에 있어서 PTCS를 이용한 확장술은 단기적으로 매우 높은 성공률을 보이며, 비록 재발률은 높으나 대부분 반복 시술로 재확장이 가능하여 수술과 비교할 만한 성공률을 보인다. 합병증은 수술에 비해 적으며 대부분 경미하여 내과적인 치료가 가능하며 협착에서 동반되기 쉬운 간내담관 결석의 치료도 동시에 이루어질 수 있으므로 우선적인 치료로 고려할 수 있다. 문합부의 완전한 폐색이 관찰되는 경우도 PTCS를 통한 시술로 새로운 담관–장관루(bilioenteric fistula)를 만들 수도 있다(그림 31-10).

4) 담관종양

담관종양의 담관내 침범, 전파의 정도를 정확히 파악하는 것은 절제의 범위 혹은 치료법 선택에 중요하다. 담관에서 발생할 수 있는 악성 종양 중 가장 흔한 것이 담관선암이며, 그 외에 담관낭성종양, 간세포암, 편평상피암 등이 있다. 이러한 담관의 악성 종양도 그 조직학적 특성에 따라 담도경 소견의 차이를 보이기 때문에 담도경 소견을 잘 숙지하게 되면 조직학적 소견의 감별진단에 도움을 받을 수 있다.

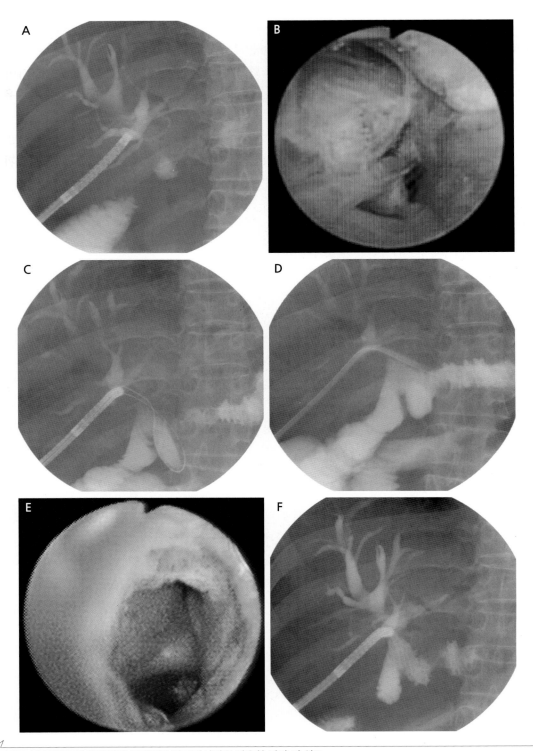

그림 31-9. 담관–장 문합부위 협착에서 경피경간 담도내시경을 이용한 진단 및 치료

(A) 담관–장 문합이 시행된 환자로 담도경을 이용한 조영술에서 담관의 확장이 관찰되고 소장으로 조영제가 잘 내려가지 않는다.

(B) 담도경으로 담관–장 문합부의 협착과 변형이 관찰되며 생검을 통해 양성 협착을 확인하였다.

(C) 담도경으로 담관–장 문합 부위 협착을 가로 질러서 유도선을 삽입하였다.

(D) 협착부위를 통과하여 18 Fr PTCS 도관을 3개월간 유치하였다.

(E,F) 3개월 후 담도경 및 조영술 소견에서 협착부위의 확장과 조영제의 원활한 배출이 관찰된다.

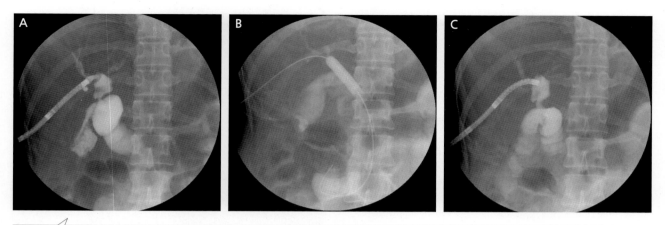

그림 31-10. 담관-장 문합부위 협착에서 경피경간 담도경을 이용한 치료
(A) 담관-장 문합이 시행된 환자로 담도경을 이용한 조영술에서 담관의 확장과 문합부위 짧은 협착소견을 보인다.
(B) 담도경으로 담관-장 문합 부위 협착을 가로 질러서 유도선을 삽입 후 풍선확장술을 시행하고 있다.
(C) 풍선확장술을 시행한 후 협착의 호전이 관찰된다. 이후 nelaton 도관을 2개월 동안 협착부위에 유치하였다.

(1) 담관선암(Bile Duct Adenocarcinoma)

담도경 소견에서 결절형(nodular type), 침윤형(infiltrative type), 유두형(papillary type) 종양으로 크게 3가지로 구분되는데, 결절형 혹은 협착형으로 관찰되는 경우는 어렵지 않게 영상학적 검사만으로 진단이 가능하지만 침윤형, 유두형의 경우는 담관내 뚜렷한 변화 없이 종양이 점막을 따라 얇게 퍼져 나가는 경우가 많아 수술 전 정확한 병기 및 전파정도의 파악이 어려운 경우가 많다. 이러한 경우 PTCS를 통한 지도생검(mapping biopsy)을 통해 종양 침범의 명확한 근, 원위부 경계를 파악하는 것이 수술적 절제부위의 판단에 도움이 된다.

① 결절형(nodular type)

결절형 담관선암은 담도경 소견상 담관 내강 내에 결절형으로 종괴가 자라나 있는 경우로 보통 담관 내강이 종양에 의해서 한쪽으로 밀려서 존재(eccentric location)하게 되며 종양 표면이 불규칙한 점막과 사행성의 신생 혈관(serpiginous neovascularization)을 잘 보이는 것이 특징이다(그림 31-11). 담관 내강을 채우는 종괴는 정상 점막과 달리 쉽게 손상을 받고 담도경 접촉 시 국소적 출혈이 유발될 수도 있다. 종괴의 표면에 보이는 신생 혈관은 일명 종양 혈관(tumor vessel)이라 불리고, 빠르게 자라나는 종양 조직에 혈류를 담당하는 것으로 생각된다. 이러한 신생혈관은 담관암 이외에도 췌장암, 담낭암의 담관 침윤, 그리고 위암의 담관 침윤 등에서도 나타날 수 있어서 담관암 뿐만이 아니라 담도, 췌장계를 침범하는 악성 종양을 나타내는 소견이라고 여겨진다.

② 침윤형(infiltrative type)

침윤형 담관암은 담도경 검사 시 가장 주의해야 할 병변의 하나라고 생각되며, 그 이유로는 담관 내벽에 뚜렷한 변화가 없어 염증에 의한 양성 담관 협착으로 잘못 판단할 우려가 있기 때문이다. 침윤형 담관암은 담도경 소견상 담관 내강이 원추형으로 좁아지는(tapered narrowing) 양상을 자주 보이며 표면이 비교적 매끈하고 얼핏 보아서는 뚜렷한 종양도 존재하지 않는다. 이러한 소견을 보이는 이유는 종양이 주로 점막하층으로 침윤(submucosal infiltration) 하면서 자라나거나 담관벽의 외층으로 침윤(periductal infiltration)하기 때문에 점막 표면의 변화가 선명하지 않다. 하지만 자세히 근접 관찰을 해보면 종양 혈관이 표면에 동반되든지 점막하층의 종양 침투로 점

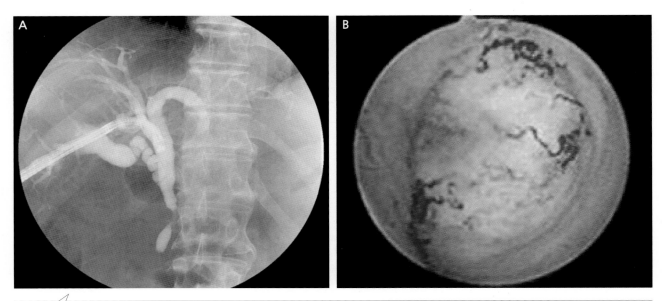

그림 31-11. 결절형 담관암. (A) 담도 조영술에서 간외담관에 결절 모양의 종양이 관찰되고 있다. (B) 결절형 종양의 담도경 소견으로 구형의 종양 상부가 관찰되고 그 표면에 신생혈관 형성이 뚜렷하다. 이러한 신생혈관은 정상적인 담관 벽면의 혈관상과는 달리 사행성의 뚜렷한 혈관이 밀집되어 있는 모양을 하고 있어서 일명 종양혈관(tumor vessel)이라고 불린다.

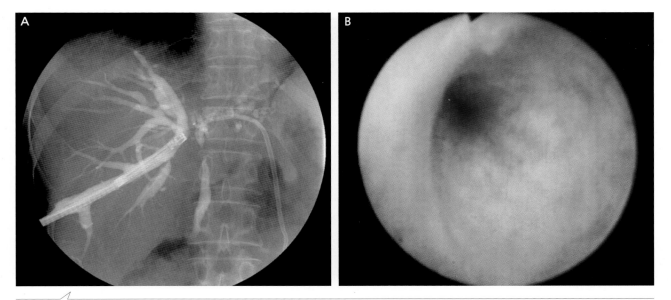

그림 31-12. 침윤형 담관암. (A) 침윤형 담관암의 담도 조영술 소견으로 간문부와 총간관에 협착이 관찰되고 있다. (B) 담도경 소견으로 담관이 서서히 좁아지는 양상이지만 뚜렷하게 종양은 관찰되지 않는다. 이러한 특징 때문에 침윤형 담관암은 담도내시경에서 양성 담관 협착으로 오진하는 경우가 있다. 또한 조직 검사도 암세포가 주로 점막하층에 존재하여 위음성으로 나올 확률이 높아서 주의하여야 한다.

막 표면이 백색조의 동심원상 융기를 보일 수 있어서 양성 협착과 구별점이 될 수 있다(그림 31-12). 대개 침윤형 담관암은 협착의 구간이 길어서(long segment involvement) 양성 담관 협착이 대개 짧은 구간만 침범하는 것과 감별점이 될 수 있다고 생각된다. 또한 동반되어 있는 담석이나 담관염에 의한 흉터(scar) 및 담관 변화 유무를 확인하고 과거 수술한 병력을 확인한다면 역시 감별진단에 보조적 도움을 얻을 수 있다. 그러나 최종적으로는 침윤형 협착이 의심되면 모두 조직 검사를 가능한 한 여러 부위에서 시행하여 조직학적 확진을 하는 것이 필요하다고 사료된다.

③ 유두형(papillary type)

유두형 담관선암에서는 담관 점막이 내강쪽으로 유두 모양으로 돌출된 병변이 무수히 많이 존재하는데, 이러한 종양에 의해서 담즙 흐름에 장애가 생기면 담관염도 동반되고 유두상 증식의 사이사이로 여러 찌꺼기 등이 덮고 있게 된다(그림 31-13). 따라서 담도경으로 관찰하기 전에 생리식염수로 이러한 이물질들을 제거하고서 관찰을 해야 하며 이러한 이물질은 유두상 증식의 크기가 클수록 많이 발생하는 것으로 생각된다. 유두상 선암은 주로 점막하층으로 침윤하기 보다는 담관벽을 따라서 상하 방향으로 표재성으로 증식을 보이는 것이 특징이다. 따라서 담도경 검사를 시행할 때는 이러한 유두상의 병변이 담관벽을 따라서 얼마나 진전되었는지 정확한 범위를 파악하도록 노력해야 하겠다. 특히 미세한 유두상 또는 융모상의 변화는 담도 조영술상에서는 잘 나타나지 않으나 담도경상에서는 잘 확인할 수 있기 때문에 병변의 범위 결정이나 수술 방법의 결정에 담도경 검사가 매우 중요한 역할을 한다고 할 수 있다.

또한 PTCS는 담관 관강내 유두상 점액성 종양(intraductal papillary mucinous neoplasm of the bile duct, IPMN-B)의 진단과 침범정도의 파악에 중요하다. 보통 IPMN-B는 작은 편평 유두상 형태로 많은 점액을 분비하고 침윤형 담관암처럼 표재성 전파를 하는 경우가 많아 기존의 담관조영 및 영상학적 검사만으로는 진단 및 침범정도를 명확히 파악하기 어려운 경우가 많다.

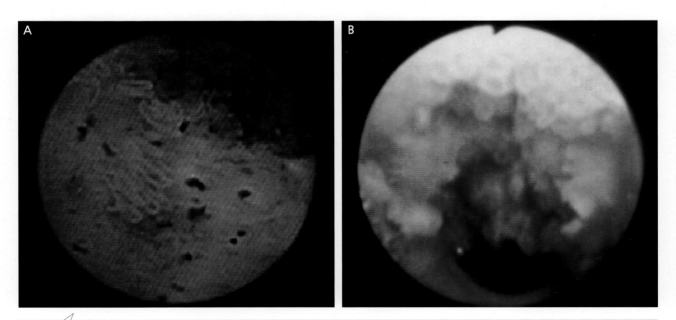

그림 31-13. 유두형 담관암. 유두상 담관암의 담도경 소견으로 담관내에 유두상으로 증식하는 종양이 수없이 많이 존재하고 이러한 종양들에 의해서 담관염이 발생하여 담즙 찌꺼기들이 많이 존재한다.

담관종양의 PDT, APC 등을 이용한 국소적 치료는 담관암 혹은 전구병변의 치료에 도움이 되고, PTCS를 이용한 치료는 병변의 범위를 명확히 판단하여 적합한 부위에 처치가 가능하고 치료 후 효과판정에도 담도 조영하에서 시행하는 것 보다 도움이 될 수 있다.

4. 경피경간 담도내시경의 합병증 및 주의사항

경피경간 담도내시경과 연관된 합병증은 PTBD의 시행, 경피경간 누공의 확장 및 형성과정, 담도경 시술 과정 등에서 혈담즙증, 혈복강, 간 열상, 배액관의 일탈 및 막힘, 담관염, 담즙 누출 및 복막염 등이 발생할 수 있다. 특히 경피경간 담도내시경은 진단적 검사일 뿐만 아니라 여러가지 치료적 술기가 가능하며 이러한 검사 도중에 여러 합병증이 발생할 수 있어서 주의를 요한다. 담도경 검사를 하면서 부주의하게 무리한 조작을 할 경우 누공이나 담관에 손상을 주어 담즙, 조영제, 혈액 등이 간 실질 또는 복강 내로 유출될 수 있는데 이 경우 올바른 담관 내에 배액관을 삽입하고 즉시 검사를 중단하는 것이 좋다. 다른 합병증이 발생하지 않는다면 1주일 정도 담관내 배액관을 유지한 후 다시 담도경을 시도할 수 있다. 또한 담도경 시 쇄석 및 생검조작 등으로 담관이 손상되면서 출혈이 있는 경우가 있으며 대부분 자연적으로 지혈이 된다. 지혈을 촉진하기 위해서 epinephrine 희석액을 겸자구를 통하여 주입할 수도 있다. 드물게 담관배액관을 제거하자 마자 경피경간 누공을 만들 때 생긴 담관–간문맥 누공 또는 담관–동맥 누공에 의해 출혈하는 경우가 있는데 동맥출혈에 의한 혈담즙증의 경우 동맥색전술을 시행해야 한다. 다발성 협착을 동반한 다발성 간내 담석의 경우에 시술후에 담관염이 발생할 수 있어서 예방적인 항생제 투여가 필요하며 드물게 간농양이 합병되는 경우도 있다. 시술시간이 길어지는 경우 담도경을 통해 주입된 생리식염수가 담관에서 십이지장으로 배출된 후 위내로 역류한 후 구토를 발생시킬 수 있으며 시간이 지나면 자연히 소실된다. 담도경을 통해 생리식염수가 주입되면서 담관내압이 상승하면 통증을 유발할 수 있으며 압력이 심하게 올라가면 드물게 미주신경반사에 의한 쇼크를 일으킬 수 있으므로 적절하게 통증조절을 시행해야 한다. 통증이 너무 심하면 담도경을 빼내고 검사를 중단하고 관찰하도록 한다.

5. 맺음말

경피적 담도경 검사는 먼저 경피경간 경로를 만드는 과정이 침습적이고 시간이 필요하지만 일단 경로가 잘 만들어지면 검사가 경구적 담도경 검사에 피하여 훨씬 쉽고 안전하다고 할 수 있다. 또한 짧고 가는 내시경으로 최단거리를 택해서 담관에 접근하기 때문에 검사 중 환자의 고통이 별로 없고 다양한 진단적 및 치료적 술기를 병행하기에 가장 이상적이라고 하겠다. 이에 경피경간 담도내시경은 적합한 진단 및 치료적 적응상황에서 효율적으로 적극적으로 사용되어야 할 것이다.

참/고/문/헌

1. Ahmed S, Schlachter TR, Hong K. Percutaneous transhepatic cholangioscopy. Tech Vasc Interv Radiol 2015;18:201–9.

2. Cha SW. Management of intrahepatic duct stone. Korean J Gastroenterol 2018;71:247–52.

3. Choi JH, Lee SK. Percutaneous transhepatic cholangioscopy: does its role still exist? Clin Endosc 2013;46:529–36.

4. Darcy M, Picus D. Cholangioscopy. Tech Vasc Interv Radiol 2008;11:133–42.

5. Hawes RH. Diagnostic and therapeutic uses of ERCP in pancreatic and biliary tract malignancies. Gastrointest Endosc 2002;56:S201–5.

6. Jazrawi SF, Nguyen D, Barnett C, et al. Novel application of intraductal argon plasma coagulation in biliary papillomatosis (with video). Gastrointest Endosc 2009;69:372–4.

7. Kim HJ, Kim MH, Lee SK, et al. Tumor vessel: a valuable cholangioscopic clue of malignant biliary stricture. Gastrointest Endosc 2000;52:635–8.

8. Kim JH, Lee SK, Kim MH, et al. Percutaneous transhepatic cholangioscopic treatment of patients with benign bilio-enteric anastomotic strictures. Gastrointest Endosc 2003;58:733–8.

9. Lee SS, Kim MH, Lee SK, et al. Clinicopathologic review of 58 patients with biliary papillomatosis. Cancer 2004;100:783–93.

10. Lee SS, Kim MH, Lee SK, et al. MR cholangiography versus cholangioscopy for evaluation of longitudinal extension of hilar cholangiocarcinoma. Gastrointest Endosc 2002;56:25–32.

11. Moon JH, Terheggen G, Choi HJ, et al. Peroral cholangioscopy: diagnostic and therapeutic applications. Gastroenterology 2013;144:276–82.

12. Oh HC, Lee SK, Lee TY, et al. Analysis of percutaneous transhepatic cholangioscopy-related complications and the risk factors for those complications. Endoscopy 2007;39:731–6.

13. Oh HC. Percutaneous transhepatic cholangioscopy in bilioenteric anastomosis stricture. Clin Endosc 2016;49:530–2.

14. Seo DW, Lee SK, Yoo KS, et al. Cholangioscopic findings in bile duct tumors. Gastrointest Endosc 2000;52:630–4.

15. Shim CS, Cheon YK, Cha SW, et al. Prospective study of the effectiveness of percutaneous transhepatic photodynamic therapy for advanced bile duct cancer and the role of intraductal ultrasonography in response assessment. Endoscopy 2005;37:425–33.

16. Shim CS, Neuhaus H, Tamada K. Direct cholangioscopy. Endoscopy 2003;35:752–8.

담관내 세경 초음파 단층촬영술

Intraductal Ultrasonography

이윤나 순천향대학교 의과대학

관강내 초음파 검사(intraductal ultrasonography, IDUS)는 담관 또는 췌관 내에 세경 초음파 탐촉자(miniature ultrasonic probe)를 삽입하여 내시경역행담췌관조영술(endoscopic retrograde cholangiopancreatography, ERCP) 시행 중 실시간으로 주위 구조물과 병변을 스캔할 수 있는 검사이다. IDUS는 담관이나 췌관의 고해상도 단면상(cross sectional image)을 제공하기 때문에 다양한 췌장 및 담도 질환의 진단에 이용되고 있으며, 특히 ERCP로 관찰이 어려운 미세 병변이나 표재성 병변의 확인에 매우 유용한 검사이다.

1. 기구와 검사 방법

IDUS 검사를 위해서는 내시경 겸자공으로 삽입되는 세경 초음파내시경 탐촉자(ultrasonic miniprobe), 초음파내시경 본체, 그리고 탐촉자와 초음파내시경 본체를 연결시켜 주는 탐촉자용 구동 장치(probe-driving unit)가 필요하다. 최근 주로 사용되는 탐촉자는 유도철사를 따라 삽입이 가능한 형태로 선택적 삽관이 비교적 용이하고, 올림장치(elevator)의 이용 빈도를 줄여 탐촉자 손상을 최소화하고 있다(그림 32-1). 또한, IDUS 검사를 내시경 유두부괄약근 절개술(endoscopic sphincterotomy, EST) 후 시행할 경우 도관 내로 유입된 공기에 의해 영상이 정확하게 획득되지 않을 수 있는데, 유도철사 유도하에 탐촉자를 삽입할 경우 EST 없이도 삽관이 가능하다는 장점이 있다. 대표적인 유도철사 유도하 탐촉자인 UM-G20-29R (Olympus Optical Co., Ltd., Tokyo, Japan)은 주파수가 20 MHz인 방사형 탐촉자이며, 축해상력(axial resolution)은 0.1 mm, 최대 투과 거리는 대략 20 mm 정도이다. 세경 초음파 탐촉자의 직경은 2.0-2.9 mm 정도로 작기 때문에 일반적으로 사용하는 십이지장경의 처치공 내로 삽입이 가능하다. 따라서 경유두 접근과 경피 경간 접근이 모두 가능하며,

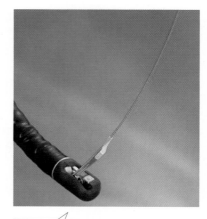

그림 32-1. **세경 초음파내시경 탐촉자 (UM-G20-29R)**

탐촉자의 선단은 X-ray 투시에서 확인할 수 있다.

경유두적 접근법을 이용한 IDUS는 진단용 또는 치료용 십이지장내시경으로 통상적인 ERCP를 시행하는 중에 검사하게 되므로, 검사실, 환자의 준비, 환자의 위치 등은 일반적인 ERCP 검사와 동일하다. 담관 또는 췌관으로 선택적 삽관이 이루어지면, 유도철사를 도관 내에 깊숙이 위치시킨 후 조영제를 충분히 주입해 놓는다. 유도철사는 0.025 inch 또는 0.035 inch의 일반적인 유도철사를 사용한다. 유도철사를 담관내에 남겨둔 상태로 도관을 제거한 다음 이 유도철사를 따라 탐촉자를 병변의 상부까지 진입시키고, 탐촉자를 서서히 빼내면서 병변과 병변 주위의 구조물을 관찰하게 된다(그림 32-2). 필요에 따라 X-ray를 이용하여 유도철사 및 탐촉자의 위치를 확인하도록 한다. 유도철사를 따라 탐촉자를 담관내로 진입시킬 때 내시경 선단부의 올림장치를 과도하게 사용하면 탐촉자가 쉽게 손상될 수 있기 때문에 주의하여야 하며, 탐촉자를 상부담관으로 미는 동안 주사할 경우 탐촉자의 기능 이상이나 손상이 초래될 수 있기 때문에 병변의 스캔은 항상 탐촉자를 밖으로 서서히 빼내면서 시행하도록 한다. 경유두 경로를 통한 접근시 유도철사를 이용하여 IDUS를 시행할 경우 담관 협착의 위치나 길이에 상관없이 검사의 성공률은 98.2-99.2% 정도이다. 췌관의 경우 EST 시행 전 80%의 환자에서 IDUS 검사가 가능하였고, IDUS 탐촉자가 췌관의 두부, 체부, 미부까지 삽입이 가능하였던 경우는 각각 94%, 89%, 55%로 보고되고 있다.

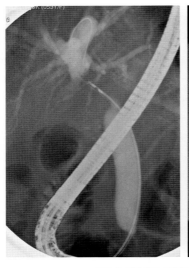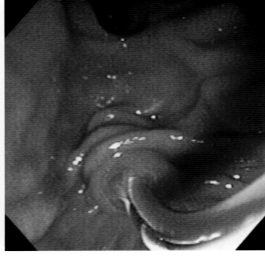

그림 32-2. **IDUS를 시행하고 있는 X-ray 투시 사진과 십이지장경 사진**

경피경간적 접근법을 이용한 IDUS는 보통 담도내시경검사와 함께 시행하게 되므로, 검사실, 환자의 준비, 환자의 위치 등은 일반적인 경피경간적 담도내시경검사와 동일하다. 경피경간 경로를 통해 IDUS를 시행하기 위해서는 여러 가지의 도관이나 유도철사를 사용하게 된다. Side port가 있는 외피(sheath)도관을 유도철사를 따라 담관 내에 삽입한 후 세경 초음파 탐촉자를 유도철사를 따라 외피내로 삽입하여 X-ray 투시하에 담관내로 접근시킨다. 조영제는 side port를 통해 주입이 가능하다. 경유두 경로를 통한 방법과 같이 탐촉자는 항상 밖으로 빼면서 스캔하도록 한다. Side port가 있는 외피는 좋은 영상을 얻는데 반드시 필요하며, 담관이 위축되지 않도록 조영제를 충분히 사용하여야 한다.

2. 담관 및 췌관의 정상 IDUS 소견

1) 담관

정상담관 벽의 횡단면은 IDUS에서 2층 또는 3층으로 보인다. 2층으로 보이는 경우는 담관의 안쪽에서는 저에코층, 바깥쪽은 고에코층 두 층으로 관찰되며, 3층으로 보이는 경우는 담관의 가장 안쪽은 얇은 고에코층, 그 다음은 저에코층, 가장 바깥은 고에코층 세층으로 관찰된다(그림 32-3, 표 32-1). 3층으로 보이는 경우의 가장 안쪽의 고에코층은 실제의 해부학적 구조물을 의미하는 것은 아니며, 담즙과 담관 사이 경계 에코(interface echo)로 추측되고 있다. 실제 정상에서 담관벽이 정확히 3층 구조로 구분되어 보이기는 어려우며, 담관벽의 부종이 동반된 경우 3층 구조가 잘 나타나게 된다. IDUS에서 안쪽의 저에코층은 점막층뿐 아니라, 점막층 바로 아래의 fibro-muscular layer와 peri-muscular connective tissue를 포함하고 있다. 따라서 IDUS를 시행하더라도 담관암이 점막층에만 존재하는지, 점막하층까지 침범하였는지는 정확하게 감별할 수 없다. IDUS에서 가장 바깥쪽의 고에코층은 조직학적으로 subserosa와 serosa를 의미하며, subserosa에 존재하는 지방조직(adipose layer of the

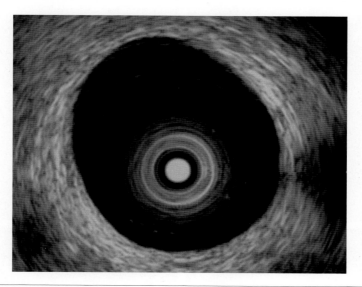

그림 32-3. 담도벽의 정상 IDUS 소견

표 33-1. IDUS에서 정상 담관벽층

Layer	Echo pattern	Histologic correlation
1st	Inner hyperechoic layer	Interface echo between bile and bile duct
2nd	Inner hypoechoic layer	Mucosa Fibromuscular layer Peri-muscular connective tissue
3rd	Outer hyperechoic layer	Subserosa Adipose layer of the subserosa Serosa Interface echo between serosa and surrounding organ

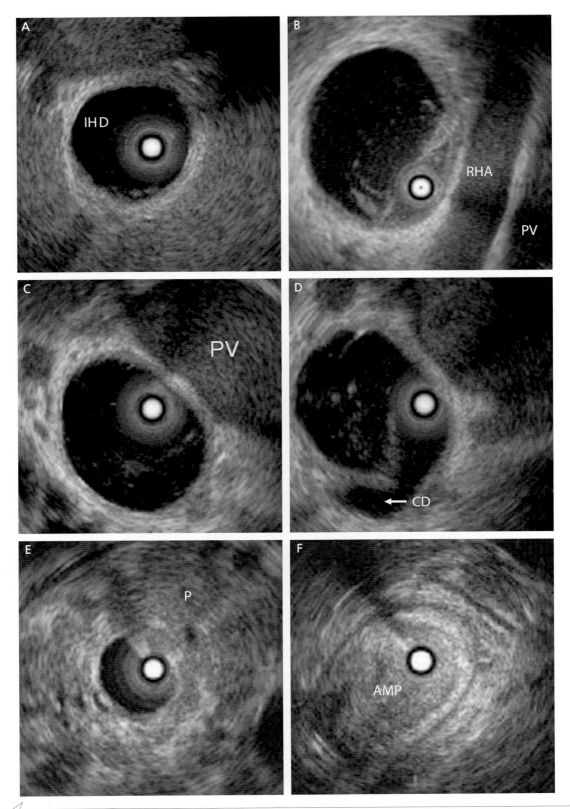

그림 32-4. 담도계의 정상 IDUS 소견. (A) 간내담관, (B) 간문부담관, (C,D) 총담관, (E) 췌장내 담관, (F) 유두부

Amp; ampulla of Vater, CD; cystic duct, IHD; intrahepatic bile duct, P; pancreas, PV; portal vein, RHA; right hepatic artery subserosa)으로 인하여 고에코층으로 관찰된다. 예를 들어 담관암으로 의심되는 종양이 이 층까지 도달한 경우에는 subserosa 침범이 있다고 진단할 수 있다.

간내담관에서 IDUS를 시행하면 촘촘한 그물모양의 간실질을 관찰할 수 있다(그림 32-4A). 초음파 탐촉자를 조금씩 원위부로 이동하여 간문부를 스캔하면 담관과 간문맥 사이를 주행하는 우측 간동맥을 관찰할 수 있다(그림 32-4B). 일반적으로 좌측 간동맥은 담관과 멀리 떨어져 주행하기 때문에 IDUS에서 관찰하기가 쉽지 않다. 총담관 주위에서 스캔을 시행하면 간문맥을 쉽게 관찰할 수 있다(그림 32-4C). 현재 이용되는 세경 초음파 탐촉자는 도플러 영상을 지원하지 않기 때문에 혈관 구조물의 관찰에 있어서 연속적인 후방산란이 보이는 부위는 간문맥으로, 박동성의 후방산란이 보이는 부위는 간동맥으로, 후방산란이 보이지 않는 부위는 담관으로 판단하면 된다. 간외담관은 안쪽의 저에코층과 바깥쪽의 고에코층으로 관찰되며, 탐촉자의 위치를 조금씩 조절하면서 관찰하면 담낭관이 총담관에 연결되는 것을 볼 수 있다(그림 32-4D). 췌장내 담관에서 IDUS를 시행하면 저에코층의 담관과 촘촘한 그물모양의 췌장 실질, 주췌관 등을 관찰할 수 있다. 바깥층의 고에코층은 췌관내 담관에서는 잘 관찰되지 않는다(그림 32-4E). 유두부 자체는 중등도 에코로 관찰되며(그림 32-4F), 유두부 근처에서 스캔 위치를 조금씩 조절해 보면 십이지장 고유근층과 오디괄약근 등을 관찰할 수 있다(그림 32-5).

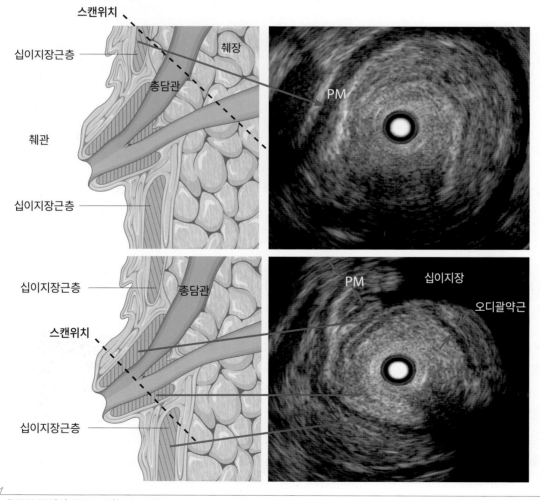

그림 32-5. **유두부 주위의 IDUS소견**(PM; duodenal proper muscle)

2) 췌관

담관에 비해 IDUS에서 췌관의 종단면은 변화가 심하며, 특히 탐촉자의 주파수에 따라 한층으로 보이기도 하고, 최고 세층으로 보이기도 한다. 임상적으로 주로 이용하는 20 MHz 탐촉자에서 췌관은 주로 한층이나 두층으로 관찰되며, 세층으로 보이는 경우는 17.9% 정도로 되어 있다. 췌관이 3층으로 관찰되는 경우는 내강으로부터 제1층은 고에코층, 제2층은 저에코층, 제3층은 고에코층으로 관찰된다. 제1층인 고에코층은 점막층과 췌액과 췌관 벽과의 경계에코(interface echo)이며, 제2층인 저에코층은 periductal connective tissue, 제3층인 고에코층은 periductal connective tissue와 췌실질간의 경계에코에 해당된다. 주췌관주위의 정상 췌실질은 특징적인 fine reticular pattern (FRP)을 보이며, 투과 깊이의 제한으로 통상적으로 췌관 주위의 10 mm 정도만 관찰이 가능하다(그림 32-6).

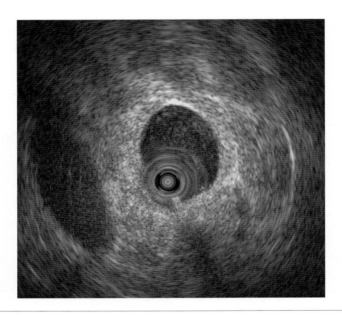

그림 32-6. 췌관벽의 정상 IDUS소견

3. IDUS를 이용한 담관 및 췌장 질환의 진단

영상진단법을 이용하여 담관병변을 평가하는데 있어 가장 중요한 두 가지 문제는 첫째로 악성과 양성 담관질환을 감별하는 것이고, 둘째는 담관의 병변이 악성으로 판명된 경우 종양의 국소침윤범위(locoregional tumor extension)를 정확히 진단하여 적절한 치료방침을 결정하는 것이다. 종양의 국소침윤범위를 진단하는 것이 IDUS의 가장 중요한 적응증 중의 하나이다.

1) 담관 협착(Bile Duct Strictures)

IDUS는 악성과 양성 담관 협착의 감별진단에 매우 유용한 검사로 악성 담관 협착의 진단 정확도는 84–95% 정도로 알려져 있다. IDUS를 이용하여 조직학적 진단을 할 수는 없지만 기존 연구에서 IDUS는 악·양성 담도 협착의 감별진단에 있어 ERCP를 이용한 겸자생검 보다 높은 진단 정확도를 보여주기도 하였다(90% vs. 67%, P=0.04). 담관 협착의 악·양성 감별에 있어 IDUS는 일반적인 초음파내시경(endoscopic ultrasonography, EUS)보다도 우월한 것으로 보고되고 있다. 234명의 모호한 담관 협착(indeterminate biliary stricture) 환자를 대상으로 시행된 후향적 연구에서 악성 담관 협착 진단에 있어 IDUS의 진단 정확도는 91%로 ERCP 유도하 겸자생검(59%)과 EUS (74%)보다 유의하게 높았다(P<0.0001).

IDUS에서 악성 담관 협착을 시사하는 초음파 소견은 다음과 같다: (1) 정상 담관벽 에코층의 단절(disruption of normal bile duct wall echo layers), (2) 편심성 담관벽 비후(eccentric wall thickening), (3) 인접 조직 또는 혈관 침범을 동반한 저에코성 무경성 종괴(hypoechoic sessile mass with signs of adjacent tissue or vascular invasion), (4) 림프절 비후(presence of enlarged lymph nodes). 악성 병변은 IDUS에서 주로 저에코성을 띄고, 불규칙한 경계를 가지며 주위를 침범하는 불균질한 저에코성 음영으로 나타난다(그림 32-7A). 주위 조직으로의 침윤은 저음영의 병변이 주위조직으로 연속하여 관찰되는 것을 의미한다. 반대로 음영이 균일하고 경계가 분명하면 양성 병변을 시사하는 소견이다. IDUS를 이용해 협착부위의 담관벽 두께를 측정하는 것도 악성 담관 협착을 진단하는데 이용되고 있으며, 기존 연구에서 외부 압박의 동반하지 않는 7 mm 이상의 담관비후 병변은 악성 담관 협착 진단에 있어 100%의 양성예측도(positive predictive value)를 나타냈다.

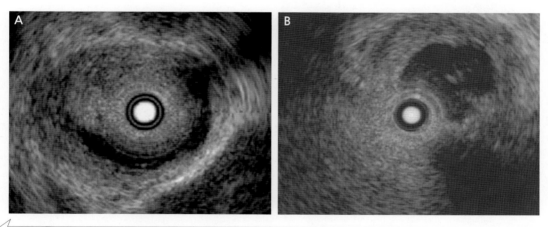

그림 32-7. 담도협착의 IDUS소견. (A) 악성 협착: 불균질한 비대칭의 저에코성 음영. (B) 양성 협착: 음영이 균일하고 경계가 분명함.

2) 담관암의 병기설정(Staging of Cholangiocarcinoma)

IDUS검사에서 담관 내강의 안쪽 저에코층은 실제 섬유근층(fibromuscular layer)과 근층주위 결합조직(perimuscular connective tissue)까지 포함하고 있기 때문에 IDUS에서 병변이 안쪽의 저에코층에 국한되어 있을 경우 T1, T2 종양의 구분은 쉽지 않다(그림 32-8). 담관암의 병기를 예측하는데 있어 IDUS의 T-staging에 대한 정확도는 77–82%이며, 174명의 악성 담관 협착을 동반한 환자를 대상으로 한 연구에서 IDUS의 T1, T2, T3 종양에 대한 진단 정확도는 각각 84%, 73%, 71%였다. IDUS검사에서 췌장실질내로 돌출된 병변이 관찰되거나 담관 외측벽의 구조가 파괴되어 있으면 이는 종양의 췌장침윤을 시사하는 소견이다(그림 32-9). 이 기준에 의한 췌장침윤에 대한 IDUS의 정확도는 93–100%에 이른다.

담관암의 문맥침윤여부를 평가하는데 있어 IDUS는 매우 유용한데 장점은 다음과 같다. 첫째, EUS나 혈관

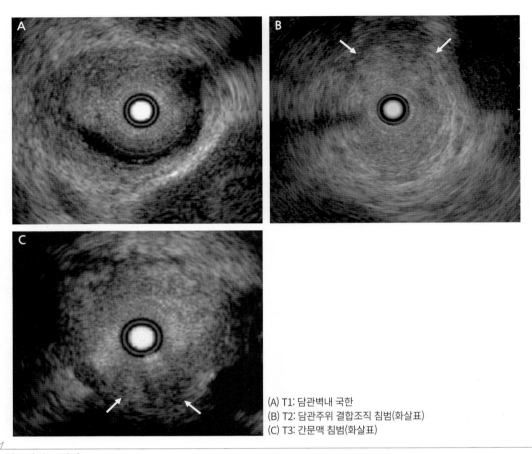

(A) T1: 담관벽내 국한
(B) T2: 담관주위 결합조직 침범(화살표)
(C) T3: 간문맥 침범(화살표)

그림 32-8. 담도암의 T-병기

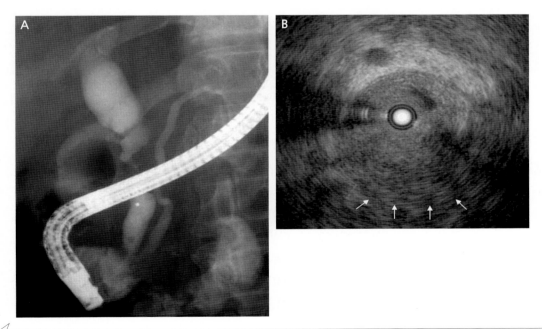

그림 32-9. 원위부 담도암의 췌장침윤. 담관벽의 비대칭적 비후가 관찰되며, 일부 벽구조가 파괴되어(화살표) 췌장 실질내로 침윤하는 소견이 보인다.

조영술과 달리 IDUS는 고해상도의 영상을 제공함으로써 미세한 문맥침윤도 비교적 쉽게 진단이 가능하다는 점이며, 둘째, EUS로는 평가하기 곤란한 근위부 담관주위의 문맥침윤도 IDUS를 시행함으로써 평가가 가능하다는 점이다. 마지막으로 IDUS는 단지세경 초음파 탐촉자를 담관내로 삽입하여 스캔만 시행하면 되기 때문에 EUS와 같이 종양과 문맥과의 해부학적 구조를 정확히 잡아내기 위해 어떤 특별한 기술이 필요 없다는 점이다. IDUS에서 병변과 혈관 사이에 존재하는 고에코층의 소실은 종양의 혈관침윤을 시사한다(그림 32-10). 이 기준에 의하면 우측 간동맥과 간문맥 침범 여부의 정확도는 92-100% 정도이다. 그러나, 좌측 간동맥과 고유 간동맥의 관찰은 14-18%로 낮은데 이는 해부학적으로 이들 혈관이 담관에서 비교적 멀리 떨어져 주행하기 때문에 초음파의 감쇠에 의하여 잘 관찰되지 않기 때문이다.

고해상도의 IDUS는 담관 주위의 작은 림프절을 관찰하는데 유용하지만(그림 32-11) 초음파의 에코패턴만으로 림프절의 조직병리학적 소견까지 진단하는 것은 쉽지 않다. IDUS는 관찰할 수 있는 깊이의 제한으로 림프절 전이 여부를 평가하는데 있어서는 일반적인 EUS에 비해 정확도가 떨어지는 단점이 있다. 담관암에 있어 IDUS의 N-staging에 대한 정확도는 약 60-69% 정도로 보고되고 있다. 또한 15-20 MHz의 주파수를 이용하는 IDUS는 직경 25-30 mm의 범위에 한 해 스캔할 수 있기 때문에 간십이지장 인대(hepatoduodenal ligament) 밖의 구조물은 관찰할 수 없는 단점이 있으며, 종양의 원격 전이 판단에는 도움이 되지 않는다.

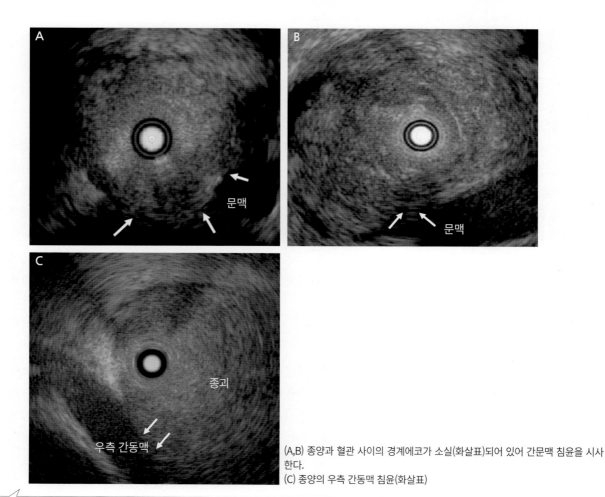

(A,B) 종양과 혈관 사이의 경계에코가 소실(화살표)되어 있어 간문맥 침윤을 시사한다.
(C) 종양의 우측 간동맥 침윤(화살표)

그림 32-10. 담도암의 혈관침윤

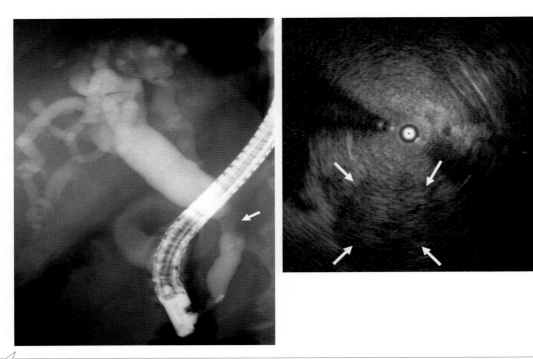

그림 32-11. 림프절에 의한 총담관의 외인성 압박(화살표)

3) 종주성 종양침범(Longitudinal Tumor Spreading)의 평가

간외 담관암의 종주성 종양침범 정도를 평가하는 것은 수술 절제 방법 및 범위를 결정하기 위한 중요한 인자이다. 일반적으로 담도조영술이나 자기공명담췌관조영술(magnetic resonance cholangiopancreatography, MRCP) 및 컴퓨터단층촬영(computed tomography, CT)으로는 담관암의 종적 침범범위를 정확하게 평가하기 어렵다. 물론 IDUS에서도 담관벽의 비후는 종양에 의한 것뿐만 아니라 종양과 관련된 염증반응이나 배액관에 의한 기계적 손상에 의해서도 발생할 수 있기 때문에 이를 감별하는 것이 중요하다. 특히 배액관이 삽입되어 있는 경우에는 배액관에 의한 허상(artifact)에 의해 종양의 침범정도를 판단하는 것이 어렵기 때문에 배액관을 삽입하기 전에 IDUS를 시행하는 것이 좋다(그림 32-12). 담관암에서 IDUS를 이용한 종적 침범범위 평가의 정확도는 84%로 담도조영술의 47% 보다 유의하게 높았다(P<0.05).

4) 유두부 종양

유두부 종양 중 악성병변의 진단에 대한 IDUS의 민감도와 특이도, 정확도는 각각 87.5%, 92.5%, 90.2%로 매우 유용한 검사이다. IDUS는 유두부 종양의 병기결정에도 매우 중요한 검사이다(그림 32-13). IDUS는 EUS에 비해 췌담관의 위치관계와 오디괄약근과 같은 해부학적 지표를 보다 정확히 보여줌으로써 조기단계의 암 침윤정도를 판정하거나 종양의 담관 및 췌관 침범 평가에 매우 유용하다(그림 32-14). 따라서 IDUS는 유두부암의 병기를 결정하고, 특히 유두부 종양의 내시경절제술 여부를 결정하는데 있어 매우 유용한 검사법 중 하나이다. 유두부 종양에서 IDUS의 T-staging에 대한 진단 정확도는 71-86%이며, N-staging의 경우 75% 정도로 보고되고 있다.

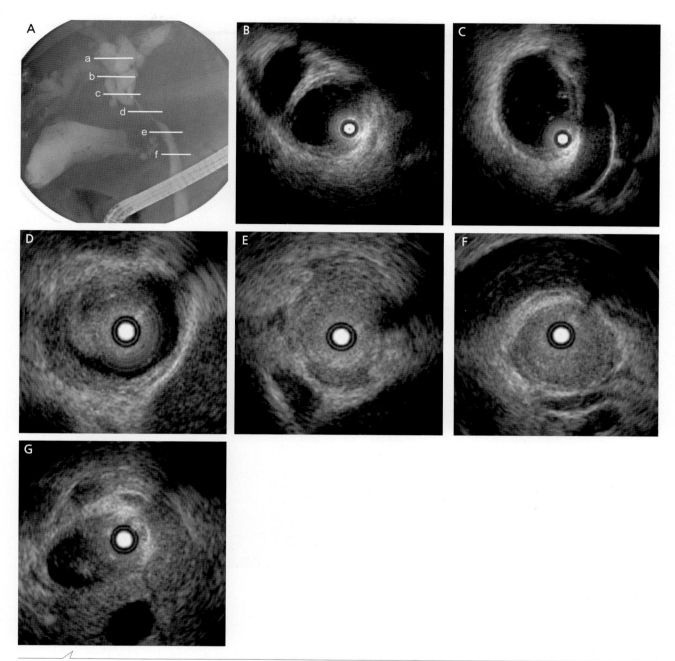

그림 32-12. 담도암의 종주성 종양침범범위 평가. 담도조영술에서 관찰되는 협착부위보다 종양은 위(C), 아래(E)로 좀 더 침윤된 소견을 보인다.

5) 총담관결석증(Choledocholithiasis)

IDUS는 담관결석 진단에 매우 정확한 검사이다. 이전 연구에서 담관결석 진단에 대한 IDUS의 민감도는 95.0–96.8%로 80.6–90.0%와 80.0%의 민감도를 보인 ERCP 및 MRCP 보다 우월하였다. IDUS는 특히 담석과 담관 내 오니(sludge) 및 공기 방울과의 감별진단에 효과적이며, 담관조영술로 진단할 수 없었던 작은 담석이나 오니의 진단에도 유용한 것으로 보고되고 있다. Endo 등에 의해 시행된 후향적 연구에서는 담관 직경(>12 mm)이 확

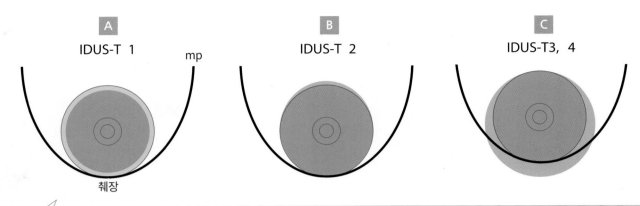

그림 32-13. **IDUS에 따른 유두부암의 T-병기 모식도.** (A) 종양에코가 십이지장 유두부에 국한된 경우, (B) 종양에코가 십이지장 고유근층을 침범한 경우, (C) 종양에코가 췌장실질을 침범한 경우
mp; 십이지장 고유근층

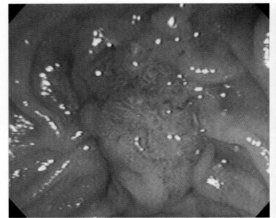
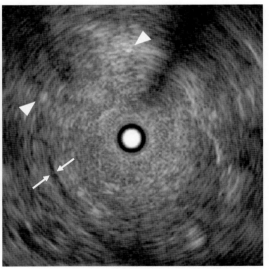

화살표 머리; 종양 침입
화살표; 오디괄약근

그림 32-14. **오디괄약근을 침범한 유두부암**

장되어 있거나 담석 크기가 8 mm 미만일 경우 ERCP를 통해 진단이 어려울 수 있기 때문에 이러한 환자에서는 담석 진단을 위해 IDUS 시행을 권고하고 있다(그림 32-15).

IDUS는 총담관결석 제거 후 잔존 결석의 확인에도 사용될 수 있다. 70명의 총담관결석 환자를 대상으로 한 연구에서 IDUS는 ERCP하에 담석 제거 후 40%의 환자에서 평균 2.2 mm 크기의 잔존결석을 발견하였다. 또한, Tsuchiya 등은 담석 제거 후 잔존결석 확인을 위해 IDUS를 시행할 경우 담석 재발률이 유의하게 감소하는 결과를 보여주기도 하였다(3.2% vs. 13.2%, P<0.05).

ERCP 소견에서 담관내에 충만결손이 관찰될 경우 IDUS를 시행함으로써 진단 가치가 있는 많은 정보를 얻을 수 있는데 특히 혈관이나 림프절에 의한 외부 압박상의 진단에 매우 유용하다(그림 32-16, 17). 또한 IDUS는 Mirizzi 증후군의 진단에도 매우 효과적이다(그림 32-18).

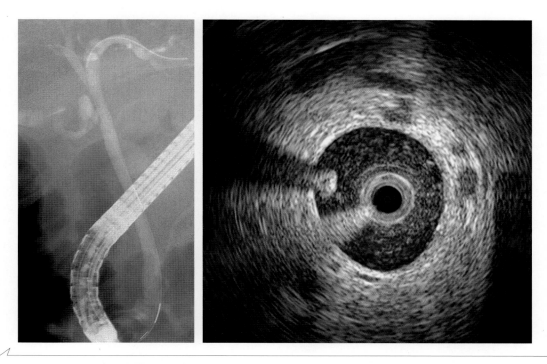

그림 32-15. 총담관결석. 급성 담석성 췌장염이 의심되는 환자로 담도조영에서는 결석이 보이지 않으나 IDUS에서 작은 결석이 관찰된다.

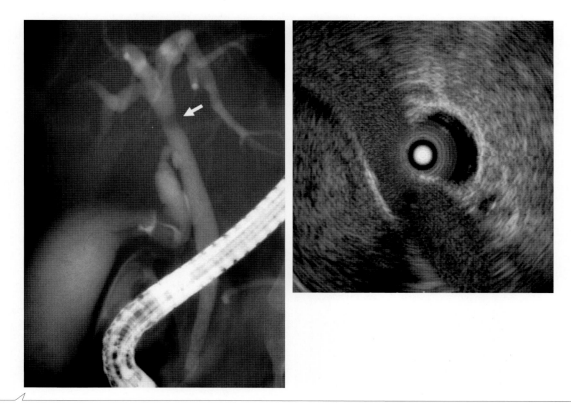

그림 32-16. 혈관에 의한 외인성 압박. 담도조영 시 총간관에 충만결손이 관찰되며(화살표), 이 병변은 우측 간동맥(RHA)에 의한 외인성 압박임을 알 수 있다.

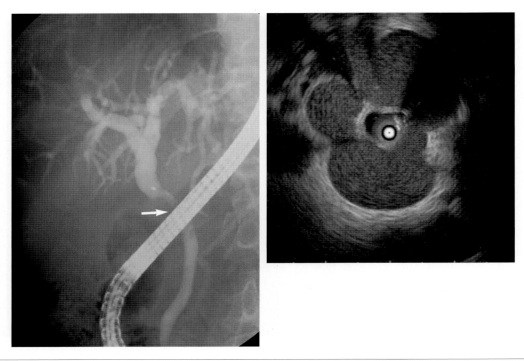

그림 32-17. 혈관에 의한 외인성 압박. 담도조영 시 간내담관의 심한 확장과 함께 총간관부위의 협착소견이 관찰되고(화살표) 있다. 이 병변은 IDUS에서 문맥고혈압에 의한 담도주위의 부행경로 혈관확장으로 인한 외인성 압박으로 진단되었다.

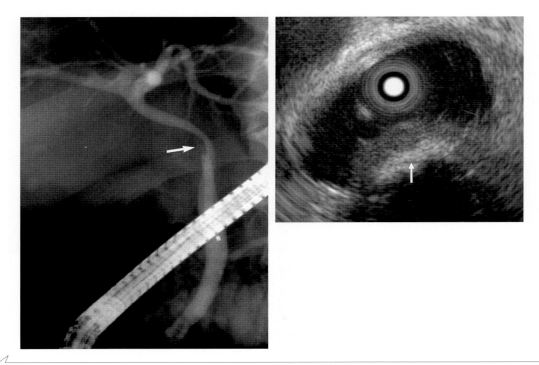

그림 32-18. Mirizzi 증후군. 담관조영술에서 총간관에 압박소견이 관찰되며(화살표), 이는 IDUS상 결석에 의한 외인성 압박으로 진단되었다.

6) 췌장 질환

췌장질환의 진단에는 일반적인 EUS가 주로 이용되는데, 이는 EUS가 췌장실질에 대한 고해상도의 영상을 제공할 뿐만 아니라, 초음파내시경 유도하 세침흡인세포검사(EUS–guided fine needle aspiration, EUS–FNA)를 통해 조직학적 진단까지 가능하기 때문이다. IDUS는 관내유두상점액종양(intraductal papillary mucinous neoplasm, IPMN)과 같은 일부 췌장 질환의 진단에 현재 이용되고 있다(그림 32-19).

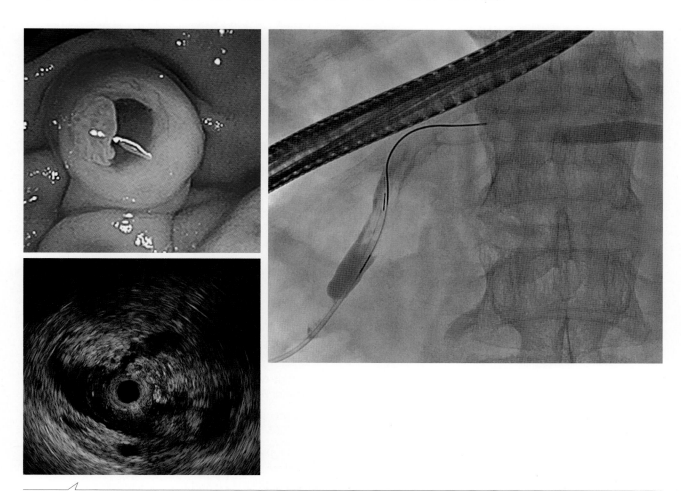

그림 32-19. 주췌관형의 췌관내유두상종양. 췌관 개구부로부터 점액 분비와 함께 췌관 조영술에서 충만결손을 동반한 주췌관의 미만성 확장 소견이 관찰되고 있다. IDUS에서 주췌관내 벽내결절(mural nodule)이 관찰된다.

IDUS는 수술 전 IPMN의 범위 확인에 유용한 검사로, 정확도는 85% 정도로 보고되고 있다. 분지췌관형(branch duct type)의 IPMN에서 IDUS는 주췌관 침범(extension) 여부 확인에도 이용되고 있다. Kobayashi 등[32]의 연구에서 주췌관 침범의 진단에 대한 IDUS의 민감도와 특이도 및 정확도 각각 92%, 91%, 92%였으며, 특히 주췌관이 6 mm 이상으로 확장되어 있을 경우 주췌관 침범이 유의하게 많았기 때문에 이러한 환자에서 수술 전 IDUS 검사 시행을 권고하였다.

4. 합병증 및 안전성

경유두 경로를 통해 IDUS를 시행할 경우 2–5%에서 경도의 췌장염이 발생할 수 있으며, 금식 등과 보존적인 치료법으로 일반적으로 호전된다. 하지만 유도철사 없이 IDUS 탐촉자를 삽입하는 방법은 ERCP 후 췌장염(post–ERCP pancreatitis)의 위험인자로 보고된 바 있어 주의를 요한다. 이외의 특별한 부작용 없으며, 경피경간 경로를 통한 검사 중 발생하는 부작용에 대한 보고는 아직까지 없다.

5. 결론

IDUS는 담관 및 췌관의 고해상도 단면상 초음파 영상을 통해 ERCP나 일반적인 영상 검사로 진단하기 어려운 병변의 확인에 매우 유용한 검사이다. 유도철사 유도하 탐촉자의 사용과 함께 담관 및 췌장 질환의 진단에 있어 IDUS의 적응증과 역할은 점점 확대되고 있으나, 여전히 실제 임상에서의 사용은 제한적이다. 이를 극복하기 위해서는 IDUS의 기본적인 사용법과 장, 단점을 이해하여 적절한 적응증에 따라 이용하는 것이 중요하며, 고가의 가격과 약한 내구성 또한 보완되어야 할 중요한 요소이다.

참/고/문/헌

1. Ang TL, Teo EK, Fock KM, et al. Are there roles for intraductal US and saline solution irrigation in ensuring complete clearance of common bile duct stones? Gastrointest Endosc 2009;69:1276–81.

2. Chen L, Lu Y, Wu JC, et al. Diagnostic Utility of Endoscopic Retrograde Cholangiography/Intraductal Ultrasound (ERC/IDUS) in Distinguishing Malignant from Benign Bile Duct Obstruction. Dig Dis Sci 2016;61:610–7.

3. Cheon YK, Cho YD, Jeon SR, et al. Pancreatic resection guided by preoperative intraductal ultrasonography for intraductal papillary mucinous neoplasm. Am J Gastroenterol 2010;105:1963–9.

4. Domagk D, Poremba C, Dietl KH, et al. Endoscopic transpapillary biopsies and intraductal ultrasonography in the diagnostics of bile duct strictures: a prospective study. Gut 2002;51:240–4.

5. Domagk D, Wessling J, Conrad B, et al. Which imaging modalities should be used for biliary strictures of unknown aetiology? Gut 2007;56:1032.

6. Domagk D, Wessling J, Reimer P, et al. Endoscopic retrograde cholangiopancreatography, intraductal ultrasonography, and magnetic resonance cholangiopancreatography in bile duct strictures: a prospective comparison of imaging diagnostics with histopathological correlation. Am J Gastroenterol 2004;99:1684–9.

7. Endo T, Ito K, Fujita N, et al. Intraductal ultrasonography in the diagnosis of bile duct stones: when and whom? Dig Endosc 2011;23:173–5.

8. Heinzow HS, Kammerer S, Rammes C, et al. Comparative analysis of ERCP, IDUS, EUS and CT in predicting malignant bile duct strictures. World J Gastroenterol 2014;20:10495–503.

9. Heinzow HS, Lenz P, Lallier S, et al. Ampulla of Vater tumors: impact of intraductal ultrasound and transpapillary endoscopic biopsies on diagnostic accuracy and therapy. Acta Gastroenterol Belg 2011;74:509–15.

10. Inui K, Miyoshi H, Yoshino J. Bile duct cancers: what can EUS offer? Intraductal US, 3D–IDUS? FNA––is it possible? Endoscopy 2006;38(suppl 1):S47–9.

11. Inui K. Three–dimensional intraductal ultrasonography. J Gastroenterol 2000;35:951–2.

12. Ito K, Fujita N, Noda Y, et al. Preoperative evaluation of ampullary neoplasm with EUS and transpapillary intraductal US: a prospective and histopathologically controlled study. Gastrointest Endosc 2007;66:740–7.

13. Khashab MA, Fockens P, Al–Haddad MA. Utility of EUS in patients with indeterminate biliary strictures and suspected extrahepatic cholangiocarcinoma (with videos). Gastrointest Endosc 2012;76:1024–33.

14. Kim DC, Moon JH, Choi HJ, et al. Usefulness of intraductal ultrasonography in icteric patients with highly suspected choledocholithiasis showing normal endoscopic retrograde cholangiopancreatography. Dig Dis Sci 2014;59:1902–8.

15. Kobayashi G, Fujita N, Noda Y, et al. Lateral spread along the main pancreatic duct in branch–duct intraductal papillary–mucinous neoplasms of the pancreas: usefulness of intraductal ultrasonography for its evaluation. Dig Endosc 2011;23:62–8.

16. Meister T, Heinzow H, Heinecke A, et al. Post–ERCP pancreatitis in 2364 ERCP procedures: is intraductal ultrasonography another risk factor? Endoscopy 2011;43:331–6.

17. Meister T, Heinzow HS, Woestmeyer C, et al. Intraductal ultrasound substantiates diagnostics of bile duct strictures of uncertain etiology. World J Gastroenterol 2013;19:874–81.

18. Menzel J, Domschke W. Gastrointestinal miniprobe sonography: the current status. Am J Gastroenterol 2000;95:605–16.

19. Menzel J, Domschke W. Intraductal ultrasonography (IDUS) of the pancreato–biliary duct system. Personal experience and review of literature. Eur J Ultrasound 1999;10:105–15.

20. Menzel J, Poremba C, Dietl KH, et al. Preoperative diagnosis of bile duct strictures––comparison of intraductal ultrasonography with conventional endosonography. Scand J Gastroenterol 2000;35:77–82.

21. Moon JH, Cho YD, Cha SW, et al. The detection of bile duct stones in suspected biliary pancreatitis: comparison of MRCP, ERCP, and intraductal US. Am J Gastroenterol 2005;100:1051–7.

22. Okano N, Igarashi Y, Hara S, et al. Endosonographic preoperative evaluation for tumors of the ampulla of vater using endoscopic ultrasonography and intraductal ultrasonography. Clin Endosc 2014;47:174–7.

23. Tamada K, Ido K, Ueno N, et al. Assessment of hepatic artery invasion by bile duct cancer using intraductal ultrasonography. Endoscopy 1995;27:579–83.

24. Tamada K, Ido K, Ueno N, et al. Assessment of portal vein invasion by bile duct cancer using intraductal ultrasonography. Endoscopy 1995;27:573–8.

25. Tamada K, Ido K, Ueno N, et al. Preoperative staging of extrahepatic bile duct cancer with intraductal ultrasonography. Am J Gastroenterol 1995;90:239–46.

26. Tamada K, Inui K, Menzel J. Intraductal ultrasonography of the bile duct system. Endoscopy 2001;33:878–85.

27. Tamada K, Kanai N, Ueno N, et al. Limitations of intraductal ultrasonography in differentiating between bile duct cancer in stage T1 and stage T2: in–vitro and in–vivo studies. Endoscopy 1997;29:721–5.

28. Tamada K, Nagai H, Yasuda Y, et al. Transpapillary intraductal US prior to biliary drainage in the assessment of longitudinal spread of extrahepatic bile duct carcinoma. Gastrointest Endosc 2001;53:300–7.

29. Tamada K, Tomiyama T, Ichiyama M, et al. Influence of biliary drainage catheter on bile duct wall thickness as measured by intraductal ultrasonography. Gastrointest Endosc 1998;47:28–32.

30. Tamada K, Ueno N, Ichiyama M, et al. Assessment of pancreatic parenchymal invasion by bile duct cancer using intraductal ultrasonography. Endoscopy 1996;28:492–6.

31. Tsuchiya S, Tsuyuguchi T, Sakai Y, et al. Clinical utility of intraductal US to decrease early recurrence rate of common bile duct stones after endoscopic papillotomy. J Gastroenterol Hepatol 2008;23:1590–5.

32. Ueno N, Nishizono T, Tamada K, et al. Diagnosing extrahepatic bile duct stones using intraductal ultrasonography: a case series. Endoscopy 1997;29:356–60.

33. Vazquez–Sequeiros E, Baron TH, Clain JE, et al. Evaluation of indeterminate bile duct strictures by intraductal US. Gastrointest Endosc 2002;56:372–9.

CHAPTER 33

유두부괄약근 내압검사

Sphincter of Oddi Manometry

천영국 건국대학교 의학전문대학원

오디괄약근 기능장애(sphincter of Oddi dysfuntion, SOD)는 오디괄약근(sphincter of Oddi, SO) 수축의 이상을 말한다. 췌담도 접합부를 통한 담즙 또는 췌액의 흐름에 대한 비석회성 양성 폐쇄 장애로서 통증을 유발하며 췌장염, 간기능 이상 담췌관 확장과 관련되거나 관련되지 않을 수 있다. 협착증과 운동이상증의 두가지 유형의 SOD가 병적인 기전으로 제안되고 있다. SO 협착증은 만성염증과 섬유화로 인해 괄약근의 일부 또는 전체가 좁아지는 구조적 이상이다. 이는 췌장염 또는 유두를 통한 담석이동으로 인한 손상, 총담관의 수술 중 조작으로 인한 외상 또는 비특이적 염증 상태와 관련이 있다. 오디괄약근 운동이상증(SO dyskinesia)은 SO의 일차적 운동이상을 의미하며, 이는 긴장과다괄약근(hypertonic sphincter)을 유발할 수 있다. SO 운동이상증과 SO 협착증 환자를 구별하는 것이 종종 불가능하기 때문에 SOD라는 용어는 두 그룹의 환자를 통합하여 사용되어 왔다. 병적 원인의 이러한 중복을 처리하고 SOM의 적절한 활용을 결정하기 위해 SOD가 의심되는 환자를 위한 임상분류 시스템이 개발되었다(표 33-1).

표 33-1. 오디괄약근의 이상빈도와 담도 괄약근절개술에 의한 통증완화와 관련된 Hogan-Geenen 오디괄약근 분류체계

Patient group classification	Frequency of abnormal sphincter manometry	Probability of pain relief by sphincterotomy if manometry		Manomtetry before sphincter ablation
		Abnormal	Normal	
Biliary I Biliary-type pain Abnormal AST or ALP > ×2 normal Delayed drainage of ERCP contrast from the biliary tree > 45 min Dilated CBD > 12 mm diamter	75–95%	90–95%	90–95%	Unnecessary
Biliary II Biliary-type pain Only one or two of the above criteria	55–65%	85%	35%	Highly recommended
Biliary III Ony biliary-type pain	25–60%	55–65%	<10%	Mandatory

1. Oddi괄약근 압력계(Sphincter of Oddi Manometry, SOM)

SOM은 SO 운동 활동을 직접 측정할 수 있는 유일한 방법이다. 또한 SOD가 의심되는 경우 진단할 수 있는 유일 하면서 긍정적인 치료 결과를 재현하고 예측할 수 있는 것으로 입증된 검사법이다. 일반적으로 SOM은 내시경 역행담췌관조영술(endoscopic retrograde cholangiopancreatography, ERCP) 시 수행하게 된다.

2. 적응증

SOM은 간효소 이상을 동반하거나 동반하지 않는 특발성 췌장염 또는 장애를 초래하는 설명할 수 없는 췌담도 동통이 있는 환자에게 권장된다. Rome III 위원회는 담관(췌장) 통증이 배변, 자세변화 또는 제산제 의해 완화되지 않고 상복부 및/또는 우상복부쪽으로 지속적이고 심한 통증의 반복적인 에피소드가 전통적으로 30분 이상 지속된다고 정하였다. 구조적인 결함 질환(예: 담석, 췌장염 또는 악성 종양)이 없을 때, 그러한 통증은 담낭 또는 SOD의 임상적 발현일 수 있다. SOM 사용에 대한 적응증은 Hogan–Geenen SOD 분류 시스템에 따라 개발되었고 표 33–1에서 기술하였다. I형 환자의 경우 괄약근의 구조적 장애(즉, 괄약근 협착)가 존재한다는데 일반적으로 동의한다. 비록 SOM이 SOD를 진단하는데 유용할 수 있지만, 내시경 또는 외과적 괄약근 절제 전에 필수적인 진단적 검사는 아니다. I형 환자는 SOM 결과에 관계없이 괄약근 절제술이 균일하게 이득이 된다. II형 환자는 대상 환자의 50–65%에서 괄약근운동기능장애를 나타낸다. 이 환자군에서 SOM은 괄약근 절개술에 대한 치료 효과를 예측하는데 도움이 되기 때문에 SOM을 괄약근 절개술 시행하기 전에 진행할 것을 강력이 권고한다. III형 환자는 괄약근 유출 폐쇄의 다른 객관적인 증거 없이 췌담도 통증이 있는 형태이다. SOM은 SOD를 진단하는데 있어 필수적인 검사이다. 잘 연구되어 있지 않지만, SOM의 결과는 이러한 환자에서 괄약근 절제의 결과를 예측할 수 있는 것으로 보인다.

많은 내시경 전문의는 SOM 후 발생할 수 있는 ERCP 후 췌장염(post–ERCP pancreatitis, PEP)이 SOM 검사 동안 일어나는 췌관 조작과 관련이 있다고 가정해왔다. 따라서 먼저 담관의 선택적 삽관을 시행하여 SOM 검사를 수행하여 췌관에 주는 영향을 피하도록 강조해왔다. 사실, 이 접근법이 췌장염의 위험을 감소시킨다는 증거는 없지만 현재 보고된 합리적인 자료에 따르면 일부 환자는 괄약근 이상을 단독으로 가지고 있으므로 SO에 대한 완전한 평가를 위해서는 담관, 췌관 모두 검사를 수행되어야 함을 시사한다. 일련의 360명의 췌담도 통증이 있는 환자에서 SOM을 측정한 연구결과를 보면, 19%는 비정상적 췌장괄약근만 압력 이상, 11%는 담관만 기저 괄약근 압력 이상, 31%에서는 담관 및 췌장 모두에서 압력이 상승되어 있었다. 따라서 췌관은 SO의 완전한 평가를 위해 담관과 더불어 평가되어야 한다.

3. SOM 검사 방법

1) 전처치 및 진정

SOM 검사를 원활하게 수행하기 위해서는 ERCP 및 압력계 테스트 모두에 상당한 경험이 필요하다. 괄약근을 이완시키거나 항콜린제(anticholinergics), 질산염(nitrates), 칼슘채널차단제(calicium channer blickers) 자극하는 (마약 또는 콜린제, narcotics or cholinergic agents) 모든 약물은 압력 측정 전 및 압력 측정 세션 동안 최소 8–12시간 동안 피해야 한다. 최근에 본 교실에서는 발기부전 치료에 사용되어 온 phosphodiesterase type 5 (PDE–5) 억제제(예: sildenafil, vardenafil, and tadalafil)가 SOD가 의심되는 환자에서 SO 운동성을 억제한다는 것을 발견하였다. 오랫동안 SOM 검사에 사용되는 유일한 표준 진정제인 diazepam (benzodiazepines)은 정상적인 SO 운동성에 큰 영향을 주지 않는다. 그러나 긴장성괄약근(hypertensive sphincters)에 미치는 영향은 알려져 있지 않다. 디아제팜 진정 중에 미다졸람과 생리식염수를 추가로 주입한 이전의 비교연구에서, 미다졸람을 투여한 군에서 정상 기저압(basal pressures), 기저압이 상승되어 있는 경우와 최고조위상압력(peak phasic pressures) 모두에서 상당한 감소를 보여주지만 위장파 진폭(phasic wave amplitude), 주파수(frequency), 또는 전파(progagation)은 그렇지 않음을 보여주었다. 이러한 결과를 바탕으로 연구자들은 SOM 검사에서 진정제로 미다졸람을 사용하지 말 것을 권고한다. 괄약근 압력에 대한 프로포폴의 효과에 대한 제한된 연구만 보고되었다. 개 모델을 사용한 연구에서 소량의 일시 투여(<5 mg/kg)를 했을 때 유의미한 효과를 나타내지 않았지만, 더 높은 투여량에서 십이지장 활동과 SO 기저압과 위상압 및 수축빈도의 상승이 관찰되었다. 1 mg/kg 이하의 용량의 meperidine은 SO 기저압에 영향을 주지 않았다. 이런 연구 결과는 SO 압력 측정 시 의식 진정을 유도하는데 유용하게 사용할 수 있음을 시사한다.

2) SOM 술기

(1) 압력측정용 카테터 및 압력기(Manometry catheters and manometor)

현재 SOM 연구에 사용되는 압력 기록 카테터에는 3가지 유형이 있다. 거의 모든 표준이 5 Fr 카테터로 설정되어 있으므로 SOM 검사 시에 5 Fr 카테터를 사용하게 된다. 3중내강 카테터(triple–lumen catheter)은 최신 기술로서 여러 제조업체에서 만들고 있다. 카테터 선단 압력 측정하는 부분이 긴 카테터는 담관내에서 위치를 잡고 고정하는 데 도움이 될 수 있지만 췌관내에서 압력을 측정할 때는 오히려 방해가 된다. 일부 삼중내강 카테터는 카테터의 전체 길이를 통해 직경 0.018인치 유도철사를 수용할 수 있으며 담관내 선택적 삽입을 용이하게 하면서 담관내에서 안정적으로 위치를 잡도록 하는데 유용하게 해준다(그림 33–1). SOM 검사 수기와 관련하여 심각한 췌장염 발생 가능성이 보고되어 왔다. 췌장염의 위험을 줄이기 위해 변형 수정된 삼중내강 5 Fr 카테터, 소위 흡입 카테터(aspiration catheter)가 개발되었다. 변형된 카테터는 3 내강 중 끝과 측면 구멍을 통해 3 또는 5 mL 주사기

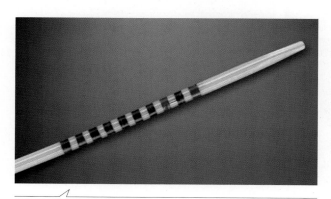

그림 33–1. LehmanSOMcatheter

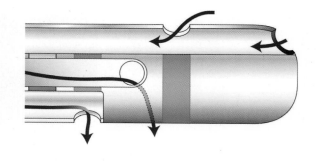

그림 33–2. LehmanSOMcatheter 모식도

를 사용하여 SOM 검사 도중 췌관내 췌관액이나 유입액을 부드럽게 흡입을 함으로써 췌관내 지속적인 감압을 가능케 해주어 시술과 관련된 췌장염의 빈도를 낮추면서 나머지 두 구멍을 통해 압력을 측정 기록한다(그림 33-2).

관류시스템(perfused systems)은 Arndorfer pneumocapillary 유압 펌프를 사용한다. 펌프내 액체는 SO 압력 측정 기록동안 0.25 mL/min의 속도로 주입된다. 생리식염수는 추가 평가가 필요하지만 사용되는 관류액은 일반적으로 증류수이다. 생리식염수 사용 시 문제점은 관류펌프의 모세관에서 결정화될 수 있으므로 자주 씻어내야 한다.

SOM은 담관, 췌관 각각 또는 모두에서 선택적 삽관이 필요하다(그림 33-3A). 일단 담관 또는 췌관에 카테터가 삽입되면 조영제를 사용하지 않고도 3 내강(triple lumen)의 어느 부위로도 부드럽게 흡인하여 담관 또는 췌관 어느 부위로 삽입되었는지를 식별할 수 있다. 흡인하였을 때 내시경 화면에서 카테터내 노란색 액체가 관찰되면 담관내로 카테터가 삽입되었음을 나타낸다(그림 33-3B). 카테터내 맑은 액체가 관찰되면 당연히 췌관내 삽입되었음을 시사하겠다. 일부 연구자들은 SOM 검사 전에 담관 또는 췌관조영술을 시행할 것을 권유하는데 그 이유는 조영술 검사에서 구조적 문제가 있다면 불필요하게 SOM 검사를 할 필요가 없기 때문이다. 그러나, 저자는 SOM 검사 전에 CT 또는 MRI 등 영상학적 검사에서 담췌관에 이상이 없음을 확인 한 환자에서 SOD를 의심하고 SOM을 시행하기 때문에 SOM 전에 조영술 검사를 할 필요가 없고, 또 조영제 주입은 SO 운동성에 영향을 주고 췌장염이나 담관염을 유발할 수 있으므로 SOM 검사 전에 담췌관조영술을 얻기 위해 조영제 주입을 권장하지 않는다. 일단 담관 또는 췌관 내로 깊이 삽입이 되면 카테터를 조금씩 빼면서 카테터 압력을 측정하는 부위가 괄약근 부위로 도달되었을 때부터는 카테터를 1-2 mm 간격으로 아주 천천히 뒤로 빼게 되는데(pull-through technique) 위상 압력이 높은 구역(phasic high-pressure zone)에 위치하게 되면 고압구역을 기록하고 그 위치에서 30초 정도 정지한 상태로 지속적으로 SOM의 각각의 압력 수치들을 측정을 한다(그림 33-3C, D). 압력을 기록하는 동안 카테터 상단의 압력을 측정하는 7개의 검정색 표시가 유두부 입구에서 움직이지 않고 고정적으로 잘 유지되고 있는지를 내시경 화면을 통해 모니터링해야 한다.

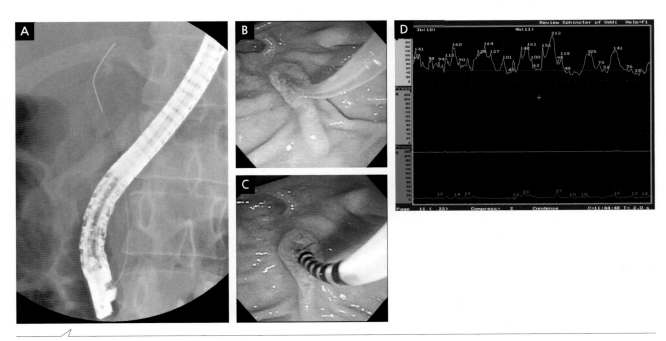

그림 33-3. SOMtech

(2) SOM에서의 정상 값들(Normal values for SOM)

　　SOM에 대한 정상 값을 설정하는 가장 좋은 연구는 Guelrud 등에 의해 보고되었다. 50명의 무증상 대조군을 평가하였고, 관내압(intraductal pressure), 기저압(basal pressure), 그리고 위상파(phase wave) 매개변수에 대한 정상값을 설정하였다(표 33-2). 또한 이 연구에서 SOM의 재현성도 확인되었다.

표 33-2. **Suggested standard for abnormal vlaues for endoscopic SOM obtained from 50 volunteers without abnormal symptoms**[a]

Basal sphincter pressure[b]	> 35 mmHg
Basal ductal pressure	> 13 mmHg
Phasic contractions 　　Amplitude 　　Duration 　　Frequency	 > 220 mmHg > 8 seconds > 10/minute

[a] Values were obtained by adding three deviations to the mean (means were obtained by averaging the results on 2 or 3 station pull-throughs). Data combine pancreatic and biliary studies.
[b] Basal pressures determined by (1) reading the peak basal pressure (ie, the highest single lead as obtained using a three lumen catheter) ; (2) obtaining the mean of these peak pressures from multiple station pull-throughs.
Adapted from reference number 16.

(3) 오디 괄약근 압력 검사의 해석(Interpretation of a SO tracing)

　　십이지장 압력을 '0' 기준(zero reference)으로 측정하여 참고치로 설정한 후에 담관 췌관 각각에서 pull-through 기법으로 기록을 한다. 가장 높은 기저압이 확인되면 그 부위에서 최소 30초(바람직하게는 1분 이상) 측정을 한다(그림 33-4). 해당 구역에서 가장 낮은 4개의 진폭 지점을 취하고 이 판독값의 평균을 pull-thorugh 하는 압력측정 카테터 선단의 표시선에서의 기저압으로 정하게 된다. 판독 가능한 모든 관찰에 대하여 기저괄약근압력을 평균화하고 이를 최종 기저괄약근압력으로 정하게 기록한다. 위상파 수축(phasic wave contration)의 진폭은 기저압에서 수축파의 정점까지의 압력 증가 기울기의 시작부터 측정한다. 각 리드에 대해 4개의 억제파가 취해지고 평균 압력이 결정된다. 분당 위상파의 수와 위상파의 지속시간도 결정할 수 있다. 가장 중요한 SO 압력 측

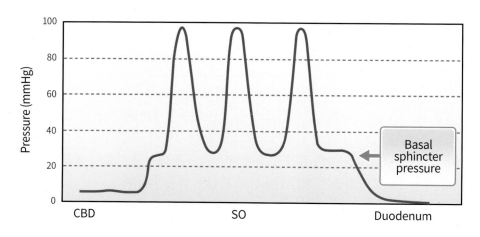

그림 33-4. **SOM**

정 측정값은 기저 SO 압력(basal SO pressure)이다. 대부분의 연구자들은 기저 SO 압력이 40 mmHg이거나 그 이상일 때를 비정상적인 값이라는데 동의한다. '정상적인 건강한 피험자'를 검사한 유일한 연구에서 비정상적인 기저 SO 압력이 35 mmHg 이상임을 결정한 것에 대하여 강조하고자 한다. 췌관 내의 정상 압력은 담관보다 약간 높다. 정상적인 췌장 괄약근 압력은 담관에서의 수치와 동일한 것으로 이해되고 있지만 그 수치를 제어할 데이터는 제한적이다.

(4) SOM 동안 기록된 수치의 판독에 있어 주의점

SO 압력에 영향을 주는 것으로 인정되는 몇 가지 중요한 기계적 요인이 있다; ① 담체관벽을 향한 압력계 카테터 선단이 밀착되면서 미는 경우(내시경의 elevator로 카테터에 과도한 힘을 가함)와 관류 시스템 내의 기포, ② SOM에 영향을 줄 수 있는 약물들(diazepam, droperidol, 그리고 meperidine은 괄약근 활동에 미미한 영향을 주지만 담관 기저 괄약근 압력은 변경하지 않는다) 그리고 ③ 담관내로 주입하는 조영제도 SO 운동성에 영향을 줄 수 있다. 그래서 SOM 검사할 때는 가능하다면 유도철사에 의한 선택적 삽관을 하고 조영제를 사용하지 않는 것이 좋겠다. 담관 조영술이 담도계 내에 주는 변화는 예측할 수 있을 정도로 작고 임상적으로 중요하지 않을 수 있지만 일반적으로 담도계 내에서 압력 변형을 일으키는 것으로 보인다. 금식하는 동안 대부분의 비반추 동물(nonruminant animals)에서는 장의 운동성은 이동 운동 복합체(migrating motor complex, MMC)라고 하는 주기적인 변화를 나타낸다. Charlson 등은 이 변형의 주기를 4단계로 나누었는데 I단계(phase I)은 수축이 상대적으로 없는 것이 특징이다. II단계(phase II)는 점진적으로 증가하는 간헐적 수축 활동으로 구성된다. II단계는 규칙적이고 높은 진폭의 수축이 특징인 III단계(phase III)에서 갑자기 절정에 달한다. IV단계(phase IV)는 I단계의 다른 정지 기간으로 돌아가는 짧은 과도기이다. 사람에게서 완전한 주기는 약 100분 정도이다. 십이지장 I기(duodenal phase I)에서 SO는 십이지장이 정지된 상태에서도 압력계에 의해 불규칙한 근전기 활성(myoelectric activity)과 불규칙한 수축을 보인다. SO 기저압과 총담관압은 이 단계에서 높다. 십이지장 II기(duodenal phase II)에서 SO는 근전기 활동이 증가하고 더 강력하고 빈번한 수축을 나타낸다. 십이지장 III기(duodenal phase III)에서 SO는 규칙적으로 강한 근전기 및 수축활동을 보인다. SO 수축은 이 단계에서 가장 강력하고 빈번하다. 일부 연구자들은 십이지장 III 동안 십이지장과 SO의 운동성의 유사성 때문에 SO가 독립적인 운동성을 갖지 않는다고 생각해왔다. 그러나 SO가 십이지장 I기의 휴지기 동안 계속 수축한다는 사실은 SO 운동성의 독립적인 특성을 뒷받침한다.

4. 제한점

ERCP 시술 동안 시행되는 SOM의 한계는 변형된 상부위장관 해부학에 의해 제기된 한계이다. SOM은 비록 수술 도중과 경피적으로 수행할 수 있지만 가장 일반적으로 ERCP 상황에서 수행된다. 담관 또는 췌관에 적절하고 선택적으로 카테터를 삽입하고 SOM을 주의 깊게 수행하려면 숙련된 내시경 기술이 필요하다. 또한 내시경 의사가 SOM을 편견 없이 적절하게 완료하려면 적절한 인내심과 관심도 있어야 한다.

5. 부작용 보고(Adverse Events)

SOM은 진단 ERCP 검사와 결합되어 있다. 이러한 수기의 복잡성은 종종 합병증을 초래할 수 있는데, SOM 후 가장 흔한 합병증은 급성췌장염이다. 표준 관류카테터를 사용하면 췌장염 발병률이 31%로 보고되고 있다. 드물게 췌장염이 심하게 와서 생명을 위협할 수 있다. 췌장염 이환율은 췌관에 카테터를 삽입하고 압력이 SO의 췌관 부분에서 측정될 때 증가된다. 췌장염의 발병률은 압력계 카테터 관류액의 속도를 낮추거나 압력계 카테터의 측정 포트 중의 하나를 측정체널이 아닌 흡인 포트로 사용하면 감소하는 것으로 나타났다. 후자의 접근법은 췌관내 압력상승을 낮춤으로서 ERCP 후 췌장염의 발병률을 감소시킨다. 최근에는 MTM (microtransducer manometry system)이 개발되었다. 전자 MTM (electronic MTM) 장치들은 비외상성 금속팁이 있는 4Fr 카테터 (Unisensor, Germany), 고형 카테터(solid–state catheter, SSC)로 구성되어 있다. 카테터는 내시경 검사 중 압력 기록을 실시간으로 관찰할 수 있는 디스플레이가 있는 소형 휴대용 기기에 연결되어 있다. SSC가 있는 SOM은 압력 측정 중에 췌관에 물이 주입되지 않기 때문에 ERCP 후 췌장염의 위험을 감소시킬 수 있다.

6. 맺음말

SO 기능에 대한 이해가 최근 극적으로 발전했음에도 불구하고 많은 미해결 생리학적 및 임상적 문제가 남아 있다. SOM은 SO 압력역학을 이해하는데 도움이 되고 있는데, 급격한 압력 변화에 매우 민감한 low compliance system인 수압–모세관 압력계(hydraulic–capillary manometery system) 개발은 SO의 정확한 압력 측정을 가능케 하였다. 이로 인해 SOM은 설명되지 않는 췌장–담관 통증 또는 특발성 췌장염 환자를 평가하는 데 유용한 진단 도구가 되었다. SOM은 SOD II형 환자에서 적극 권장되며 괄약근 절제가 고려되는 모든 III 환자에게 필수이다. 만성췌장염이나 기능장애와 같은 복통의 다른 원인은 괄약근 절제술이 도움이 되지 않는 것을 염두에 두어야 한다. SOM은 내시경 전문의의 경험과 침습적 시술이 필요하다. 현재로서는 만성 복통의 평가에서 SOM은 SOD의 암시적 증거가 있는 환자로 제한되어야 하겠다.

참/고/문/헌

1. Baron TH, Balton CB, Cotton PB, et al. The effect of propofol on the canine sphincter of Oddi. HPB Surg 1994;7:297–304.

2. Behar J, Corazziari E, Guelrud M, et al. Functional gallbladder and sphincter of Oddi disorders. Gastroenterology 2006;130:1498–509.

3. Cheon YK, Cho YD, Moon JH, et al. Effects of vardenafil, a phosphodiesterase type 5–inhibitor, on sphincter of Oddi motility in patients with suspected biliary sphincter of Oddi dysfunction. Gastrointest Endosc 2009;69:1111–6.

4. Chuttani R, Carr–Locke DL. Pathophysiology of sphincter of Oddi dysfunction. Surg Clin N Am 1993;73:1311–22.

5. Eversman D, Fogel FL, Rusche M, et al. Frequency of abnormal pancreatic and biliary sphincter manometry compared with clinical suspicion of sphincter of Oddi dysfunction. Gastrointest Endosc1999;50:637–41.

6. Fazel A, Burton FR. A controlled study of the effect of midazolam on abnormal sphincter of Oddi motility. Gastrointest

Endosc 2002;55:637–40.

7. Fogel EL, Sherman S, Kalayci C, et al. Effects of droperidol on the biliary and pancreatic sphincter. Gastrointest Endosc 1999;49:AB78.

8. Guelrud M, Mendoza S, Rossiter G, et al. Sphincter of Oddi manometry in healthy volunteers. Dig Dis Sci 1990;35:38–46.

9. Hogan WJ, Sherman S, Pasricha P, Carr–Locke DL. Sphincter of Oddi manometry. Gastrointest Endosc 1997;45:342–8.

10. Meshkinpour H, Kay L, Mollot M. The role of the flow rate of the pneumohydraulic system on post–sphincter of Oddi manometry. J Clin Gastroenterol 1992;14:236–9.

11. Mochinaga N, Sarna SK, Condon RE, et al. Gastroduodenal regulation of common duct bile flow in the dog. Gastroenterology 1980;94:755–61.

12. Piccinni G, Angrisano A, Testini M, et al. Diagnosing and treating sphincter of Oddi dysfunction. J Clin Gastroenterol 2004;38:350–9.

13. Ponce Garciia J, Garrigues V, Sala T, et al. Diazepam does not modify the motility of the sohincter of Oddi. Endoscopy 1988;20:87.

14. Ronly P, Funch–Jensen P, Kruse A, et al. Effect of cholecystectomy on the relationshop between hydrostatic common bile duct pressure and sphincter of Oddi motility. Endoscopy 1991;23:111–3.

15. Sherman S, Gottlieb K, Uzer MF, et al. Effects of meperidine on the pancreatic and biliary sphincter. Gastrointest Endosc 1996;44:239–42.

16. Sherman S, Lehman GA. Sphincter of Oddi dysfunction: diagnosis and treatment. JOP 2001;2:382–400.

17. Sherman S, Troiano FP, Hawes RH, Lehman GA. Sphincter of Oddi manometry: decreased risk of clinical pancreatitis with use of a modified aspirating catheter. Gastrointest Endosc 1990;36:462–6.

18. Staritz M, Meyer K. Investigation of the effect of diazepam and other drugs on the sphincter of Oddi motility. Ital J Gastroenterol 1986;25:384–6.

19. Staritz M. Pharmacology of the sphincter of Oddi. Endoscopy 1988;20:171–4.

20. Szurszewski JH. A migrating electric complex of the canine small intestine. Am J Physiol 1969;217:1757–63.

21. Tanaka M, Ogawa Y, Yokohata K. A method to correlate common bile duct pressure and the migrating motor complex of the duodenum. Gastrointest Endosc 1990;36:497–500.

22. Tarnasky PR, Cunningham JT, Knapple WL, et al. Repeat pancreatic sphincterotomy after biliary sphincterotomy in patients with sphincter of Oddi dysfunction. Gastrointest Endosc 1997;45:AB151.

23. Toouli J. Sphincter of Oddi. Gastroenterologist 1996;4:44–53.

24. Varadarajulu S, Hawes RH. Key issues in sphincter of Oddi dysfunction. Gastrointest Endosc Clin N Am 2003;13:671–94.

25. Wehrmann T, Schmitt T, Schönfeld A, et al. Endoscopic sphincter of Oddi manometry with a portable electronic microtransducer system: Comparison with the perfusion manometry method and routine clinical application. Endoscopy 2000;32:444–51.

26. Wehrmann T, Stergiou N, Schmitt T, et al. Reduced risk for pancreatitis after endoscopic microtransducer manometry of the sphincter of Oddi: a randomized comparison with the perfusion manometry method technique. Endoscopy 2003;35:472–7.

27. Yokohata K, Kimura H, Ogawa Y, et al. Biliary motility: changes in detailed characteristics correlated to duodenal migrating motor complex and effects of morphine and motilin in dogs. Dig Dis Sci 1994;39:1294–301.

28. Yokohata K, Tanaka M. Cyclic motility of the sphincter of Oddi. J Hepatobiliary Pancreat Surg 2000;7:178–82.

초음파내시경 유도하 구제 치료

EUS Guided Biliary Drainage & EUS-Rendezvous Technique

박도현 울산대학교 의과대학

초음파내시경(endoscopic ultrasound, EUS)유도하 담관배액술(EUS–guided BD, EUS–BD)은 내시경역행담췌관조영술(endoscopic retrograde cholangiopancreatography, ERCP) 실패 후 경피경간 담관배액술(percutaneous transhepatic biliary drainage, PTBD)에 대한 대안으로, 초음파내시경 중재 시술에 숙련된 내시경 전문의가 있는 병원에서는 실제 환자 치료에 적용하고 있다. EUS–BD는 ERCP 및 PTBD에 비해 다음과 같은 몇 가지 이점이 있다. 십이지장 주유두가 내시경으로 접근할 수 없는 경우 ERCP는 시술이 불가능하지만, EUS–BD는 외과적으로 변경된 해부학적 구조 또는 접근 불가능한 십이지장 주유두에서도 시술이 가능하다. ERCP의 주요 합병증인 급성 췌장염의 경우 EUS–BD에서는 급성 췌장염을 유발할 수 있는 외상성 유두 조작을 피할 수 있으며 담관 협착 부위에 스텐트를 위치할 필요가 없기 때문에 ERCP보다 EUS–BD에서 담관 스텐트 개통 시간이 더 길 수 있다. EUS–BD는 숙련된 시술자에 의해 수행될 때 PTBD와 유사한 임상결과를 보이며, 내부 배액으로 인해 외부 배액인 PTBD보다 환자에게 더 편안하고 생리적인 내배액을 통하여 환자의 전신 상태에 호전을 기대할 수 있다. 그러나 EUS–BD는 시술 과정의 복잡성과 EUS–BD 전용 악세서리의 부족으로 인해 시술의 보편화는 여전히 제한적이다.

EUS–BD는 랑데부 기법(rendezvous technique), 제방향 스텐트(antegrade stenting), 경벽 스텐트(transmural stenting)의 세 가지로 분류된다. EUS–BD에 대한 초기 접근은 십이지장 주유두부에 대한 접근성에 따라 결정된다. 내시경으로 유두에 접근할 수 있는 경우 랑데부 기법이 선호될 수 있다. EUS 유도하 랑데부 기법은 팽대부가 내시경으로 접근 가능하고 담관의 선택적 삽관이 실패한 ERCP에 적용될 수 있다. 하지만 주유두부를 통과하는 가이드와이어 조작은 때때로 어려울 수 있어, 유도철사가 경위간(transhepatic) 접근으로 주유두를 통과할 때 제방향 스텐트 시술이 적합할 수 있다. 이러한 제방향 스텐트 삽입술은 특히 내시경으로 주유두부에 접근할 수 없을 때 유용하다. 이 모든 접근 방법이 실패할 경우 경벽 스텐트 삽입을 고려해야 하며, 일반적으로 경벽 스텐트 삽입술에는 초음파내시경 유도하 간위루술(EUS–guided hepaticogastrostomy, EUS–HGS)과 초음파내시경 유도하 담도십이지장문합술(EUS–guided choledochoduodenostomy, EUS–CDS) 두 가지 방법이 있다. EUS–CDS는 EUS–HGS보다 기술적으로 쉬울 수 있다. EUS–HGS는 EUS–CDS보다 다양한 시술 관련 우발증이 있으며 이중에 종격동염, 폐렴종격동 등 생명을 위협하는 부작용의 잠재적 위험이 있을 수 있다. EUS–CDS는 EUS–HGS

445

보다 담즙 누출을 유발할 가능성이 더 크며, 외과적으로 변형된 해부학적 구조나 십이지장 폐쇄의 경우 EUS–HGS가 선호될 수 있다(그림 34–1).

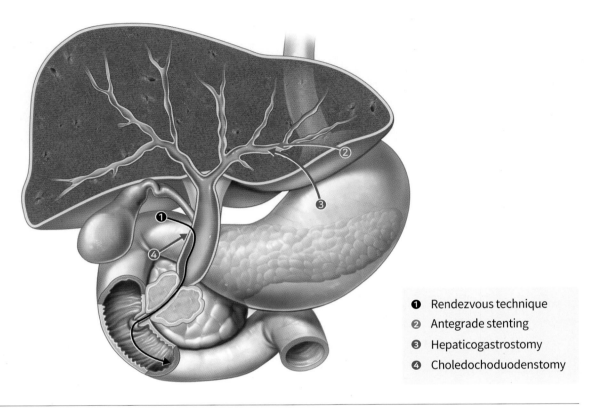

● Rendezvous technique
● Antegrade stenting
● Hepaticogastrostomy
● Choledochoduodenstomy

그림 34–1. **초음파내시경 유도하 담관배액술 종류**

1. 초음파내시경 유도하 담관배액술의 적응증 및 시술 전, 과정에서 고려할 점

1) 적응증

(1) ERCP에서 선택적인 담관 삽관 실패

(2) 수술로 변경된 해부학적 구조

(3) 십이지장 폐쇄 또는 이전 십이지장 금속 스텐트 시술로 유두부 접근이 어려운 경우

(4) PTBD 및 외과적 우회술을 사용할 수 없거나 환자가 PTBD, 외과적 우회술을 거부하는 경우

*   초음파내시경 유도하 담관배액술은 신의료기술로 2021년 인정되었으며 구체적인 시술 적응증으로는 담관배액술이 필요한 환자 중 수술력, 유문부 폐쇄, 십이지장 폐쇄, 악성 종양의 유두부 침범으로 인해 성공적인 ERCP 시술에 실패한 환자 또는 ERCP 시술 자체가 불가능한 환자를 대상으로 시행한다.

2) 금기 사항

(1) 출혈성향 또는 응고장애가 있는 환자
(2) 양측 간내담관의 다발성 협착

3) 장비

(1) 초음파내시경 미세 바늘(일반적으로 19 G) 또는 EUS–BD용 바늘(EUS access needle, Cook Medical, Bloomington, USA: 유도철사의 피복이 벗겨지는 것을 방지할 수 있는 무딘 바늘 끝이 있음)
(2) 선형 주사 초음파내시경
(3) 투시 조영 시스템
(4) 유도철사 0.025 inch VisiGlide 유도철사(Olympus America, San Jose, USA)는 적절한 강성과 향상된 유도철사 조작 능력때문에 EUS–BD에서 선호된다.
(5) 희석된 조영제
(6) 유도철사 조작이 어려운 경우 4 Fr 도관
(7) 누공 확장 장치: 4 Fr 도관, 6 Fr 및 7 Fr bougie catheter, 4 mm 풍선도관(REN balloon, Kaneka 또는 Hurricane RX, Boston Scientific), needle knife (double lumen) 및 6 Fr cystotome
* 출혈 등의 위험이 있으므로 누공 확장에 needle knife를 사용하는 것은 권장되지 않음
(8) 담관 스텐트: 완전 또는 부분 피막 금속 스텐트는 담즙 누출 측면에서 플라스틱 스텐트보다 우수하며 금속 스텐트 이동을 방지하기 위해 스텐트의 원위부에 플랩 또는 플랜지가 있는 여러 유형의 금속 스텐트가 있으며 최근에는 추가적인 누공 확장이 없는(hot, cautery type; cold, mechanical dilator type) 새로운 형태의 one–step EUS–BD 전용 장치가 도입되어 시술 관련 부작용이 낮게 보고되고 시술 시간이 단축될 수 있다.

4) 준비

(1) 환자가 ERCP를 위해 진정되어 있는 경우 EUS–BD 동의서를 받기 어려워 ERCP 시술 전에 EUS–BD의 시술 여부에 관계없이 EUS–BD 시술 동의서를 받는다. 이러한 시술 동의서를 사전에 받지 못하는 경우 ERCP가 실패한 이후 환자가 EUS–BD에 대하여 충분히 이해하고 시술에 동의를 한 경우에 EUS–BD를 시행하게 된다.
(2) EUS–BD 전 예방적 항생제 투여
(3) EUS–BD에서 금식 시간에 대한 합의는 없으나 시술 전 최소 4–6시간의 금식 시간을 권고하고 있다.
(4) EUS–BD는 의식 진정 또는 전신 마취하에 수행한다.
(5) Pneumoperitoneum 등의 위험을 줄이기 위해 내시경 시술에서 CO_2 주입이 권장된다.

2. 초음파내시경 유도하 담췌관배액술 종류와 방법

1) 랑데부법

(1) 간외 또는 간내를 19 G EUS 바늘로 접근하며, 간내담관을 통한 랑데부 접근은 간내담관을 통해 주유두부를 통과해야 유도철사 조작이 필요하기 때문에 랑데부법으로 주로 간외담관 접근이 선호된다. 간내담관 랑데부법은 B2(2번) 또는 B3(3번) 담관을 통해 간내로 접근하며 B2 담관은 B3보다 간문부와 보다 직선 방향으로 되

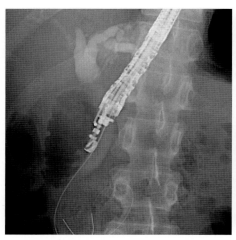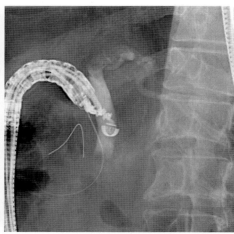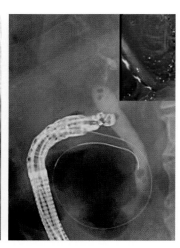

그림 34-2. 초음파내시경 유도하 담도 랑데부법. 초음파내시경 선단이 유두부로 향하도록 하는게 유도철사의 십이지장으로 이동시키는데 용이하다. 초음파내시경 선단이 유두부로 향하기 어려운 경우 내시경을 밀면서 선단 부위를 굴곡시켜 선단 및 EUS 바늘이 유두부로 향하도록 할 수 있으며 유도철사는 십이지장에서 루프를 만들어 랑데부 조작 과정에서 유도철사의 빠짐을 방지할 수 있다.

어있어 B2 담관이 B3 담관보다 선호된다.

간외 담관 랑데부법은 내시경 밀기 및 당기기의 두 가지 방법으로 시행할 수 있다. 내시경 당기기 방법(short scope position)이 내시경 밀기 방법보다 내시경 위치가 다소 불안정하지만 당기기 방법을 사용하면 유도철사를 유두부를 통해 십이지장으로 내리는게 밀기 방법보다 용이하다(그림 34-2).

(2) 담관 천자 후 소량의 담즙을 흡인하여 담관 접근을 확인한다.

(3) 조영제를 주입하여 담도조영술을 시행한 후 유도철사를 담관 협착 부위를 통과시킨 후 유도철사를 주유두를 지나서 십이지장 2 부위에 위치시킨다. 유도철사 조작은 랑데부 기술에서 가장 어려운 단계이며 가능한 시술자가 직접 유도철사를 조작하여 유도철사에 무리한 조작을 피하고 유도철사의 회전이나 전, 후진 조작이 시술조력자에 의한 조작에 비해 훨씬 수월하다(그림 34-3). 십이지장에 유도철사를 2-3회 루프를 만드는게 중요한데 EUS 바늘과 초음파내시경을 빼낼 때 유도철사의 빠짐을 방지하기 위해 필요하다.

(4) EUS 바늘과 초음파내시경을 제거한 후 기존의 십이지장 내시경을 십이지장에 삽관한다.

(5) 일반적으로 기존의 유도철사의 옆으로 담관의 선택적 담관 삽관이 가능하나 이 방법이 실패하면 십이지장으로 내려온 유도철사의 끝부분을 생검겸자 또는 올가미로 잡아당겨 유도철사를 겸자공을 통해 당겨 내시경 밖으로 나온 유도철사에 카테터

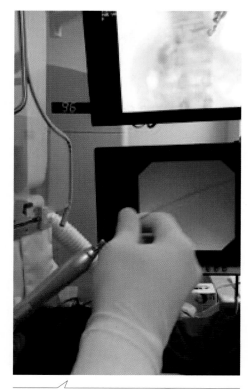

그림 34-3. 초음파내시경 유도하 시술의 시술자에 의한 유도철사 조작법. 내시경 유도하 랑데부, 제방향 스텐트 삽입술, 경벽 배액술과정에서 유도철사 조작법은 시술자에 의한 직접 조작이 유도철사에 전달되는 힘을 시술자가 직접 느끼게 되어 과도한 유도철사 조작을 피하면서 유도철사의 회전, 전·후진을 원활하게 될 수 있다.

를 삽입한다. 랑데부 기술은 EUS–BD에서 가장 안전한 방법일 수 있지만 시술 과정이 복잡하고 시술 과정에서 유도철사 회수가 실패하는 경우 시술 시간이 길어질 수 있다.

(6) 이러한 랑데부법은 폐쇄성 췌장염 환자에서도 ERCP에 의한 선택적인 췌관 삽관이 실패했을 때 사용될 수 있다. 주로 분할췌로 인한 부유두부 삽관이 어렵거나 주유부두의 종양 침윤으로 인한 선택적인 췌관 삽관이 어려울때 시행될 수 있으며 초음파내시경을 확장된 췌관에 위치시킨 후 19 G 바늘로 천자하게 된다. 주로 췌장

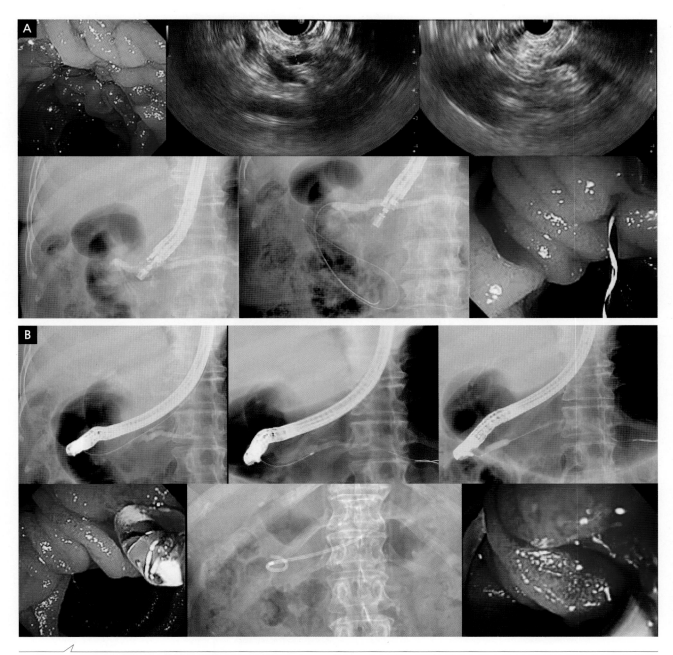

그림 34–4. 초음파내시경 유도하 췌관 랑데부법. 분할췌(pancreas divisum)가 있는 재발성 췌장염 환자에서 부유두부 입구가 명확치 않아 ERCP로 선택적 췌관 삽관이 불가능하였고(A), EUS를 통해 확장된 췌관으로 조영제 주입 후 유도철사를 십이지장으로 내린 후 부유두부를 통해 랑데부법으로 췌관 스텐트를 삽입했다(B).

의 체부에서 EUS 바늘을 천자하게 되는데 췌장 체부의 주췌관과 세침 바늘의 방향이 평행하게 유지되면서 천자가 보다 수월하며 초음파내시경이 위치도 안정되어 췌장 미부를 통한 접근보다 수월하다. 유도철사가 십이지장으로 내려온 후에는 담관 랑데부법과 동일한 방법으로 시술을 진행하게 된다(그림 34-4A, B).

2) 제방향 스텐트 삽입술(Antegrade Stenting)

(1) 19 G EUS 바늘로 간내담관 천자 및 담관조영술을 시행한다.

(2) B2가 일반적으로 간문부로 더 곧게 주행하여 B2가 B3보다 제방향 스텐트 삽입술에 선호될 수 있다.

(3) 유도철사 조작으로 협착 부위와 유두를 통과한 후 십이지장 내부에 유도철사의 루프 형성 후 초음파 세침 바늘을 초음파내시경에서 제거한다.

(4) 4–6 mm 풍선 도관을 이용하여 제방향 담관 스텐트 삽입을 원할하게 하기 유두부 및 담관 협착 부위를 확장이 필요할 수 있다.

(5) 담관 스텐트는 유도철사를 따라 유두부 하방으로 위치하게 하며 비피막형 또는 피막형 스텐트를 삽입하게 되는데 비피막형 스텐트는 종양의 스텐트내로의 침윤으로 인한 조기 폐쇄, 피막형 스텐트는 시술 후 췌장암 보다는 담관암등에서 췌장염이 흔히 발생할 수 있어 환자의 종양의 종류, 병의 진행 상태에 따른 스텐트 선택이

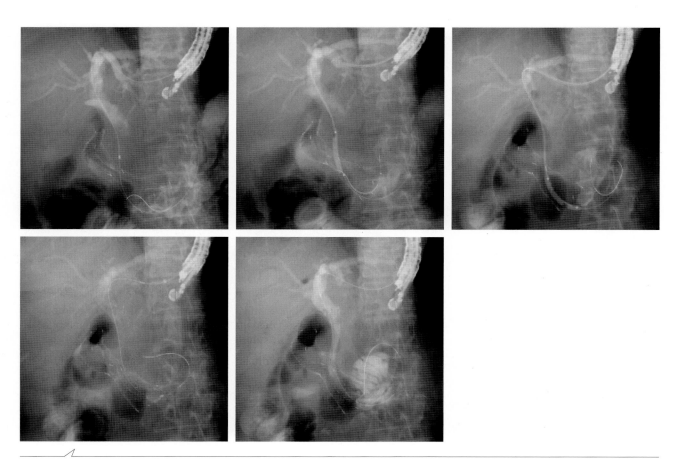

그림 34-5. 초음파내시경 유도하 제방향 스텐트 삽입술
간내담관을 초음파내시경 유도하에 천자 후 유도철사를 주유두부를 통해 십이지장에 내린 후 간위루를 통해 스텐트를 담관과 십이지장 부위에 위치시킨다.

필요할 수 있다(그림 34-5).

(6) 천자 부위의 담즙 누출을 최소화하기 위해 5 Fr 경비담관배액관을 일시적으로 유치할 수 있다.

3) 경벽 배액

EUS–CDS와 EUS–HGS는 EUS 유도하 경벽 배액술의 두 가지 주요 방법이다. EUS 유도하 경벽 배액의 기본 단계는 EUS 바늘로 담관계에 접근, 담관 조영술을 위한 조영제 주입, 유도철사 조작, 누공 확장 및 경벽 스텐트 유치이다.

(1) 초음파내시경 유도하 담도십이지장문합술(EUS–CDS)

① 초음파내시경 선단 위치는 바늘의 방향을 간문부(hilum)로 향하게 하면 유도철사 조작을 용이하게 하기 때문에 선호된다. 총담관은 간문맥과 평행하게 흐르기 때문에 초음파내시경의 도플러 영상에서 총담관을 쉽게 식별할 수 있다.

주로 십이지장 구부에서 시술이 진행되며 총담관 직경이 15 mm, 총빌리루빈 수치가 1–2 mg/dL 이상인 고도의 담관 폐쇄 환자에서 EUS–CDS 시술이 보다 수월할 수 있다.

② 총담관에 세침바늘로 천자 후 담즙을 흡인하여 총담관의 접근을 확인한 후 방사선 조영제를 투여하여 담관조영술을 시행한다.

③ 유도철사를 조작하여 간내담관으로 삽입하고 EUS 바늘을 초음파내시경에서 제거한다. 유도철사를 원하는 담관내로 삽입하는 과정에서 과도한 조작은 유도철사의 피복의 벗겨짐을 유발할 수 있다.

④ 누공을 확장하여 스텐트 삽입을 용이하게 하며 mechanical dilation이 안전 문제로 인해 electrocauterized dilation보다 선호된다. Mechanical dilation으로는 4 mm 풍선 도관이 4 Fr 도관와 확장도관을 사용한 순차적 확장보다 선호된다. 순차적인 확장은 시술 시간을 늘리고 담관과 십이지장 사이의 거리를 더 멀게하여 경벽 스텐트 삽입이 어려울 수 있다. 최근 cautery와 lumen apposing metal stent (LAMS) 일체형이 EUS–CDS에 도입되었다. 빠른 시술 시간의 장점이 있고 경우에 따라 EUS 바늘, 유도철사 없이 직접 EUS–CDS를 시도할 수 있다. 하지만 LAMS의 misfiring, 담관 쪽 플랜지가 담관에 안들어 가는 경우 담즙성 복막염으로 인한 수술적 처치가 필요할 수 있어 보다 안전한 시술을 위한 프로토콜이 필요하다.

⑤ EUS–CDS에서 금속 스텐트의 길이는 주로 5–6 cm이다. 스텐트 전달 시스템을 삽입한 후 스텐트 배치는 내시경으로 스텐트를 보기보다는 초음파내시경 영상 및 투시 조영을 통하여 경벽 스텐트 삽입을 시행한다. 스텐트의 원위부는 ERCP와 같이 내시경을 보면서 경벽 스텐트 삽입을 완료하게 된다(그림 34-6).

⑥ 마지막으로 십이지장에 삽입된 스텐트에서 나오는 담즙의 흐름을 내시경으로 관찰한다.

(2) 초음파내시경 유도하 간위루술(EUS–HGS)

① 성공적인 EUS–HGS를 위해서는 천자 부위를 신중하게 선택해야 하며 최적의 간위루술천자 위치는 EUS 영상에서, 간내담관 직경은 5 mm 이상, 천자되는 담관과 초음파내시경 선단 사이의 길이는 1 cm 이상, 3 cm 이하의 위치로 알려져 있다. B3 천자는 일반적으로 위체부의 소만부에서 이루어지기 때문에 B2에 비하여 전개 시 스텐트 끝단의 위치를 쉽게 확인 할 수 있다.

② EUS 바늘을 통해 삽입된 유도철사는 간문부(hilum)를 향해 위치시킨다. 간내담관은 초음파내시경 영상에서 간내 말단 담관부위인 왼쪽상방에서 간문부에 가까운 오른쪽 하방으로 주행하게 된다. 유도철사가 원하는 간

451

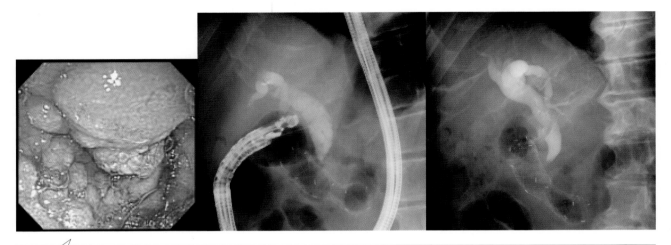

그림 34-6. 초음파내시경 유도하 담도십이지장문합술
십이지장 폐쇄 등으로 ERCP가 실패하는 경우 십이지장 스텐트 삽입 후 초음파내시경을 십이지장 구부에 위치 시킨 후 내시경 선단을 간문부 방향으로 향하게 한후 초음파내시경 바늘을 담관내 천자 후 유도철사를 간문부를 통하여 간내담관에 위치시킨다. 누공을 통해 피막형 금속 스텐트를 삽입하게 된다.

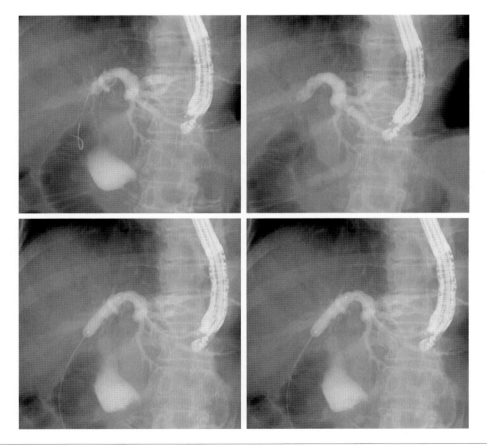

그림 34-7. 초음파내시경 유도하 간위루술
3번 간내담관을 초음파내시경 유도하에 19 G 바늘로 천자 후 유도철사를 간문부를 지나서 위치 킨 후 적절한 누공 확장을 하고 피막형 금속 스텐트를 간위루를 통해 간내담관에 삽입하게 된다. 스텐트 삽입은 간내담관 부위는 초음파내시경과 투시조영 영상을 보면서 스텐트를 전개하며 스텐트의 원위부는 내시경 안에서 스텐트를 전개한 후 내시경을 천천히 뒤로 빼면서 전개된 스텐트를 내시경안에서 분리시킨다.

문부 방향이 아닌 말초 담관으로 이동할 때 EUS 바늘팁을 간실질로 뒤로 살짝 이동시키는 방법이 유도철사 조작 중에 EUS 바늘팁에 걸려 발생하는 유도철사 피복의 벗겨짐을 방지할 수 있다.

③ 누공 확장은 EUS-CDS와 같은 방법으로 시행한다. 가능한 누공 확장은 스텐트가 삽입될 수 있는 직경정도만 최소한으로 확장하는 것이 담즙성 복막염등의 합병증을 예방하는데 도움이 될 수 있다. 최근에는 누공 확장 없이 one-step으로 스텐트를 바로 삽입하는 경우도 한국, 일본에서 소개되고 있다.

④ 스텐트 배치의 경우 금속 스텐트의 간내 삽입되는 절반을 EUS 및 투시조영 유도하에 배치하고 나머지는 내시경 겸자공 내부에서 스텐트를 스텐트 삽입기구에서 분리시켜 내시경의 위치를 일정하게 하여 스텐트의 복막 내 이동을 예방한다. 마지막으로 초음파내시경을 부드럽게 빼내는데 이러한 스텐트 전개 기술은 금속 스텐트의 안정적인 위치를 확보하고 스텐트가 위치하는 간 실질과 위 사이의 거리를 단축시킬 수 있다.

⑤ 스텐트의 단축에 의한 스텐트의 이동을 방지하기 위해 10 cm 이상의 긴 스텐트를 간위루술에 사용한다(그림 34-7).

3. 맺음말

초음파내시경 유도하 담관배액술은 ERCP를 통한 배액술이 실패한 경우 PTBD를 대체할 수 있는 효과적인 시술로 생각된다. 초음파내시경 유도하 랑데부법은 유두부로 내시경이 접근이 가능한 경우 유두부로의 담췌관의 선택적 삽관이 어려운 경우 유용하게 사용될 수 있다. 이러한 초음파내시경 유도하 담관배액술과 랑데부법을 잘 활용하면 보다 안전하고 효과적인 담관 폐쇄의 내시경 치료를 기대할 수 있다.

참/고/문/헌

1. Giovannini M, Moutardier V, Pesenti C, et al. Endoscopic ultrasound-guided bilioduodenal anastomosis: a new technique for biliary drainage. Endoscopy 2001;33:898-900.

2. Imai H, Kitano M, Omoto S, et al. EUS-guided gallbladder drainage for rescue treatment of malignant distal biliary obstruction after unsuccessful ERCP. Gastrointest Endosc 2016;84:147-51.

3. Lee TH, Choi JH, Park do H, et al. Similar efficacies of endoscopic ultrasound-guided transmural and percutaneous drainage for malignant distal biliary obstruction. Clin Gastroenterol Hepatol 2016;14:1011-9.e3.

4. Ogura T, Higuchi K. Technical tips for endoscopic ultrasound-guided hepaticogastrostomy. World J Gastroenterol 2016;22:3945-51.

5. Ogura T, Masuda D, Takeuchi T, et al. Liver impaction technique to prevent shearing of the guidewire during endoscopic ultrasound-guided hepaticogastrostomy. Endoscopy 2015;47:E583-4.

6. Oh D, Park DH, Song TJ, et al. Optimal biliary access point and learning curve for endoscopic ultrasound-guided hepaticogastrostomy with transmural stenting. Therap Adv Gastroenterol 2017;10:42-53.

7. Paik WH, Lee TH, Park DH, et al. EUS-guided biliary drainage versus ERCP for the primary palliation of malignant biliary obstruction: a multicenter randomized clinical trial. Am J Gastroenterol 2018;113:987-97.

8. Paik WH, Park DH, Choi JH, et al. Simplified fistula dilation technique and modified stent deployment maneuver for EUS-guided hepaticogastrostomy. World J Gastroenterol 2014;20:5051-9.

9. Paik WH, Park DH. Endoscopic ultrasound-guided biliary access, with focus on technique and practical tips. Clin Endosc 2017;50:104-11.

10. Park DH, Jang JW, Lee SS, et al. EUS–guided biliary drainage with transluminal stenting after failed ERCP: Predictors of adverse events and long–term results. Gastrointest Endosc 2011;74:1276–84.

11. Park DH, Lee TH, Paik WH, et al. Feasibility and safety of a novel dedicated device for one–step EUS–guided biliary drainage: a randomized trial. J Gastroenterol Hepatol 2015;30:1461–6.

12. So H, Oh D, Takenaka M, et al. Initial experience of endoscopic ultrasound–guided antegrade covered stent placement with long duodenal extension for malignant distal biliary obstruction (with video). J Hepatobiliary Pancreat Sci 2021;28:1130–7.

CHAPTER 35

내시경 유두절제술

Endoscopic Papillectomy

한지민 대구가톨릭대학교 의과대학

십이지장 유두부에서 발생하는 종양 중 가장 흔한 것은 선종이며, 그 외에 선암, 신경내분비종양, 림프종, 지방종 등이 있다. 상부위장관내시경검사가 증가함에 따라 무증상의 십이지장 유두부 종양의 발견율이 늘고 있는데 십이지장 유두선종은 전암성 병변이기에 근본적인 치료는 선종의 완전 절제가 원칙이다. 과거 십이지장 유두선종의 치료로 췌십이지장 절제술이나 십이지장 유두부 국소 절제술(transduodenal local resection) 같은 외과 수술이 표준 치료였다. 그러나 췌십이지장 절제술은 수술과 연관된 합병증 및 후유증이 많고, 십이지장 유두부 국소 절제술은 췌십이지장 절제술에 비해 이환률과 사망률이 상대적으로 낮은 반면 재발률이 높다. 1993년 Binmoeller 등이 25명의 유두부 종양의 내시경 절제술 성적을 보고한 이후 십이지장 유두선종의 내시경 치료가 활발해져 현재 내시경 유두절제술(endoscopic papillectomy)은 유두선종에 관한 한 수술 치료에 비하여 상대적으로 안전하고 덜 침습적이며 수술을 대체할 만한 효과적인 치료법이다. 본 장의 내용은 산발 십이지장 유두부 종양에서의 내시경 유두절제술에 중점을 두고 있다.

1. 적응증 및 술전 검사

십이지장 주유두는 췌관과 담관이 십이지장으로 개구하는 복잡한 해부 구조를 가지고 있는데 유두절제술 시 담관개구부와 췌관개구부가 종양과 같이 절제되며 내시경적으로 절제 가능한 부분은 십이지장의 점막과 점막하층에 국한된다(그림 35-1). 따라서 종양이 담관이나 췌관내로 확산된 경우는 내시경 유두절제술로는 불완전 절제가 될 가능성이 높다.

1) 일반적인 적응증

십이지장 주유두선종에 대한 내시경 유두절제술의 적응증은 합병증을 최소한으로 하면서 내시경으로 완전 절제가 가능한 경우이다. 일반적으로 생검 소견에서 악성 변화가 없으면서 크기가 아주 크지 않으며(<4 cm), 담관과 췌관의 침범이 없는 경우에 내시경 유두절제술을 시행하게 된다. 그런데 내시경 술기가 발달하고 내시경 유두

절제술의 경험이 축적되면서 내시경 유두절제술의 적응증은 점차 확장되고 있다. 내시경으로 절제 가능한 선종의 크기가 점차 커져서 한 보고에 의하면 7 cm 크기의 유두선종도 분할절제술(piecemeal resection)에 의하여 성공적으로 치료하였다.

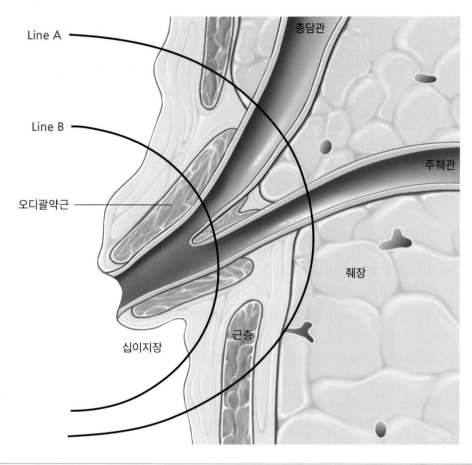

그림 35–1. 주유두부의 해부학 모식도. (Line A) 주유두 국소 절제술로 절제되는 범위, (Line B) 내시경 유두절제술로 절제되는 범위(고유근층 바로 전까지)

2) 췌담관 침범이 있는 유두선종

원위부 담관으로 유두 종양이 침범된 증례의 경우 담관 점막에서 종양이 자란 경우는 원칙적으로 내시경 유두절제술의 적응증이 되지 않지만, 유두 종양이 단순히 담관내로 밀려 올라간 경우는 담관 유두부괄약근 절개술을 시행한 후 풍선도관을 이용해 훑으면 십이지장 내강내로 종양이 노출되어 제거가 가능한 경우가 있다. 또한 총담관 말단부의 점막을 침범한 경우도 유두부괄약근 절개술을 최대한 시행하고 올가미절제를 시행한 후 아르곤 플라즈마 응고술 등의 열소작을 시행하여 내시경 유두절제술을 시도할 수 있다. 한 연구에 따르면 췌담관 침범이 있었던 31명의 유두선종 환자에 대하여 이러한 방식으로 내시경 유두절제술을 시행하여 46%의 치료 성공률을 보고하였다. 최근 췌담관 침범에 대해 열소작 또는 고주파열치료(radiofrequency ablation)를 시행한 연구들이 발표되었다. 췌담관 침범이 있었던 12명의 유두 종양 환자에서 올가미절제를 시행한 후 낭절개칼(cystotome)을 사용하여 관내 열소작치료를 하였고 그 결과 100%에서 완전 절제가 가능하였다. 다만 1–5회의 내시경 시술이 필요하였고 8명의 환자에서 분할절제가 되었다. 합병증 발생률은 25%로 췌담관 침범이 없었던 환자군과 비교했을 때 차이가 없었다. 다른 연구에서는 췌담관 침범이 있었던 14명의 유두선종 환자에서 올가미절제를 시행한 후 관내 고주파열치료를 적용하였다. 관내 침범 길이는 5–20 mm였고 1–5회의 고주파열치료가 필요하였다. 추적검사 결과 12명에서 잔존종양이 없음을 확인하였다. 하지만 43%의 환자에서 합병증이 발생하였고 담관 협착이 5명에서, 췌관협착이 1명, 후복막강고름집이 1명에서 발생하였다. 이들 모두 내시경치료로 호전되었다. 한 전향적 연구에서는 올가미절제 후 20 mm 미만의 관내 선종이 남은 20명의 환자를 대상으로 1회의 관내 고주파열치료를 시행하였다. 12개월 후 70%에서 관내 종양이 없었다. 합병증은 40%에서 발생하였고 담관 협착이 5명에서 발생하였다. 이들 모두 협착 확장술 및 스텐트 삽입술로 호전되었다. 이들 연구 결과를 토대로 20 mm 이하의 췌담관 침범이 있는 유두선종에서 올가미절제를 시행한 후 열소작 또는 고주파열치료를 추가하는 것을 고려해 볼 수 있겠다. 다만 담관 협착 발생 위험성이 있어 보조치료 후 담관스텐트 삽입을 하는 것을 권유한다.

3) 고도 이형성 유두선종과 조기 유두선암

고도 이형성 유두선종(high–grade intraepithelial neoplasia) 또는 제자리암종(carcinoma in situ)의 경우 림프혈관 및 림프선 침범이 없으므로 내시경으로 절제가 가능하다면 내시경 유두절제술로 완치가 될 수 있다고 판단된다. 그러나 겸자를 이용한 생검 조직에서 고도 이형성 유두선종을 보였으나 절제된 유두 종양에서 선암이 동반된 경우가 50%였다는 보고가 있어 주의가 필요하다.

조기 유두선암에 대해서도 내시경 치료가 가능하였다는 보고들이 있지만 생검에서 선암이 증명된다면 수술이 원칙이다. 그런데 내시경 유두절제술 전의 조직검사는 선종이었으나 유두절제술 후 조직검사에서 유두에 국한된 선암(T1a cancer)이 발견된 경우가 있을 수 있다. 이 경우 림프혈관 침범이 없고 완전 절제되었을 때 이 환자에서 수술위험도가 높은 췌십이지장 절제술을 시행해야 하느냐에 대해서는 이견이 있을 수 있다. 한 연구에 따르면 내시경 유두절제술 후에 발견된 6명의 완전절제된 T1a 선암 환자에서 평균 32개월 추적검사한 결과 재발이 없었다고 보고하였다. 이후 다른 연구에서 내시경 유두절제술 후 발견된 31명의 T1a 선암 환자에서 최대 60개월 추적검사한 결과 재발이 없었다고 보고하였다. 조기 유두선암의 수술 후 병리소견을 분석한 연구에서 제자리암종 5례 모두 임파절 전이가 없었고 T1 선암 57례 중 7%에서 임파절 전이가 있었다. 임파절 전이 예측인자로는 제자리암종, T1 선암, 2 cm 미만의 크기, 고분화도 및 림프혈관침범 여부가 있었다. 이들 예측인자를 모두 만족하는 경우 임파절 전이가 없었다. 다른 연구에서는 내시경 유두절제술 후 선암으로 진단받은 28명에서 수술을 시행한 결과 57.1%에서 십이지장 점막하 침범이 있었고 32.1%에서 임파절 전이가 있었다. 임파절 전이 예측인자로는 점막하 침범과 종양 크기가 있었다. 유두부괄약근 내 국한되고 림프혈관 침범이 없으면서 내시경 유두절제술로 완전절제가 이루어진 경우 66개월 동안의 추적기간 동안 재발이 없었다. 따라서 유두절제술 후 조직검사에서 제자리암종 또는 T1a 선암, 2 cm 미만의 크기, 고분화도, 절제면 음성, 림프혈관침범이 없음을 모두 보인다면 췌십이지장 절제술을 시행하지 않고 주의 깊게 추적검사를 시행할 수도 있겠다.

4) 내시경 유두절제술 전 검사

이전의 연구에 따르면 대개 담즙정체나 췌장염이 발생한 후에 유두부 종양이 발견되었으나 최근의 연구에 따르면 상당수(25–40%)의 환자들이 건강검진이나 비특이 복부증상으로 시행한 상부위장관 내시경 검사에서 유두부 종양이 발견된다. 유두부 종양이 발견되면 십이지장경을 이용하여 좀 더 자세히 종양의 육안적 검사를 시행하게 된다(그림 35-2). 십이지장경 검사에서 유두선종은 정상의 십이지장 점막과 육안으로 구별이 가능하여 색조가 조금 창백하고 과립상 점막을 보이며 때로 소결절형성(nodularity)를 보이기도 한다. 육안적 검사에서 악성화가 의심되는 소견은 궤양이 있거나, 쉽게 손상되거나, 자연출혈이 있거나, 또는 겸자로 접촉 시에 종양이 단단한 경우이다. 육안적 검사 후 생검을 시행할 때에는 6조각 이상의 생검조직을 얻는 것이 좋다. 그러나 생검의 진단 정확도는 38.3–85%로 다양하고 암을 선종으로 진단하는 경우가 30%, 선종을 암으로 진단하는 경우도 21%로 보고된 바 있다. 생검에 의한 조직검사는 선종 깊숙이 위치하는 유두선암의 진단에 있어서 민감도가 그리 높지 않으므로 생검에서 유두선종이 진단되었다고 하여도 종양내에 존재하는 국소 선암의 존재 가능성이 있다는 것을 알아야 한다.

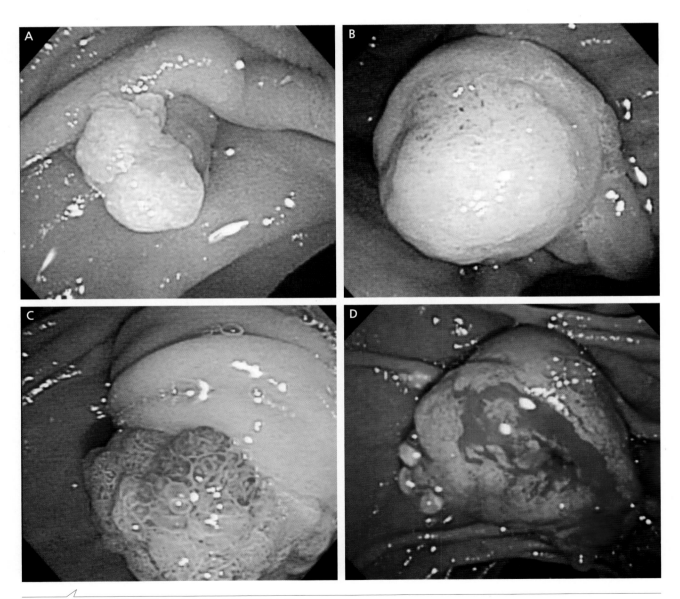

그림 35-2. 유두선종 및 유두선암의 다양한 십이지장경 소견
(A) 관상선종: 주유두가 커져 있으며 과립상 점막으로 덮여 있다. (B) 융모관상선종: 주유두가 상당히 커져 있으며 색조가 창백하고 과립상 점막 및 소결절 형성이 보인다. (C) 조기 유두선암: 쉽게 손상이 되는 종양으로 내시경 유두절제술 후 pT1으로 진단되었다. (D) 유두선암: 궤양이 동반된 단단한 종괴가 있고 자연출혈이 동반되었다.

유두절제술 전의 육안 검사 시에 종양의 측면 변연을 결정할 때 인디고카르민(indigo carmine) 등의 색소를 이용한다면 단순 백색광내시경 보다 측면 변연을 뚜렷하게 관찰할 수 있다(그림 35-3). 또한 예전 연구들에 따르면 협대역영상 내시경(narrow-band imaging)과 같은 가상 색소내시경을 이용하면 유두선종의 측면 변연을 뚜렷하게 관찰할 수 있다. 그리고 협대역영상 내시경에서 종양 표면의 불규칙한 융모배열 및 비정상적인 미세혈관계가 보일 경우 유두선종과 선암을 구분할 수 있어 진단에 도움이 될 수 있다. 이러한 색소내시경을 이용하는 것이 실제 유두절제술 시에 도움이 되는지에 대한 연구가 향후 필요하다.

생검에서 유두선종이 진단되었다면 내시경 유두절제술 전에 종양의 췌담관 침범여부를 확인하기 위하여 내

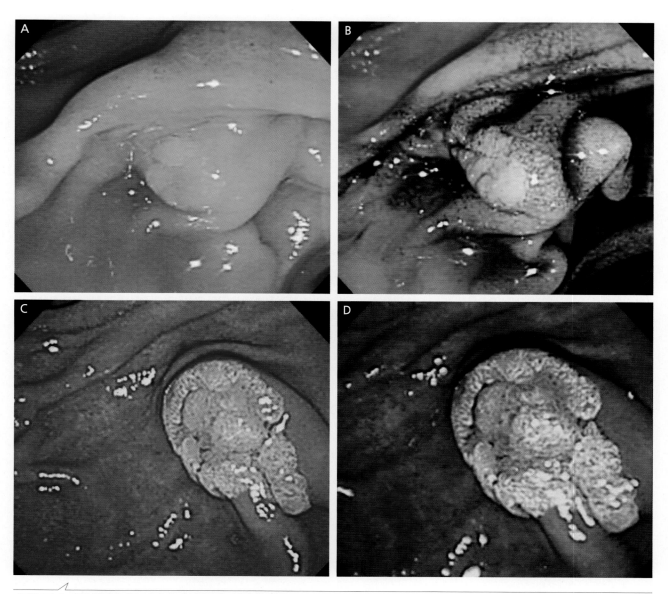

그림 35-3. 유두선종의 색소내시경 및 가상 색소내시경 소견
(A) 메틸렌블루를 도포하기 전 십이지장경 소견: 주유두가 약간 커져 있고 색조가 약간 창백하다. (B) 메틸렌블루을 사용한 색소내시경: 색소를 도포한 후 유두선종의 측면 변연이 보다 뚜렷하게 관찰된다. (C) 백색광내시경 소견: 주유두의 색조가 창백하고 과립상 점막을 보인다. (D) 협대역영상을 이용한 가상 색소내시경: 동일한 유두선종의 측면 변연이 뚜렷하게 관찰된다.

시경역행담췌관조영술(그림 35-4)을 시행할 수 있는데 최근에는 덜 침습적인 자기공명 담췌관 조영술이나 내시경 초음파(endoscopic ultrasonography)로 대체하는 것을 권장하고 있다. 특히 초음파내시경은 종양의 침범범위를 확인하는 것 이외에도 종양의 초음파반향도(echogenicity) 및 크기, 십이지장의 층별 구조 및 국소 림프절 침범을 확인하여 치료방향을 결정하는데 도움이 될 수 있다(그림 35-5). 관강내초음파(intraductal ultrasonography)는 십이지장경의 채널을 통하여 특수 제작된 초음파 프로브를 넣어 췌담관 내부에 위치한 후 주유두의 구조를 관찰할 수 있는 검사이다. 이는 초음파내시경보다 고주파 초음파를 사용하고 췌담관 벽에 수직방향으로 영상을 얻을 수 있어 주유두를 좀더 자세히 관찰할 수 있는 장점이 있다. 하지만 일부 기관에서만 검사가 가능하고 검사 후 급

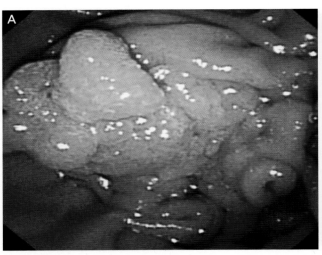
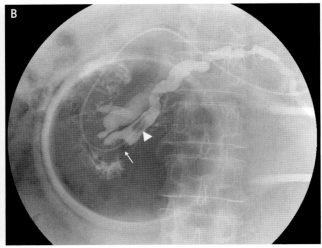

그림 35-4. 췌관을 침범한 유두선종
(A) 십이지장경 소견: 소결절형성이 관찰된다. (B) 췌관조영술 소견: 유두종양의 췌관 침범(화살표)이 관찰되며 확장된 췌관내에 췌석(화살표머리)이 관찰된다.

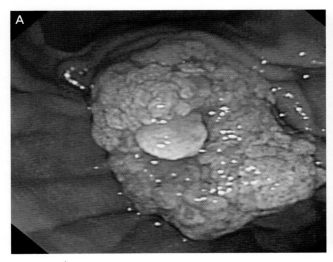
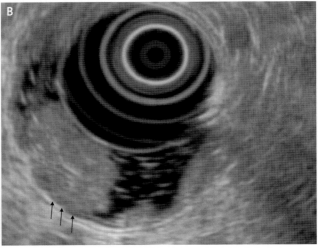

그림 35-5. 유두종양의 초음파내시경 소견
(A) 유두종양이 관찰되며 표면은 불규칙하며 수많은 작은 결정들이 관찰된다. 내시경 유두절제술 후 융모관상선종으로 진단되었다.
(B) 초음파내시경검사에서 십이지장의 층별구조가 잘 관찰되며 종양은 점막근층(화살표)까지 침범되어 있다.

성 췌장염 발생 위험성이 있다는 제한점이 있다.

2. 술기

췌관과 담관이 개구하는 십이지장 주유두의 해부구조가 복잡하나 기본적으로 내시경 유두절제술은 통상적인 내시경 용종절제술과 비슷하게 올가미를 이용하여 병변을 잡은 후 전류를 통전하여 종양을 절제한다.

1) 점막하 주사

일부의 연구자들은 올가미로 병변을 잡기 전에 점막하층에 생리식염수나 희석된 에피네프린 용액(1:10,000-20,000)을 병변 아래나 주위 점막하층에 주입하는 것이 출혈이나 천공의 위험을 감소시킬 수 있다고 보고하였다(그림 35-6). 또한 생리식염수나 희석된 에피네프린 용액에 메틸렌블루나 인디고카르민을 소량 섞으면 내시경으로 종양의 관찰이나 고유 근층의 구별이 쉬워진다. 생리식염수 등을 점막하층에 제대로 주사하였는데도 불구하고 종양이 부풀어오르지 않는다면 종양이 점막하층 아래까지 상당히 침윤되었다는 증거이다. 이 경우 내시경 유두절제술로는 완전절제가 되기 어려우므로 유두절제술을 포기하거나 유두절제술의 목적을 충분한 조직을 이용한 병리조직검사로 생각하는 것이 좋다.

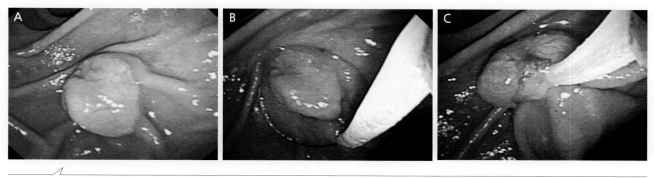

그림 35-6. 유두종양의 점막하 주사 및 올가미 잡기
(A) 주유두종양이 관찰된다. (B) 희석된 에피네프린 용액을 점막하 주사한 후 올가미를 종양의 머리쪽에서 항문쪽으로 잡고 있다. (C) 올가미에 포획된 종양의 변연을 확인하고 있다.

그러나 생리식염수나 희석된 에피네프린 용액의 점막하 주입을 권하지 않는 연구자들도 있는데 그 이유는 점막하 주사 후에 종양의 경계가 불확실해지거나 종양의 가운데에 있는 담관은 들려지지 않아서 가운데가 오히려 낮아지는 모양이 될 수도 있기 때문이다(그림 35-7). 또한 여러 연구에서 점막하 주사를 하지 않고 절제하였으나 절제의 어려움이나 합병증의 증가는 없었다. 한 무작위배정 전향적 연구에서 점막하 주입을 하지 않은 군의 완전절제율은 80.8%로 점막하 주입을 한 군의 50.0%보다 높았다(p=0.02). 하지만 12개월 후 재발률과 출혈, 급성췌장염 등 합병증 발생률의 차이도 없었다. 성향점수매칭(propensity-score matching)을 이용한 한 연구에서 점막하 주입을 하지 않은 환자 모두에서 완전절제가 되었으나 점막하 주입을 한 환자의 28%에서 잔존종양이 있었다. 또한 점막하 주입을 하지 않은 환자군의 무재발생존기간이 점막하 주입을 한 환자군보다 길었다. 하지만 두 군

사이 시술관련 합병증 발생률은 차이가 없었다. 그러므로 점막하 주사는 유두 주위의 편평 선종에서는 종양 절제 시에 유용할 수 있지만 유두 종양에서는 장점이 많지 않다.

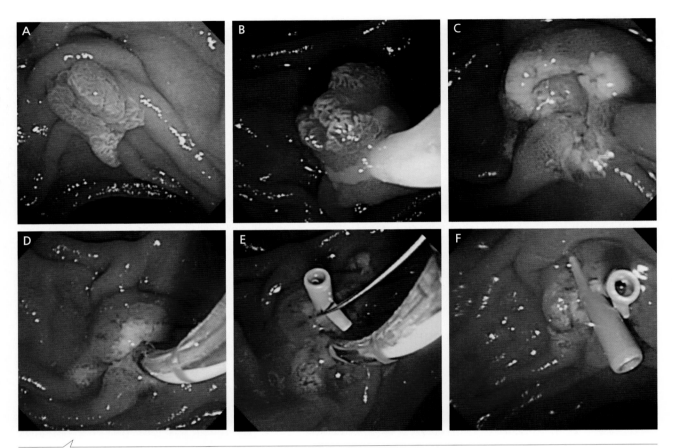

그림 35-7. 점막하 주사하지 않은 내시경 유두절제술
(A) 주유두종양이 관찰된다. (B) 점막하 주사 없이 올가미를 이용하여 종양을 잡고 있다. (C) 통전한 후 종양을 절제하였다. 절제 단면이 보인다. (D) 췌관스텐트를 삽입하기 위하여 췌관 삽관을 하였다. (E) 췌관스텐트를 삽입한 후 담관 삽관을 하였다. (F) 담관스텐트를 삽입한 후 출혈이 없음을 확인하고 시술을 종료하였다.

2) 올가미의 선택과 잡기

이전 연구들에 따르면 종양의 크기에 따라서 11–27 mm 직경의 올가미가 사용되었다. 올가미는 요철이 있어 서 점막에서 잘 미끄러지지 않는 것이 좋으며 뻣뻣한 올가미로 잡는 것이 유리할 수 있다. 가능하면 일괄절제(en-bloc resection)를 하도록 한번에 정상점막을 일부 포함하여 유두 전체를 잡도록 한다. 올가미를 벌려서 종양을 잡을 때에는 대개는 올가미의 끝부분을 종양의 윗 부위에서 시작하여 아래 부위로 잡는 것이 더 쉽지만 종양의 모양에 따라서 아래 부위에서 윗 부위로 잡기도 한다(그림 35-8).

종양을 한번에 올가미로 잡기 어려운 경우는 분할절제를 하여야 한다. 한 보고에 따르면 2 cm 이상 크기의 종양에서는 분할절제술이 흔히 이용되었으므로 크기가 큰 경우 무리하게 일괄절제를 시도하는 것 보다는 분할절제를 시행하는 것이 천공 등의 위험이 낮아서 안전할 수 있다. 분할절제술 중 올가미를 조일 때 보조자의 조이는 힘이 지나치면 크기가 작은 조각의 경우는 통전하기도 전에 기계적 절제가 되어 출혈되므로 유의하여야 한다.

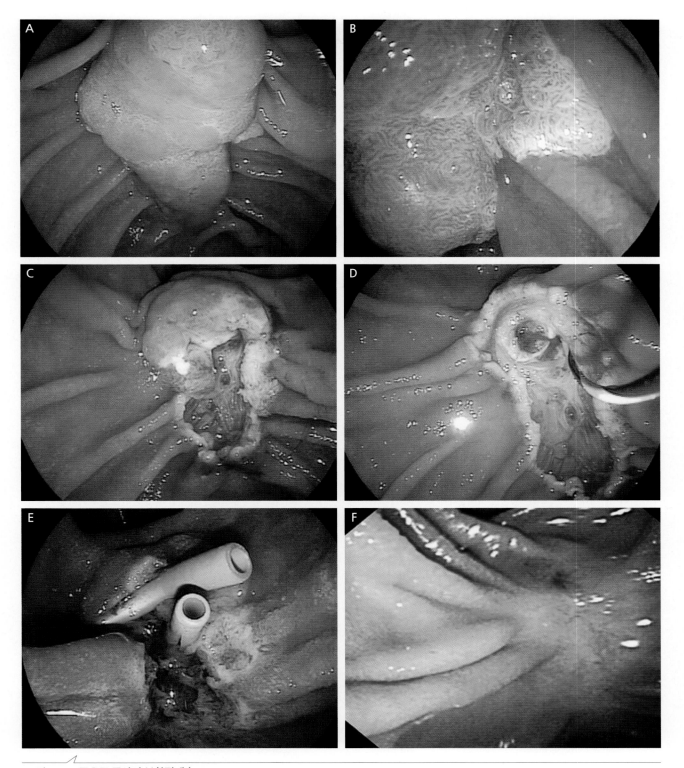

그림 35-8. 주유두 종양의 분할절제술
(A) 장경 3 cm 크기의 주유두 종양이 관찰된다. (B) 측면변연을 자세히 관찰해서 절제 범위를 결정한다. (C) 종양이 커서 한 번의 절제로는 완전 절제가 되지 않았다. (D) 여러 차례의 분할절제를 하여 종양을 절제한 후, 담관 및 췌관스텐트를 삽입하고, 추가로 열소작을 시행하였다. 조직검사는 관상선종이었다. (E) 3개월 후 추적 십이지장경 및 열소작 요법 등의 추가 치료를 2차례 더 시행하였다. (F) 이후 12개월 후 추적 십이지장 경검사에서 종양의 재발은 없었다.

대부분의 연구자들은 가능하다면 일괄절제를 시행하지만 한 연구에서는 분할절제술을 선호하였는데 Desilets 등은 13명의 환자에서 모두 분할절제술을 시행하여 재발이 없었다고 보고하였다. 이 연구에 따르면 분할 절제술은 천공이나 출혈이 적고 재발도 없었지만 절제를 위하여 평균 2.7회의 시술이 시행되었다는 단점이 있었다. 그러므로 통상적으로는 유두부 종양에 대하여 일괄절제를 먼저 시도해보고 종양이 커서 일괄절제가 되지 않는다면 남은 종양에 대하여 분할절제를 시도하는 것이 좋을 것으로 생각된다.

한편 비노출형(unexposed type)의 유두종양은 유두부괄약근 절개를 시행한 후에 종양이 노출되어서 올가미로 잡을 수 있으므로 유두부괄약근 절개를 먼저 시행하고 내시경 유두절제술을 시행해야 하는 경우도 있다(그림 35-9).

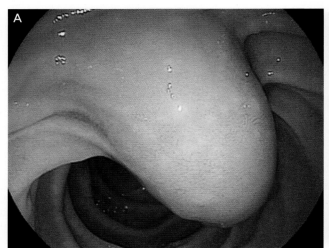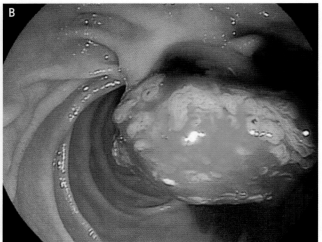

그림 35-9. 비노출형태의 유두선종
(A) 십이지장 주유두가 크지만 종양은 바터팽대부 내부에 있어 유두점막은 정상이다. (B) 유두부괄약근 절개술 후 종양이 노출되어서 올가미를 이용한 내시경 유두절제술이 가능하였다.

3) 전기수술 교류전원

통전시 사용하는 고주파 전류의 파형은 절개파, 응고파, 또는 혼합파를 선택하여 사용하는데 이론적으로는 절개파를 사용하면 출혈 위험이 증가하며 응고파를 사용하면 췌장염의 위험이 증가하게 된다. 파형의 강도나 사용 비율은 보고자마다 차이가 있으나 대부분의 연구에서는 단극전류(monopolar)를 사용하였으며 순수 절개파나 혼합파를 사용하였다. 전력의 세기는 제조사의 추천에 따르면 Meditron은 50–60 W, Olympus의 전기수술장비로는 35 W, Valleylab은 30 W, ERBE generator는 120–150 W effect 2 혹은 3 등을 사용한다.

4) 절제된 조직의 회수

절제한 조직은 정확한 진단과 완전한 절제의 확인을 위하여 반드시 절제 직후에 올가미, 바스켓, 또는 Roth net 등을 이용하여 회수하며 조각 절제된 작은 조각은 흡인포착(suction trap)으로 흡입해 놓는 것이 좋다. 수거된 조직 표본은 다른 위장관의 점막절제술과 같이 스티로폼 위에 편평하게 펴고 가장자리에 핀으로 고정한 후 포르말린에 담근다. 병리조직검사의 보고에는 종양의 크기, 조직학적 유형, 현미경 심달도 및 측면과 심부변연 침범이 포함되어야 한다.

5) 췌관스텐트 삽입

내시경 유두절제술을 시행할 때 시술자가 가장 우려하는 합병증은 유두부 주변의 부종에 의한 췌장염이다. 이러한 유두절제술 후의 췌장염은 췌관스텐트를 넣지 않은 경우에 더 흔하므로 췌장염의 발생 위험이 높은 다음과 같은 경우, 즉 종양의 크기가 커서 통전시간이 오래 걸리거나 잔류종양이나 출혈로 췌관 입구 근처에서 열소작을 한 경우, 그리고 췌관의 배액이 지연되는 경우에는 췌관스텐트를 넣는 것이 좋다. 유두절개술 후에 절단면을 관찰하였을 때에 췌관의 입구가 명백히 보이거나 쉽게 췌관의 삽관이 가능한 경우에는 췌관스텐트 삽입이 필요 없다는 의견도 있지만, 여러 연구에서 췌관스텐트를 삽입하면 췌장염을 줄일 수 있었고 특히 전향적, 무작위 비교연구에서 췌관스텐트를 삽입하지 않은 경우에만 췌장염이 발생하였다. 최근 메타분석에서도 췌관스텐트 삽입이 시술 후 췌장염 발생에 영향을 주는 유일한 인자이므로 가능하면 췌관스텐트를 삽입하는 것이 안전한 방법이다.

사용하는 췌관스텐트는 배액관에 의한 췌관의 손상을 최소화하기 위해 작은 구경의 스텐트를 최소의 기간동안 유지하는 것이 좋은데 대개는 3–5 Fr의 스텐트를 2일에서 수 주간 유지한다. 일반적으로는 날개가 있는 5 cm 미만의 5 Fr 직선형 스텐트를 췌관에 삽입한다. 시술 후 췌장염 예방 만을 목적으로 하였다면 수일 간의 췌관스텐트 유치만으로 충분하나 잔류 종양이 의심되는 경우 아르곤 플라즈마 응고술과 같은 추가 시술이 필요한 수주 후까지 두기도 한다.

내시경역행췌관조영술을 쉽게 얻었는데도 불구하고 올가미를 이용한 종양 절제 후 췌관 입구를 찾지 못해 스텐트를 넣지 못하는 경우가 드물지 않게 존재한다. 그래서 내시경 유두절제술 후 췌장염의 예방을 위하여 문 등은 "wire–guided papillectomy"를 보고하였는데, 이 보고에 따르면 0.035인치 유도철사를 미리 췌관에 위치한 다음 유도철사를 타고 유두절제용 올가미를 삽입하여 유두종양을 일괄절제한 후 유도철사를 통하여 바로 5 Fr의 췌관스텐트를 삽입하였다. 담관과 췌관의 유두부괄약근 절개술은 시행하지 않았으며 담관배액관도 삽입하지 않았다. 6예 모두에서 췌장염 없이 일괄절제가 가능하였으나 1예에서 스텐트에 의한 지연된 췌장염이 발생하였고 2예에서 잔류종양이 있어서 추가절제나 아르곤 플라즈마 응고술로 치료하였다. 다른 연구에서 "wire–guided papillectomy"와 통상적인 유두절제술을 비교한 결과 췌관스텐트 삽입성공률이 91% 대 68.8%로 높았고 급성췌장염 발생률이 6.1% 대 12.5%로 낮았다. 무작위배정 전향적 연구에서 "wire–guided papillectomy"군의 췌관스텐트 삽입성공률이 100%였고 급성췌장염 발생률이 0%였다. 완전절제율은 91% 대 78%로 차이가 없었다.

유두절제술 후 급성췌장염 예방을 하기 위하여 유럽소화기내시경학회 권고안은 금기증이 없는 모든 환자에서 직장 비스테로이드소염제 투여를 추천하고 있다. 하지만 현재 국내에서 직장 비스테로이드소염제 사용이 불가능하다. 예방 목적의 췌관스텐트 삽입이 불가능할 경우 췌장염 발생을 줄이기 위한 대안으로는 시술 전후 다량의 링거젖산용액 정맥투여가 있다.

6) 담관스텐트 삽입

담관개구부가 막히면 담관염이 생길 수 있으므로 유두절제 후에 담관 입구가 잘 보이지 않거나 삽관이 어렵거나 조영제의 배출이 지연되면 추가로 담관괄약근 절개술 후에 7–10 Fr의 플라스틱 담관스텐트를 삽입하여 담관염을 예방할 수 있다. 또한 담관스텐트를 삽입한다면 내시경 유두절제술의 후기 합병증인 유두협착을 예방할 수 있을 것으로 생각되므로 유두절제 후 출혈로 인해 지혈술을 시행한 경우, 조기 출혈의 가능성이 높은 경우, 관내 침범이 있어 보조 치료를 시행한 경우에 담관스텐트도 가능하면 삽입하는 것을 추천한다.

7) 추가적인 보조치료

일괄절제를 시도해보고 일괄절제가 되지 않았다면 올가미를 이용하여 분할절제를 시도해 볼 수 있는데 올가미절제로 종양이 완전 제거되지 않는 경우에는 일부 남아있는 종양에 대해 생검겸자나 열소작(thermal ablation)을 이용하여 보조치료를 시행할 수 있다. 열소작요법은 초기에는 근치적인 일차치료로도 시도되었지만 조직병리 진단이 불가능하므로 현재는 보조적인 치료로 사용되고 있다. 올가미 절제술 후 열소작을 추가로 시행하는 것이 선종의 재발을 낮출 수 있는 가는 명확하지는 않지만, 한 보고에 따르면 올가미 절제술 후 열소작을 추가로 시행한 군과 시행하지 않은 군에서 선종의 치료성적은 비슷하였지만 재발이 약간 낮은 경향이 있었다고 한다.

열소작요법은 아르곤 플라즈마 응고술, 전기응고법 및 Nd:YAG 레이저 등을 이용하여 시행할 수 있는데 열소작은 남아 있는 종양의 제거 이외에도 지혈을 하는 데도 도움이 된다. 이러한 열소작을 시행할 때에는 담관과 췌관의 개구부 손상에 의한 합병증을 예방하기 위하여 담관과 췌관에 스텐트를 삽입한 후에 시행하는 것이 좋다. 이러한 열소작요법은 혹시 남아 있을지 모를 선종을 소작하고 지연 출혈을 예방할 수 있으므로 가능하면 유두절제 후 시행하는 것을 추천한다. 그리고 내시경 유두절제술 후 1–2일 후에 십이지장경을 시행하여서 잔류 종양이나 지연 출혈 여부를 확인하는 것이 좋다.

하지만 최근 발표된 한 전향적 다기관 연구에 의하면 내시경 유두절제술 후 아르곤 플라스마 응고술을 시행했을 때 지연 출혈 및 종양 잔존율이 응고술을 시행하지 않은 군에 비해 의미있는 차이가 없었다.

3. 내시경 유두절제술의 치료성적과 합병증

1) 치료성공률과 재발

내시경 유두절제술의 치료성공률은 보고에 따라 46–93%로 다양하다. 내시경 유두절제술 후 재발률은 0–33%로 보고되고 있으며, 유두절제술 후 2년 이상 장기 추적한 경우에서 재발률은 8–39%였다. 재발에 관한 위험인자로는 크기가 큰 경우와 열소작과 같은 보조치료를 시행하지 않은 경우이다. 대부분의 재발은 열소작, 점막 절제술 등을 이용하여 내시경 치료가 가능하지만 췌담관으로 침범된 경우는 내시경 치료에도 불구하고 반응이 없다면 수술이 필요하였다. 다른 내시경치료와 마찬가지로 70세 이상의 고령 환자에서 내시경 유두절제술의 치료 성공률 및 재발률은 70세 미만의 환자와 비교했을 때 차이가 없었다.

2) 합병증

가장 흔한 합병증은 출혈과 췌장염이며 그외 천공, 담관염, 유두부 협착 등이 있다. 시술 중에 보이는 출혈은 대부분 내시경 지혈술로 지혈이 가능한데 에피네프린 희석액을 주사하거나 아르곤 플라즈마 응고술 등의 소작술을 시행하여서 지혈한다. 지연 출혈을 예방하기 위한 목적으로 아르곤 플라스마 응고술을 시행할 수 있으나 한 전향적 연구에서 내시경 유두절제술 후 출혈 예방에 의미 있는 차이가 없었다(30.8% vs. 21.4%, p=0.424). 대부분의 췌장염은 그 중증도가 경하나, 내시경 유두절제술 후 중증 췌장염에 의한 사망예가 드물지만 있었다. 문헌상 보고된 십이지장의 천공은 대부분 보존적 치료로 수술없이 회복되었다.

유두부 협착은 유두부 절제 후 7일–24개월에 발생하는 후기 합병증으로 유두절제 후 스텐트를 삽입하지 않은 경우에 더 많이 발생하였다. 이러한 유두부 협착은 담관염이나 췌장염의 증상으로 나타나게 되며 대부분은 내시경 괄약근 절개술과 함께 스텐트를 삽입하는 것으로 치료할 수 있다.

3) 내시경 유두절제술 후의 추적검사

완전 절제는 대개 유두절제 후 3–6개월간 추적하여 육안적으로 그리고 조직학적으로 잔류종양이 없을 때로 정의한다. 일반적으로는 내시경 유두절제 후 1년 동안은 3–6개월 간격으로 내시경 검사와 생검을 시행하고 그 이후 적어도 5년 동안 매년마다 추적하는 것을 권유하고 있다.

4. 결론

본 장에서는 산발 십이지장 유두부 종양에서의 내시경 유두절제술의 적응증, 시술 전 검사, 술기, 치료성적, 합병증 및 추적검사에 대하여 살펴보았다. 1993년 첫 보고 이후 현재까지 발표된 연구 결과들을 토대로 내시경 유두절제술은 선종 및 국소선암 일부에서는 수술치료에 비하여 상대적으로 안전하고 덜 침습적이며 수술을 대체할 만한 효과적인 치료 방법임이 입증되었다. 그러나 내시경 유두절제술은 고난이도의 내시경 시술로 시술자가 지식 및 기술을 포함하여 신중함과 경험을 잘 갖춰야 하겠다.

참/고/문/헌

1. Ahn DW, Ryu JK, Kim J, et al. Endoscopic papillectomy for benign ampullary neoplasms: How can treatment outcome be predicted? Gut Liver 2013;7:239–45.

2. Aiura K, Imaeda H, Kitajima M, et al. Balloon–catheter–assisted endoscopic snare papillectomy for benign tumors of the major duodenal papilla. Gastrointest Endosc 2003;57:743–7.

3. Alali A, Espino A, Moris M, et al. Endoscopic resection of ampullary tumours: Long–term outcomes and adverse events. J Can Assoc Gastroenterol 2020;3:17–25.

4. Alvarez-Sanchez MV, Oria I, Luna OB, et al. Can endoscopic papillectomy be curative for early ampullary adenocarcinoma of the ampulla of Vater? Surg Endosc 2017;31:1564–72.

5. Binmoeller KF, Boaventura S, Ramsperger K, et al. Endoscopic snare excision of benign adenomas of the papilla of Vater. Gastrointest Endosc 1993;39:127–31.

6. Bohnacker S, Seitz U, Nguyen D, Thonke F, Seewald S, deWeerth A, et al. Endoscopic resection of benign tumors of the duodenal papilla without and with intraductal growth. Gastrointest Endosc 2005;62:551–60.

7. Bohnacker S, Soehendra N, Maguchi H, et al. Endoscopic resection of benign tumors of the papilla of Vater. Endoscopy. 2006;38:521–5.

8. Cahen DL, Fockens P, de Wit LT, et al. Local resection or pancreaticoduodenectomy for villous adenoma of the ampulla of Vater diagnosed before operation. Br J Surg 1997;84:948–51.

9. Camus M, Napoléon B, Vienne A, et al. Efficacy and safety of endobiliary radiofrequency ablation for the eradication of residual neoplasia after endoscopic papillectomy: a multicenter prospective study. Gastrointest Endosc 2018;88:511–8.

10. Catalano MF, Linder JD, Chak A, et al. Endoscopic management of adenoma of the major duodenal papilla. Gastrointest Endosc 2004;59:225–32.

11. Chang WI, Min YW, Yun HS, et al. Prophylactic pancreatic stent placement for endoscopic du–odenal ampullectomy: a single–center retrospective study. Gut Liver 2014;8:306–12.

12. Charton JP, Deinert K, Schumacher B, et al. Endoscopic resection for neoplastic diseases of the papilla of Vater. J Hepatobiliary Pancreat Surg 2004;11:245–51.

13. Cheng CL, Sherman S, Fogel EL, et al. Endoscopic snare papillectomy for tumors of the duodenal papillae. Gastroin-

test Endosc 2004;60:757–64.

14. Choi YH, Yoon SB, Chang JH, et al. The safety of radiofrequency ablation using a novel temperature–controlled probe for the treatment of residual intraductal lesions after endoscopic papillectomy. Gut Liver 2021;15:307–14.

15. Chung KH, Lee SH, Choi JH, et al. Effect of submucosal injection in endoscopic papillectomy of ampullary tumor: Propensity–score matching analysis. United European Gastroenterol J. 2018;6:576–85.

16. Desilets DJ, Dy RM, Ku PM, et al. Endoscopic management of tumors of the major duodenal papilla: Refined techniques to improve outcome and avoid complications. Gastrointest Endosc 2001;54:202–8.

17. Elek G, Gyôri S, Tóth B, et al. Histological evaluation of preoperative biopsies from ampulla vateri. Pathol Oncol Res 2003;9:32–41.

18. Fritzsche JA, Fockens P, Barthet M, et al. Expert consensus on endoscopic papillectomy using a Delphi process. Gastrointest Endosc 2021;94:760–73.

19. Fritzsche JA, Klein A, Beekman MJ, et al. Endoscopic papillectomy; a retrospective international multicenter cohort study with long–term follow–up. Surg Endosc 2021;35:6259–67.

20. Grobmyer SR, Stasik CN, Draganov P, et al. Contemporary results with ampullectomy for 29 "benign" neoplasms of the ampulla. J Am Coll Surg 2008;206:466–71.

21. Han J, Kim MH. Endoscopic papillectomy for adenomas of the major duodenal papilla (with video). Gastrointest Endosc 2006;63:292–301.

22. Han J, Lee DW, Kim HG. Recent advances in endoscopic papillectomy for ampulla of Vater tumors: endoscopic ultrasonography, intraductal ultrasonography, and pancreatic stent placement. Clin Endosc 2015;48:24–30.

23. Han J, Lee SK, Park DH, et al. [Treatment outcome after endoscopic papillectomy of tumors of the major duodenal papilla]. Korean J Gatroenterol 2005;46:110–9.

24. Harewood GC, Pochron NL, Gostout CJ. Prospective, randomized, controlled trial of prophylactic pancreatic stent placement for endoscopic snare excision of the duodenal ampulla. Gastrointest Endosc 2005;62:367–70.

25. Hyun JJ, Lee TH, Park JS, et al. A prospective multicenter study of submucosal injection to improve endoscopic snare papillectomy for ampullary adenoma. Gastrointest Endosc 2017;85:746–55.

26. Irani S, Arai A, Ayub K, et al. Papillectomy for ampullary neoplasm: results of a single referral center over a 10–year period. Gastrointest Endosc 2009;70:923–32.

27. Ito K, Fujita N, Noda Y, et al. Preoperative evaluation of ampullary neoplasm with EUS and transpapillary intraductal US: a prospective and histopathologically controlled study. Gastrointest En–dosc 2007;66:740–7.

28. Ito K, Fujita N, Noda Y, et al. Impact of technical modification of endoscopic papillectomy for ampullary neoplasm on the occurrence of complications. Dig Endosc 2012;24:30–5.

29. Itoi T, Tsuji S, Sofuni A, et al. A novel approach emphasizing preoperative margin enhancement of tumor of the major duodenal papilla with narrow–band imaging in comparison to indigo carmine chromoendoscopy (with videos). Gastrointest Endosc 2009;69:136–41.

30. Iwasaki E, Minami K, Itoi T, et al. Impact of electrical pulse cut mode during endoscopic papillectomy: pilot randomized clinical trial. Dig Endosc 2020;32:127–35.

31. Jung MK, Cho CM, Park SY, et al. Endoscopic resection of ampullary neoplasms: a single–center experience. Surg Endosc 2009;23:2568–74.

32. Jung S, Kim MH, Seo DW, et al. Endoscopic snare papillectomy of adenocarcinoma of the major duodenal papilla. Gastrointest Endosc 2001;54:622.

33. Kahaleh M, Shami VM, Brock A, et al. Factors predictive of malignancy and endoscopic resectability in ampullary neoplasia. Am J Gastroenterol 2004;99:2335–9.

34. Kang SH, Kim KH, Kim TN, et al. Therapeutic outcomes of endoscopic papillectomy for ampullary neoplasms: retrospective analysis of a multicenter study. BMC Gastroenterol 2017;17:69.

35. Kawashima H, Ohno E, Ishikawa T, et al. Endoscopic papillectomy for ampullary adenoma and early adenocarcinoma: analysis of factors related to treatment outcome and long–term prognosis. Dig Endosc 2021;33:858–69.

36. Kim JH, Kim JH, Han JH, et al. Is endoscopic papillectomy safe for ampullary adenomas with high-grade dysplasia? Ann Surg Oncol 2009;16:2547-54.

37. Kim JH, Moon JH, Choi HJ, et al. Endoscopic snare papillectomy by using a balloon catheter for an unexposed ampullary adenoma with intraductal extension (with videos). Gastrointest Endosc 2009;69:1404-6.

38. Kim MH, Lee SK, Seo DW, et al. Tumors of the major duodenal papilla. Gastrointest Endosc 2001;54:609-20.

39. Kimchi NA, Mindrul V, Broide E, et al. The contribution of endoscopy and biopsy to the diagnosis of periampullary tumors. Endoscopy 1998;30:538-43.

40. Kobayashi M, Ryozawa S, Iwano H, et al. The usefulness of wire-guided endoscopic snare papillectomy for tumors of the major duodenal papilla. PLoS One 2019;14:e0211019.

41. Laleman W, Verreth A, Topal B, et al. Endoscopic resection of ampullary lesions: a single-center 8-year retrospective cohort study of 91 patients with long-term follow-up. Surg Endosc. 2013;27:3865-76.

42. Lee R, Huelsen A, Gupta S, et al. Endoscopic ampullectomy for non-invasive ampullary lesions: a single-center 10-year retrospective cohort study. Surg Endosc 2021;35:684-92.

43. Lee SY, Jang KT, Lee KT, et al. Can endoscopic resection be applied for early stage ampulla of Vater cancer? Gastrointest Endosc 2006;63:783-8.

44. Lee TY, Cheon YK, Shim CS, et al. Endoscopic wire-guided papillectomy versus conventional papillectomy for ampullary tumors: A prospective comparative pilot study. J Gastroenterol Hepatol 2016;31:897-902.

45. Li S, Wang Z, Cai F, Linghu E, Sun G, Wang X, et al. New experience of endoscopic papillectomy for ampullary neoplasms. Surg Endosc. 2019;33(2):612-9.

46. Menzel J, Poremba C, Dietl KH, et al. Tumors of the papilla of Vater-inadequate diagnostic impact of endoscopic forceps biopsies taken prior to and following sphincterotomy. Ann Oncol 1999;10:1227-31.

47. Moon JH, Cha SW, Cho YD, et al. Wire-guided endoscopic snare papillectomy for tumors of the major duodenal papilla. Gastrointest Endosc. 2005;61:461-6.

48. Muro S, Kato H, Matsumi A, et al. The long-term outcomes of endoscopic papillectomy and management of cases of incomplete resection: a single-center study. J Gastrointest Surg 2021;25:1247-52.

49. Napoleon B, Gincul R, Ponchon T, et al. Endoscopic papillectomy for early ampullary tumors: long-term results from a large multicenter prospective study. Endoscopy 2014;46:127-34.

50. Neves P, Leitão M, Portela F, et al. Endoscopic Resection of Ampullary Carcinoma. Endoscopy 2006;38:101.

51. Nguyen N, Shah JN, Binmoeller KF. Outcomes of endoscopic papillectomy in elderly patients with ampullary adenoma or early carcinoma. Endoscopy 2010;42:975-7.

52. Norton ID, Gostout CJ, Baron TH, et al. Safety and outcome of endoscopic snare excision of the major duodenal papilla. Gastrointest Endosc 2002;56:239-43.

53. Park J-S, Seo D-W, Song TJ, et al. Usefulness of white-light imaging-guided narrow-band im-aging for the differential diagnosis of small ampullary lesions. Gastrointestinal Endoscopy. 2015;82:94-101.

54. Pérez-Cuadrado-Robles E, Piessevaux H, Moreels TG, et al. Combined excision and ablation of ampullary tumors with biliary or pancreatic intraductal extension is effective even in malignant neo-plasms. United European Gastroenterol J 2019;7:369-76.

55. Posner S, Colletti L, Knol J, et al. Safety and long-term efficacy of transduodenal excision for tumors of the ampulla of Vater. Surgery 2000;128:694-701.

56. Radadiya D, Devani K, Arora S, et al. Peri-procedural aggressive hydration for post endoscopic retrograde cholangiopancreatography (ERCP) pancreatitis prophylaxsis: meta-analysis of randomized controlled trials. Pancreatology 2019;19:819-27.

57. Ridtitid W, Tan D, Schmidt SE, et al. Endoscopic papillectomy: risk factors for incomplete resection and recurrence during long-term follow-up. Gastrointest Endosc 2014;79:289-96.

58. Rodríguez C, Borda F, Elizalde I, et al. How accurate is preoperative diagnosis by endoscopic biopsies in ampullary tumours? Rev Esp Enferm Dig 2002;94:585-92.

59. Rösch T, Braig C, Gain T, et al. Staging of pancreatic and ampullary carcinoma by endoscopic ultrasonography: comparison with conventional sonography, computed tomography, and angiog–raphy. Gastroenterology 1992;102:188–99.

60. Rustagi T, Irani S, Reddy DN, et al. Radiofrequency ablation for intraductal extension of ampullary neoplasms. Gastrointest Endosc 2017;86:170–6.

61. Sahar N, Krishnamoorthi R, Kozarek RA, et al. Long–term outcomes of endoscopic pap–illectomy for ampullary adenomas. Dig Dis and Sci 2020;65:260–8.

62. Sakai A, Tsujimae M, Masuda A, et al. Clinical outcomes of ampullary neoplasms in resected margin positive or uncertain cases after endoscopic papillectomy. World J Gastroenterol 2019;25:1387–97.

63. Saurin JC, Chavaillon A, Napoléon B, et al. Long–term follow–up of patients with endoscopic treatment of sporadic adenomas of the papilla of Vater. Endoscopy 2003;35:402–6.

64. Seewald S, Omar S, Soehendra N. Endoscopic resection of tumors of the ampulla of Vater: how far up and how deep down can we go? Gastrointest Endosc 2006;63:789–91.

65. Seifert E, Schulte F, Stolte M. Adenoma and carcinoma of the duodenum and papilla of Vater: a clinicopathologic study. Am J Gastroenterol. 1992;87:37–42.

66. Small AJ, Baron TH. Successful endoscopic resection of ampullary adenoma with intraductal extension and invasive carcinoma (with video). Gastrointest Endosc 2006;64:148–51.

67. Spadaccini M, Fugazza A, Frazzoni L, et al. Endoscopic papillectomy for neoplastic ampullary lesions: a systematic review with pooled analysis. United European Gastroenterol J 2020;8:44– 51.

68. Trikudanathan G, Njei B, Attam R, et al. Staging accuracy of ampullary tumors by endoscopic ultrasound: meta–analysis and systematic review. Dig Endosc. 2014;26:617–26.

69. Tringali A, Valerii G, Boškoski I, et al. Endoscopic snare papillectomy for adenoma of the ampulla of vater: long–term results in 135 consecutive patients. Dig Liver Dis 2020;52:1033–8.

70. Uchiyama Y, Imazu H, Kakutani H, et al. New approach to diagnosing ampullary tumors by magnifying endoscopy combined with a narrow–band imaging system. J Gastroenterol 2006;41:483–90.

71. Vanbiervliet G, Strijker M, Arvanitakis M, et al. Endoscopic management of ampullary tumors: European Society of Gastrointestinal Endoscopy (ESGE) Guideline. Endoscopy 2021;53:429–48.

72. Vogt M, Jakobs R, Benz C, et al. Endoscopic therapy of adenomas of the papilla of Vater. A retrospective analysis with long–term follow–up. Dig Liver Dis 2000;32:339–45.

73. Woo SM, Ryu JK, Lee SH, et al. Feasibility of endoscopic papillectomy in early stage ampulla of Vater cancer. J Gastroenterol Hepatol. 2009;24:120–4.

74. Yamaguchi K, Enjoji M, Kitamura K. Endoscopic biopsy has limited accuracy in diagnosis of ampullary tumors. Gastrointestinal Endoscopy. 1990;36:588–92.

75. Yamamoto K, Itoi T, Sofuni A, et al. Expanding the indication of endoscopic papillectomy for T1a ampullary carcinoma. Dig Endosc 2019;31:188–96.

76. Yang JK, Hyun JJ, Lee TH, et al. Can prophylactic argon plasma coagulation reduce delayed post–papillectomy bleeding? A prospective multicenter trial. J Gastroenterol Hepatol 2021;36:467–73.

77. Yoon SM, Kim M–H, Kim MJ, et al. Focal early stage cancer in ampullary adenoma: surgery or endoscopic papillectomy? Gastrointest Endosc 2007;66:701–7.

78. Zádorová Z, Dvořák M, Hajer J. Endoscopic Therapy of Benign Tumors of the Papilla of Vater. Endoscopy 2001;33:345–7.

담관암 광역학 치료

Photodynamic Therapy for Cholangiocarcinoma

이태윤 건국대학교 의학전문대학원

1. 서론

간문부 담관암은 전체 담관암의 40–60% 정도를 차지하고 수술이 장기생존을 기대할 수 있는 유일한 치료이다. 조기에 전이를 하거나 간동맥 혹은 간문맥을 침범하여, 발견 당시 수술적 제거가 가능한 경우는 35%에 불과하다. 근치적 수술이 되더라도 5년 생존율은 30–40% 정도이다. 수술이 불가능한 담관암에서 치료적 전략은 대개 내시경 또는 경피 담관배액술을 통한 황달 완화에 국한되어 있고, 이런 시술들이 환자의 생존율이나 의미 있는 삶의 질 향상을 시켰다는 증거는 없는 실정이다.

현재까지 수술이 불가능한 담관암에서 방사선 치료 또는 화학요법이 시도되고 있지만 이들 치료의 생존 연장 효과는 정립되어 있지 않다. 광역학 치료(photodynamic therapy, PDT)는 담관암에서 1990년대부터 도입되었고 2000년대부터 여러 연구에서 수술이 불가능한 담관암 환자에서 종양의 감소와 생존율, 환자 삶의 질을 향상시켰다고 보고하였다. 광역학 치료는 병변 부위에 레이저 기구를 접근하여 직접 빛을 조사시키기 때문에 간내담관암에는 적합하지 않고 간외 담관암은 비교적 수술적 절제율이 간문부 담관암에 비해 높아 광역학 치료의 대상이 되는 환자는 드물다. 따라서 간문부 담관암이 종양의 위치 및 진단 당시 수술적 절제가 가능한 환자 비율이 낮은 점을 고려할 때 광역학 치료의 주 대상이 된다. 본고에서는 담관암, 특히 간문부 담관암에서의 광역학 치료의 원리, 치료 성적, 제한점과 향후 과제를 위주로 논의해 보고자 한다.

2. 광역학 치료의 원리

광역학 치료의 세 가지 기본 요소는 산소, 광감작제, 가시광선이다. 광역학 치료에 사용되는 광감작제(photosensitizer)는 투여 후 주변의 정상조직에 비해 빠르게 분열하는 세포로 구성된 악성 조직에 더 높은 농도로 존재한다. 광감작제가 주변의 정상조직에 비해 종양 세포에 최대로 축적되는 일정 시간이 지나면 빛을 종양에 조사하게 되는데, 광감각제는 빛에 노출되지 않으면 높은 농도에서도 세포 독성을 거의 나타내지 않다가, 특정 파장의 빛에 의해서 여기(excitation)될 때에만 활성 산소를 생성하여 세포 독성을 나타낸다(그림 36-1). 활성화 산소는 다양한 사이토카인을 분비시키고 미세혈관의 장애를 초래하여 직접적인 세포 독성 효과와 함께 종양 세포를 파괴한다. 광역학 치료의 종양파괴 기전은 직접적인 물리화학적 손상, 주변의 혈관 폐색을 유도하여 파괴시키는 효과, 유발된 염증반응과 활성화된 TNF-α로 인한 면역효과, 미토콘드리아의 투과도(permeability)의 증가 등이 손상을 초래하여 유도되는 세포자멸사 등으로 설명되고 있다. 또한 광감작제를 정맥 주사하면 혈액 속에서 저밀도 콜레스테롤(LDL)과 빠르게 결합하게 되는데 종양 조직이 정상조직보다 LDL 수용체가 많아 일정시간이 지나면 종양조직에 광감작제가 더 높이 분포하게 된다(그림 36-2). 광감작제의 선택축적도가 종양조직에 2-5배 정도 높으며 이 때, 광감작제에 민감한 흡수파장을 가진 레이저광을 암조직을 중심으로 조사하면 종양 조직 내의 산소에게 전달되면서 활성 산소나 자유 라디칼을 발생시켜 그 부분에 있는 암세포만 죽게 되고 빛을 쪼여주지 않은 다른 정상 조직은 보존되게 된다. 따라서, 선택적인 조직 파괴가 가능하며, 주변 정상 조직이 손상되더라도 치유가 빠르고 콜라겐 등과 같은 결합조직에는 거의 영향이 없어 기계적인 장력은 유지되며, 기저조직의 변형이 적어 수술에 적합하지 않은 작은 크기의 암 치료에 가장 적합하고, 이전의 방사선 혹은 항암치료에 의해 면역력이 약해진 환자에서 반복적인 치료가 가능하다. 하지만 근층 손상에 의한 회복은 완전하지 않아서 식도에서처럼 좁은 내강에서 원주 형태로 치료가 시행되면 협착이 생길 수 있다. 그리고 광역학 치료의 경우에는 빛을 조직에 조사할 때, 생체 내에 존재하는 헤모글로빈을 포함한 물질들이 빛을 흡수하기 때문에 빛이 조직 깊은 곳까지 도달하는 효율이 낮다. 즉 종양 표면으로부터 1 cm보다 더 깊은 부위에 위치한 광감작제를 여기시키는 효율이 매우 낮아서 이곳에 위치한 암세포에는 영향을 줄 수가 없다. 따라서 수술이 적합하지 않고 침범범위가 깊지 않은 암 치료에 보다 효율적이다.

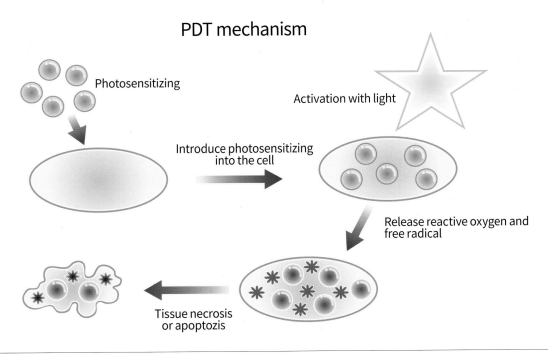

그림 36-1. 광역학 치료의 기전

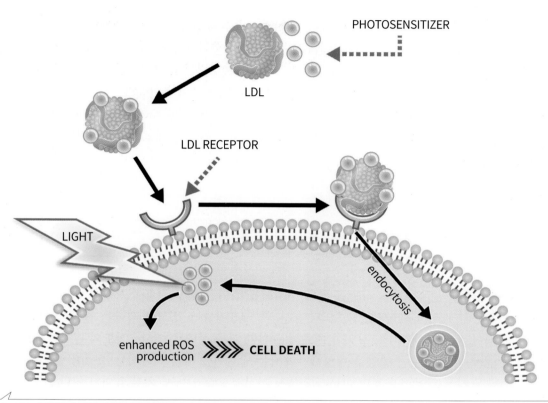

그림 36-2. **LDL 수용체가 광감작제를 운반하는 기전**

3. 광감작제

현재 국내에서 사용 가능한 광감작제는 주로 1세대 porphyrin계인 Photofrin (630 nm, Axcan, Canada)과 Photogem (630 nm, Lomonosov Institute of Fine Chemicals, Russia)이다. 1세대 광감작제의 문제점으로 낮은 화학적 순도(60개 이상의 분자의 혼합물)와 상대적으로 짧은 파장인 630 nm에서 최대 흡수로 인한 조직 침투 불량을 들 수 있다. 그리고 광감작제의 긴 반감기와 피부 내의 고농도 축적으로 인해 광과민성이 수주간 지속되는 문제가 있다. 이러한 문제를 개선하기 위해 2세대 광감작제가 개발되었다. 5-ALA는 제2세대 광감작제로 propor-phyrin으로 변환된 후에만 활성 광감작제가 되는 일종의 전구물질이다. 외부에서 다량 투여할 때 음성 되먹이기 기전이 우회되어 체내의 protoporphyrin의 양이 이를 헴(heme)으로 바꾸어 주는 ferrochelatase와 같은 효소의 능력보다 많아져 세포 내에 축적되게 된다. 간문부 담관암에서 도달 깊이가 1세대 광감작제의 2배인 2세대 광감작제, Temoporfin을 사용하여 1세대보다 우월한 치료 결과를 보인 연구가 있으며 이는 광역학 치료 성적편에서 후술하기로 한다. 2세대 광감각제는 650-800 nm 파장 범위에서 최대 흡수로 인해 화학적 순도가 높고 단일 산소(singlet oxygen) 생성 수율이 높으며 깊이 위치한 조직에 침투가 더 잘된다는 특징이 있다. 그리고 암 조직에 대한 높은 선택성과 전신투여 후 24-48시간 내에 대사되기 때문에 장기간의 피부 광독성 위험을 줄일 수 있다. 하지만 2세대 광감작제는 물에 잘 녹지 않아 정맥투여에 제한점이 있고 잔류 기간이 3일 정도에 불과하다는 단점이 있다.

이러한 이유로 개발된 3세대 광감작제는 목표하는 종양 조직내 축적을 개선하기 위해 항체, 탄수화물, 아미노산, 펩타이드 등과 결합하거나 리포좀, 미셀(micelle), 나노입자 같은 운반체로 캡슐화한 것이 특징이다. 3세대 광감작제는 정상 세포와는 다른 종양 세포 표면의 수용체 특성에 기반하여 광감작제의 표적 부분(moiety)의 생체결합 촉진을 통해 인접세포로의 부작용을 줄이고 약동학적 개선, 광감작제의 종양내 선택적 축적을 목표로 한다. 현재 단일클론항체, 올리고사카라이드, 나노입자, 히알루론산, 리포좀, 미셀 등을 이용하여 암세포에 잘 결합되도록 하는 다양한 형태의 3세대 광감작제에 대한 연구가 활발히 진행되고 있다. 일례로 암세포가 정상세포에 비해 당 소비가 많다는 점을 이용하여 포도당 결합 클로린(glucose–conjugated chlorin)을 이용한 광역학 치료가 2세대보다 강한 항종양효과가 있음이 보고되었다.

4. 담관암에서의 광역학 치료의 적응증과 금기증

실제 담관암 환자에서 광역학 치료 시행 후 종양의 괴사를 알아본 연구 결과를 보았을 때, 담관 내강으로부터 약 4 mm 정도는 완전한 괴사가 관찰되었고, 좀 더 심부, 즉 약 5–9 mm 정도는 괴사는 관찰되었으나 살아 있는 종양 세포가 관찰되어, 담관암에서 1회 광역학 치료의 완전한 괴사 정도는 4 mm 정도의 깊이까지임을 알 수 있다. 일반적으로 간문부 담관암은 큰 종양을 형성하기 보다는 담관벽을 따라 전파되는 경향이 있으면서 주로 담관을 폐쇄시키는 성향을 갖고 있어 초기뿐만 아니라 진행성 간문부 담관암에서 치료 효과가 있다. 그러나 간내담관암은 주로 큰 종괴를 형성하기 때문에 광역학 치료에 적합하지 않다.

담관암에서 광역학 치료의 적절한 적응증으로 1) 림프절 전이와는 상관없이 혈행성 전파가 없어야 하고, 2) 경화 아형(sclerosing variant), 3) 유두 아형을 동반한 표재성 확장형(superficial spreading type with the papillary variant), 4) 수술 후 변연에 잔여 종양 세포가 발견된 경우를 들 수 있다. 그러나 종괴 형성형(Mass–forming type)이나 담관내에 종괴를 형성한 경우(intraductal mass form)는 적응증이 되지 않는다. 그림 36–3은 다양한 담관암의 형태이다.

광역학 치료의 금기증으로는 포르피린증 혹은 포르피린에 민감한 환자, 백혈구<2.5×109/L, 과립백혈구(최소 0.5×109/L), 혈소판<50×109/L, 프로트롬빈 시간(INR)이 정상의 1.5배 이상, 신기능이나 간기능 부전이 의심되는 환자, 혈청 크레아티닌(creatinine)이 정상 상한선의 1.5배 이상, 혈청 총빌리루빈이 정상 상한선의 1.5배 이상, 혈청 아미노산 전이효소 혹은 알카리 포스파타제가 정상 상한선의 2.5배 이상, 광감작제를 사용하는 일정시간 동안 햇빛을 피할 수 없는 경우, 혹은 진통제나 내시경에 금기증이 되는 경우 등을 들 수 있다.

5. 담관암에서의 광역학 치료의 적용

담관암에서의 광역학 치료는 1990년대 후반부터 시작되어 현재는 국내외 유수의 기관에서 시행되고 있다. 담관암 환자에서의 광역학 치료는 아직까지는 생존율의 향상은 있었지만 완치를 시켰다는 보고는 아직 없기 때문에 근치적 목적이 아닌 고식적 목적에 있다. 그러나 다른 국소치료법에 비해 광역학 치료는 광감작제가 암세포에 선택적으로 축적되어 정상세포에는 영향이 적고 생존율 향상이 입증되었으며, 악성 협착으로 인해 광섬유가 직접 병변

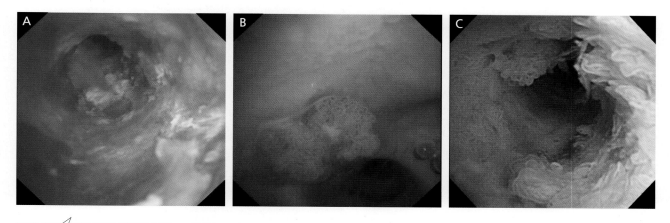

그림 36-3. 담관암의 담관경 소견
(A) 경화형; 담관 협착이 있고 표면에 종양 혈관들이 관찰되나 담관내로 뚜렷한 종양은 보이지 않는다.
(B) 결절형 또는 융기형; 담관내로 종양이 자라나와 융기형 종양을 보이고 있다.
(C) 유두형; 주로 담관 점막에 유두상으로 관찰되며 담관 표면을 따라 존재하고 다른 담관에 미만성 또는 부분적으로 산재해서 관찰될 수 있다.

에 닿지 못할지라도 레이저광이 담즙을 통해 확산되기 때문에 병변에 빛 전달이 되어 치료가 가능하다는 이점이 있다.

1) 광역학 치료의 시술 방법

광역학 치료에 앞서 담관 배액이 불완전할 가능성이 있는 환자에게는 예방적 항생제를 투여해야 한다. 광역학 치료의 시술 방법으로 먼저 광감작제(Photofrin)를 광역학 치료 시행 48시간 전에 2 mg/kg의 용량을 정맥 주사한다. 광감작제는 암세포 내에 48–72시간 이상 머물러 있게 된다. 담관암에서는 내시경역행담췌관조영술(endoscopic retrograde cholangiopancreatography, ERCP)을 통한 경유두접근법과 담관경을 이용한 경피경간 접근법(percutaneous transhepatic cholangioscopy, PTCS)으로 광역학 치료 시술이 가능하다.

내시경 검사를 이용하여 시행할 경우 검사 전 환자가 빛에 노출되지 않도록 차광시킨 후 내시경의 생검겸자구 채널로 삽입된 레이저 광섬유(200–600 mm)를 통하여 특정 파장의 레이저광(630–652 nm)을 전달한다. 평균 조사시간은 400–750초, 에너지량은 빛발산기 1 cm²당 180–240 J/cm²로 조사한다. 광역학 치료가 누락되는 병변이 없도록 병변보다 넓은 범위에 걸쳐 조사한다. 그리고 치료 후 담관 배액관 삽입이 필요하다. 이는 광역학 치료 후 치료부위의 부종과 응고 괴사 변화가 1주일 가량 지속되고, 종양에 의한 염증성 반응으로 협착이 동반되기 때문에 종양의 상당한 감소가 있어도 담관염이 발생할 수 있다. 따라서 플라스틱 담관 배액관을 광역학 치료 후 삽입하는 것을 권장한다. 치료효과의 지속시간은 3–4개월 정도인데, 광역학 치료 3–4개월이 경과된 후 광역학 치료 부위를 관찰하면 종양이 다시 커지고 재차 담관 폐쇄를 보여 3–4개월마다 반복적인 광역학 치료를 시행하는 것을 권고한다.

한편 광역학 치료의 높은 비용 부담으로 인하여 여러 번의 광역학 치료가 어려울 것으로 예상되는 수술이 불가능한 담관암 환자에게는 1회의 광역학 치료 후 동시에 금속 담관 스텐트를 삽입하여 생존기간과 스텐트 개존 기간(patency) 연장을 동시에 도모할 수도 있다.

2) ERCP를 통한 접근법과 PTCS를 통한 접근법의 비교

내시경을 통한 담관암의 광역학 치료 방법은 크게 ERCP를 통한 경유두적 접근과 PTCS를 통한 접근으로 나눌 수 있다. 두 가지 방법 모두 덜 침습적이며 부작용 발생률이 낮다. 본 교실에서 발표한 연구에 따르면 간문부 담관암 환자에서 ERCP를 통한 방법과 PTCS를 통한 방법이 생존기간에서 차이가 없었다(9.5개월 vs. 11.6개월, P=0.96).

ERCP 접근법은 PTCS 접근법에 비해 이점이 있는데, (1) 담관의 여러 부위를 한 번의 시술로 접근가능하다는 점, (2) PTCS 접근법에 요구되는 배액관과 배액관 삽입 후 경로 성숙(tract maturation)까지 기다리는 시간이 필요 없다는 점을 들 수 있다. 그리하여 환자가 좀더 편하고 재원기간이 단축되는 장점이 있다. 그러나 ERCP 접근법은 담관 관찰을 투시조영에만 의존하기 때문에 병변에 대한 정확한 표적(targeting)이 힘들고 역시 같은 이유로 정확한 치료반응 평가가 어려우며, ERCP 시술 자체의 합병증인 급성 췌장염과 출혈, 천공이 있을 수 있는 단점이 있다. PTCS 접근법은 내시경으로 병변을 직접 볼 수 있기 때문에 병변을 정확하게 조준하여 빛 조사를 효과적이고 균일하게 할 수 있다. 그리고 정기적인 경구내시경 없이도 병변을 반복적으로 모니터링 할 수 있다. 그러나 PTCS 접근법은 단점도 있는 데 (1) 경피경간 배액관과 담즙배액 주머니를 마지막 광역학 치료시까지 장기간 유지해야 하여 환자에게 불편감을 유발하는 점, (2) 경피경간 배액관 삽입 시술로 인해 암세포가 복강내로 전파될 수 있다는 점이다.

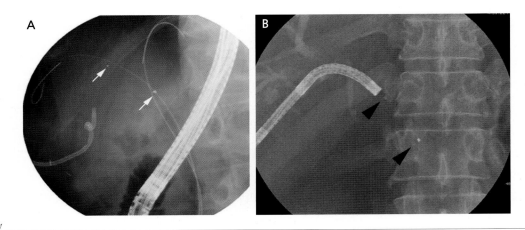

그림 36-4. ERCP와 담관경을 통한 광역학 치료
(A) ERCP 접근법을 통한 광역학 치료를 나타내며 우측 간내담관 내로 방사선 비투과의 빛발산기 탐침이 보이고 있다.
(B) 우측 간내담관을 통해 담관경을 삽입하여 우측 간내담관에서 간문부 담관에 걸쳐 광역학 치료를 시행하고 있다.

6. 담관암에서의 광역학 치료의 성적

1) 진행성 담관암에서의 광역학 치료 효과

2000년대부터의 몇몇 연구들은 수술이 불가능한 간문부 담관암 환자에서 광역학 치료의 의미 있는 결과를 보여주고 있다. 대표적으로 2003년 Ortner 등이 39명의 간문부 담관암 환자를 대상으로 무작위 다기관 전향적 연구를 시행하였는데 스텐트 담관배액술만 시행한 경우와 스텐트 담관배액술과 광역학 치료(porfimer sodium,

2 mg/kg를 시술 48시간 전에 투여)를 같이 시행한 경우를 비교하였고, 광역학 치료를 병합한 경우(n=20)가 그렇지 않은 군(n=19)에 비해 중앙 생존기간이 400일가량 연장되고(493일 vs. 98일) (P<0.001), 담관 배액과 삶의 질에서도 더 우월하였다. 이 연구에서 70%의 환자는 2회 이상의 광역학 치료를 받았다. 2005년에 독일에서 시행한 후속 무작위 전향적 연구는 수술이 불가능한 Bismuth type 4 담관암 환자 32명을 대상으로 16명은 광역학 치료, 16명은 담관배액술만 시행하여 비교하였는데, 중앙 생존기간이 광역학 치료군은 630일, 담관배액술만 시행한 군은 210일로 나타났으며 두 군 사이에 생존기간의 월등한 차이를 보여주었다. 최근 광감작제로 hematoporphyrin을 사용한 수술 불가능한 담관암 환자를 대상으로 한 전향적 코호트 연구는 스텐트 담관배액술만 시행한 경우(n=27), 담관배액술과 광역학 치료를 병용한 경우(n=12)를 비교하였고, 광역학 치료 병용군이 그렇지 않은 군에 비해 중앙생존기간이 4개월가량 연장되었다(13.8개월 vs. 9.6개월).

2017년에 발표된 담관암 환자 광역학 치료에 대한 메타분석에서는 총 10개 연구, 402명의 환자가 포함되었고 스텐트 담관배액술만 시행한 경우와 스텐트 담관배액술과 광역학 치료를 병용한 경우를 비교하였다. 통합분석(pooled analysis)에서 성공적인 담관 배액이 된 경우가 광역학 치료군에서 대조군보다 4.39배 높았고 생존기간도 광역학 치료군에서 413일로 대조군의 183일에 비해 유의하게 연장되었다. 또한 카프노스키 수행지수(Kafnosky performance status)도 광역학 치료군에서는 시술 후 6.99 증가하는 데 비해 대조군에서는 3.93 감소하였고 시술 후 담관염의 위험성도 광역학 치료군에서 0.57배 적었다.

담관암에서 제 2세대 광감작제를 사용한 연구도 최근 발표되고 있다. Wagner 등은 침투 깊이가 1세대 광감작제의 2배인 Temoporfin을 이용한 광역학 치료와 담관 스텐트 배액을 수술이 불가능한 29명의 간문부 담관암 환자에게 시행하였고 이를 23명의 1세대 광감작제(porfimer) 사용군과 비교하였다. 2세대 광감작제군이 1세대에 비해 국소 종양 진행에 걸리는 시간이 길었고(6.5개월 vs. 4.3개월), 생존기간도 연장되었다(15.4개월 vs. 9.3개월). 그림 36-5는 진행성 담관암의 광역학 치료 증례를 보여준다.

2) 항암제와 광역학 치료의 병합요법

담관암에서 광역학 치료와 항암화학요법의 조합은 광역학 치료 단독보다 이론적으로 나은 치료효과를 얻을 수 있다. 그 이유는 대부분의 담관암이 진단 당시 국소적으로 진행되어 있고 따라서 병변이 광역학 치료 도달 깊이인 4-6mm 보다 두꺼울 수 있기 때문이다. 또한 미세전이과 원격전이가 진행성 담관암에서는 있을 수 있으므로 국소적인 치료인 광역학 치료가 한계가 있으며 전신적 항암제를 병용하는 것이 생존 연장에 도움이 될 수 있다.

일본의 연구에서는 광역학 치료와 젬시타빈 및 옥살리플라틴의 병합요법이 진행된 담관암에서 괴사, 세포 자멸 및 혈관 내피 성장인자(vascular endothelial growth factor) 발현에 시너지 효과를 보였다고 보고하였다. 무작위 제2상 연구로 행해진 국내 연구에서는 총 43명의 환자를 대상으로 22명에게는 광역학 치료를, 21명에게는 광역학 치료에 추가적으로 경구 fluoropyrimidine인 S-1을 추가하여 비교 분석하였는데 광역학 치료만 시행한 대조군의 중앙 생존기간이 8개월인데 비해 S-1을 추가한 군의 중앙 생존기간이 17개월로 향상되어 항암제와의 병합요법이 고무적인 결과를 보여주었다(P=0.005). 본 교실에서 74명의 간문부 담관암 환자를 대상으로 발표한 후향적 연구에서도 젬시타빈±시스플라틴 화학요법과 광역학 치료를 병용한 16명과 광역학 치료만 받은 58명을 비교하였는데 화학요법 병용군이 광역학 치료 단독군보다 더 긴 생존시간을 달성하였다(538일 vs. 334일). 독일의 연구에서도 68명의 간문부 담관암 환자를 대상으로 하여 광역학 치료와 화학요법을 병용한 군(n=33)과 광역학 치료 단독군(n=35)을 비교하였을 때 화학요법 병용군의 생존기간이 520일로 광역학 치료 단독군의 374일에 비해 연장되었다(P=0.021).

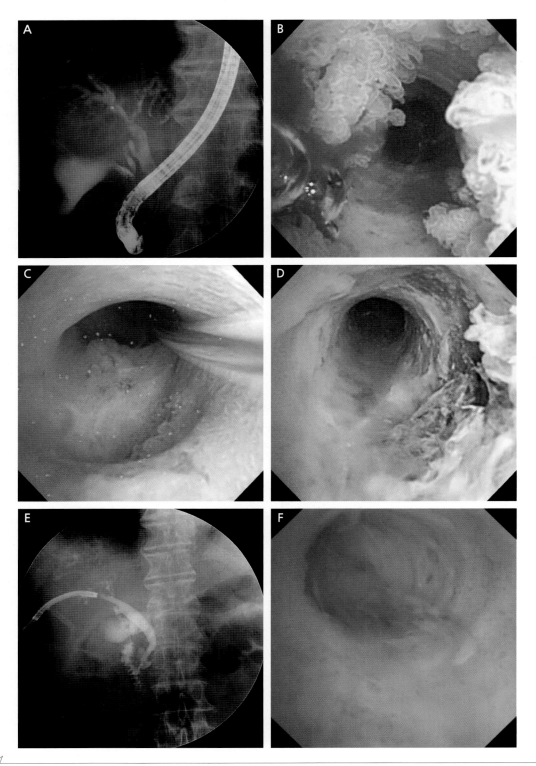

그림 36–5. 진행성 간문부 담관암에서 광역학 치료
(A) ERCP를 통한 투시조영에서 간문부 담관에 종괴로 인한 협착이 보인다. (B) 간문부의 담관경 소견으로 담관 표면에 유두상의 종양이 관찰된다. (C) 담관경을 통해 레이저 광섬유(red arrow)로 광역학 치료를 시행하고 있다. (D) 광역학 치료 2일 후 시행한 담관경에서 치료 부위의 괴사가 관찰된다. (E) 광역학 치료 70일 후 시행한 담관경에서 기존에 보이던 담관 협착이 소실되어 조영제가 잘 내려가고 있다. (F) 광역학 치료 70일 후 시행한 담관경에서 기존의 종양이 거의 사라지고 담관 내강이 잘 개통되어 있다.

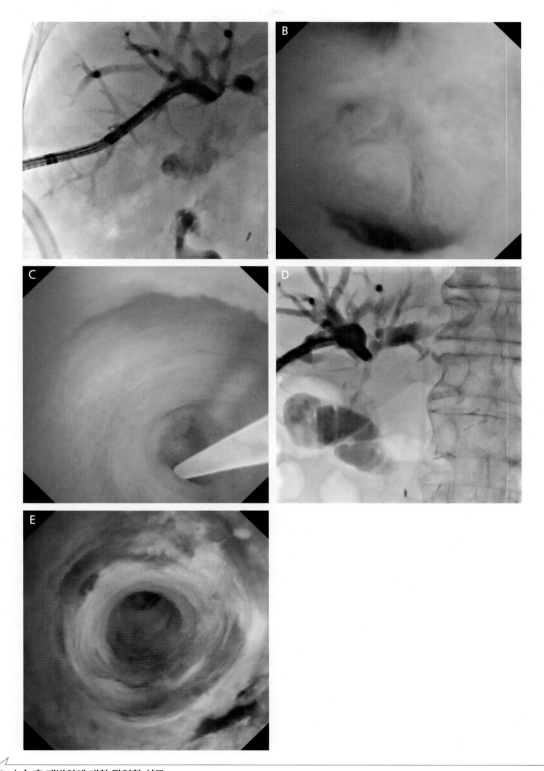

그림 36-6. 수술 후 재발암에 대한 광역학 치료
(A) 원위부 담관암에 대한 췌장두부십이지장 절제술 후 재발하여 수술문합부에 협착이 관찰된다. (B) 담관경으로 관찰 시 융기형 종양을 동반한 문합부 협착이 관찰된다. (C) 담관경 직시하에 문합부에서 광역학 치료를 하고 있다. (D) 광역학 치료 4일 후 문합부 협착이 다소 호전되었다. (E) 광역학 치료 4일 후 담관경으로 관찰하였을 때 치료 부위에 응혈성 괴사가 관찰된다.

3) 수술 후 잔존/재발 종양에 대한 광역학 치료 효과

수술 후 잔존종양(residual tumor)이 남아 있는 경우에서 완전절제가 이루어진 경우에 비해 생존율이 떨어진다. 그러므로 수술 후 남아 있는 종양을 억제하거나 제거해주는 것이 생존율을 향상시킬 수 있을 것이다. 일본 연구에서 수술 후 담관암에서 수술 후 잔존암에 대하여 보조적 치료(adjuvant therapy)로서 수술 후 잔존종양이 있었던 8명에서 문합부(anastomosis)에서 광역학 치료를 1회 시행 후 추적 관찰하였는데, 추적 관찰 동안 7명 중 4명은 재발이 없었고 3명은 국소재발이 있었으나 생존해 있어 저자들은 광역학 치료의 수술 후 잔존종양에 대한 보조 치료로서의 유용성을 시사하였다. 수술 후 재발암에 대한 일본의 증례 보고는 수술 후 문합부에 협착의 형태로 재발한 원위부 담관암 환자에서 Talaporfin을 사용한 광역학 치료 후 협착이 호전되고 치료한 병변의 조직검사에서 암세포가 나오지 않았다고 하였다. 그러나 수술 후 잔존/재발 종양에 대한 광역학 치료 효과에 대해서는 아직까지 연구가 매우 적어 향후 추가적인 연구가 필요한 상황이다.

4) 신보조요법으로서의 광역학 치료

담관암 환자에 있어 완전 절제만이 의미 있는 생존율의 향상을 이룰 수 있다. 그러나 수술 전 간문부 담관암 환자에 있어 영상검사[컴퓨터단층촬영(computed tomography, CT), 자기공명담췌관조영술(magnetic resonance cholangio pancreatography, MRCP) 등], 또는 ERCP 등의 검사로는 병변의 종적 분포(longitudinal spreading)를 정확히 파악하기는 힘들다. 이에 Wiedmann 등은 7명의 진행성 담관암 환자(Bismuth 4형 3예)에서 수술 전 광역학 치료 후 평균 6주 후에 수술을 시행하였는데 대상 환자 모두에서 근치적 절제가 가능하였다. 후속 연구로 Wagner 등은 7명의 진단 당시 수술이 불가능한 간문부 담관암 환자에게 수술 전 광역학 치료후 6주 후에 수술을 했는데 7명 모두에서 근치적 절제가 가능하였고 광역학 치료로 인한 조기 혹은 후기 합병증은 없었다. 7명 중 6명이 수술 후 평균 3.2년만에 담관암 재발로 사망하여 5년 생존율은 43%였다. 이는 수술 전 보조요법 없이 바로 수술을 하여 R0 절제가 된 담관암 환자의 생존기간에 필적하는 것이다. 이와 같이 수술 후 수술 경계부의 종양 양성이 나올 가능성이 높은 환자에서 신보조요법(neoadjuvant therapy)으로서 수술 전 광역학 치료를 시행하여 종양의 범위를 감소시킨 후 근치적 절제를 시도할 수 있을 것이다.

7. 담관암에서의 광역학 치료의 제한점과 향후 과제

광역학 치료가 이처럼 주목을 받고 있음에도 불구하고, 새로운 차세대 치료로 정립되기에는 아직 고려되어야 할 점이 몇 가지 있다. 첫 번째로 아직은 모든 환자에게 적용할 만큼의 충분한 연구 결과가 부족하다. 대부분 소규모 연구이고 후향적 연구도 일부 있으며 연구마다 기간이나 포함하는 대상군이 일정하지 않은 문제점이 있다.

기술적인 측면에서도 몇 가지가 문제점이 있다. 우선 광역학 치료의 효과 영역이 제한적인데, Photofrin의 경우 그 깊이가 약 4 mm 밖에 미치지 못한다. 2세대 광감작제인 Temoporfin이 9 mm까지 도달한다고는 하나 현재 국내에서 시판되지 않고 있다. 또한 probe가 간내담관의 분지나 굴곡이 심한 부위에는 도달이 힘들기 때문에 치료 범위가 제한적이다.

광감작제의 태생적인 부작용도 극복해야 할 과제이다. Lu 등에 의한 담관암 환자를 대상으로 한 메타 분석에서 광역학 치료 후 피부 광독성이 11%의 환자에서 발생하였다. 따라서 광민감성에 의한 피부 화상, 통증을 피하기 위해 4–6주간 직간접 일광을 피해야 하는 불편함이 있어, 진행된 담관암으로 인해 육체적, 정신적으로 힘든 환자에게 건강이나 정서 측면에서 부정적으로 작용할 수 있다. 또한 대부분의 의료보험회사에서 보험을 적용해주는 미국과는 달리 국내에서는 아직까지 광역학 치료의 급여가 인정되지 않고 있어 수백만 원에 달하는 광감작제의 비용과 수십만 원에 달하는 광 레이저섬유의 가격 부담이 광역학 치료가 확대되는 데에 걸림돌로 작용하고 있다. 이러한 문제점들로 인하여 최근 일부 기관에서는 담관암의 국소 치료로 광역학 치료 대신 광감작제가 필요없고 좀더 비용이 저렴한 고주파열 치료(radiofrequency ablation)로 대체하고 있는 실정이다.

향후에는 좀더 깊은 영역까지 도달하면서 광독성을 줄인 광감작제의 개발, 광역학 치료의 급여화를 통한 환자 부담의 감소를 위하여 노력할 필요가 있고 이외에 이상적인 시술횟수와 시술 사이의 시간 간격도 정립될 필요가 있다.

8. 결론

비록 광역학 치료가 고식적이고 담관배액관 삽입과 병행하여 시행하고 있으나 시술과 관련된 합병증이 적고 반복적 시술이 가능하며, 여러 연구에서 삶의 질과 생존기간의 향상이 있어 수술이 불가능한 담관암 환자에서 명확한 이득이 있다. 담관암의 특징이 담관을 따라 종양이 확산되는 특징이 있어 원격전이가 없는 Bismuth III, IV형, 기저 질환 또는 고령으로 인해 수술을 시행할 수 없는 경우, 근치목적으로 수술을 시행하였으나 수술 후 조직학적으로 수술 변연부에 암조직이 남아 있는 경우, 그리고 기존의 간문부에 금속관을 삽입한 경우에 있어 금속관의 내부로의 종양의 성장을 억제함으로써 금속관의 개존 기간 연장 등에 광역학 치료가 유용할 것으로 생각된다. 향후에는 좀 더 많은 환자를 대상으로 한 전향적 비교 연구와 장기간 추적 관찰이 담관암에서의 광역학 치료의 역할을 규명하는데 필요할 것으로 생각된다.

참/고/문/헌

1. Cheon YK. ERCP. Seoul, Korea: Koonja Publishing Company; 2010.

2. Cheon YK. Metal stenting to resolve post–photodynamic therapy stricture in early esophageal cancer. World J Gastroenterol 2011;17:1379–82.

3. DeOliveira ML, Cunningham SC, Cameron JL, et al. Cholangiocarcinoma: thirty–one–year experience with 564 patients at a single institution. Ann Surg 2007;245:755–62.

4. Hong MJ, Cheon YK, Lee EJ, et al. Long–term outcome of photodynamic therapy with systemic chemotherapy compared to photodynamic therapy alone in patients with advanced hilar cholangiocarcinoma. Gut Liver 2014;8:318–23.

5. Kataoka H, Nishie H, Hayashi N, et al. New photodynamic therapy with next–generation photosensitizers. Ann Transl Med 2017;5:183.

6. Kwiatkowski S, Knap B, Przystupski D, et al. Photodynamic therapy–mechanisms, photosensitizers and combinations. Biomed Pharmacother 2018;106:1098–107.

7. Lee SH. Photodynamic therapy for hilar bile duct cancer. Korean J Pancreatobiliary 2014;19:71–8.

8. Lee TY, Cheon YK, Shim CS. Current status of photodynamic therapy for bile duct cancer. Clin Endosc 2013;46:38–44.

9. Lee TY, Cheon YK, Shim CS. Photodynamic therapy in patients with advanced hilar cholangiocarcinoma: percutaneous cholangioscopic versus peroral transpapillary approach. Photomed Laser Surg 2016;34:150–6.

10. Lu Y, Liu L, Wu JC, et al. Efficacy and safety of photodynamic therapy for unresectable cholangiocarcinoma: A meta-analysis. Clin Res Hepatol Gastroenterol 2015;39:718–24.

11. Mfouo–Tynga IS, Dias LD, Inada NM, et al. Features of third generation photosensitizers used in anticancer photodynamic therapy: review. Photodiagnosis Photodyn Ther 2021;34:102091.

12. Moole H, Tathireddy H, Dharmapuri S, et al. Success of photodynamic therapy in palliating patients with nonresectable cholangiocarcinoma: a systematic review and meta–analysis. World J Gastroenterol 2017;23:1278–88.

13. Nanashima A, Yamaguchi H, Shibasaki S, et al. Adjuvant photodynamic therapy for bile duct carcinoma after surgery: a preliminary study. J Gastroenterol 2004;39:1095–101.

14. Nonaka Y, Nanashima A, Nonaka T, et al. Synergic effect of photodynamic therapy using talaporfin sodium with conventional anticancer chemotherapy for the treatment of bile duct carcinoma. J Surg Res 2013;181:234–41.

15. Ortner ME, Caca K, Berr F, et al. Successful photodynamic therapy for nonresectable cholangiocarcinoma: a randomized prospective study. Gastroenterology 2003;125:1355–63.

16. Park DH, Lee SS, Park SE, et al. Randomised phase II trial of photodynamic therapy plus oral fluoropyrimidine, S–1, versus photodynamic therapy alone for unresectable hilar cholangiocarcinoma. Eur J Cancer 2014;50:1259–68.

17. Shimizu S, Nakazawa T, Hayashi K, et al. Photodynamic therapy using talaporfin sodium for the recurrence of cholangiocarcinoma after surgical resection. Intern Med 2015;54:2321–6.

18. Smith I, Kahaleh M. Biliary tumor ablation with photodynamic therapy and radiofrequency ablation. Gastrointest Endosc Clin N Am 2015;25:793–804.

19. Talreja JP, Kahaleh M. Photodynamic therapy for cholangiocarcinoma. Gut Liver 2010;4(suppl 1):S62–6.

20. Tantau AI, Mandrutiu A, Pop A, et al. Extrahepatic cholangiocarcinoma: current status of endoscopic approach and additional therapies. World J Hepatol 2021;13:166–86.

21. Wagner A, Denzer UW, Neureiter D, et al. Temoporfin improves efficacy of photodynamic therapy in advanced biliary tract carcinoma: a multicenter prospective phase II study. Hepatology 2015;62:1456–65.

22. Wagner A, Wiedmann M, Tannapfel A, et al. Neoadjuvant down–sizing of hilar cholangiocarcinoma with photodynamic therapy––long–term outcome of a phase II pilot study. Int J Mol Sci 2015;16:26619–28.

23. Wang AY, Yachimski PS. Endoscopic Management of Pancreatobiliary Neoplasms. Gastroenterology 2018;154:1947–63.

24. Wentrup R, Winkelmann N, Mitroshkin A, et al. Photodynamic Therapy Plus Chemotherapy Compared with Photodynamic Therapy Alone in Hilar Nonresectable Cholangiocarcinoma. Gut Liver 2016;10:470–5.

25. Wiedmann M, Caca K, Berr F, et al. Neoadjuvant photodynamic therapy as a new approach to treating hilar cholangiocarcinoma: a phase II pilot study. Cancer 2003;97:2783–90.

26. Yang J, Shen H, Jin H, et al. Treatment of unresectable extrahepatic cholangiocarcinoma using hematoporphyrin photodynamic therapy: a prospective study. Photodiagnosis Photodyn Ther 2016;16:110–8.

27. Zoepf T, Jakobs R, Arnold JC, et al. Palliation of nonresectable bile duct cancer: improved survival after photodynamic therapy. Am J Gastroenterol 2005;100:2426–30.

28. Zou H, Wang F, Zhou JJ, et al. Application of photodynamic therapy for liver malignancies. J Gastrointest Oncol 2020;11:431–42.

담관내 고주파 소작술

Intraductal Radiofrequency Ablation

조재희 연세대학교 의과대학

    고주파 소작술(radiofrequency ablation, RFA)은 전기에너지를 이용해 생체조직에 열을 발생시켜 조직 괴사를 일으키는 국소 치료법으로 바렛 식도, 부정맥과 같은 양성 질환부터 간암, 신장암 등의 다양한 악성 질환에서 이용된다. 특히 담관암, 췌장암 등으로 인한 악성 담관 협착(malignant biliary stricture)은 진단 시에 수술이 어려운 경우가 많고, 수술이 가능하더라도 황달 및 간기능 저하로 치료가 지연되는 경우가 많기 때문에 다양한 국소치료법의 도입이 시도되었다. 내시경역행담췌관조영술(endoscopic retrograde cholangiopancreatography, ERCP) 유도하 담관내 고주파 소작술(intraductal radiofrequency ablation, ID–RFA)은 담관내 협착을 유발하는 종양성 병변을 소작하여 제거할 수 있는 효과적인 국소치료법으로 최근 국내에서도 악성 담관 협착의 보조 치료법으로 활용이 늘고 있다. 본 장에서는 최근 각광받고 있는 ID–RFA의 안전성, 유용성과 적응증 등에 대하여 상세히 기술하고자 한다.

1. 고주파 소작술 원리(Principles of RFA)

    고주파 소작술은 암세포에 고주파 교류 전류를 가하여 세포내 이온 불안정(ionic agitation)을 유도하고 마찰열을 발생하여 수분을 기화(evaporation)시키면서 종양 부위의 세포내 응고 괴사(coagulation necrosis), 단백질 변성(protein denaturation), 그리고 항암 면역 반응을 유도하는 치료법이다. 전달되는 RFA 에너지의 양은 고주파 전류의 전압과 시간에 비례하여 커지고, 전극과 병변 간의 거리가 멀어지면 반비례하여 감소한다. 보통 50°C 이상의 마찰열을 사용하여 세포벽 파괴와 단백질 변성을 통해 비가역적인 세포 손상을 유도하지만, 100°C 이상의 고온이 가해지면 RFA 전극 팁 주변에 응고체(coagulum)가 형성되면서 전류의 저항을 높여 RFA의 치료 효율이 떨어지게 된다. 최근에는 이러한 과열의 문제점을 줄이기 위해 RFA 카테터 내부에 냉각수를 관류하거나, 온도센서를 결합하여 RFA 시술 동안 적정 온도를 유지하는 방법이 도입되었다. 또한 RFA 시 열 배출 현상(heat sink phenomenon)이 발생할 수 있는데, 이는 병변 주위 혈관이 냉각효과를 보여 조직내 RFA 온도를 하강시켜 치료 효과가 떨어지는 현상으로, 혈관과 인접한 부위에서 RFA를 시행할 때는 치료 효과 예측에 주의가 필요하다. RFA는 전류 발생 방법에 따라 단극형(monopolar)과 양극형(bipolar) 두 가지 방식으로 나뉘는데, 간암 등에서는 접지 패드(grounding pad)를 신체 부위에 부착하고 RFA 전극을 병변 부위에 위치시키는 단극형 RFA 기기가 주로 이용되고, ERCP 유도하 ID–RFA는 카테터에 복수의 전극을 부착시켜 두 전극 간에서 고주파를 발생시키는 양극형 기기가 사용된다.

2. 내시경역행담췌관조영술 유도하 담관내 고주파 소작술(ERCP–guided ID–RFA)

1) 담관내 고주파 소작술 에너지 설정(Energy Setting for ERCP Guided ID–RFA)

담관내 고주파 소작술은 ERCP 또는 경피적담관배액술/담관경을 이용하여 유도철사(guidewire)를 담관내 위치시키고 RFA 카테터를 삽관하여 시행된다. 현재까지 상용화된 RFA 카테터는 Habib Endo–HBP™ (Boston scientific, Marlborough, Massachusetts, USA)와 Endoluminal Radiofrequency Ablation (ELRA) RFA catheter™ (Starmed, Goyang, Gyeonggi–do, Korea)가 있다(그림 37–1). Habib Endo–HBP™ 카테터는 1.8 m 길이의 8–Fr (2.6 mm) 양극형 카테터로 2개의 8 mm 전극이 8 mm 간격으로 선단부에 위치하고 유도철사(guidewire)를 따라서 ERCP 십이지장경내로 삽입될 수 있다. Habib Endo–HBP™ ID–RFA의 적절한 RFA 설정값은 다양한 연구에서 제시되었는데, 일본의 ex–vivo pig liver를 이용한 전임상 동물 실험에서는 7–10 W (120초)가 사용되었고, 다양한 임상 보고에서는 보통 7–10 W (90초)의 에너지 설정값을 이용해 ID–RFA를 시행한다. ELRA RFA catheter™는 국내 기술로 개발된 제품으로 1.75 m 길이의 7–fr 양극형 카테터이다. 11 mm, 18 mm, 22 mm, 33 mm의 4가지 다양한 길이 형태가 있다(그림 37–1). Habib Endo–HBP™와 가장 큰 차이점은 내부에 온도 센서가 있어 선단부의 온도를 RFA 시술 중 실시간으로 측정하고, 설정 온도 이상이면 RFA가 자동적으로 중단되고 과열을 방지하는 온도 조절(temperature controlled)이 가능하다는 점이고, 그 외에도 4가지의 다양한 길이 (11mm, 18mm, 22mm, 33nn)의 카테터가 사용가능하기 때문에 범용성이 더 뛰어나다. 안전하고 효과적인 ID–RFA를 위한 ELRA RFA catheter™ 에너지 설정값은 in vivo 전임상 동물 실험에서 7–10 W(목표 온도 80°C,

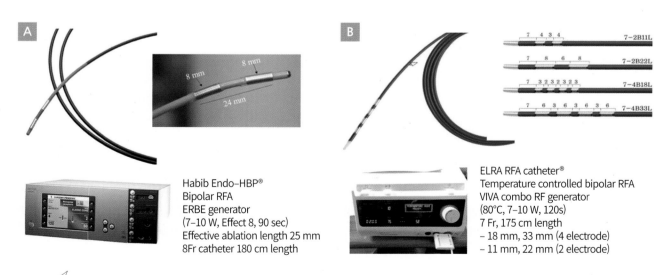

Habib Endo–HBP®
Bipolar RFA
ERBE generator
(7–10 W, Effect 8, 90 sec)
Effective ablation length 25 mm
8Fr catheter 180 cm length

ELRA RFA catheter®
Temperature controlled bipolar RFA
VIVA combo RF generator
(80°C, 7–10 W, 120s)
7 Fr, 175 cm length
– 18 mm, 33 mm (4 electrode)
– 11 mm, 22 mm (2 electrode)

그림 37–1. Two types of intraductal radiofrequency ablation catheter and generating system.
(A) Habib Endo–HBP catheter and ERBE generator (B) Four types of ELRA RFA catheters and VIVA combo RF generator

120초)로 제시되었고, 임상적으로는 담관의 위치를 세분화하여 원위부 담관에서는 10 W (80°C, 120초), 반면에 간문부 담관에서는 가급적 짧은 길이의 RFA 카테터를 이용하면서 7 W (80°C, 60–120초)의 에너지 설정값이 추천된다.

2) 담관내 고주파 소작술 방법(Method of ERCP Guided ID–RFA)

고주파 소작술은 가시적으로 치료 범위를 확인할 수 없는 단점이 있기 때문에 실제 ID–RFA 치료 이후 담관내 괴사 정도 및 효과 범위의 효과적인 예측 방법이 필요하다. Habib Endo–HBP™ RFA의 경우는 in vitro 돼지 담관에서 괴사 깊이가 2.6–4.1 mm로 확인되었고, ELRA RFA catheter™를 이용한 in vivo 전임상 동물 실험에서는 7–10 W (80°C, 120초)의 RFA 설정에서 미니피그(minipig) 정상 담관의 ID–RFA 이후 조직내 괴사 깊이는 1.7–4.3 mm로 측정되었다(그림 37–2). 사실 두 종류의 RFA 카테터 모두 ID–RFA 시술 방법은 대동 소이하다. 먼저 ERCP로 유도철사를 담관내 삽관하고 투시방사선 하에서 병변 부위를 확인하고 RFA 카테터의 전극 부위를 위치시킨다. 이후 권고되는 RFA 에너지 설정값을 이용해 시술을 시행하고, 길이가 긴 병변인 경우에는 병변 전체를 포함하기 위해서 RFA 카테터를 겹쳐서 ID–RFA를 반복 시행한다. 시술 이후에는 풍선도관(balloon catheter)

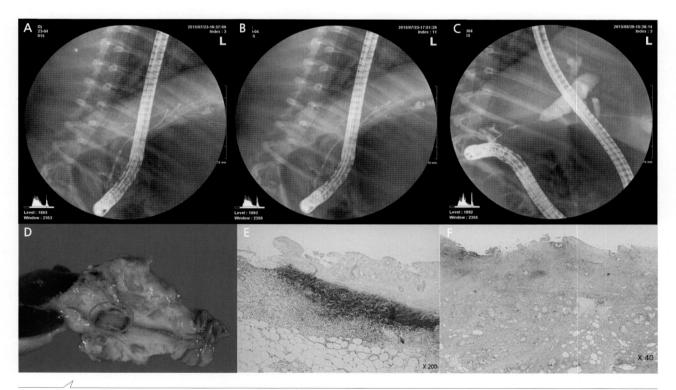

그림 37–2. Intraductal radiofrequency ablation of in vivo minipig experiment.
(A) Intraductal RFA was performed at the common bile duct (B) Immediate post–RFA cholangiogram showed no contrast leakage (C) Follow–up cholangiogram at 4 weeks showed post–RFA stricture and proximal duct dilation (D) Red line showed the yellowish ablation zone with peripheral reddish margin in the resected bile duct (E) Immediate effect; In the transition zone of radiofrequency ablation area, tissue and cells are converted into a dry, dull, fairly homogenous eosinophilic area without nuclear staining as a result of the coagulation of proteins that occurs because of heating effects. In the transition zone, a distinct dense inflammatory cell infiltration was found. (F) Long-term effect; Hematoxylin and eosin staining showed epithelial denudation and thickened bile duct wall, which was composed of submucosal myofibroblast proliferation, abundant collagen fibers, fat necrosis, and dense inflammatory cell infiltration

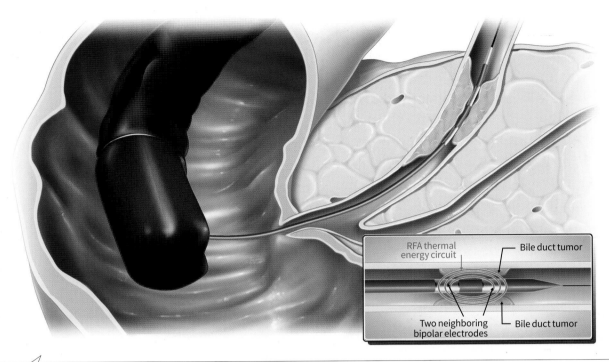

그림 37-3. Schematic picture of endoscopic retrograde cholangiography–guided intraductal radiofrequency ablation.

을 이용해 소작된 종양 괴사 조직을 제거하고, 담관조영술을 시행하면서 천공 등의 합병증 여부를 감별한다. ID–RFA 이후 일시적인 부종으로 협착이 악화되거나 장기적으로는 섬유화가 발생하여 후기 협착이 발생할 수 있기 때문에, 적절한 담즙 배액을 위해 시술 직후 플라스틱 또는 자가팽창성 금속 스텐트(self–expandable metal stent, SEMS)를 추가적으로 삽입하는 것이 필요하다(그림 37–3).

3) 담관내 고주파 소작술 안전성(Safety of ERCP Guided ID–RFA)

일반적으로 RFA의 절대 금기증은 심장박동기, 임신 및 응고 장애 등이지만, 대부분의 악성담관 협착 환자에서 ID–RFA는 큰 어려움 없이 시행할 수 있다. 다만 다양한 합병증의 위험이 상존하기 때문에 항상 시술 중에는 주의가 필요하다. 기존 문헌에서 부작용 발생률은 약 1–20%로 보고되고, 가장 흔한 부작용은 경미한 담관염과 췌장염이다. 간혹 간경색(hepatic infarction), 혈액담즙증(hemobilia), 간농양, 패혈증, 문맥 혈전증, 사망 등의 심각한 부작용이 발생할 수도 있지만, 최근 안전하고 효과적인 ID–RFA의 에너지 설정값이 제시되고 다양한 시술 경험이 축적되면서 중증 부작용 빈도는 점차 감소하고 있다(표 37–1).

안정성 관련하여 고려해야 할 또 한 가지 문제점은 전임상 동물실험은 정상 담관을 대상으로 ID–RFA를 시행하였고, 실제 임상에서는 악성 담관 협착이 치료 대상이라는 점이다. 조직 병리학적으로 인체 조직의 ID–RFA 효과를 확인한 연구는 매우 적지만, 지연 수술이 필요한 원위부 담관암 환자 8명에서 수술 전 ID–RFA 10 W (80°C, 120초) 이후 절제술을 시행하였을 때, 병리 조직 상 담관내 최대 괴사 깊이의 중앙값은 4 mm (range, 1–6 mm)였고, 효과적인 담관 병변 소작 비율(조직학적 괴사 길이/투시 방사선상 RFA 전극 길이)의 중앙값은 72% (range, 42.1–95.3%)로 확인되었다.

표 37-1. **Results of ERCP guided intraductal radiofrequency ablation in pancreatobiliary tumor**

Author (year)	Patients No.	Diagnosis	Type of stents	Median stent patency (days)	Median survival (months)	Median No. of RFA	Adverse events No. (%)
Steel (2011)	22	BDC 6 PDAC 16	Uncovered SEMS 21	114	NA	2	4/21 (18.2) Cholecystitis 2 Pancreatitis 1 Rigor 1
Figueroa-Barajas (2013)	20	BDC 11 PDAC 7 Others 2	Uncovered SEMS 1 Partially/fully covered SEMS 13 Plastic stent 6	NA	NA	NA	5/20 (25) Pancreatitis 1 Cholecystitis 1 Pain 5
Alis (2013)	17	BDC	Fully covered SEMS 10	270	NA	3	3/10 (30) Pancreatitis 2
Dolak (2014)	58	BDC (Klatskin 45) Others 13	SEMS 35 Plastic stent 19	171	10.6	1.4	11/58 (18.9) Liver infarction 1 Hemobilia 3 GB empyema 1 Cholangitis 5 Sepsis 2 Hepatic coma 1 Left bundle branch block 1
Tal (2014)	12	BDC (Klatskin 9) Others 3	Plastic stent 12	NA	6.4	1.5	6/12 (50) Hemobilia 4 Mortality 2
Strand (2014)	16	BDC (Klatskin 13)	Plastic stent 15 Fully covered SMES 5 Uncovered SEMS 2	NA	9.6	1.19	NA
Sharaiha (2014)	26	BDC 18 PDAC 8	Uncovered SEMS 7 Covered SEMS 8 Plastic stent 11	NA	5.9	NA	5/26 (19.2) Pancreatitis 1 Cholangitis 1 Pain 3
Sharaiha (2015)	69	BDC 45 PDAC 19 GBC 2 Others 4	SEMS 49 Plastic stent 20	NA	11.5	1.4	7/69 (10.1%) Pancreatitis 1 Cholecystitis 2 Hemobilia 1 Pain 3
Kallis (2015)	23	Unresectable PDAC	Uncovered SEMS 23	324	7.5	NA	2/23 (8.7) Hyperamylasemia 1 Cholangitis 1
Laquiere (2016)	12	BDC (Klatskin 12)	SEMS or plastic stent	NA	12.3	1.6	2/12 (16.7) Cholangitis 1 Sepsis 1
Wang (2016)	12	BDC 9 Others 3	SEMS or plastic stent	125	7.7	1.67	1/12 (8.3) Pancreatitis 1
Schmidt (2016)	14	BDC 14 Others 2	SEMS or Plastic stent	NA	NA	2.2	4/14 (28.6) Cholangitis 2 Liver abscess 2

표 37-1.(계속) **Results of ERCP guided intraductal radiofrequency ablation in pancreatobiliary tumor**

Author (year)	Patients No.	Diagnosis	Type of stents	Median stent patency (days)	Median survival (months)	Median No. of RFA	Adverse events No. (%)
Laleman (2017)	18	PDAC 7 BDC (Klatskin 11)	SEMS or Plastic stent	110	7.6	1	6/18 (30) Cholangitis 4 Pancreatitis 2
Yang (2018)	32	BDC (Distal 22, Klatskin 10)	Plastic stent	195	13.2	NA	2/32 (6.3) Cholangitis 2
Lee (2019)	30	BDC 19 PDAC 9 GBC 2	Uncovered SEMS 10 Covered SEMS 20	236	12.8	NA	3/30 (10) Pancreatitis 2 Cholangitis 1
Kim (2019)	11	BDC (Klatskin 8) GBC 2 Others 1	Uncovered SEMS 10 Plastic stent 1	91	NA	4 (2–8)	6/11 (50) Pancreatitis 1 Post-procedural fever 5
Bokemeyer (2019)	32	BDC (Distal 1, Klatskin 23) PDAC 2 GBC 2 Others 4	SEMS or Plastic stent	NA	11.4	1.68	10/32 (31.3) Cholangitis 6 Pancreatitis 2 Intestinal perforation 1 Pneumothorax 1
Hu (2020)	23	Ampullary cancer 23	SEMS or Plastic stent	NA	36.0	2.26	4/23 (7.7) Mild pancreatitis 1 Bleeding 1 Late distal biliary stenosis 2
Gao (2020)	87	BDC (Klatskin 69) Ampullary cancer 18	Plastic stent	NA	14.3	1	24/87 (27.6) Pancreatitis 4 Bleeding 1 Cholangitis 10 Cholecystitis 9
Yang (2020)	38	BDC (Distal 26, Klatskin 12)	Plastic stent	168	11.0	1	4/38 (10.5) Cholangitis 2 Pancreatitis 1 Bleeding 1
Xia (2021)	124	BDC (Distal 10, Klatskin 69) GBC 12 PDAC 8 Others 25	SEMS 58 Plastic stent 66	NA	9.5	1.4	23/124 (18.5) Pancreatitis 11 Cholangitis 8 Cholecystitis 6 Bleeding 2 Perforation 1

BDC, bile duct cancer; PDAC, pancreatic ductal adenocarcinoma; GBC, gallbladder cancer; SEMS, self-expandable metallic stent.

4) 원위부 담관내 고주파 소작술(ERCP Guided ID-RFA for Distal Bile Duct)

ID-RFA 임상연구는 대부분 소규모 연구 결과들이지만, 최근 다양한 임상 결과가 보고되면서 ID-RFA의 기술적 안전성과 효과가 검증되었다(표 37-1). 대부분의 연구는 Habib Endo-HBP™ RFA 카테터를 이용하였고, 다양한 스텐트가 사용되었다. 국내에서도 ELRA RFA catheter™를 이용한 전향적 다기관 연구가 진행되었는데 수술 불가능 원위부 담관 협착환자 30명에서 ID-RFA 이후 비피막성 SEMS를 삽관하였고 ID-RFA 이후 스텐트의 개통기간을 236일로 보고하였다(그림 37-4).

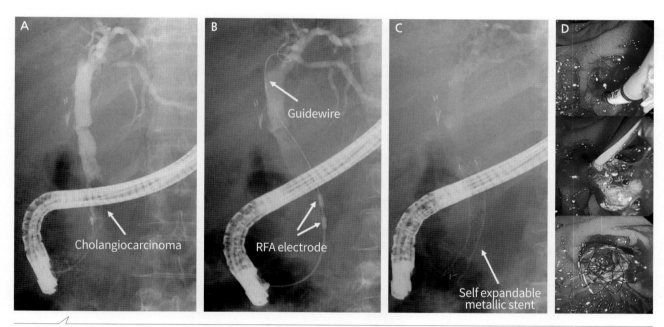

그림 37-4. Endoscopic retrograde cholangiography (ERCP) guided intraductal radiofrequency ablation (ID-RFA) for distal bile duct cancer. (A) Cholangiogram revealed intraductal filling defects in the common bile duct (B) ERCP guided ID-RFA (22 mm ELRA catheter, 10 W, 80°C, 120s) was performed using the ELRA RFA catheter (C) At the end of the procedure, a biliary self-expanding metal stent was placed in the post-RFA stricture site (D) Endoscopic image showed the ablated tumor tissue and deployed SEMS.

최근 ID-RFA의 긍정적인 치료 효과를 검증하기 위한 여러 비교 연구가 진행되었다. ID-RFA 이후 스텐트를 삽입한 군과 스텐트 단독 사용군을 비교한 메타 분석 연구에서는 ID-RFA군이 생존 기간이 연장되었고(285 days vs. 248 days; P<0.001), Yang 등의 전향적 비교 연구에서는 수술 불가능한 간외 담관암 65명에서 ID-RFA(+스텐트)와 스텐트 단독을 비교하였는데 ID-RFA 군이 생존 기간(13.2±0.6 months vs. 8.3±0.5 months; P<0.001), 스텐트 개통기간(6.8 months vs. 3.4 months; P=0.02)이 향상되었다. 그러나 상기 기술한 두 연구는 모두 해석에 주의가 필요한데, 메타 분석은 미발표 초록 2개를 포함한 저품질의 데이터를 포함하였고, ID-RFA 치료 효과에 영향을 줄 수 있는 협착 부위별 차이와 경피적/내시경 접근법 차이 등의 중요 변수가 고려되지 않은 문제점이 있다. Yang 등의 연구도 표본 크기가 작고 RFA가 어떻게 생존 기간을 연장하는 지에 대한 이론적 가설을 설명할 수 없는 문제점이 있다. 반면에 상반되는 ID-RFA 결과도 발표되었는데, 수술 불가능한 악성 담관 협착 48명을 대상으로 진행한 국내 전향적 무작위 2상 연구에서는 ID-RFA(+스텐트)와 스텐트 단독군의 생존기간과 스텐트

의 개통기간은 모두 차이가 없었다(132 days vs. 116 days, P=0.44; 244 days vs. 180 days, P=0.28). 이러한 상충되는 결과로 아직도 ID–RFA의 긍정적인 치료 효과는 일반화되지 못하였지만, 최근 절제 불가능한 담관암 및 바터팽대부암 174명의 환자를 대상으로 시행한 전향적 비교 연구에서 ID–RFA의 긍정적인 치료 효과가 보고되었다. ID–RFA+스텐트 그룹과 스텐트 단독 그룹을 무작위 배정하고 ID–RFA는 3개월 간격으로 2차례 반복 시행하였는데, ID–RFA 군에서 생존 기간 연장이 확인되었고(14.3 vs. 9.2 months; hazard ratio [HR] 0.49 [95% confidence interval (CI) 0.35–0.68]; P<0.001), 담관암 하위 분석에서도 생존 기간의 연장이 추가적으로 확인되었다(13.3 vs. 9.2 months; HR 0.55 [95% CI 0.39–0.77]; P<0.001). 아직 완전히 결론 지을 수는 없지만, 최근 연구의 결과를 토대로 추론하면 ID–RFA의 긍정적인 치료 효과가 보다 더 강조되고 있다.

5) 간문부 담관내 고주파 소작술(ERCP Guided ID–RFA for Perihilar Bile Duct)

ID–RFA는 절제 불가능한 악성 담관 폐쇄에서 매력적이고 효과적인 치료법이지만 담관과 혈관이 복잡한 구조로 구성된 간문부는 ID–RFA 관련 합병증의 잠재적 위험성이 더 높다. 간문부 담관암으로 발생한 악성 담관 협착은 치료 방법이 제한적이기 때문에 ID–RFA 치료는 보다 더 효과적인 추가 치료법으로 기대되지만 아직 이에 대한 연구는 부족하다. 간문부 담관은 간동맥과 매우 가깝게 위치하고, ID–RFA 시 혈관 손상이 유발될 가능성이 높고, 이런 이유로 담관 협착 부위의 위치에 따라 ID–RFA는 개별적인 접근이 필요하다. 전임상 대동물실험을 통해 6마리 미니피그 간문부 담관에서 ID–RFA를 시행하였는데 이 중 10 W (120초, 75–80℃) ID–RFA를 시행한 4마리는 천공, 2마리는 간동맥 손상이 발생하였고, 11 mm RFA catheter™ (7 W, 60초, 80℃)를 시행한 2마리는 부작용이 발생하지 않았다. 상기 연구의 결과를 토대로 간문부 주위 담관에서는 길이가 짧은 RFA catheter™를 이

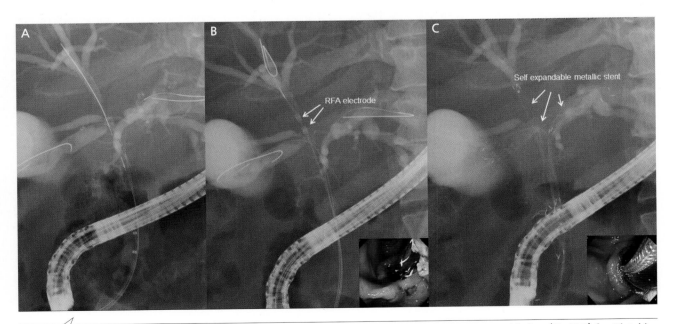

그림 37–5. Endoscopic retrograde cholangiography (ERCP) guided intraductal radiofrequency ablation (ID–RFA) for Klatskin tumor. (A) Cholangiogram revealed separated intrahepatic bile ducts in Bismuth type IV tumor (B) Several times of ERCP guided ID–RFA (11 mm ELRA RFA catheter, 7 W , 80℃, 90s) were applied at the left, right anterior, and right posterior intrahepatic ducts, respectively (C) Multisectoral biliary drainage using three uncovered biliary self–expanding metal stents were completed following perihilar ID–RFA.

용하여 7 W (80°C, 60–120초)의 ID–RFA를 시행하는 것이 바람직하다. 특히 Habib Endo–HBP™는 24 mm로 길기 때문에 각도가 많이 꺾이는 간문부 담관에서는 적합하지 않고, ELRA RFA catheter™는 11 mm, 18 mm의 짧은 길이 제품을 사용할 수 있고 temperature controlled ID–RFA가 가능하기 때문에 보다 더 안전하고 효과적으로 사용될 수 있다. 그러나 간문부 담관에 대한 ID–RFA 연구는 아직 부족하기 때문에 ID–RFA의 스텐트 개통 기간 연장과 생존 기간 향상 여부를 검증하기 위해서는 추가적인 잘 설계된 임상연구가 필요하다(그림 37-5) .

6) 고주파 소작술의 새로운 확장 적응증(Expansion of New Applications for ID–RFA)

ERCP 유도하 ID–RFA의 적응증은 고식적인 악성 담관 협착 외에도 최근 바터팽대부암 및 SEMS 폐쇄의 치료법으로 확장되고 있다. 내시경 유두절제술 후 잔류(residual) 또는 재발성(recurrent) 바터팽대부 선종에서 ID–RFA는 보조적인 치료법으로 효과가 알려져 있고. 비록 후향적 연구이기는 하지만 수술 불가능한 바터팽대부암에

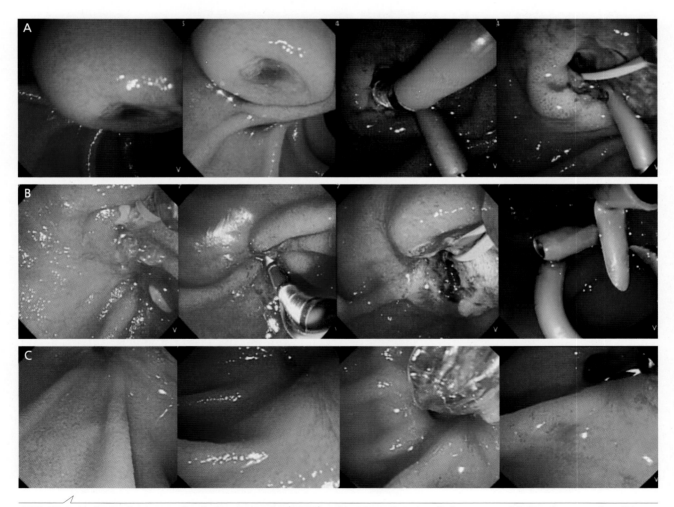

그림 37-6. Endoscopic retrograde cholangiography (ERCP) guided intraductal radiofrequency ablation for ampulla of Vater cancer. (A) Endoscopic view of 1st session of ID–RFA (22 mm ELRA catheter, 10 W, 80°C, 120s, 2 times) (B) Endoscopic view of 2nd session of ID–RFA (22 mm ELRA catheter, 10 W, 80°C, 120s) three months after ID–RFA (C) Follow up ERCP showed no residual ampullary mass 4 months after 2nd ID–RFA and endoscopic papillary balloon dilation was performed at the post–RFA stricture site

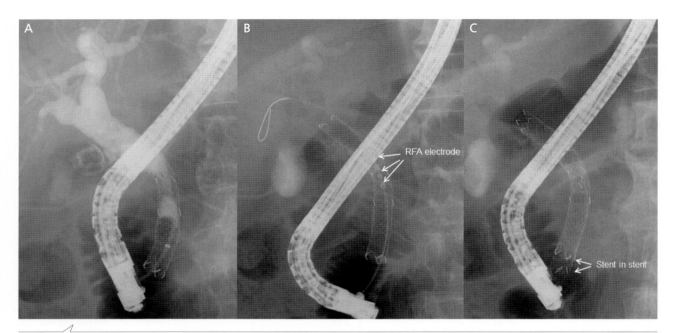

그림 37-7. Endoscopic retrograde cholangiography (ERCP) guided in-stent radiofrequency ablation for occluded SEMS. (A) Cholangiogram revealed in stent tumor ingrowth (B) ERCP guided in-stent RFA (18 mm ELRA RFA catheter, 7 W , 80°C, 90s) was performed (C) Additional uncovered SEMS were placed by "stent in stent" method following radiofrequency ablation.

서 ID-RFA가 종양을 소작하여 제거할 수 있음이 보고되어 다양한 바터팽대부 병변에서 ID-RFA 적용이 시도되고 있다(그림 37-6). 또한, 일차 담즙 배액을 위한 SEMS 사용 후 재협착이 발생한 경우 스텐트 안쪽의 종양 성장(tumor ingrowth) 부위에 추가적인 in stent RFA를 시행하여 스텐트 개통을 시도하는 실험적인 연구가 시도되고 있으며, 일부 환자에서는 스텐트 내 ID-RFA가 안전하고 유용한 것으로 확인되었다(그림 37-7).

또 다른 흥미로운 주제는 항암제와 ID-RFA의 병합 효과이다. ID-RFA의 국소 치료 효과와 항암 치료의 전신 효과는 상승 작용을 통해 보다 향상된 치료 성적을 기대할 수 있다. 최근 발표된 국소 진행성 간외 담관암 환자 174명을 대상으로 S-1 항암제와 ID-RFA를 병합한 치료군과 ID-RFA 단독치료군을 비교한 전향적 다기관 연구에서는 항암제 병용 ID-RFA군이 보다 긴 생존 기간과 스텐트 개통 기간을 보였다(16.0 vs. 11.0 months; P< 0.001 and 6.6 vs. 5.6 months; P=0.014). 비록 S-1이 국내에서 인정되고 있는 담관암의 일차 항암치료제가 아니고, 항암제가 기본적으로 필요한 환자들에서 ID-RFA 단독 치료를 시행하였던 연구 설계의 문제점이 있지만, 이 연구는 ID-RFA와 항암 병용 요법을 통해 보다 효과적인 치료가 이루어질 가능성을 제시하고 있다.

3. 맺음말

고령 암의 증가, 비침습적인 치료 방법 선호, 그리고 삶의 질이 중시되는 최근 의료 환경의 변화로 인해 악성 담관 협착 환자에서 ID-RFA, 광역동학치료(photodynamic therapy, PDT) 등의 다양한 국소 소작 치료법은 각광받고 있는 효과적인 치료법이다. 특히 이전에는 ERCP 유도하 ID-RFA가 악성 담관 폐쇄에서 스텐트 개통 기간의 연장을 기대할 수 있는 완화 치료 목적으로 시도되었지만, 최근 ID-RFA 단독 및 항암제 병용 치료를 통해 생존 기간의 연장이 보고되면서 새로운 복합 치료법으로 기대를 받고 있다. 그러나 현재까지도 ERCP 유도하 ID–RFA는 유용성과 장기 치료 결과가 여전히 부족하기 때문에 올바른 적응증 정립을 위한 추가적인 대규모 전향적 비교 연구가 필요하다. 국내에서도 ID–RFA는 2019년 신의료기술로 인정되면서 현재 다양한 관련 연구가 진행되고 있고, 이러한 노력과 결과를 바탕으로 악성 담관 협착에서 ERCP 유도하 ID–RFA의 효과적인 활용을 기대한다.

참/고/문/헌

1. Bokemeyer A, Matern P, Bettenworth D, et al. Endoscopic radiofrequency ablation prolongs survival of patients with unresectable hilar cholangiocellular carcinoma–A case–control study. Sci Rep 2019;9:13685.

2. Camus M, Napoleon B, Vienne A, et al. Efficacy and safety of endobiliary radiofrequency ablation for the eradication of residual neoplasia after endoscopic papillectomy: a multicenter prospective study. Gastrointest Endosc 2018;88:511–8.

3. Cho JH, Jang SI, Lee DK. Recent developments in endoscopic ultrasound–guided radiofrequency ablation for pancreatic lesions. Int J Gastrointest Interv 2020;9:170–6.

4. Cho JH, Jeong S, Kim EJ, et al. Long–term results of temperature–controlled endobiliary radiofre–quency ablation in a normal swine model. Gastrointest endosc 2018;87:1147–50.

5. Cho JH, Lee KH, Kim JM, et al. Safety and effectiveness of endobiliary radiofrequency ablation according to the different power and target temperature in a swine model. J Gastroenterol Hepatol 2017;32:521–6.

6. Choi YH, Yoon SB, Chang JH, et al. The safety of radiofrequency ablation using a novel temperature–controlled probe for the treatment of residual intraductal lesions after endoscopic papillectomy. Gut and liver 2021;15:307–14.

7. Dolak W, Schreiber F, Schwaighofer H, et al. Endoscopic radiofrequency ablation for malignant biliary obstruction: a nationwide retrospective study of 84 consecutive applications. Surg Endosc 2014;28(3):854–60.

8. Figueroa–Barojas P, Bakhru MR, Habib NA, et al. Safety and efficacy of radiofrequency ablation in the management of unresectable bile duct and pancreatic cancer: a novel palliation technique. J Oncol 2013;2013:910897.

9. Gao DJ, Yang JF, Ma SR, et al. Endoscopic radiofrequency ablation plus plastic stent placement versus stent placement alone for unresectable extrahepatic biliary cancer: a multicenter randomized controlled trial. Gastrointest Endosc. 2021;94:91–100.e2.

10. Hu B, Sun B, Gao DJ, et al. Initial experience of ERCP–guided radiofrequency ablation as the primary therapy for inoperable ampullary carcinomas. Dig Dis Sci 2020;65:1453–9.

11. Itoi T, Isayama H, Sofuni A, et al. Evaluation of effects of a novel endoscopically applied radiofrequency ablation biliary catheter using an ex–vivo pig liver. J Hepatobiliary Pancreat Sci 2012;19:543–7.

12. Kallis Y, Phillips N, Steel A, et al. Analysis of endoscopic radiofrequency ablation of biliary malignant strictures in pancreatic cancer suggests potential survival benefit. Dig Dis Sci 2015;60:3449–55.

13. Kang H, Chung MJ, Cho IR, et al. Efficacy and safety of palliative endobiliary radiofrequency ablation using a novel temperature–controlled catheter for malignant biliary stricture: a single–center prospective randomized phase II TRIAL. Surg Endosc 2021;35:63–73.

14. Kim EJ, Cho JH, Kim YJ, et al. Intraductal temperature–controlled radiofrequency ablation in malignant hilar obstruction: a preliminary study in animals and initial human experience. Endosc Int Open 2019;7:E1293–300.

15. Kim EJ, Chung DH, Kim YJ, et al. Endobiliary radiofrequency ablation for distal extrahepatic cholangiocarcinoma: A clinicopathological study. PLoS ONE 2018;13:e0206694.

16. Laleman W, van der Merwe S, Verbeke L, et al. A new intraductal radiofrequency ablation device for inoperable biliopancreatic tumors complicated by obstructive jaundice: the IGNITE–1 study. Endoscopy 2017;49:977–82.

17. Laquière A, Boustière C, Leblanc S, et al. Safety and feasibility of endoscopic biliary radio–frequency ablation treatment of extrahepatic cholangiocarcinoma. Surg Endosc 2016;30:1242–8.

18. Lee YN, Jeong S, Choi HJ, et al. The safety of newly developed automatic temperature–controlled endobiliary

radiofrequency ablation system for malignant biliary strictures: a prospective multicenter study. J Gastroenterol Hepatol 2019;34:1454–9.

19. Rustagi T, Irani S, Reddy DN, et al. Radiofrequency ablation for intraductal extension of ampullary neoplasms. Gastrointest Endosc 2017;86:170–6.

20. Shah DR, Green S, Elliot A, et al. Current oncologic applications of radiofrequency ablation therapies. World J Gastrointest Oncol 2013;5:71–80.

21. Sharaiha RZ, Natov N, Glockenberg KS, et al. Comparison of metal stenting with radio–frequency ablation versus stenting alone for treating malignant biliary strictures: is there an added benefit? Dig Dis Sci 2014;59:3099–102.

22. Sharaiha RZ, Sethi A, Weaver KR, et al. Impact of radiofrequency ablation on malignant biliary strictures: results of a collaborative registry. Dig Dis Sci 2015;60:2164–9.

23. So H, Oh CH, Song TJ, et al. Feasibility and safety of endoluminal radiofrequency ablation as a rescue treatment for bilateral metal stent obstruction due to tumor ingrowth in the Hilum: a pilot study. J Clin Med 2021;10:952.

24. Sofi AA, Khan MA, Das A, et al. Radiofrequency ablation combined with biliary stent placement versus stent placement alone for malignant biliary strictures: a systematic review and meta–analysis. Gastrointest Endosc 2018;87:944–51.e1.

25. Steel AW, Postgate AJ, Khorsandi S, et al. Endoscopically applied radiofrequency ablation appears to be safe in the treatment of malignant biliary obstruction. Gastrointest Endosc 2011;73:149–53.

26. Tal AO, Vermehren J, Friedrich–Rust M, et al. Intraductal endoscopic radiofrequency ablation for the treatment of hilar non–resectable malignant bile duct obstruction. World J Gastrointest Endosc 2014;6:13–9.

27. Yang J, Wang J, Zhou H, et al. Endoscopic radiofrequency ablation plus a novel oral 5–fluoro–uracil compound versus radiofrequency ablation alone for unresectable extrahepatic cholangiocarcinoma. Gastrointest Endosc 2020;92:1204–12.e1.

28. Yang J, Wang J, Zhou H, et al. Efficacy and safety of endoscopic radiofrequency ablation for unresectable extrahepatic cholangiocarcinoma: a randomized trial. Endoscopy 2018;50:751–60.

29. Zacharoulis D, Lazoura O, Sioka E, et al. Habib EndoHPB: a novel endobiliary radiofrequency ablation device. An experimental study. J Invest Surg 2013;26:6–10.

특수한 상황에서의 ERCP: 수술 후 환자에서의 ERCP

ERCP in Special Setting/Situation: in Patients with Surgically Altered Anatomy

김진홍 아주대학교 의과대학 / **박창환** 전남대학교 의과대학

정상 해부 구조를 가진 환자에서 내시경역행담췌관조영술(endoscopic retrograde cholangiopancreatography, ERCP)의 성공률은 일반적으로 95% 이상이다. 그러나 수술로 인해 변형된 해부 구조를 갖고 있는 환자에서 일반 내시경 및 부속기를 이용한 ERCP의 성공률은 매우 낮아 51%로 보고된 연구도 있다. 수술 변형이 있는 환자에서 일반 십이지장경 및 부속기구를 이용한 ERCP의 성적이 낮은 이유는 다양하다. 첫째, 근치전체위절제술 및 유문보존형 췌–십이지장 절제술과 같은 변형된 해부 구조를 갖는 환자에서 바터팽대부 또는 담관 공장 문합부까지의 삽입로가 너무 길어 일반 십이지장경의 유효 길이로는 삽입이 불가능할 수 있다. 둘째, 내시경 삽입 과정에서 소장 및 복막의 유착 및 섬유화로 인한 앵귤레이션, 고착 등 다양한 난관을 만나게 된다. 셋째, 수술로 인한 변형으로 바터팽대부에서 선택 삽관이 매우 어려울 수 있다. 넷째, 선택 삽관에 성공한 경우에도 적절한 부속기구가 없어 시술이 어려울 수 있다. 이 중 ERCP 성공에 가장 중요한 요소는 삽입 성공률로 알려져 있다. 따라서, 수술 변형된 환자에서 성공적인 ERCP의 성공률을 높이기 위하여 다양한 방법이 연구되었으며 그 중 삽입 성공률을 높일 수 있는 방법으로 십이지장경보다 유효 길이가 긴 소장내시경에 대한 연구가 활발하게 이루어져 단일 풍선 소장내시경(single balloon)의 경우 74%의 성공률이 보고되었다. 현재까지 사용된 소장내시경의 종류는 매우 다양하여 단일 풍선 소장내시경, 이중 풍선 소장내시경(double balloon), 나선형 소장내시경이 있으며 단일 및 이중 풍선 소장내시경은 다시 길이에 따라 긴 유형과 짧은 유형이 모두 사용되었다.

우리나라에서는 전통적으로 수술 변형이 있는 환자에서 소장내시경을 이용한 ERCP는 까다롭고 합병증이 높은 검사로 인식되어 왔다. 따라서 국내에서 소장내시경을 이용한 연구가 매우 제한적이지만 다양한 소장내시경 중 긴 유형 단일 풍선 소장내시경을 이용한 연구에서 바터팽대부 부위까지 삽입에 성공하였지만 적합한 부속기구의 부족을 언급하였다. 국내에 짧은 유형 단일 풍선 소장내시경이 도입되지 않아 이에 대한 증례 및 연구는 전혀 없었으나 2020년 후반 국내에 짧은 유형 단일 풍선 소장내시경이 도입됨에 따라 임상에 사용할 수 있게 되었다. 따라서 국내 ERCP 전문가들도 드디어 긴 유형과 짧은 유형 단일 풍선 소장내시경을 선택할 수 있는 기회를 갖게 되었다.

1. ERCP에 사용되는 부속기구 – 긴 유형과 짧은 유형 단일 풍선 소장내시경을 중심으로

긴 유형과 짧은 유형 단일 풍선 소장내시경의 가장 큰 차이는 두 가지로 하나는 유효 길이와 겸자공의 직경이다(표 38-1). 첫째, 긴 유형 단일 풍선 소장내시경의 유효 길이는 2,000 mm이고 짧은 유형 단일 풍선 소장내시경의 유효 길이는 1,520 mm로 약 480 mm 차이가 난다. 일반적으로 ERCP 시술에 지장이 없기 위해서는 부속기구의 길이는 내시경의 유효 길이보다 200 mm 이상 길어야 사용에 제한이 없다. 따라서 긴 유형 단일 풍선 소장내시경에 사용할 부속기구는 최소한 2,200 mm 길이를 넘어야 한다. 반면 짧은 유형 단일 풍선 소장내시경은 부속기구의 길이가 1,720 mm만 넘으면 사용에 지장이 없다. 일반적으로 유도선의 길이는 4,000 mm 이상이기에 긴 유형 및 짧은 유형 단일 풍선 소장내시경에 사용하는 데는 전혀 제한이 없다. 그러나 도관(2,150 mm)과 절개도(2,000 mm)는 길이가 짧아 짧은 유형 단일 풍선 소장내시경에서는 사용이 가능하지만 긴 유형 단일 풍선 소장내시경에서는 사용할 수 없다. 긴 유형 단일 풍선 소장내시경에 도관으로 사용 가능한 부속기구는 대장형 올가미 또는 대장내시경용 주입기의 길이가 2,300 mm로 사용 가능하다. 또한 바터팽대부 및 담관 공장 문합부를 확장할 계획이라면 대장용 CRE 풍선(Boston Scientific, MA, USA, 2,300 mm)을 도관 및 확장 목적으로 처음부터 사용해 볼 수 있다. 담석을 제거할 경우 대부분 바스켓(1,900–1,950 mm)은 짧은 유형 단일 풍선 소장내시경에서 사용이 가능하지만 긴 유형 단일 풍선 소장내시경에서는 사용이 불가능하다. 다행히 lithotomy basket (MTW, Germany, 4,000 mm)을 사용하면 긴 유형 단일 풍선 소장내시경에서도 담석 제거가 가능하지만 기계적 쇄석술은 불가능하다. 일반적인 ERCP에 사용하는 부속기구들은 짧은 유형 단일 풍선 소장내시경에 제한 없이 쓸 수 있으나 플라스틱 스텐트를 넣는 경우 추진기(1,700 mm)는 길이가 짧아 사용에 제한이 있다. 따라서 대장형 올가미 도관(2,300 mm)을 사용하면 해결이 가능하다. 담관형 금속 스텐트는 삽입기 길이가 1,800 mm로 짧은 형 단일 풍선 소장내시경에서는 사용이 가능하지만 긴 유형에서는 사용이 불가능하다. 둘째, 긴 유형 단일 풍선 소장내시경의 겸자공 직경은 2.8 mm이고 짧은 유형 단일 풍선 소장내시경의 겸자공 직경은 3.2 mm로 약 0.4 mm 차이가 난다. 따라서 7 Fr (2.34 mm) 부속기구는 긴 유형 및 짧은 유형 단일 풍선 소장내시경에 모두 사용이 가능하지만 8.5 Fr (2.83 mm) 직경의 부속기구는 짧은 유형 단일 풍선 소장내시경에서만 사용이 가능하다. 물론 10 Fr (3.34 mm) 부속기구는 두 유형 모두 사용이 불가능하다. 긴 유형 단일 풍선 소장내시경에 7 Fr (2.34 mm) 부속기구와 0.025 inch (0.64 mm) 유도선은 병용 사용이 불가능하다. 짧은 유형 단일 풍선 소장내시경에 7 Fr (2.34 mm) 부속기구와 0.035 inch (0.889 mm) 유도선은 남은 공간이 부족하여 병용 사용이 불가능하다.

긴 유형(2,000 mm)과 짧은 유형(1,520 mm) 단일 풍선 소장내시경의 유효 길이 만을 고려한다면 수술 변형을 가진 환자에서 바터팽대부 또는 담관 공장 문합부까지의 삽입로가 너무 긴 경우 짧은 유형 단일 풍선 소장내시

표 38-1. Working length, diameter of channel, and dedicated accessories of various enteroscopes

	Working length	Diameter of channel	Dedicated accessories
Long single balloon enteroscope	2,000 mm	2.8 mm	Limited
Long double balloon enteroscope	2,000 mm	2.2/3.2 mm	Limitation
Short single balloon enteroscope	1,520 mm	3.2 mm	Almost no limitation
Short double balloon enteroscope	1,560 mm	3.2 mm	Almost no limitation
Spiral enteroscope	1,680 mm	3.2 mm	Almost no limitation

경이 삽입에 실패할 가능성이 높을 것이라고 예상할 수 있으나 현재까지 나온 임상 결과들은 예상과 다른 결과를 보여주고 있다. 2020년에 발표된 메타 분석에 따르면 긴 유형 단일 풍선 소장내시경의 삽입 성공률은 82.9% [95% confidence interval (CI) 79.4–85.9], 짧은 유형의 경우에는 92.8% (95% CI 90.3–94.7)로 짧은 유형의 삽입 성공률이 더 높다. 저자들은 연구 대상의 다양성을 고려하여 통계적인 유효성은 언급하지 않고 있으나 95% 유효 구간을 고려한다면 유의한 차이가 난다고 볼 수 있다. 선택 삽관 성공률은 긴 유형 단일 풍선 소장내시경 89.9% (95% CI 86.7–92.4), 짧은 유형의 경우에는 90.4% (95% CI 86.6–93.2)로 차이가 없었다. 전체적인 성공률은 긴 유형 단일 풍선 소장내시경 72.7% (95% CI 68.9–76.2), 짧은 유형의 경우에는 81.8% (95% CI 78.3–84.9)로 짧은 유형에서 높았으며 이는 95% 유효 구간을 고려한다면 통계적인 유효성이 있으리라고 판단된다. 결국 짧은 유형 단일 풍선 소장내시경의 삽입 성공률이 높기 때문에 이런 결과가 나온 것으로 보인다. 부작용은 긴 유형 단일 풍선 소장내시경 6.6% (95% CI 4.8–9.0), 짧은 유형의 경우에는 6.3% (95% CI 4.3–9.0)로 차이가 없었다.

긴 유형과 짧은 유형 이중 풍선 소장내시경을 이용한 연구들에 대한 2021년 메타 분석에서는 긴 유형 이중 풍선 소장내시경의 삽입 성공률은 87% (95% CI 80–93), 짧은 유형의 경우에는 96% (95% CI 93–99)로 짧은 유형의 삽입 성공률이 더 높지만 통계적인 유효성은 없었다. 전체적인 성공률은 긴 유형 이중 풍선 소장내시경 88% (95% CI 76–96), 짧은 유형의 경우에는 96% (95% CI 91–100)로 짧은 유형에서 높았으며 또한 통계적인 유효성은 없었다. 부작용은 긴 유형 이중 풍선 소장내시경 5% (95% CI 2–9), 짧은 유형의 경우에는 4% (95% CI 3–7)로 차이가 없었다.

이상의 연구들로 최소한 짧은 유형 단일 또는 이중 풍선 소장내시경이 수술 변형을 가진 환자에서 긴 유형 보다 삽입 성공률 및 전체 성공률에서 뒤지지 않는다는 것을 확인할 수 있다. 최근 한 연구에서는 짧은 유형 단일 풍선 소장내시경 성공률에 영향을 주는 인자로 췌장 적응증[Odds ratio (OR) 4.35, 95% CI 1.6–11.4], 첫 번째 시도(OR 6.03, 95% CI 2.1–16.8), 투명 캡 미착용(OR 4.61, 95% CI 1.4–14.3)을 제시하였다. 이 결과에 따르면 투명 캡 착용이 매우 성공에 중요한 요소이며 첫 번째 시도에 실패하였다고 해도 두번째 시도에서 성공할 가능성이 있음을 제시해 준다. 투명 캡의 유용성은 다른 연구에서도 확인되는데, 소장내시경 선단에 투명 캡을 부착한 경우가 부착하지 않은 경우보다 유의하게 소장 삽입 길이가 길다고 보고된 연구도 있으며, 또 다른 연구는 투명 캡을 부착하면 바터팽대부를 잘 관찰할 수 있는 가능성이 유의하게 증가한다고 보고하였다. 개인적으로 소장내시경 선단에 투명 캡을 부착하면 삽입 속도를 증가시켜 시술 시간을 단축하는 면이 가장 크다고 생각하나 현재까지 이에 대한 임상 연구는 없다.

한편 Yuske 등은 수술 변형이 있는 환자들을 위를 절제한 경우와 위를 절제하지 않은 경우로 나누어 첫 번째 시도에서 짧은 형 단일 풍선 소장내시경을 사용하여 삽입에 실패한 경우 두 번째에 긴 형 단일 풍선 소장내시경을 사용했을 때 삽입 성공률이 증가하는지를 분석하였는데 위를 절제한 경우에는 차이가 없으나 위를 절제하지 않은 환자에서 일차 성공률 60%에서 2차 성공률이 91%로 유의하게 증가함을 보고하였다.

2. 수술로 변형된 환자에서 ERCP에 주로 사용되는 술기

1) 바터팽대부 또는 간–공장 문합부까지의 내시경 진입

수술 후 변형이 있는 환자에서 ERCP는 어렵고 시간이 많이 걸릴 수 있기 때문에 의식하 진정 또는 마취 하에 실시하는 것이 보편적이다. 일반 공기보다는 이산화탄소 주입을 하면서 시술을 하면 장 팽창 및 확장이 감소하여 환자가 호소하는 복통의 정도 및 시간이 감소하는 장점이 있다. 장 문합부에 도달한 후 여러 개의 개구부를 만날 수 있으며 한 번에 구심고리(afferent loop)를 찾는 것은 쉽지 않지만 검사한 개구부를 인디아 잉크로 표시하거나 생검겸자 또는 전기 소작술을 이용하여 표시하기도 한다. 저자는 개구부를 통과하면 일산화탄소 주입에 따라 구심고리가 우상복부에서 팽창하는지를 확인하는 방법을 가장 많이 사용하고 있다. 개구부를 통과한 후 내시경이 진행 중인 방향의 소장이 확장되면서 구심고리도 팽창된다면 구심고리를 맞게 선택한 경우이다. 반면 내시경이 진행 중인 방향의 소장이 확장되지 않았는데도 구심고리가 팽창되어 있다면 내시경 진입을 중단하고 장 문합부로 되돌아가서 다른 개구부로 진행한다. 가끔 장 문합부를 내시경으로 알아보기 힘든 경우 투시 영상에서 공기로 팽창된 2개 이상의 갈림길이 만나는 부위를 확인하는 것이 도움이 되는 경우가 있다. 소장내 내시경 삽입 과정에서 소장 및 복막의 유착 및 섬유화로 인한 앵귤레이션, 고착 등 다양한 난관을 만나는 경우 체위를 바꾸어 보거나 보조자에 의한 복부 압박이 도움이 되는 경우가 있다. 그러나 매우 심한 저항이 느껴지면서 내시경의 진입이 어렵다면 천공의 가능성을 염두에 두어야 한다.

2) 선택 삽관

선택 삽관은 비교적 간–공장 문합부에서 쉬운 반면 바터팽대부에서는 어려운 경향이 있다. 특히 악성 질환으로 구조가 변형된 경우 선택 삽관이 매우 어려울 수 있다. 수술 변형이 복잡하지 않은 Billroth II 위 절제술 환자에서는 직시경으로 선택 삽관이 어려운 경우 십이지장경으로 교체하여 선택 삽관을 시도하면 성공률을 높일 수 있다. 십이지장경은 올림 장치가 있어 선택 삽관을 용이하게 해 주는 경우가 많다. 따라서 숙련된 시술자는 Billroth II 위 절제술 환자에서 처음부터 십이지장경을 사용하여 시술하는 경우도 왕왕 있으나 수술 변형이 다양한 경우 천공의 가능성 및 실패 가능성을 염두에 두어야 한다. 바터팽대부에서 선택 삽관이 쉽지 않으면 침형절개도를 이용하여 선택 삽관 성공률을 올릴 수 있다. 간–공장 문합부는 비교적 선택 삽관이 쉽지만 개구부가 협착으로 인해 매우 작은 경우 내시경 화면에서 쉽게 찾기 어려운 경우가 있다. 따라서 일산화탄소를 투입하면 투시 화면에서 간 부위에 담관 기종 징후가 나타나는지를 확인하여 위치를 찾는 것이 도움이 되는 경우가 있다. 선택 삽관이 실패한 경우 경피경간 통로 또는 초음파내시경을 이용한 랑데부 시술을 고려한다. 선택 췌관 삽관에 실패한 경우 수술 중 Treitz 인대의 원위부 20 cm에 장루를 만들고 공장을 경유하여 ERCP를 시행할 수 있다.

3. 식도 절제술

식도 절제술 후 발생하는 식도 문합부 협착 및 근위부 게실 형성 때문에 십이지장경 삽입이 식도 및 문합부 손상을 일으킬 가능성이 있다. 따라서 먼저 직시경으로 해부 구조를 살피고 십이지장경을 삽입하면 위험성을 감소시킬 수 있다. 십이지장경이 유문부를 통과하면 바터팽대부에 접근하기 위해 시계 방향으로 더 회전시키거나 정상 해부 구조보다 더 깊은 내시경의 삽입이 필요할 수 있다. 이유는 십이지장이 좀 더 근위부에 위치하거나 유문 성형술에 의하여 유문부가 없어졌기 때문이다.

4. 위 절제술

1) Billroth I 위 절제술

Billroth I 위 절제술에서는 전정부와 유문을 제거하고 위는 대만부를 따라서 십이지장에 연결한다(그림 38-1). 일반적으로 바터팽대부까지의 십이지장경 삽입은 쉬운 편이지만 바터팽대부가 정상보다 더 근위부에 위치하게 되므로 바터팽대부를 보는 것은 어려울 수 있다. 바터팽대부 관찰 및 담관 삽관은 상황에 따라 내시경을 당겨 길이를 짧게 단축시키는 당김법 또는 내시경을 밀어 길이를 길게 유지하는 밀기법이 도움이 될 수 있다.

2) Billroth II 위 절제술

Billroth II 위 절제술은 십이지장 천공 및 위암 환자에서 가장 많이 하는 수술 방법이다. Billroth II 위 절제술은 전정부 절제술과 위-공장 문합술을 포함하며, 문합부를 지나서 구심고리(afferent loop)와 원심고리(efferent loop)가 바로 옆에 위치하면서 위-공장 단측 문합을 이루게 된다(그림 38-1). 원심고리는 장관과 연속으로 이어져서 음식물의 소화 통로가 되지만 구심고리는 근위부 쪽으로 주행을 하게 되고 십이지장 절단면으로 끝난다. 바터팽대부는 구심고리에서 십이지장 절단면 근처에 위치하게 된다. 담즙이 위로 역류하는 것을 막기 위하여 공장과 공장 사이에 문합술을 형성하기도 하는데 Braun 술식이라고 한다(그림 38-2). Braun 술식은 Billroth II 위 절제술 중에서도 ERCP의 난이도가 높다.

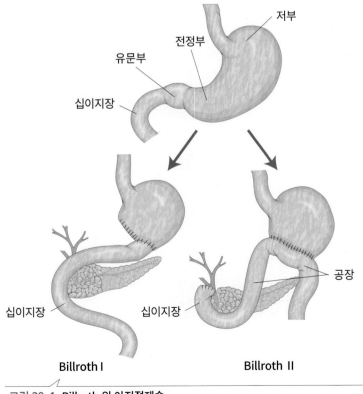

Billroth I

Billroth II

그림 38-1. Billroth 위 아전절제술

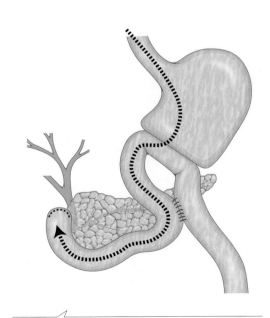

그림 38-2. Billroth II 수술의 변형인 Braun 술기 구심성 고리와 원심성 고리가 측-측 문합술로 연결되어 있다.

3) 루식 Y형 위절제술(Roux-en-Y Gastrectomy)

루식 Y형 위절제술은 부분 위절제술 후 발생하는 췌장액과 담즙의 역류를 막기 위하여 원심고리와 공장 사이에 단-측 문합하거나 측-측 문합술을 실시하여 2개 또는 3개 문합부를 갖는 구조로 긴 원심고리가 특징이다. 따라서 내시경은 근위부 공장, Treitz 인대, 횡행 십이지장, 하행 십이지장을 지나 바터팽대부에 도착하게 된다(그림 38-3). 긴 원심고리로 인해 상부위장관 내시경 및 십이지장경은 바터팽대부까지 도달하기 힘든 경우가 많으며 최근 개발된 단일 풍선 또는 이중 풍선 소장내시경을 이용하면 대부분 바터팽대부에 도달할 수 있다. 짧은 유형 소장내시경을 이용하면 거의 모든 부속기구를 자유롭게 사용할 수 있는 장점이 있다.

4) 위 전절제술

위 전절제술 및 단-측 식도-공장 문합술 환자에서 ERCP는 루식 Y형 위절제술 환자와 비슷하게 근위부 공장, Treitz 인대, 횡행 십이지장, 하행 십이지장을 지나 바터팽대부에 도착하게 된다(그림 38-4). 가끔 원심고리가 짧은 경우 상부위장관 내시경 및 십이지장경으로 ERCP가 가능하지만 길이가 짧아 실패할 경우를 고려하면 처음부터 단일 또는 이중 풍선 소장내시경을 사용하는 것이 장점이 많다.

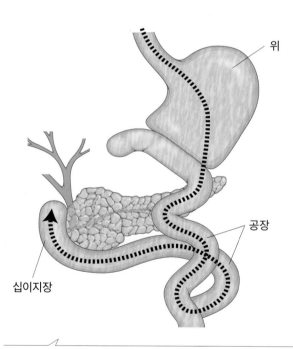

그림 38-3. 전형적인 루식 Y-형 위-공장문합술

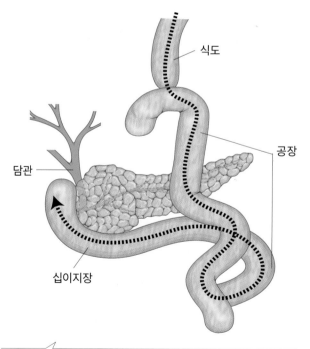

그림 38-4. 위 전절제술 및 루식 Y-형 식도-공장문합술
유두부까지의 길이가 비교적 긴 편이지만 측시형 십이지장경으로 충분히 도달할 수 있다.

5. 절제 없는 상부위장관 우회로 조성술

1) 위-공장 문합술

췌장 두부 종괴에 의한 십이지장 폐쇄 또는 양성 및 악성 질환으로 인한 십이지장 폐쇄로 음식물 섭취가 불가능한 환자에서 위를 절제하지 않고 위-공장 문합술을 실시하는 다양한 상부위장관 우회로 조성술이 시도되고 있다. 복잡한 변형이 없는 역 연동 위-공장 문합술은 구심고리가 비교적 짧지만, 대장의 복측으로 대장 전방 재건술이 이루어 지거나 위-공장이 정상적인 연동운동 방향으로 연결된 동 연동 위-공장 문합술의 경우 구심고리는 길어질 수 있다. 또한 알칼리성 담즙이 위 내로 역류하는 것을 줄이기 위하여 Braun 문합부를 만든 경우 구심고리를 찾기가 어려운 단점이 있다.

바터팽대부는 변형이 없기 때문에 근본적으로 십이지장경을 이용하여 ERCP를 시도해 볼 수 있다. 위-공장 문합부로 진행하지 않고 십이지장 구부를 통과한 부 바터팽대부에 이르는 일반적인 ERCP 경로를 선택한다. 십이지장경이 십이지장 구부로 가지 않고 자꾸 위-공장 문합부로 진행할 경우에는 십이지장경을 약간 회전시켜 위-공장 문합부를 우회하거나, 환자 자세 변화 또는 복부를 보조자가 손으로 압박하게 하면 십이지장 구부로 진행하는데 도움이 되는 경우가 있다. 양성 및 악성 협착이 심하여 십이지장경의 진행이 어려우면 풍선 확장술로 공간을 확보한 후 ERCP를 시도할 수 있다. 악성 협착인 경우에는 먼저 비막성 자가팽창성 금속관을 삽입하여 금속관이 충분하게 팽창된 후 공간이 확보되면 ERCP를 시도할 수 있다. 바터팽대부를 통한 선택적 삽관에 실패한 경우 경피경간 또는 초음파내시경을 경로를 이용한 담관 접근으로 유도선을 십이지장으로 통과시킨 후 랑데부 시술을 시도해 볼 수 있다.

2) 십이지장 우회술

십이지장 천공은 드물게 십이지장-공장 문합술로 치료를 하는 경우가 있다. 유문부를 지나서 또는 하행 십이지장 부위에서 2개 이상의 장 내강이 보일 수 있다. 협착이 없다면 각각의 내강을 조심스럽게 관찰하여 바터팽대부를 찾은 후 ERCP를 시도한다. 협착이 심한 경우 풍선확장술로 공간을 확보한 후 ERCP를 시도한다.

6. 비만 수술

체중 감량을 위한 비만 수술에는 다양한 방법이 사용되고 있다. 미국에서 사용되는 수술의 70%는 루식 Y형 위 우회로술이다. 다양한 형태의 비만 수술을 받은 후 담석증과 복통이 발생하기 때문에 췌장과 담관의 평가에 대한 요구가 증가하고 있으나 매우 긴 장을 통과해야 십이지장 근위부에 도달하기 때문에 ERCP가 가장 어려우며 단일 또는 이중 풍선 소장내시경이 흔히 사용된다.

1) 담췌 전환술과 십이지장 전환술

흡수장애를 유발하여 비만을 치료하는 형태로 두 수술 모두 위의 대부분을 절제한 후 십이지장 또는 잔위를 회맹판에서 250 cm 근위부의 원위부 회장과 연결한다(그림 38-5). 그리고 십이지장-공장-회장 부위를 회맹판 120 cm 부근 원위부 회장에 연결한다. 따라서 소장의 대부분을 지나야 하행 십이지장을 지나 바터팽대부에 도달

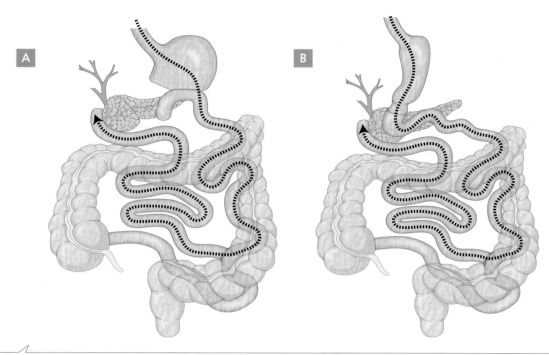

그림 38-5. (A) 담췌 전환술(biliopancreatic diversion) (B) 십이지장 전환술(duodenal switch procedure)
담췌 전환술과 유사한 수술법으로 이 수술을 시행한 담췌 전환술과 마찬가지로 구심성 고리와 원심성 고리가 길어 ERCP를 시행하기가 불가능
하다.

할 수 있다. 구심성 및 원심고리가 매우 길기 때문에 ERCP 성공률은 매우 낮으며 단일 또는 이중 풍선 소장내시경
을 사용해 볼 수 있다.

2) 제한적 수술

위의 용적을 제한하고 출구를 축소시켜 비만을 치료하는 다양한 방법이 시도되고 있다. 대표적인 예로 수직
밴드 위 성형술은 위 기저부를 자르고 위의 출구를 밴드로 제한하는 수술법이다. 최근에는 복강경 조절식 위 밴
딩 수술을 하는 경우 위 분문부를 실리콘 밴드로 묶는 방법도 있다.

제한적 위수술은 위-십이지장의 정상적인 통로가 보장되기 때문에 통상적인 십이지장경을 이용한 ERCP를
시도한다. 다만 제한적 수술로 위의 출구가 매우 작은 경우 십이지장경의 통과가 어려울 수 있으며 13.5 mm 이상
크기의 풍선으로 위 출구를 확장을 시킨 후 안전하게 시술을 할 수 있게 된다.

3) 위 우회술

Bariatric surgery 중 가장 흔히 시행되는 루식 Y형 위 절제술의 한 형태로 50 mL 이하의 작은 위 낭으로 음
식 섭취를 제한하고 근위부 소장의 우회를 통하여 영양 흡수를 저하시켜 체중 감소를 유도하는 방법이다. 비만 치
료 루식 Y형 위 절제술 환자에서 유두부에 도착하기 위해서는 식도, 위 낭, 75–150 cm의 루식 고리(Roux limb),
그리고 다양한 길이의 원심고리를 지나야 한다(그림 38-6). 수술 변형이 있는 환자에서 ERCP 성공률은 유두부까
지 도달하는 길이가 가장 중요한데, 비만 치료 루식 Y형 위 절제술은 가장 긴 루식 고리와 원심고리를 가지고 있어

서 매우 어렵다고 알려져 있으나 최근에는 단일 또는 이중 풍선 소장내시경을 이용하면 많은 경우에 성공적으로 ERCP를 시행할 수 있다. 단일 또는 이중 풍선 소장내시경을 통해서도 유두부에 도착하지 못하거나 선택 삽관에 실패한 경우 경피 내시경 위 조루술, 개복 위 조루술, 복강경 위 조루술을 시행한 후 ERCP를 시도해 볼 수 있으며 Treitz 인대 20 cm 하방에서 내시경을 삽입하는 수술적 경공장 접근법도 있다.

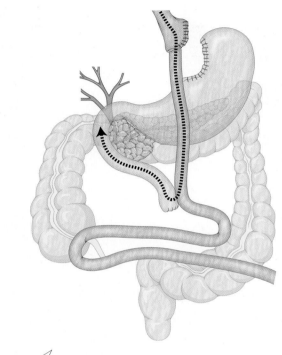

그림 38-6. 비만환자에서의 위 우회술(gastric bypass surgery)

7. 췌장 절제술

1) 고전적 Whipple 췌-십이지장 절제술

췌장 두부의 악성 및 양성 종양의 절제에 사용되는 고전적인 수술 방법이다. 담관, 췌관 그리고 십이지장이 절단되기 때문에 담관, 췌장 및 소장을 각각 연결하는 적어도 세 개의 문합이 발생한다. 고전적 Whipple 췌-십이지장 절제술을 받은 환자는 Billroth II 절제술과 같이 원심고리와 구심고리로 이루어진 두 개의 소장 입구를 위-공장 문합부에서 발견하게 된다. ERCP를 시행하기 위해서는 구심고리로 진입하여 간담관-공장, 췌관-공장 문합부에 도달하여 시행할 수 있다(그림 38-7). 원심고리의 길이가 짧은 경우에는 십이지장경, 진단용 상부위장관 내시경을 이용하여 ERCP를 시행할 수 있지만 원심고리가 긴 경우에는 소아용 대장내시경, 단일 또는 이중 풍선 소장내시경을 이용할 수 있다. 구심고리로 맞게 진행하고 있는지 확인하기 위하여 방사선 투시를 이용하여 우상복부에 장내 공기가 증가하는지 확인하는 것이 큰 도움이 되며 특히 정상적인 간관-공장 문합부는 열려 있기 때문에 간내담관 내 공기 음영이 형성되는 것을 확인하면 구심고리로 맞게 진행하고 있다는 증거이다. 또한 간관-공장 문합

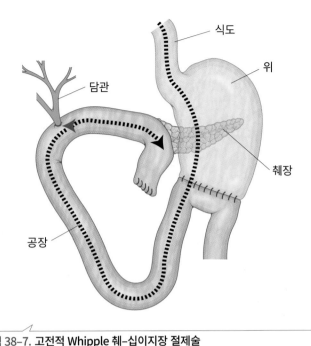

그림 38-7. 고전적 Whipple 췌–십이지장 절제술
특징적으로 췌관은 구심성 고리의 위쪽 끝부분(upper end)에서 관찰된다.

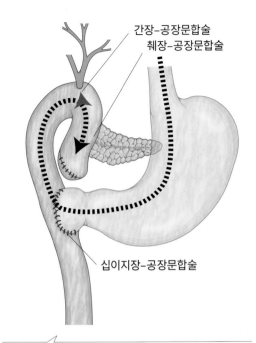

그림 38-8. 유문보존형 Whipple 췌–십이지장 절제술

부가 매우 작거나 장 주름 사이에 숨어 있어서 지나칠 수 있는데 간내담관 내 공기 음영보다 내시경의 위치가 우측에 위치하면서 간내담관 내 공기 음영이 감소하는 모습을 보이면 내시경을 회수하면서 문합부를 찾아야 한다. 심한 협착이 있는 경우 바늘 구멍처럼 보이거나 흰 반흔 조직에 의해 구멍이 보이지 않는 경우도 있다. 협착이 심한 경우 삽관이 어려울 수 있으며 유도선을 가는 형태로 바꾸어 시도하기도 한다. 선택 삽관에 실패한 경우 경피경간 또는 초음파내시경를 이용한 랑데부 시술법을 고려한다.

2) 유문보존형 Whipple 췌–십이지장 절제술

고전적인 Whipple 췌–십이지장 절제술은 위 유문부와 십이지장을 절제하기 때문에 위 매출 문제와 다양한 합병증이 발생한다. 이를 감소시키기 위하여 전 위와 십이지장 구부의 일부를 남긴 채 십이지장 절단면을 공장과 연결하는 십이지장–공장 문합술이 유문보존형 Whipple 췌–십이지장 절제술이다(그림 38-8). ERCP를 시행하기 위해서는 십이지장 구부를 지난 후 구심고리로 진입하여 간담관–공장, 췌관–공장 문합부에 도달하여 시행할 수 있다. 원심고리의 길이가 짧은 경우에는 십이지장경, 진단용 상부위장관 내시경을 이용하여 ERCP를 시행할 수 있지만 원심고리가 긴 경우에는 소아용 대장내시경, 단일 또는 이중 풍선 소장내시경을 이용할 수 있다.

3) 췌관–위 문합술

췌관–위 문합술 환자에서 간담관–공장 문합부는 유문보존형 Whipple 췌–십이지장 절제술과 같은 형태로 구심고리에서 찾을 수 있지만 췌장의 체부와 미부의 주체관이 위의 후벽에 삽입되어 있기 때문에 위의 후벽에서 작은 입구로 관찰된다. 위의 추벽 주름 사이에서 문합부를 찾는데 세크리틴의 정맥 주사가 도움이 되지만 국내에서 생산되지 않는 단점이 있다. 위점막의 색소 도포 후 위 내에서 췌관을 찾는 방법도 도움이 된다.

4) 기타 췌장 절제술

미부 췌장 절제술 환자에서 ERCP는 위, 십이지장 또는 췌담관 해부 구조가 변화하지 않기 때문에 십이지장경을 이용한 통상적인 방법과 같다. 중간 췌장 절제술을 하고 췌장 미부를 위 또는 공장으로 문합할 수 있다.

8. 췌관 배액술

1) 퓨스토 술기(Puestow Procedure)

만성 췌장염 환자에서 난치성 통증을 경감시키기 위해 췌장 두부에서 미부까지 췌관을 개방한 후 췌관의 개방된 가장자리와 공장 사이에 췌관–공장 측측 문합술을 만드는 시술이다. 상부 위장관의 해부 구조는 변화가 없기 때문에 십이지장경을 이용하여 통상적인 ERCP를 시행할 수 있다. 주췌관을 통한 조영제 주입으로 췌관이 확인되고 문합된 공장이 조영된다. 주췌관과 공장 사이의 협착 유무는 쉽게 확인할 수 있으나 문합부 이후의 췌관이 완전히 감압되었는지 여부를 확인하기는 어렵다.

2) 프레이 술기(Frey's Procedure)

이 수술은 퓨스토 술기에 췌장 두부 내 췌장 조직의 국소적인 제거가 결합된 술기이다. 췌장 두부의 많은 부분을 절제하지만 췌관은 영향을 받지 않으므로 이에 따른 변화는 ERCP에서 관찰되지 않는다.

3) 두발 술기(Duval Procedure)

췌장 두부의 췌관 폐쇄를 우회하기 위하여 미부 췌관에서 공장으로 췌액의 역행성 배액을 용이하게 하기 위하여 단–단 췌관–공장 문합술을 형성하는 고전적인 술기로 최근에는 치료 실패 가능성이 높아 거의 시행되지 않고 있다.

9. 담관 수술

1) 총담관–십이지장 문합술

원위부 총담관 협착이나 빈번한 총담관 결석이 동반되는 양성 담관 질환에서 일반적으로 담관의 절단은 시행하지 않고 중부 담관과 십이지장의 제2부를 측–측 문합으로 연결하는 술기이다(그림 38–9). ERCP는 십이지장을 이용하여 문합부를 확인하고 시술을 시행할 수 있지만 문합부가 십이지장 구부에 가까운 경우에는 상부위장관 내시경을 이용하는 것이 도움이 되는 경우도 있다. 총담관–십이지장 문합부의 원위부 담관이 찌꺼기에 의하여 막혀서 염증이 발생하는 경우 sump 증후군이라고 하며 십이지장경을 이용하여 주유두부 괄약근을 절개하여 치료할 수 있다.

2) 루식 Y형 간관–공장 문합술

자주 재발하는 담관 결석, 양성 원위부 총담관 협착, 담관암, 담관 낭종증, 외상성 담관 손상 등의 담관 질환이나 간이식 시에 위 및 십이지장을 그대로 남겨 둔 채 기존의 담관을 공장에 문합하는 술기이다(그림 38–10).

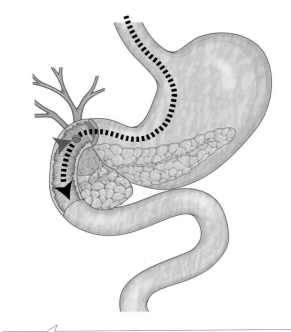

그림 38–9. 총담관–십이지장문합술

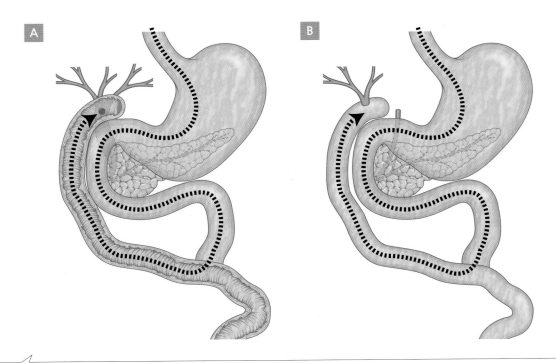

그림 38–10. 루이 Y–형 간공장문합술

(A) 담관을 절단하지 않고 중부 담관과 십이지장의 제2부를 측–측 문합으로 연결하는 술기이며, 일반적인 방법 ERCP를 시행할수 있다. 조영제를 주입 시 문합부를 통하여 담도에서 공장으로 흘러내리는 것을 관찰할 수 있다. (B) 담관을 절단한 형태이며, 긴 구심성 공장고리를 통해 담도–공장 문합부에 도달할 수 있다. 이런 경우의 수술에서는 주유두를 통한 조영제의 삽입 시 급성췌장염을 유발할 수 있으므로 주의를 요한다.

루식 Y형 간관–공장 문합술은 담석 및 양성 질환에서 담관의 절단없이 간관과 공장을 측–측 문합술로 연결하는 술식과 담관암 환자 등에서 중부 담관을 절단하여 간관과 공장을 단–측 문합술로 연결하는 술식으로 나눌 수 있다. 측–측 문합술의 경우에는 위, 십이지장 및 췌담관의 해부학적 구조가 변하지 않고 온전하게 남아 있으므로 십이지장경을 이용하여 일반적인 ERCP가 가능하며, 담관 조영시 공장 내로 조영제가 빠져나가기 때문에 적절한 담관 조영술을 얻기 위하여서는 간관–공장 문합부 상방에서 조영제를 주입하거나 풍선 도관으로 간관의 문합부를 막고 조영술을 시행하여야 한다. 간관과 공장을 단–측 문합술 한 경우에는 담관이 중부에서 절단되어 맹관을 형성하고 있으므로 담관 질환을 치료하기 위한 ERCP를 해야 하는 경우에는 긴 구심고리를 지나가야만 가능하다. 단일 또는 이중 풍선 소장내시경을 이용하는 것이 가장 성공률을 높일 수 있는 선택이다. 담관을 관찰하기 위하여 십이지장–공장 각을 통과한 후 근위부 공장을 거쳐 공장–공장 문합부를 지나 긴 공장을 통과하여 간관–공장 문합부에 도달해야 한다. 십이지장 및 근위부 공장이 길게 남아 있고 내시경이 장관 내에서 고리를 형성하여 간관–공장 문합부에 도달하기 무척 어렵다. 루식 Y형 위 절제술과는 해부학적으로 반대로 문합이 이루어져 있어 공장–공장 문합부를 지난 후 내시경이 구심고리로 진입하게 되며, 문합 방법에 따라 2개 또는 3개의 개구부가 관찰된다. 측–측 문합술을 시행한 경우에는 문합부가 단–측 문합보다 크고 구심고리의 공장이 근위부 장관과 평행하게 주행하기 때문에 예각을 이루고 있다. 구심고리로 진입하게 되면 공장의 가장 근위부는 우상복부에서 맹관을 형성하며, 담관의 개구부는 구심고리의 끝에서 장간막연의 반대쪽 수 cm 내에 존재한다. 담관이 간관 분지에서 절제되었다면 좌, 우측 간내담관으로 향하는 2개의 개구부를 볼 수 있다.

3) 담낭–공장 문합술

수술이 불가능한 두부 췌장암에 의하여 막힌 담관을 우회하기 위하여 담낭–공장 문합술을 실시할 수 있으나 종양이 담낭관을 따라 퍼질 가능성이 있어서 현재는 거의 선택되지 않고 있다. 이 수술은 상부위장관 해부학 구조가 변하지 않으므로 일반적인 측시경을 이용한 ERCP를 실시할 수 있다.

4) 간이식

간이식에서 담관의 문합은 대개 담관–담관 또는 총담관–총담관의 문합술이다. 이런 상황에서 ERCP는 십이지장경을 이용한 통상적인 방법이 가능하다. 그러나 담관 협착의 길이와 복잡성에 따라 시술의 난이도는 달라진다. 원발성 경화성 담관염이나 원위부 담관이 사용되지 않는 상황에서 이식이 시행될 때는 루식 Y형 총담관–공장 문합술이나 간관–공장 문합술이 이루어진다. 수여자의 담관과 공여자의 우측 간내담관의 일치에 어려움이 있거나 일부 생체 간이식의 경우에 루식 Y형 간관–공장 문합술이 사용되며, 이런 경우에는 단일 또는 이중 풍선 소장내시경을 이용할 수 있다.

5) 간–피부–공장 문합술

재발성 화농성 담관염을 치료하기 위하여 매우 드물게 루식 Y형 간관–공장 문합술이나 구심고리가 복벽으로 연장되어 영구적인 개구부를 형성하거나 피하지방층에 감추어지게 된다. 재발성 화농성 담관염의 경우 지속되는 특성으로 인해 간내담관계의 결석을 주기적으로 제거하는 것이 필요하며 따라서 담관으로의 접근이 쉬워야 한다. 피부 개구부를 통하여 담관내시경, SpyGlass®, 경비내시경을 삽입한 후 협착 부위의 확장과 결석 제거를 쉽게 할 수 있다.

10. 맺음말

수술로 인해 해부 구조가 변형된 환자에서 ERCP는 때로는 어렵고 실패할 수 있지만 많은 부분 적절한 내시경과 시술 방법을 선택하면 어렵지 않게 시술이 가능하다. 특히 구심고리가 긴 근치전체위절제술, 유문보존형 Whipple 췌-십이지장 절제술, 루식 Y형 간관-공장 문합술 등과 같은 해부학 변형에서 단일 또는 이중 풍선 소장 내시경을 이용하면 상당히 높은 성공률을 얻을 수 있다. 그렇지만 여전히 20%는 경피경간 또는 초음파내시경을 이용한 술식을 선택하거나 랑데부를 해야 하는 경우도 있으며 결국 복강경 또는 수술을 통한 해법이 필요한 경우도 있다.

참/고/문/헌

1. Ali MF, Modayil R, Gurram KC, et al. Spiral enteroscopy-assisted ERCP in bariatric-length Roux-en-Y anatomy: a large single-center series and review of the literature (with video). Gastrointest Endosc 2018;87:1241-7.

2. Anvari S, Lee Y, Patro N, et al. Double-balloon enteroscopy for diagnostic and therapeutic ERCP in patients with surgically altered gastrointestinal anatomy: a systematic review and meta-analysis. Surg Endosc 2021;35:18-36.

3. Baron TH, Vickers SM. Surgical gastrostomy placement as access for diagnostic and therapeutic ERCP. Gastrointest Endosc 1998;48:640-1.

4. Bretthauer M, Seip B, Aasen S, et al. Carbon dioxide insufflation for more comfortable endo-scopic retrograde cholangiopancreatography: a randomized, controlled, double-blind trial. Endoscopy 2007;39:58-64.

5. Chahal P, Baron TH, Topazian MD, et al. Endoscopic retrograde cholangiopancreatography in post-Whipple patients. Endoscopy 2006;38:1241-5.

6. DeMaria EJ, Jamal MK. Surgical options for obesity. Gastroenterol Clin N Am 2005;34:127-42.

7. Fan ST, Mok F, Zheng SS, et al. Appraisal of hepaticocutaneous jejunostomy in the management of hepatolithiasis. Am J Surg 1993;165:332-5.

8. Freeman ML, Guda NM. ERCP cannulation: a review of reported techniques. Gastointest Endosc 2005; 61:112-25.

9. Hasak S, Lang G, Early D, et al. Use of a transparent cap increases the diagnostic yield in antegrade single-balloon enteroscopy for obscure GI bleed. Dig Dis Sci 2019;64:2256-64.

10. Hirai F, Beppu T, Nishimura T, et al. Carbon dioxide insufflation compared with air in-sufflation in double-balloon enteroscopy: a prospective, randomized, double-blind trial. Gastrointest Endosc 2011;73:743-9.

11. Inamdar S, Slattery E, Sejpal DV, et al. Systematic review and meta-analysis of single-balloon enteroscopy-assisted ERCP in patients with surgically altered GI anatomy. Gastrointest Endosc 2015;82:9-19.

12. Kawaguchi Y, Yamauchi H, Kida M, et al. Failure factors to reach the blind end using a short-type single-balloon enteroscope for ERCP with Roux-en-Y reconstruction: a multicenter retrospective study. Gastroenterol Res Pract 2019;2019:3536487.

13. Krutsri C, Kida M, Yamauchi H, et al. Current status of endoscopic retrograde cholangio-pancreatography in patients with surgically altered anatomy. World J Gastroenterol 2019;25:3313-33.

14. Mergener K, Kozarek RA, Traverso LW. Intraoperative transjejunal ERCP: case reports. Gastrointest Endosc 2003;58:461-3.

15. Park CH. Endoscopic retrograde cholangiopancreatography in post gastrectomy patients. Clin Endosc 2016;49:506-9.

16. Pimentel RR, Mehran A, Szomstein S. Laparoscopy-assisted transgastrostomy ERCP after bariatric surgery: case report of a novel approach. Gastrointest Endosc 2004;59:325-8.

17. Silva LC, Arruda RM, Botelho PFR, et al. Cap-assisted endoscopy increases ampulla of Vater visualization in high-risk patients. BMC Gastroenterol 2020;20:214.

18. Skinner M, Popa D, Neumann H, et al. ERCP with the overtube-assisted enteroscopy tech-nique: a systematic review. Endoscopy 2014; 46:560-72.

19. Soh JS, Yang DH, Lee SS, et al. Single balloon enteroscopy-assisted endoscopic retrograde cholangiopancreatography in patients who underwent a gastrectomy with Roux-en-Y anastomosis: six cases from a single center. Clin Endosc 2015;48:452-7.

20. Tanisaka Y, Ryozawa S, Mizuide M, et al. Status of single-balloon enteroscopy-assisted endoscopic retrograde cholangiopancreatography in patients with surgically altered anatomy: systematic review and meta - analysis on biliary interventions. Dig Endosc 2021;33:1034-44.

21. Wang F, Xu B, Li Q, et al. Endoscopic retrograde cholangiopancreatography in patients with surgically altered anatomy: One single center's experience. Medicine (Baltimore) 2016;95:e5743.

22. Yane K, Katanuma A, Maguchi H, et al. Short-type single-balloon enteroscope-assisted ERCP in postsurgical altered anatomy: potential factors affecting procedural failure. Endoscopy 2017;49:69-74.

특수한 상황에서의 ERCP: 소아에서의 ERCP

ERCP in Special Setting/Situation: in Children

이희승 연세대학교 의과대학

내시경역행담췌관조영술(endoscopic retrograde cholangiopancreatography, ERCP)은 췌장, 담관 질환을 가진 성인에서 평가 및 치료를 위해 일반적으로 사용되는 내시경 술기이다. 성인에게서 ERCP 시술이 행해지고 나서 1970년대 후반부터 소아에서도 ERCP가 소개되어 시술이 행해지고 있다. 소아에서 ERCP의 제한점으로는 소아에서 췌담도 질환의 유병률이 낮은 점과 소아를 위한 내시경과 부속기구의 준비가 용이치 않다는 점, 그리고 진단 영역에서 MRCP의 역할이 증가하고 있다는 점이다. 소아에서 ERCP는 주로 성인 ERCP 전문의에 의해 시행이 되고, 시술 테크닉이 발전함에 따라 소아 췌담도 질환의 해결을 위해 시행하는 경우가 많다. 내시경 유두부괄약근 절개술(endoscopic sphincterotomy, EST), 담관 배액, 췌관석 및 담관석 제거, 스텐트 삽입, 그리고 췌장액 배액 등과 같은 테크닉이 사용되고, 전반적인 성공률을 성인과 비슷하다. ERCP 전문의는 소아 환자의 질병에 대한 이해, 진정 및 전신 마취에 대한 이해, 내시경 및 부속기구에 대한 이해가 필요하고 소아과 및 마취과 전문의와 긴밀한 협력이 요구된다. 소아에서 ERCP는 주로 치료 목적으로 시행하고, 자기공명담췌관조영술(magnetic resonance cholangio–pancreatography, MRCP)을 주로 췌담도 질환의 진단목적으로 시행한다. 국내에서는 소아과 전문의가 ERCP를 시술할 수 있는 경우가 거의 없어서 소아에서 ERCP가 필요한 경우에는 성인에서 많은 경험을 쌓은 ERCP전문의가 시술하는 경우가 대부분이다. 그래서 1년에 시행하는 건수는 몇 안되지만 이에 대한 지식과 대비가 필요하다. 본 챕터에서는 소아 환자에서 ERCP의 테크닉, 임상 적응증, 그리고 합병증에 대해 다루고자 한다.

1. ERCP 준비 사항

1) 내시경 시행 의사

소아 ERCP는 소아 췌담도 질환에 대한 충분한 지식과 임상 경험이 있는 숙련된 내시경의사가 시행하는 것이 이상적이다. 일반적으로 담췌관의 선택적인 조영을 위해서는 200예 이상의 진단 ERCP 경험이 필요하고, 이후에 치료 목적의 ERCP를 하도록 권하고 있다. 그러나 3차 병원이라 하더라도 소아에서 ERCP가 필요한 경우는 극히 드물어 소아 환자만을 대상으로 그 경험을 쌓을 수 없고, 또한 ERCP 술기를 꾸준히 유지할 수 있는 양의 시술을 지속할 수도 없다. 소아과 전문의가 ERCP를 하려면 성인을 대상으로 술기를 익힌 후에 소아에서 시술을 하고, 또한 ERCP가 필요한 소아 환자가 드문 경우에는 자신의 술기를 지속시키기 위해 성인을 대상으로 계속 시술을 해야하는데, 각 병원의 현실적인 여건을 고려하면 어려운 실정이다. 따라서 다수의 3차 병원에서는 성인 시술에 숙련된 ERCP 전문의가 시술을 하면서 소아와 관련된 특수상황을 소아 전문의와 협력하면서 진행하고 있다. 소아 ERCP를 시행하면서 고려해야 할 사항 중의 하나는 소아 환자에 대한 임상경험과 지식이 없이 술기의 성공에만 집착하는 경우에는 시술이 성공해도 최선의 결과를 얻지 못할 수 있다는 점이다. 시술 능력이 뛰어난 ERCP 전문의라도 시술 전 담당 소아과 전문의와 서로 의견을 교환하고 협조하여 소아에게 최선의 치료를 하도록 해야 한다.

2) 환자의 진정

소아나 영유아에서는 의식하 진정을 할 수 없기 때문에, 전신 마취가 필요하다. 대부분의 소아는 propofol과 fentanyl 조합으로 진정 유도가 가능하다. 7세 이하의 소아에서는 전신 마취 하에서 기도 삽관 후 진정이 필요하고, 어린 소아일수록 기관지 벽이 부드러워서 식도로 들어간 내시경에 의해 쉽게 기도가 압박 받을 수 있고, ERCP중 엎드린 자세에 의하여 환기가 저하되어서 호흡곤란이 초래될 수 있다. 시술은 투시 장비가 설치되어 있는 수술실을 이용하거나, 기존의 ERCP 방에서 소아 마취과 전문의가 필요 장비를 가져와 시행할 수 있다. 유럽 소화기 내시경 가이드라인에 따르면 12세에서 17세까지의 소아 청소년 중 일부는 시술 의사의 판단 하에 성인처럼 약물의 정맥주사를 이용한 진정 및 수면 유도로 ERCP를 시행할 수 있다.

3) 내시경 및 부속기구

10 kg 이상의 대부분 소아에서는 성인에서 사용되는 ERCP 내시경 및 부속기구가 사용될 수 있다. 만 2세 미만의 신생아나 영아나 10 kg 미만인 경우에는 내시경의 직경이 7–8 mm되는 소아 전용 ERCP 내시경을 사용해야 시술을 할 수 있다. PJF 160 (Olympus Optical Co., Tokyo, Japan) 과 ED–2730K (Pentax Medical Co., Tokyo, Japan) 두 종류의 내시경이 현재 있으며, 십이지장경의 직경은 7.5 mm이고 처치공의 직경은 2 mm이다. 치료 ERCP를 위해서는 이 처치공의 크기에 맞는 부속기구들을 따로 준비해야 한다. 만 2세 이상의 소아에서는 일반적으로 성인에서 사용하는 올림프스사의 JF 260과 같은 십이지장경을 사용하면 되는데, 내시경의 직경은 10.5 mm이고 처치공의 직경은 3.2 mm이다. 소아의 경우 최대 7–8 Fr 정도의 배액관이 사용되기에 처치공이 4 mm 이상이 되는 더 굵은 직경의 치료용 십이지장경은 일반적으로 필요하지 않다.

4) ERCP 술기

소아에서의 ERCP 술기는 어른에서의 술기와 같다. 다만, 시술 전 불안을 줄이고, 환자의 임상 상태를 감시하고, 시술을 보조할 전문 인력이 필요하다. 소아의 심박동수와 산소 포화도는 지속적으로 측정되어야 한다. 특히 신생아에서 복부의 과팽창, 호흡 곤란을 예방하기 위해 시술 시간을 최소화하는 게 필요하다. ERCP는 엎드린 상태나 바로 누운 상태 모두에서 가능하나, 시술의 편의를 위해 일반적으로 엎드린 상태에서 시행한다. 작은 소아나 영아의 경우에는 십이지장 내강이 좁아서 내시경이 진입했을 때 그 선단이 유두부에 아주 근접하게 되어 내시경과 유두부 사이에 공간이 없는 경우가 있다. 이런 경우 도관이 시야에서 잘 안보이기 때문에 선택적인 담도 삽관이 어려울 수 있어, 선단이 미리 휘어진 3 Fr 도관이나 20 mm 길이의 짧은 절단철선을 가지고 있는 유두절개도를 이용하는 것이 도움이 된다. 만 2세 미만에 사용되는 7.5 mm 직경의 십이지장경은 처치공의 직경이 2 mm이므로 직경이 5 Fr 이내인 부속기구들을 사용해야 하고, 내시경이 구부려져 있으면 처치공에 들어있는 도관도 휘어지기 쉽

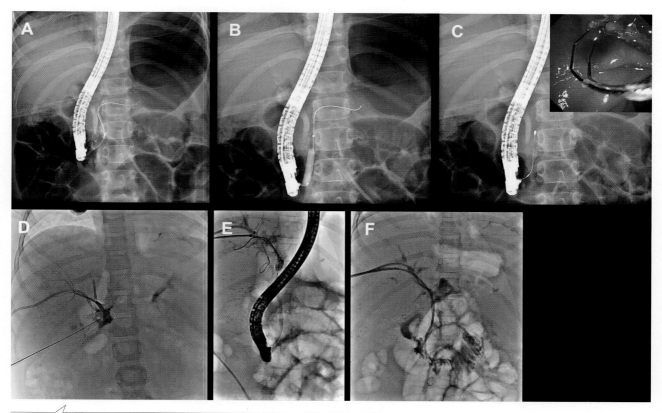

그림 39-1. (A–C) 만 7세, 23kg 여아. Pancreatic duct stone에 대해 ERCP를 통한 stone 제거술을 시행함. (D–F) 만 9세, 24kg 남아. Hepatoblastoma로 수술 시행 후 발생한 biliary obstruction에 대해 ERCP 시행함.

고, 부속기구가 처치공에 있을 때는 공기나 액체가 쉽게 흡인되지 않을 수 있다. 또한, 영아의 작은 유두부에 도관이나 유도철사로 반복적인 자극을 주면 담관에 협착을 초래할 수 있으므로 주의를 요한다.

5) 소아 ERCP의 적응증

일반적으로 췌장 및 담도 질환이 의심되는 소아에서는 ERCP를 시행하기 전에 먼저 MRI–MRCP를 촬영하는 것이 도움된다. 소아에서 ERCP의 적응증은 성인과 아주 유사하고, 상대적으로 악성 질환이 적고 선천성 기형이 많다는 특징이 있는 정도이다. 진단목적으로는 MRCP가 가능하면 먼저 시행하는 것이 좋으나, 숨을 참는 것이 잘 안되는 어린 소아에서 진단을 위해 담췌관의 세밀하고 고도의 해상도를 필요로 하는 질환인 초기 원발성 경화성 담관염, 신생아에서의 담관 폐쇄, 췌담관 합류 이상, 분할 췌장 등의 경우에 ERCP가 진단목적으로 이용될 수 있다. ERCP의 주된 적응증은 성인에서처럼 담관이나 췌관의 폐쇄가 의심되거나 담관과 췌관의 손상으로 이에 대한 내시경 치료가 필요한 경우 등이 치료 목적으로 이용된다(그림 39-1, 표 39-1).

그 동안의 소아 ERCP에 대한 보고를 보면 ERCP의 가장 흔한 적응증은 반복되는 췌장염에서 원인 규명과 치료를 필요한 경우와, 담관 결석이 의심되어 진단과 치료를 위한 경우였다. 용혈성 질환이 있는 경우 소아에서 담석이 동반되는 경우가 20–30% 정도로 높으므로, 이때 담관 결석이 발견되면 ERCP를 실시하여 EST 후에 담관결석을 제거한다. 양성 담관 협착이나 담관 손상은 간담도계 수술 후나 복부 외상이 있을 때 발견되는데, 소아에서도

표 39-1. Typical ERCP indications in children

Biliary	Pancreatic
– Cholestasis in neonates and infants – Choledochal cysts – Primary sclerosing cholangitis – Common bile duct stones – Bile leak (postsurgical/post–traumatic) – Benign biliary strictures – Primary sclerosing cholangitis – Malignant biliary strictures – Parasitosis	– Evaluation of anomalous pancreaticobiliary junction – Chronic pancreatitis – Recurrent acute pancreatitis – Pancreas divisum – Pancreatic pseudocyst – Injection of botulinum toxin for sphincter of Oddi dysfunction

간이식 수술 후에 많이 발견된다. 이 경우에도 성인처럼 협착 부위를 풍선으로 확장시키고 배액관을 삽입함으로써 좋은 결과를 얻을 수 있다. 소아 환자가 췌담관에서 기인한 것처럼 의심되는 복통이 있을 때, ERCP를 실시하여 67%에서 그 원인을 밝혀내고 이중 55%는 ERCP를 통한 내시경 치료로 통증을 치료할 수 있어서 ERCP가 이런 경우에도 임상적으로 도움을 줄 수 있다.

6) 합병증

소아에서 ERCP의 성공률은 95–98%로 높은 편이고, ERCP와 관련된 합병증과 발생률은 성인과 유사하며 비교적 안전하게 시행할 수 있다. RCP로 인해 발생할 수 있는 가장 흔한 합병증은 췌장염으로 그 발생률은 3–17%로 다양하나 치료 ERCP 시 그 발생률이 더 높은 것으로 알려져 있다. 특히 오디괄약근 기능 이상이 있는 소아에서 ERCP를 실시하고 EST를 실시할 때 췌장염의 위험성이 가장 높으므로 시술 시 주의를 요하고 췌장염의 발생을 감소시키기 위해 EST 후에 일시적으로 배액관을 삽입하는 것을 권하고 있다. 그 밖의 합병증인 출혈, 천공, 감염 등의 합병증이 드물게 발생할 수 있고, 처치 요령은 성인과 동일하다.

2. 결론

소아에서 ERCP는 주로 치료 목적으로 사용된다. 일반적으로 3차 의료기관에서 성인 ERCP 내시경 전문의에 의해 시행되고, 소아과 의사와 마취과 의사와의 긴밀한 협조가 요구된다. 성인에 비해 소아 환자는 심도 깊은 안정이나 전신마취상태에서 시술을 진행하여야 하고 2세 미만의 영아에서는 소아용 ERCP 내시경과 부속기구가 필요하다. 만 2세 이상에서 삽관 성공률은 성인과 유사하고, 췌장염이 가장 흔한 합병증으로 보고된다. 시술 전 MRCP를 통한 진단 목적의 담관조영술을 시행하고, 시술 시 유의할 점은 시술의 성공에만 집착하지 말고, 사전에 환자의 상태와 병에 대하여 충분히 숙지하여 소아 환자에서 최선의 결과가 가능하도록 해야 한다.

참/고/문/헌

1. Bang JY, Varadarajulu S. ERCP in children. Nat Rev Gastroenterol Hepatol 2011;8:254–5.

2. Cheng CL, Fogel EL, Sherman S, et al. Diagnostic and therapeutic endoscopic retrograde cholangiopancreatography in children: a large series report. J Pediatr Gastroenterol Nutr 2005;41:445–53.

3. Cotton PB, Leung JW. ERCP: the fundamentals. 2nd ed. Chichester: John Wiley & Sons; 2015.

4. Dua K, Miranda A, Santharam R, et al. ERCP in the evaluation of abdominal pain in children. Gastrointest Endosc 2008;68:1081–5.

5. Iqbal CW, Askegard-Giesmann JR, Pham TH, et al. Pediatric endoscopic injuries: incidence, management, and outcomes. J Pediatr Surg 2008;43:911–5.

6. Issa H, Al-Haddad A, Al-Salem AH. Diagnostic and therapeutic ERCP in the pediatric age group. Pediatr Surg Int 2007;23:111–6.

7. Reinshagen K, Müldner A, Manegold B, et al. Efficacy of ERCP in infancy and childhood. Klin Padiatr 2007;219:271–6.

8. Rocca R, Castellino F, Daperno M, et al. Therapeutic ERCP in paediatric patients. Dig Liver Dis 2005;37:357–62.

9. Thomson M, Tringali A, Dumonceau J-M, et al. Paediatric gastrointestinal endoscopy: European Society for Paediatric Gastroenterology Hepatology and Nutrition and European Society of Gastrointestinal Endoscopy Guidelines. J Pediatr Gastroenterol Nutr 2017;64:133–53.

10. Wesdorp I, Bosman D, de Graaff A, et al. Clinical presentations and predisposing factors of cholelithiasis and sludge in children. J Pediatr Gastroenterol Nutr 2000;31:411–7.

특수한 상황에서의 ERCP: 임산부에서의 ERCP

ERCP in Special Setting/Situation: in Pregnancy

이재민 고려대학교 의과대학

임신은 신체에서 여러 가지 생리적 변화를 수반하는데, 임신 기간에 발생하는 담석증 등의 췌담관 질환은 산모와 태아 모두에게 위험할 수 있으며 치료에 여러 가지 사항을 고려해야 한다. 일반적으로 임신중에는 체중 증가 및 호르몬 변화와 생리학적 변화가 발생하는데 이는 담석증의 위험을 증가시킨다. 에스트로겐은 담즙 포화도를 증가시켜 담석 형성을 증가시키며 또한 프로게스테론은 평활근 이완 및 담즙 정체를 일으켜 담낭 운동성을 감소시켜 담석 형성을 촉진하는 것으로 알려져 있다. 임산부에서는 종종 무증상의 담석이 발견되는데 담낭 결석과 슬러지는 산후 기간 동안 자연적으로 해소될 수 있다. 하지만 담석증은 임신 중 췌장염의 가장 흔한 원인이며 총담관 결석은 췌장염 및 담관염과 같은 합병증을 유발할 수 있어 치료적 개입이 필요하다. 그러나 내시경역행담췌관조영술(endoscopic retrograde cholangiopancreatography, ERCP)은 그 자체가 합병증을 유발할 수 있을 뿐만 아니라 방사선을 사용해야 하므로 임신 중에는 진단 목적의 ERCP는 피해야 하며 치료 목적으로만 사용하고 특히 그 적응증을 엄격하게 선정해야 한다. 임신 중 ERCP 시행 빈도는 1/1,200–1,500 정도인데, 병원에 따라 적응증과 시술에 대해 얼마나 적극적인가에 따라 차이가 있다.

1. 임산부에서 시술 전 평가

임산부에서 ERCP를 시행할 때는 적응증에 대한 적절한 평가가 필요하며 시술의 필요성에 대한 신중한 고려가 필요하다. 무증상 혹은 경미한 증상의 임산부에서는, 결석을 치료하지 않았을 때 발생 가능한 담관염 및 담석성 췌장염의 위험을 충분히 고지하고, 이를 환자가 인지한 상태에서 조심스럽게 추적관찰 하는 것이 합리적일 수 있다. 하지만, 임상 증상과 검사실 소견으로 담관 결석이 강력히 의심될 때, 담석으로 인한 췌장염이 발생하였을 때, 초음파 검사에서 담관 결석이 보이거나 담관 폐쇄가 의심되는 경우에는 ERCP가 고려되어야 한다.

진단적 영상검사의 발전으로 내시경 의사는 ERCP를 시행하기 전에 적절한 정보를 얻을 수 있으며, 이러한 평가를 통해 불필요한 ERCP를 방지할 수 있기 때문에 시술 전 적절한 평가는 특히 임산부에게서 중요하다. 복부 초음파 검사는 방사선 노출의 위험이 없으며 저렴한 비용으로 인해 널리 사용된다. 하지만 복부 초음파는 담낭의 담석 진단에는 유용한 방법이지만 총담관의 담석을 진단하는데는 유용성이 떨어진다. 컴퓨터단층촬영은 방사선 노출의 위험이 있으며 방사선 투과성 담석에 대한 민감도가 낮기 때문에 임산부에는 권장되지 않는다. 자기공명 담췌관 조영술(magnetic resonance cholangio pancreatography, MRCP)은 담관 결석 진단에 유용한 정보를 제공하나 6 mm 이내의 작은 결석은 간과될 수 있다. 초음파내시경(endoscopic ultrasonography, EUS)은 담석증에 대해 높은 정확도를 가지고 있으며 불필요한 중재 시술을 줄일 수 있는 유용한 검사이다. 임신 중 진단적 초음파내시경의 위험성은 거의 없는 것으로 알려져 있으며, 자기공명 담췌관 조영술을 사용할 수 없거나 금기인 경우, 담관 결석의 가능성이 임상적으로 높을 경우 ERCP 전에 초음파내시경을 고려하는 것이 합리적이다. 다만, 태반 조기 박리, 자간증, 양막 파열 등의 심각한 산과적 문제가 있는 경우 내시경 검사는 금기이므로 가급적 피하는 것이 좋다.

2. 임산부에서 시술의 시기 – 방사선 노출

임산부에서 ERCP를 수행하기에 적절한 시기는 임신 2분기이다. 임신 첫 3개월은 태아의 주요 기관이 형성되는 기간이며 방사선에 노출 시 기형 혹은 자연 유산의 위험이 증가하므로 가능한 한 피해야 한다. 임신 3분기는 확장된 자궁에 의한 해부학적 왜곡이 있으며 조산의 위험을 수반하므로 보통의 경우 36주 이상 혹은 분만 후 시술하는 것이 권고된다. 다만, 임상적으로 긴급한 적응증이 있는 경우 임신 단계에 관계없이 ERCP를 고려해야 하며 산부인과 협진이나 산부인과 의사의 참여, 태아 모니터링이 도움이 될 수 있다.

임산부에서 방사선 노출은 ERCP를 포함한 여러 방사선 하 시술에서 주요 관심사이다. 투시조영장비에 의한 방사선 노출은 다양한 방식으로 발생하는데 1차 노출은 환자에게 집중된 방사선을 방출하는 X-ray 소스에서 발생하며 2차 또는 산란 방사선은 X-ray 광자가 물체에 닿은 후 직선 궤적에서 벗어날 때 발생한다. 방사선은 산모의 신체 내에서 산란하여 태아에 영향을 줄 수 있는데 태아의 발달 및 정신 장애, 악성 종양의 위험 증가, 장기 기형 등을 초래할 수 있다. 방사선 피폭은 노출(roentgen, R), 조직에 축적된 에너지(gray, Gy), 방사선의 종류를 보정한 에너지 값(sievert, Sv) 등으로 표시하는데, 검사용 X-ray은 1 Sv=1 Gy=100 R의 관계에 있다. 태아의 장애를 유발하는 방사선 역치는 대략 100 mGy (10 rad) 정도로 알려져 있으며 임신 첫 3개월, 특히 임신 2주에서 15주 사이에 위험이 가장 크다. 미국 산부인과학회에서는 50 mGy 이하에서는 태아의 이상이나 임신의 문제 발생은 증가하지 않는다고 한다. 그러나 방사선 보호에 관한 권위자들은 1 mGy까지는 태아에 대한 영향이 무의미하나 10 mGy 이상은 위험 가능성을 염두하고 감시가 필요하다고 여기고 있다. 따라서 임신 첫 3개월 동안에는 1 mGy를 넘지 않고, 임신 전 기간을 통해서는 5 mGy를 넘지 않도록 권장한다.

3. 임산부에서 시술 전 준비 – 자세, 진정 및 약물

임산부의 경우 시술 전 대기 중에는 오른쪽 골반아래 베개를 받쳐 기울이거나 앉은 자세를 취해 자궁이 대동맥과 하대정맥을 압박하지 않게 하는 것이 좋다. 임신 초기의 임산부는 ERCP 를 위한 엎드린 자세(prone position)에 큰 어려움이 없지만 2분기 및 3분기의 임산부는 태아의 성장 및 복부 둘레의 증가로 엎드린 자세를 하기가 어려울 수 있다. 이 경우 ERCP 자세는 왼쪽 측면 자세(left lateral position) 혹은 또는 반경사 자세(semiprone oblique position)를 사용할 수 있다.

내시경실에서 사용하는 약물 중에서 미국 FDA에서 분류한 A 범주에 속하는 것은 없으며, 가급적 B 범주, 그리고 필요하다면 C 범주의 약물을 투여할 수 있다. 과도한 진정은 임산부에게 저산소증, 저혈압을 유발하고 이는 태아에게 민감하게 영향을 미치므로 진정요법에서는 세심한 주의가 필요하다. 벤조디아제핀(benzodiazepines)계 약물인 디아제팜(diazepam)과 미다졸람(midazolam)은 범주 D 약물이므로 일반적으로 임신 중에는 피해야 한다. 벤조디아제핀계 약물의 사용이 절대적으로 필요한 경우에는 디아제팜(diazepam)보다는 미다졸람(midazolam)이 권장되며 임상적으로 3 mg 이하의 저용량을 사용하는 것은 고려가 가능하다. 다만 임신 첫 3개월에는 가급적 사용하지 않는 것이 좋겠다. 메페리딘(meperidine or Pethidine)은 범주 C 약물이며 모르핀(morphine), 펜타닐(fentanyl)에 비해 태아 혈류-뇌 장벽을 적게 통과하므로 임신 중에 상태적으로 안전하게 사용할 수 있다. 길항제인 날록손(naloxone)과 플루마제닐(flumazenil)은 각각 범주 B와 C로 분류되는데 이러한 약제는 시술 중 혹은 시술 후 꼭 필요한 경우에만 사용해야 한다. 프로포폴(propofol)은 현재 ERCP를 비롯한 치료내시경 시술에서 중등도 이상의 깊은 진정을 달성하기위해 종종 사용되는데, 범주 B약물이므로 임산부의 진정요법에서 유용하게 쓰일 수 있다. 다만 프로포폴은 길항제가 없으며 호흡억제를 빠르게 유발할 수 있으므로 사용 시 주의깊은 관찰을 요하며 필요시 마취과 전문의의 협조를 요청하여 사용하는 것을 고려해야 한다. 시메티콘(simethicone, 범주 C)은 임산부에서 연구가 적으나 비교적 안전할 것으로 여겨진다. 국소적으로 사용하는 리도카인(lidocaine,범주 B)에 의한 태아의 이상은 보고되지 않았으나 양치질 후 삼키는 것보다 뱉는 것이 좋다.

담관 폐쇄 및 담관염이 동반된 경우 항생제의 사용이 필요한데, 대부분의 페니실린 유도체(예: 아목시실린, 암피실린, 세팔로스포린)는 범주 B 약물이며 임신 중에 상대적으로 안전하다. 클린다마이신 또는 에리트로마이신은 페니실린 알레르기 환자에서 사용할 수 있다. 다만 항생제는 종류에 따라 임신 기간별로 금기인 것이 있으므로 확인 후 사용해야 한다(표 40-1).

표 40-1. 임산부에서의 항생제 안정성

안전	임신 중 금기	임신 초기 금기	임신 말기 금기
Penicillins Cephalosporins Erythromycin (except estolate) Clindamycin	Quinolones Streptomycin Tetracyclines	Metronidazole	Sulfonamides Nitrofurantoin

4. 임산부에서 안전한 ERCP 시술

임신 중의 ERCP는 미국 소화기내시경학회에서 제시한 '임신 중 내시경 시술에 대한 지침'을 바탕으로 ERCP의 특수성을 고려해야 한다(표 40-2). 안전한 ERCP 시술을 위해서는 우선 태아에 대한 방사선 위험을 최소화하기 위한 전략이 필요한데, 방사선을 줄이는 가장 효과적인 방법은 투시 시간을 최소화하고 전체 방사선량을 제한하는 것이다. 투시를 이용한다면 관심부위를 작게 하고 투시 시간을 짧게 하며 방사선 사진은 찍지 않도록 한다. 산란 방사선의 양을 줄이기 위해서는 가능한 저선량 펄스 투시를 사용해야 하며, X-ray관은 가능한 한 환자로부터 멀리 떨어지게 영상 수용기는 가능한 환자에게 가까이 유지하도록 한다. 영상의 확대는 방사선을 증폭시킬 수 있으므로 가급적 사용을 피한다. 시술 시 투시조영장비에서 방사선이 나오는 방향으로 산모의 골반과 하복부를 납가리개로 가리도록 하고, 시술 중 맥박, 산소포화도 등의 일반적인 감시 외에 시술 전후 태아의 심음을 확인하도록 한다. 어느 정도의 산모-태아 감시가 필요한지는 산부인과 의사의 조언에 따른다. 또한 만약의 사태에 대비해 산부인과 의사의 도움을 언제든지 요청할 수 있어야 한다.

불필요한 도관 교환을 피하기 위해 총담관 삽관시에는 도관보다는 괄약근 절개도를 이용하는 것이 좋으며, 방사선 사용을 최소로 하기 위해서 담관 삽관 후 성공적인 삽관 여부는 담즙을 흡인하여 확인하도록 한다. 괄약근 절개술을 시행할 때는 전류가 양수로 흘러 태아에 영향을 줄 수 있기 때문에 절개도는 양극형을 사용하고 접지 패드는 상지에 접촉하여 자궁이 괄약근 절개와 패드 사이에 있지 않도록 배치한다. 담관의 구조, 담석의 크기, 개수, 그리고 시술 후 담석이 남지 않았는지를 확인하기 위해 최소한의 투시를 이용한다. 이런 방식으로 투시를 10–30초 정도 사용하고 산모의 하복부와 골반을 납가리개로 가리면 태아에 미치는 방사선은 1 mGy 이하로 비교적 안전하다.

방사선을 전혀 사용하지 않는 시술 방법들도 시도되고 있다. ERCP는 가이드 와이어 유도하 삽입술을 사용하여 투시없이 삽관을 시도할 수 있다. 성공적인 삽관은 담즙을 흡인하여 확인하며, 미리 시행한 초음파, MRCP, 또는 초음파내시경 등에서 알고 있는 담석이 배출될 때까지 풍선도관 등으로 담석을 제거한다. 그러나 투시를 전혀 사용하지 않으면 종종 삽관이 어려울 수 있고, 총담관이 아닌 담낭관으로 삽관될 수 있으며, 담석이 남아 있을 가능성이 증가하고, 담관 협착이나 기형을 간과하거나 담즙 누출이나 천공을 일찍 발견할 수 없는 문제점들이 있다. 따라서 위의 문제점을 해결하고자 ERCP 시술 동안 실시간으로 복부 초음파를 이용하거나, 선형 주사 초음파내시경(linear EUS)을 이용한 ERCP, 관강내세경초음파(intraductal ultrasonography, IDUS) 또는 담관경을 이용하는 방법들이 시도되기도 한다.

담석이 많거나 커서 제거에 시간이 많이 소요될 것으로 판단되면 무리하게 담석을 다 제거하려고 시간을 소모하는 것은 현명하지 않다. 시간이 지연되면 부작용의 위험이 증가하고 방사선 노출의 시간이 길어져 문제가 발생할 여지가 있다. 따라서 이런 경우에는 유두절개 후 담관배액관만 삽입하고 출산 후 이차적으로 담석을 제거하는 것이 안전하다. 이 때 투시의 도움을 받지 않고 배액관을 삽입할 경우에는 배액관이 담낭관으로 들어가거나 담관에 박혀 있는 담석의 상부로 배액관이 올라가지 않을 수 있음을 주의해야 한다. 큰 담석 제거를 위한 무리한 풍선 확장술은 췌장염의 위험이 증가하므로 가급적 괄약근 풍선 확장술은 피하도록 하되, 부득이하게 시행할 경우 임시로 췌관 스텐트를 삽입하는 것을 고려한다. 담석증이나 담관염의 경우 괄약근절개술이 반드시 필요하지만 담관조영술이 정상인 경우 췌장염의 치료에 대해서는 논란이 있다. 내시경적 괄약근 절개술은 췌장염 재발 방지에 효과적일 수 있지만, 이러한 괄약근 절개술이 ERCP로 인한 부작용의 가능성을 높일 수 있으므로 위험과 이점을 신중하게 고려해야 한다.

표 40–2. 임신 중 내시경 시술에 대한 지침

1. 확실한 적응증이 있을 때 시행하며, 특히 고 위험 산모는 꼭 필요한 경우에 한다.
2. 가능하다면 임신 중기로 시기를 연기, 조정한다.
3. 진정제는 효과적인 최소량으로 사용한다.
4. 가능한 미국 FDA 분류 A 또는 B 범주의 약물을 사용한다.
5. 시술 시간은 최소로 한다.
6. 산모의 자세는 자궁이 대동맥과 하대정맥을 압박하지 않도록 왼쪽 골반을 기울이거나 좌측와위로 한다.
7. 시술 전후 태아의 심음을 확인한다.
8. 임신과 관련한 문제 발생시 산부인과 의사의 도움을 즉시 받을 수 있어야 한다.
9. 태반 조기 박리, 조기 분만, 임신 중절 또는 임신중독증과 같은 산과적 합병증이 있는 경우는 금기이다.

5. 임산부에서 ERCP의 결과

현재까지 임산부에서 ERCP에 대해 여러 개의 연구가 보고되었다. 문헌을 종합한 보고에 의하면 임산부에서 ERCP는 1분기에 29%, 2분기에 35%, 3분기에 36% 시행되었다. 비임신 여성 환자와 비교하여 ERCP를 받은 임산부의 후향적 코호트 비교 연구에서는 천공, 감염 및 출혈의 ERCP 관련 부작용은 두 그룹에서 유의한 차이가 없었다. 하지만 ERCP 후 췌장염은 비임신 여성 환자에 비해 임산부가 유의하게 높았는데 이는 임산부에서 시술의 제한과 관련이 있을 것으로 생각된다. 임산부에서 ERCP 후 췌장염은 약 9%에서 발생하였으나 대부분이 경증으로 임신과정에 영향을 주지 않았으며, 심각한 췌장염은 보고되지 않았다. 괄약근 절개술 후 출혈이 1% 보고되었으나 에피네프린 주사와 내시경적 지혈술로 조절되었다. 태아 관련 결과에는 조산 4%, 자연 유산 0.5%, 전자간증이 1% 보고되었으며, 한 건의 신생아 사망이 보고되었지만 ERCP와 인과관계는 명확하지 않았다. 산모 사망은 보고되지 않았다. 임산부와 태아에 대한 영향은 임신 시기에 따라 차이가 나서 첫 3개월 이내에 ERCP를 시행한 경우가 만삭 분만의 빈도가 낮았으며 조산이나 저체중아 출산 가능성이 다른 분기보다 높았다. 따라서 ERCP가 필요하다면 가급적 임신 중기에 시행하는 것이 바람직하다.

6. 맺음말

임산부에서 ERCP는 치료 목적으로 꼭 필요한 경우에 해야 하며 주의 사항을 잘 따른다면 비교적 안전하게 시행할 수 있다. 임상적으로 결석이 있을 가능성이 높지 않다면, ERCP 시행 전에 MRCP나 초음파내시경과 같은 대체 영상 기법을 먼저 고려하는 것이 좋다. ERCP 시술이 필요한 경우 시기를 조정할 수 있다면 중기가 가장 적당하며, 경험이 충분한 내시경의사가 시행하여 시술 시간과 방사선을 최소한으로 사용하는 것이 중요하다. 태아에 대한 방사선 차폐를 철저하게 하고 담석의 확인을 위해 최소한의 방사선을 사용한다면 위험을 최소화하여 시술을 시행할 수 있다. 담석이 다발성이거나 커서 제거에 시간이 많이 소요될 것 같으면 담관배액관을 삽입하고 분만 후 재 시술을 하는 것이 좋다. 임산부에서 ERCP 시술을 시행하는 내시경의사는 시술 전후 산부인과의사 및 외과의사와 의견 교환을 통해 종합적인 접근을 하는 것이 중요하다.

참/고/문/헌

1. ACOG Committee on Obstetric Practice. ACOG Committee Opinion. Guidelines for diagnostic imaging during pregnancy. Obstet Gynecol 2004;104:647–51.

2. Adler DG, Baron TH, Davila RE, et al. ASGE guideline: the role of ERCP in diseases of the biliary tract and the pancreas. Gastrointest Endosc 2005;62:1–8.

3. Akcakaya A, Ozkan OV, Okan I, et al. Endoscopic retrograde cholangiopancreatography during pregnancy without radiation. World J Gastroenterol 2009;7:3649–52.

4. Al–Hashem H, Muralidharan V, Cohen H, Jamidar PA. Biliary disease in pregnancy with an emphasis on the role of ERCP. J Clin Gastroenterol. 2009 Jan;43(1):58–62.

5. ASGE Standard of Practice Committee, Shergill AK, Ben–Menachem T, Chandrasekhara V, Chathadi K, Decker GA,

Evans JA, Early DS, Fanelli RD, Fisher DA, Foley KQ, Fukami N, Hwang JH, Jain R, Jue TL, Khan KM, Lightdale J, Pasha SF, Sharaf RN, Dominitz JA, Cash BD. Guidelines for endoscopy in pregnant and lactating women. Gastrointest Endosc. 2012 Jul;76(1):18–24.

6. Axelrad AM, Flelischer DE, Strack LL, et al. Performance of ERCP for symptomatic choledocho–lithiasis during pregnancy: techniques to increase safety and improve patient management. Am J Gastroenterol 1994;89:109–12.

7. Azab M, Bharadwaj S, Jayaraj M, Hong AS, Solaimani P, Mubder M, Yeom H, Yoo JW, Volk ML. Safety of endoscopic retrograde cholangiopancreatography (ERCP) in pregnancy: A systematic review and meta–analysis. Saudi J Gastroenterol. 2019 Nov–Dec;25(6):341–354.

8. Baron TH, Schueler BA. Pregnancy and radiation exposure during therapeutic ERCP: time to put the baby to bed? Gastrointest Endosc. 2009 Apr;69(4):832–4.

9. Briggs Gerald G., Freeman Roger K., Tower Craig V., et al. Brigg's Drugs in Pregnancy and Lactation: A Reference Guide to Fetal and Neonatal Risk. 12th ed. Philadelphia: Lippincott Williams and Wilkins; 2021.

10. Cappell MS. Risks versus benefits of gastrointestinal endoscopy during pregnancy. Nat Rev Gastroenterol Hepatol. 2011 Oct 4;8(11):610–34.

11. Chong VH. EUS complements ERCP during pregnancy. Gastrointest Endosc 2009;70:1285–6.

12. Jamidar PA, Beck GJ, Hoffman BJ, et al. Endoscopic retrograde cholangiopancreatography in pregnancy. Am J Gastroenterol 1995;90:1263–7.

13 Lee JJ, Lee SK, Kim SH, Kim GH, Park DH, Lee S, Seo D, Kim MH. Efficacy and Safety of Pancreatobiliary Endoscopic Procedures during Pregnancy. Gut Liver. 2015 Sep 23;9(5):672–8.

14. Medical radiation exposure of pregnant and potentially pregnant women. NCRP Report No., 54. Washington DC: National Council on Radiation Protection and Measurements; 1977.

15. Menees S, Elta G. Endoscopic retrograde cholangiopancreatography during pregnancy [review]. Gastrointest Endosc Clin N Am 2006;16:41–57.

16. Neuhaus H. Choledocholithiasis in pregnancy: When and how to perform ERCP? Endosc Int Open. 2020 Oct;8(10):E1508–E1510.

17. O'mahony S. Endoscopy in pregnancy. Best Pract Res Clin Gastroenterol. 2007;21(5):893–9.

18. Samara ET, Stratakis J, Enele Melono JM, Mouzas IA, Perisinakis K, Damilakis J. Therapeutic ERCP and pregnancy: is the radiation risk for the conceptus trivial? Gastrointest Endosc. 2009 Apr;69(4):824–31.

19. Scott LD. Gallstone disease and pancreatitis in pregnancy. Gastroenterol Clin N Am 1992;21:803–15.

20. Sharma SS, Maharshi S. Two stage endoscopic approach for management of choledocholithiasis during pregnancy. J Gastrointestin Liver Dis 2008;17:183–5.

21. Shelton J, Linder JD, Rivera–Alsina ME, et al. Commitment, confirmation, and clearance: new techniques for nonradiation ERCP during pregnancy (with videos). Gastrointest Endosc 2008;67:364–8.

22. Tang SJ, Mayo MJ, Rodriguez–Frias E, et al. Safety and utility of ERCP during pregnancy. Gastrointest Endosc 2009;69:453–61.

23. Tham TC, Vandervoort J, Wong RC, et al. Safety of ERCP during pregnancy. Am J Gastroenterol 2003;98:308–11.

24. Todd H. Baron David L Carr–Locke Richard A. Kozarek. ERCP. 3rd ed. Elsevier, 2018.

특수한 상황에서의 ERCP: 감염증 환자에서의 ERCP

ERCP in Special Setting/Situation: in Patients with Specific Infectious Diseases

장동기 서울대학교 의과대학

내시경역행담췌관조영술(endoscopic retrograde cholangiopancreatography, ERCP) 시술은 위대장내시경과는 달리 제한된 투시방에서만 시행 가능하고, 시술시간이 길고 침습적이며, 환자의 상태도 위중한 경우가 많고 여러 시술자 및 보조인력들이 시술에 참여하므로 감염증의 전파에 더 취약하다. 게다가 십이지장경은 겸자올림장치(elevator) 및 채널(elevator wire channel)이 추가로 더 있으므로 세척과 소독이 어려운 문제가 있다. 따라서 시술 전 환자의 감염증을 미리 확인하고, 적응증을 고려하여 꼭 필요한 경우에만 ERCP를 시행하는 것이 좋고, 감염증이 있는 경우에는 환경 및 개인 소독, 개인용 보호구 착용, 십이지장경의 소독에 더욱 신경써야 한다. 특히 COVID–19와 같은 대규모 유행병이 발생하면서 유행병 감염자들에 대한 ERCP 시행에도 적절한 방침이 필요하다.

1. 환자의 감염증 확인

ERCP 시술 전 환자에게 전파가능한 질환이 있는지 먼저 면밀하게 살펴야 한다. 급만성바이러스성 간염, 인간면역결핍 바이러스, 공기매개 감염병(결핵, 수두, 홍역 등), 다제내성균 감염 혹은 보유(colonizer), COVID–19와 같은 비말 전파 호흡기 질환 등이 대표적이다. 따라서 바이러스성 간염, 인간면역결핍 바이러스를 확인하기 위한 혈청학적 검사는 모든 환자에서 미리 시행하는 것이 좋고, 호흡기계 증상 및 흉부 엑스레이를 통해 호흡기질환 여부도 미리 확인하여야 한다. 한편 이전 여러 배양검사 결과를 검색하여 다제내성균이 배양된 적이 있는지도 확인하는 것이 좋다. COVID–19와 같은 감염증이 대규모 유행을 하는 시기에는 시행 지역의 유행 및 집단면역 상황에 따라 미리 유행병 감염여부를 확인해야 한다. 2010년대 중반 미국을 중심으로 십이지장경을 통한 carbapenem resistant Enterobacteriaceae (CRE) 전파가 크게 부각되어 십이지장경 연관 감염증 전파에 대한 경각심이 많이 높아졌다. 이러한 감염증이 활동성이라면 전파력이 높으므로 ERCP 시행을 늦추는 것도 고려해야 하지만, 환자의 적응증 및 상태를 고려하여 최종 결정해야 한다.

2. 접촉감염질환 및 십이지장경 소독

CRE, vancomycin–resistant *Enterococci* (VRE), multidrug–resistant *Pseudomonas aeruginosa* 등의 다제내성균 감염증이 대표적이다. 앞서 언급한 것처럼 십이지장경은 그 구조적 특수성으로 인하여 이러한 세균 전파에 더 취약할 수밖에 없다. 미국의 질병관리본부에서는 규정에 맞는 배양 검사 및 격리(culture and quarantine)를 주기적으로 시행하여 관리하는 방침을 제시하였다. 하지만 균 배양 검사 양성이 감염력과 충분한 상관관계가 없기 때문에 임상적 지표로 이용하기에는 불명확하고 검사의 민감도가 높지 않아 균 배양 검사가 음성이더라도 십이지장경의 오염의 가능성을 완전히 배제할 수 없다는 문제가 있다. 현실적으로는 시술 시 가능하면 일회용 장비 및 보호구를 사용하고, 주위 환경을 보호하는 것이 중요하다. 그리고 겸자올림장치와 그 주변에 대하여 브러시를 이용하여 수기로 세척하고 청소하는 과정을 강화하는 것이 필요하다. 대한췌장담도학회에서는 다음과 같이 십이지장경 세척 매뉴얼을 배포한 바 있다.

1. 선단부 커버를 제거한다(그림 1). 세척액에 담근 상태로 외부 표면을 부드러운 솔이나 천을 이용하여 닦는다. 특히 송기, 송수 노즐 부분과 선단부의 렌즈면을 닦는다(그림 2).

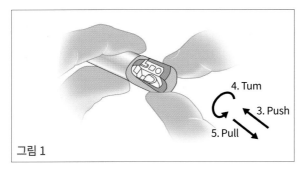

그림 1

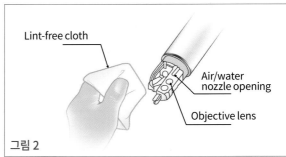

그림 2

2. 내시경 선단부가 일직선이 되게 한 후 세척액에 담가 세척 전용 브러시로 유기물이 없을 때까지 브러싱을 진행한다(그림 3).

3. 세척액에 담근 상태로 세척 전용 브러시를 이용하여 겸자올림장치, 채널 입구 주변을 브러싱을 진행한다(그림 4).

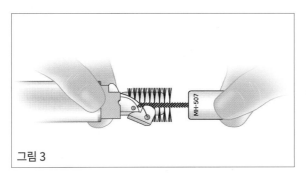

그림 3

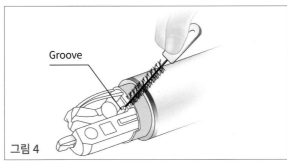

그림 4

모든 내시경 외부 및 채널, 부속품들은 시술이 끝나자마자 재처리 매뉴얼에 따라 충분한 세척 및 고수준 소독 (또는 멸균)을 시행하여야 한다. 내시경 재처리 후 배양검사에서 다제내성균 양성으로 확인되는 경우에는 ethylene oxide (ETO) 소독을 추가로 시행하는 것이 좋다. 그러나 기관별로 ETO 장비가 구비되지 않은 경우가 많고, 반복소독 시 내시경 손상이 초래될 수 있는 치명적인 문제가 있다. 따라서 최근에는 겸자올림장치가 겸자공을 통

4. 내시경 선단부의 겸자올림장치를 손가락으로 올려 앞, 뒤, 좌, 우, 가이드와이어 고정부분(V–Groove) 등을 세척 전용 브러 시로 브러싱을 진행한다(그림 5, 6).

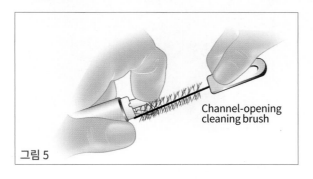

Channel-opening cleaning brush

그림 5

Guidewire-locking groove

그림 6

5. 세척액에 담근 상태로 겸자올림장치 Up & Down을 3회 이상 반복한다.

6. 겸자올림장치를 들어 올려 겸자올림장치 뒤쪽에 30 mL 주사기를 사용하여 세척액을 힘껏 주입한다(그림 7).

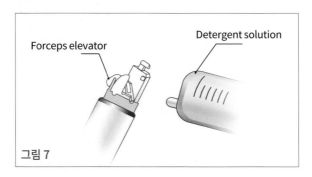

Forceps elevator

Detergent solution

그림 7

7. 세척 튜브를 그림 8과 같이 장착하고 5 mL 주사기로 채널에 세척액을 15 mL 주입한다(그림 9).

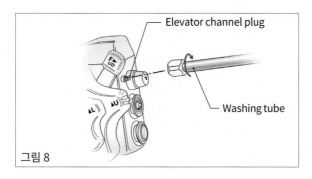

Elevator channel plug

Washing tube

그림 8

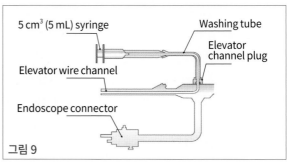

5 cm³ (5 mL) syringe

Washing tube

Elevator channel plug

Elevator wire channel

Endoscope connector

그림 9

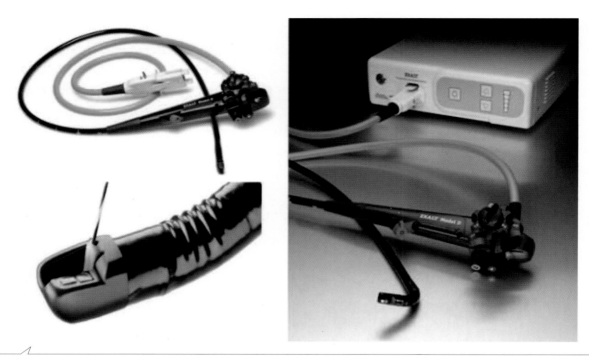

그림 41-1. Boston Scientific에서 개발한 일회용 십이지장경(EXALT™ Model D)

해 시술 시 노출되지 않도록 선단부 cap을 일회용으로 만들거나, 십이지장경 전체를 일회용 내시경(그림 41-1)으로 개발되었다. 아직은 우리나라에 도입되지 않았지만, 향후 비용이 낮아진다면 우리나라에서도 널리 사용될 수 있을 것이다.

3. 호흡기전파 감염증

COVID-19 대유행으로 호흡기 전파 감염증에 대한 경각심이 높아졌고, 관련 연구나 방침들이 많이 발표되었다. 십이지장경은 식도를 통해 삽입해야 하고 시술 과정에서 비말이 발생할 가능성이 높지만, 환자가 마스크를 쓸 수 없어 이러한 호흡기 전파 감염증에 대한 보호가 무엇보다 중요하다. COVID-19 등 호흡기전파 감염증 환자에서의 ERCP에 대한 지침은 따로 없지만, 일반적인 원칙 및 내시경 검사에 대한 지침은 국내에서도 여러 차례 발표되었다. 기본적으로 검사 전 발열, 호흡기 증상 등이 있는지 확인하고, 감염증의 유행상태를 고려하여 무증상이라도 적극적인 검사를 통해 음성으로 확인된 경우에만 검사를 진행하는 것이 바람직하다. 특히 진단적 ERCP는 지양하고, 치료를 위한 ERCP만 잘 선별하여 진행하는 것이 필요하다. 불가피하게 확진 환자 검사 시에는 가능하면 음압 환경에서 해당 검사실의 마지막 검사로 시행하고, 의료진은 레벨D 방호복 및 N95 마스크를 착용하는 것이 권장된다. 감염병의 유행시기에는 감염증 의심환자나 음성 환자에 대한 검사 시에도 손위생 및 표준예방지침을 준수하고, 고글이나 안면보호구 착용이 권장된다. 시술 후에는 테이블 및 환경에 대해서도 소독제와 환경소독 티슈를 이용하여 소독을 하고, 검사실 환기도 반드시 시행하여야 한다.

4. 기타 감염증

혈액이나 체액, 점막 등을 통해 전파될 수 있는 감염증들은 B형간염, C형간염, 인간면역결핍 바이러스 등이 있다. 내시경의 세척 및 소독에 대한 지침이 정립된 이후 이들 질환의 환자 간 전파는 거의 보고되지 않고 있다. 따라서 고수준소독을 기반으로 한 소독지침을 준수하는 경우 환자간 전파는 걱정할 필요는 없다. 의료진으로의 전파는 주사침, 결막접촉, 직접 노출 등으로 이루어질 가능성이 있다. 의료진은 환자의 감염증의 여부와 관계없이 표준예방지침을 준수해야 한다. 손 위생은 기본이고, 개인방호구 착용, 약제 투약 시 주의사항 준수, 오염가능성이 있는 기구나 환경에 대한 주의가 표준예방지침에 포함된다.

참/고/문/헌

1. 대한소화기내시경학회. COVID-19 감염 전파의 예방을 위한 내시경 검사실 지침. 2021.

2. 대한췌장담도학회. 십이지장경을 통한 다제내성 균주 감염 전파를 예방하기 위한 권고. 2015.

3. Committee AQAiE, Calderwood AH, Day LW, et al. ASGE guideline for infection control during GI endoscopy. Gastrointestinal endoscopy 2018;87(5):1167–79.

4. Kwon C-I. Disposable Endoscope for Pancreatic and Biliary Disease. Korean Journal of Pancreas and Biliary Tract 2021;26(1):63–5.

5. Leddin D, Armstrong D, Raja Ali RA, et al. Personal Protective Equipment for Endoscopy in Low-Resource Settings During the COVID-19 Pandemic: Guidance From the World Gastroenterology Organisation. J Clin Gastroenterol 2020;54(10):833–40.

6. Oh IH, Son BK. Duodenoscope-associated infections: a literature review and update. Korean Journal of Pancreas and Biliary Tract 2018;23(4):145–9.

7. Petersen BT, Koch J, Ginsberg GG. Infection Using ERCP Endoscopes. Gastroenterology 2016;151(1):46–50.

ERCP의 미래

The Future Directions of ERCP

이홍식 고려대학교 의과대학

내시경역행담췌관조영술(Endoscopic retrograde cholangiopancreatography, ERCP)은 1972년 소개된 이래 담도질환 및 췌장질환의 진단과 치료에 중추적인 역할을 담당해오고 있다. 췌장과 담관계는 해부학적 특성으로 인하여 일반적인 단순 촬영 및 내시경 진단방법으로도 평가가 불가능하여 ERCP 검사는 컴퓨터단층촬영(Computed tomography, CT)과 자기공명영상(Magnetic resonance imaging, MRI) 등 단층 영상기법이 발달되지 않았을 시기에는 초음파 이외에는 유일한 진단 방법이었다. ERCP를 이용하여 담관계 및 췌관계통를 영상학적으로 평가할 수 있게 되면서 담관계 및 췌장 관련 질병의 진단과 분류에 획기적인 발전을 이룩하였다. 또한 ERCP에 사용되는 내시경 측시경에 대한 기술적 진보와 부속기구의 끊임없는 개발로 진단적 ERCP뿐 아니라 치료적 ERCP의 발전이 이루어졌다. 근래 CT와 MRI의 기술적 발전과 초음파내시경(Endoscopic ultrasound, EUS)의 발전에 따라 담관계 및 췌장의 보다 세밀한 영상의학적 평가가 진보하면서 진단적 ERCP의 사용은 감소하고 있지만 치료적 ERCP는 오히려 증가하는 추세이다.

필자 관점에서 서양의학의 발전은 물질적 관찰과 화학적 분석 방법의 발전과 궤를 같이 한다고 생각한다. 관찰은 신체의 구조적 관찰부터 세포학적 관찰로 세밀해지고 있으며 분석 또한 인체유래물 즉 혈액 및 뇨의 화학적 분석에서 세포 유전자 분석등으로 발전해오고 있다.

ERCP는 문자 그대로 조영술로 X-ray 불투과성 조영제를 이용하여 이중 대조 음영으로 담관과 췌관의 해부학적 구조를 평가하고 담석, 종양 등 공간 점유병소를 확인하는 것이 기본이다. 위장이나 대장에서 같은 원리의 바륨 조영술이 거의 폐기되고 내시경을 이용하여 직접 점막의 변화를 관찰하여 조기위암, 조기대장암을 진단하고 최근에는 더 나아가 narrow-band imaging의 사용으로 세포학적 변화를 평가하는 방법이 널리 사용되고 있는 것에 비하면 담관 췌관의 관찰법은 조영술에 머물러 있어 이 분야 내시경진단법은 매우 더디게 발전하고 있다는 것도 부인할 수 없다. 위장관에서 사용되는 여러 가지 점막 분석이 췌장 담관에 적용되지 못하는 이유는 담관계와 췌관의 해부학적 위치와 직경이 작아 직접 내시경을 삽입하여 점막을 관찰하기 어려운 기술적 한계 때문이다. 따라서 아직까지 담관 및 췌관 점막 병변에 대한 정보가 거의 없기 때문에 담관계 및 췌장의 악성 질환뿐 아니라 여러가지 양성 질환의 초기 형태학적 이해가 매우 부족하다. 즉 조기 담관암, 조기 췌장암의 점막 변화를 연구하기 어렵고 협착에서 양성과 악성의 감별 또한 임상적으로 해결하기 어려운 상황이다.

이러한 면에서 ERCP 미래 발전 방향은 담관 및 췌관의 내강을 직접 관찰할 수 있는 방향과 점막의 세포 조직학적 영상 분석이 가능해지는 방향으로 발전할 가능성이 많다. 현재 위장관에서 적용되고 있는 몇 가지 영상학적 점막 조직 세포 분석에 췌관과 담관에 적용될 수 있을 것이다. 이러한 시도는 이미 수 십년 전부터 시도되고 있지만 최근 기계 기구의 개선이 이루어지고 이에 따라 주목할 만한 성적이 보고되고 있어 가까운 시일 내에 임상 상황에서 사용이 확대될 가능성이 있으며 이 과정에서 얻어진 정보로 췌장암, 담관암의 병리 생리학적 연구도 확대될 것으로 예측된다.

이 분야에서 경구 담도경(Peroral cholangioscope), 공(共)초점 레이저 현미경 내시경(confocal laser endomicroscopy, CLE)과 Optical coherence tomography (OCT) 등이 주목할 만하다.

1. Direct Peroral Cholangioscope

ERCP 즉 담췌관조영술의 방사선 조영 영상의 단점을 극복하고 담관내를 직접 관찰하려는 시도는 오래 전부터 경피경간 통로를 이용한 담도내시경과 기존의 측시내시경의 겸자공을 통한 모자 담도경(mother baby cholangioscope)이 있었다. 그러나 시술의 복잡성으로 인하여 제한적으로 사용되었다. 2007년 SpyGlass® Legacy system (Boston Scientific Corporation, Natick, MA, USA)이 개발되었다. 기존 ERCP 시 사용하는 측시내시경의 겸자공을 통하여 일인 조작 담도경(single operator fiberoptic scope)을 이용하는 시스템이다. 2015년 2세대 SpyGlass® DS 시스템이 개발되어 보다 향상된 해상도와 시야각이 개선된 디지털 이미지를 획득할 수 있게 개선되었다. SpyGlass® DS는 우리나라에서도 2021년 선별급여로 보험에 등재되어 난치성 담도석과 담관조직검사에 사용이 늘어날 것으로 보인다. 또한 기존의 ultraslim endoscopy를 이용하여 담관에 직접 삽입하여 담관을 관찰하고 담석을 제거하는 시술이 일부 연구자에 의하여 시도되어 왔으나 시술의 난이도가 높아 확대되지 못하고 있다가 최근 Multi-bending ultraslim endoscope (CHF Y0010; Olympus Medical Systems, Co., Ltd., Tokyo, Japan)가 개발되어 비교적 용이하게 직접 담관계를 검사하는 방법도 보고되고 있다. 이 방법은 SpyGlass® DS에 비하여 해상도가 좋고 겸자공 등이 넓어 부속기구의 사용이 용이하고 NBI 등 일반 내시경에서 사용하는 기법을 사용할 수 있는 장점이 있다(자세한 내용은 4부 30장 참조).

2. Confocal Laser Endomicroscopy

공(共)초점레이저 현미경내시경(confocal laser endomicroscopy; Cellvisio®, Mauna Kea Technologies, Paris, France)(그림 42-1)은 위장에서 형광물질을 정맥 투여 후 공초점 레이저를 이용하여 점막세포를 관찰하는 기법으로 위장관에서 점막세포의 이형성증을 평가하고 암을 감별하는 기술로 우리나라에서도 신의료기술평가를 통과하여 위장, 담관에서 선별 급여하에 검사가 가능한 상태이다. 시술방법은 Fluorescein (2–5 mL; 10% fluorescein)을 검사 2–3분 전에 정맥주사후 프루브(probe)를 직접 점막에 접촉시켜 영상을 얻는 것이다(probe based CLE, pCLE). 사용되는 프루브는 일반내시경의 겸자공을 통해 삽입한다. 침형 공초점 현미경내시경(needle based CLE, nCLE)에 사용되는 프루브는 직경이 가늘어 19 G EUS용 needle을 통해 삽입이 가능하여 췌장낭종의 내피를 관찰할 수 있도록 고안되어 있다. 프루브 타입(probe based)과 침형 탐촉자(needle based) 모두 10회 정도 사용할 수 있으며 325 µm의 시야와 3.5 µm의 해상도와 40–70 µm의 깊이의 공초점 깊이를 보이는 것으로 제조회사에서는 밝히고 있다. 담도질환 감별에서 pCLE를 이용한 연구는 이미 2011년이래 꾸준히 발표되고 있는 데 최근 발표된 메타 연구에서 원인 불명의 담관 협착에 대하여 민감도가 75–100%로 보고되고 있으며 담관 협착에서 담관암의 음성 예측도가 94%, 78%, 77%로 조직검사(78%), 담관 브러쉬세포검사(77%) 등에 비하여 우수한 것으로 평가되고 있다. 또한 췌장 낭종에서 침형 공초점 레이저 현미경내시경 검사(nCLE)가 Serous cystic neoplasm (SCN)를 진단하는데 99%의 진단 정확도를 보이는 것으로 보고되고 있어 전암 병변인 MCN과 IPMN 와 감별하는데 중요한 역할을 기대할 수 있는 것으로 알려져 있다. 그러나 pCLE와 nCLE는 아직 고비용이며 검사자 의존적으로 검사자 평가 일치도가 아직 만족스럽지 못하여 널리 사용되고 있지 못하는 실정이다. 최근 인공지능을 사용하여 판독의 정확도를 향상시키려는 시도가 있어 사용 확대에 희망적인 연구가 진행되고 있는 것으로 알려지고 있다.

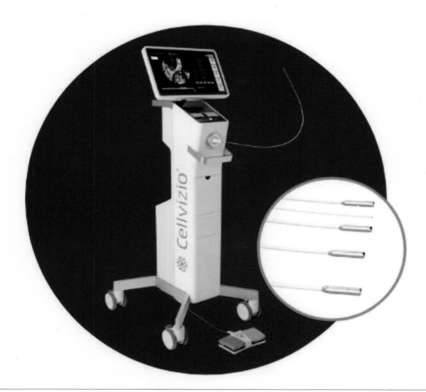

그림 42–1. Confocal laser endomicroscopy; Cellvisio®, Mauna Kea Technologies (https://www.maunakeatech.com/en/physicians/11–cellvizio–system)

3. Optical Coherence Tomography

생체에 근적외선을 스캔하면서 조사하여 각 조직에서 반사된 빛의 세기를 여러 각도에서 측정하여 컴퓨터로 신호 처리함으로써 조직 영상을 획득하는 기법으로 망막질환에 널리 사용되고 있는데 최근 소화기계 점막세포의 분석에 사용하려는 연구가 이루어지고 있다.

OCT는 근적외선을 조사하여 얻은 영상으로 조직의 미세구조에 대하여 고해상도 단층촬영을 실시간으로 하는 것으로 최근 새로운 버전의 NVision volumetric laser endomicroscopy (VLE) (Ninepoint; Bedford, MA) (그림 42-2)를 이용한 연구가 보고되었다. 총 86명의 환자를 대상으로 검사한 성적을 보고한 연구에서 담관암 진단에 유용함을 보고하여 이 검사 방법에 대한 향후 임상연구를 기대하게 하였다. 그러나 OCT 검사도 관찰된 영상학적 특징에 대한 합의가 아직 완결되지 않아 연구 추이를 관찰할 필요가 있다.

CLE와 OCT는 기존의 EUS miniprobe system (IDUS)에 비하여 해상도가 좋은 반면 조직 투과력이 낮은 면이 있다(그림 42-3).

ERCP의 미래는 위에 기술한 경구 담도경, CLE, OCT의 확대 적용과 함께 ERCP시술을 용이하게 하는 다양한 부속기구의 발전에 따라 더 안전하고 시술이 용이해 질것으로 전망된다. 또한 플라스틱 스텐트와 다양한 종류의 금속 스텐트의 지속적인 개발이 예상된다. 특히 금속 스텐트는 우리나라 연구자와의 협업을 바탕으로 국내 기업이 세계적 시장 점유율을 갖고 국제적 대형기업들과 경쟁하고 있는 분야이다. 이에 더하여 최근 심장 혈관분야에서 적용되고 있는 것과 같은 개념의 약물 방출 스텐트, 생분해성 스텐트의 개발이 현재 진행되고 있어 담관암의 치료와 스텐트 개존 기간의 연장 등 향후 임상적 적용이 기대된다. 또한 Radiofrequency ablation (RFA) 푸르브와 기계의 발전으로 담관암에 대한 직접 치료가 더욱 활발하게 적용될 것으로 전망된다(자세한 내용은 4부 37장 참조).

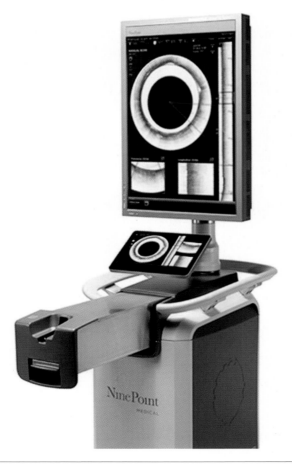

그림 42-2. NvisionVLE® Imaging System with Real-time Targeting™ (https://ninepointmedical.com/nvisionvle-imaging-system)

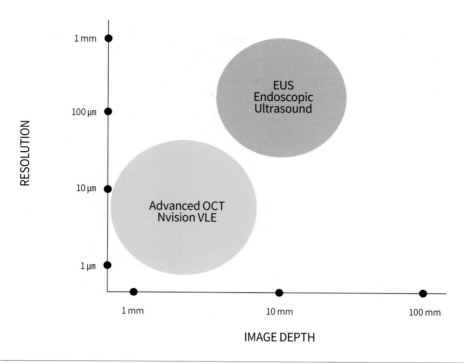

그림 42–3. Comparison of available image technologies in terms of resolution and image depth.(https://ninepointmedical. com/advanced–oct)

참/고/문/헌

1. Chen Y.K., Pleskow D.K. SpyGlass single–operator peroral cholangiopancreatoscopy system for the diagnosis and ther–apy of bile–duct disorders: A clinical feasibility study (with video). Gastrointest Endosc 2007;65:832–41.

2. Moon JH, Ko BM, Choi HJ, et al. Direct peroral cholangioscopy using an ultra–slim upper endoscope for the treatment of retained bile duct stones. Am J Gastroenterol 2009;104:2729–33.

3. Han S, Kahaleh M, Sharaiha RZ, et al. Probe–based confocal laser endomicroscopy in the evaluation of dominant stric–tures in patients with primary sclerosing cholangitis: results of a U.S. multicenter prospective trial. Gastrointest En–dosc 2021;94:569–76.e1.

4. Kim DH, Krishna SG, Coronel E, et al. Confocal laser endomicroscopy in the diagnosis of biliary and pancreatic disor–ders: a systematic analysis. Clin Endosc 2021; doi: 10.5946/ce.2021.079.

5. Kim HK, Moon JH, Choi HJ, et al. Early bile duct cancer detected by direct peroral cholangioscopy with narrow–band imaging after bile duct stone removal. Gut Liver 2011;5:377–9.

6. Konjeti VR, McCarty TR, Rustagi T. Needle–based confocal laser endomicroscopy (nCLE) for evaluation of pancreatic cystic lesions: a systematic review and meta–analysis. J Clin Gastroenterol 2022;56:72–80.

7. Lee WM, Moon JH, Lee YN, et al. Utility of direct peroral cholangioscopy using a multibending ultraslim endoscope for difficult common bile duct stones. Gut Liver 2022; doi: 10.5009/gnl210355.

8. Minami H, Mukai S, Sofuni A, et al. Clinical outcomes of digital cholangioscopy–guided procedures for the diagnosis of biliary strictures and treatment of difficult bile duct stones: a single–center large cohort study. J Clin Med 2021;10:1638.

9. Oh CH, Dong SH. Recent advances in the management of difficult bile–duct stones: a focus on single–operator cholan-

gioscopy–guided lithotripsy. Korean J Intern Med 2021;36:235–46.

10. Tanaka R., Itoi T., Honjo M., et al. New digital cholangiopancreatoscopy for diagnosis and therapy of pancreaticobiliary diseases (with videos). J Hepatobiliary Pancreat Sci 2016;23:220–6.

11. Tyberg A, Raijman I, Novikov AA, et al. Optical coherence tomography of the pancreatic and bile ducts: are we ready for prime time? Endosc Int Open 2020;8:E644–9.

12. Yodice M, Choma J, Tadros M. The Expansion of cholangioscopy: established and investigational uses of SpyGlass in biliary and pancreatic disorders. Diagnostics (Basel) 2020;10:132.

ENDOSCOPIC
RETROGRADE

CHOLANGIO
PANCREATO
GRAPHY,
ERCP

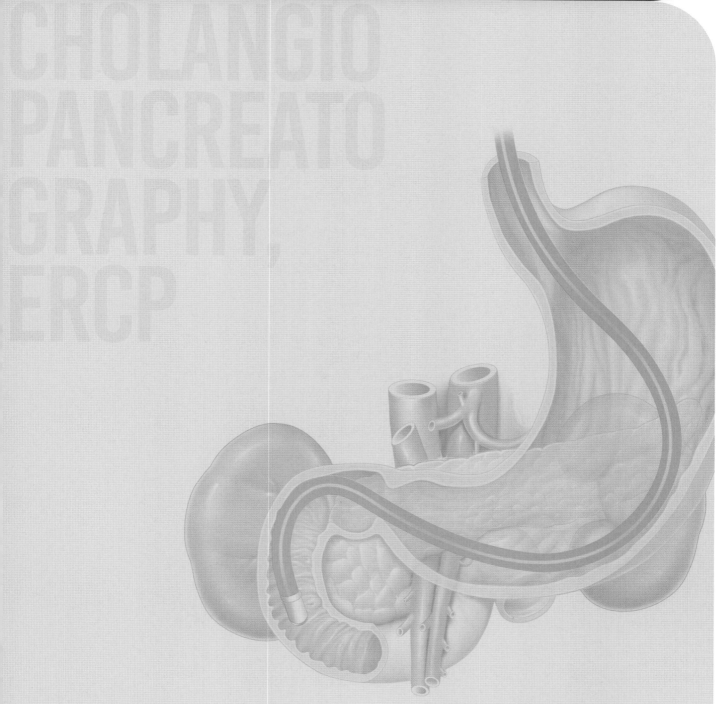

국문

영문